KB172762

중국 당대문학 편년사

제3권

(1960.1~1965.12)

일러두기

1 – 이 책은 장젠張健 등의 『中國當代文學編年史』(濟南 : 山東文藝出版社, 2012)를 완역한 것이다.

2 – 인명은 모두 국립국어원의 외래어 표기법에 따라 중국어 발음대로 표기하였다.

3 – 작품명은 국립국어원의 외래어 표기법에 따라 중국어 발음대로 표기하였으나, 이미 국내에서 통용되는
　　 표기가 존재하는 경우 그에 따라 표기하였다.(예 :『태양은 쌍간강에서 빛난다太陽照在桑幹河上』등)

4 – 강이나 산의 지명의 경우, 중국어 발음대로 '~장', '~허' 등으로 표기하였다.(예 : 창장長江, 화이허淮河 등)

5 – '중화인민공화국 성립 후', '건국 후', '해방 후' 등의 표현은 일괄적으로 '공화국 성립 후'로 표기하였다.

6 – '중일전쟁 승리 후'는 일괄 '종전 후'로 표기하였다.

7 – 역자 주는 모두 본문에 괄호를 추가해 표기하였다.

중국 당대문학 편년사

제3권

(1960.1~1965.12)

장젠張健 주편

장닝張檸 편

박희선 옮김

국학자료원

1960. 1 ~ 1965. 12

1960年

1월

1일, 『신항』 1월호에 마오둔이 우옌(왕창딩)의 「창작에는 재능이 필요하다」를 비판한 글 「창작과 재능의 관계로부터 이야기를 시작하다」가 발표되었다. 같은 호에 난카이대학 중문과 문예평론조의 이름으로 「팡지 소설 창작의 경향을 논하다論方紀小說創作的傾向」(2월 8일자 『광명일보』, 2월 27일자 『독서』 제4호에 전재)가 발표되었다. 글은 "팡지 동지의 소설 「늙은 뽕나무 아래의 이야기老桑樹底下的故事」 속의 당 조직과 당원의 모습에 대한 묘사에는 심각한 오류가 존재한다"라고 보았다. 동시에 「생활을 더욱 아름답게 만들자讓生活變的更美好吧」, 「뜰 안園中」, 「만찬晩餐」 등 그의 다른 소설도 비판하면서, "당의 지도와 당원의 모습을 부인한 왜곡된 표현이 한 줄기 검은 선처럼 팡지 동지의 소설 창작 전체를 관통하고 있으며, 이는 1957년에 이르러 더욱 악질적으로 발전하였다. 우리는 이 검은 선이 팡지 동지의 소설 창작에 존재하는 가장 위험하고도 가장 심각하게 잘못된 경향이라고 생각하지 않을 수 없다"고 밝혔다. 이 외에도 리지예의 「군중창작에 관하여談群眾創作」, 리궈위李果瑜의 「「창작에는 재능이 필요하다」를 반박한다也駁＜創作, 需要才能＞」, 왕시옌의 「체호프 작품 독서 찰기─체호프 탄생 100주년을 기념하며讀契訶夫作品劄記──爲紀念契訶夫誕生一百周年而作」가 발표되었다.

『창장문예』 1월호에 황셴黃先의 「우리와 위헤이딩 동지는 어디서 어긋났는가我們和於黑丁同志分歧在哪裏」, 야란雅嵐의 「「후칭포胡青坡는 무슨 속셈인가」 등 네 편의 비평을 읽고＜胡青坡是何等居心＞等四篇批評文章讀後」, 원쥔文軍의 「후칭포 동지를 위해 변론한다爲胡青坡同志爭辯」 등 위헤이딩과 후칭포의 문학창작에 관해 토론한 평론이 발표되었다. 같은 호에 공농 작가 좌담회 기록 「후칭포는 문예를 어디로 이끌려 하는가?胡青坡要把文藝引向何處?」가 발표되었다.

『문예홍기』 제1호에 양모의 장편소설 『청춘의 노래』에 추가된 부분 「베이징대학에서의 린다오징林道靜在北大」 및 차오밍의 단편소설 「아가씨의 걱정거리姑娘的心事」(『인민문학』 2월호에 전재)가 발표되었다.

『맹아』 제1호에 리루칭의 중편소설 「나는 타오화허 강가를 지킨다我守衛在桃花河畔」의 연재가 시작되어 3월 5일 제5호에 완료되었다.

『초원』 1월호에 나 · 싸이인차오커투의 시 「가을밤秋夜」, 「아름다운 산뎬허美麗的閃電河」가 발표되었다.

『옌허』 1월호에 주딩의 소설 「야리亞李」가 발표되었다. 같은 호에 정보치의 「『창업사』 독서 감상<創業史>讀後隨感」, 차오수청曹樹成의 「『창업사』 제1부를 읽고<創業史>第一部讀後點滴」 등 『창업사』에 관한 평론이 발표되었다. 이 외에도 쩡화펑曾華鵬, 판쉬란潘旭瀾의 「두펑청 단편소설의 인물창조를 논하다論杜鵬程短篇小說的人物創造」 및 라오서의 「나는 어떻게 투고하는가我怎樣投稿」, 웨이진즈의 「'도치 서술'로부터 이야기를 시작하다從"回敍"談起」 등의 수필이 발표되었다.

『해방군문예』 제1월호 수웨이束爲의 소설 「위더수이의 밥벌이於得水的飯碗」, 저우충포周崇坡의 평론 「영원히 정의로운 열사의 모습—쥔칭 동지의 「비밀 아지트 이야기」를 읽고碧血千秋的烈士形象——讀峻青同志的<交通站的故事>」가 발표되었으며, 취보의 장편소설 『산과 바다가 울부짖다山呼海嘯』의 연재가 일부 시작되어 제2호에 완료되었다. 같은 호에 리지의 장시 『양가오 전기』의 제3부 「위먼 자녀 출정기玉門兒女出征記」가 발표되었다. 단행본은 1960년 5월에 작가출판사에서 출간되었다.

『열풍』 1월호에 천보추이의 동화 「귤등 이야기桔燈的故事」, 차이치자오의 시 「숭고한 사업崇高的事業」, 궈펑의 산문 「방파제 앞 조선소海堤前的造船廠」가 발표되었다.

『신관찰』 제1호에 리뤄빙의 특필 「생활의 목소리生活的聲音」, 탕타오의 「소위 '직관 능력'에 관하여談所謂"直觀能力"」가 발표되었다.

『인민일보』에 쉬츠의 시 「새해맞이 노래迎新曲」가 발표되었다.

『해방일보』에 웨이진즈의 산문 「신년 논문新年論文」이 발표되었다.

『문회보』에 류다제의 산문 「새해가 묵은해를 이기다新年勝舊年」가 발표되었다.

『양청만보』에 친무의 산문 「60년대의 종소리六十年代的鍾聲」가 발표되었다.

『산화』 1월호에 젠셴아이의 산문 「총노선을 수호하는 전사에게—류사오저우 동지致保衛總路線的戰士——劉紹洲同志」가 발표되었다.

3일, 『인민일보』에 빙신의 산문 「10년이 5천 년보다 낫다十年賽過五千年」가 발표되었다.

『극본』 1월호에 량빈의 소설을 허베이성화극단이 공동 각색하고 루쒀魯速, 춘리村裏, 캉커亢克가 집필한 9장 화극 『홍기보』가 발표되었다. 은 호에 투안屠岸의 「웨예의 세 가지 논점을 반박한다駁嶽野的三個論點」, 볜밍卞明의 '제4종 극본'을 질책한다斥"第四種劇本"」, 웨이치쉬안韋啟玄의 「퉁소를 가로로 불다」는 어떤 곡을 연주하는가<洞簫橫吹>吹的什麼調子」가 발표되었다.

투안(1923~2017), 문학번역가이자 시인으로 본명은 장허우蔣厚, 필명은 수머우叔牟이며 장쑤성 창저우常州 출신이다. 1946년에 중국공산당에 가입하였다. 『희극보』 편집부 주임, 중국극협 연구실 부주임, 인민문학출판사 편집장, 중국시가학회 부회장을 역임하였다. 1941년부터 작품을 발표하였다. 저서로 시집 『훤음각 시초萱蔭閣詩抄』, 『투안 14행시屠岸十四行詩』, 『깊은 가을이 마치 초봄 같다深秋有如初春』, 평론집 『인류 영혼의 목소리를 경청하다傾聽人類靈魂的聲音』, 『시론·문론·극론 詩論·文論·劇論』이 있으며 번역서로 『셰익스피어 소네트집莎士比亞十四行詩集』, 휘트먼의 『북소리 鼓聲』, 『키츠 시선濟慈詩選』 등이 있다.

5일, 『꿀벌』 1월호에 궈모뤄, 저우양의 「『홍기가요』 편집자의 말<紅旗歌謠>編者的話」, 톈젠의 「『홍기가요』를 환호한다歡呼<紅旗歌謠>」가 발표되었다. 같은 호에 캉줘의 평론 「같은 뿌리에서 자라난 두 독초―「영웅의 악장」과 「차오진란」에 관하여同根長出的兩根毒草——略談<英雄的樂章>和 <曹金蘭>」가 발표되어 류전의 「영웅의 악장英雄的樂章」과 두허杜河의 「차오진란曹金蘭」을 비판하였다. 그는 이 두 편의 작품이 "전국 인민이 만세를 삼창하는 목소리와는 정반대로 우경사상을 퍼뜨려, 해이와 퇴보를 부른다"고 보았다. 수페이더束沛德 역시 「영웅의 악장인가, 아니면 사정의 애가인가是英雄的樂章還是私情的哀歌」를 발표해 「영웅의 악장」이 "자산계급 인도주의 관점으로써 전쟁 생활 및 사람과 사람 사이의 관계를 묘사한 독초"라고 비판하면서, "작가는 혁명전쟁이 잔혹하고 인정사정없어 개인의 사랑과 행복을 파괴했다고 떠벌렸"으며, 이러한 행위에는 "사실상 혁명전쟁에 대한 원한과 분노가 숨어 있다"라고 보았다. 장푸張樸는 「이것은 어떤 '보기 드문' 품성인가這是 什麼樣的"罕見"品質」를, 왕링王淩은 두허의 「차오진란」을 비판하는 글 「온정·조화·투항溫情·調和·投降」을 발표하였다. 같은 호에 량빈의 저작 『홍기보』의 일부인 「주라오중과 그 동료들朱老忠和 他的夥伴們」이 발표되었다.

수페이더(1931~), 문학평론가로 필명은 푸가오縛高, 수페이舒霏이며 장쑤성 단양丹陽 출신이다. 1951년에 중국공산당에 가입하였으며, 1952년에 푸단대학 신문방송학과를 졸업하였다. 중국작가협회 창연부創聯部 주임 및 서기처 서기, 아동문학위원회 주임위원을 역임하였다. 1948년부터 작품을 발표하였다. 저서로 평론집『수페이더 문학평론집束沛德文學評論集』,『아동 문원만보兒童文苑漫步』,『아동문학을 위해 부르짖다爲兒童文學鼓與呼』, 산문집『세월풍령歲月風鈴』,『다채로운 기억多彩記憶』 등이 있다.

『북방문학』1월호에 논고「우경에 반대하고, 의욕을 북돋아, 군중문예창작의 새로운 고조를 열자反右傾 '鼓幹勁' 掀起群眾文藝創作的新高潮」가 발표되었다. 장커張克의 글「문학창작의 대풍작文學創作的大豐收」에 소개된 바에 따르면, "현재 우리 성(헤이룽장성)의 문학창작활동은 이미 소수 인원의 범위를 넘어섰다. 그리하여 전문작가와 아마추어 작가가 긴밀히 결합해 전에 없이 강대한 군중적 성격의 공인계급 문학대오를 형성하여, 군중창작 소조가 이미 26,400여 개에 달한다. 어느 정도 문학적 수양을 갖추고 작품을 자주 발표하는 작가는 300여 명이다. 이러한 기초 위에서, 작가협회 헤이룽장 분회는 현재 115명의 회원을 보유하고 있다(이 가운데 총회 회원은 10명이다)". 본지의 독자 토론란에는 장마오중張茂忠의「우리의 견해我們的看法」, 훙선宏深, 류리劉離의「「지구를 수리하다」를 어떻게 평가할 것인가應該如何評價＜修理地球＞」, 하얼빈사범학원哈爾濱師範學院 중문과 625반 '독서' 소조의「우리의 견해我們的一點看法」, 팅진挺進의「「지구를 수리하다」에 대한 얕은 견해對＜修理地球＞的一點淺見」 등 왕자오王皎의「지구를 수리하다修理地球」에 관해 토론한 글 4편이 게재되었다.

『작품』1월호에 어우양산의「창작의 세 번째 고조를 맞이하다迎接第三次創作高潮」, 천찬원의「인민공사에 관해 더 많이 창작하자多寫人民公社」, 친무의「시간과 경주하다和時間老人賽跑」, 천보추이의「후계자 송가接班人頌」가 발표되었다. 같은 호에 가오펑高風의「뭇 산이 주산을 부축하다-『삼가항』의 민족 특색에 관하여眾山拱扶主山尊——談＜三家巷＞的民族特色」, 궈정위안郭正元의「『삼가항』의 평가에 관한 몇 가지 문제-왕치 동지와의 논의關於＜三家巷＞評價的幾個問題——與王起同志商榷」, 장리章裏, 이수이易水의「훌륭한 가운데 아쉬운 옥의 티-『삼가항』에 존재하는 몇 가지 결점에 관하여美中不足的瑕疵——略談＜三家巷＞存在的幾個缺點」 등『삼가항』에 관한 평론이 게재되었다.

『상하이문학』1월호에 장춘차오의 논고「새로운 여정에 오르다踏上新的行程」가 발표되었으며, 페이리원의 소설「지지 않는 태양不落的太陽」의 연재가 시작되어 3월호(3월 5일)에 완료되었다. 같은 호에 쥔칭의 산문「춘강신가春江新歌」, 진이의 유작「마오 주석이 오셨다毛主席來了」가 발표되었다.

6일, 『해방일보』의 보도에 따르면, 상하이작가협회에서 군중문학 창작의 강화를 위해 개최한 '문학창작학습좌담회'가 종료되었다. 본 좌담회에는 새롭게 작가협회에 가입한 어느 정도의 창작 수준을 가진 청년 작가들이 참석하였다. 작가 바진, 이촨, 런간任幹, 웨이진즈 등이 좌담회에서 주제 발언을 진행하였다.

베이징청년경극단北京青年京劇團이 성립되었다. 본 경극단은 청옌추파의 예술을 계승 및 발양하는 극단이다. 문화부 부부장 샤옌, 중국희극학원 원장 어우양위첸이 성립대회에서 연설하였다.

『문회보』에 쩌우디판의 시「도시가 꽃을 피우다─베이징의 새 건축물 송가城市開放花朵──北京新建築頌」가 발표되었다.

7일,『인민일보』에 "마오쩌둥 문예사상을 학습하고, 무산계급 세계관을 수립하자"라는 제목 아래 류칭의「영원히 당의 말을 듣자永遠聽黨的話」, 왕안유의「군중에 침투해 학습을 강화하자深入群衆, 加强學習」, 관산웨關山月의「영광스러운 사명, 영웅의 시대光榮的使命, 英雄的時代」, 추이웨이崔嵬의「마오쩌둥 사상의 큰 깃발을 높이 들다高擧毛澤東思想的大旗」, 루즈쉬안의「마오쩌둥 사상을 열심히 학습하자努力學習毛澤東思想」, 펑더잉의「창작이 성취를 얻는 근본적인 보증創作取得成績的根本保證」등의 글이 발표되었다.

8일,『인민문학』1월호에 우창의「『붉은 해』의 창작 상황과 몇 가지 깨달음寫作<紅日>的情況和一些體會」, 왕원스의 소설「여름밤夏夜」, 샤오싼의 평론「「별이 총총한 하늘을 바라보다」에 관하여談<望星空>」가 발표되었다. 샤오싼은 글에서 "개인이 사라지고, 인생이 사라지고, 세계가 사라지고, 시인은 절망을 향해 걸어가며 신음하고……이런 시가 어떻게 인민에게 혁명의 열정을 불러일으킬 수 있겠는가? 이처럼 개인주의의 환멸적 정서를 소극적으로 묘사한 작품이 어떻게 공산당원의 손에서 탄생할 수 있는가?"라고 지적하였다. 같은 호에 옌이의 시「광산 지대의 아침礦區的早晨」과「새로 온 광부新來的礦工」, 궈펑의 산문「랑치다오 잡기琅岐島散記」, 궈광郭光의 보고문학「영웅의 열차英雄的列車」(원제는「무적 열차無敵列車」로 1959년『해방군문예』12월호에 발표되었다.『인민문학』에서는 저자의 동의하에 1959년 8월 5일자『공인일보』에 발표된「홍수에 포위된 급행 열차被洪水包圍的特別快車」를 참고해 약간의 수정을 가한 후 다시 발표하였다)가 발표되었다.

『베이징문예』1월호에 취보의 장편소설『산과 바다가 울부짖다』의 일부가 발표되었다(4월호에 연재 완료). 이 외에도 빙신의 산문「꿀벌처럼 노동하는 사람들像蜜蜂一樣勞動的人們」, 라오서의 산둥 쾌서山東快書「깜짝 놀라다嚇一跳」, 창작담「작은 경험一點小經驗」, 하오란의 창작담「「달이 동쪽 벽을 비추다」의 창작과정<月照東牆>的寫作經過」이 발표되었다. 같은 호에 룽스후이龍世輝의「「내일까지 전투하다」의 수정본을 평하다評<戰鬥到明天>修訂本」및 베이징사범대학 중문과 2학년 현대작품연구소조의 이름으로 발표된「지식분자 사상개조의 길知識分子思想改造的道路」등 바이런의 소설에 관한 평론 2편과 아이커쓰艾克斯의 「장단점을 논하다—하오란의 단편집 『사과가 익는다』를 평하다說長道短——評浩然的短篇集＜蘋果要熟了＞」가 발표되었다.

9일, 『해방일보』에 웨이진즈의 「「욱일동승」을 보고＜旭日東升＞觀後感」가 발표되었다.

『문회보』에 커란의 「기쁨으로 가득 찬 시대—「욱일동승」 합동 창작에 참여한 감상充滿歡樂的年代——參加＜旭日東升＞集體創作的感想」이 발표되었다.

10일, 『광명일보』에 "마오쩌둥 문예사상을 학습하고, 당의 문예방침을 관철하자"라는 주제로 양쒀의 「계급전사가 되어야 한다應該作爲一個階級戰士」와 한한밍韓罕明의 「마오쩌둥 문예사상 학습을 강화하자加強學習毛澤東文藝思想」가 발표되었다. 양쒀는 글에서 "당은 늘 우리를 지도한다. 혁명작가, 특히 공산당원 작가는 반드시 우선 계급전사가 되어야 하며, 그 다음으로 좋은 작가가 되어야 한다. 이것은 틀림없는 이치이다"라고 밝혔다.

『문회보』에 웨이진즈의 「영웅들과 함께하는 것이 가장 즐겁다—'상하이 영웅 교향곡'을 보고和英雄們相處是最快樂的——"上海英雄交響曲"觀後」가 발표되었다.

11일, 중국전영예술연구소中國電影藝術研究所가 베이징에서 성립되었다. 위안원수가 소장을 맡았다.

『문회보』 제1호에 사설 「마오쩌둥 사상으로 무장해, 문예의 더 큰 풍작을 쟁취하기 위해 분투하자用毛澤東思想武裝起來，爲爭取文藝的更大豐收而奮鬥」가 발표되었다. 사설은 "몇몇 사람들은 여전히 이미 뒤떨어진 자산계급 현실주의에 미련을 가지고 있다. 비록 그들이 새로운 생활, 새로운 시대, 새로운 문예에 대해 전혀 이해하지 못하고, 모든 새로운 사물을 의심하는 태도로 생활에 대한 왜곡된 묘사를 만들어 내고 있지만, 혁명적 현실주의와 낭만주의의 결합이라는 원칙과 창작방법은 분명히 이 시련을 견뎌낼 것이다"라고 밝혔다.

같은 호에 린모한의 「마오쩌둥 문예사상의 기치를 더 높이 들자更高地舉起毛澤東文藝思想的旗幟」 (21일자 『인민일보』, 22일자 『해방일보』에도 전재), 펑무의 평론 「「창업사」를 처음 읽고初讀＜創業史＞」, 예성타오의 「참신한 현지—「붉은 장난」을 읽고嶄新的縣志——讀＜紅色的江南＞」, 나 · 싸이인차오커투의 「생활에 침투하면 장점이 많다深入生活好處多」, 왕쯔예王子野의 「류전의 「영웅의 악장」을 평하다評劉真＜英雄的樂章＞」가 발표되었다. 왕쯔예는 글에서 "이 작품은 혁명전쟁을 노래한 작품이 전혀 아니라, 비관적인 염전厭戰사상과 자산계급의 평화주의를 선전한 작품이다"라고 보았다.

같은 호에 리허린의 「10년간의 문학이론과 비평에 존재하는 작은 문제十年來文學理論和批評上的一個小問題」가 발표되었다(『허베이일보』 1960년 1월 8일 자에 최초 발표, 『꿀벌』 1960년 2월호에 전재). 그는 글에서 "사상성과 예술성이 일치하는 작품도 있고, 일치하지 않는 작품도 있다", "나는 예술성의 주된 부분이 생활의 진실성을 반영하는 것이며, 묘사의 기교도 포함한다고 본다", "사상성의 수준은 작품이 '생활의 진실을 반영했는가의 여부'에 의해 결정되는데, 이 '생활이 진실을 반영했는가의 여부'는 그 예술성의 수준을 말해주기도 한다. 생활을 진실하게 반영하는 데는 묘사의 기교가 필요하지만, 예술성이 곧 묘사의 기교인 것은 아니다……때문에 한 가지 결론을 낼 수는 없다. '정치적 기준이 첫째, 예술적 기준이 둘째'인 이상, 정치성(사상성)과 예술성은 일치하는 것이 아니며, 심지어 이 가운데 정치성만을 요구하기도 한다"라고 밝혔다. 같은 호의 '편집자의 말'은 "이 글의 제목은 '작은 문제'지만, 사실상 큰 문제, 근본적인 문제를 제기하고 있다. 바로 문예와 정치, 문예비평의 정치적 기준과 예술적 기준의 관계라는 문제이다. 우리는 이 글의 관점에 동의하지 않지만, 저자가 제기한 문제에 대해 토론할 만하다고 생각한다"라고 밝혔다. 같은 호에 저자의 자기 비판적인 후기가 함께 게재되었다. 이후에 『문예보』 등 여러 간행물에 리허린의 문예사상을 비판하는 글이 게재되었다. 『신건설』 제4호에 결산의 글 「문예계에서 리허린의 잘못된 문예관점에 대해 비판을 전개하다文藝界對李何林錯誤的文藝觀點展開批判」가 발표되었다.

12일, 『해방일보』에 류다세의 「「상하이 대약진의 날」을 읽고讀<上海大躍進一日>」, 『문회보』에 「새 시대의 맥박, 대약진의 물보라—「상하이 대약진의 날」에 관하여新時代的脈搏 大躍進的浪花——談<上海大躍進的一日>」가 발표되었다.

『독서』 제1호에 양모의 「『청춘의 노래』 재판 후기<青春之歌>再版後記」, 진메이金梅의 「「농촌에서의 린다오징」을 읽고讀<林道靜在農村>」, 멍허보옌孟和博彦의 「『아득한 초원 위에서』(상권)을 평하다評<在茫茫的草原上>」(上冊)」가 발표되었다. 멍허보옌은 글에서 "훙타오라는 인물의 전형성 문제에 관해, 이 작품을 읽은 녹자라면 모두 훙타오리는 인물익 전형성이 충분치 못하다는 느낌을 받았을 것이다"라고 지적하였다. 같은 호에 왕수순王樹舜의 「「영춘화」의 창작경향에 관하여關於<迎春花>的創作傾向」가 발표되었다(왕수순의 「「영춘화」를 평하다評<迎春花>」에서 발췌한 글로, 원문은 『해방군문예』 1959년 12호에 발표).

13일, 『인민일보』에 위안첸리遠千裏의 「작가의 세계관 문제에 관하여談作家的世界觀問題」가 발표되었다.

『광명일보』에 "마오쩌둥 문예사상을 학습하고, 당의 문예방침을 관철하자"라는 제목으로 왕위 후王玉胡의 「세계의 최고봉에 오르자攀登世界高峰」, 류융劉勇의 「마오쩌둥의 기치 아래 계속해서 전 진하자在毛澤東旗幟下繼續前進」 등의 글이 발표되었다. 같은 호에 류젠민劉建民의 혁명 회고록 「다리 쫭의 지하 전투를 기억하며憶大李莊的地道戰」가 발표되었다.

15일, 『희극보』 제1호에 사설 「60년대의 위대한 임무를 맞이하고, 마오쩌둥 문예사상의 홍기 를 높이 들고 전진하자迎接六十年代的偉大任務, 高舉毛澤東文藝思想的紅旗前進」가 발표되었다. 이번 호 부터 제11호까지 "'옛것을 취사선택하여 새롭게 발전시키는' 문제에 관한 토론' 특집란이 개설되었 다. 장경이 1956년 이후로 발표한 희곡유산의 '인민성', 옛것을 취사선택하여 새롭게 발전시키는 '충효절의忠孝節義' 등의 도덕관념을 탐구한 글에 대해 비판을 진행하였다. 이들 글에 포함된 몇 가 지 관점이 '수정주의' 사상이라고 보았다.

16일, 『우화雨花』 제2호에 1959년 11월 30일의 좌담회 기록 「두 편의 소설에 관한 토론－작 가협회 장쑤분회 준비위원회 소설조 제2차 좌담회 기록關於兩篇小說的討論──作協江蘇分會籌委會小說 組第二次座談會記錄」이 게재되었다. 본 좌담회에서는 양이楊苡가 『우화雨花』 1959년 제14호에 발표 한 「영화관에서在電影院裏」와 제16호에 발표한 「'문제가 되는' 이야기"成問題"的故事」 등 두 편의 소 설에 관해 토론을 진행하였다. 좌담회에서 양이는 자신의 창작과 태도에 대해 반성하고, 자신의 생활이 너무나 제한적이라고 보았으며, 앞으로 생활에 깊이 침투해 노동자의 자녀와 더 많이 접촉 하고 소자산계급의 자녀와의 접촉은 줄여, 아동의 생활을 진실하게 반영하겠다고 밝혔다. 천서우 주는 발언에서 "어느 동지가 양이 동지는 자산계급의 입장에 서서 자연주의적 관점을 통해 신사회 를 본다고 지적하였는데, 나는 이 견해에 완전히 동의한다. 양이 동지는 세계관 문제를 통해서만 오류의 근원을 찾으려 하는데, 시급히 자아개조를 해야만 진보할 수 있을 것이다"라고 밝혔다.

양이(1919～), 본명은 양징루楊靜如로 안후이성 쓰현泗縣 출신이다. 쿤밍서남연합대학 외국어학 부와 충칭국립중앙대학重慶國立中央大學 외국어학부에서 수학하였으며 난징사범학원 외국어학부 강사로 근무하였다. 1936년부터 작품을 발표하였다. 번역서로 장편소설 『폭풍의 언덕呼嘯山莊』, 『 지지 않는 태양永遠不會落的太陽』, 『위대한 순간偉大的時刻』 등이 있으며, 저서로 아동문학 『자기 일 은 스스로 하자自己的事情自己做』가 있다.

『광명일보』에 펑즈馮至의 시 「『홍기가요』를 읽고讀＜紅旗歌謠＞」가 발표되었다.

『해방일보』에 슝포시의 「화극 청년 갈라 공연을 보고 생각한 것看話劇青年彙報演出想到的」이 발표되었다.

『신관찰』제2호에 커란의 특필「태양을 받쳐 들고 나는 듯 달리다托著太陽飛奔」, 귀펑의 특필「랑치다오에 부쳐寫給琅岐島」, 쉬츠의「60년대의 위대한 공정을 보라—「만리장강」을 평하다請看六十年代的一個偉大工程——評＜萬裏長江＞」가 발표되었다.

17일, 『광명일보』에 왕젠추王健秋의「‘중간 작품’의 계급성“中間作品”的階級性」이 발표되어 왕창딩의 ‘중간 작품’론을 비판하였다. 그는 글에서 “중간 작품은 계급성 문제와 밀접히 연관되어야 한다. 중간 작품의 존재를 인정하는 것은 결코 계급성을 부인하는 것이 아니다. 계급성이 없는 작품은 결코 존재하지 않는다. 다만 반동적이지 않으면서 인민성도 없는 작품이 존재할 뿐이다.『수호전』,『탕구지蕩寇志』와 같은 작품들은 소재와 형식 등으로 인해 이 작품이 반동 세력을 대표해 반동적인 내용을 서술했다고 할 수는 없지만, 그렇다고 인물들을 대표해 진보적인 내용을 서술했다고 하기도 힘들다. 이것이 바로 소위 중간 작품이다”, “문학작품은 계급성을 가지고 있다. 이것은 우리 문예이론의 근본 원칙 문제이다. 이 원칙은 흔들려서는 안 되며, 예외를 인정해서도 안 된다. 우리가 반동 혹은 진보라고 하는 것은 정치가 첫째, 예술이 둘째라는 비평 기준으로 작품을 판단하는 것이다. 판단 결과 진보적이라고도 반동적이라고도 할 수 없다면, 이런 결론은 부정적인 계급성으로 이끌지만 않는다면 오히려 작품의 본질에 더욱 부합하는 것이다”라고 밝혔다.

18일, 『여행가』제1호에 빙신의 수필「허베이의 철강 도시—한단에서在河北鋼都——邯鄲」, 우창의「그단스크 인상—폴란드 방문 잡기 제1편格丹斯印象——訪問波蘭散記之一」이 발표되었다.

19일, 중공중앙 선전부에서 회의를 소집해 국내외 문화유산을 계획적으로 출판하는 문제에 관해 토론하였다. 회의 후「중국 고적 출판 및 외국 학술서적과 문예저작 번역 출판 강화 및 개선 문제에 관한 의견關於加强和改進出版中國古籍與翻譯出版外國學術和文藝著作問題的意見」(초안)을 작성해 10여 년간(1960~1970) 국내외의 역사상 가치 있는 철학, 사회과학 및 분예삭품을 진부 정리 및 번역 출판할 것을 제안하였다.

『광명일보』에 양모의「『청춘의 노래』재판 후기」가 발표되었다. 양모는 글에서 “당의 사회주의 건설 총노선과 대약진 형세의 격려하에, 나는 석 달 동안『청춘의 노래』를 수정하였다. 신판은 초판에 비해 많은 부분이 달라졌다. 수정한 결과가 어떤지는 내가 감히 말할 수 없고, 여러 독자들의 검증을 기다릴 뿐이다. 그러나 주관적으로 나는 초판에서 발견된 결점과 오류를 최대한 고쳤으며, 부족한 부분을 보충하였다. 가장 큰 변화는 린다오징의 농촌에서의 경험을 그린 제7장과 베이징대학 학생운동을 묘사한 제3장이다. 이러한 변화의 기본적인 의도는 린다오징이라는 중요한 인물의 성장이 더욱 합리적이고 맥락이 분명해지게 해, 그녀가 자산계급 지식분자에서 무산계급 전사로 변화하는 과정에 더욱 견고한 기초를 더해 설득력을 갖게 하기 위해서이다"라고 밝혔다.

『인민일보』에 리잉의 시「시대는 이미 변했다時代已經變了」가 발표되었다.

20일,『인민일보』에 젠보짠의「역사는 되돌아가지 않는다歷史不會走回頭路」가 발표되었다.

21일,『인민일보』에 린모한의 장편 이론「마오쩌둥 문예사상의 기치를 더 높이 들자更高地舉起毛澤東文藝思想的旗幟」의 연재가 시작되어 22일자에 완료되었다. 그는 글에서 마오쩌둥의「옌안문예좌담회에서의 강화」를 다시 학습한 감상을 정리하고, 후펑과 쉬마오융 등이 마오쩌둥 문예사상을 왜곡한 잘못된 관점을 비판하였으며, '혁명적 현실주의'와 '혁명적 낭만주의'의 개념에 대해 상세히 토론하였다. 그는 "나는 혁명적 현실주의와 혁명적 낭만주의의 결합은 세 가지 측면을 포함하고 있다고 본다. 첫째로 생활 속의 새롭고, 혁명적이고, 생명력을 가진 사물을 발견하고 반영하고, 둘째로 작가가 이러한 사물에 대해 높은 열정을 보유하여, 셋째로는 이로 인해 작품이 강렬한 고무의 힘을 가지게 되는 것이다. 이 세 가지가 결합된 것이 바로 혁명적 낭만주의의 표현이다. 현실에서 완전히 벗어난 공허한 환상은 사람들을 고무할 수 없다. 혁명적 낭만주의를 장악하기 힘든 이유는 혁명적 낭만주의가 작가에게 생활 속의 새롭고, 혁명적이고, 생명력을 가진 사물을 발견하는 능력을 요구하기 때문이다. 다른 측면은 혁명적 낭만주의의 수법이다. 낭만주의 작품은 종종 과장과 환상적인 요소, 그리고 신화적 색채 등의 표현수법을 채용한다. 그러나 이러한 요소를 취했다고 혁명적 낭만주의라고 할 수는 없다. 작품에 혁명적 낭만주의의 정신이 없다면 과장과 신화 등의 요소를 얼마나 더하든 간에 혁명적 낭만주의라고 할 수 없다. 마오쩌둥 동지의 시사 작품에는 신화적 내용을 담은 것도 있고 담지 않은 것도 있지만, 모든 작품에 혁명적 낭만주의 정신이 충만해 있다. 혁명적 낭만주의 정신을 진정으로 가지기 위한 가장 근본적인 문제는 혁명적 세계관을 가지고 혁명 인민과 밀접히 결합하는 것이다. 이렇게 해야만 인민 생활 속의 혁명적 낭만주의 정신을 발견해 이러한 정신을 자신의 작품에 충분히 표현할 수 있다. 그리고 이를 이룰 수 있는 근본적인 방법은 마르크스레닌주의를 학습하고, 마오쩌둥 동지의 저작을 학습하는 것이며, 동시에 군중 속에 침투해 그들과 결합하는 것이다. 이 두 가지 방법 중 하나라도 빠지면 안 된다. 반드시 군중 속에 침투해야 한다. 그러나 군중 속에 침투하기만 하고 마르크스레닌주의를 학습하지 않아서는 안 된다. 이렇게 되면 마르크스레닌주의 세계관을 자연스럽게 형성할 수 없게 된다. 마르크스레닌주의는 일종의 과학이다. 군중의 생활 속에서는 마르크스주의에 부합하는 몇 가지 관점을 획득할 수 있지만, 완전한 마르크스주의 세계관을 얻을 수는 없다. 우리는 반드시 마르크스레닌주의 이론을 학습하고, 마오 주석의 저작을 학습해야 한다. 학습하지 않으면 각종 잘못된 사상의 포로가 될 수 있다. 종합하면, 마오쩌둥 동지가 마르크스주의 문예사상에 대해 이룩한 다방면의 중대한 발전은 마르크스주의 사상의 보고에 대한 위대한 공헌이며, 우리가 사회주의 문학예술을 발전시키기 위해 반드시 준수해야 하는 기본 원칙이다"라고 밝혔다.

22일, 『인민일보』에 『문예보』 1960년 제1호 사설 「마오쩌둥 사상으로 무장하고, 문예의 더 큰 풍작을 쟁취하기 위해 분투하자!用毛澤東思想武裝起來, 爲爭取文藝的更大豐收而奮鬥!」가 전재되었다. 사설은 "문학예술공작의 위대한 임무는 바로 사회주의 및 공산주의 정신으로써 인민의 두뇌를 무장시켜 그들이 구사회가 남긴 자산계급사상과 그 외 비무산계급사상의 속박에서 벗어나도록 도와, 군중의 의욕을 고취하고, 한마음 한뜻으로 기세를 높여 역사의 전진을 추진하도록 하는 것이다. 이를 이룬다면 생산력을 해방하고, 우리의 새로운 경제 기초를 촉진하며, 새로운 사회제도를 공고히 하고 발전시키는 데 도움이 되며, 또한 인류의 진보에 도움이 된다. 우리의 사회주의 문학예술의 성적과 공헌을 판단하고자 한다면 이것이 가장 근본적인 기준이다. 우리의 문학예술은 현재 위대하고도 혁명적인 변화를 겪고 있다. '5·4' 이래로, 특히 옌안문예좌담회 이후에 개척된 길을 따라, 신중국 사회주의의 토양 위에서 참신한 문학예술이 탄생해, 사회주의 문학예술이 백화제방하는 아름다운 결과를 낳았다. 문예와 군중이 결합한 범위나 깊이로 보든, 문예대오의 개조와 발전으로 보든, 문예가 각 민족의 사업이 되고, 전 인민의 사업이 되고, 공농병 군중 자신의 사업이 된 면으로 보든, 문예 각 영역의 보편적인 번영과 신속한 제고라는 면으로 보든, 문학, 영화, 희곡 및 기타 우수한 예술작품이 수많은 군중의 마음속에 일으킨 적극적인 효과로 보든, 지난 10년간의 성취가 '5·4' 이후의 30년을 넘어선다는 말에 전혀 과장이 없음을 알 수 있다"라고 밝혔다.

23일, 『광명일보』에 탕타오의 「거인의 발걸음巨人的脚步」, 쉬츠의 시 「개선가凱歌」가 발표되었다.

24일, 『광명일보』에 차이이의 글 「소위 '중간작품' 문제所謂"中間作品"的問題」가 발표되었다.

『양청만보』에 어우양산의 「당의 호소가 실현되었다黨的號召實現了」가 발표되었다.

『수확』 제1호에 저우리보의 장편소설 『산촌의 대격변』(속편), 뤼웨성呂日生의 단편소설 「용을 가둔 사람鎖龍的人」, 친쓰秦似의 단편소설 「타이바이링 아래太白嶺下」, 천보추이의 산문 「친애하는 아이들아親愛的孩子們」, 리더푸李德複의 산문 「공사의 밭 한 뙈기公社一塊田」가 발표되었다.

뤄웨성(1931~), 필명은 팡차오芳草, 루양거魯陽戈로 산둥성 타이안泰安 출신이다. 산둥성 인민극단 각본가, 『산둥문예』와 『산둥문학』 편집자를 역임하였다. 1961년에 중국작가협회에 가입하였으며, 현재 산둥작가협회 이사이자 국가 1급 작가이다. 대표작으로 산문집 『전우戰友』, 『버드나무가 푸르다楊柳青青』, 『어느 조용한 저녁一個安靜的晚上』, 『노새 이야기騾子的故事』 등이 있다.

친쓰(1917~1986), 본명은 왕지허王緝和로 광시성 보바이博白 출신이다. 1940년에 샤옌 등과 함께 잡지 『들풀野草』를 창간해 책임 편집자를 맡았으며, 좡서우츠莊壽慈와 함께 『문학역보文學譯報』를 창간해 책임자를 맡았다. 1947년에 중국공산당에 가입하였다. 1930년대에 작품 발표를 시작했다. 저서로 잡문집 『감각의 음향感覺的音響』, 『시련집時戀集』, 『친쓰 잡문집秦似雜文集』, 전문 저서 『현대시운現代詩韻』, 『양간거시사총화兩間居詩詞叢話』, 번역서 『생쥐와 인간人鼠之間』, 『소녀와 사신少女與死神』 등이 있다.

리더푸(1932~), 후난성 신사오新邵 출신으로 1957년부터 작품을 발표하였으며 1962년에 중국작가협회에 가입하였다. 저서로 『어베이 기록鄂北紀事』, 『높디높은 산 위高高的山上』, 『남색 광상곡藍色狂想曲』 등이 있다.

25일, 『해방일보』에 후완춘의 산문 「60년대의 첫 봄六十年代的第一個春天」, 장양의 시 「봄 우렛소리一聲春雷」가 발표되었다.

『시간』 1월호의 「『홍기가요』 예찬<紅旗歌謠>贊」 특집란에 커중핑의 「『홍기가요』의 출판을 축하하며祝賀<紅旗歌謠>的出版」, 위안첸리의 「문학의 신기원의 시작文學新紀元的開始」, 리지의 「대약진의 송가와 군가大躍進的頌歌和戰歌」 등의 글이 발표되었다. 같은 호에 인진페이殷晉培가 궈샤오촨의 「백설 찬가白雪的贊歌」를 비판한 글 「어떤 찬가를 부르는가唱什麽樣的贊歌」가 발표되었다.

베이징인민예술극원에서 러시아 극작가 체호프의 명작 「세 자매三姐妹」를 공연하였다. 자오쥐인이 번역을, 어우양산쭌과 천융陳顒이 감독을 맡았으며 저우정周正, 주린朱琳, 수슈원 등이 주연을 맡았다.

26일, 『문예보』 제2호에 쉬츠가 대약진을 예찬한 산문 「고속도 찬가高速度贊」, 자오옌昭彦의 평론 「혁명춘추의 서곡－『삼가항』을 기쁘게 읽다革命春秋的序曲──喜讀<三家巷>」, 황성샤오黃聲孝의 글 「의욕을 북돋우자鼓起幹勁來」, 이췬의 평론 「문예의 사상성과 예술성 잡담雜談文藝的思想性和藝術性」이 발표되었다. 이번 호에 바런, 첸구룽, 장쿵양 등의 '인성론'에 관한 관점을 비판하는 글이 게재되어 야오원위안의 「바런의 '인성론'을 비판한다批判巴人的"人性論"」가 발표되었다. 그는 글에서 "1956년에서 1957년 사이, 왕런수王任叔(바런)는 대량의 잡문과 논문을 집필해 그가 자산계급 인성론을 선전한다는 사실을 드러내었다……그가 말하는 소위 '사람'의 개념을 파헤쳐 보면 바로 자산계급 개인주의에서 말하는 '사람'이며, 자산계급의 인성을 가진 '사람'이다"라고 보았다. 그는 또한 바런이 문학작품을 고취한 주된 목적이 바로 '개인의 바람'을 묘사하는 것이며, 작가의 입장은 '인정'을 기초로 하는 것으로, 이는 자산계급 개인주의 사상의 적나라한 표현이라고 지적하였다. 야오원위안은 글을 통해 바런의 잡문 「'인정'을 논하다論"人情"」, 「전형 문제 감상典型問題隨感」, 「열정과 광인熱情與狂人」 등의 글에 대해 매섭게 비판하였다.

황성샤오(1918~1995), 황성샤오黃聲笑라고도 하며 후베이성 이창宜昌 출신으로 중공 당원이다. 부두 노동자로 일하다가 이후에 작가가 되었다. 우한시 문련 부주석을 역임하였다. 1951년부터 작품을 발표하였으며 저서로 『황성샤오 시선黃聲笑詩選』, 장편서사시 『일어선 창장의 주인站起來了的長江主人』 등이 있다.

중국철도예술극원中國鐵道藝術劇院이 베이징에서 창립되었다. 28일에 설립 기념으로 양쉬의 소설을 푸쓰원濮思溫이 각색한 4막 화극 「삼천리강산」을 공연하였다. 리옌李岩, 중지쿠이仲繼奎가 감독을 맡았다.

27일, 『인민일보』에 쩌우디판의 시 「천마의 노래天馬歌」가 발표되었다.

상하이인민호극단上海人民滬劇團에서 호극 「갈대숲의 불씨蘆蕩火種」를 초연하였다. 원무文牧가 각본을, 양원룽楊文龍이 감독을 맡았다. 본 호극은 경극 모범극 「사자방沙家浜」을 각색한 것이다.

28일, 『인민일보』에 궈모뤄의 시 「천하의 모든 이가 함께 경축하다·십육자영普天同慶·十六字令」이 발표되었다. 서두에 추가된 서문에서 궈모뤄는 "총노선의 광휘가 비추는 아래, 1959년에는 1958년의 대약신의 기초 위에서 계속해서 대약진하였다. 철강, 석탄, 곡물, 면화의 네 가지 지표와 기타 중요한 생산품들은 모두 2년간의 노력을 통해 제2차 5개년 계획을 초과 달성하였다. 이에 '십육자영' 네 편을 써서 경축한다"라고 밝혔다.

『해방일보』에 바진의 산문 「봄 경치가 무한히 좋다春光無限好」가 발표되었다.

『해방군보』에 리잉의 시 「봄의 노래春之歌」가 발표되었다.

『양청만보』에 친무이의 산문 「꽃시장을 한가로이 걷다花市徜徉錄」가 발표되었다.

30일, 『희극보』 제2호에 천강陳剛의 「하이모의 「퉁소를 가로로 불다」를 평하다評海默的＜洞簫横吹＞」와 「혁명 배우의 책임紅色演員的責任」 등 두 편의 글이 발표되어 「퉁소를 가로로 불다」 등의 극본에 대해 비판하였다.

31일, 『해방군보』에 천이의 글 「중소 동맹은 세계 평화의 강대한 보루이다中蘇同盟是世界和平的強大堡壘」가 전재되었다(『홍기』 1960년 제3호에 최초 발표, 같은 날 『문회보』에 전재).

이달에 13일자와 14일자 『톈진일보』, 19일자 『허베이일보』에 왕창딩(우옌)의 '수정주의 문예사상'을 비판하는 글과 관련 보도가 게재되었다.

중국과학원 문학연구소에서 편찬한 『10년간의 신중국 문학十年來的新中國文學』이 작가출판사에서 출간되었다.

어우양산의 장편소설 『삼가항』이 작가출판사에서 출간되었다.

커란의 장편소설 『양철통 이야기洋鐵桶的故事』기 인민문학출판사에서 출간되었다.

저우리보의 단편소설집 『탈곡장에서禾場上』가 상하이문예출판사에서 출간되었다. 책에는 작가가 1941년에서 1959년 사이에 창작한 단편소설 16편이 수록되어 있다.

양마이楊麥의 단편소설집 『푸르른 산골짜기靑翠的山穀』가 백화문예출판사에서 출간되었다.

옌이의 단편소설집 『전우집戰友集』이 충칭출판사에서 출간되었다.

류수더劉澍德의 단편소설집 『한동집寒冬集』이 상하이문예출판사에서 출간되었다.

리위차이李育才의 단편소설집 『정찰대장偵察隊長』이 후베이인민출판사에서 출간되었다.

옌전의 장시 『해녀漁女』가 춘풍문예출판사에서 출간되었다.

위안잉袁鷹의 시집 『강호집江湖集』, 장즈민張志民의 시집 『예화집禮花集』이 작가출판사에서 출간되었다.

티베트족 시인 라오제바쌍의 시집 『초원집草原集』이 작가출판사에서 출간되었다.

장톈민의 『7월 서정시七月抒情詩』가 지린인민출판사吉林人民出版社에서 출간되었다.

빙신의 산문집 『우리는 봄을 깨웠다我們把春天吵醒了』가 백화문예출판사에서 출간되었다.

양숴의 산문집 『해시海市』가 작가출판사에서 출간되었다. 책에는 「중국에 바치는 시獻給中國的詩」, 「봄 우렛소리春雷一聲」 등의 작품이 수록되었다.

2월

1일, 『후난문학』 2월호에 사설 「마오쩌둥 문예사상의 기치를 높이 들고 승세를 타고 전진하자—성 문화체계군영대회의 성공적인 폐막을 축하하며高擧毛澤東文藝思想的旗幟乘勝前進——祝省文化系統群英大會勝利閉幕」가 발표되었다.

『신항』 2월호에 '왕창딩의 수정주의 사상 비판' 특집란이 개설되었다. 편집자의 말은 "그(왕창딩)는 이 몇 편의 글에서 반'교조주의', 반'관료주의', 반'공식화, 개념화'라는 간판을 내걸고서 실제로는 자산계급의 '인성론'을 선전하고 체계적인 수정주의 사상을 퍼뜨려, 마오 주석의 문예사상과 당의 문예방침, 마르크스주의의 근본 원칙과 사회주의 제도에 대해 악랄한 공격을 자행하였다"라고 밝혔다. 같은 호에 장팡張訪의 「왕창딩의 수정주의 문예사상을 반드시 비판해야 한다王昌定的修正主義文藝思想必須批判」, 헤이잉黑英의 「위대한 생활 현실 앞에서在偉大的生活現實面前」, 아이원후이艾文會의 「'배후'의 배후에서在"背後"背後」, 난카이대학 중문과 문예평론조의 「'근심' 등에 관하여」를 질책한다斥<談"愁"及其他>」, 위안징의 「「이같은 '사랑'」을 반박한다駁<如此"愛情">」, 장쉐신張學新의 「왕창딩은 어떤 자유를 수호하는가?王昌定在保衛什麼自由?」, 선쓰沈思의 「팡지 창작에 존재하는 '인성론' 경향方紀創作中的"人性論"傾向」 등의 글이 발표되었다. 이 가운데 위안징의 글은 "불과 1천여 자의 이 잡문에 그의 영혼 깊은 곳에 자산계급의 왕국이 존재하며, 그가 자산계급적 세계관으로써 세계를 개조하려 노력한다는 점이 충분히 폭로되었다"라고 보았다. 이에 덧붙여 왕창딩이 뤄셴羅鹹이라는 필명으로 발표한 「'근심' 등에 관하여談"愁"及其他」와 바이짜오白藻라는 필명으로 발표한 「음력 9월 잡감凉秋雜感」, 「이같은 '사랑'如此"愛情"」이 게재되었다. 이 외에도 량빈의 「전구도戰寇圖」가 게재되었다(『홍기보』 제3부에 수록).

『맹아』 제3호에 탕커신의 단편소설 「첫 수업第一課」이 발표되었다.

『창장문예』 2월호에 지쉐페이의 보고문학 「양더성과 그의 돌격대楊德勝和他的突擊隊」, 장핑江平의 평론 「우커런의 소품문에 반박한다駁武克仁的小品文」가 발표되었다. 장핑은 글에서 "우커런이 루빙茹冰이라는 필명으로 발표한 소품문 '회의를 열다開會'와 '뜻밖의 은혜意外的恩典'는 1957년에 문예계에 출현한 우파분자 류빈옌 등이 창작한 소위 '생활에 관여'하고, '현실생활의 어두운 면을 폭로'하는 반동적 독초와 완전히 일치한다. 이를 통해 우리의 위대한 당과 아름다운 사회주의 제도에 악랄한 공격을 진행하였다"라고 보았다. 같은 호에 멍치孟起의 「소품문의 역류―'케이크의 운명'과 '링링의 손가락'을 비평한다小品文的逆流――批評"蛋糕的命運"和"玲玲的指頭"」, 장징린張靖琳의 「후칭포 동지의 '계급투쟁 소멸론'을 반박한다駁胡青坡同志的"階級鬪爭熄滅論"」, 다보수이大波水의 「계급투쟁 소멸론'을 단호히 반박한다堅決駁斥"階級鬪爭熄滅論"」, 쑤저충蘇者聰의 「자오쉰 동지의 몇 가지 논점을 반박한다駁趙尋同志的幾個論點」 등의 평론이 발표되었다.

『초원』 2월호에 자이성젠翟勝健, 왕더빈汪德斌의 「「생활의 진실에 관하여」를 평하다―지야의 우란바간 단편소설 평론에 대한 몇 가지 의견評＜談生活真實＞――對吉雅評論烏蘭巴幹短篇小說的幾點意見」이 발표되었다. 글은 "지야 동지의 글의 주된 결점은 작품을 평가할 때 정치적 기준을 첫째로, 예술적 기준을 둘째로 삼는 원칙에서 출발해 작품을 실사구시적이고 전체적으로 분석해야 한다는 점을 간과하고, 작품 속의 몇몇 장면 묘사에 드러난 결점만을 포착해 작품 전체의 적극적 의의를 전면적으로 부정했다는 점이다"라고 보았다.

『옌허』 2월호에 커중핑의 「마오쩌둥 문예사상의 큰 깃발을 높이 들고 용감히 약진하자高舉毛澤東文藝思想的大旗奮勇躍進」가 발표되었다. 그는 글에서 "현재 우리의 투쟁의 주된 임무는 바로 계속해서 수정주의와 자산계급사상을 철저히 비판하고, 문예에서의 두 노선의 투쟁을 지속적으로 전개하는 것이다"라고 밝혔다. 같은 호에 후차이의 「마오쩌둥 사상의 홍기를 더 높이 들자把毛澤東思想紅旗舉得更高」, 두펑청의 소설 「비약飛躍」, 친무의 문학수필 「섬세하고도 강렬한 곳細膩和強烈的地方」 및 커중핑의 「60년대 영웅가六十年代英雄歌」, 정보치의 「수리 대군이 전장에 나서다水利大軍上戰場」, 웨이강옌의 「살아 있는 재신活財神」 등의 시가 발표되었다.

『우화雨花』 제3호에 뤼보란呂博然의 단론 「'각자 필요한 만큼 가지는 것'에 관하여關於"各取所需"」 및 1959년 12월 27일에 개최된 작가협회 장쑤분회 준비위원회 소설조의 제3차 좌담회 기록 개요 「두 편의 소설에 관한 토론關於兩篇小說的討論」이 발표되었다.

『해방군문예』 2월호에 허쭤원何左文의 평론 「영웅의 악장인가, 아니면 개인주의의 비가인가―류전 동지의 소설 「영웅의 악장」을 평하다是英雄的樂章，還是個人主義的悲歌――評劉真同志的小說＜英雄的樂章＞」가 발표되었다. 그는 글에서 '10월에 바친다'고 밝힌 이 소설이 "숭고한 10월에 전혀 어울리지 않는, 완전히 어긋난 작품으로, 자산계급 개인주의를 찬양하고, 혁명전쟁을 왜곡하고, 혁명부대를 희화화하고, 자산계급 인도주의와 감상적이고 어둡고 퇴폐적인 정서를 선전한 작품이다"라고 보았다. 같은 호에 리지중李紀衆의 평론 「딩망의 시는 무엇을 선전하는가?丁芒的詩在宣揚些什麼?」, 리잉의 시 「우정의 송가와 서간友誼頌歌和書柬」이 발표되었다.

『칭하이후』 2월호에 가오샹전杲向真의 단편소설 「엄마는 보리를 베러 갔다媽媽割麥去了」가 발표되었다.

『신관찰』제3호에 양쉬의 산문「매의 나라鷹之國」, 궈차오런郭超人의「티베트의 어느 산촌西藏一山村」이 발표되었으며, 쉬광핑의「루쉰 회고록魯迅回憶錄」의 연재가 시작되어 7월 1일자 제13호에 완료되었다.

2일, 『인민일보』에 샤옌의「영화사업의 지속적인 대약진을 위해 분투하자爲電影事業的繼續大躍進而奮鬥」(3일자『문회보』에 전재), 타오둔의「곡예 예술의 새로운 모습曲藝藝術的新面貌」이 발표되었다. 샤옌의 글은 건국 후 10년간의 신중국 영화에 대한 정리 및 결산이다. 그는 글에서 "1949년부터 대약진 이전의 1957년까지, 우리나라에는 영화제편창이 열 곳(이 가운데 극영화제편창은 6곳)이고 촬영장은 19곳밖에 없었다. 현재 전국에는 이미 33곳의 영화제편창(이 가운데 극영화제편창은 11곳)과 27곳의 촬영장이 있다. 상영 기관으로 보면, 1949년에는 전국에 영화관은 600곳에 불과했고 상영대는 한 곳도 없었다, 그러나 1957년 말에는 상영 기관이 9,965곳으로 늘어났으며, 1959년 말에는 초보적인 통계만으로도 이미 14,500곳에 달한다. 상영망의 발전으로 인해 인민군중이 영화를 볼 수 있는 기회도 크게 늘어났다. 1957년에는 전국의 영화 관중이 17억 5천만 명이었던 것이 1959년에는 40억 5천만 명으로 비약적으로 증가하였다. 이는 과거 8년 동안 달성할 수 있었던 숫자를 대약진 이후에는 불과 2년 동안 달성했다는 것을 의미한다. 매년 영화관객이 40억 명이라는 것은 이미 적지 않은 숫자이다. 특히 서양 자본주의 국가의 영화 관중이 해마다 감소하는 상황과 비교하면, 우리의 관중 증가는 대단히 두드러진다(가령 영국을 보면, 1948년에 연간 영화 관중이 16억 5천만 명이었던 것이 1958년에는 7억 5천만 명으로 줄었으며, 작년에는 다시 6억 명 전후로 감소했다). 물론, 인구에 비례해 생각하면 40억 명이라는 숫자는 인민 군중의 요구에 비해 아직 한참 부족하다", "둘째로 영화제편창을 보면, 대약진 이후에 우리는 확실히 더 많이, 빨리, 잘, 절약한다는 네 가지 측면에서 모두 뚜렷한 성과를 얻었다. '많이'라는 면에서 보면(극영화만을 예로 들도록 하겠다), 1949년에서 1957년 사이의 8년간 우리는 총 171편의 예술영화를 제작했으나, 대약진 이후의 2년간 우리가 제작한 예술영화는 180편에 이른다. 이 역시 대약진 이후 2년간의 성취가 과거의 8년을 넘어서는 것이다. '빨리'라는 면에서 보면, 과거에는 한 편의 극영화를 촬영하는 데 최소한 4~5개월, 길면 1년 혹은 그 이상이 걸렸다. 대약진 이후에는 생산 속도가 크게 빨라져, 작년 국경절에 헌정된 18편의 예술영화를 예로 들면 대다수의 영화의 촬영 시간이 4~5개월 정도였으며, 이 가운데 몇 편은 단 3개월이 걸렸다. '절약'이라는 면에서 보면, 생산량이 증가하고 촬영 시간이 단축되어 제작비용 역시 크게 감소하였다. 1953년에는 흑백영화 한 편의 제작비용이 평균 20만 위안이었으며, 컬러영화는 61만 위안이었다. 1957년에는 평균 제작비용이 흑백영화는 19만 위안, 컬러영화는 35만 위안으로 감소하였다. 대약진이 시작된 1958년에 이르러서는 흑백영화는 11만 위안, 컬러영화는 25만 위안으로 감소하였다. 다큐멘터리 예술영화의 경우, 1958년에 총 40여 부를 제작하였으며 평균 제작비용은 57,000위안이다. 가장 중요한 '잘'이라는 면에서 보면, 작년 국경절에 헌정된 36편의 각종 양식의 영화는 사상, 예술, 기술 등 여러 면에서 모두 과거에 비해 현저한 진보를 이루었다"라고 밝혔다.

3일, 『광명일보』에 장융메이의 시 「우리는 미래를 창조한다我們創造未來」가 발표되었다.

『극본』 2월호에 두펑의 5막 화극 「영웅 만세英雄萬歲」, 후베이실험가무극단湖北實驗歌舞劇團에서 합동 창작한 가극 극본 「홍후 적위대洪湖赤衛隊」가 발표되었다.

4일, 『문회보』에 작가 차오밍을 취재한 기사 「영원히 뜨거운 투쟁 속에 있다永遠在火熱的鬥爭中」가 발표되었다.

5일, 『꿀벌』 2월호에 량빈의 『홍기보』의 일부가 「주라오중과 그 동료들」이라는 제목으로 발표되었다. 같은 호에 류류의 「송가라는 간판을 내걸고 비극을 만들어내서는 안 된다不許掛著歌頌的幌子制造悲劇」, 난징대학 중문과 문예평론조의 「화살은 어디를 향하는가箭頭指向哪裏」 등 류전의 「영웅의 악장」을 비판한 글 및 난징대학 중문과 문예평론조가 「차오진란」을 비판한 글 「부유한 중농의 발아래 엎드려 절하는 비겁자拜倒在富裕中農脚下的懦夫」가 발표되었다. 이 가운데 「화살은 어디를 향하는가」는 류전이 "문학작품이라는 형식을 통해 자산계급의 몰락하고 퇴폐적인 감정과 개인을 제일로 보는 자산계급사상, 그리고 추상적인 인도주의 사상을 선전하였다"라고 보았다.

같은 호에 톈진시 문련에서 왕창딩(우옌)의 문예사상을 비판한 일에 관한 기사 「마오쩌둥 문예사상의 홍기를 높이 들고, 두 노선의 투쟁을 끝까지 진행하자高擧毛澤東文藝思想紅旗，把兩條道路鬥爭進行到底」가 발표되었다. 기사에 의하면 톈진시 문련에서 1959년 12월 30일 오후에 대회를 진행해 왕창딩의 문예사상을 비판하였다. 대회 참석자들은 "왕창딩은 1956년 이후로 우옌, 뤄셴, 바이짜오 등의 필명으로 문학월간 『신항』에 「'근심' 등에 관하여」, 「창장과 '길다'長江與"長"」, 「이같은 '사랑'」, 「음력 9월 잡감」, 「닝위안 귀환 견문록寧園歸來見聞錄」 등 여러 편의 잡문과 산문을 발표하였다. 이 잡문과 산문들에는 대단히 부패하고 반동적인 자산계급의 사상적 독소가 산재해 있어, 당의 문예가 정치와 생산과 공농병을 위해 복무해야 한다는 방침을 악랄하게 공격하였다"라고 보았다. 1959년 11월 초순부터 작가협회 톈진분회와 『신항』 편집부에서는 여러 차례 좌담회를 개최해 왕창딩의 수정주의 문예사상에 대해 폭로와 비판을 진행하였다.

『북방문학』 2월호의 독자 토론란에 쭤이左宜의 「작가에게 생활을 기계적으로 모방하도록 요구해서는 안 된다不能要求作者去機械的模擬生活」, 양즈쥔楊志俊의 「성립할 수 없는 이유不能成立的理由」, 펑주장馮九章의 「「지구를 수리하다」는 좋은 소설이다＜修理地球＞是篇好小說」, 왕자오밍王兆明의 「「지구를 수리하다」의 진실성에 관하여略談＜修理地球＞的真實性」, 장시민薑錫敏의 「사실을 왜곡해서는 안 된다事實不容歪曲」 등 소설 「지구를 수리하다」에 관해 토론한 5편의 글이 발표되었다. 같은 호에 리옌루李延祿가 구술하고 뤄빈지가 기록한 혁명 회고록 「역경에 처해야만 사람의 진가를 알 수 있다-'둥베이항일연합군 4군 소년시대'의 추억疾風知勁草——"抗聯四軍少年時代"的回憶」의 연재가 시작되어 4월 5일자 『북방문학』 4월호에 완료되었다.

『작품』 2월호에 가오펑高風의 「세련되고 정제된 언어-『삼가항』의 민족 특색에 관하여 제2편洗練而精粹的語言——二談＜三家巷＞的民族特色」이 발표되었다.

『상하이문학』 2월호에 천덩커의 소설 「푸겅 노인의 가족福庚老漢的一家」, 탕커신의 단편소설 「씨앗種子」, 웨이진즈의 산문 「우웨이자이 견문기五味齋見聞記」 및 장시張璽, 청원위안曾文淵, 쑨쉐인孫雪吟, 우창화吳長華의 「1959년 상하이 단편소설 창작 간평1959年上海短篇小說創作簡評」이 발표되었다.

6일, 『광명일보』에 리수웨이, 마펑, 시룽, 천즈밍陳志銘의 「위험한 길-쑨첸 소설의 사상 경향을 평하다危險的道路——評孫謙小說的思想傾向」가 발표되었다(『문회보』 제3호, 『광명일보』 2월 7일자에 전재). 이들은 "이 소설(쑨첸의 「이상한 이혼 이야기奇異的離婚故事」)은 공산당원의 모습을 심각하게 왜곡하고 모독했으며, 당과 사회주의를 공격하였다. 이 소설은 독초다"라고 보았다. 같은 호에 예성타오가 쉬화이중의 소설 「우리는 사랑을 파종한다」의 신판을 위해 쓴 서문 「'우리는 사랑을 파종한다'를 읽고讀"我們播種愛情"」가 발표되었다.

8일, 『문회보』에 상하이공인문화관上海工人文化宮 서평소조書評小組의 「「바람을 타고 파도를 헤가르다」를 읽고我們讀＜乘風破浪＞」가 발표되었다.

『인민문학』 2월호에 차오밍의 소설 「아가씨의 걱정거리」, 장즈민의 연작시 「공사의 인물公社的人物」(「대구를 짓다對對子」, 「'지원군'志願軍」, 「앵도리櫻桃李」 등 3편 수록), 량상취안의 쓰촨 청음四川清音 「아기돼지에게 엄마가 생겼다小小豬兒有了媽」가 발표되었다. 같은 호에 쉬화이중의 보고문학 「새로운 사람嶄新的人」, 저우얼푸의 산문 「대서양 위에서在大西洋上」, 후커의 「생활을 대하는 태도對待生活的態度」, 웨이쥔이의 「공장사에 관하여談工廠史」 등의 글이 발표되었다.

『베이징문예』 2월호에 린진란의 단편소설 「톄스산鐵石山」, 루쥔魯軍의 「어디를 향해 가는가?―하이모의 「좁은 강 위를 나서다」를 평하다走向何處?――評海默著<走出狹窄的江面>」가 발표되었다. 같은 호에 바이런의 소설 「내일까지 전투하다」를 비판한 글이 여러 편 발표되었다. 돤무훙량은 「역사의 진실을 왜곡한 소설一部歪曲歷史的眞實的小說」에서 "「내일까지 전투하다」의 수정본은 초판본과 비교하면 근본적인 변화가 없이, 여전히 역사의 진실을 왜곡하고, 인민부대와 근거지의 인민 군중을 왜곡하며, 당의 지도를 왜곡하는 심각한 오류를 반복하고 있다"라고 보았다. 왕썬王森, 자오펑린趙楓林, 저우수청周述曾은 「바이런이 묘사한 당의 지도와 공농병 형상白刃筆下的黨的領導與工農兵形象」에서 "이 소설은 혁명 투쟁의 역사적 진실을 심각하게 왜곡한 소설이다"라고 보았다. 베이징사범대학 중문과의 황후이린黃會林, 궈즈강郭志剛, 치다웨이齊大衛, 탄쉐롄譚雪蓮, 차이칭푸蔡淸富는 「이것은 지식분자 사상개조의 길이 아니다這不是知識分子思想改造的道路」에서 "이 작품에는 중대한 결점이 있다. 항일전쟁의 진상을 크게 왜곡하고, 투쟁 과정에서의 인민의 결점을 과장했으며, 자산계급의 '개인주의'를 선전하고, 지식분자 사상개조가 응당 가야 할 정확한 길을 왜곡하였다"라고 보았다.

『인민일보』에 양한성의 「미술영화의 성취를 위해 환호한다爲美術片的成就歡呼」가 발표되었다.

9일, 베이징 문련, 작가협회, 극협 등의 문예계 인사 1,200여 명이 베이징 수도극장에서 체호프 탄생 100주년 기념행사를 진행하였다. 소련 러시아 희극가협회 부주석 및 딩시린, 양한성, 톈한, 라오서, 사오취안린, 어우양위첸 등이 참석하였으며, 작가협회 주석 마오둔이 「위대한 현실주의자 체호프偉大的現實主義者契訶夫」라는 제목의 보고를 진행하였다. 『세계문학』, 『신항』, 『베이징문예』 등에 체호프에 대한 기념의 글과 평론이 게재되었다.

『인민일보』에 「국가 수호 전쟁을 묘사한 소설 「땅 한 뙈기」에 관한 소련 문예계의 토론蘇聯文藝界關於描寫衛國戰爭的小說<一寸土>的討論」이 발표되었다.

10일, 『문회보』에 친웨이秦魏, 진즈金枝의 「진일보의 제의一個進一步的提議」, 야오원위안의 「바런의 '인성론'을 비판한다批判巴人的"人性論"」가 발표되었으며 이에 덧붙여 바런의 「인정을 논하다論人情」가 게재되었다.

『산둥문학』 2월호에 장양의 단편소설 「전투 행진곡戰鬥進行曲」, 장즈민의 시 「공사의 인물」이 발표되었다.

『광명일보』에 양쉬의 산문 「섣달그믐날 동화除夕童話」가 발표되었다.

10일~17일, 문화부 출판사업관리국에서 지방출판사 좌담회를 개최해 지방출판사가 앞으로도 지방화, 군중화, 통속화 방침을 관철할 것을 더욱 명확히 하였다.

11일, 『문예보』 제3호에 평무의 「생활의 격류 속에서 전진하다—리준의 단편소설에 관하여 在生活的激流中前進——談李准的短篇小說」가 발표되었다. 그는 글에서 리준의 단편소설이 "농촌의 일상 생활 속에서 새로운 사물을 날카롭게 발견하고, 투쟁 속에서 새로운 사물이 공고해지고 발전하는 모습을 열정적으로 반영하는 데 능하다"고 평하였다. 같은 호에 리시판의 「혁명 농촌 변천사—「타이항 풍운」을 읽고 革命農村變遷史——讀＜太行風雲＞」(『독서』 제9호에 전재), 보고문학 「영웅의 열차 英雄的列車」에 대한 라오서의 단평 「뛰어난 보도 出色的報道」, 장광녠의 「리허린 동지에게 반박한다 駁李何林同志」가 발표되었다.

『문회보』에 천보추이의 아동문학 「전사와 어린 팔로군 병사 戰士和小八路」가 발표되었다.

12일, 『창장일보』에 쉬다오치 許道琦의 「'문학창작은 인민 내부의 모순을 어떻게 반영하는가'의 토론에 대한 비판 對於"文學創作如何反映人民內部矛盾"的討論的批判」이 발표되었다(『7·1』 1960년 제2호에 최초 발표).

『독서』 제3호에 진친쥔 金欽俊 등의 「『삼가항』은 광저우 군중혁명 역사의 기록이다 ＜三家巷＞是廣州群眾革命曆史的記錄」(진친쥔 등의 「영웅은 청사에 이름을 남기고, 이름난 도시는 좋은 작품을 남긴다 英雄垂青史，名城留佳篇」에서 발췌, 1959년 11월 27일자 『양청만보』), 왕치 王起의 「『삼가항』의 예술적 매력 ＜三家巷＞的藝術魔力」(왕치의 「우리는 문학에 취타오, 저우빙과 같은 영웅 인물 형상이 출현한 것이 자랑스럽다 我們以在文學上出現區桃‘周炳這樣的英雄人物形象而自豪」에서 발췌, 『작품』 1959년 11월호), 장리 章裏 등의 「당원과 공인계급의 모습이 풍부하게 그려지지 않았다 黨員與工人階級形象寫的不豐滿」(장리 등의 「훌륭한 가운데 아쉬운 옥의 티 美中不足的瑕疵」에서 발췌, 『작품』 1960년 1월호), 귀정위안의 「억측으로 객관석인 분석을 내신하나 以臆想代替客觀分析」(귀정위안의 「『삼가항』 평가에 관한 몇 가지 문제」, 『작품』 1960년 1월호) 등 어우양산의 소설 『삼가항』에 관한 평론이 전재되었다.

13일, 『인민일보』에 제2차 인민해방군 미술작품전에 대한 덩퉈의 감상 「미술창작에 새로운 생명을 가져다주다 給美術創作帶來新的生命」가 발표되었다.

『광명일보』에 장광녠의 「리허린 동지에게 반박한다」가 전재되었다(11일자『문회보』제3호에 최초 발표).

14일, 『인민일보』, 『해방군보』에 양숴가 중소우호를 기념해 창작한 산문 「동풍제일지東風第一枝」가 발표되었다.

15일, 『희극보』 제3호에 수도 각계의 세계 문화 명인 체호프 기념대회에서의 마오둔의 연설 「위대한 현실주의자 체호프」가 게재되었다. 같은 호의 '인민 내부의 모순을 정확히 반영하는 문제에 관한 토론'란에 쑹포시의 「상하이탄의 봄上海灘上的春天」을 비판한 글이 게재되었다.

16일, 『해방일보』에 후완춘의 「흥미, 재능, 그리고 뜻 품기—이판 동지에게 보내는 서신興趣′ 才能和立志——給益範同志的信」이 발표되었다.

『홍기』 제4호에 왕뤄수이王若水의 「사유와 존재에는 동일성이 없는가?—스청 동지와의 논의思維和存在沒有同一性嗎?——和世誠同志商榷」가 발표되었다.

『중국청년』 제4호에 제17회 중화전국학생대표대회에서의 저우양의 보고 「현재의 형세와 공산주의 교육 문제目前形勢和共産主義教育問題」가 발표되었다(2월 21일자 『해방일보』에 전재). 그는 보고에서 "현재 우리의 주된 임무는 건설과 기술혁명, 문화혁명을 진행해 자연계와 투쟁하는 것이다. 그러나 이는 결코 앞으로는 혁명과 계급투쟁을 진행할 필요가 없다는 말이 아니다. 사실상 현재 건설과 혁명을 진행하는 과정에서도 정치, 경제, 사상 면에서의 사회주의 개조를 지속적으로 진행해야 한다. 건설과 혁명, 그리고 계급투쟁은 분리할 수 없다"라고 밝혔다.

『우화雨花』 제4호에 라오서의 평론 「「무송」에 관하여談<武松>」가 발표되었다.

『신관찰』 제4호에 마톄딩의 평론 「어떠한 인정미인가?—『청춘의 노래』의 위융쩌에 관하여是什麼樣的人情味?——關於<青春之歌>中的餘永澤其人」가 발표되었다.

『맹아』 제4호에 궈펑의 산문 「기차가 왔다火車來了」, 탕커신의 이론 「창작에 대한 사상과 생활의 결정 역할에 관하여略談思想′ 生活對創作的決定作用」가 발표되었다.

18일, 『인민일보』에 화쥔우의 「귀중한 수확—우리나라 미술영화의 민족 풍격을 평하다可貴的收穫——評我國美術電影中的民族風格」가 발표되었다.

20일, 『광명일보』에 후차이의 「예술의 진실성과 경향성의 통일을 논하다論藝術的眞實性和傾向性的統一」, 어우양위첸의 시 「일본의 전진좌 벗들을 환영한다歡迎日本前進座諸友」, 쭝푸의 하방 간부 수기 「끓인 물 일곱 병째第七甁開水」가 발표되었다.

『문회보』에 어우양위첸의 「좋은 희곡—톈진시월극단의 「문성공주」를 보고一個好戲——天津市越劇團的＜文成公主＞觀後」가 발표되었다.

20일~3월 2일, 문화부가 베이징에서 화극관람공연대회를 개최하였다. 베이징, 상하이, 해방군 등 기관에서 참가한 12개 대표단이 「홍기보」, 「홰나무 마을槐樹莊」, 「용을 굴복시키고 범을 제압하다降龍伏虎」, 「붉은 봉황이 해를 향하다丹鳳朝陽」, 「부부가 서로 사랑하다比翼雙飛」, 「고목에 꽃이 피다枯木逢春」, 「동진 서곡東進序曲」, 「영웅열차英雄列車」, 「해변의 청송海邊靑松」, 「영웅만세英雄萬歲」, 「공산당원共産黨員」, 「혁명 가족革命的一家」 등 12편의 작품을 공연하였다.

21일, 『광명일보』에 하오란의 「희극을 가르치고 사람을 가르치니, 교사와 학생이 함께 진보한다教戲又教人，師生同進步」가 발표되었다.

『해방군보』에 루망蘆芒의 「시대의 나팔, 호쾌한 노래!—『상하이 10년 시가 선집』의 출판을 축하하며時代的號角，豪邁的歌唱！——祝＜上海十年詩歌選集＞出版」가 발표되었다.

23일, 베이징인민예술극원이 베이징에서 4막 화극 「동지, 길을 잘못 들었소同志，你走錯了路」를 공연하였다. 야오중밍姚仲明, 천보얼이 각색을, 샤춘, 리싱李醒이 감독을 맡았으며, 퉁디童弟, 쑨안탕孫安堂, 후쭝원胡宗溫 등이 주연을 맡았다. 극본은 『극본』 1960년 5월호에 발표되었다.

24일, 『광명일보』에 비예의 산문 「고비 사막 야화戈壁夜話」가 발표되었다.

25일, 『문회보』에 궈모뤄의 「'평화'의 탈을 쓴 강도戴著"和平"面具的強盜」, 젠보짠의 「타이완을 향해 뻗는 미 제국주의의 마수를 잘라내자斬斷美帝國主義伸向台灣的黑手」가 발표되었다.

『문학평론』 제1호에 탕타오의 「마오쩌둥 문예사상의 기치 아래 부단히 학습하고, 영원히 전진하자在毛澤東文藝思想旗幟下不斷學習，永遠前進」, 허치팡의 「우리에 대한 독자의 비평을 환영한다歡迎讀者對我們的批評」, 제민潔泯의 「'인류 본성의 인도주의'를 논하다—바런의 「인정을 논하다」 등을 비판한다論"人類本性的人道主義"——批判巴人的＜論人情＞及其他」, 평위안췬의 「중국문학사에서 두 가지 노선 투쟁에 관하여關於中國文學史上兩條道路的鬥爭」가 발표되었다. 평위안췬은 글에서 역사 속의 문학에 대해 계급분석을 진행하고, "3천여 년 동안 두 가지 문학이 존재해 왔다. 하나는 착취자와 압박자를 위해 복무하는 작품으로, 이는 반인민적이고 반동적이며 낙후된 문학이다. 이는 쓸모없는 것이므로 응당 비판해야 한다. 다른 하나는 피착취자, 피압박자를 위해 복무하는 작품으로, 이는 인민을 위한 문학, 진보적인 문학이다. 이는 정수이므로 응당 발양해야 한다. 소위 문학사에서 두 가지 노선의 투쟁이라 함은 곧 이 두 가지 문학의 투쟁이다"라고 보았다. 이번 호부터 바런, 첸구룽, 장쿵양 등의 '인성론'에 관한 관점을 비판하는 글이 지속적으로 발표되었다.

『시간』 2월호에 장즈민의 「공사의 인물」 등의 시와 샤오샹肖翔의 「차이치자오의 시가 창작 경향蔡其矯的詩歌創作傾向」이 발표되었다. 샤오샹은 글에서 차이치자오의 『회성속집回聲續集』을 비판하면서, "차이치자오 동지의 시가 창작 수준이 갈수록 저하되는 이유는 그가 자신의 자산계급 문예사상을 진지하고 적극적으로 개조하지 않은 것과 큰 관련이 있다"라고 보았다.

25일~4월 13일, 중국작가협회 상하이분회에서 회원대회를 진행하였다. 『상하이문학』 5월호에 본 대회에 관한 기사 「마오쩌둥 사상의 홍기를 높이 들고, 자산계급 문예사상을 비판하자高舉毛澤東思想紅旗, 批判資産階級文藝思想」와 「마오쩌둥 사상의 홍기를 높이 들고 성과를 검열하고 장애물을 제거해, 무산계급 문예를 크게 발전시키자!ㅡ중국작가협회 상하이분회 회원대회가 폐막하고, 전투에 호소를 하다高舉毛澤東思想紅旗, 檢閱成績, 掃除障礙, 大力發展無産階級文藝!——中國作家協會上海分會會員大會閉幕, 並發出戰鬥的號召」가 게재되었다. 푸단대학의 장쿵양, 화둥사범대학의 첸구룽, 상하이사범학원의 런췬 등이 본 대회에서 비판을 받았다. 본 대회는 역사상 '49일 회의49天會議'라고 칭해진다. 대회 후에 『상하이문학』 5월호에 야오원위안의 「자산계급 인도주의를 철저히 비판하자ㅡ첸구룽의 수정주의 관점을 반박한다徹底批判資産階級人道主義——駁錢穀融的修正主義觀點」, 왕다오첸王道乾의 「장쿵양의 수정주의 문예사상을 비판한다ㅡ'제3종 문예'론批判蔣孔陽的修正主義文藝思想——"第三種文藝"論」이 발표되었다.

26일, 문화부 당조와 공청단 중앙서기처에서 중공중앙에 「소년아동도서의 진일보한 개선에 관한 보고關於進一步改善少年兒童讀物的報告」를 제출해 최대한 빨리 강대한 소년아동도서의 창작 및 편집 대오를 양성할 것, 지도를 강화하고 규칙을 제정해 작품의 질을 대대적으로 제고하고 양 또한 적절히 발전시킬 것, 계획적으로 종이의 질을 개선해 소년아동도서에도 그 효과가 미치게 하고,

우선 모든 소학교 및 중학교 교과서에 좋은 종이를 사용할 것, 농촌발행공작을 개선하고, 도시에 소년아동의 독서 장소를 증대할 것 등을 제시하였다. 3월 15일, 중공중앙에서 본 보고를 인가하였다.

『문예보』제4호에 쉬츠의 「공동의 지향, 공동의 이상─중소우호에 관한 몇 편의 산문을 읽고共同的志向, 共同的理想──關於中蘇友誼的幾篇散文讀後感」, 쉬다오치의 비평 「문학창작은 인민 내부의 모순을 어떻게 반영하는가 하는 문제에 관한 위헤이딩 등의 망론에 반박한다駁於黑丁等關於文學創作如何反映人民內部矛盾問題的謬論」가 발표되었다. 이 글은 1959년 5월에 작가협회 우한분회에서 발기한 '문학창작은 인민 내부의 모순을 어떻게 반영하는가'에 관한 토론에서 발표된 위헤이딩의 「문학은 모순 투쟁을 묘사해야 한다文學要描寫矛盾鬥爭」, 후칭포의 「문학작품이 인민 내부의 모순을 정확히 반영하는 문제文學作品正確反映人民內部矛盾的問題」, 자오쉰의 「투쟁의 선두에 서서站在鬥爭的前列」(1959년 『창장문예』제6, 7호에 게재) 등의 논문에 관해 비평한 글이다. 같은 호에 기사 「문학창작은 어떻게 인민 내부의 모순을 정확히 반영하는가 하는 문제에 관한 토론關於文學創作如何正確反映人民內部矛盾問題的辯論」이 게재되었다.

27일, 『독서』4월호에 선닝沈凝의 「루즈쥐안의 「높디높은 백양나무」를 읽고讀茹志鵑＜高高的白楊樹＞」가 발표되었다.

28일, 『문회보』에 빙신의 「미술영화와 함께 약진하다和美術片一同躍進」가 발표되었다.

『중국청년보』에 왕스王石, 팡수민의 「61명의 계급 형제를 위하여爲了六十一個階級弟兄」가 발표되었다(29일자 『인민일보』, 『인민문학』4월호에 전재).

『전영예술』제2호에 양한성 등의 「미술영화 좌담座談美術電影」이 발표되었다.

이달에 양숴의 단편소설집 『큰 깃발大旗』, 저우제푸의 장편소설 『10월의 햇빛十月的陽光』이 작가출판사에서 출간되었다.

류수더의 단편소설집 『붉은 구름紅雲』이 중국청년출판사에서 출간되었다.

옌이의 시집 『설산의 붉은 해雪山紅日』와 단편소설집 『전우집戰友集』이 충칭인민출판사에서 출간되었다.

후정胡正의 보고문학집 『7월의 무지개七月的彩虹』가 산시인민출판사에서 출간되었다.

어우양위첸의 예술논문집 『일득여초一得餘抄』가 작가출판사에서 출간되었다.

도로교통건설 산문 특필집 『만 리의 무지개彩虹萬里』가 인민교통출판사人民交通出版社에서 출간되었다.

보위원波玉溫, 캉랑잉, 캉랑솨이康朗甩가 합동 창작하고 천구이페이陳貴培가 번역한 시집 『세 명의 태족 가수가 베이징을 노래하다三個傣族歌手唱北京』가 작가출판사에서 출간되었다. 시집에는 세 시인이 50년대 말에 창작한 시 작품이 수록되었다.

상하이신문예출판사가 상하이문화출판사라는 이름으로 간행하던 『민간문예집간民間文學集刊』이 제10호로 폐간되었다. 문화대혁명 이후에 본 잡지는 상하이민간문예가협회上海民間文藝家協會가 『민간문예계간民間文藝季刊』, 『민간문예집간民間文學集刊』 등으로 명칭을 변경해 다시 간행하였다.

3월

1일, 『창장문예』 3월호에 차오뎬윈의 소설 「공사의 인정公社的人情」, 장융메이의 시 「샘이 버드나무 숲속에 서 있다桑姆站在柳林裏」, 「계집아이가 자라 열일고여덟 살이 되다女兒家長到十七八」, 리루칭의 시 「횃불火把」이 발표되었다.

『신항』 3월호에 제10회 톈진시 직공문예공연대회職工文藝會演大會 폐막식에서의 바이화의 연설 「마오쩌둥 문예사상의 홍기를 높이 들고, 직공문예창작운동의 더 큰 약진을 쟁취하기 위해 분투하자高擧毛澤東文藝思想紅旗， 爲爭取職工文藝創作運動的更大躍進而奮鬥」, 캉줘의 「팡지 단편소설 비판方紀短篇小說批判」이 발표되었다. 캉줘는 글에서 팡지의 「방문자來訪者」, 「만찬」, 「추수 시기秋收時期」 등의 단편소설을 분석하고 비판하였다. 같은 호에 리허린의 「10년간의 문학이론과 비평에 존재하는 작은 문제」를 비판한 톈진사범대학 중문과 문예평론소조의 글 「어느 원칙적인 문제에 대한 논쟁一個原則問題的爭論」 및 장즈싱張知行이 왕창딩을 비판한 글 「전투 속에서 단련하다在戰鬥中鍛煉」가 발표되었다.

『산화』 3월호에 젠셴아이의 「마오쩌둥 사상을 학습해 세계관을 철저히 개조하자學習毛澤東思想徹底改造世界觀」가 발표되었다.

『해방군문예』 3월호에 장양의 소설 「봄의 노래春天的歌」, 장융메이의 장시 『캉바 사람康巴人』, 루주궈의 자아비평 「침통한 교훈沉痛的敎訓」이 발표되었다. 루주궈는 자신의 소설 「충성스러운 마음忠貞的心」에 대해 반성하면서 "내가 오류로 가득 찬 이 소설을 완성했던 당시는 바로 반우파 투쟁이 막 시작된 때였다. 이 엄중한 투쟁 속에서 당은 내 눈을 맑게 닦아 주어, 나에게 과거를 돌아보고 내가 이미 당의 입장에서 벗어나 위험한 갈림길에서 오랫동안 배회하고 있었음을 깨닫게 해 주었다"라고 밝혔다.

『초원』 3월호에 왕즈빈王志彬의 평론 「우란바간의 단편소설에 관하여談烏蘭巴幹的短篇小說」가 발표되었다. 그는 글에서 "지야 동지의 이 글(『초원』 1958년 9월호에 발표된 「생활의 진실에 관하여談生活真實」)은 정확하지 못하며, 사상 방법 면에 문제가 존재한다. 그는 문제를 인식하고 분석하는 데 발전적이지 않고, 정지되고 정체되어 있으며, 고립적이고 단편적인 시각을 가지고 있다"라고 평했다. 같은 호에 나·싸이인차오커투의 시 「축사祝辭」가 발표되었다.

『옌허』 3월호에 류칭의 소설 「깊은 산의 한 가족深山一家人」(『창업사』 제1부 제22장), 왕원스의 「우리의 사상이 비약하고 또 비약하게 하자讓我們的思想，飛躍再飛躍」, 두펑청의 「마오쩌둥 문예사상을 열심히 학습하자努力學習毛澤東文藝思想」, 후차이의 평론 「예술의 진실성과 경향성의 통일을 논하다論藝術的真實性和傾向性的統一」가 발표되었다. 같은 호에 징성쩌景生澤, 치궈잉岐國英의 평론 「근본적인 차이根本的分歧」, 시베이대학 중문과 4학년 마오쩌둥 문예사상 연구소조의 「감언이설의 본질花言巧語的實質」 등 루핑盧平의 「일부 예술작품이 계급성을 포함하지 않은 문제 및 어떤 형상이 완전한가에 관해 논하다試論某些藝術作品不含有階級性以及什麽形象是完美的」의 관점을 비판한 글이 발표되었다.

『열풍』 3월호에 천보추이의 특필 「바다 위에서 보물을 건지는 사람大海上撈寶的人」이 발표되었다.

『맹아』 제5호에 탕커신의 특필 「공산주의의 불꽃共產主義的火花」이 발표되었다.

『양청만보』에 장융메이의 시 「6월의 눈을 크게 기뻐하다歡天喜地六月雪」가 발표되었다.

1일~10일, 허베이성 문련이 스자좡에서 허베이성 소설산문창작회의를 소집해 전문작가 및 아마추어 작가 92명이 참석하였다.

1일~15일, 중앙광파사업국 제7차 전국광파공작회의가 베이징에서 개최되었다. 회의에서 제정된 3개년 계획은 1960년에서 1962년 사이에 방송국을 50곳으로 늘려, 현재 10곳인 것을 다섯 배로 증가시키기로 결정하였다.

2일, 『문예보』, 『문학평론』 편집부에서 중국좌익작가연맹 성립 30주년 좌담회를 개최하였다. 샤옌, 양한성, 멍차오 등이 발언하였다. 『해방일보』에 웨이진즈의 산문 「'좌련'을 추억하며回憶"左聯"」가 발표되었으며, 『문학지식』 3월호와 『문학평론』 제2호에 탕타오, 정보치, 러우스이 등의 회고의 글이 발표되었다.

3일, 『광명일보』에 제민의 「'인성론' 및 그 창작이론 비판—바런의 수정주의 문예사상을 비판한다"人性論"及其創作理論批判——批判巴人的修正主義文藝思想」가 발표되었다.

『양청만보』에 장융메이의 시 「사원들이여, 가뭄에 맞서 싸워라社員們, 迎戰旱魔」가 발표되었다.

『극본』3월호에 자오쉰의 4막 화극 「환향기還鄕記」가 발표되었다.

5일, 문화부가 베이징에서 화극공작좌담회를 소집하였다. 각 성, 자치구, 시 문화 주관부문 인사, 각지 화극원, 화극단의 책임자 및 일부 문공단, 예술학교의 책임자 총 140명이 참석하였다. 문화부 부부장 린모한이 연설하였다. 본 화극공작좌담회에서는 지난 몇 년간의 화극사업의 진보와 성취를 충분히 긍정하고, 앞으로의 3년간 화극사업을 더욱 발전시키고, 화극의 사상 및 예술 수준을 더욱 제고하며, 신생 역량을 더 잘 양성할 방법 등을 토론하였다.

『상하이문학』3월호에 야오원위안의 「투쟁 속에서 발전하다—「인민 내부의 모순을 정확히 처리하는 문제에 관하여」를 학습한 감상在鬥爭中發展——學習<關於正確處理人民內部矛盾的問題>的一點體會」, 바진의 산문 「왕린허 동지王林鶴同志」, 옌이의 시 「민병 찬가民兵贊歌」, 아이양艾揚의 평론 「중국 현대 작가 연구의 기쁜 수확—예쯔밍의 「마오둔의 40년대 문학노선을 논하다」를 읽고中國現代作家研究的可喜收獲——讀葉子銘的<論茅盾四十年的文學道路>」가 발표되었다.

예쯔밍(1935~2005), 푸젠성 취안저우泉州 출신이다. 1957년에 난징대학 중문과를 졸업한 후 난징대학 부교수 및 교수, 중문과 주임, 대학원 부원장, 국무원 학위위원회 제2기 학과평의조 조원, 중국마오둔연구학회中國茅盾硏究學會 제1, 2기 부회장, 마오둔전집 편찬위원 겸 편집실 주임을 역임하였다. 대표 논저로 『마오둔의 40년대 문학노선을 논하다』, 『마오둔 만평茅盾漫評』, 『예쯔밍 문학논문집葉子銘文學論文集』 등이 있다. 마오둔 연구 및 중국 현대소설사 연구 분야에서 세계적인 영향을 끼쳤다.

『변강문예』3월호에 니쯔泥子가 쉬싱旭升을 비평한 평론 「「군중창작에는 큰 한계가 있다」를 질책한다斥<群衆創作有很大的局限性>」가 발표되었다. 그는 글에서 "만약 우리가 쉬싱이 말한 '전문작가'에 의지해 '제고'한다면, 우리의 문예를 자산계급 문예의 길로 이끌게 될 것이다"라고 보았다. 같은 호에 타오타오陶陶의 「자산계급의 편견資産階級的偏見」, 후이뤄惠若의 「물방울과 대해滴水與大海」 등 쉬싱을 비판한 글이 발표되었으며, 이에 덧붙여 윈난대학 중문과 쉬싱의 글 「군중창작에는 큰 한계가 있다」가 게재되었다. 그는 글에서 "현재 문예창작이 마주한 가장 절박한 문제는 창작의 질을 신속히 제고해야 한다는 것이다. 여기서 나는 질을 제고하기 위해서는 반드시 재능을 가진 전문작가를 양성해야 하며, 군중창작에 의지해서는 안 된다고 본다"라고 밝혔다.

『인민일보』에 라오서의 수필「좋은 희곡이 아주 많다好戲真多」, 잉비칭應必誠의「군중의 아마추어 문학창작을 지속적으로 격려하자繼續鼓勵群眾的業餘文學創作」가 발표되었다.

『작품』 3월호에 한베이핑의「고도가 새롭게 변하다古城新變記」가 발표되었다.

『꿀벌』 3월호에 캉줘의「마오쩌둥의 문예노선 위에서 부단히 혁명하자在毛澤東的文藝道路上不斷革命」, 리만톈李滿天의 평론「「영웅의 악장」의 사상적 모순〈英雄的樂章〉的思想矛盾」, 정스춘鄭士存의 평론「위안징 동지의「붉은 수송선」을 읽고讀袁靜同志的〈紅色交通線〉」가 발표되었다.

8일, 『베이징문예』 3월호에 돤무훙량의 산문「수도 노동영웅 악장首都勞動英雄樂章」, 하오란의 산문「불철주야日日夜夜」, 양모의「사상개조와 창작의 관계에 대한 깨달음對思想改造和創作關系的體會」, 리잉루의「혁명적 현실주의와 혁명적 낭만주의의 결합에 대한 감상對革命現實主義與革命浪漫主義相結合的點滴感受」, 셰펑쑹謝逢松의「누구의 '인정'에 통하고 누구의 '사리'를 꿰뚫는가―바런의「인정론」을 반박한다通誰的"情"達誰的"理"──駁巴人的〈人情論〉」, 펑무의 평론「린진란의「날아다니는 광주리」등에 관하여談林斤瀾的〈飛筐〉及其他」가 발표되었다. 펑무는 글에서 "어떤 결점(가령 예술 구조가 투박한 점과 문장에 '급조'한 흔적이 남은 것 등)이 존재하든 간에, 대약진 생활을 반영한 이 작품은 작가가 창작에 있어 더욱 건강한 발전의 길로 점차 나아가고 있음을 보여주는 기쁜 성과로 보아야 할 것이다"라고 보았다. 거진歌今, 더첸德千은 평론「와타나베의 '심각함'과 '불안'에 관하여―「내일까지 전투하다」에 표현된 '인성론'을 폭로한다談渡邊的"沉重"和"不安"──揭〈戰鬥到天明〉中所表現的"人性論"」에서 "바이런은 그의「내일까지 전투하다」에서 그의 자산계급 수정주의의 '인성론'적 문예관점을 확연히 드러내었다"라고 보았다.

『인민문학』 3월호에 리준의 소설「리솽솽 약전李雙雙小傳」(이후에 작가가 직접 영화문학 극본「리솽솽李雙雙」으로 개작해 1962년에 루런魯韌이 감독을 맡아 하이옌전영제편창에서 영화로 제작하였다. 상영 후 큰 반향을 불러일으켜, 1963년에 제2회 중국 『대중전영』 백화상百花獎 최우수 극영화 작품상, 최우수 각색상, 최우수 여자배우상, 최우수 조연상 등 4개 부문에서 수상하였다.), 탕커신의 소설「씨앗種子」, 톈젠의 시「『홍기가요』의 노래〈紅旗歌謠〉之歌」, 옌전의 시「사냥꾼獵手」, 웨이양의「공산주의의 시적 정취와 아름다움共產主義的詩情畫意」, 장즈밍의「『홍기가요』의 홍기가 휘날린다〈紅旗歌謠〉紅旗飄」, 사팅의「소설 창작의 몇 가지 문제 만담 ― 어느 아마추어 작가 좌담회에서의 발언漫談小說創作中的一些問題──在一個業餘作者座談會上的發言」, 천먀오陳淼의「바람을 타고 파도를 헤가르다」에 관하여談〈乘風破浪〉」(『독서』 제6호에 전재), 리시판의「'생활의 본질적 진실'이라는 간판 아래서在"生活的本質真實"的幌子下」등의 글이 발표되었다. 리시판은 글에서 리허린의 「10년간의 문학이론과 비평에 존재하는 작은 문제」가 후펑 문예사상과 동류라고 지적하며, "이러한 궤변의 의도는 문예가 즉 정치임을 증명하고, 작품의 사상성과 예술성의 차이를 뒤섞어 문예비평의 정치적 기준이 첫째, 문예 기준이 둘째라는 풍부한 전투성을 가진 무산계급 문예사상의 원칙을 말살하는 데 있다"라고 보았다.

『양청만보』에 위루鬱茹의 「국제 여성의 날에 먼 곳의 벗에게 보내다爲國際婦女節致遠方朋友」가 발표되었다.

9일, 중국청년예술극원, 중앙희극학원 실험화극원에서 각기 「61명의 계급 형제를 위하여」를 공연하였다. 극본은 『극본』 4월호에 발표되었다.

『문회보』에 전국전영발행방영공작회의全國電影發行放映工作會議에서의 샤옌의 연설 「영화 발행 및 상영 공작을 대대적으로 강화하자大力加強電影發行放映工作」가 게재되었다.

10일, 중국극협 상하이분회에서 '10년간의 상하이 희극계의 두 가지 노선의 투쟁', '문예공작자의 세계관', '백화제방, 백가쟁명' 등 총 8회의 희극계 문예사상강좌를 진행하였다.

『인민일보』에 류신우의 산문 「라일락이 피다丁香花開」가 발표되었다.

11일, 『문예보』 제5호에 안치安旗의 평론 「노동인민과의 결합이라는 길을 따라 탐색하고 전진하자─리지의 시가 창작 약론沿著和勞動人民結合的道路探索前進——略談李季的詩歌創作」이 발표되었다.

13일~18일, 윈난성 문련에서 제2차 윈난성 문학예술공작자 대표대회를 개최하였다. 윈난성 각지의 17개 민족의 가수, 시인, 작가 및 전문 혹은 아마추어 문예공작자 총 675인(배석 대표 232인 포함)이 참석하였다. 성 문련 주석 쉬자루이徐嘉瑞가 '마오쩌둥 문예사상의 기치를 높이 들고, 문학예술공작의 더 큰 약진을 쟁취하자高擧毛澤東文藝思想的旗幟, 爭取文學藝術工作更大躍進'라는 제목의 공작보고를 하고, 중공 윈난성위원회 선전부장 위안보袁勃가 '윈난 문학예술의 발전과 혁신을 촉진하자促進雲南文學藝術的發展和革新'라는 제목의 결산 보고를 진행하였다.

15일, 『양청만보』에 친무의 산문 「길 전체에 녹색등─路都是綠燈」이 발표되었다.

15일~6월 17일, 문화부에서 중국희곡학원에 위탁한 '메이란팡 공연예술 연구반'이 진행되었다. 연구반에서는 일부 성, 시 극단의 중·청년 배우 60여 명을 연구생으로 발탁해 학습에 참가시켰다. 메이란팡, 쉰후이성苟慧生, 위전페이俞振飛, 장먀오샹薑妙香, 마스청馬師曾, 샤오창화蕭長華, 쉬링윈徐淩雲, 류청지劉成基 등이 교사를 맡아 연기 시범을 보이고 전수하였다.

16일, 『광명일보』에 어우양위첸의 「치양극의 새로운 모습祁陽戲的新面貌」, 톈진사범대학 중문과 현대문학교연실 문예평론조의 평론 「왕창딩의 '근심'을 창작하자는 주장의 배후在王昌定主張寫"愁"的背後」가 발표되었다. 글은 "그(왕창딩)는 '근심' 창작을 통해 현실생활을 극도로 왜곡해, 창끝을 사회주의의 새로운 인물, 간부, 국가기관, 당 조직, 나아가 사회주의 제도 전체로 돌렸으며, 자산계급의 요구에 따라 우리의 사회주의 현실을 개조할 것을 기도하고 있다"라고 보았다.

『문회보』와 『양청만보』에 친무의 산문 「남국의 봄南國之春」이 발표되었다.

『맹아』 제6호에 야오원위안의 평론 「공산주의 정신으로써 인민을 교육하자用共產主義精神教育人民」가 발표되었다. 그는 글에서 "문예가 무산계급의 정치를 위해 복무해야 한다는 것은 마오쩌둥 문예사상의 근본적인 문제 중 하나이다. 이를 견지하거나 혹은 반대하는 것, 또한 이를 관철하거나 거절하는 것은 혁명의 무산계급 문예전사와 자산계급 문인 및 수정주의자를 구별하는 기본적인 기준이다"라고 보았다.

『신관찰』 제6호에 친무의 산문 「황푸 항구가 기뻐한다黃埔港在歡騰」, 리지의 산문 「창해와 얼하이 사이의 금꽃 만 송이滄海洱海間的萬朵金花」가 발표되었다.

18일, 『여행가』 제3호에 지셴린의 수필 「반타의 도시萬塔之城」가 발표되었다.

19일, 『양청만보』에 어우양산의 「『가오첸다』 재판 서문＜高乾大＞再版序」이 발표되었다.

『광명일보』에 베이징대학 중문과 59급 문학평론조의 평론 「하이모의 '인성'은 무엇을 선전하는가?海默的'人性'宣揚了什麼?」가 발표되었다. 글은 "하이모의 단편소설 '인성'은……하이모가 지난 몇 년간 발표한 '퉁소를 가로로 불다', '좁은 강 위를 나서다', '개를 때리다打狗', '소금鹽' 등과 마찬가지로 자산계급 수정주의의 독소로 가득 찬 작품이다"라고 보았다.

20일, 『광명일보』에 펑즈의 「19세기 유럽의 문학작품을 정확히 대하자正確對待歐洲十九世紀的

文學作品」가 발표되었다.

『해방일보』에 베이징 각계 인민의 라틴아메리카 인민 지원 및 중국 · 라틴아메리카 우호협정 성립 경축대회에서의 궈모뤄의 보고 「중국 인민과 라틴아메리카 인민의 우정 만세中國人民和拉丁美洲人民的友誼萬歲」가 발표되었다.

22일, 『인민일보』에 왕양러王央樂의 「중국에서의 라틴아메리카 문학拉丁美洲文學在中國」이 발표되었다.

『광명일보』에 쑤저충蘇者聰의 평론 「문학에서의 후고박금─『문학예술의 봄』을 읽고文學上的厚古薄今──<文學藝術的春天>讀後」가 발표되었다. 그는 글에서 고대문학 유산을 계승하는 문제에 대한 허치팡의 견해가 정확하지 않다고 보면서, 허치팡이 "고대문화를 너무 높이 평가하고, 오늘날의 성취는 충분히 긍정하지 않으며, 고대 작가의 작품을 추켜세움으로써 오늘날의 문학예술을 폄하해, 사람들에게 지금이 예전만 못하다는 느낌을 주었다"라고 지적하였다.

23일, 『광명일보』에 리차오李喬의 산문 「약진하는 시두─거주躍進中的錫都──個舊」가 발표되었다.

24일, 『수확』 제2호에 리제런의 장편소설 『큰 파도大波』(제2부)가 발표되었다. 『큰 파도』는 리제런이 30년에 가까운 시간을 들여 창작한 100만 자에 달하는 장편소설로, 작가는 공화국 성립 후인 1958년에 이 소설을 고쳐 써서 총 4부로 나누었는데, 1962년에 제3부를 완성하였다. 제4부가 12만 자가량 완성된 시점에서 작가가 병사하였다. 제1부는 1958년 3월에, 제2부는 1960년 5월에, 제3부는 1960년 6월에, 제4부는 1963년 9월에 작가출판사에서 단행본으로 출간되었다.

같은 호에 비예의 산문 「설산 골짜기 속에서在冰山河谷裏」, 저우얼푸의 산문 「행복의 땅幸福的土地」, 쉬징셴徐景賢의 평론 「하이모의 소설 두 편을 평하다評海默的兩篇小說」가 발표되었다. 쉬징셴은 글에서 하이모가 『수확』에 발표한 소설 「개를 때리다」와 「소금」에 대해 평하였다. 그는 소설 「개를 때리다」가 "혁명전쟁에 대한 작가의 지극히 잘못된 태도를 폭로하였으며, 혁명전쟁을 위해 자신의 모든 것을 바친 영웅인민과 팔로군 전사들에 대한 작가의 터무니없는 견해를 폭로하였다"고 보았다. 「소금」에 대해서는 "작가의 이러한 창작방법은 완전히 자연주의적인 것으로, 그는 사람들이 소금을 필요로 하는 갖가지 생리적인 감각을 대단히 자세히 묘사하면서, 이러한 자질구레한 장면 묘사가 적극적인 주제 사상을 표현할 수 있는지, 그리고 독자들을 교육하는 효과를 줄 수 있는지에 대해 전혀 고려하지 않았다"라고 보았다.

『양청만보』에 장융메이의 시 「공산주의에 일생을 바치다把一生獻給共產主義」가 발표되었다.

26일, 『광명일보』에 리지의 시 「마음에 기쁨이 가득한 채 마오밍에 들어서다心花怒放進茂名」, 「잔장의 노래湛江歌」가 발표되었다.

『해방일보』에 야오원위안의 「위대한 '공'자偉大的"公"字」가 발표되었다.

『문예보』제6호에 팡밍의 평론 「중국 공인계급의 혁명 풍격ー「바람을 타고 파도를 헤가르다」를 평하다中國工人階級的革命風格——評<乘風破浪>」가 발표되었다. 같은 호에 「마르크스주의의 저명한 작가가 문화전통의 비판적 계승을 논하다馬克思主義經典作家論批判地繼承文化傳統」, 「고리키가 자산계급 문학유산을 논하다高爾基論資產階級文學遺產」 등 본지에서 편집한 학습자료 두 편이 게재되었다.

29일, 『해방군보』에 천샹陳鄕의 평론 「대혁명을 그려낸 한 폭의 그림ー장편소설 『삼가항』 소개描繪大革命的一幅畫卷——介紹長篇小說<三家巷>」가 발표되었다.

30일, 『광명일보』에 장융메이의 연작시 「고원남호高原南胡」가 발표되었다. 연작시에는 「남호南胡」, 「왕두이의 노래旺堆之歌」, 「강변에서 빨래하다江邊搗衣」, 「들판 위의 선녀田野上的天仙」, 「연꽃ー백마荷花——白瑪」 등 5편의 시가 수록되었다.

31일, 『해방일보』에 후완춘의 학습필기 「마오쩌둥 사상이 바로 위대한 진리이다毛澤東思想就是偉大的真理」가 발표되었다.

『문회보』에 웨이진즈의 산문 「손목시계, 비행기, 사슬手表′飛機′鏈條」이 발표되었다.

이달에 베이징과학교육전영제편창北京科學教育電影制片廠이 설립되었다. 허원진何文今이 창장을 맡았디.

양모의 장편소설 『청춘의 노래』, 천덩커의 장편소설 『활인당』이 인민문학출판사에서 출간되었다.

저우리보의 장편소설 『산촌의 대격변』(속편)이 작가출판사에서 출간되었다.

자오쭈야오焦祖堯의 단편소설집 『이야기는 솽거우허 강가에서 발생했다故事發生在雙溝河邊』, 궁푸 등의 단편소설집 『가수歌手』가 상하이문예출판사에서 출간되었다.

쑤잉蘇鷹의 단편소설집 『습격襲擊』이 허난인민출판사에서 출간되었다.

하오란의 단편소설집『아침놀이 불처럼 붉다』가 중국청년출판사에서 출간되었다.

량상취안의 시집『우리는 태양을 쫓는다我們追趕太陽』가 상하이문예출판사에서 출간되었다.

왕스취안王世全 등의 산문특필집『한 걸음씩 발전하다步步高升』가 작가출판사에서 출간되었다.

천잉陳盈의『말 앞에서 예술을 말하다馬前談藝錄』가 광둥인민출판사에서 출간되었다.

류윈劉雲, 위판餘凡, 쉐차오雪草와 장시성화극단이 합동으로 각색한 당대 화극 극본『8·1 폭풍八一風暴』의 단행본이 중국희극출판사에서 출간되었다. 본 화극은 건국 10주년 헌정 희곡으로서 공연대회에 참가하였다. 1977년 10월, 인민문학출판사에서 장시성화극단의 이름으로 수정본(본래의 10장을 9장으로 수정)을 출간하였다.

4월

1일,『후난문학』4월호에 판리樊離의 평론「'『산촌의 대격변』속편'을 읽고讀"<山鄕巨變>續篇"」가 발표되었다. 그는 글에서 "저우리보 동지는 자신의 창작 실천을 통해 문예계의 수정주의자와 우경 기회주의자의 망론을 부정하였다.『산촌의 대격변』속편에서 그는 인민 내부의 모순을 여러 측면에서 반영했을 뿐만 아니라, 적과 아군 사이의 첨예한 투쟁 또한 반영하였다"라고 보았다. 같은 호에 한한밍韓罕明의「톄커 동지의 수정주의 관점을 비판한다批判鐵可同志的修正主義觀點」, 자오젠더趙建德의「문예는 반드시 무산계급 정치를 위해 복무해야 한다─톄커 동지의「문예가 정치를 위해 더 잘 복무하는 것에 관하여」를 비판한다文藝必須爲無産階級的政治服務──批判鐵可同志的<談文藝更好地爲政治服務>」등 톄커鐵可의 수정주의 문예관점을 비판한 글 두 편이 발표되었다. 이에 덧붙여 톄커의「문예가 정치를 위해 더 잘 복무하는 것에 관하여─「옌안문예좌담회에서의 강화」를 다시 읽고談文藝更好地爲政治服務──重讀<在延安文藝座談會上的講話>」가 게재되었다. 그는 글에서 "우리는 (정치를 위해) 복무하는 방식 역시 '두 다리로 걷는' 것, 즉 직접적인 복무와 간접적인 복무의 두 가지 방식이 있다고 말할 수 있다고 본다……이 두 가지 방식은 우리가 수많은 노동인민의 현재의 이익과 장기적인 이익의 통일에서 출발했음의 표현이며, 또한 작가가 현실을 신속하게 반영하는 것과 장기적인 창작 속에 통일된 정신을 내포했다는 표현이다. 우리는 현재를 신속하게 반영하는 것의 중심이 정치에 호응하는 것이며, 어느 혁명 단계를 반영한 작품 또한 정치에 호응한 것이라고 본다"라고 밝혔다.

『우화雨花』제7호에 저우서우쥐안, 청샤오칭, 판옌차오範煙橋의 마오쩌둥 사상 학습 필담「마오
주석의 저작을 학습하는 것은 우리의 중요한 수업이다學習毛主席的著作，是我們主要的課程」가 발표되
었다. 글은 "우리 문예공작자들은 그의 말을 듣고, 그가 가리키는 방향과 노선을 따라가면 잘못을
적게 저지르거나 혹은 저지르지 않을 수 있다. 이것이 우리가 몇 년간의 경험에서 얻은 교훈이다"
라고 밝혔다. 첸징런錢靜人의 평론「소위 '인류애'의 배후在所謂"人類之愛"的背後」는 "우리 무산계급
의 문예전사는 모두 현대 수정주의자들이 제창하는 소위 '인류애' 배후의 반동적인 본질을 충분히
인식해야 한다. 우리는 모두 거드름 피우는 현대 수정주의 언론에 대해 용서 없는 투쟁을 전개해
야 한다!"라고 밝혔다. 같은 호에 스린石林의「'동중유이'와 '이중유동'설을 비판한다 — 우댜오궁
선생의 자산계급 문예관점을 반박한다批判"同中有異"與"異中有同"說——駁吳調公先生的資產階級文藝觀點
」, 리루칭의 시「산촌가에서 노숙하다野營露宿山村邊」가 발표되었다.

　판옌차오(1894~1967), 자는 웨이사오味韶, 호는 옌차오煙橋이며 별명은 츠이스주鴟夷室主, 완녠
차오萬年橋, 처우청샤커愁城俠客 등이다. 우장吳江시 퉁리同裏 출신이다. 1917년 '남사南社'에 가입하
였으며, 1922년에 자오몐윈趙眠雲과 함께 문학단체 '성사星社'를 조직해 잡지『성보星報』를 발간하
였다. 공화국 성립 후에는 장쑤성 정협 위원, 쑤저우시 문화국장, 쑤저우시 박물관장을 역임하였
다. 일생 동안 풍부한 저작을 남겼는데, 대표 저서로는『담배연기煙絲』,『중국소설사中國小說史』,『
판옌차오설집範煙橋說集』,『우장현 향토지吳江縣鄉土志』,『당백호 이야기唐伯虎的故事』,『임씨지걸林
氏之傑』등이 있다.

　『옌허』4월호에 정보치의「영원히 마오쩌둥 문예사상의 기치 아래 전진하자永遠在毛澤東文藝思想
的旗幟下前進」, 리뤄빙의「시대의 최선봉에 서다站在時代的最前列」, 주자이朱寨의「『창업사』를 읽고讀
＜創業史＞」, 라오서의「문장 수정에 관하여談修改文字」, 궈모뤄의 연작시「시안 방문 잡음 4편訪西
安雜吟四首」(「영건룽詠乾隆」2편,「영순룽詠順陵」,「빗속에 화청지를 거닐다雨中遊華清池」수록)이 발
표되었다.

　주자이(1923~2012), 본명은 주훙쉰朱鴻勳으로 1943년에 옌안루예 문학과를 졸업하였다. 공화
국 성립 후에는 중국사회과학원 문학연구소 연구원, 당대문학연구실 주임, 학술위원회 주임 등을
역임하였다. 주로 중국 당대문학 연구에 종사하였다. 저서로 문학평론집『생활에서 출발하다從生
活出發』,『주자이 문학평론집朱寨文學評論集』, 산문집『녹초집鹿哨集』등이 있으며,『중국당대문학사
조사中國當代文學思潮史』,『중국신문학대계·1976~1982 이론 2집中國新文藝大系·1976－1982理論
二集』,『중국신문학대계·1949~1966 중편소설집中國新文藝大系·1949－1966中篇小說集』등의 편
찬을 맡았다. 은퇴 후에 평론집『행진 중의 사변行進中的思辨』을 출간하였다.

『신항』 4월호에 궈펑의 산문 「여자 민병의 사격 훈련女民兵射擊演習」, 톈젠의 시 「창리에 부쳐贈昌黎」(2편) 및 리지예의 「'인정미'를 반박한다駁"人情味"」, 위안징의 「「리주주」를 비판한다批判<李九九>」, 장허썬蔣和森의 「진실성, 예술성, 사상성ー리허린 동지를 비판한다真實性, 藝術性, 思想性ー批判李何林同志」 등의 글이 발표되었다.

『열풍』 4월호에 차이치자오의 인물특필 「전화 속의 종달새戰火中的雲雀」가 발표되었다.

『맹아』 제7호에 후완춘의 「공산주의 풍격을 갖춘 영웅 인물 창조를 위해 노력하자努力創造具有共產主義風格的英雄人物」가 발표되었다.

『신관찰』 제7호에 옌천의 산문 「105세의 청년一百零五歲的青年人」이 발표되었다.

2일, 중국인민해방군 총정치부 문예공작단 화극단이 상하이에서 6장 화극 「38선 위三八線上」를 공연하였다. 가오더화高德華가 각본을, 딩리丁裏가 감독을 맡았다. 극본은 『해방군문예』 1959년 11월호에 발표되었다.

『광명일보』에 옌천의 산문 「마음속이 눈처럼 빛난다ー상이군인 궈중을 기억하며心兒雪亮ー記榮譽軍人郭仲」가 발표되었다.

3일, 『인민일보』에 양숴의 산문 「용마 찬가龍馬贊」가 발표되었다.

『문회보』에 샤옌의 「훌륭한 풍격, 훌륭한 영화 ー 영화 「61명의 계급 형제를 위하여」를 찬양한다好風格 好影片ー贊影片<爲了六十一個階級弟兄>」가 발표되었다.

『광명일보』에 어우양위첸의 「회고와 전망ー희극학원 건립 10주년을 경축하며回顧與展望ー慶祝戲劇學院建院十周年」가 발표되었다.

『극본』 4월호에 자오치양, 천중이陳中宜, 린젠林戩, 천사오윈陳少雲이 창작한 5막 화극 극본 「불티가 번져 들판을 태우다」 및 루원주魯聞九의 글 「「환향기」는 무엇을 선전하는가<還鄉記>宣揚了什麼」가 발표되었다.

4일, 『인민일보』에 천황메이의 수필 「공산주의 풍격을 노래하는 영화를 환영한다歡迎歌頌共產主義風格的影片」가 발표되었다.

5일, 『인민일보』에 제2기 전국인민대표대회 제2차 회의에서의 문화부 부장 마오둔의 발언 「

현실 문화예술공작의 더 크고 우수한 약진을 위해 분투하자為實現文化藝術工作的更大更好的躍進而奮鬥」
가 발표되었다.

『변강문예』 4월호에 제2차 윈난성 문학예술공작자 대표대회의 윈난성 문련 공작보고(개요)「
마오쩌둥 문예사상의 기치를 높이 들고, 문학예술공작의 더 큰 약진을 쟁취하자高舉毛澤東文藝思想
的旗幟，爭取文學藝術工作的更大躍進」가 게재되었다. 보고는 "일부 문예공작자들은 세계관을 아직 개
조하지 못하고, 입장이 불안정하며 의지가 굳세지 못한 탓에 수정주의의 역류 속에서 마오쩌둥의
문예사상에 대해 의심하고 동요하게 되었다. 혹자는 사회주의 문예에 대한 저항감과 심각한 자산
계급 개인주의적 면모를 드러내기도 하였다. 샤오쉐曉雪의 「생활의 목가生活的牧歌」가 바로 이 시
기의 산물이다"라고 밝혔다.

같은 호에 공인 웨이융서우魏永壽의 「자산계급의 유령資産階級的幽靈」, 공인 자이잉허翟映和의 「
다른 입장에 서서 다른 말을 하다站在不同的立場，說不同的話」, 공인 첸궈중錢國忠의 「쉬싱은 어떠한
작가를 필요로 하는가旭升需要什麼樣的作家」, 공인 판핑範萍의 「우리는 허락하지 않는다我們不答應」
등 쉬싱을 비판한 글 4편이 발표되었다. 이 외에도 라오융간老勇敢이라는 필명으로 「이것은 어떤
태도인가這是什麼態度」라는 글이 발표되어 쉬싱의 글을 위해 항변하였다. 그는 "쉬싱의 가장 큰 특
징은 '생각한 대로 거침없이 말하는' 것이다. 그는 우리의 문예사업 전체의 발전의 길을 책임지고,
아무것도 두려워하지 않고 자신의 견해를 드러내 모두와 더불어 토론하였다……그는 우리 문예사
업의 희망이며, 우리의 미래 문예창작의 첨병이다. 그의 말은 매우 정확하다"라고 밝혔다.

『북방문학』 4월호에 뤼빈지의 「호소에 호응해 계속해서 약진하자響應號召，持續躍進」가 발표되
었다. 그는 글에서 "어우양 서기의 호소에 호응해……창작에서 혁명적 현실주의와 혁명적 낭만주
의의 결합이라는 원칙을 따르기 위해서는 오늘날의 군중건설의 열정을 표현하고 인민의 노동 창
조의 기개를 노래해야 할 뿐만 아니라, 오늘날 군중건설의 열정을 촉진해 인민 노동의 기개에 영
향을 주어야 한다"라고 밝혔다.

『꿀벌』 4월호에 허베이성 소설산문창작회의에서 허베이성 문련 당조서기 치빈齊斌의 연설인 「
마오쩌둥 문예사상의 기치를 높이 들고, 문예창작의 더 큰 풍작을 쟁취하자高舉毛澤東文藝思想的旗
幟，爭取文藝創作更大的豐收」가 발표되었다. 같은 호에 량빈의 소설 『파화기播火記』(『홍기보』 제2부,
원제는 「북방의 폭풍北方的風暴」)의 연재가 시작되어 제5호에 완료되었다.

『상하이문학』 4월호에 후완춘의 소설 「내일은 더욱 휘황찬란하리라明天更輝煌燦爛」, 탕커신의
소설 「'정치위원' "政治委員"」, 야오원위안의 글 「마르크스주의 전투의 비평馬克思主義的戰鬥的批評」
이 발표되었다.

자오단趙丹이 「임칙서 형상의 창조林則徐形象的創造」를 집필하였다(1961년 8월에 수정한 후 중국 전영출판사에서 1980년에 출간한 『은막 형상 창조銀幕形象創造』에 수록되었다).

7일, 『해방군보』에 리웨이李偉의 「문예 영역의 수정주의를 반드시 비판해야 한다文藝上的修正主義必須批判」가 발표되었다.

8일, 『베이징희극北京戲劇』(월간)이 창간되었다.

『인민문학』 4월호에 두펑청의 소설 「비약飛躍」, 탕커신의 소설 「첫 수업第一課」, 톈젠의 시 「레닌 송가列寧頌」, 리지의 연작시 「마오밍의 노래茂名歌」 3편(「진탕 노천광에서在金塘露天礦」, 「신산해경新山海經」, 「'마오밍 속도' 찬가"茂名速度"贊」), 커옌의 동시 「'샤오미후' 아주머니"小迷糊"阿姨」, 리칭의 시 「인민대회당에 들어가다走進人民大會堂」가 발표되었다. 같은 호에 탕커신의 「생활에 침투하고, 생활을 더 잘 인식해야 한다要深入生活，更要認識生活」가 발표되었다. 그는 글에서 "현재 우리는 어떤 공작에서든 마오 주석의 사상을 단호히 준수해야만 승리를 얻을 수 있으며, 조금이라도 마오 주석의 사상에서 멀어지면 길을 돌아가거나 혹은 잘못을 저지르게 된다는 것을 더욱 명확히 알게 되었다. 문예창작도 물론 예외가 아니다"라고 밝혔다. 이 외에도 위린의 평론 「더 높이 서서 더 깊게 보자—탕커신의 「씨앗」, 「첫 수업」을 읽고站得要高，看得要深——讀唐克新的＜種子＞＜第一課＞」, 자즈의 「공산주의 문예의 시작—『홍기가요』를 읽고共產主義文藝的開端·讀＜紅旗歌謠＞」가 발표되었다.

『베이징문예』 4월호에 하오란의 단편소설 「진허의 물金河水」 및 궈모뤄의 「전력투구해 용감히 전진하자!開足馬力, 奮勇前進!」, 톈젠의 「레닌 송가」 등 레닌 탄생 90주년 기념 시 작품이 발표되었다. 이 외에도 왕랴오잉王燎熒의 「「내일까지 전투하다」에 관한 토론關於＜戰鬥到明天＞的討論」이 발표되었다. 그는 글에서 1952년에 이 소설의 초판이 출간되었던 당시의 토론과 최근 『베이징문예』에서 진행된 제2판에 대한 토론을 정리하였다. 같은 호에 마원빙馬文兵의 「우리와 바런의 근본적인 차이점—『문학논고』에 드러난 문예와 정치의 관계에 대한 오류를 비판한다我們與巴人的一個根本分歧——批判＜文學論稿＞中關於文藝與政治的關系的謬誤」, 스둥師東의 「하이모의 「인성」에 드러난 자산계급 인도주의와 평화주의를 비판한다批判海默＜人性＞中的資產階級人道主義與和平主義」 등의 글이 발표되었다.

9일, 『인민일보』에 리잉이 「바오란루 위包蘭路上」라는 제목으로 발표한 연작시 「바오란루包蘭路」, 「어린 나무小樹」, 「3월의 라둥三月臘東」이 발표되었다.

10일, 『산둥문학』 4월호에 류즈柳之가 바런의 '인정론'을 비판한 글 「작가의 계급 애증에 관하여談作家的階級愛憎」가 발표되었다.

중국청년예술극원이 베이징에서 10장 역사극 「문성공주文成公主」를 초연하였다. 톈한이 각본을, 진산이 감독을 맡았으며 정전야오鄭振瑤, 우쉐 등이 주연을 맡았다. 극본은 『극본』 5월호에 발표되었다. 우한은 "톈한 동지의 극본은 당시 당나라와 투루판의 주된 갈등을 포착하였다", "투쟁이 극본 전체를 꿰뚫어, 역사의 실제에 부합하며 역사적 진실성을 가지고 있다", "예술적 진실성과 역사적 진실성이 조화와 통일을 이루어, 역사극인 동시에 훌륭한 희곡이다"라고 평했다(「「문성공주」를 기쁘게 보다喜看話劇<文成公主>」, 『문회보』 1960년 4월 14일자). 천서우주, 선웨이더沈蔚德는 "톈한은 역사적 소재를 묘사해 현재를 표현하는 데 능해 역사적 진실과 예술적 허구의 관계를 정확히 처리한다. 또한 극적인 충돌을 조직하고 인물의 내면세계에 침투하는 것에 밝아 서정적인 요소와 전기적인 색채를 두드러지게 하는 데 능하다······그가 창작한 「문성공주」는 기세가 웅장하고 구상이 자유분방하다. 전기적 색채와 서정성이 풍부하고, 인물의 성격이 선명하고 깊이 있게 그려져, 보는 이를 감동시킨다"라고 평했다(「톈한의 역사극 「문성공주」를 논하다論田漢曆史劇<文成公主>」, 『희극예술戲劇藝術』 1979년 3, 4월호 합본).

11일, 『문예보』 제7호에 궈샤오촨의 「반박할 가치도 없다不值一駁」가 발표되었다. 그는 글에서 "내 작품에 존재하는 잘못은 나로서는 수많은 독자에게 양심의 가책을 느끼지 않을 수 없고, 이러한 잘못으로 인해 발생한 소극적인 영향에 대해 큰 불안을 느끼지 않을 수 없다. 그러나 나는 낙담하지 않는다······왜냐하면 나는 동지들의 엄격하고도 열정적인 비평과 도움 아래 나의 잘못을 고칠 수 있다고 완전히 믿기 때문이다"라고 밝혔다. 같은 호에 류바이위의 「어느 아프리카 소설의 서두에 쓰다─우스만 셈벤의 『조국, 나의 사랑스러운 인민』의 서문 겸 '작가의 반식민주의적 경향 반대' 논조에 반박한다寫在一本非洲小說的前面──序桑·烏斯曼的<祖國, 我可愛的人民>兼駁"反對作家反殖民主義的傾向"的論調」, 쑹솽宋爽의 「사회주의적 인물을 묘사하기 위해 노력하다 ― 마펑 동지가 쓴 10년간의 단편소설에 관하여努力描繪社會主義的人物──試談馬烽同志十年來的短篇小說」, 리시판의 「바런의 '인류 본성'의 정형론에 반박한다駁巴人的"人類本性"的典型論」 등의 글이 발표되었다.

12일, 중공중앙에서 문화부 당조의 「극단의 '무리한 스카우트' 행위에 대한 단호한 제지 및 소위 '유동 배우' 금지 방법에 관한 보고關於堅決制止劇團"挖角"行爲和取締所謂"流動演員"辦法的報告」를 비준해 각지에서 이를 집행할 것을 요구하였다.

『독서』제7호에 주자이의 평론「아름다운 산촌은 계속해서 격변을 겪는다─『산촌의 대격변』속편을 읽고優美的山鄉在繼續巨變著──讀＜山鄉巨變＞續篇」가 발표되었다. 그는 글에서 인물 형상의 발전과 변화, 인민 내부의 모순 탐색, 방언 활용 등의 측면에서『산촌의 대격변』속편이 가진 장단점을 분석하였다. 같은 호에 라오서의「「무송」에 관하여談＜武松＞」(『우화雨花』1960년 제4호에 최초 발표)가 전재되었다.

13일~29일, 문화부가 베이징에서 현대 소재 희곡 관람공연대회를 진행하였다. 경극, 예극 등 6개 극종이 참가해 대약진을 노래하는 10편의 현대 희곡을 공연하였다. 헤이룽장성 치치하얼 평극단齊齊哈爾評劇團의「팔정녀八貞女」, 허베이성 톈진평극원天津評劇院의「장스전張士珍」, 허난성 예극원 3단豫劇院三團의「겨울이 가고 봄이 오다冬去春來」, 안후이성호극단滬劇團의「홍메이를 구하다救紅梅」, 네이멍구 자오우다명경극단昭烏達盟京劇團의「바레인의 분노巴林怒火」, 상하이시 인민호극단人民滬劇團의「작디작은 불티星星之火」, 중국경극원의「백운홍기白雲紅旗」, 중국평극원의「진사장 강변金沙江畔」, 중국희곡학교 실험경극단의「쓰촨 백모녀四川白毛女」, 베이징시 곡극단의「61명의 계급 형제를 위하여」등이 공연되었다. 대회에서 문화부 부부장 치옌밍齊燕銘이 '현대극, 전통극, 새로 창작한 역사극 3자의 공동 발전', '현대 극목을 대대적으로 발전시키고, 전통 극목을 적극적으로 수정, 정리 및 공연하며, 새로운 관점을 가진 역사극의 창작과 공연을 제창'하는 방침을 제시하였다.『인민일보』,『희극보』,『문회보』등에 관련 사설이 발표되었다.

14일,『문회보』에 우한의 평론「「문성공주」를 기쁘게 읽다」가 발표되었다.

15일,『양청만보』에 친무의 시「난하이의 작은 섬을 방문하다訪南海小島」가 발표되었다.

16일,『맹아』제8호에 후완춘의 단편소설「우리는 미래를 향해 가고 있다我們正在走向未來」가 발표되었다.

『우화雨花』제8호에 예쯔밍 등의「우댜오궁의 자산계급 문예사상을 비판한다批判吳調公的資産階級文藝思想」가 발표되었다.

『신관찰』제8호에 마톄딩의「사상 잡담思想雜談」이 발표되었다.

18일, 베이징인민예술극원이 화극 「바산의 붉은 물결巴山紅浪」을 공연하였다. 황티黃悌가 각본을, 어우양산쭌이 감독을 맡았다.

『여행가』 제4호에 옌원징의 산문 「아제르바이잔의 서정阿塞拜疆的抒情」이 발표되었다.

20일, 『광명일보』에 쩌우디판의 산문 「전진하는 중在前進中」이 발표되었다.

21일, 『인민일보』에 궈모뤄가 쿠바를 노래한 시 「카리브 해의 진주에 바치다獻給加勒比海的明珠」가 발표되었다(같은 날 『해방일보』, 『문회보』에 전재).

『광명일보』에 톈한의 시 「은매가 쿠바를 수호한다銀鷹護古巴」, 샤오싼肖三의 시 「쿠바여, 너에게 안부를 전한다古巴, 我給你捎句話」가 발표되었다.

22일, 레닌 탄생 90주년을 기념해 인민출판사에서 중앙편역국中央編譯局이 편찬한 『레닌 선집列寧選集』(1~4권)을 출간하였다.

23일, 『인민일보』에 원제의 시 「멀리 전투하는 쿠바에 보내다遙寄戰鬥的古巴」가 발표되었다.

『민간문학』 4월호에 차오징화가 번역한 벨라루스의 민간고사 「레닌의 정의列寧的正義」와 러시아 민간고사 「레닌이 깨어난다列寧快醒了」가 발표되었다.

『해방일보』와 『해방군보』에 1960년 4월 22일의 레닌 탄생 90주년 기념대회에서의 루딩이의 보고 「레닌의 혁명의 기치 아래 단결하자在列寧的革命旗幟下團結起來」가 게재되었다.

24일, 『인민일보』에 톈젠의 시 「쿠바에게致古巴」와 궈샤오촨의 시 「「시가호」를 배웅하다爲＜詩歌號＞送行」 등 쿠바 인민을 지지하는 시가 발표되었다.

25일, 『문학평론』 제2호에 예수이푸葉水夫와 첸중원錢中文의 「국제 수정주의 문예사상을 반드시 철저히 비판해야 한다國際修正主義文藝思想必須徹底批判」, 런다신任大心과 펑난장馮南江의 「문예와 정치의 관계―바런의 『문학논고』에 나타난 수정주의 문예사상을 비판한다文藝和政治的關系——批判巴人＜文學論稿＞中的修正主義文藝思想」, 왕진링王金陵과 수이젠푸水建馥의 「세계관과 창작의 관계―바런의 『문학논고』에 나타난 수정주의 문예사상을 비판한다世界觀和創作的關系——批判巴人＜文學

論稿＞中的修正主義文藝思想」, 장궈민張國民과 황빙黃炳의 「왕수밍 동지의 인성론을 비판한다批判王淑明同志的人性論」 등 바런 등의 수정주의 문예사상을 비판한 평론이 여러 편 발표되었다. 이에 덧붙여 왕수밍의 「인정과 인성을 논하다論人情與人性」가 게재되었다.

『문학평론』 같은 호에 탕타오의 「문화전선 위의 전투 홍기－'좌련' 성립 30주년을 기념하며文化戰線上的戰鬥紅旗——紀念"左聯"成立三十周年」, 러우스이의 「'좌련'의 두 간행물을 기억하며記"左聯"的兩個刊物」, 정보치의 「'좌련' 추억 단편"左聯"回憶片段」, 아이우의 「내가 '좌련'에서 겪은 옛일 몇 가지를 추억하며回憶我在"左聯"的幾件往事」, 웨이진즈의 「'좌련' 잡기"左聯"雜憶」 등 좌련 성립 30주년을 기념한 글이 발표되었다. 이 외에도 린원하오林文浩가 쓴 야오원위안의 저서 『루쉰－중국 문화혁명의 거인魯迅——中國文化革命的巨人』에 대한 서평 및 마오둔의 문학노선을 연구한 두 권의 저서 『마오둔의 40년대 문학노선을 논하다』(예쯔밍 저), 『마오둔의 문학노선茅盾的文學道路』(사오보저우邵伯周 저)에 대한 판쥔樊駿의 평론이 발표되었다.

판쥔(1930~2011), 저장성 전하이鎮海 출신이다. 1953년에 베이징대학 중문과를 졸업한 후 중국사회과학원 문학연구소 현대문학연구실 부주임, 연구원을 역임하였다. 1955년부터 작품을 발표하였으며 1979년에 중국작가협회에 가입하였다. 저서로 논문 『『낙타샹쯔』의 현실주의를 논하다論＜駱駝祥子＞的現實主義』, 『중국 현대문학사 교재 집필에 관한 몇 가지 견해關於編寫中國現代文學史教材的幾點看法』가 있으며, 『중국현대문학사中國現代文學史』, 『중국현대단편소설선中國現代短篇小說選』 등을 편찬하였다.

『인민일보』에 빙신의 시 「날아라, 전투 비행기야, 날아라飛吧, 戰鬥的銀燕, 飛吧」가 발표되었다.

『해방일보』에 페이리원의 문학특필 「왕린허 이야기王林鶴的故事」의 연재가 시작되어 4월 28일자에 완료되었다.

『양청만보』에 친무의 산문 「깊은 산의 봉황深山鳳凰」이 발표되었다.

26일, 베이징인민예술극원이 화극 「도처에 꽃이 피니 여러 집이 향기롭다花開遍地萬戶香」를 공연하였다. 위스즈, 잉뤄청이 집필하고, 샤춘과 메이첸이 감독을 맡았으며, 디신狄辛, 리룽李容, 친짜이핑秦在平 등이 주연을 맡았다.

『문예보』 제8호에 첸쥔루이의 「문학의 당성 원칙을 고수하고, 현대 수정주의를 철저히 비판하자－레닌 탄생 90주년을 기념하며堅持文學的黨性原則, 徹底批判現代修正主義——爲紀念列寧誕生九十周年而作」가 발표되었다. 그는 글에서 문예계에서 반드시 "각종 자산계급사상과 수정주의 사조", 가령 "자산계급 인도주의", "평화주의", "반사회주의적인 '진실 창작'", "'창작의 자유'를 평계로 당의 지도에 반대하는 것" 등등을 반드시 비판해야 한다고 보았다. 같은 호에 평무의 「인민의 전진을 영원히 격려하는 혁명의 횃불―『불티가 번져 들판을 태우다』 제3집을 읽고永遠鼓舞人們前進的革命火炬――〈星火燎原〉第三集讀後」, 마톄딩의 평론 「화산의 『원항집』을 읽고讀華山的〈遠航集〉」, 쉬츠의 평론 「웅장하고 아름다운 「톈산 찬가」壯麗的〈天山贊歌〉」 및 중국작가협회 상하이분회 회원대회 요록 「마오쩌둥 사상의 홍기를 높이 들고, 자산계급 문예사상을 비판하자高擧毛澤東思想紅旗, 批判資産階級文藝思想」가 발표되었다.

『해방일보』에 홍빙紅兵의 「장쿵양의 소위 문학이 '일상생활'을 묘사해야 한다는 견해를 반박한다駁蔣孔陽的所謂文學要描寫"日常生活"」가 발표되었다. 그는 글에서 "장쿵양 선생이 우리가 '일상생활을 통해 영웅 인물을 표현하는 데 능해야' 한다고 주장하는 진정한 의도는 우리가 자산계급의 이기적이고 향락적인 생활을 통해 자산계급의 '영웅 인물'을 표현하고, 이로써 문예가 자산계급의 정치를 위해 복무하는 목적을 이루기를 바라는 것이다"라고 지적하였다.

『문회보』에 원샤오둥文效東의 글 「장쿵양의 초계급론과 인성론을 비판한다批判蔣孔陽的超階級論和人性論」가 발표되었다.

27일, 『인민일보』에 기사 「수도 문학예술계 인사들이 모여 비욘슨 서거 50주년을 기념하다首都文學藝術界人士集會, 紀念比昂森逝世五十周年」가 게재되었다.

29일, 『인민일보』에 라오서의 상성 「이승만이 꺼졌다李承晩滾開了」가 발표되었다.

30일, 『인민일보』에 빙신의 산문 「봄이 바다처럼 깊다春深如海」가 발표되었다.

『희극보』 제8호에 장경의 「마르크스주의적인 문예비평의 기준이 필요한가要不要馬克思主義的文藝批評標准」 및 평론 「계급의 경계를 말살해서는 안 된다―색정적이고 잔인한 희곡에 대한 장경 동지의 잘못된 관점을 평하다階級界限不容抹煞――評張庚同志對色情凶殺戲的錯誤觀點」가 발표되었다.

이달에 『전영예술』, 『전영창작』, 『해방군문예』 등의 간행물에 쉬화이중의 영화문학 극본 「무정한 연인無情的情人」을 비판한 글과 기사가 집중적으로 게재되었다.

관장징이 『시간』 부편집장을 맡았다.

『후난희극』이 폐간되었다.

자오수리의 단편소설집 『단련하다』가 작가출판사에서 출간되었다.

하오란의 단편소설집 『신춘곡新春曲』이 중국청년출판사에서 출간되었다.

사팅의 단편소설집『과도過渡』가 인민문학출판사에서 출간되었다.

양자楊嘉의 단편소설집『루잉취안 소리鹿影泉聲』가 광둥인민출판사에서 출간되었다.

젠셴아이의『묘령집苗嶺集』, 류수더의『한동집』, 쑤샤오싱蘇曉星의『이산의 봄빛이 좋다彝山春好』, 옌핑燕平의『발자국腳印』등의 단편소설집이 상하이문예출판사에서 출간되었다.

빙신의 소설산문집『소귤등』, 루디陸地의 장편소설『아름다운 남방美麗的南方』, 커옌의 아동문학『'샤오미후' 아주머니』가 작가출판사에서 출간되었다.

캉랑솨이가 창작하고 천구이페이가 번역한 시집『태족 사람의 노래傣家人之歌』가 상하이문예출판사에서 출간되었다. 본 시집에는 캉랑솨이가 1958년에서 1959년 사이에 창작한 장시를 수록하였다. 이 시집은 '삼림의 여명森林的黎明', '멍바나시의 환호猛巴納西的歡呼', '땅의 주인土地的主人', '태족 사람의 첫 번째 봄傣家人的第一個春天', '만페이룽 댐의 노래曼菲龍水庫之歌', '란창장 위의 보석瀾滄江上的寶石', '간바이趕擺' 등 일곱 부분으로 구성되었다.

『샤오싼 시선蕭三詩選』이 인민문학출판사에서 출간되었다.

『해방군 문예 백기 산문선解放軍文藝百期散文選』이 해방군문예출판사에서 출간되었다. 본 선집에는 시훙西虹의 「푸른 바다와 붉은 마음碧海紅心」 등의 작품이 수록되었다.

옌허문학延河文學 월간 편집부에서 편찬한 옌허 총서『산문특필선散文特寫選』이 둥펑문예출판사東風文藝出版社에서 출간되었다. 본 선집에는 화산의 「산속의 항로山中海路」, 왕쭝위안王宗元의 「고원, 눈보라, 청춘高原'風雪'靑春」 등이 수록되었다.

『산화』편집부에서 편찬한『홍기 자녀紅旗兒女』가 구이저우인민출판사에서 출간되었다. 책에는 1959년에『산화』에 발표된 비교적 우수한 산문특필 16편이 수록되었다.

중국작가협회 산시분회 준비위원회에서 편찬한『산시 산문특필선山西散文特寫選』(1949~1959)이 산시인민출판사에서 출간되었다.

바진의 산문집『찬가집贊歌集』, 장춘차오의『용화집龍華集』이 상하이문예출판사에서 출간되었다.

중국민간문예연구회 연구부에서 편찬한『민가 작가가 민가 창작을 말하다民歌作者談民歌創作』가 작가출판사에서 출간되었다.

5월

1일, 상하이인민예술극원이 5막 화극 「봄 도시는 어디서나 꽃잎이 날리네」를 공연하였다. 양춘빈楊村彬 등이 각본을 맡았으며, 극본은 『수확』 제3호에 발표되었다.

『인민일보』에 류바이위의 산문 「혁명의 아침놀革命的朝霞」, 아이팅艾汀의 시 「혁명의 홍기를 높이 들자高擧革命的紅旗」가 발표되었다.

『홍기』 제9호에 차오잉曹瑛의 「성공적으로 진행 중인 체코슬로바키아 사상문화혁명勝利進行中的捷克斯洛伐克思想文化革命」이 발표되었다.

『맹아』 제9호에 류정劉征의 서사시 「현위원회 서기縣委書記」, 허웨이何爲의 산문 「두 명의 도로 수비 민병兩個護路民兵」이 발표되었다.

『옌허』 5월호에 궈모뤄의 시 「시안 방문 잡음訪西安雜吟」(속편)이 발표되었다. 「영건릉詠乾陵」, 「장회태자 묘를 참배하다弔章懷太子墓」가 발표되었다.

『열풍』 5월호에 차이치자오의 특필 「맹호에 날개를 더하다猛虎添翼」가 발표되었다.

『우화雨花』 제9호에 판옌차오의 산문 「다푸허 순례大浦河巡禮」, 왕멍윈王夢雲의 「사회주의 문학 창작은 진실을 창작할 수 있는가社會主義文學創作可不可以寫真實」가 발표되었다.

『해방군문예』 5월호에 두펑청의 소설 「고비 사막의 새 노래瀚海新歌」, 후완춘의 소설 「공인工人」, 리잉의 시 「강철대로의 새벽鋼鐵大街的清早」, 관쉬란, 쩡화평의 평론 「쥔칭 단편소설의 예술적 특징을 논하다論峻青短篇小說的藝術特點」, 인이즈尹一之의 평론 「「위먼 자녀 출정기」를 읽고讀<玉門兒女出征記>」, 허쭤원의 평론 「사상의 제고와 예술의 제고 ─ 루주궈 동지의 「침통한 교훈」을 읽고 생각한 것思想的提高和藝術的提高──讀陸柱國同志<沉重的教訓>一文所想到的」이 발표되었다. 같은 호에 판싱潘井이 집필한 집단 토론 요록 「'제4종 극본'이라는 밍론을 비판한다 ─ 집단 토론批判"第四種劇本"的謬論──集體討論」이 발표되어 리훙이 「뻐꾸기가 또 울었다」를 비평한 글 「제4종 극본」의 오류가 "대단히 심각하다"고 지적하면서, "이 작품은 사실상 마오 주석의 문예사상을 반대하면서, 수정주의적 관점으로써 문예의 공농병 방향과 혁명적 세계관으로 창작 실천을 지도하는 것을 부정하며, 계급적 관점을 통해 현실생활을 분석하는 것을 부정한다. 이로써 문학예술사업을 당과 마오 주석이 가리키는 정확한 길에서 벗어나게 하려고 기도하고 있다"라고 밝혔다.

『초원』5월호에 우란바간, 멍허보옌의 소설 「영원히 불구가 되지 않는 사람－전구 문교전선 군영대회에 바치다永不殘廢的心——獻給全區文教戰線群英大會」 및 우란바간의 글 「마오 주석의 문예사상으로 무장하자用毛主席的文藝思想武裝起來」가 발표되었다.

『신관찰』제9호에 마톄딩의 「적에게 대항하는 비수, 공산주의 사상의 찬가－새로운 시대의 새로운 잡문對敵鬥爭的匕首, 共産主義思想的贊歌——新時代的新雜文」 및 탕타오가 마오쩌둥 사상을 학습한 글 「숲속에서 나무를 보다叢林見樹」가 발표되었다.

『신항』5월호에 왕랴오잉의 「바런 등의 인성론과 마르크스주의적 인성관巴人等的人性論和馬克思主義的人性觀」, 장쉐신의 「양룬선의 창작경향을 평하다評楊潤身的創作傾向」 등의 글이 발표되었다.

3일, 『양청만보』의 기사에 의하면 중산대학 중문과 학생 및 교수들이 마오 주석의 「옌안문예좌담회에서의 강화」 발표 18주년을 기념해 합동으로 『광둥의 10년간의 문예운동과 문예사상투쟁廣東十年文藝運動與文藝思想鬥爭』, 『광둥의 10년간의 문예창작 연구廣東十年文藝創作研究』 등 두 권의 책을 편찬하였다.

『극본』5월호에 야오중밍, 천보얼이 합동 창작한 4막 화극 「동지, 길을 잘못 들었소」, 황쭤린, 뤼푸의 「극본 창작을 조직한 몇 가지 경험組織劇本創作的一些體會」, 야오중밍의 「「동지, 길을 잘못 들었소」의 창작에 관하여關於＜同志, 你走錯了路＞創作」, 우한의 「「문성공주」를 기쁘게 보다」가 발표되었다.

야오중밍(1914~1999), 야오멍링姚夢齡이라고도 하며 산둥성 둥어東阿 출신이다. 1932년에 중국공산당에 가입하였다. 지난시위원회 제1부서기, 지난시 시장, 주미얀마 중국대사관 초임 대사, 주인도네시아 대사, 문화부 부부장, 대외문화연락위원회 부주임 등을 역임하였다. 저서로 화극 극본 『동지, 길을 잘못 들었소』(합동 창작), 『기억이 생생하다記憶猶新』, 『먹구름은 달을 가릴 수 없다烏雲難遮月』 등이 있다.

5일, 『양청만보』에 러우치樓棲의 평론 「문예와 정치의 관계－「옌안문예좌담회에서의 강화」 발표 18주년을 기념하며文藝與政治的關系——紀念"在延安文藝座談會上的講話"發表十八周年」가 발표되었다.

『꿀벌』5월호에 한잉산의 특필 「붉은 정원사－인민교사 쑹구이룽 열사를 기억하며紅色的園丁——記人民教師宋桂榮烈士」가 발표되었다.

『변강문예』5월호에 샤오쉐의 「「생활의 목가」의 자아비판＜生活的牧歌＞的自我批判」이 발표되었다. 같은 호에 위수裕書의 「자산계급의 비명資產階級的哀鳴」, 왕쑹성王松盛의 「자산계급의 문화 전제주의를 철저히 타파하자徹底摧毀資產階級的文化專制主義」, 우란투야烏蘭圖雅의 「'한계성'의 배후在"局限性"的背後」, 난카이대학 중문과 홍병문예평론소조紅兵文藝評論小組의 「독초는 반드시 뿌리 뽑아야 한다毒草必須鏟除」, 리샤오수李曉墅의 「사마귀가 어찌 수레를 막을 수 있겠는가螳臂豈能擋車」 등 쉬성을 비판한 글이 여러 편 발표되었다. 이 외에도 자이잉허翟映和와 류링劉靈이 라오융간을 비판한 글 「이것은 독화살이다這是一支毒箭」가 발표되었다.

『북방문학』 5월호에 궈셴훙郭先紅의 단편소설 「기세가 등등하다龍騰虎躍」가 발표되었다.

궈셴훙(1929~), 본명은 궈셴훙郭善鴻, 필명은 셴훙仙鴻으로 산둥성 옌타이煙台 출신이다. 중공 당원이며 중국작가협회 헤이룽장분회 전문작가이다. 1950년부터 작품을 발표하였다. 저서로 장편소설 『정도征途』(일본어, 한국어 번역본 출간), 단편소설집 『새싹新芽』(합동 창작) 등이 있다. 단편소설 「일어서는 사람들站起來的人們」로 헤이룽장성 문학창작상을 받았다.

『작품』 5월호에 러우치의 평론 「일대 풍류의 시작－『삼가항』을 평하다一代風流的開端——評＜三家巷＞」가 발표되었다.

6일, 『광명일보』에 젠보짠의 평론 「문성공주에게 마땅한 역사적 지위를 부여하다－톈한 동지의 신작 화극 「문성공주」와 곤극 「문성공주」를 보고給文成公主應有的歷史地位——看了田漢同志新編的話劇＜文成公主＞和昆曲＜文成公主＞以後」가 발표되었다.

7일, 베이징인민예술극원에서 5막 화극 「불티가 번져 들판을 태우다」를 공연하였다. 자오치양, 첸중쉬안陳中宣, 린젠, 천사오윈陳少雲이 각본을, 자오쥐인이 감독을 맡았으며 마췬馬群, 댜오광탄, 톈충田沖, 주쉰朱旭 등이 주연을 맡았다.

8일, 『인민문학』 5월호에 웨이쥔이의 소설 「늙은 중국인 노동자老華工」, 옌천의 시 「자동화 예찬自動化贊」, 「낡은 침상을 새로 단장하다舊床新裝」, 「108일이 108년을 떨쳐내다一〇八天甩掉一〇八年」, 궈모뤄의 5막 역사극 「무측천武則天」이 발표되었다(본 극본은 1962년 9월에 중국희극출판사에서 출간되었다. 전국 각지에서 공연된 후 문예계, 사학계에서 본 작품의 무측천이라는 인물 형상 창조에 관한 토론이 전개되었다).

중국청년예술극원이 상하이에서 화극 「붉은 물결이 굽이쳐 흐르다紅浪滾滾」를 공연하였다. 저우라이周來가 감독을 맡았다. 본 화극은 중국청년예술극원이 상하이에서 순회공연을 하는 동안 민가를 수집, 창작해 공연한 것으로, 극본은 『베이징희극』 7월호에 발표되었다.

『베이징문예』5월호에 장푸인張福胤, 자오신민趙信民, 리수신李曙新의 「'작은 문제'에 대해 반드시 큰 토론을 진행해야 한다—리허린 동지의 수정주의 문예사상을 비판한다對"小問題"必須進行大辯論——批判李何林同志的修正主義文藝思想」가 발표되었다. 이들은 글에서 리허린이 『문예보』1960년 제1호에 발표한 평론 「10년간의 문학이론과 비평에 존재하는 작은 문제」에 대해 비평을 전개하였다. 이들은 리허린의 소위 "예술적 기준이 첫째"라는 기준이 거짓된 것이라고 보고, 그가 사실상 자산계급의 정치적 기준으로 문학작품을 평가하고 있으며, "그의 말은 사실상 펑쉐펑, 친자오양의 수정주의 관점과 큰 차이가 없고, 그저 다른 시기에 말하는 방식을 조금 바꿨을 뿐"이라고 지적하였다. 같은 호에 위안위보袁玉伯의 평론 「부대문예에 대한 바이런의 공격을 질책한다駁斥白刃對部隊文藝的攻擊」가 발표되어 바이런이 「내일까지 전투하다」 수정본에 수록된 후기에서 "대단히 악랄한 태도와 어조로 부대문예를 공격하였다"라고 보았다.

『문회보』에 야오원위안의 서평 「전진하는 '발걸음'前進的"脚步"」이 발표되었다.

『인민일보』에 양쉬의 잡문 「열 사람이 손가락질하다十手所指」가 발표되어 미 제국주의가 한국전쟁의 원흉이라고 지적하였다.

『양청만보』에 황웨이쭝黃偉宗의 「어가의 자매漁家姐妹」가 발표되었다.

『베이징희극』5월호에 황티의 5장 화극 『바산의 붉은 물결巴山紅浪』이 발표되었다.

10일, 『인민일보』에 궈모뤄의 시 「반제국주의 투쟁의 연쇄반응反帝鬥爭的連鎖反應」이 발표되어 미·일 군사동맹 조약에 반대하였다.

11일, 『광명일보』에 예성타오의 평론 「'라오뉴진'의 탄생"老牛筋"的誕生」이 발표되었다.

『문예보』제9호에 양쉬의 산문 「두 대양의 조수兩洋潮水」, 라오서의 「톈산의 문학적 재능—『신장 형제 민족 소설선』 소개天山文彩——介紹<新疆兄弟民族小說選>」가 발표되었다. 같은 호에 대량의 지면을 할애해 「마르크스주의의 저명한 작가가 자산계급 인도주의를 논하다馬克思主義經典作家論資產階級人道主義」와 「고리키와 루쉰이 인도주의와 인성론을 논하다高爾基'魯迅論人道主義和人性論」를 게재하였다.

12일, 『인민일보』에 젠보짠의 「'개미'가 사자로 변하다—일본 사학자에게 보내는 공개 서신"螞蟻"變成了獅子——寫給日本史學家的一封公開信」이 발표되었다.

『독서』제9호에 수이젠푸, 마난장, 왕진링, 런다신의 평론 「『문학논고』에 나타난 바런의 수정주의 문예사상을 비판한다」(18일자 『광명일보』에서 전재)가 발표되었다. 이들은 글에서 "『문학논고』는 철두철미한 수정주의 독초이다. 그는 '인성론'을 고취함으로써 계급투쟁에 반대하고 있다. 그는 '현실주의 방법'을 강조해 창작에 대한 마르크스레닌주의 세계관의 지도적 역할에 반대하고 있다. 그는 '초시대 초계급 초정치'라는 간판을 내걸고 문예가 정치를 위해 복무하는 것에 반대하고 있다. 그는 작가가 '진실을 창작'(즉, 사회주의의 '어둠'을 창작)해야 한다고 제창하면서 사회주의 제도를 반대하고 있다. 이것이 『문학논고』의 기본적인 논조이다"라고 지적하였다.

13일, 『인민일보』에 류바이위의 산문 「북소리가 봄날의 우레처럼 진동한다鼓聲像春雷一樣震動」, 톈한의 잡문 「나날이 드높아지는 일본의 혁명의 파도를 위해 환호하다爲日本日益高漲的革命浪潮歡呼」가 발표되었다.

『문회보』에 중국과학원 학부위원회 제3차 회의에서의 궈모뤄의 보고 「마오쩌둥 사상의 홍기를 높이 들고, 과학의 고조를 더 빨리 이룩하자高擧毛澤東思想紅旗, 更快地攀登科學高峰」가 발표되었다.

14일, 『양청만보』에 장융메이의 장시 『류롄링 위에 꽃구름이 걸리다六連嶺上現彩雲』(원제는 『비바람 부는 야자나무 숲風雨椰子林』)의 제16장 「작은 불티는 반드시 들판을 태운다星星之火定燎原」가 발표되었다.

15일, 『인민일보』에 사설 「희곡은 반드시 부단히 혁명해야 한다戱曲必須不斷革命」가 발표되었다. 사설은 "우리는 현대 소재 작품을 대대적으로 발전시켜야 하며, 동시에 우수한 전통 작품을 적극적으로 수정, 정리 및 공연해야 한다. 또한 역사유물주의 관점을 통해 새로운 역사극을 창작할 것을 제창해야 한다. 이 세 분야를 동시에 발전시켜야 한다"라고 밝혔다. 같은 호에 양쉬의 산문 「이산蟻山」이 발표되었다.

16일, 『맹아』 제10호에 양저우사범학원 중문과 1(7)반 평론소조의 평론 「청춘이 조국을 위해 빛나게 하자—「나는 타오화허 강가를 지킨다」를 평하다讓青春爲祖國閃光——評 <我守衛在桃花河畔>」, 샤오쉐의 시 「금 봉황金鳳凰」이 발표되었다.

『신관찰』 제10호에 우한의 산문 「늙은 간호사老護士」가 발표되었다.

18일, 『여행가』제5호에 라오서의 산문 「공사에 꽃이 피니 정원이 붉다公社花開大院紅」가 발표되었다.

『광명일보』에 장멍경張夢庚의 「새로운 면모를 지닌 역사극─'처음으로 사회에 나서다'와 '관도대전'을 평하다具有新面貌的歷史劇──簡評"初出茅廬"與"官渡之戰"」가 발표되었다.

중국인민해방군 총정치부 문예공작단 화극단이 5장 화극 「행복교幸福橋」를 공연하였다. 본 화극은 중국인민해방군 청정치부 문예공작단 화극단에서 합동 창작하고, 푸둬, 루웨이魯威, 주쯔정朱子錚, 류이민劉一民, 리멍李蒙, 리런린李壬林, 바이윈팅白雲亭이 집필하였다. 극본은 『극본』7월호에 발표되었다.

20일, 『양청만보』에 친무의 풍자시 「마치 삶아진 게처럼像一只煮熟了的螃蟹」이 발표되었다.

21일, 『인민일보』에 라오서의 시 「총통이 허풍을 떨다總統開嗙」, 리잉의 시 「일본의 태양日本的太陽」, 「후지산 아래富士山下」가 발표되었다.

22일, 『인민일보』에 쩌우디판의 시 「톈안먼 광장 위에서 쓰다寫在天安門廣場上」, 류란산劉嵐山의 시 「중국의 목소리中國的聲音」가 발표되었다.

『문회보』에 후완춘이 「옌안문예좌담회에서의 강화」 발표 18주년을 기념해 집필한 글 「영원히 마오 주석이 인도하는 방향을 따라 전진하자永遠沿著毛主席指引的方向前進」가 발표되었다.

23일, 『해방일보』에 야오원위안의 「주구가 본색을 드러내다走狗顯原形」가 발표되었다.

『민간문학』5월호에 류쿠이리劉魁立의 「다시 민간문학 수집공작에 관하여再談民間文學搜集工作」가 발표되었다.

『문회보』에 「옌안문예좌담회에서의 강화」 발표 18주년을 기념해 탕커신의 「마오 주석의 햇빛과 이슬 아래 성장하자在毛主席的陽光和雨露下成長」, 루즈쥐안의 「우리에게는 더없이 정확한 길이 있다我們有一條無比正確的道路」가 발표되었다.

24일, 『수확』제3호에 우위안즈吳源植의 장편소설 『금색의 뭇 산金色的群山』, 제샹린揭祥麟의 중편소설 「톈차오에 오르다上天橋」, 옌천의 시 「불꽃이 찬란하다─농업전선의 38홍기 기수들에게 바치다火花燦爛──獻給農業戰線上的三八紅旗手們」, 리지의 연작시 「쓰촨 3편川中三首」(「동지에게贈同志」, 「차 속에서의 대화車中談話」, 「모두 홍기 아래 있다都在一面紅旗下」 수록), 리잉의 연작시 「싼먼샤의 노래三門峽歌」(「싼먼샤 사람三門峽人」, 「협곡 야가峽穀夜歌」, 「퉁관潼關」 수록), 바진의 산문 「거주의 봄個舊的春天」이 발표되었다. 같은 호에 마톄딩의 평론 「리지의 시가 창작 만필을 읽고讀李季詩歌創作漫筆」가 발표되었다.

25일, 『인민일보』에 궈모뤄의 '일본에 보내는 서신' 「승리를 쟁취할 내일爭取勝利的明天」이 발표되었다.

26일, 『문예보』 제10호에 톈한의 「일본 인민이 정의로운 투쟁을 끝까지 진행하는 것을 단호히 지원하자堅決支援日本人民把正義鬥爭進行到底」, 러우스이의 「일본 인민의 전투 노랫소리─일본 인민투쟁을 반영한 시집 두 권을 읽고日本人民的戰鬥歌聲──讀兩本反映日本人民鬥爭的詩集」, 펑무의 평론 「새로운 성격이 왕성하게 성장한다─「리솽솽 약전」을 읽고新的性格在蓬勃成長──讀＜李雙雙小傳＞」가 발표되었다. 같은 호에 천위더陳育德의 「풍경시와 산수화조도의 계급성 문제에 관하여關於風景詩' 山水花鳥畫的階級性問題」(『허페이사범학원학보合肥師範學院學報』 제1호에 최초 발표)가 게재되었다. 이후에 『광명일보』, 『문학평론』, 『시간』, 『베이징대학학보』 등에 이 분야에 대한 토론의 글이 지속적으로 발표되었는데, 이 글들은 도연명의 전원시와 사령운의 산수시를 예로 들어 '미감의 계급성' 문제를 토론하였다. 같은 호에 쑹솽宋爽의 평론 「'아동 본위론'의 본질─천보추이의 「아동문학 간론」을 평하다"兒童本位論"的實質──評陳伯吹的＜兒童文學簡論＞」(『독서』 제12호에 전재)가 발표되었다. 쑹솽은 글에서 천보추이의 아동문학관이 "사실상 자산계급 인성론이 아동문학에 반영된 것으로, '인성론'으로써 계급분석을 대체하고, 아동문학의 당성 원칙을 말살하여, 초계급적인 추상적 아동 입장을 제창하려 하고 있다"라고 보았다. '동심론童心論'에 관한 이 비판은 중국 아동문학계에 사상적인 혼란을 불러일으켜, 70년대 말에서 80년대 초 사이에야 명확히 규명되었다.

『인민일보』에 친리秦犁의 시사 선전극 「도쿄의 폭풍東京風暴」이 발표되었다.

27일, 『인민일보』에 톈한의 '일본에 보내는 서신'─「그는 생각할 수 있다他會思想」가 발표되었다.

28일, 『인민일보』에 양한성의 '일본에 보내는 서신'─「우리의 전투적 우정을 발전시키자發展

我們的戰鬥友誼」가 발표되었다.

『광명일보』에 젠보짠의 잡문「옛 역사의 새 필사본舊歷史的新抄本」, 라오서의 잡문「경의를 표하고 치하하다致敬致賀」가 발표되었다.

『베이징만보北京晚報』에 빙신의「공산주의의 새싹을 위하여爲了共産主義的幼苗」가 발표되었다.

텐한이 인민문학출판사에서 출간된『관한경』단행본에 수록될「서문」을 집필하였다. 그는 글에서 본 작품의 창작 구상과 결말에 관한 생각을 설명하였다.

30일, 『양청만보』에 스춘史村이 바런을 비판한 글「사람, 인정미, 인정론人′人情味′人情論」이 발표되었다.

희곡이 현대생활을 표현하는 예술적 능력을 대대적으로 제고하고, 위대한 군중시대와 공농병 생활을 적극적으로 반영하도록 하기 위해, 『희극보』제10호에 '희극예술 혁신에 관한 토론' 특집란이 개설되었다. 이 특집란에는 마옌샹의「희곡의 현대생활 표현 및 희곡예술 전통 계승 문제를 논하다試論戲曲表現現代生活和繼承戲曲藝術傳統問題」, 훙셴뉘紅線女의「사상을 해방시키고, 대담하게 창조하며, 현대극을 잘 공연하기 위해 노력하자解放思想, 大膽創造, 努力演好現代戲」, 뤄팅洛汀의「전극의 진일보 혁신 문제에 관하여關於演劇的進一步革新問題」등의 글이 발표되었다.

31일, 『인민일보』에 기사「전국문교군영회 대표들이 베이징에 모이다全國文教群英會代表齊集北京」가 발표되었다. 같은 호에 우한의 '일본에 보내는 서신'—「소위 미일 수교 100주년所謂日美建交一百周年」, 텐한의 시「불화살 사수 예찬火箭射手贊」과 산문「우크라이나 견문烏克蘭所見」이 발표되었다.

『문회보』에 탕윈唐雲의「민족회화의 새로운 공헌—수묵화 만화영화民族繪畫新的貢獻——水墨動畫片」가 발표되었다.

이달에 중국작가협회 칭하이青海분회가 설립되었다.

『안후이희극安徽戲劇』이 폐간되었다.

중앙광파사업국이 하얼빈에서 전국 방송국 공작경험 교류현장회全國電視台工作經驗交流現場會를 개최해 하얼빈 방송국이 재래 방식으로 사업을 시작한 경험을 보급하였다.

상하이미술전영제편창上海美術電影制片廠에서 수묵화 만화영화「올챙이의 엄마 찾기小蝌蚪找媽媽」의 시험 제작에 성공하였다.

리제런의『큰 파도』제2부, 마자의『붉은 과실』등의 장편소설이 작가출판사에서 출간되었다.

마펑의 단편소설집『태양이 막 탄생하다太陽剛剛出生』가 산시인민출판사에서 출간되었다.

진이의 유작 산문집『열정의 찬가熱情的贊歌』(바진이 서문을 집필)가 상하이문예출판사에서 출간되었다.

중국작가협회 후난분회에서 편찬한『후난 10년 산문특필선湖南十年散文特寫選』이 후난인민출판사에서 출간되었다.

후난인민출판사에서 산문특필집『60년대로 들어서는 첫날跨進六十年代的第一天』이 출간되었다. 책에는 웨이제魏傑, 후싱린胡杏林, 두바이杜白 등의 작품이 수록되었다.

화산의 통신보고문학집『원항집』이 중국청년출판사에서 출간되었다. 책에는「동화의 시대童話的時代」,「첨병尖兵」,「고비 사막의 밤大戈壁之夜」,「원항遠航」,「산속의 항로山中海路」 등의 작품이 수록되었다.

왕롄王煉이 각색한 7장 화극『고목에 꽃이 피다』가 상하이문예출판사에서 출간되었다.

야오원위안의『충소집沖霄集』이 작가출판사에서 출간되었다.

정두鄭篤의『문예산론文藝散論』, 허이賀宜의『아동문학산론兒童文學散論』이 텐진백화문예출판사에서 출간되었다.

5일부터 9일까지, 중앙민족학원에서 민간문학공작자들을 조직해 티베트, 쓰촨, 윈난, 간쑤 남부의 티베트족 주거지로 가서 티베트족 민간문학을 조사하고 채록하였다. 이번 조사에는 중앙민족학원 티베트어과의 왕야오王堯, 퉁진화佟錦華, 겅위광耿予芳, 천젠젠陳踐踐, 문학연구소의 쑨젠빙孫劍冰, 치롄슈祁連休, 줘루卓如, 중국민간문예연구회의 안민安民, 베이징대학 중문과의 돤바오린段寶林 등이 참가하였다. 이들이 채록한 성과의 일부는『민간문학』에 발표되었으며, 이후에『티베트족 민간고사선藏族民間故事選』(상하이문예출판사 1984년 출판)과『티베트족 민가선藏族民歌選』(민족출판사 1981년 출판)에 수록되었다.

6월

1일~11일, 전국문교군영회全國文教群英會가 베이징에서 개최되었다. 루딩이가 당중앙과 국무원을 대표해 축사를 하였으며, 장지춘張際春이 폐회사를 하였다. 600여 명의 대표들이 만장일치로 중공중앙과 마오 주석에게 경의를 표하는 전보를 보내기로 결정하였다.

1일, 『인민일보』에 궈모뤄의 시 「마오쩌둥 사상의 홍기를 높이 들고 전진하자－전국문교군영대회에 바치다高擧起毛澤東思想的紅旗前進──獻給全國文教群英大會」가 발표되었다.

『광명일보』에 빙신의 수필 「찬란한 뭇별이 베이징을 비춘다燦爛群星照北京」, 예성타오의 시 「군영회 대표들에게贈群英會代表」, 위안잉의 산문 「태평화太平花」가 발표되었다.

『홍기』제11호에 왕뤄수이의 「사유와 존재의 통일성 문제에 관하여關於思維和存在的同一性問題」가 발표되었다.

『해방군문예』6월호에 라오서의 고사鼓詞 「산 무송活武松」, 쉬츠의 시 「혁명의 봉화가 곳곳에서 타오른다革命烽火處處燒」, 라오제바쌍의 시 「반란 평정 시초平叛詩抄」, 류수쉰劉樹勳의 평론 「전사 단시를 기쁘게 읽다喜讀戰士短詩」가 발표되었다.

『맹아』제11호에 야오원위안의 평론 「군중창작의 새로운 꽃－상하이 전기기계공장 직공들의 군중창작 선집『큰 폭풍 속의 작은 이야기』를 평하다群眾創作的新花──評上海電機廠職工群眾創作選集＜大風暴中的小故事＞」가 발표되었다. 같은 호에 왕융성王永生, 우중제吳中傑의 「장쿵양의 수정주의 문예관점을 비판한다批判蔣孔陽的修正主義文藝觀點」가 발표되었다. 이들은 글에서 "장쿵양 선생은 자산계급의 '인성론'을 통해 마르크스주의 문학 원리의 일련의 근본 원칙들을 곡해하고 '수정'하였다"라고 보았다.

『우화雨花』제11호에 리원루이李文瑞, 가오양高陽의 특필 「옌슈전 이야기顏秀珍的故事」, 위안커圓可의 평론 「양이가 표현한 아이들과 그들이 생활하는 세상楊苡筆下的孩子們和他們生活的天地」이 발표되었다.

『초원』6월호에 하오제皓潔, 자이친翟琴의 평론 「「초원의 봉화」에 관하여－샤오핑과 「'초원의 봉화'를 평하다」에 관해 논의하다也談＜草原烽火＞──和肖平商榷＜評"草原烽火"＞」가 발표되었다.

『옌허』6월호에 웨이강옌의 시 「이승만의 동상李承晚的銅像」 및 후차이가 루핑의 「일부 예술작품이 계급성을 포함하지 않은 문제 및 어떤 형상이 완전한가를 논하다」를 비판한 글 「문예의 계급성을 말살해서는 안 된다文藝的階級性不容抹殺」가 발표되었다.

『신항』6월호에 위안징의 시 「미 제국주의는 종이호랑이다美帝國主義是紙老虎」, 하오란의 단편소설 「진주珍珠」가 발표되었다. 같은 호에 리지예의 「바런의 '인정미'의 본색巴人的"人情味"的本色」, 허베이성 언어문학연구소 현대문학조의 비평 「창작에 대한 세계관의 결정적 역할을 말살해서는 안 된다－리허린의 「문학이론 상식 강화」 등을 비판한다不許抹煞世界觀對創作的決定作用──批判李何林的＜文學理論常識講話＞及其他」가 발표되었다.

『칭하이후』6월호에 정보치의 산문 「칭하이 송가青海頌」가 발표되었다.

『신관찰』제11호에 마톄딩의 「사상 잡담思想雜談」, 빙신의 인물특필 「심혈을 기울여 물을 주는 정원사用心血澆花的園丁」가 발표되었다.

『해연海燕』 6월호에 주권의 단편소설 「돼지를 치다收豬」가 발표되었다. 이 소설은 『해연』을 통해 몇 호에 걸쳐 토론이 전개되었으며 비판을 받았다.

베이징희곡학교 실험경극단北京戲曲學校實驗京劇團이 설립되어 장펑江楓이 단장을 맡았다.

2일, 『인민일보』에 「루딩이 동지가 중공중앙과 국무원을 대표해 전국문교군영대회에서 진행한 축사陸定一同志代表中共中央和國務院在全國文教群英大會上的祝詞」가 게재되었다. 본 축사는 같은 일자의 『문회보』, 『해방일보』, 『해방군보』에도 게재되었다.

『문회보』, 『해방일보』, 『해방군보』, 『광명일보』, 『창장일보』에 1960년 6월 1일에 진행된 전국 교육 및 문화, 위생, 체육, 신문 분야의 사회주의 건설 선진기관 및 선진공작자 대표대회에서의 린펑林楓의 보고 「문화혁명을 대대적으로 진행해 공농군중의 지식화와 지식분자의 노동화를 실현하자大搞文化革命，實現工農群眾知識化，知識分子勞動化」가 게재되었다.

『문회보』에 예성타오의 '일본에 보내는 서신'―「마음이 통하다心心相通」가 발표되었다.

『양청만보』에 궈모뤄의 시 「기쁜 소식이 에베레스트산에 오르다喜聞攀上珠穆朗瑪峰」가 발표되었다.

3일, 『인민일보』에 빙신의 '일본에 보내는 서신'―「계속해서 전진하는 일본의 벗에게致繼續前進中的日本朋友」, 양한성의 영화평론 「무산계급이 마땅히 가질 태도로써 혁명전쟁을 반영하자以無產階級應有的態度反映革命戰爭」가 발표되었다. 양한성은 글에서 「김옥희金玉姬」와 「전화 속의 청춘戰火中的青春」 등 두 편의 영화에 대해 평하였다.

『극본』 6월호에 야오원위안의 「천궁민 동지의 '사상 원칙'과 '미학 원칙'을 논하다―천궁민 동지에게 답하다論陳恭敏同志的'思想原則'和'美學原則'――答陳恭敏同志」 및 류단劉丹, 지환파冀煥發, 왕멍쥐王夢菊, 마추핑馬秋平, 천이췬陳依群이 창작한 2장 화극 「혁명에 충성스러운 장인紅心巧匠」이 발표되었다.

4일, 베이징시 실험화극단이 장시성화극단에서 합동 창작한 7장 화극 「징강산 사람井岡山人」을 공연하였다. 수커舒克, 류원劉聞이 감독을 맡았다.

『광명일보』에 리지와 원제의 시 「우리는 군영이 모여 있는 회장에 들어선다我們走進群英聚集的會場」가 발표되었다.

5일, 『변강문예』6월호에 리젠야오李鑑堯, 뤄팅의 글 「샤오쉐는 무엇을 선전하고 무엇을 반대하는가?―「생활의 목가」를 비판한다曉雪在宣揚什麼, 反對什麼?——批判＜生活的牧歌＞」가 발표되었다. 이들은 글에서 「생활의 목가」가 "주관전투정신을 엄청나게 강조하고 '시인은 반드시 자신에게 충실하고 자신의 개성과 풍격에, 그리고 자신의 창작 노선과 예술사업에 충실해야 한다'고 부추기며, 시인이 '인민의 감정을 표현'하는 것에 반대해, 이로써 문예가 공농병을 위해 복무하는 방향에 반대하고 있다. 또한 사회주의 현실주의, 민족형식, 대중화 등의 문제에 대해서도 왜곡하고 공격하였다"라고 지적하였다. 같은 호에 양런더楊仁德의 글 「바런의 '인정론'의 반동적 본질巴人"人情論"的 反動實質」이 발표되었다.

『북방문학』6월호에 리촨룽李傳龍의 「바런과 왕수밍의 인성론을 비판한다批判巴人和王淑明的人性論」가 발표되어 "바런과 왕수밍이 표현하려는 '인류 본성'은 사실상 자산계급의 인성을 말하는 것이다"라고 지적하였다.

『작품』6월호에 중산대학 중문과 56학번 문학이론조의 평론 「문예와 정치의 관계에 대한 바런의 왜곡을 반박한다駁巴人對文藝與政治關系的歪曲」 및 중산대학 중문과 56학번 현대문학연구소조의 「문예비평의 기준에 관한 리허린의 수정주의 관점을 반박한다駁李何林關於文藝批評標准的修正主義觀點」가 발표되었다. 이 외에도 친무의 문예필담 「자연과학, 문학, 아동도서自然科學 文學 兒童讀物」가 발표되었다.

『상하이문학』6월호에 바진의 산문 「거주를 추억하며憶個舊」, 커란의 산문 「여정 중의 짧은 편지旅途短信」, 뤄쑨의 논문 「수정주의 문예사상을 단호히 반대한다堅決反對修正主義文藝思想」가 발표되었다.

6일, 『해방일보』에 전국문교군영회에서의 중공중앙 통일전선사업부 부부장 쉬빙徐冰의 연설 「지식분자의 노동화를 더 빨리 실현하자加速實現知識分子勞動化」가 발표되었다(10일자 『광명일보』에 게재). 본지 보도에 따르면, 중공중앙 통일전선부 부부장 쉬빙은 5일에 진행된 전국문교선진공작자대표대회에서 「지식분자의 개조 문제에 관하여關於知識分子的改造問題」라는 제목으로 연설하였다.

베이징시 실험화극단이 8장 화극 「동진 서곡」을 공연하였다. 구바오장, 쉬원핑이 각본을, 수커가 감독을 맡았다. 극본은 『해방군문예』1959년 10월호에 발표되었다.

7일, 『해방군보』에 쉬화이중의 특필 「분투하는 집단―'랑쥐훙' 아마추어 미술창작소조를 기억하며 奮鬪的集體——記"朗卓紅"業餘美術創作小組」가 발표되었다.

8일, 『인민문학』 6월호에 루즈쥐안의 소설 「고요한 산원에서靜靜的産院裏」, 위안잉의 「편지 다섯 통五封信」, 류란산의 「일본의 화산日本的火山」, 리잉의 「전투하는 쿠바에게寄戰鬪的古巴」 등의 시와 라오서의 아동가극 「청개구리 기수靑蛙騎手」가 발표되었다. 같은 호에 웨이췬爲群의 평론 「신중국 부녀의 송가—리준 동지의 소설 세 편에 관하여新中國婦女的頌歌——談李准同志的三篇小說」, 런원任文의 평론 「중국 농촌합작화 초기의 서사시—『창업사』를 평하다中國農村合作化初期的史詩——評<創業史>」, 허쓰何思의 글 「어떤 날개로, 어디를 향해 나는가?—천보추이 동화의 '수수께끼'를 밝히다什麽樣的翅膀, 往哪飛?——破陳伯吹童話之"迷"」가 발표되었다.

『베이징문예』 6월호에 하오란의 단편소설 「어린나무와 엄마小樹和媽媽」 및 베이징사범대학 중문과 「내일까지 전투하다」 비판소조의 평론 「「내일까지 전투하다」에 나타난 평화주의 경향을 비판한다批判<戰鬪到明天>中的和平主義傾向」가 발표되었다.

『베이징희극』 제3호에 베이징인민예술극원에서 합동 창작하고 위스즈와 잉뤄청이 집필한 화극 「도처에 꽃이 피니 여러 집이 향기롭다」가 발표되었다.

8일 오후, 베이징 각계 인민 1,500여 명이 성대한 집회를 열어 노마 히로시野間宏를 필두로 하는 일본문학가 대표단을 환영하였다. 이들은 일본 인민의 반미애국 정의 투쟁을 단호히 지지하였다.

9일, 『인민일보』에 류칭의 산문 「안강이여, 네게 경례를 보낸다鞍鋼, 向你敬禮」가 발표되었다.

10일, 『산둥문학』 6월호에 펑위안쥔의 시 「기수의 홍기가 영원히 붉기를祝旗手的紅旗永遠紅」, 산둥사범학원 중문과 1학년 문예평론소조의 글 「바런의 「인정론」을 질책한다斥巴人的<論人情>」가 발표되있다.

11일, 『문예보』 제11호에 「루딩이 동지가 중공중앙과 국무원을 대표해 전국문교군영회에서 진행한 축사」, 양한성의 「우리의 전우 일본문학가 대표단을 환영한다歡迎我們的戰友日本文學家代表團」, 빙신의 문예수필 「노란색 은막黃色的銀幕」이 발표되었다. 같은 호에 베이징사범학원 중문과 수정주의 비판 소조의 평론(랴오중안廖仲安 집필) 「고전작품의 예술 생명력과 소위 '보편적인 인성'

에 관하여談古典作品的藝術生命力與所謂"普遍人性"」가 발표되어 바런의 '인성론'을 반박하였다.

12일, 『해방일보』에 야오원위안의 수필「인민의 행복을 위해 사색하다爲人民的幸福而思索」가 발표되었다.

13일, 『양청만보』에 화난사범학원 중문과 '리허린 비판 소조'의「정치적 기준이 첫째인가 아니면 예술적 기준이 유일한가政治標准第一還是藝術標准唯一」, 옌커彦克의「당의 지도는 창작의 근본적인 보장이다—「다섯 덩이 붉은 구름」의 창작으로부터 이야기를 시작하다黨的領導是創作的根本保證——從<五朵紅雲>的創作說起」, 후뤄딩胡若定의「이론을 필요로 하지 않는 '이론가'—광저우에서 바런이 한 설교를 질책한다不要理論的"理論家"——斥巴人在廣州的說教」가 발표되었다.

14일, 중국민간문예연구회가 베이징 이허위안 후신팅湖心亭에서 좌담회를 개최하였다. 민간문예연구회 주석 궈모뤄, 부주석 저우양, 이사 양한성, 평론가 탕타오 등이 참석하였다.

15일, 『광명일보』에 전국 교육 및 문화, 위생, 체육, 신문 분야의 사회주의 건설 선진기관 및 선진공작자 대표대회에서의 문화부 부장 마오둔의 연설「부단히 혁명해 문화예술공작의 지속적인 약진을 쟁취하자不斷革命, 爭取文化藝術工作的持續躍進」(16일자『문회보』에 전재)가 발표되었다.

『문회보』에 야오원위안의「『멍싼 시선』소개介紹<蒙三詩選>」가 발표되었다.

16일, 『홍기』제12호에 바이성柏生의「문화혁명 만세—전국문교군영대회 잡기文化革命萬歲——全國文教群英大會散記」가 발표되었다.

『신관찰』제12호에 펑무의「사상적 경지를 제고하게 해 주는 작품可以使人提高思想境界的作品」이 발표되었다.

『우화雨花』제12호에 왕멍원을 비판하는 군중의 서신 12편이 게재되었다. 이 외에도 야오이징姚以靜의「'진실 창작'을 비판한다批判"寫真實"」, 난차오南草의「논거를 보충해 주기 바란다請補充一些論據」등 왕멍원을 비판하는 글과 포청佛成의「나는 왕멍원의 말에 동의한다我同意王夢雲的話」등 왕멍원을 지지하는 글이 동시에 발표되었다. 또한 판옌차오의 시「등산 영웅 예찬登山英雄贊」이 발표되었다.

1960년 5월 1일 『우화雨花』 제9호에 발표된 왕멍원의 평론 「사회주의 문학창작은 진실을 창작할 수 있는가」에서 그는 현재의 문학평론에 법칙성이 너무 강해, 몇몇 작품이 사회생활 속의 낙후된 현상을 진실하게 묘사하면 당과 사회주의를 공격하는 독초로 간주되어 수정주의라는 딱지가 붙는다고 보았다. 이는 오늘날 우리의 문학창작에 사상 내용이 빈약하고 개념이 공식화되어 있으며 현실성과 예술성을 약화시키는 문제의 주된 원인이라고 보았다. 그는 사회 사물의 발전은 항상 양면성을 띠므로, 문학창작에서의 진실 문제를 정확히 대하고, 그러한 낙후된 결점과 오류에 용감히 관여해 이들을 적극적이고 진실하게 폭로해야 한다고 지적하였다. 본지 편집자는 편집자의 말에서 "우리는 이 글에서 제기한 문제에 관해 토론하기를 바란다. 이번 호에 원문을 게재해 독자들이 각기 의견을 말하기를 바란다"라고 밝혔다. 이후에 『우화雨花』 제12, 13, 14, 15, 17호에 왕멍원의 문예사상을 비판하는 글이 여러 편 발표되었다.

『해방일보』에 야오원위안의 「미 제국주의의 이 거대한 음모를 분쇄하자粉碎美帝國主義這個大陰謀」가 발표되었다.

18일, 베이징 문예계에서 미 제국주의 침략 반대, 타이완 해방 고수, 세계평화 수호 좌담회를 개최하였다. 문련 부주석 마오둔, 저우양, 작가 라오서, 극작가 톈한 등이 발언하였다.

『시간』 잡지사, 중국음협 이론창작위원회, 중국인민방송국, 베이징시 문련, 베이징도서관, 수도도서관 등이 합동으로 중산공원 음악당에서 아시아, 아프리카, 라틴아메리카 인민 민주운동을 지지하는 미 제국주의 반대 낭송회를 진행하였다. 베이징의 시인, 음악가 및 3천여 명의 군중이 참석하였다.

『인민일보』에 궈모뤄의 시 「아이젠하워의 독백艾森豪威爾獨白」의 연재가 시작되었다. 이번 호에 제1, 2장이 발표되었으며 20일자에 제3, 4장이, 23일자에 제5, 6장이 연재되었다.

『광명일보』에 어우양위첸의 「「혁명에 충성하는 마음」을 보고＜赤膽紅心＞觀後」가 발표되었다.

『여행가』 제6호에 마라친푸의 「바이윈어보, 풍요로운 보물산白雲鄂博, 富饒的寶山」이 발표되었다.

19일, 『인민일보』에 류바이위의 잡문 「피는 헛되이 흐르지 않는다血是不會白流的」, 위안잉의 시 「역신에게 포를 쏘다向瘟神開炮」가 발표되었다.

『문회보』에 바진의 「미 제국주의에 보내는 경고對美帝國主義的警告」, 라오서의 잡문 「역신을 매섭게 때리다狠打瘟神」(20일자 『인민일보』에 발표), 펑쯔카이의 「종이호랑이의 낭패한 모습紙老虎的狼狽相」이 발표되었다.

20일, 『인민일보』에 롼장징의 시 「일본 인민이 일어서다日本人民站立起來」, 쉬광핑의 잡문 「침략자와 도발자에게 가장 매서운 반격을 가하자給侵略者和挑釁者以最嚴厲的回擊」(같은 일자 『문회보』에 게재), 마사오보의 잡문 「역신을 포격하고, 타이완을 돌려받자炮轟瘟神, 還我台灣」가 발표되었다.

『문회보』에 웨이진즈의 잡문 「미 제국주의를 향해 일제히 포격하자一齊向美帝開炮」, 류다제의 「죽지사竹枝詞」 3편(「필리핀 풍경菲律賓即景」, 「봉래를 바라보다望蓬萊」, 「역신을 포격하다炮轟瘟神」)이 발표되었다.

21일, 『문회보』에 아시아, 아프리카, 라틴아메리카 인민 민족 민주운동 지지 낭송 가창회에서 빙신이 낭송한 시 「승리의 여명을 맞이하다迎接勝利的黎明」, 커란의 단문 「포구를 전쟁의 역신에게 향하다炮口對著戰爭瘟神」, 자오수리의 시 「아이젠하워에게告艾森豪威爾」가 발표되었다.

22일, 상하이시 인민 1천여 명이 성대한 집회를 열어 노마 히로시를 필두로 하는 일본문학가 대표단을 환영하였다. 중국작가협회 상하이분회 주석 바진이 대회를 주관하고 개회사를 하였다.

『광명일보』에 자오수리의 시 「미묘한 한밤중微妙的夜半」, 가오스치의 시 「미 제국주의를 질책한다斥美帝」가 발표되었다.

23일, 『민간문학』 6월호에 좌담회 요록 「'군중창작에는 크나큰 한계성이 있다'는 논리를 질책한다ー상하이 다펑 제2 나염공장 창작조에서 군중창작에 관해 좌담하다斥"群眾創作有極大局限性"論ーー上海達豐第二印染廠創作組座談群眾創作」가 발표되었다.

『해방일보』에 바진이 미 제국주의를 비판한 글 「올가미를 단단히, 더 단단히 당겨라!把絞索拉得緊些, 再緊些!」가 발표되었다.

24일, 『인민일보』에 쉬광핑의 잡문 「악당을 호되게 매질하고, 욕심쟁이를 쫓아내자痛打落水狗, 趕走野心狼」, 톈젠의 시 「불꽃 송가ー'6·15' 사건 희생자 간바 미치코를 위하여火頌ーー爲"六一五"血案的犧牲者樺美智子作」, 「일본에게致日本」, 청광루이程光銳의 시 「피로 물든 깃발이 바람에 펄럭이다ー일본 '6·15' 사건으로 희생된 열사들을 추모하며血染的旗幟迎風招展ーー悼日本"六一五"慘案犧牲的烈士」가 발표되었다.

『해방군보』에 쉬화이중의 항미원조전쟁관 참관기 「투쟁으로써 평화를 추구하다以鬥爭求和平」가 발표되었다.

25일, 『인민일보』에 라오서의 서평 「조선 인민의 승리를 노래하다─「천리마에 올라탄 인민」 소개歌頌朝鮮人民的勝利──介紹＜跨上千裏馬的人民＞」, 양쒀의 산문 「승리의 잔을 들자擧起勝利之杯」, 장즈민의 시 「'38선' 위의 석각"三八線"上的石刻」이 발표되었다.

『문학평론』 제3호에 위하이양於海洋, 리푸룽李傅龍, 류밍주柳鳴九, 양한츠楊漢池의 글 「인성과 문학─바런, 왕수밍 동지의 '인성론' 비판人性與文學──批判巴人'　王淑明同志的"人性論"」이 발표되었다. 같은 호에 왕수밍의 「인성 문제에 관한 필기關於人性問題的筆記」가 게재되었다. 편집자의 말에는 "왕수밍 동지는 바런의 「인정을 논하다」가 비평을 받던 당시에 자신이 글을 발표해 바런을 지지한 행동이 잘못되었다고 밝혔다. 자신의 기본적인 논점은 바런과는 달리 인성론이 아니라고 밝히며, 본인이 집필한 인성 문제에 관한 필기 몇 편을 본지에 발표해 자신의 논점을 해명해 달라고 요구하였다"라고 실려 있었다. 편집자는 "이 몇 편의 필기를 관통하는 기본적인 관점은 여전히 이전의 글과 일치하는 인성론이다"라고 보았다.

이 글이 발표된 후 왕수밍의 '인성론'에 대한 격렬한 비판이 다시 한 번 시작되었다. 같은 호에 왕런중王任重의 「마오쩌둥 동지의 「옌안문예좌담회에서의 강화」를 다시 읽다重讀毛澤東同志"在延安文藝座談會上的講話"」(7월 19일자 『창장일보』에 전재), 판쿤의 「리허린 동지의 '유진실론' 비판批判李何林同志的"唯真實論"」, 주징취안朱經權의 「최근 2년간의 마펑 단편소설의 창작 특징에 관하여談馬烽近兩年短篇小說的創作特色」 등의 글이 발표되었다.

류밍주(1934~), 후난성 창사 출신이다. 현재 중국사회과학원 외국문학연구소 연구원, 중국프랑스문학연구회 회장, 중국외국문학연구회 이사, 중국작가협회 회원, 국제펜클럽 중심회원 등을 맡고 있다. 2006년에 중국사회과학원 최고 학술칭호인 '종신영예학부위원終身榮譽學部委員'의 칭호를 받았다. 대표 저서로 『프랑스문학사法國文學史』(3권), 『자연주의 문학의 대가 졸라自然主義文學大師左拉』, 『유산 등을 논하다論遺產及其他』, 『선택에서 반항까지從選擇到反抗』, 『프랑스 풍월담法蘭西風月談』 등이 있다.

26일, 『인민일보』에 사팅의 산문 「일본 인민의 성공적인 전진을 축하하며祝日本人民乘勝前進」가 발표되었다.

『문회보』에 젠보짠의 「아시아의 폭풍을 더 커지게 하자讓亞洲的風暴更大一些」가 발표되었다.

『문예보』 제12호에 전문 논고 「펜으로 대포를 막고, '역신'을 소탕하자!以筆當炮,　痛剿"瘟神"!」, 어우양위첸의 「중일 문예전사의 마음이 서로 통하다中日文藝戰士心連心」, 마원빙馬文兵의 「'인성' 문제에서 두 가지 세계관의 투쟁─'인성의 이화', '인성의 복귀'에 관해 바런과 변론하다在"人性"問題上

兩種世界觀的鬪爭——就"人性的異化" "人性的複歸"同巴人辨論」, 황모黃沫의 「처음 뜬 태양이 우리를 비춘다-인민공사를 반영한 단편소설 몇 편에 관하여初升的太陽照耀著我們——談幾篇反映人民公社的短篇小說」 등의 글이 발표되었다.

27일, 『인민일보』에 궈모뤄의 시 「반드시 타이완을 해방시켜야 한다一定要解放台灣」, 빙신의 산문 「궁지에 몰린 적을 반드시 쫓아야 한다窮寇必追」, 양쉬의 산문 「중국 인민 강철의 소리를 들어보라請聽聽中國人民鋼鐵的聲音吧」가 발표되었다.

『해방일보』에 리루칭의 시 「타이완을 돌려다오還我台灣」가 발표되었다.

『양청만보』에 천찬윈의 「미국 강도를 쫓아내자轟走美國強盜」가 발표되었다.

『독서』 제12호에 친무의 「두궈샹의 『변교집』에 표현된 학술사상투쟁杜國庠＜便橋集＞所體現的學術思想鬪爭」이 발표되었다.

베이징인민예술극원이 4막 6장 화극 「노도怒濤」를 공연하였다. 메이첸, 퉁차오, 주쉬朱旭, 린롄쿤, 황쭝뤄黃宗洛가 집필하고, 자오쥐인, 메이첸이 감독을 맡았으며 퉁차오, 정룽, 댜오광탄, 퉁디 등이 주연을 맡았다.

중국청년예술극원이 야오중밍의 동명의 소설을 야오중밍, 진산 등이 각색한 6막 화극 「기억이 생생하다」를 공연하였다. 진산이 감독을 맡았으며 두펑杜澎, 왕반王斑 등이 주연을 맡았다. 극본은 『극본』 10월호에 발표되었다.

29일, 『인민일보』에 궈샤오촨의 시 「폭풍의 노래風暴之歌」, 옌전의 시 「보리 수확의 새 풍경麥收新景」이 발표되었다.

30일, 『인민일보』에 예첸위葉淺予의 잡문 「일본 현대 화전을 평하며, 일본 화가에게 보내는 말評日本現代畫展並致日本畫家」이 발표되었다.

이달에 『희극보』 편집부에서 '희곡예술 혁신에 관한 토론' 좌담회를 개최하였다.

리제런의 장편소설 『큰 파도』 제3부가 작가출판사에서 출간되었다.

펑장鳳章의 소설집 『전달傳達』, 하이샤오海笑의 소설집 『강변과 해변 위의 봄江海邊上的春天』, 옌이의 장편서사시 『채교彩橋』가 상하이문예출판사에서 출간되었다.

『시간』 편집부와 작가출판사에서 편찬한 『폭풍 송가-미 제국주의 반대 투쟁 시화집風暴頌——反對美帝鬪爭詩歌畫集』이 작가출판사에서 출간되었다.

위안잉의 산문집『열 번째 봄第十個春天』이 베이징출판사에서 출간되었다.

스퉈의 여행기『불가리아 여행기保加利亞行記』가 상하이문예출판사에서 출간되었다.

야오중밍 등이 합동 창작한 화극『동지, 길을 잘못 들었소』가 중국희극출판사에서 출간되었다.

이춴의 논문『무산계급 혁명문예의 발전 방향을 논하다論無產階級革命文藝的發展方向』가 상하이문예출판사에서 출간되었다.

『홍기가 바람에 펄럭인다』제14집이 중국청년출판사에서 출간되었다.

7월

1일, 『후난문학』7월호에 원펑文鋒의「문예는 반드시 무산계급 정치를 위해 복무해야 한다—테커 등의 수정주의 문예사상 비판文藝必須爲無產階級政治服務——批判鐵可等人的修正主義文藝思想」이 발표되었다. 같은 호에 게재된 기사「마오쩌둥 동지의 저작을 열심히 학습하고, 현대 수정주의 및 각양각색의 자산계급 문예사상을 철저히 비판하자努力學習毛澤東同志的著作 徹底批判現代修正主義和形形色色資產階級文藝思想」는 "4월 이후로 각 성의 문예계에서 여러 차례의 대회를 소집해 테커, 저우한핑周漢平 등의 수정주의 문예사상을 비판해 이와 관련된 글이 이미 수천 편이나 발표되었다. 5월 초, 후난성 문학예술계연합회에서 주석단 확대회의를 소집해 테커의 수정주의 문예사상을 더욱 폭로하고 비판하였다"라고 밝혔다.

『맹아』7월호에 야오원위안의「새로운 사물을 신속히 반영하고, 또한 열정적으로 노래하자迅速反映新事物, 熱情歌頌新事物」가 발표되었다. 그는 글에서 "우리의 문예작품이 이 위대한 혁명을 반영하고, 기술혁명 속에서 기적을 창조하는 영웅들을 노래해, 우리 시대의 특징을 강렬하게 표현하는 우수한 작품을 창조해야 한다는 데에는 의문의 여지가 없다"라고 밝혔다.

『우화雨花』제13호에 모옌漠雁, 시멍西蒙의「가련한 외침!可憐的叫喊!」, 원쑤췬文蘇群의「왕멍윈의 '처방전'王夢雲的"藥方"」, 난징대학 중문과 3학년 문예평론조의「'규칙성 법칙' 판별"規律性法則"辨」등 왕멍윈을 비판하는 글이 여러 편 발표되었다.

『해방군문예』7월호에 장융메이의 시「인민군대는 영원히 당을 향한다人民軍隊永向黨」, 롼장징의 시「일본 인민은 잘하고 있다日本人民幹的好」, 후스중胡詩中의 평론「바런의 '개성이 즉 전형'이라는 망론을 반박한다駁巴人"個性即典型"的謬論」가 발표되었다.

『해연』 7월호에 천광췬陳廣群의 「심각한 오류를 가진 작품一篇有嚴重錯誤的作品」, 옌핑燕平, 타오위안시桃園溪의 「강렬한 반사회주의적 독소一股濃烈的反社會主義毒素」, 구하이썬顧海森의 「「돼지를 치다」는 무엇을 선전하는가<收豬>宣揚的是什麽」, 장청화이張成槐의 「문예작품은 응당 당의 정책을 표현해야 한다文藝作品應當體現黨的政策」, 츠빙池冰의 「「돼지를 치다」는 오늘날 농촌의 현실을 왜곡했다<收豬>歪曲了今天農村的現實」, 퍄오인飄茵의 「날개를 파닥거리며 날아가다撲拉翅膀飛出去」, 우후이吳慧의 「어떤 사상으로 인민을 교육하는가?用什麽樣的思想教育人民?」 및 뤼다사범학원旅大師範學院 6011반의 집단 토론문 「「돼지를 치다」는 개인주의를 선전한다<收豬>宣揚了個人主義」 등 소설 「돼지를 치다」에 관한 토론문 8편이 발표되었다.

『시안일보』에 왕라오주의 시 「마오 주석을 노래한다歌頌毛主席」가 발표되었다.

『옌허』 7월호에 리뤄빙의 특필 「붉은 길―시안 아팡구 공청단 화학 공장을 기억하며紅色的道路――記西安阿房區共青團化工廠」가 발표되었다.

2일~10월 31일, 중앙 1급 기관에서 간행물 간소화 공작을 진행해 104개 기관의 1,254종 간행물을 307종으로 줄여 기존의 24.5%로 감소시켰다.

3일, 『인민일보』에 톈한의 평론 「「혁명에 충성하는 마음」에 관하여談<赤膽紅心>」가 발표되었다.

『광명일보』에 리시판의 「역사적 인물이자 예술 형상인 제갈량에 관하여談談歷史人物和藝術形象的諸葛亮」가 발표되었다.

『극본』 7월호에 중국인민해방군 정치부 문예공작단 화극단이 합동 창작하고 바이윈팅이 집필한 3장 선전극 「강도가 여행하다強盜旅行」가 발표되었다. 같은 호에 본지 편집부의 글 「희극창작의 더 큰 번영을 위해 노력하자爲戲劇創作更大的繁榮努力」, 옌전펀顏振奮의 「당의 지도적 형상의 창조에 관하여談黨的領導形象的創造」, 구중이의 「화극에서의 새로운 영웅 인물 창조 문제 만담漫談話劇中新英雄人物的塑造問題」이 발표되었다.

4일, 『인민일보』에 우한의 시 「종이호랑이의 노래紙老虎歌」가 발표되었다.

『양청만보』에 친무의 산문 「감정이 북받치는 영화 「영웅시편」聲情激越的影片<英雄詩篇>」이 발표되었다.

5일,『광명일보』에 난카이대학 중문과 56학번 학생들의 글「한 시대의 시풍을 개척하다—1958년의 신민가 약론開拓了一代詩風──略論一九五八年的新民歌」이 발표되었다.

『변강문예』 7월호에 윈난대학 중문과 교수 및 학생들의 글「자산계급 문예사상을 단호히 비판한다—쉬성과 라오융간을 반박한다堅決批判資產階級文藝思想──駁旭升和老勇敢」 및 란화쩡藍華增의「'낭만주의'와 '개성론'의 배후에서—샤오쉐의「생활의 목가」비판在"浪漫主義"和"個性論"的背後──批判曉雪的＜生活的牧歌＞」이 발표되었다.

『상하이문학』 7월호에 러우스이의 시「꺼져라, 역신이여!滾, 瘟神!」, 후완춘의 잡기「영원히 문화혁명의 진보파가 되리라永遠做文化革命的促進派」, 양루넝楊如能의 평론「천보추이의 '동심론'에 반박한다駁陳伯吹的"童心論"」가 발표되었다. 양루넝은 글에서 천보추이가 제창한 '동심론'은 사실상 아동문학에서의 자산계급 '인성론'의 또 다른 표현이라고 보았다.

6일,『광명일보』에 톈젠의 시「진달래金達萊」가 발표되었다.

7일,『문회보』에 쉬징셴徐景賢의「아동문학도 마찬가지로 무산계급 정치를 위해 복무해야 한다—천보추이의 아동문학 특수론 비판兒童文學同樣要爲無產階級的政治服務──批判陳伯吹的兒童文學特殊論」이 발표되었다.

쉬징셴(1933~2007), 상하이 펑셴奉賢 출신이다. 문화대혁명 전에는 상하이시위원회 선전부 문예처 간사를 맡았다. 문화대혁명 기간에는 상하이시위원회 서기, 혁명위원회 부주임을 역임하였다. 1976년 10월에 체포되어 1995년에 만기 출소하였다. 만년에 저서『한때의 꿈 같은 10년—쉬징셴 '문혁' 회고록十年一夢──徐景賢"文革"回憶錄』을 출간하였다.

『신건설』 7월호에 종합 논고「『문학유산』에서 '중간 작품'과 '고대 작품'의 사회적 의의 문제에 관해 토론하다＜文學遺產＞討論"中間作品"和"古代作品"的社會意義問題」가 게재되었다.

8일,『인민문학』 7월호에 왕원스의 소설「신임 대장 옌싼新任隊長彦三」, 빙신의 시「우리는 가득한 열정으로 당신을 환영한다我們用滿腔的熱情來歡迎你」, 옌천의 시「일본에 보내는 서신寄到日本去的詩」, 량상취안의 연작시「산간 도시의 곳곳에 봄이 오다山城處處都是春」(「훙잉위안紅嬰園」, 「맹인의 마음盲人的心」, 「가정주부家庭婦女」), 빙신의 산문「일본 인민은 전투 중이다日本人民在戰鬥」, 장페이張沛의 산문「위대한 각성偉大的覺醒」이 발표되었다. 같은 호에 라오서의「몇 편의 사랑스러운 이야기一些可愛的故事」, 우한의 「무측천에 관하여談武則天」, 쓰멍의 「빛나는 생활의 화폭―「새로운 생활의 광휘」 소개光輝生活的畫卷──介紹<新生活的光輝>」 등의 평론과 리잉루의 창작담 「『야화춘풍두고성』에 관하여關於<野火春風鬥古城>」가 발표되었다.

『베이징문예』 7월호에 루위안츠陸元熾, 양진팅楊金亭, 후샤오즈胡曉峙의 「정치가 우선인가, 아니면 예술이 우선인가?―리허린 동지의 「10년간의 문학이론과 비평에 존재하는 작은 문제」를 반박한다政治第一?還是藝術第一?──駁李何林同志的<十年來文學理論和評論上的一個小問題>」가 발표되었다. 이들은 글에서 "리허린이 제기한 작은 문제"는 사실상 "문예와 정치, 문예비평의 정치적 기준과 예술적 기준의 관계 등 문예의 근본적인 문제에 관련된 것으로, 무산계급과 자산계급이 문예전선에서 오랫동안 투쟁해 온 초점이다"라고 밝혔다.

9일, 『해방일보』에 리루칭의 시 「적에게 관용을 보여서는 안 된다―민병 시위행진의 행렬 속에서 쓰다對敵人絕不寬恕──寫在民兵示威遊行的行列裏」가 발표되었다.

10일, 『산둥문학』 7월호에 산둥사범학원 중문과 4학년 3반 문예평론소조의 「새로운 영웅 형상 창조 문제에 대한 바런의 수정주의 관점을 반박한다駁巴人對創造新英雄形象問題的修正主義觀點」가 발표되었다. 본 글은 바런의 『문학논고文學論稿』, 『준명집遵命集』에 나타난 예술적 관점을 비판하면서 "바런이 작가들에게 영웅 인물을 묘사할 때 반드시 인물의 '계급의 잡다한 요소와 뒤섞인 복잡한 사상 감정'을 표현해야 하며, '인류 본성의 약점과 결점'을 표현해야 한다고 부추기는 망론은 사실상 우리가 문학표현방법 영역에서 빚어낸 공산주의 예술 형상에 반대하고, 이로써 문학이 무산계급을 위해 복무하는 것을 반대하는 자신의 목적을 달성하려는 것이다"라고 보았다. 같은 호에 산둥대학 중문과 56학번 3반 학술비판소조의 「대표성·개성·인류 본성―바런의 전형론을 반박한다代表性·個性·人類本性──駁巴人的典型論」, 쑹레이宋壘의 「'인정을 통해 계급 입장을 관철한다'라는 주장에 대한 해석釋"通過人情貫徹階級立場"」, 멍하오의 평론 「더 뛰어난 전형을 창조하자 ― 왕안유 소설의 인물 창조 잡담創造更高的典型──雜談王安友小說中的人物創造」이 발표되었다. 멍하오는 글에서 왕안유의 소설이 "항상 소박하고 농후한 생활의 분위기를 담고 있어, 독자들에게 친밀한 감정을 준다"고 평하면서, 부족한 부분에 대해서는 "사람의 마음을 흔들고, 깊이 생각하게 하는 역량이 부족해 의미심장하지 못하다"라고 보았다.

『인민일보』에 톈젠의 시 「산을 가르는 사람이 말하다劈山人語」와 「하늘을 가르는 도끼 송가頌開天斧」가 발표되었다.

『광명일보』에 본지 편집부의 글「도연명 토론집 · 머리말陶淵明討論集 · 前言」이 발표되었다.

『신항』7, 8월호 합본에 량빈의 소설『파화기』(장편소설『홍기보』제2부)의 연재가 시작되어 1961년 말에 연재가 완료되었다. 같은 호에 톈젠의 시「진와金娃」(장시『인력거꾼 전기』제5부), 라오서의 「어떤 인상―點印象」, 린루웨이林如稷의 「바런의 최근 글을 통해 수정주의 사상 등락의 흔적을 보다從巴人近年的文章看修正主義思想漲落的痕跡」, 투쭝타오塗宗濤의 「고전문학 영역에서의 리허린의 수정주의 관점 비판批判李何林在古典文學方面的修正主義觀點」 등의 글이 발표되었다.

린루웨이(1902~1976), 쓰촨성 쯔중資中 출신이다. 1924년에 프랑스 파리대학교를 졸업한 후 베이핑중법대학北平中法大學, 쓰촨대학, 광화대학光華大學 교수 및 청두시 문화국 부국장, 쓰촨성 인민대표대회 대표 등을 역임하였다. 1920년부터 작품을 발표하였으며 1955년에 중국작가협회에 가입하였다. 대표작으로 소설 「그의 어머니伊的母親」, 「죽은 후의 참회死後的懺悔」, 시 「봄을 기다리다盼春」 등이 있다.

『전영창작』7월호에 캉줘와 리준이 합동 창작한 영화문학 극본「동방홍東方紅」이 발표되었다.

11일, 『양청만보』에 친무의 산문「천근역사千斤力士」가 발표되었다.

13일, 『인민일보』에 옌젠의 연작시 「새 시대의 인물一代新人」(「장씨 아주머니張媽媽」, 「인펑銀鳳」, 「윈 누나芸姐」)이 발표되었다.

15일, 문화부에서 「1960년 신문출판 용지 조정에 관한 통지關於調整1960年新聞出版用紙的通知」를 발포하여 간행물과 도서의 출판을 압축할 것을 규정하였다. 6월부터 지방 간행물에 사용하는 용지는 20~50%를 압축하고, 도서 용지는 마르크스와 레닌의 저서, 마오 주석의 저서, 대학 전문 교재 등을 중점적으로 보류하며, 외국 과학도서, 민족문학 및 외국어 도서의 영인 용지는 작년의 양을 유지하되, 이 외의 각종 도서 용지는 작년 사용량의 45%로 압축하며, 일부 부문, 가령 문예 서적은 더욱 많은 양을 압축하기로 하였다.

『해방일보』에 위링의 「극본 「녜얼」의 창작을 통해 얻은 깨달음從創作<聶耳>劇本得到的啟發」이 발표되었다.

16일, 『인민일보』에 옌이의 산문「중량산―영웅의 고향中梁山――英雄的故鄕」이 발표되었다.

『중국청년』제14호에 웨이웨이의 「죽은 물과 거대한 파도死水與巨瀾」, 페이리원의 보고문학 「왕린허와 셰원 이야기王林鶴和謝文的故事」가 발표되었다.

소련 정부에서 중국과 소련이 체결한 계약과 협정을 일방적으로 파기하고, 한 달 내에 모든 소련 전문가를 철수시켰다.

17일, 『인민일보』에 커중핑의 시 「우리는 함께 준비하고 있다我們一起准備著」가 발표되었다.

18일, 『해방일보』에 상하이 하이옌전영제편창 배우 캉타이康泰의 글 「'봉황의 노래'에서 '청춘의 노래'까지從"鳳凰之歌"到"青春之歌"」가 발표되었다.

『양청만보』에 타오주의 「태양의 광휘太陽的光輝」가 발표되었다.

베이징인민예술극원이 번시本溪화극단에서 합동 창작한 4막 6장 화극 「홍심호담紅心虎膽」을 공연하였다. 댜오광탄이 감독을 맡았으며 왕즈안王志安, 한산쉬韓善續, 옌화이리閆懷禮 등이 주연을 맡았다.

19일, 『인민일보』에 리시판의 「장편소설 창작의 새로운 수확—류칭의 『창업사』 제1부를 읽고長篇小說創作的新收穫──讀柳青<創業史>第一部」가 발표되었다. 리시판은 글에서 이 소설이 우수한 작품이라고 평하며, 그 성취는 우선 "5억 농민의 역사적 운명과 이들이 필연적으로 집단화의 생활 방향을 향하게 된 과정을 깊고도 넓게, 그리고 설득력 있게 묘사"한 것이라고 밝혔다. 같은 호에 위링의 「극본 「녜얼」의 창작을 통해 얻은 깨달음」이 발표되었다.

20일, 『광명일보』에 쉬츠의 시 「멀리서 온 시인과 예인을 환영하며歡迎遠來的詩人和藝人」, 장춰張綽의 「『삼가항』에 관하여談<三家巷>」가 발표되었다. 장춰는 글에서 이 작품이 "긍정할 만한 작품"이라고 평하였다.

21일, 『인민일보』에 옌전의 시 「생산의 최전선에서在生產第一線」가 발표되었다.

『해방일보』에 야오원위안의 「아이젠하워의 '비폭력론'艾森豪威爾的"非暴力論"」이 발표되었다.

22일, 『인민일보』에 기사 「공농 작가 대오가 나날이 강대하게 성장하고 있다工農作家隊伍日益成長壯大」가 게재되었다. 기사는 "1958년 한 해에만 성, 시 이상의 출판기구에서 출간한 민가 선집이 800여 종에 달한다. 귀모뤄와 저우양이 편찬한 『홍기가요』에는 대약진 이후의 걸작 신민가 작품이 집중적으로 수록되어 있다", "이 시기에 군중창작 조직은 큰 발전을 거두었다. 후베이성의 아마추어 창작조직은 1953년에 315개였던 것이 현재는 1만여 개로 늘어났으며, 창작조원은 5천 명에서 8만여 명으로 증가하였다"라고 밝혔다.

『광명일보』에 사설 「마오쩌둥 문예사상의 빛나는 기치를 더 높이 들자-제3차 문대회의 개막을 축하하며 更高地擧起毛澤東文藝思想的光輝旗幟——祝賀第三次文代會開幕」가 발표되었다.

『해방일보』에 후완춘의 「콩트는 적시에 빠르게 사용할 수 있는 선전 무기이다 小故事是迅速' 及時的宣傳武器」가 발표되었다.

22일~8월 13일, 중국문학예술공작자 제3차 대표대회가 베이징에서 개최되었다. 각 성, 시, 자치구 및 중앙 직속기관, 인민해방군의 각 문학예술공작 단위의 2,444명의 대표가 대회에 참석하였다. 루딩이가 중공중앙과 국무원을 대표해 축사를 하였으며, 귀모뤄가 「우리나라 사회주의 문예사업의 더 큰 약진을 쟁취하기 위해 분투하자 爲爭取我國社會主義文藝事業的更大躍進而奮鬪」라는 제목의 개회사를 하였다. 그는 "몇 년 동안, 특히 1958년의 대약진 이후에 우리나라의 사회주의 문학예술은 삼면홍기1)의 광휘 아래 공농병을 위해 복무하는 방향을 준수하면서 백화제방과 백가쟁명의 방침을 관철하여 빛나는 성취를 거두었다. 우리 문학예술의 모든 부문에서 백화가 다채롭게 만발하며, 대보급, 대제고, 대번영의 새로운 국면이 나타나고 있다"라고 밝혔다. 저우양이 「사회주의 문학예술의 길 社會主義文學藝術的道路」이라는 제목의 보고를 진행해 앞으로 문예공작자에게 부여될 임무를 제시하였다.

대회 기간에 마오쩌둥, 류사오치, 쑹칭링, 저우언라이, 주더, 덩샤오핑 등은 회의에 참가한 전체 대표들과 회견을 가졌다. 저우언라이 총리는 대회 석상에서 현재 국내외 형세에 관한 보고를 진행하였으며, 천이 부총리는 국제 형세 문제에 관한 보고를, 리푸춘 李富春 부총리는 국가 경제건설 문제에 관한 보고를 진행하였다. 이 외에도 320여 명의 대표들이 문대회 혹은 각 협회 대표대회, 이사단 확대회의에서 발언 혹은 서면 발언을 진행하였다. 대회에서는 13일에 중국문학예술공작자 제3차 대표대회 결의를 통과시켰으며, 귀모뤄가 폐회사를 하였다. 전국문련에서는 새로운 지도기구를 선출하였다. 귀모뤄가 중국문학예술연합회 제3기 전국위원회 주석으로 선출되었으며 마오둔, 저우양, 바진, 라오서, 쉬광핑, 톈한, 어우양위첸, 메이란팡, 샤옌, 차이추성, 허샹닝 何香凝, 마쓰충, 푸중, 싸이푸딩 賽福鼎, 양한성이 부주석으로 선출되었다. 마오둔이 작가협회 주석으로 선출되었으며 저우양, 바진, 커중핑, 라오서, 사오취안린, 류바이위가 부주석으로 선출되었다. 톈한이

---

1) 중국공산당이 1958년에 제정한 사회주의 건설의 '總路線'(총 노선)·'大躍進'(대약진)·'人民公社'(인민공사)를 말함-역자 주

중국희극가협회 주석으로, 어우양위첸, 메이란팡, 저우신팡, 차오위가 부주석으로 선출되었다. 바진은 대회 석상에서 "그는 과거 구사회에서 유명무실했던 젊은이의 정의감과 열정적인 펜을 가지고서 한마음으로 광명을 추구했으나, 그의 눈앞에는 암흑뿐이었다. 그러나 오늘날, 그는 '신사회의 광명을 보았'으며, 그의 '고통과 재난만을 표현해 왔던 졸필로 인민의 승리와 기쁨을 묘사'할 기회를 얻었다"라고 밝혔다. 당시 헤이룽장 탕위안湯原 농장에서 노동에 임하고 있던 딩링은 우파 작가 대표 16인 중 한 사람으로서 출석해 발언하였다.

23일, 『인민일보』, 『광명일보』, 『해방일보』, 『해방군보』, 『문회보』에 제3차 문대회에서의 루딩이의 축사, 궈모뤄의 개회사, 저우양의 보고 「사회주의 문학예술의 길」(개요)이 게재되었다. 『광명일보』에는 기사 「문학창작의 백화가 피다－문학서적간행물 전람회 참관기文學創作百花開——文學書籍期刊展覽會參觀記」가 게재되었다.

24일, 제3차 문대회에서 마오둔이 「사회주의 약진의 시대를 반영하고, 사회주의 시대의 약진을 추진하자反映社會主義躍進的時代，推動社會主義時代的躍進」라는 제목으로 보고를 진행하였다. 마오둔은 보고에서 "우리나라 문학창작의 거대한 성취를 충분히 고려하고, 민족형식과 개인 풍격 문제 및 혁명적 현실주의와 혁명적 낭만주의의 결합 문제를 종합적으로 논술하였으며, 수정주의의 소위 '진실 창작' 망론을 비판하고, 앞으로의 문학창작의 임무를 제시"하였다.

25일, 『시간』 7월호에 러우스이의 시 「로마의 대화재羅馬的大火」, 쉬츠의 시 「천둥소리가 콩고강 위를 굴러가다雷聲滾過剛果河」, 궈모뤄의 구체시 「자죽원에서 물고기를 감상하다紫竹院觀魚」, 원산聞山의 시평 「천둥번개가 '역신'을 내리치다－『폭풍 예찬』(미 제국주의 반대 투쟁 시화집)을 읽고雷轟電閃擊"瘟神"——讀＜風暴贊＞(反對美帝鬥爭詩歌畫集)」가 발표되었다.

『인민일보』에 빙신의 시 「베트남에 보내다寄越南」, 위안잉의 시 「남방의 분노南方的怒火」가 발표되었다.

26일, 『문예보』 제13, 14호 합본이 중국문학예술공작자 제3차 대표대회, 중국작가협회 제3차 이사회 확대회의 특집호로 간행되어 「제3차 문대회에서의 루딩이의 축사陸定一在第三次文代會上的祝詞」(『변강문예』 8월호, 『상하이문학』 8월호, 『초원』 8월호, 『열풍』 8월호, 『중국청년』 제15호,

『칭하이후』8월호 등에 전재), 궈모뤄의 「우리나라 사회주의 문예사업의 더 큰 약진을 쟁취하기 위해 분투하자－중국문학예술공작자 제3차 대표대회 개회사爲爭取我國社會主義文藝事業的更大躍進而奮鬥──中國文學藝術工作者第三次代表大會開幕詞」, 저우양의 보고 「우리나라 사회주의 문학예술의 길」이 게재되었다. 같은 호에 사설 「각고의 노력으로 문예공작의 더 큰 승리를 쟁취하자刻苦努力, 爭取文藝工作的更大勝利」가 게재되었다. 또한 사오취안린의 「전투 속에서 계속해서 약진하자－중국작가협회 제3차 이사회 확대회의에서의 보고在戰鬥中繼續躍進──在中國作家協會第三次理事會(擴大)會議上的報告」, 바진의 「문학은 시대의 선두에서 달려야 한다文學要跑在時代的前頭」, 류칭의 「생활과 창작의 태도에 관하여談談生活和創作的態度」(8월 9일자 『광명일보』 등에 전재), 덩훙鄧洪의 「문예의 형식으로 당의 빛나는 역사를 쓰자用文藝形式寫出黨的光輝歷史來」, 두펑청과 왕원스의 「새로운 영웅 인물이 우리를 격려한다新英雄人物鼓舞著我們」(8월 3일자 『인민일보』, 『광명일보』 및 『옌허』 9월호에 전재), 리지와 원제의 「시의 시대, 시대의 시詩的時代, 時代的詩」(8월 3일자 『인민일보』에 전재), 리준의 「마오 주석이 이끄는 문예 노선을 따라 전진하자沿著毛主席指引的文藝道路前進」, 류다제의 「무산계급을 일으키고 자산계급을 타도하고, 낡은 것을 타파하고 새로운 것을 세우자興無滅資, 破舊立新」 등 제3차 문대회에서의 일부 작가들의 발언이 게재되었다.

　중앙희극학원 실험화극원에서 4막 6장 화극 「용의 입에서 보물을 빼앗다龍口奪寶」를 공연하였다. 수창舒強이 감독을 맡았다.

27일, 제3차 문대회의 조별 토론이 종료되었다. 『해방일보』의 기사는 "지난 3일간 대표들은 루딩이 동지가 중공중앙과 국무원을 대표해 진행한 축사와 저우양 동지가 '사회주의 문학예술의 길'이라는 제목으로 진행한 보고에 대해 열띤 토론을 진행한 끝에 만장일치로 이를 옹호하기로 하였다"라고 전했다. 대회는 각 협회, 연구회, 연의회, 학회의 대표대회 혹은 이사회 확대회의로 이어졌다.

　『인민일보』에 위안원수의 「농민이 선호하는 영화를 창작해 농민을 위해 더 잘 복무하자創作農民喜聞樂見的影片更好地爲農民服務」가 발표되었다.

29일, 『문회보』에 작가 리준의 취재 기사 「이 길을 가야 한다應該走這條路」가 발표되었다.

30일, 중국문학예술공작자 제3차 대표대회가 이 날을 기해 각 협회, 연구회, 연의회, 학회의 대표대회 혹은 이사회 확대회의로 전환되었다. 중국작가협회 제3차 이사회 확대회의, 중국희극가협회 제2차 회원대표대회가 동시에 개최되었다. 중국작가협회 제3차 이사회 확대회의에서 중국작가협회 부주석 사오취안린이 '전투 속에서 계속해서 약진하자'라는 제목으로 보고를 진행해 중국문학의 최근 시기의 변화와 발전에 대해 논술하고, 현대 수정주의의 각종 망론을 비판하였다. 부주석 라오서가 '소수민족 문학공작에 관한 보고關於少數民族文學工作的報告'를 진행하였다.

중국희극가협회 주석 톈한이 중국극협 제2차 회원대표대회에서 '건국 11년간의 희극전선의 투쟁과 희극공작의 새로운 임무에 관한 보고關於建國11年來戲劇戰線的鬥爭和戲劇工作新任務的報告'라는 제목의 보고를 진행하였다. 보고는 "공농화, 노동화를 통해 우리의 대오를 개조하고 확대한 점", "우수한 전통의 기초 위에서 모든 극종이 발전을 이룬 점", "희곡개혁의 거대한 성취", "화극, 신가극 및 기타 극종의 발전", "공농병 아마추어 희극의 왕성한 발전", "희극 배우, 감독 및 무대예술의 대약진", "이론 비평 분야의 수확" 등의 측면에서 건국 후 11년간 희극이 이룬 성취를 정리하였다. 또한 "새로운 영웅 인물 창조", "희극의 모순과 충돌을 정확하게 대하고 처리하는 방법", "국내외의 희극전통을 계승하고 혁신하는 방법" 등의 문제를 설명하였으며, 희극공작자들에게 "앞으로의 임무"를 제시하였다. 회의에서 톈한, 어우양위첸, 차오위 등이 극협 회원대표대회 이사로 선출되었다. 본 대회는 8월 4일에 폐회하였다.

『인민일보』에 원제의 「전투의 노래戰鬥之歌」, 쩌우디판의 「콩고강에게 던지는 추파給剛果河的流波」. 옌천의 「콩고강에게致剛果」 등의 시가 발표되었다.

『광명일보』에 차이쑹링蔡松齡의 「전통 회곡예술을 학습하자─화극「홍기보」 감독 경험向傳統戲曲藝術學習──導演話劇<紅旗譜>的體會」, 핑타오平濤의 「전설 속의 유삼저에서 무대의 '유삼저'까지從傳說的劉三姐到舞台的"劉三姐"」가 발표되었다.

30일~8월 4일, 제3차 문대회 기간 중에 중국영련中國影聯에서 제2차 회원대표대회를 진행하였다. 회의에서는 중국영련의 명칭을 '중국전영공작자협회中國電影工作者協會'로 변경하기로 결정하고, 차이추성을 주석으로, 위링, 톈팡田方, 바이양白楊, 야마亞馬를 부주석으로 선출하였다. 샤옌이 제3차 문대회에서 「은막 위에서 우리 시대를 반영하자在銀幕上反應我們的時代」라는 제목으로, 위안원수가 「마오쩌둥의 길을 따라 큰 걸음으로 전진하는 영화문학沿著毛澤東的道路大步前進的電影文學」이라는 제목으로 발언하였다.

31일, 『해방일보』에 허스슝何士雄의 평론 「공산주의 사상의 섬광─「내일은 더욱 휘황찬란하리라」, 「우리는 미래를 향해 가고 있다」를 읽고共產主義思想的閃光──讀<明天更輝煌燦爛>, <我們正在

走向未來＞」가 발표되었다.

이달에 『베이징희극』이 폐간되었다.

『중국청년보』에 스탕달의 장편소설 『적과 흑』에 대한 토론의 글이 지속적으로 게재되었다.

리광톈이 새롭게 정리하고 서문을 쓴 『아스마阿詩瑪』가 인민문학출판사에서 출간되었다.

자오수리의 문예이론집 『삼복집三複集』이 작가출판사에서 출간되었다.

중롄광鍾廉芳 등의 『쑹마오링 아래松毛嶺下』, 장셴화張賢華의 『진달래꽃 필 때杜鵑花開的時候』 등의 단편소설집이 상하이문예출판사에서 출간되었다.

7월부터 11월까지, 문화부 직속의 인민출판사, 인민문학출판사, 인민미술출판사, 중국전영출판사, 문물출판사, 작가출판사, 중국희극출판사 등 7개 출판사에서 출판물의 정치적 오류 검사를 중심으로 하는 정돈 공작을 진행하였다. 이 기간에 중앙 문건과 상급 기관에서 지정한 반드시 필요한 도서를 제외한 모든 서적의 출판이 중단되었다. 정돈 후에 7개 출판사는 인민출판사, 인민문학출판사, 인민미술출판사, 문물출판사, 중국전영출판사 등 5개 출판사로 합병되고, 이 가운데 중국전영출판사는 중국전영가협회에 합병되어 영협의 관리를 받게 되었다. 인민문학출판사의 업무는 작가협회와 극협의 관리를 받게 되었다.

8월

1일, 『광명일보』에 「10년간의 우리나라 민간문학 공작의 성취가 거대하다十年來我國民間文學工作成績巨大」가 발표되었다. 글은 "현재까지 전국 각지에서 선정 및 출간된 신민가는 이미 1,300여 종에 달하며, 신민가 창작 운동 과정에서 수많은 공농시인과 가수가 출현하였다. 궈모뤄, 저우양이 편찬한 『홍기가요』는 이미 사회주의 시대의 새로운 국풍國風으로 공인받고 있다", "최근 2년간 전국에서 출판된 민간문학 작품은 1,700여 종으로, 1949, 1950년의 27배에 달한다"라고 밝혔다.

『후난문학』 8월호에 황치솽이黃起爽의 「후난 10년 문예선집 간평簡評湖南十年文藝選集」이 발표되었다. 이 글의 소개에 따르면 "후난성 문련과 각 협회는 전국 제3차 문대회 개최 직전에 선집을 편찬해 현재는 이미 후난인민출판사에서 출간되었다……이 선집은 문예형식에 따라 단편소설, 산문특필, 시가, 곡예, 희곡, 창작가곡, 문예평론 등 7권으로 구성되어 총 글자수는 약 150만 자에 달한다"고 한다. 이 가운데 『후난 10년 단편소설선湖南十年短篇小說選』에는 총 38편의 작품이 수록되었는데, 저우리보의 「탈곡장에서」, 「베이징에서 온 손님北京來客」, 「산 저편의 인가山那面人家」 등의 작품이 모두 수록되었다. 같은 호에 마줘룽馬焯榮의 평론 「『산촌의 대격변』 속편을 읽고讀<山鄕巨變>續篇」가 발표되었다.

『맹아』 8월호에 탕커신의 단편소설 「봄비가 부슬부슬 내리다春雨蒙蒙」, 쉬징셴의 평론 「투쟁과 건설의 백과사전－공장사, 공사사, 이농사의 창작에 관하여鬥爭和建設的百科全書──談工廠史、公社史、裏弄史的寫作」가 발표되었다. 쉬징셴은 글에서 문예의 성격을 띤 공장사, 공사사, 농당弄堂(작은 골목을 뜻함－역자 주)사는 중국문학의 영역 속에서 독특한 소재 가운데 하나로, 문학적 가치뿐만 아니라 중대한 역사적 가치를 지니고 있다고 보았다. 현재 공장사, 공사사, 농당사 창작에는 아래와 같은 문제가 존재하는데, 첫째는 신중국 성립 전후 역사의 창작 비중 문제, 둘째는 소재의 선택과 처리 문제, 셋째는 공장사와 공사사의 창작 과정에서 예술적인 가공과 허구를 더할 수 있는가 하는 문제라고 보았다.

『해방군문예』 8월호에 지티吉悌의 평론 「전투의 열정이 가장 귀중하다－웨이웨이 동지의 항미원조 시기 산문 만담戰鬥熱情最可貴──漫談魏巍同志抗美援朝時期的散文」이 발표되었다.

『우화雨花』 제14호(이번 호부터 월간으로 변경)에 양저우시 문련 문예평론조의 평론 「망론을 반드시 논박해야 한다謬論必須駁斥」, 류카이룽劉開榮의 「또다시 ‘진실 창작’이라는 간판又是"寫真實"的幌子」, ‘작은 불티星星之火’ 문학사의 「우리의 대답我們的回答」, 류궈화劉國華의 「왕명원은 어떤 꿈을 꾸는가?王夢雲做的什麼夢?」, 장빙원章炳文의 「‘창작의 자유’에 관하여關於"創作自由"」, 쑤싸오蘇騷의 「어째서 당의 지도에 관해 창작하는 것에 반대하는가?爲什麼反對寫黨的領導?」, 왕시제王希傑의 「두 가지 진실兩種真實」 등 왕명원을 비판하는 글이 여러 편 발표되었다.

『옌허』 8월호에 정보치의 산문 「싼먼샤를 세 번 방문하다三訪三門峽」가 발표되었다.

『해연』 8월호에 수이징水晶의 「신사회의 사람과 사람 사이의 관계를 왜곡한 작품一篇歪曲新社會人和人之間關系的作品」, 링허凌河의 「날개를 꺾다斬斷翅膀」, 리팡즈李芳植의 「어디로 날아가는가飛向何處」 등 소설 「돼지를 치다」에 관한 토론문 세 편이 발표되었다.

『산화』 8월호에 덩췬황鄧群凰의 「소위 ‘일치론’의 본질－리허린을 반박한다所謂"一致論"的實質──駁李何林」가 발표되어 리허린이 제기한 ‘일치론’이 "사실상 예술이 곧 정치임을 선전하고 있다"라고 지적하였다.

『산시희극山西戲劇』이 창간되었다.

2일, 『광명일보』에 마펑의 「단편소설의 새로움, 짧음, 관통에 관하여談短篇小說的新、短、通」, 장경의 평론 「빈간문예가 새로운 사상의 빛을 발하다－「유삼저」를 보고民間文藝發出了新的思想光輝

──<劉三姐>觀後」가 발표되었다.

『해방일보』에 리루칭의 산문 「변경의 깊은 밀림 속에서在邊疆的深山密林裏」가 발표되었다.

3일, 『인민일보』에 두펑청, 양원스의 「새로운 영웅 인물이 우리를 격려한다」(같은 일자 『광명일보』에 게재), 사팅의 「작가의 책임作家的責任」(『인민문학』 8월호, 『문회보』 4일자에 전재)이 발표되었다. 사팅은 글에서 "중국 혁명작가의 책임은 무엇인가? 당은 우리에게 명확히 알려주고 있다. 바로 창작을 통해 전국 인민의 공산주의의 사상적 각오와 공산주의의 도덕적 품성을 크게 제고하는 것이다"라고 밝혔다.

『양청만보』에 멍푸난孟服南의 글 「인민이 창조한 사회주의 위업의 송가─류칭 동지의 신작 『창업사』를 읽고人民創造社會主義偉業的頌歌──讀柳青同志的新作<創業史>」가 발표되었다.

4일, 『광명일보』에 소식 「우리나라 희극예술사업의 왕성한 발전我國戲劇藝術事業蓬勃發展」이 게재되었다. 소식에 따르면 "11년간……우리나라 희극의 극종은 1952년의 120종에서 470종으로 증가하였으며, 전문 극장은 1949년의 891곳에서 1959년에는 2,800곳으로 증가하였다. 예술공연단체에 종사하는 인원수는 1949년의 50,920명에서 1959년에는 26만 명으로 증가하였으며, 예술공연단체 역시 1,000개에서 3,513개로 증가하였다."

『문회보』에 빙신의 「반제국주의 투쟁을 끝까지 진행하자把反帝國主義鬥爭進行到底」가 발표되었다.

5일, 『인민일보』에 타오주의 논문 「과도 시기의 규율 문제에 관한 논의關於過渡時期的規律問題的商榷」, 진진의 산문 「후계자와 함께 있을 때同接班人在一起的時候」가 발표되었다.

『광명일보』에 빙신의 「반제국주의 투쟁을 끝까지 진행하자」가 발표되었다.

『문회보』에 우창의 「창작에서의 전투 임무一個創作上的戰鬥任務」가 발표되었다.

『북방문학』 8월호에 베이징대학 중문과 58학번 문학평론조의 글 「'인정미'에 관하여也談"人情味"」가 발표되었다. 글은 "'인정'은 관념 형태의 산물로서 그 자신의 분명한 시대 및 계급적 색채를 가지고 있다. 다른 시대 혹은 계급에서 인정을 바라보는 관점은 종종 일치하지 않거나 혹은 완전히 반대되기도 한다. 위의 사례를 통해 우리와 바런의 근본적인 차이가 '인정미'의 많고 적음이 아니라, 이 양자의 근본적인 대립임을 알 수 있다", "바런이 선전하는 '인정미'는 사실상 자산계급의 개인주의일 뿐이다"라고 보았다.

『중국청년보』에 장톈이, 옌원징의 「현재 소년아동문학에 대한 우리의 몇 가지 의견我們對當前少

年兒童文學的一些意見」이 발표되었다.

『상하이문학』 8월호에 샤오무肖木의 단편소설 「드넓은 세계寬廣的世界」, 루푸샹盧福祥의 특필 「황푸장의 대문을 열다打開黃浦江的大門」 및 본지 평론가의 글 「혁명문예의 전투강령革命文藝的戰鬥綱領」이 발표되었다. 이 글은 제3차 문대회에서의 루딩이의 축사에 대한 평론으로, 이 축사가 중국 무산계급 혁명문학예술의 전투 강령이며, 마르크스레닌주의 정신을 고도로 관철한 문건으로, 모든 문예공작자가 반드시 이 글을 진지하게 학습하고 이를 자신의 학습과 공작 속에서 철저히 관철해야 한다고 보았다.

6일, 문대회에서 문련 비서장 양한성이 문련 제2차 전국위원회 주석단을 대표해 전체 대표들에게 사무공작보고를 진행하였다. 그는 보고에서 1953년에 개최된 전국 제2차 문대회 이후의 전국문련 조직의 발전 상황을 소개한 후, 전국문련이 6여 년간 문예계에서의 정치투쟁과 사상투쟁 전개를 추진하고, 당의 문예방향을 관철하였으며, 공농병 군중 속에 침투해 정치이론학습을 강화하고 과학문화지식을 학습하고, 제국주의 침략에 반대하며 세계평화를 수호하고, 대외문학예술교류와 예술관람공연 조직 등의 업무 상황을 정리하였으며, 앞으로의 임무를 제시하였다. 대회에서 자오수리, 판쉐평範學朋, 자오딩신趙鼎新, 왕사오탕王少堂, 캉랑쒀이 등 대표 5인이 발언하였다.

『네이멍구일보內蒙古日報』에 예젠잉의 시 「초원 여행기草原遊記」가 발표되었다.

『광명일보』에 궈셴홍郭先紅의 「당의 햇빛이 비추는 아래 성장하다在黨的陽光照耀下成長」(7일자 『인민일보』 및 『북방문학』 9월호에 전재), 천야딩陳亞丁의 「위장한 사회주의 문학을 질책한다斥偽裝的社會主義文學」가 발표되었다.

『문회보』에 샤오싼, 양쉬의 「국제적 단결을 강화해 국제 반제국주의 투쟁에 적극 참가하자加強國際團結, 積極參加國際反帝鬥爭」가 발표되었다.

『뤼다일보旅大日報』에 팡즈민의 유작 산문 「청빈淸貧」이 발표되었다.

7일, 『광명일보』, 『문회보』에 제3차 문대회에서의 자오수리의 발언문 「'옛것'에 관하여—하향을 통한 깨달음談"久"——下鄉的一點體會」이 발표되었다(『인민문학』 8월호에 전재).

8일, 문화부 부부장 첸쥔루이가 제3차 문대회에서 '문화예술공작자는 당의 문화혁명 강령을 철저히 실현하기 위해 투쟁해야 한다文化藝術工作者要爲徹底實現黨的文化革命綱領而鬥爭'라는 제목으로 서면 발언을 진행하였다. 그는 문화예술공작자들에게 단호히 당의 지도에 의지해 영원히 문화혁명의 진보파가 되어 이데올로기 영역에서 '무산계급을 일으키고 자산계급을 타도'하는 투쟁의 철저한 승리를 쟁취해 생산 발전을 위해 더욱 잘 복무하고, 공농군중의 지식화와 지식분자의 노동화를 실현하기 위해 투쟁해야 한다고 호소하였다.

『인민일보』에 바진이 7일에 문대회에서 진행한 발언 「문학은 시대의 선두에서 달려야 한다」가 발표되었다.

『인민문학』 8월호에 마오둔의 「사회주의 약진의 시대를 반영하고, 사회주의 시대의 약진을 추진하자」가 발표되었다. 같은 호에 천찬윈의 「휴일假日」, 두펑청의 「젊은 기술자年輕的工程師」, 탕커신의 「주인主人」 등의 소설과 장융메이의 시 「징강산 위에서 나무딸기를 따다井岡山上采楊梅」와 「달밤의 순찰月夜巡哨」, 바진의 산문 「조선의 꿈朝鮮的夢」, 마자의 산문 「스린의 노래石林之歌」가 발표되었다.

『베이징문예』 8월호에 베이징사범학원(허베이) 중문과 1학년 1반 평론조의 평론 「『홍기보』를 통해 혁명적 영웅 형상을 보다從<紅旗譜>看革命的英雄形象」, 하이샤오海嘯의 가극 「춘풍양류春風楊柳」, 쉬밍旭明의 중편소설 「홰나무 꽃향기가 날리는 계절槐花飄香的季節」이 발표되었다.

9일, 『인민일보』에 「사상을 철저히 개조해 공산주의 세계관을 수립하자徹底改造思想樹立共産主義世界觀」라는 제목의 기사가 게재되어 문대회 대표 8인이 소개한 문예의 성취와 창작경험에 대해 요약 정리하였다.

『광명일보』에 류칭의 「생활과 창작의 태도에 관하여」(같은 일자 『문회보』, 10일자 『인민일보』 및 『옌허』 9월호, 『문예보』 문대회 특집호에 게재)가 게재되었다. 그는 글에서 "마오 주석의 말을 진심으로 듣고 사회와 사람을 성실하게 연구해 전반적인 이해를 얻고, 한 손에는 망원경을, 다른 한 손에는 현미경을 들어야만 표현 기교 문제를 창조적으로 해결하는 정도正道를 찾을 수 있다. 만약 당신이 개인의 관점에서 고려하지 않고 이것이 당과 인민의 사업임을 늘 기억한다면, 국내외의 그 어떤 부정확한 이론과 무책임한 공론도 당신이 전진 과정에서 부딪친 어려움을 이용해 당신을 궤도에서 벗어나게 하지 못할 것이다"라고 밝혔다. 같은 호에 류스쿤劉詩昆의 「문예가 공농병을 위해 복무하는 방향을 고수하자堅持文藝爲工農兵服務的方向」, 우바이타오吳白匋의 「희극은 반드시 정의로운 전쟁을 정확히 반영해야 한다戲劇必須正確地反映正義戰爭」가 발표되었다(11일자 『문회보』에 전재).

『해방군보』에 쉬화이중의 산문 「지도원이 돌아왔다指導員回來了」가 발표되었다.

10일, 고전문학 연구공작자 류다제가 제3차 문대회에서 문학유산을 어떻게 대할 것인가의 문제에 대해 '무산계급을 일으키고 자산계급을 타도하고, 낡은 것을 타파하고 새로운 것을 세우자'라는 제목으로 발언하였다. 그는 문학유산의 연구에 있어 반드시 마오 주석의 지도에 따라 불순한 것을 제거하고 정수만을 남기고, 비판적으로 흡수하며, 혁신을 통해 옛것을 오늘의 현실에 맞게 활용해야 한다고 보았다. 그는 분석 및 비판 능력을 강화하고, 오늘날의 현실적 의의에서 출발해 문학유산이 진정으로 사회주의 문학을 위해 복무할 수 있게 해야 한다고 밝혔다.

『광명일보』에 웨이진즈의 「작가도 영웅이 되기 위해 노력해야 한다作家也要爭取成爲英雄」가 발표되었다.

『산둥문학』 8월호에 거빙戈兵의 「바런의 자산계급 인성론을 반박한다駁巴人資產階級的人性論」, 샤오디페이蕭滌非의 「현대 수정주의 문예사상의 핵심ー'인성론' 비판現代修正主義文藝思想的核心——"人性論"批判」, 탕졘산湯建山의 「세계관과 창작의 관계ー바런의 수정주의 관점을 반박한다世界觀與創作的關系——駁巴人的修正主義觀點」 및 산둥대학 중문과 3학년 문예평론소조의 「바런의 '인류 본성의 인도주의'를 반박한다駁巴人"人類本性的人道主義"」 등 바런의 '인성론'을 비판하는 글이 여러 편 발표되었다.

11일, 『광명일보』에 기사 「전국 문대회에서 19명의 대표작가가 발언해, 문예공작자가 부단히 혁명하고 전진해야 한다고 밝히다全國文代會十九位代表作家在會上發言，文藝工作者要不斷革命不斷前進」가 게재되었다.

『문회보』에 어우양위첸의 「희극 공연 감독 예술에 관한 두 가지 문제有關戲劇表演導演藝術的兩個問題」가 발표되었다. 그는 글에서 희극이 더욱 민족화되고 군중화되어야 한다고 주장하였다.

13일, 『광명일보』에 어우양위첸의 「전통을 계승하고 발양하자繼承傳統並發揚傳統」가 발표되었다.

『해방일보』에 야오원위안의 「사상 투쟁의 규율을 파악하고, 무산계급을 일으키고 자산계급을 타도하는 투쟁을 끝까지 진행하자掌握思想鬥爭的規律，把興無滅資的鬥爭進行到底」, 리루칭의 산문시 「여자 유격대원女遊擊隊員」이 발표되었다.

14일, 『광명일보』에 중국문학예술공작자 제3차 대표대회의 「당중앙과 마오 주석에게 경의를 표하며 보내는 전보向黨中央和毛主席的致敬電」가 게재되었다(같은 일자 『해방군보』에 게재). 전보에서 전체 대표는 당중앙과 마오 주석에게 "당의 문예노선을 단호히 관철하고, 계속해서 공농병 속에 깊이 침투해 부단히 사상을 개선하고, 무산계급 세계관을 공고히 수립해, 이 위대한 시대에 부끄럽지 않은 우수한 작품을 창조하고, 제국주의와 현대 수정주의를 반대하는 투쟁 전선에 결연히 서며, 전 세계의 진보적이고 혁명적인 문예가들과 단결해 세계평화의 유지를 수호하고 인류 진보를 쟁취하기 위해 분투"할 것을 약속하였다. 같은 호에 게재된 「전국 제3차 문대회 결의全國第三次文代大會決議」(같은 일자 『해방일보』에 게재)는 "대회는 공농병과 사회주의 사업을 위해 복무하는 방향하에 백화제방, 백가쟁명 및 옛것을 취사선택하여 새롭게 발전시키는 것이 사회주의 문학예술 발전의 가장 정확하고 넓으며 가장 창조적인 길이라고 본다", "대회는 우리나라 문학예술의 최우선 임무는 각종 문예형식을 통해 전국 인민의 사회주의 및 공산주의 사상적 각오와 도덕적 품성을 제고하고, 자산계급의 정치적 영향과 사상적 영향을 철저히 제거하여, 우리나라 사회주의 혁명과 사회주의 건설을 위해 적극적으로 복무하는 것이라고 본다. 전국 문예공작자는 반드시 예술 실천을 강화하고, 혁명적 현실주의와 혁명적 낭만주의의 결합이라는 예술적 방식을 파악해 우리의 위대한 시대를 표현하고, 이 위대한 시대의 영웅 형상을 창조해야 한다"라고 밝혔다. 같은 호에 『광명일보』 사설 「시대의 최선봉에 서다」, 제3차 문대회에서의 궈모뤄의 폐회사 「당의 문예노선을 따라서 굳센 발걸음으로 용감히 전진하자沿著黨的文藝路線, 堅定步伐' 奮勇前進」가 게재되었다.

『해방일보』에 사설 「혁명의 문학예술 만세!革命的文學藝術萬歲!」, 뤄쑨의 「'진실 창작'에 관하여關於"寫真實"」가 발표되었다.

『문회보』에 류다제의 「무산계급을 일으키고 자산계급을 타도하고, 낡은 것을 타파하고 새로운 것을 세우자」 및 작가 후커를 취재한 기사 「군가를 소리 높여 부르며 전진하자高唱戰歌前進」가 발표되었다.

『인민일보』에 게재된 신화사 13일자 소식에 따르면 "중국문학예술공작자 제3차 대표대회가 23일간 진행된 끝에 오늘 오후에 인민대회당에서 성황리에 폐회하였다. 전체 대표들은 폐막식에서 마오쩌둥 문예사상의 기치를 더 높이 들고, 당의 문예공작 노선을 단호히 준수하여, 우리나라 사회주의 문학예술의 더 큰 약진을 실현하기 위해 분투할 것을 결의하였다."

15일, 『인민일보』에 사설 「사회주의 문예의 혁명적 역할을 더 잘 발휘하자更大地發揮社會主義文藝的革命作用」가 게재되었다(8월 16일자 『창장일보』 및 『창장문예』 8, 9월호 합본, 『후난문학』 9월호, 『초원』 9월호에 전재). 사설은 "이번 대회는 사상성과 전투성이 풍부한 회의이고, 충만한 혁명적 열정을 통해 굳은 단결을 보여준 회의이며, 문예공작자들이 웅대한 마음을 품고 큰 뜻을 세운 회의이다", "혁명적 이상은 우리 사회주의 문학예술의 영원한 영혼이다. 이 영혼을 없애면 문학예술은 그 생기를 잃어 혁명의 문예가 아니게 된다. 오늘날 우리의 최고의 이상은 바로 공산주의이다. 이것은 실현 가능하며 현재 실현되고 있는 이상이다. 우리의 이상은 진실 추구의 정신을 배척하지 않을 뿐만 아니라 바로 이를 기초로 삼고 있다. 따라서 예술적 방법 측면에서 우리는 혁명적 현실주의와 혁명적 낭만주의의 결합을 제창한다. 우리의 혁명 문예가들은 응당 공산주의라는 이 시대 최고의 이상의 정상에서 생활을 관찰하고 묘사하고, 공산주의 사상으로써 인민을 교육하며, 우리의 영웅적 시대와 영웅 인물, 그리고 새로운 사물과 오래된 사물의 투쟁을 진실하게 반영한 우수한 작품을 더 많이 창조해 수많은 인민이 부단히 전진하도록 이끌어야 한다"라고 밝혔다. 같은 호에 바진의 「영원히 푸르른 우정萬古長靑的友誼」이 발표되었다(같은 일자 『해방군보』에 게재).

『희극보』 제14, 15호 합본에 사설 「희극전선의 새로운 전투가 시작되었다戲劇戰線上新的戰鬥開始了」가 발표되었다. 사설은 "우리 희극비평의 임무는 바로 사회주의의 꽃을 길러내고, 예술의 독창성과 각양각색의 예술적 풍격을 격려하는 것이며, 또한 모든 반사회주의적, 반마르크스레닌주의적인 독초와 투쟁을 진행해 이들을 제거해 꽃의 비료로 삼는 것이다"라고 밝혔다.

『전영문학』 제8호에 차오위喬羽가 각색한 영화문학 극본 「유삼저劉三姐」가 발표되었다. 1962년 상반기에 잡지 『대중전영』에 '영화 「유삼저」 토론'란이 개설되어 본 영화에 대한 토론이 전개되었다.

『창장희극長江戲劇』이 폐간되었다.

16일, 『광명일보』에 사설 「당의 광휘가 비추는 아래서―공인 작가 후완춘을 방문하다在黨的光輝照耀下――訪工人作家胡萬春」, 리진李進의 「문예는 농업생산을 위해 복무해야 한다文藝要爲農業生産服務」가 발표되었다.

『중국청년』 제16호에 자오수리의 「'차별' 속에서 개인의 명예와 이익을 찾아서는 안 된다―이상과 희망에 관해 양이밍 동지와 이야기하다不應該從"差別"中尋找個人名利――與楊一明同志談理想和志願」가 발표되었다.

17일, 『광명일보』에 안보의 보고문학 「행복 ― 119세의 원로 예인 왕웨이린이 마오 주석을 만나다幸福――記119歲老藝人王維林會見毛主席」, 가오스치의 시 「광명 행진곡光的進行曲」이 발표되었다.

『양청만보』에 린샤林遐의 「찬윈의 산문 세 편에 관하여談殘雲的三篇散文」가 발표되었다.

20일, 『광명일보』에 본지 종합기사 「미학 문제에 관한 학술계의 토론學術界關於美學問題的討論」이 발표되었다.

21일, 『해방일보』에 이촨의 「유럽 자산계급 문학유산을 어떻게 비판적으로 대할 것인가如何
批判地對待歐洲資產階級文學遺產」가 발표되었다.

『문회보』에 캉줘의 「침투와 제고深入和提高」가 발표되었다.

23일, 『해방군보』에 푸중傅鍾의 「문대회 정신이 부대문예공작 속에서 꽃을 피워 열매 맺게
하자讓文代會的精神在部隊文藝工作中開花結果」가 발표되었다.

24일, 『광명일보』에 리준의 수필 「군중은 가장 훌륭한 스승이다群眾是最好的老師」가 발표되었다.

25일, 『인민일보』에 사설 「전 당과 모든 인민이 착수해, 대대적으로 농업에 임해 식량을 생
산하자全黨動手, 全民動手, 大辦農業, 大辦糧食」가 발표되었다.

26일, 『문예보』가 제3차 문대회와 작가협회 제3차 이사회 확대회의 특집호(2)로 간행되어 「
중국문학예술공작자 제3차 대표대회에서 당중앙과 마오 주석에게 경의를 표하며 보내는 전보中國
文學藝術工作者第三次代表大會向黨中央和毛主席致敬電」, 「중국문학예술공작자 제3차 대표대회 결의中國
文學藝術工作者第三次代表大會決議」, 궈모뤄의 「동풍이 서풍을 압도(혁명의 역량과 기세가 서양 자본
주의 세력을 압도하다-역자 주)하는 개선가를 소리 높여 부르며, 혁명 영웅 형상을 더 많이 창조하
자高唱東風壓倒西風的凱歌, 創造更多的革命英雄形象」(제3차 문대회 폐회사), 라오서의 「소수민족 문학
공작에 관한 보고」(중국작가협회 제3차 이사회 확대회의에서의 보고) 및 「중국작가협회 제3차 이
사회 확대회의의 각종 보고에 관한 결의關於中國作家協會第三次理事會(擴大)會議的各項報告的決議」, 「중
국작가협회 주석단, 서기처 서기 명단中國作家協會主席團' 書記處書記名單」이 게재되었다. 같은 호에
궈모뤄의 「'현대시에는 반드시 굳센 부분이 있어야 한다'-'옥중일기' 시초」 감상"現代詩中應有鐵"
──<"獄中日記"詩抄>讀後感」, 위안보의 「윈난의 각 형제 민족 문학의 새로운 발전雲南各兄弟民族文學
的新發展」, 리웨이李偉의 「마오쩌둥 사상의 홍기를 높이 들고, 더 훌륭한 혁명 투쟁 회고록을 더 많
이 창작하자高舉毛澤東思想紅旗, 寫出更多更好的革命鬥爭回憶錄」, 웨이쥔이의 「공장사의 집필 공작에 관
하여關於工廠史的編寫工作」, 페이전강費振剛의 「전투 속에서 학습하고, 군중운동 속에서 성장하자!在
戰鬥中學習, 在群眾運動中成長!」 등의 글이 발표되었다.

『인민일보』에 하오란의 산문 「채소 씨앗을 보내다送菜籽」가 발표되었다.

28일, 베이징인민예술극원에서 6장 화극「평수이의 동풍鳳水東風」을 공연하였다. 리싱李醒이 각본을, 자오쥐인이 감독을 맡았으며 퉁차오, 정룽, 퉁디, 궈웨이빈郭維彬 등이 주연을 맡았다.

29일, 『해방군보』에 쉬화이중의 산문「영웅의 용광로英雄的熔爐」가 발표되었다.

30일, 『광명일보』에 후차이의「작가는 반드시 인민군중과 밀접히 결합해야 한다作家必須同人民群衆密切結合」가 발표되었다.

『양청만보』에 타오주가 화난사범학원과 지난대학 학생들을 대상으로 진행한 강연「이상, 정서, 정신생활理想'情操'精神生活」이 발표되었다.

31일, 『광명일보』에 천덩커의「문학의 전투성文學的戰鬥性」이 발표되었다.

『인민일보』에 터웨이特偉의「민족의 미술영화를 창조하자創造民族的美術電影」가 발표되었다.

이달에『산시희극』이 폐간되었다.

『우화雨花』가 월간으로 변경되어 1964년 9월까지 발행된 후 폐간되었다가 1975년 1월에 명칭을『장쑤문예江蘇文藝』로 변경하여 복간되었으며, 1978년 10월에 다시『우화雨花』로 명칭을 변경하였다.

아이칭이 신장 스허쯔 농업개간부 생산건설병단 농8사石河子農墾部生產建設兵團農八師로 이동하였다.

미국의 잡지『주류主流』 8월호가 '중국 특집호'로 간행되어 마오쩌둥의 사 작품「염노교·쿤룬念奴嬌·昆侖」, 사오취안린의「문학 10년의 역정文學十年曆程」, 바진의「미국 인민에게致美國人民」 등의 작품이 발표되었다. 라오서가 특집호의 권두언을 집필하였다.

중국작가협회 구이양貴陽분회 준비위원회에서 편찬한 구이저우 10년 문예창작선(1949~1959)『산문특필집散文特寫集』이 구이저우인민출판사에서 출간되었다.

중공 각 성 위원회 선전부에서 편찬한『윈난가요雲南歌謠』,『신장가요新疆歌謠』,『저장가요浙江歌謠』가 인민문학출판사에서 출간되었다. 베이징시문학예술공작자연합회, 베이징시노동인민문화궁勞動人民文化宮 및 베이징군중출판사에서 합동으로 편집한『약진의 해에 약진의 노래를 부르다躍進年唱躍進歌』가 음악출판사音樂出版社에서 출간되었다.

9월

1일, 『창장문예』 8, 9월호 합본에 지쉐페이의 소설 「솜저고리 이야기棉襖的故事」, 지쉐페이, 홍양洪洋의 특필 「동풍이 넘실거려 홍기가 펄럭이다 − 전국 제3차 문대회 참관기東風蕩漾紅旗飄── 全國第三次文代會側記」, 장융메이의 연작시 「변경 단곡塞上短曲」(「샤둥峽東」, 「홍류紅柳」, 「나는 칭하이 사람이다我是青海人」)이 발표되었다.

『변강문예』 9월호에 사설 「혁명의 문학예술 만세革命的文學藝術萬歲」, 라오서의 평론 「「어빙과 쌍뤄」를 읽고讀了＜娥並與桑洛＞」, 리뤄한李洛翰의 평론 「바런의 '인도주의'의 본질과 그 위해성巴人的"人道主義"的實質及其危害性」이 발표되었다.

『해방군문예』 9월호에 리잉의 시 「조선 예찬朝鮮禮贊」, 량상취안의 시 「민병 대표가 돌아왔다民兵代表回來了」, 리웨이의 「마오쩌둥 사상의 홍기를 높이 들고, 더 훌륭한 혁명 투쟁 회고록을 더 많이 창작하자− 전국 제3차 문대회에서의 발언高擧毛澤東思想紅旗, 寫出更多更好的革命鬥爭回憶錄──在全國第三次文代大會上的發言」이 발표되었다.

『우화雨花』 제15호에 천서우주의 「열심히 학습하고, 신속히 개조하자努力學習, 加緊改造」, 루원푸의 단편소설 「준비准備」, 저우서우쥐안의 시 「농업 지원의 열기가 높다支援農業熱氣高」가 발표되었다. 같은 호에 주마펑珠瑪峰의 「왕멍윈의 소위 공식화, 개념화를 반박한다駁王夢雲所謂公式化'概念化」, 야오이정姚以錚의 「'진실론' 이모저모"真實論"種種」가 발표되었다.

『초원』 9월호에 본지 편집부의 단론 「사회주의 문학예술의 길을 따라 성공적으로 전진하자沿著社會主義文學藝術的道路勝利前進」가 발표되었다.

『중국청년』 제17호에 타오주의 「이상, 정서, 정신생활−화난사범학원과 지난대학 학생들에게 한 강언理想·情操·精神生活──對華南師範學院與暨南大學學生的講話」이 발표되었다.

『해연』 9월호에 왕촨화王川華의 「「돼지를 치다」의 명예를 회복하다替＜收豬＞翻案」, 양웨이楊惟의 「「돼지를 치다」를 어떻게 볼 것인가?應當怎樣看待＜收豬＞?」 등 「돼지를 치다」에 관한 토론 두 편이 발표되었다. 같은 호에 스중칭師中青의 「바런의 인성론을 비판한다批判巴人的人性論」가 발표되었다.

『신항』 9월호에 캉쥐의 「침투와 제고」, 위안징의 「후계자들을 위해 더 좋은 작품을 더 많이 창작하자爲接班人寫出更多更好的作品」, 류진의 평론 「신판 「전투하는 청춘」을 평하다評新版＜戰鬥的靑春＞」가 발표되었다.

『후난문학』 9월호에 다보수이大波水의 「창끝은 어디를 향하는가 — 톄커의 「인민 내부의 모순 반영 잡담」 비판矛頭指向哪裏——批判鐵可的＜雜談反映人民內部矛盾＞」이 발표되었다.

『옌허』 9월호에 제3차 문대회에서의 커중핑의 발언 「우리는 당에게 결심을 표현한다我們向黨表決心」이 발표되었다.

『산화』 9월호에 젠셴아이의 「공농과 긴밀히 결합해, 새로운 전투에 뛰어들자緊密與工農結合, 投入新的戰鬥」가 발표되었다.

2일, 중국청년예술극원에서 합동 창작한 단막극 「최전선에서第一線上」(돤청빈段承濱, 쉬수어許淑娥 집필), 「세 통의 물三缸水」(바오잔위안鮑占元 집필), 「사람과 가축이 모두 번성하다人畜兩旺」(「서설이 내려 풍년이 들다瑞雪豐年」라고도 함. 안란安冉, 가오리췬高礪群 집필), 「우물井」(돤청빈 집필), 「새 조수新助手」(왕빙王冰, 왕충王憧 집필) 등을 공연하였다. 저우라이 등이 감독을 맡았다.

『인민일보』에 위안잉의 「다음번에는 사이공에서 만나자下一次在西貢見面」, 톈한의 평론 「베트남의 조극이 우리에게 아름다움을 향유하게 해 주었다越南嘲劇給了我們美的享受」가 발표되었다.

3일, 『인민일보』에 팡즈민의 유작 산문 「이곳은 감방이다這是一間囚室」가 발표되었다.

『양청만보』에 친무의 「후즈밍 주석의 「옥중시」胡志明主席的＜獄中詩＞」가 발표되었다.

『극본』 8, 9월호 합본에 톈한의 「건국 11년간의 희극전선의 투쟁과 앞으로의 임무建國十一年來戲劇戰線的鬥爭和今後的任務」, 양한성의 「전투 속에서 성장하는 화극예술在戰鬥中成長的話劇藝術」, 메이란팡의 「희곡예술 대발전의 시대戲曲藝術大發展的時代」가 발표되었다. 톈한은 글에서 새로운 영웅 인물 창조, 희극의 모순 충돌을 정확히 대하고 처리하는 방법, 국내외 희극전통을 계승 및 혁신하는 방법 등의 문제에 관해 상세히 논술하였다. 같은 호에 농업개간부 무단장 농간국牡丹江農墾局 화극단에서 합동 창작하고 샤오판小範(판궈둥範國棟)이 집필한 5막 화극 「베이다황 사람北大荒人」, 왕밍푸王命父가 창작한 8장 화극 「38 홍기수三八紅旗手」 및 류저우柳州 「유삼저」 극본창작소조가 창작하고 광시장족자치구廣西壯族自治區 「유삼저」 공연대회에서 각색한 대형 가극 극본 「유삼저」가 발표되었다.

4일, 『인민일보』에 저우양이 7월 22일에 제3차 문대회에서 진행한 보고 「우리나라 사회주의

문학예술의 길」의 전문이 게재되었다(5일자 『광명일보』, 『해방일보』, 『문회보』, 6일자 『창장일보』, 7일자 『양청만보』 및 『베이징문예』 9월호, 『산둥문학』 9월호에 전재). 그는 보고에서 문학이 "공농병과 사회주의를 위해 복무하는 것", "백화제방, 백가쟁명", "혁명적 현실주의와 혁명적 낭만주의의 결합", "자산계급 인성론 반박", "유산의 비판적 계승" 등 다섯 가지 측면에서 앞으로의 중국문학의 발전 방향에 관해 논술하였다. 저우양은 "우리의 문예는 공농병과 사회주의를 위해 복무한다", "사회주의 사회가 건립된 이후에도 자산계급의 정치적 영향과 사상적 영향은 오랫동안 남아 있어, 공산주의 사회에 이르렀음에도 불구하고 선진과 낙후, 정확함과 오류 사이의 투쟁이 발생한다. 바로 이것이 사상 투쟁과 사상개조가 장기적인 임무임을 결정하였다", "따라서 우리는 문예가 공농병과 사회주의 사업을 위해 복무하는 방향을 고수하고, 이 방향을 적대시하는 수정주의 및 기타 각종 자산계급사상과 반드시 투쟁을 진행해야 한다"라고 밝혔다. 같은 호에 천샹허의 산문 「베트남 영화 「같은 강」으로부터 이야기를 시작하다從越南影片＜同一條江＞談起」가 발표되었다.

5일, 베이징 문예계가 집회를 진행해 미국 작가 마크 트웨인 서거 50주년을 기념하였다. 차이추성, 샤오싼, 양숴 등이 참가하였다. 라오서가 「마크 트웨인: '달러 제국'의 폭로자馬克·吐溫: "金元帝國"的揭露者」라는 제목의 보고를 진행하였다(『세계문학』 10월호에 게재).

『양청만보』에 친무의 「정치 방향의 일치성과 예술 풍격의 다양성의 통일政治方向的一致性和藝術風格多樣性的統一」, 팡량方亮의 「생활과 소재 잡담 ― 이에 관한 바런의 논점을 반박한다雜談生活和題材 ― 駁巴人關於這方面的一些論點」가 발표되었다.

『북방문학』 9월호에 옌천의 「열심히 창조하고, 용감히 전진하자!努力創造, 奮勇前進!」, 뤼빈지의 「혁명적인 문예공작자가 되자爭取作紅色文藝工作者」가 발표되었다. 뤼빈지는 글에서 "최근 2년간 내게 무슨 수확이 있었는지를 말하자면, 바로 19세기의 서구 자산계급 문학이 내게 끼친 소극적인 영향에서 벗어난 것, 그리고 새로운 세계관을 수립한 것이라 할 수 있다. 나는 이 수확을 소중히 여기고, 군중의 뜨거운 생활 투쟁 속에 지속적으로 침투해 이를 공고히 하여, 마오쩌둥 이론 학습과 결합시켜 붉은 문학예술공작자가 되기 위해 노력할 것이다"라고 밝혔다.

『상하이문학』 9월호에 리제런의 단편소설 「린 외할머니의 이사를 돕다幫林外婆搬家」, 황잔런黃展人의 「『창업사』 제1부를 평하다評＜創業史＞第一部」, 치덩산齊登山의 「「전투하는 청춘」 수정본을 평하다評＜戰鬥的青春＞修改本」 등의 글이 발표되었다. 치덩산은 글에서 이 작품이 "생생한 투쟁의 역사적 사실을 통해 마오 주석의 군사상의 위대한 위력과 뛰어난 정확성을 강력히 설명하였으며, 이 빛나는 사상을 정확히 관철해야만 어떤 적이든 이길 수 있음을 보여주었다"라고 평하였다.

6일, 『인민일보』에 관화의 「우리의 가오 서기我們的高書記」가 발표되었다.

『광명일보』에 샤옌의 평론 「무대예술 영화 「양문여장」을 기쁘게 보다喜看舞台藝術片＜楊門女將＞」가 발표되었다.

8일, 『인민문학』 9월호에 리준의 「경운기耕雲記」, 아이밍즈의 「러훙쥐樂紅菊」, 웨이쥔이의 「동료同伴」 등의 소설과 롼장징의 장시 『바이윈어보 교향시白雲鄂博交響詩』, 류바이위의 「등불燈火」, 우한의 역사 소품 「황종과 주침況鍾和周忱」, 두아이의 문예수필 「투정주의와의 투쟁 속에서 발전하는 사회주의 문학同修正主義鬥爭中發展的社會主義文學」, 리딩쿤李定坤의 문학평론 「혁명의 찬가, 영웅의 서사시!―「붉은 간웨볜」을 읽고革命的贊歌, 英雄的史詩!――讀＜紅色贛粵邊＞」, 황수쩌黃樹則의 「불길 속에서 탄생한 예술從烈火中產生的藝術」이 발표되었다. 황수쩌의 글은 주다오난의 혁명 회고록 세 편에 관한 평이다.

『베이징문예』 9월호에 돤무훙량의 단편소설 「동지同志」가 발표되었다.

『문회보』에 다이허우잉이 「청춘의 노래」를 평한 글 「혁명 지식분자의 길革命知識分子的道路」이 발표되었다.

『인민일보』에 어우양위첸의 「새롭고 아름다운 가무극 「유삼저」又新又美的歌舞劇＜劉三姐＞」, 리잉의 연작시 「신병 일기新兵日記」 2편(「나는 오늘 너무도 기쁘다今天我多麼高興」, 「군장을 보급하다發軍裝」)이 발표되었다.

9일, 『인민일보』에 중국희극가협회 제2차 회원대표대회에서의 톈한의 보고(개요) 「건국 11년간의 희극전선의 투쟁과 앞으로의 임무」, 위안수이파이의 시 「지구의 정점을 돌파하다―다큐멘터리 「세계 최고봉을 정복하다」를 보고突破地球尖端――看記錄片＜征服世界最高峰＞」가 발표되었다.

10일, 『산둥문학』 9월호에 궈모뤄의 제3차 문대회 폐회사 「마오쩌둥 문예사상의 홍기를 높이 들고, 사회주의 문학예술의 에베레스트를 창조하자高舉毛澤東文藝思想紅旗, 創造社會主義文學藝術的珠穆朗瑪峰」가 발표되었다. 그는 글에서 "이것이 사회주의 문예를 발전시키는 가장 정확하고 가장 넓은 길이다……이 길은 정치 방향의 일치성과 예술 풍격의 다양성을 보장하며, 문학예술이 누구를 위해 복무하며 어떻게 복무하는가라는 문제를 해결해 준다"라고 밝혔다. 같은 호에 중국작가협회 제3차 이사회 확대회의에서의 커중핑의 폐회사 「영원히 혁명의 전고와 나팔이 되리라永遠做革

命的戰鼓和喇叭」 및 왕안유의 특필 「왕원보王文波」가 발표되었다.

『인민일보』에 양쒀의 산문 「세쿠 투레 대통령궁에서在塞古·杜爾總統府裏」가 발표되었다.

『해방일보』에 루즈쮀안의 인물특필 「'날랜 다리' 쑹푸위"快三腿"宋福裕」가 발표되었다.

11일, 『인민일보』에 쩌우디판의 시 「기니는 지금 청춘이다幾內亞正當靑春」가 발표되었다.

15일, 『인민일보』에 샤옌이 1960년 7월 30일에 진행된 중국전영공작자협회 제2차 회원대표 대회에서 했던 보고 「삼면홍기가 은막 위에서 바람을 맞아 펄럭이게 하자讓三面紅旗在銀幕上迎風招展」의 개요가 발표되었다.

16일, 『해방일보』에 샹양向陽의 단편소설 「벽을 허물다拆牆」가 발표되었다.

『양청만보』에 장융메이의 「신속한 공농화를 위해 힘쓰자力爭早日工農化」가 발표되었으며, 천찬윈의 소설 「강을 막다堵河記」의 연재가 시작되었다.

16일~23일, 지린성 문학예술공작자연합회에서 지린성 문예공작회의를 소집하였다. 지린성의 각 시, 주, 현 문련의 주임과 일부 공장과 광산의 문화공작자 80여 명이 참석하였다. 회의에서는 제3차 문대회에서의 보고와 관련 문건을 집중적으로 학습하였다.

16일~10월 28일, 도쿄 예술좌東京藝術座, 민예극단民藝劇團, 배우좌俳優座, 포도회葡萄會, 문학좌文學座 등 5개 단체로 구성된 일본 화극단이 중국을 방문하였다. 화극단은 방중 기간 동안 「유즈루夕鶴」, 「여인의 일생女人的一生」, 「사해死海」, 「오키나와 섬沖繩島」, 「미이케 탄광三池煤礦」, 「일미 '안전조약' 반대 투쟁 기록反對日美"安全條約"鬥爭的記錄」 등의 작품을 공연하였다. 저우언라이, 천이 등의 시노사가 화극단을 접견하고 공연을 관람하였다.

17일, 『문회보』에 천지더陳冀德가 우란바간의 「초원의 봉화」를 평한 글 「그는 인간 세상의 지옥을 열었다他敞開了人間地獄」가 발표되었다.

18일, 『광명일보』에 탕타오의 「역사주의에 관하여略談歷史主義」가 발표되었다.

『문회보』에 궈펑의 산문특필 「삼림 속의 서정森林中的抒情」이 발표되었다.

19일, 『문회보』에 허스슝이 차오밍의 소설 「바람을 타고 파도를 헤가르다」를 분석한 글 「강철 같은 사람鋼鐵一樣的人」이 발표되었다.

20일, 『인민일보』에 옌전의 시 「타는 듯 붉은 구름 아래서在火紅的雲彩下」가 발표되었다.

23일, 『민간문학』 8, 9월호 합본에 중국민간문예연구회 확대이사회에서의 린산林山의 보고「마오쩌둥 문예사상의 홍기를 높이 들고, 민간문학공작을 새로운 고조로 끌어올리자高舉毛澤東文藝思想紅旗，把民間文學工作推向新的高峰」가 발표되었다. 이 외에도 쉬자루이의 「민족민간문학의 수집, 번역, 정리 및 연구공작에 대한 우리의 몇 가지 깨달음我們對民族民間文學的搜集·翻譯·整理和研究工作的一些體會」, 장빈薑彬의 「새로운 형세가 민간문학에 제기한 문제新形勢對民間文藝提出的問題」, 양원위안楊文元의 「군중 수집 동원과 새로운 민간고사 창작 문제에 관하여關於發動群眾搜集和創編新民間故事問題」, 루궁工工의 「마오쩌둥 문예의 기치 아래 소리 높여 노래하며 용감하게 전진하자在毛澤東文藝旗幟下高歌猛進」, 샤수광夏曙光의 「정치를 우선시하며 군중을 동원해 염군 이야기를 전면적으로 수집 정리하자政治掛帥發動群眾全面搜集整理撚軍故事」, 웨이젠궁魏建功의 「당이 지도하는 새로운 민간문예 공작을 잘 수행하자把黨所領導的新的民間文藝工作搞好」 등 중국민간문예연구회 확대이사회에서의 발언이 게재되었다.

24일, 『인민일보』에 장융메이의 시 「징강산 송가井岡山頌歌」가 발표되었다.

『해방일보』에 리루칭의 산문시 「영원히 노쇠하지 않는 이永不衰老的人」가 발표되었다.

『문회보』에 아이우의 「백 번 담금질해 강철을 만들다」에 대한 다이허우잉의 평론 「하늘을 떠받치고 땅 위에 우뚝 선 강철 공인의 모습頂天立地的鋼鐵工人形象」이 발표되었다.

25일, 『해방일보』에 류진의 「용감히 전투에 임하면 반드시 승리할 수 있다—「전투하는 청춘」 신판 독후감敢於戰鬥，就能勝利——新版<戰鬥的青春>讀後感」이 발표되었다.

『문학평론』 제4호에 허치팡이 8월 2일에 중국작가협회 제3차 이사회 확대회의에서 진행한 발언 「문학유산을 정확하게 대하고, 새 시대의 문학을 창조하자正確對待文學遺產，創造新時代文學」 및 펑즈가 8월 1일에 확대회의에서 진행한 발언 「유럽의 비판적 현실주의 문학의 비판과 계승 문제에 관하여關於批判和繼承歐洲批判的現實主義文學問題」가 발표되었다. 같은 호에 차이이의 「인성론 비판人性論批判」, 왕랴오잉의 평론 「인성론의 '새로운' 본보기 — 왕수밍 동지의 「인성 문제에 관한 필기」를 평하다人性論一個"新"標本——評王淑明同志的<關於人性問題的筆記>」, 리후이李彗의 평론 「리허린 동지의 자산계급적인 학문 태도와 학문 방법李何林同志的資産階級治學態度和治學方法」(리허린의 「10년간의 문학이론과 비평에 존재하는 작은 문제」와 그 이후에 발표된 글 「오류에 대한 나의 초보적 인식과 비판我對錯誤的初步認識和批判」에 대한 글)이 발표되었다. 리후이는 글에서 "오늘날의 리허린 동지의 오류는 유구한 역사적 근원을 가지고 있다. 이러한 문예관점과 일치하는 것은 그의 자산계급 주관주의적인 학문 태도와 학문 방법으로, 이 점은 그의 모든 저작에도 마찬가지로 뚜렷이 드러나 있다"라고 밝혔다.

『시간』 9월호에 거비저우의 「보석 궁전寶石宮殿」, 딩리丁力의 「쿠바는 혁명의 꽃이다古巴是枝革命花」, 장즈민의 「공사의 인물」 등의 시가 발표되었다.

26일, 『문예보』 제17, 18호 합본에 리시판의 평론 「『창업사』의 사상과 예술 만담漫談<創業史>的思想和藝術」(10월 18일자 『광명일보』에 전재), 야오원위안의 평론 「중국 농촌의 사회주의 혁명사—『창업사』를 읽고中國農村的社會主義革命史——讀<創業史>」가 발표되었다. 같은 호에 톈한의 「일본 화극단의 중국 방문을 환영하며歡迎日本訪華話劇團」, 쩌우디판의 「빛나는 역사를 쓰고, 전투의 우정을 맺다寫光輝曆史, 結戰鬥友誼」(중국—쿠바 수교를 축하하며), 톈젠의 「폭풍이 더 커지게 하자! —『폭풍 송가』를 읽고讓風暴更大些!——讀<風暴頌>」, 원제의 「「나는 듯 황허를 건너다」 예찬<黃河飛渡>贊」이 발표되었다.

『인민일보』에 라오서의 수필 「사람의 약진人的躍進」이 발표되었다.

28일, 『광명일보』에 쉬츠의 「송가頌歌」가 발표되었다.

상하이실험화극단이 3막 7장 화극 「전가복全家福」을 공연하였다. 각본은 라오서가, 감독은 슝포시가 맡았다.

29일, 『인민일보』에 궈모뤄의 시 「미얀마 동포를 환영하며歡迎緬甸胞波」, 쩌우디판의 시 「명절에 귀빈이 미담을 전하다佳節嘉賓傳佳話」가 발표되었다.

30일, 『양청만보』에 린뱌오林彪의 「중국인민혁명전쟁의 승리는 마오쩌둥 사상의 승리이다中國人民革命戰爭的勝利是毛澤東思想的勝利」(『성화星火』 제10호에도 게재), 친무의 시 「우리가 웅대한 산봉우리에 올랐을 때當我們登上雄偉的山峰」가 발표되었다.

이달에 『중국문학예술공작자 제3차 대표대회 문건中國文學藝術工作者第三次代表大會文件』이 인민문학출판사에서 출간되었다.

류칭의 장편소설 『창업사』 제1부가 중국청년출판사에서 출간되었다.

티베트족 시인 라오제바쌍의 시집 『초원집草原集』, 두펑청의 산문시 『스케치집速寫集』이 작가출판사에서 출간되었다.

중국작가협회 신장분회에서 편찬한 『신장 10년 산문선新疆十年散文選』이 신장인민출판사에서 출간되었다.

스잉石英의 문학전기 『지훙창吉鴻昌』이 톈진인민출판사에서 출간되었다.

10월

1일, 『인민일보』에 톈젠의 시 「나팔을 부는 이吹號人」, 궈펑의 시 「베이징 2편北京二題」(「톈안먼 광장의 깃대天安門廣場上的旗杆」, 「창안제의 조명 기둥長安街的燈柱」)이 발표되었다.

『광명일보』, 『해방일보』, 『해방군보』, 『문회보』, 『창장일보』, 『후난문학』 10월호에 린뱌오의 「중국인민혁명전쟁의 승리는 마오쩌둥 사상의 승리이다」가 게재되었다(9월 30일자 『양청만보』에 최초 발표).

『후난문학』 10월호에 후난성 성회 문예계의 일부 인원이 제3차 문대회 문건을 학습한 좌담회의 발언 개요 「사회주의 문예의 가장 정확하고, 넓고, 창조성이 풍부한 길社會主義文藝的最正確ʹ 最寬廣ʹ 最富於創造性的道路」이 발표되었다.

『해방군문예』 10월호에 장즈민의 시 「공사의 인물」이 발표되었다.

『초원』 10월호에 나·싸이인차오커투의 「당의 호소에 호응해 육체노동에 참가해 철저히 공농화하자響應黨的號召參加體力勞動徹底工農化」가 발표되었다.

『옌허』 10월호에 류칭의 『창업사』 제2부 제1장이 발표되었다.

『열풍』 10월호에 차이치자오의 시 3편 「강량요鋼糧謠」, 「창삼추唱三秋」, 「근검가勤儉歌」가 발표되었다.

『해연』 10월호에 지위紀魚의 「「돼지를 치다」의 명예를 회복할 수 없다<收豬>的案翻不了」가 발표되었다. 그는 글에서 「돼지를 치다」가 소자산계급의 사상과 개인주의를 통해 인민을 교육하려 한 나쁜 작품이라고 보았다. 소설 「돼지를 치다」는 리쥔李軍의 작품으로, 『해연』 1960년 6월호에 최초 발표되었다. 발표 당시의 '편집자의 말'은 "리쥔 동지의 소설 「돼지를 치다」를 읽은 수많은 동지들은 서로 다른 견해를 보였다. 시비를 판별하고 문예비평을 활발히 하기 위해 우리는 이 작품을 공개 발표해, 수많은 독자와 작가가 함께 토론에 참여해 적극적으로 자신의 의견을 발표하기를 바란다"라고 밝혔다.

이후로 『해연』 7, 8, 9, 10월호에 이 소설에 관해 토론하고 비판하는 글이 총 15편 발표되었다. 이들 글의 주된 관점은 세 가지다. 첫째는 「돼지를 치다」가 좋은 작품이며, 정치적 입장이 선명할 뿐만 아니라 예술성도 매우 강하며, 소재가 신선해 낡은 틀에 얽매이지 않고 기교를 중시한 작품이라는 의견이다. 둘째는 「돼지를 치다」가 현실을 왜곡하고 신사회의 사람과 사람 사이의 관계를 왜곡했으며, 작품 전체가 소자산계급의 사상 감정과 개인주의로 가득 차 있고, 자신계급의 '인정론'으로 인민을 교육하려 했으므로, 예술적 기교가 아무리 훌륭하다 해도 "심각한 결점을 가진 작품"이라고 보는 의견이다. 이러한 관점을 표현한 글은 총 12편으로 대다수를 차지한다. 셋째는 「돼지를 치다」가 비록 좋은 작품은 아니지만 그렇다고 형편없는 작품은 아니며, 이 작품에 현실생활을 왜곡하고 개인주의를 선전했다는 꼬리표를 붙이는 것은 타당하지 않다는 의견으로, 「돼지를 치다」에 대해 완전히 긍정하지도, 완전히 부정하지도 않는 관점이다.

『신항』 10월호에 탕타오의 「루쉰과 그의 『새로 쓴 옛날이야기』」魯迅和他的<故事新編>, 쉬친원의 「「아름다운 이야기」를 통해 『들풀』을 보다從<好的故事>看<野草>」가 발표되었다.

『마오쩌둥 선집毛澤東選集』 제4권이 출간되었다.

3일, 『해방일보』에 후완춘의 산문 「시대의 발걸음時代的腳步」이 발표되었다.

『극본』 10월호에 라오서의 수필 「온정이 넘치다溫情並茂」, 리이산李宜山의 이론 「연극 지도說戲」 (『소극본小劇本』 1960년 제1, 3, 4, 5, 7호에 최초 발표)가 발표되었다.

5일, 『인민일보』에 젠보짠의 「친척과도 같은 우애親戚般的友誼」, 궈모뤄의 연작시 「일본 화극단에게贈日本話劇團」 6편(「일본 화극단에게贈日本話劇團」, 「일본 화극단 단장 무라야마 토모요시에게贈日本話劇團團長村山知義」, 「유즈루」, 「사해」, 「여인의 일생」, 「낭송극 3종朗誦劇三種」), 톈한의 「일본 화극단의 중국 방문 공연을 위해 환호하다爲日本話劇團訪華演出歡呼」가 발표되었다.

『광명일보』에 탕타오의 산문 「길을 뚫는 사람做開路的人」이 발표되었다.

『해방일보』에 저우톈周天의 평론 「농촌 전선의 위풍당당한 영웅 인물 표현을 위해 노력하다 ─ 장편소설 『창업사』 제1부 독서 잡기努力表現農業戰線上比吒風雲的英雄人物──讀長篇小說 <創業史> 第一部劄記」가 발표되었다.

6일, 중국인민해방군 해군 정치부 문공단 화극단이 8장 역사극 「갑오 해전甲午海戰」을 공연하였다. 본 화극은 영화극본 「갑오 풍운甲午風雲」을 각색한 것으로 주쭈이朱祖貽와 리황李恍이 집필하고 장펑이張鳳一가 감독을 맡았다. 극본은 『극본』 11월호에 발표되었다.

리시판은 「갑오 해전」이 "근대사를 소재로 한 희극 창작에서의 새로운 시도"라고 보면서, "이 작품은 역사적 진실과 예술적 상상을 유기적으로 결합하였다. 이야기의 구성과 인물의 창조에서 모두 적지 않은 허구와 상상을 통한 보충 혹은 이 역사 사건에 대한 광범위한 요약이 존재하지만, 이러한 부분들은 모두 기본적으로 역사적 진실성과 필연성에 기초를 두고 있다. 따라서 예술적 상상, 그리고 보충과 요약은 역사의 진실성을 훼손하지 않았으며, 오히려 이에 깊이를 더해 돋보이게 하였다"라고 평하였다(「화극 「갑오 해전」의 역사 진실과 예술 진실 약론略論話劇 <甲午海戰> 的歷史眞實和藝術眞實」, 『희극보』 1960년 제18호).

위안수이파이는 「갑오 해전」이 "최근의 희극 창작 가운데 돋보이는 성취"라고 보면서, "화극의 각 장이 모두 긴밀하게 짜여 있고(다만 서두와 결말 두 부분이 조금 아쉽다), 비교적 정련되어 있으며, 구조가 훌륭하고, 대화의 속도가 빠르면서도 간결하고, 극적 요소가 풍부해 흡인력이 있다. 화극의 소재 면에서는 일반적인 범위를 돌파해 소재 다양화의 요구에 부합하였다", "극의 모순은 상당히 풍부하고 첨예하며 생생하다"라고 평하였다(「희극의 모순과 역사극에 관한 문제를 말하다 ─ 「갑오 해전」을 보고 생각한 것談戲劇矛盾以及關於歷史劇的問題──從 <甲午海戰> 想到的」, 『극본』 1960년 12월호).

작품 속의 인물 형상과 그 교육적 의의에 관해 린한뱌오林涵表는 "그(덩스창鄧世昌)의 예술 형상은 갑오전쟁 시기 중국 해군들 가운데 애국주의자가 가진 반제국주의 및 애국사상을 표현하였으며, 최근 100년간의 중국인민의 반제국주의 및 애국의 의지를 대표하고 있다. 따라서 덩스창의 전형적인 예술 형상은 위대한 교육적 의의를 가지고 있다"라고 보았다(「「갑오 해전」 속의 덩스창의 예술 형상을 논하다論 <甲午海戰> 中鄧世昌的藝術形象」, 『문회보』 1961년 1월 5일자).

우한은 이 작품이 "긍정적 인물 덩스창의 강직하고 애국주의적이고 용감한 모습을 강렬하게 표현하였으며, 사병, 특히 시종일관 큰 고난을 겪는 인민 군중의 애국적이며 용감한 기개와 난관을 두려워하지 않고 나아가는 투쟁 정신을 표현하였다. 모순의 충돌이 강렬하고, 대비가 선명하며, 투지와 기세가 드높다"라고 보았다(「「갑오 해전」을 읽고讀<甲午海戰>」, 『극본』 1960년 11월호).

마테딩 역시 "극의 전체적인 연출을 보면 기세가 왕성해 보는 이를 감동시킨다. 이 작품은 애국주의 교육의 좋은 교재이자, 민족의 굳센 기개를 고수하는 모습에 대한 송가이다"라고 보았다(「애국주의자의 빛나는 형상愛國主義者的光輝形象」, 『인민일보』 1960년 10월 27일자).

7일, 『광명일보』에 리화이춘李淮春의 「아름다움과 미학의 임무에 관하여 — 린허 동지의 「미학의 임무에 관하여」에 대한 의견談美和美學的任務 — 兼談對林禾同志<試談美學的任務>的意見」이 발표되었다.

8일, 『인민문학』 10월호에 사팅의 「쫓고 쫓기다你追我趕」, 천찬원의 「야랴오 이야기鴨寮紀事」, 우창의 「보루堡壘」(장편소설 부분) 등의 소설, 장즈민의 시 「그때의 전차병當年坦克手」. 저우얼푸의 산문 「인디언印第安人」, 마스투馬識途의 혁명 투쟁 회고록 「라오싼제老三姐」, 예성타오의 평론 「「중대한 순간」 인상담<嚴重的時刻>印象談」, 스옌石燕의 평론 「시대의 모습을 신속하게 반영하는 예리한 무기를 들자 — 보고문학과 특필 몇 편에 대한 독후감拿起迅速反映時代風貌的犀利武器 — 幾篇報告文學和特寫讀後感」, 친무의 평론 「아침 햇살이 비추는 아래의 투쟁 생활의 송가 — 류바이위의 산문특필에 관하여朝陽照耀下鬥爭生活的頌歌 — 談劉白羽的散文特寫」 등의 글이 발표되었다. 친무는 글에서 류바이위의 산문특필 작품의 뛰어난 부분이 "일종의 혁명적 낙관주의 정신, 공산주의 사업을 위해 용감히 투쟁하는 기개가 각 작품들을 꿰뚫고 있어, 독자에게 우리의 이 시대의 웅혼한 기개를 곳곳에서 느끼게 해 주는 것"이라고 보았다.

마스투(1915~), 본명은 마첸허馬千禾로 쓰촨성 충현忠縣(지금의 충칭시) 출신이다. 1935년 '12·9' 운동에 참가하였으며 중공 지하당 혁명활동에 종사하였다. 어시鄂西 특별위원회 서기, 쓰촨성 문련 주석, 쓰촨성 작가협회 주석, 중국귀모뤄연구회 부회장 등을 역임하였다. 저서로 장편소설 『칭장 장가清江壯歌』, 『야담십기夜譚十記』, 『파촉 여걸巴蜀女傑』, 『수신전기需神傳奇』 및 장편 기록문학 『지하에서在地下』, 중편소설 『삼전화원三戰華園』, 『단심丹心』, 단편소설집 『홍군을 찾아서找紅軍』, 산문집 『서유 잡기西遊散記』, 『경행집景行集』, 잡문집 『성세징언盛世徵言』 등이 있다. 『마스투 문집馬識途文集』(12권)이 출간되었다.

『인민일보』에 장융메이의 시 「천리마의 노래千裏馬之歌」가 발표되었다.

『베이징문예』 10월호에 저우젠완周鑑婉, 천루이잉陳瑞英, 쩡바보曾巴波, 린진란이 합동 창작한 특필 「엄마의 마음媽媽的心」이 발표되었다.

중국청년예술극원에서 합동 창작하고 돤청빈이 집필한 6장 화극 「손안의 긴 끈長纓在手」을 공연하였다. 저우라이가 감독을 맡았다. 극본은 『베이징문예』10월호에 발표되었다.

9일, 『상하이희극』제5호에 선치웨이沈起煒의 「역사극에서 옛것을 오늘의 현실에 맞게 활용하는 두 가지 문제에 관하여談談歷史劇古爲今用的兩個問題」가 발표되었다. 그는 글에서 역사극의 소재 내용 문제와 군중의 역할을 표현하는 방법, 예술적 허구와 역사적 진실의 처리 문제 등에 대한 견해를 피력하였다. 소재 면에서는 민족 영웅 외에도 "문화 과학기술의 창조 발명과 정치상의 중대한 개혁 등의 사건" 역시 제창해야 한다고 보았다.

10일, 『산둥문학』10월호에 『인민일보』사설 「마오쩌둥 사상은 중국 대혁명 승리의 기치이다毛澤東思想是中國大革命勝利的旗幟」가 전재되었다. 같은 호에 류톈청劉天成, 리쩡린李增林, 왕옌시王延曦의 「「'장생전'의 주제 사상은 도대체 무엇인가?」에 나타난 인성론 관점 비판批判<"長生殿"的主題思想究竟是什麽?>一文中的人性論觀點」이 발표되었다.

『문회보』에 탕커신의 「제1세대—푸진원 동지에게第一代—致浦錦文同志」가 발표되었다.

11일, 중공중앙에서 문화부와 중국작가협회의 「인세 제도 폐지 및 원고료 제도의 철저한 개혁에 관한 지시 요청 보고關於廢除版稅制′徹底改革稿酬制度的請示報告」를 비준하였다. 본 「보고」는 인쇄 부수에 따라 인세를 지급하는 제도를 폐지하고, 일률적으로 작품의 글자수와 질에 따라 1회에 한해 원고료를 지급하고 재판에 대한 원고료는 지급하지 않으며, 전문작가는 국가에서 본래의 행정 등급에 따라 월급을 지급해 국가 공작인원에 상당하는 대우를 누릴 수 있도록 할 것을 건의하였다.

『문예보』제19호에 예성타오의 「교육혁명의 원천敎育革命的源泉」, 자오옌昭言의 「보고문학의 혁명적 위력을 충분히 발휘하자充分發揮報告文學的革命威力」, 후커의 「어느 극작가의 바람 — 화극창작의 민족화, 군중화 문제 필기一個劇作家的向往——話劇創作的民族化′群衆化問題筆記一則」, 친무의 「만청시기 반미 애국문학의 광휘—『반미화공금약문학집』에 관하여晚晴時期反美愛國文學的光輝——談<反美華工禁約文學集>」가 발표되었다.

12일, 『광명일보』에 쉬자오환許兆煥의 평론 「사회주의 혁명 농민의 진실한 형상－『창업사』의 량성바오에 관하여社會主義革命農民的眞實形象——談＜創業史＞中的梁生寶」가 발표되었다.

13일, 『인민일보』에 아잉의 독서 찰기 2편 「쿠바 인민에게는 양키가 필요 없다古巴人民不要美國佬」, 「중국과 쿠바의 역사적 관계中國和古巴的歷史關系」가 발표되었다.

14일, 『인민일보』에 위안잉의 「동해명주東海明珠」가 발표되었다.

『창장일보』에 왕런중王任重의 수필 「읽고 생각하다－『마오쩌둥 선집』 제4권 독서 필기 제1편又讀又想——讀＜毛澤東選集＞第四卷筆記之一」이 발표되었다.

15일, 『인민일보』에 아잉의 독서 필기 「쿠바를 최초로 소개한 중국 서적最早介紹古巴的中國書」이 발표되었다.

18일, 『희극보』 편집부에서 '「갑오 해전」 토론' 좌담회를 개최해 톈한이 좌담회를 주관하고 우한, 치옌밍齊燕銘, 위안수이파이, 리젠우, 리시판, 펑쯔鳳子 등이 참석하였다. 참석자들은 본 화극의 인물과 사상 내용에 대해 높이 평가하고, 역사극의 역사적 진실성 문제에 관해 토론하였다.

19일, 『광명일보』에 아이퉁艾彤의 평론 「사회주의 송가 세 곡－저우리보 동지의 단편소설에 관하여三支社會主義頌歌——談周立波同志的短篇小說」가 발표되었다.

『창장일보』에 지쉐페이의 시 「농촌으로 가자!到農村去!」가 발표되었다.

20일, 『인민일보』에 쩌우디판의 시 「공사 수리공장公社修配廠」, 「달빛이 마을을 비추다月光照村莊」가 발표되었다.

『광명일보』에 쓰무思慕의 잡문 「부엉이의 저주 － 펄 벅의 「북경에서 온 편지」를 질책한다貓頭鷹的詛咒——斥賽珍珠的＜北京來信＞」가 발표되었다.

21일, 『인민일보』에 옌이의 시 「광산시 전단礦山詩傳單」, 아잉의 독서 필기 「미 제국주의를 고발하는 월가(상)控訴美帝國主義的粵歌(上)」이 발표되었다.

『문회보』에 어우양위첸의 「일본 화극단 중국 방문 공연의 거대한 성공日本話劇團訪華演出的巨大成功」, 궈펑의 산문 「바다 위에서 굳센 바람이 불어오다―새로 태어난 기니에 보내다剛勁的風從海上吹來――致新生的幾內亞」가 발표되었다.

22일, 『인민일보』에 아잉의 독서 필기 「미 제국주의를 고발하는 월가(하)」가 발표되었다.

23일, 『해방일보』에 화진華今의 「용을 쫓고 구름을 다루는 공사의 기상원―리준의 소설 「경운기」를 읽고驅龍耕雲的公社氣象員――讀李准的小說＜耕雲記＞」, 팡성方勝의 「승리는 분명히 우리의 것이다―웨이웨이의 조선통신을 다시 읽다勝利一定是我們的――重讀魏巍的朝鮮通訊有感」가 발표되었다.

『문회보』에 스퉈의 산문 「카이펑 잡기開封散記」가 발표되었다.

『민간문학』 10월호에 구이저우 묘족 고가古歌 「홍수도천가洪水滔天歌」, 구이저우 묘족 민간 장가長歌 「도혼가逃婚歌」, 구이저우성 민간문학공작조에서 정리한 「가바이푸의 노래嘎百福歌」가 발표되었다. 본지 기사에 따르면, 구이저우성에서는 1957년에 민간문학 조사공작을 시작해 이달까지 묘족 및 기타 민족의 민간문학 자료를 대량으로 수집해 이미 26권의 자료집을 편찬하였으며, 이를 기초로 하여 구이저우의 『묘족 문학사苗族文學史』(초고)가 이미 완성되었다.

24일, 『인민일보』에 덩퉈의 「농업생산의 최전선에서 마오쩌둥 사상을 관철하고 실현하자在農業生產第一線上貫徹實現毛澤東思想」가 발표되었다.

25일, 『인민일보』에 덩퉈의 7언 율시 「여러 항미원조 장병에게 보내다贈抗美援朝諸將士」가 발표되었다.

『해방일보』에 리루칭의 산문시 「중국과 조선의 우정은 영원히 푸르리―항미원조 전쟁에 대한 어느 전사의 회상中朝友誼萬年青――一個戰士對抗美援朝戰爭中的回憶」이 발표되었다.

『시간』 10월호에 톈젠의 시 「혈농血農」이 발표되었다. 이 시는 톈젠의 장시 『인력거꾼 전기』 제5부분의 제4장에서 발췌한 것이다.

26일, 문화부 당조에서 「중요 예술단체에 대한 지도 관리 강화에 관한 초보적 의견(초안)關於加強對重點藝術團體的領導管理的初步意見(草案)」을 발포하고, 이와 동시에 중앙선전부의 비준을 거친 제

1차 174개의 중요 극단 명단을 발표하였다.

『해방군보』에 베이징 각계 인민의 중국인민지원군 항미원조 출국 작전 10주년 기념 대회에서의 궈모뤄의 연설 「단결해 단호히 투쟁하는 인민은 지지 않는다團結起來堅決鬥爭的人民是不可戰勝的」가 발표되었다.

『문예보』에 황모의 문학평론 「「경운기」의 사상적 의의<耕雲記>的思想意義」가 발표되었다(30일자 『광명일보』에 전재). 그는 글에서 "리준 동지의 창작에서 가장 눈에 띄는 특징은 현실 투쟁의 신속한 반영과 새로운 사물에 대한 열렬한 예찬이다. 그의 작품은 종종 생활 속의 새로운 문제를 제기하며, 작품의 주인공은 항상 생활 속에서 이제 막 나타나 아직 큰 주의를 불러일으키지 않은 새로운 인물이다"라고 보았다. 같은 호에 찬다오川島의 수필 「쉬광핑의 「루쉰 회고록」을 읽고讀許廣平的<魯迅回憶錄>」, 쓰무思慕의 잡문 「부엉이의 저주 ─ 펄 벅의 「북경에서 온 편지」를 질책한다」가 발표되었다.

27일, 『문회보』에 우보샤오의 시 「농촌 우중 잡영農村雨中雜詠」이 발표되었다.

29일, 『광명일보』에 리준의 소설 「경운기」가 발표되었다.

『인민일보』에 샤옌의 회고 산문 「녜얼, 셴싱하이는 영원하리聶耳ʹ洗星海不朽」, 톈한의 산문 「녜얼과 싱하이를 추억하며回憶聶耳ʹ星海」가 발표되었다.

30일, 『문회보』에 빙신의 평론 「조국의 산과 바다에 대한 송가─궈펑의 산문집 『계곡과 섬』을 읽고祖國海山的頌歌──讀郭風的散文集<山溪和海島>」가 발표되었다.

31일, 『인민일보』에 아잉의 독서 찰기 「톈진 교안의 새로운 자료에 관하여關於天津教案的新材料」가 발표되었다.

이달에 『푸젠희극福建戲劇』이 폐간되었다.

궈샤오촨이 중국작가협회를 떠나 『인민일보』의 기자가 되었다.

루옌저우의 단편소설집 『도화수 전桃花汛前』이 안후이인민출판사에서 출간되었다.

마오둔의 『사회주의 약진의 시대를 반영하고, 사회주의 시대의 약진을 추진하자!』가 인민문학출판사에서 출간되었다. 이 책은 마오둔이 1960년 7월 24일에 제3차 문대회에서 진행한 보고를 출판한 것이다.

11월

1일, 『후난문학』11월호에 관리의 수필「가장 훌륭한 예술방법－전국 제3차 문대회 문건 학습 소감 제1편最好的藝術方法──學習全國第三次文代會文件心得之一」이 발표되었다.

『세계문학』에 거바오취안의「중국에서의 톨스토이 작품托爾斯泰的作品在中國」이 발표되었다.

『해방군문예』11월호에 바진의 단편소설「국가國家」, 장즈민의 시「아침 해가 온 마음을 쏟아 내다一片朝陽灑滿心」, 롼장징의 시「등해燈海」, 시훙, 후치쿤胡奇坤, 장저밍의「난징루 위의 호 8중대 南京路上的好八連」, 원퉁우文童伍의 평론「장엄하고 감동적인 혁명 영웅의 화폭－류바이위 동지의 단편집 『전투의 행복』을 다시 읽다壯美動人的革命英雄畫卷──重讀劉白羽同志的短篇集＜戰鬥的幸福＞」가 발표되었다. 같은 호에 리쥔, 위앙餘昻 및 중공 신현新縣 현위원회 통신조가 합동 창작한「거의 10 년－신현의 원로 홍군 궈지바오 동지를 기억하며若幹十年──記新縣老紅軍郭繼保同志」가 발표되었다.

『우화雨花』제17호에 지티라이吉體來가 왕밍위안을 비판한 글「사회주의 문학의 진실 및 기타社會 主義文學的真實及其他」, 왕밍위안의「잘못을 고치고 처음부터 다시 학습할 것을 결심하다決心改正錯誤, 從頭學起」가 발표되었다.

『옌허』11월호에 커중핑의 시「혁명 장정은 멈추지 않는다－옌안 작풍의 노래革命長征不斷── 延安作風歌」, 웨이강옌의 특필「날개를 펼치다展翅」가 발표되었다.

『해연』11월호에 랴오닝성 문학예술공작자 제1차 대표대회에서의 안보의 보고「마오 주석의 문에 노선을 걸으며, 각고 분투해 정상에 오르자走毛主席的文藝道路, 艱苦奮鬥, 攀登高峰」가 발표되었다 (『문예홍기』10월호에 최초 발표).

『산화』11월호에 옌이의 시「길과 보검－마오 주석 저작 학습 소감路與寶劍──學習毛主席著作有感」 (2편)이 발표되었다.

『신항』11월호에 톈젠의「봄의 꽃－『경명춘시초』서문春花──＜耿明春詩抄＞序」이 발표되었다.

2일, 『광명일보』에 총론「『삼가항』의 인물 창조 및 기타＜三家巷＞的人物塑造及其他」가 발표되 었다. 글은 "수많은 독자와 평론가들이 이 작품이 다방면에서 성공을 거두었으며, 특히 우리나라 문학작품 가운데 20년대의 남방혁명 투쟁을 다룬 작품이 부족한 공백을 메웠다고 보고 있다. 그러나 이 작품에는 몇 가지 결점도 존재한다. 이 작품의 예술적 수법과 긍정적 인물의 창조라는 면에 대해서는 의견들이 서로 대립한다"라고 밝혔다.

이 논쟁은 주로 왕치의 글 「우리는 문학에 취타오, 저우빙과 같은 영웅 인물 형상이 출현한 것이 자랑스럽다」(『작품』 1959년 11월호)를 둘러싸고 전개되었다. 왕치는 글에서 저우빙과 취타오의 인물 형상 창조에 대해 높이 평가하면서 "저우빙을 이렇게 서술해야만 진정한 저우빙이고, 취타오를 이렇게 서술해야만 진정한 취타오이다. 이들은 현실에서 왔지만 현실보다 훨씬 훌륭하다. 이들은 지금까지의 소설 속에 나타났던 무수한 영웅과 미인들이 그 빛을 잃게 만들었다"라고 보았다. 그러나 "부정적 인물의 창조는 긍정적 인물만큼 성공적이지 못하다"라고 했다.

취타오의 형상에 관해 리팅진李廷錦은 「『삼가항』의 평가 문제에 관하여談<三家巷>的評價問題」(1959년 12월 20일자 『양청만보』)에서 "작가가 취타오의 내재적인 아름다움을 충분히 보여주지 못했기 때문에 이 인물이 깊은 의의를 가지지 못했다"라고 보았다.

저우빙에 관해서는 이 인물이 충분히 성숙하지 못하다는 논쟁이 많았는데, 자오옌은 그가 "어느 정도의 혁명적 경향을 가지고 있기는 하나 정치적으로는 매우 성숙하지 못한 지식청년"이며, "다이아몬드처럼 단단하고 쾌활한 무산계급 전사로 성장하기 위해서는 당연히 곡절이 많고 고된 여정을 거쳐야 한다"라고 보았다(「혁명 청춘의 서곡革命春秋的序曲」, 『문예보』 1960년 제2호). 이 외에도 장취(「『삼가항』에 관하여」, 『광명일보』 1960년 7월 20일자), 러우치(「'일대 풍류의 시작'」, 『작품』 1960년 5월호) 등도 저우빙이라는 인물의 형상이 명확히 고정되지 않았다고 보았다.

그 외의 인물 형상에 대해서는 대체로 천원슝陳文雄에 관한 묘사가 비교적 성공적이라고 보았다. 장리, 이수이의 글 「훌륭한 가운데 아쉬운 옥의 티」(『작품』 1960년 1월호), 러우치의 글 「'일대 풍류의 시작'」(『작품』 1960년 5월호), 자오옌의 글 「혁명 춘추의 서곡」(『문예보』 1960년 제2호) 등은 당원의 모습에 광채가 부족하다고 보았다.

『삼가항』의 예술적 성취에 관해서는 여러 평론들이 모두 전통적 민족 풍격 문제에 관해 논술하였다. 자오옌은 어우양산이 『삼가항』에서 비교적 '유럽화'된 문체를 완전히 극복해 "이 작품에 드러난 인물 창조와 배경 묘사의 기교는 모두 우리나라 고전문학 작품에서 전승한 것임을 알 수 있다", "이러한 경험을 종합하고 제고한다면 우리 문학작품의 어휘를 풍부하게 할 수 있는 실제적인 길이 될 것이며, 민족화, 대중화된 문예작품의 창작에도 이익이 될 것이다"라고 보았다(「혁명 청춘의 서곡」, 『문예보』 1960년 제2호). 같은 호에 발표된 장톈의 「『삼가항』에 관하여也談<三家巷>」는 "이 작품은 주인공 저우빙이라는 예술 형상의 창조 면에 비교적 많은 결점이 존재하는데, 이 가운데 저우빙의 애정 생활에 관한 묘사에 비교적 심각한 결점이 있다"라고 보았다.

3일, 『광명일보』에 리뤄빙의 보고문학 「생산에서도, 문화에서도 용감히 혁명을 실행하다―왕바오징과 농민 동료들의 대학 입학을 기억하며敢在生産上鬧革命, 也敢在文化上鬧革命――記王保京和農民夥伴上大學」가 발표되었다.

3일~6일, 광둥성 문학예술공작자 제1차 대표대회가 광저우에서 개최되었다. 광둥성 각 지구의 문학, 희극, 영화, 음악, 미술, 무용, 곡예, 촬영, 민간문예 등 9개 분야의 전문 및 아마추어 문학예술공작자 대표 600여 명이 참석하였다. 광둥성 문학공작자연합회 주석 어우양산이 개회사를 하였다. 대회에서는 1950년에 광둥성 문학예술공작자 제1차 대표대회가 개최된 후 10년간의 광둥성 문학예술공작의 성취와 경험을 정리하고, 사회주의 문학예술의 발전 노선을 더욱 명확히 하고 앞으로의 임무를 확정했으며, 광둥성 문련의 규정을 수정하고 기구를 개선하였다. 4일, 두아이가 「우리나라 사회주의 문학예술의 길을 따라 용감히 전진하자循著我國社會主義文學藝術的道路奮勇前進」라는 제목으로 보고를 진행하였다(12월 20일자 『양청만보』에 보고의 개요 게재). 이달 26일자 『양청만보』에 광둥성 제1차 문학예술공작자 대표대회에서의 광둥성위원회 서기 취멍줴區夢覺의 보고 개요 「문예공작에 관한 몇 가지 문제關於文藝工作的若幹問題」가 발표되었다.

4일, 『인민일보』에 천찬윈의 산문 「난싼다오 기록南三島小記」이 발표되었다.

5일, 『상하이문학』 10, 11월호 합본에 바진의 「부지도원副指導員」, 후완춘의 「붉은빛이 대지를 두루 비춘다紅光普照大地」, 우창의 「보루」(장편소설 『보루』 부분) 등의 소설과 류바이위의 「피로 쓴 책血寫的書」이 발표되었다.

『북방문학』 11월호에 셰수謝樹의 평론 「신시대의 찬가―「시대 신인」 독후감新時代的贊歌――<時代新人>讀後感」이 발표되었다.

『변강문예』 11월호에 쿤밍사범학원 문사과文史系 중국현대문학소조의 집단 토론문 「류수더 동지의 소설을 논하다論劉澍德同志的小說」가 발표되었다. 글은 "작가는 한두 편의 작품 속에 자신의 건강하지 못한 사상 감정을 드러낼 수 있다. 그것이 잠깐 스쳐지나가는 것이라 할지라도 우리는 그것을 십분 경계해야 한다. 가령 류수더 동지가 1958년 국경절에 헌정한 작품 중 하나인 「결별訣別」이 바로 이러한 작품이다. 이 작품은 대약진 과정 속의 선진 농민의 풍부한 내면생활을 세밀하게 묘사하려 했으나, 이러한 세밀한 묘사 속에 대단히 은밀한 자산계급 인도주의 사상이 드러나 있다"라고 보았다.

『인민일보』에 아잉의 독서 찰기 「증국번의 아첨曾國藩的媚外」이 발표되었다.

7일, 『인민일보』에 탕타오가 중소 우호를 노래한 산문 「만고상청萬古長靑」, 쩌우디판의 시 「봄 우레가 울리니 꽃이 활짝 피다 ─ 10월 혁명 43주년을 경축하며春雷滾滾花怒放──慶祝十月革命四十三周年」가 발표되었다.

베이징인민예술극원에서 브라질 극작가의 작품 「이솝」(「여우와 포도狐狸與葡萄」라고도 함)을 공연하였다. 천융이 번역 및 감독을 맡았다.

8일, 『인민문학』 11월호에 자오수리의 소설 「놓을 수 없는 손舍不住的手」(공인출판사에서 1980년 10월에 출간된 『자오수리 전집趙樹理文集』(4권)에 수록), 후완춘의 소설 「시대의 큰 흐름 속에서在時代的洪流中」, 톈젠의 시 「아프리카여, 네게 말한다非洲我對你說」, 옌전의 시 「휴식歇息」, 팡지의 보고문학 「천 번째 용광로의 강철第一千爐好鋼」, 쯔예子野의 「무산계급 세계관을 통해 문제를 관찰하는 법을 반드시 배워야 한다─『마오쩌둥 선집』 제4권 학습 소감必須學會用無産階級世界觀觀察問題──學習<毛澤東選集>第四卷的一點體會」, 런원任文의 평론 「「경운기」의 성취<耕雲記>的成就」가 발표되었다. 런원은 글에서 "올해 발표된 「리쐉쐉 약전」과 이 「경운기」는 리준 동지의 창작이 과거의 수준을 돌파해 앞으로 큰 걸음을 내딛었음을 보여준다"라고 보았다. 저우리보는 창작담 「민족화와 군중화에 관하여關於民族化和群衆化」에서 "'군중 속에서 나오고, 군중 속으로 들어가다'라는 명언은 문학에도 적용할 수 있다. 문학은 군중 생활 속에서 나온 것이므로, 문학의 자원은 생활 속에 있다. 문학 활동은 그 자체가 군중을 위한 것이다"라고 밝혔다. 같은 호에 본지 기자가 정리한 좌담회 개요 「혁명 투쟁 회고록의 창작 문제에 관하여談革命鬥爭回憶錄的寫作問題」가 발표되었다. 본 글은 장아이핑張愛萍, 리리, 주다오난, 황량청黃良成 등 여러 혁명 투쟁 회고록 작가가 회고록 창작 문제에 관해 발표한 의견을 종합 및 정리해 혁명 투쟁 회고록 창작의 목적과 동기, 역사적 진실과 시대정신을 반영하는 방법, 예술적 가공, 개인에 대한 작가의 처리 방법 등 세 가지 측면에서 논술하였다.

『베이징문예』 11월호에 린진란의 특필 「하늘 아래 어려운 일이 없다天下無難事」가 발표되었다.

9일, 『인민일보』에 리시판의 평론 「혁명무산계급과 국제주의자의 위대한 본보기─드라브키나의 「검은 빵조각」을 읽고革命無産階級和國際主義者的偉大榜樣──葉·德拉伯金娜的<黑面包幹>讀後」, 리지의 시 「소련 방문 시초訪蘇詩抄」(「진핑산 노인老人金平山」, 「새로운 도시 예찬新城贊」, 「우야음

雨夜吟」)가 발표되었다.

『광명일보』에 스퉈의 수필 「대중화학─여정 수필大眾化學──旅途隨筆」, 우샤오메이, 지청자季成家의 평론 「『삼가항』의 저우빙 형상 창조 만담─'삼가항'에 관하여」를 평하다漫談＜三家巷＞中周炳形象的塑造──兼評＜也談"三家巷"＞」가 발표되었다.

10일, 『산둥문학』 11월호에 장양의 단편소설 「황하이의 새 노래黃海新歌」, 원와이文外의 평론 「「적과 흑」과 쥘리앵─「적과 흑」에 관한 황자더 선생의 자산계급 관점 반박＜紅與黑＞和於連──兼駁黃嘉德先生關於＜紅與黑＞的資產階級觀點」이 발표되었다.

『인민일보』에 위안잉의 산문 「츠핑의 등불茨坪燈火」이 발표되었다.

11일, 『인민일보』에 양숴의 산문 「보석寶石」이 발표되었다.

『문예보』 제21호에 류바이위의 「「검은 빵조각」을 읽자請讀＜黑面包幹＞」, 옌강閻綱의 평론 「한 걸음 크게 내딛다─사팅의 신작 단편 「쫓고 쫓기다」를 읽고跨進了一步──讀沙汀的短篇新作＜你追我趕＞」, 리훙의 평론 「훈련 중에 영웅본색을 쓰다─차오스의 소설 몇 편에 관하여在練兵中寫英雄本色──談峭石的幾篇小說」가 발표되었다.

옌강(1932~), 산시성 리취안禮泉 출신이다. 1956년에 대학을 졸업한 후 중국작가협회에서 근무하였으며, 1986년에 중앙 문화부로 이동하였다. 『문예보』, 『인민문학』, 『소설선간小說選刊』, 『당대문학연구총간當代文學研究叢刊』, 『평론선간評論選刊』, 『문론보文論報』, 『중국문화보中國文化報』, 『중국열점문학中國熱點文學』 등의 잡지 편집자를 역임하였다. 저서로 평론집 『문단상양록文壇徜徉錄』, 『문학 8년文學八年』 등 10권이 있으며, 산문집 『하나를 셋으로 나누다一分爲三』, 『놀람과 호소驚叫與訴說』, 『나는 딸의 이마에 입맞춘다我吻女兒的前額』, 『연꽃 서른여덟 송이三十八朵荷花』 등이 있다.

12일, 광탸에 기사 「「갑오 해전」은 희극 창작의 기쁜 수확이다─역사극에 대한 해군 정치부 문공단 화극단의 각색과 창조를 기억하며＜甲午海戰＞是喜劇創作上一個可喜的收獲──記海政文工團話劇團對歷史劇的改編和創造」, 「사나운 파도가 사람을 감동시키다─수도 사학자, 문학자, 희극가가 「갑오 해전」을 논하다驚濤駭浪 激動人心──首都史學家' 文學家' 戲劇家暢論＜甲午海戰＞」 및 뤼전위呂振羽의 「갑오전쟁 시대의 형세─화극 「갑오 해전」에 관하여甲午戰爭時代的形勢──關於＜甲午海戰＞話劇」가 발표되었다.

『해방군보』에 장융메이의 시 「무한한 충성심으로 해안을 방어하다赤膽忠心守海防」가 발표되었다.

13일, 『문회보』에 궈펑의 산문 「쿠바에게致古巴」가 발표되었다.

14일, 『인민일보』에 양숴의 산문 「생명이 호소하고 있다－펠릭스 모미에를 기억하며生命在號召──記費利克斯 穆米埃」, 아잉의 독서 찰기 「「휘호행」으로부터 이야기를 시작하다從＜諱虎行＞說起」가 발표되었다.

15일, 『광명일보』에 난카이대학 중문과 현대문학평론조의 「혁명 어머니의 빛나는 형상－「씀바귀꽃」 속의 어머니에 관하여革命母親的光輝形象──談＜苦菜花＞裏的母親」가 발표되었다. 글은 "어머니, 이는 그저 '혁명의 공감자'의 모습일 뿐일까? '시종일관 그저 혁명의 공감자의 수준에 머물러 있는' 사람이라면 진정한 혁명의 어머니라고 칭할 수 있지 않을까? '시종일관'이라면 어머니의 성격에는 아무런 변화가, 특히 품성의 변화나 발전이 없는 것일까? 우리는 그렇지 않다고 본다"라고 의문을 제기하였다.

『희극보』 제21호에 주쭈이, 리황의 「화극 「갑오 해전」의 창작과정話劇＜甲午海戰＞的編寫經過」이 발표되었다.

16일, 『문회보』에 저우청周誠의 「희극을 논하다試論喜劇」가 발표되었다. 그는 글에서 "희극은 크게 두 종류로 나눌 수 있다. 바로 풍자형(폭로형) 희극과 송가형 희극이다", "송가형 희극은 새로운 종류의 희극이다", "희극의 전통적인 풍자의 틀을 돌파했다"라고 보았다. 이 글을 계기로 『문회보』에서 희극 창작 및 이론 연구에 관한 토론이 시작되어 구중이, 후시타오胡錫濤, 추원秋文 등이 이에 관한 글을 발표하였다.

18일, 홍콩 싼롄서점과 신민주출판사新民主出版社가 합동으로 주관한 '중국도서전람회中國圖書展覽'가 홍콩에서 개최되었다. 이는 중국 대륙의 출판물이 홍콩의 대형 전람회에 최초로 전시된 행사이다.

17일, 『문회보』에 페이리원의 「새로운 창작 시도－영화 「격류」의 창작 체험一個新的創作嘗試──影片＜激流＞的創作體會」이 발표되었다.

『장시일보江西日報』에 둥비우의 「둥 부주석 장시 시찰 시초董副主席視察江西詩抄」가 발표되었다.

19일, 문화부에서 베이징의 일부 역사학자와 희극가를 초청해 인민대회당에서 역사극 공연에 관한 좌담회를 연출해 중앙서기처 서기 덩샤오핑의 "역사극을 공연해 군중이 지혜를 기르게 해야 한다"라는 지시를 확실히 하였다. 저우양, 샤옌, 톈한, 우한, 젠보짠 등이 참석하였다. 저우양은 역사극 문제에 관한 의견을 발표하고, 역사학자들은 역사를 소재로 한 희극 창작을 호소하였다. 또한 우한에게 『중국 역사극 의목中國歷史劇擬目』의 편집을 맡아 줄 것을 요청하였다. 이후에 중국 극협에서도 베이징 문예계 및 사학계 인사들을 초청하여 좌담회를 진행해 역사극 문제에 관해 토론하였다.

『인민일보』에 하오란의 단편소설 「겨울이 따뜻하다冬暖」가 발표되었다.

20일, 『인민일보』에 우한의 잡문 「주쯔칭이 미국의 '구제 식량'을 받지 않은 일에 관하여關於朱自清不領美國"救濟糧"」, 아잉의 독서 찰기 「제국주의의 '선의의 조치'를 폭로한다揭露帝國主義的"善意舉措"」가 발표되었다.

『광명일보』에 기사 「작가들이 분분히 장편소설을 창작하다作家們紛紛創作長篇小說」가 게재되어 량빈의 『파화기』(『홍기보』 제2부), 류칭의 『창업사』 제2부, 우창의 『보루』 등 여러 장편소설의 창작 및 수정 상황을 소개하였다.

『해방일보』에 친자치秦家琪, 우환장吳歡章의 「포부가 크고 기운이 센 사회주의 신인의 성장—두펑청의 「젊은 기술자」를 기쁘게 읽다志大勁粗的社會主義新人的成長──喜讀杜鵬程的＜年輕的工程師＞」가 발표되었다.

『양청만보』에 친무의 잡문 「정치 암살의 마수政治暗殺的黑手」가 발표되었다.

22일, 『광명일보』에 본지의 종합기사 「학술계에서 미학 문제에 관해 지속적으로 토론을 전개하다學術界繼續對美學問題展開討論」가 발표되었다.

23일, 『광명일보』에 『삼가항』에 대한 장스펀江石芬의 평론 「복잡한 예술 형상複雜的藝術形象」이 발표되었다.

『민간문학』 11월호에 우한의 「역사의 진실성을 논하다—「의화단 이야기」를 읽고, 의화단 운동 60주년을 기념하며論歷史的真實性──讀＜義和團故事＞' 紀念義和團運動六十周年」가 발표되었다. 그는 글에서 "인민들의 입에서 입으로 전해지는 역사만이 진실한 것이다. 100년 전에 기록된 역사는 기

록자의 계급적 입장 때문에 쉽게 믿어서는 안 되고, 진위를 가리고 정수를 남기기 위해 큰 노력이
필요하다"라고 밝혔다.

25일, 『문학평론』 제5호에 허치팡의 평론 「아름다운 가극 「유삼저」優美的歌劇＜劉三姐＞」, 주
자이朱寨의 평론 「『산촌의 대격변』 속편을 읽고讀＜山鄉巨變＞續篇」, 류밍주의 평론 「인성론자의 공
감설 비판批判人性論者的共鳴說」이 발표되었다. 류밍주는 글에서 "그들이 제기한 '인류의 정상적인
본성'은 보편적이고 추상적인 것이 아니라, 바로 자산계급과 봉건계급의 인성이다"라고 보았다.
같은 호에 베이징사범학원 (허베이) 현대문학교연조의 「루쉰을 자산계급 인도주의 작가로 왜곡하
도록 두어서는 안 된다不許把魯迅歪曲成資產階級人道主義作家」가 발표되었다. 글은 바런이 "루쉰을 연
구한다는 명목으로 사회주의 문학전선 내부에서 반동적인 인성론과 '인류애'를 부추겨 부패한 자
산계급 개인주의와 개량주의를 퍼뜨렸으며, 이를 통해 당의 문예노선을 파괴하고 우리의 혁명사
업을 와해하려 하였다"라고 보았다. 같은 호에 왕수밍의 「인성 문제에 관한 필기」에 관한 평론의
관점을 정리한 총론이 발표되어 "투고된 원고들은 모두 왕수밍 동지의 「필기」가 비록 몇몇 구체
적인 견해에 있어서는 그의 「인정과 인성을 논하다」와 다소 상이하기는 하지만, 그럼에도 근본을
벗어나지 않아, 「필기」를 관통하는 기본적인 관점은 여전히 자산계급 인성론이라고 보았다"라고
밝혔다.

26일, 『인민일보』에 마오둔이 톨스토이 서거 50주년을 기념해 집필한 글 「격렬한 항의자, 분
노하는 기법가, 위대한 비판자激烈的抗議者, 憤怒的技法者, 偉大的批判者」가 발표되었다(같은 일자 『광
명일보』에 전재). 마오둔은 글에서 톨스토이와 그의 작품을 비판적으로 소개하였다. 같은 호에 톈
젠의 시 「날다飛」와 「붉은 매에게贈紅鷹」가 발표되었다.
　『문예보』 제22호에 라오서의 「「놓을 수 없는 손」을 읽고讀＜套不住的手＞」, 루야오둥陸耀東의 평
론 「농민 작가 선웨중의 단편소설에 관하여談農民作者申躍中的短篇小說」, 마원빙馬文兵이 톨스토이를
기념해 집필한 글 「톨스토이의 예술 유산을 비판적으로 계승하자批判地繼承托爾斯泰的藝術遺產」가 발
표되었다.

27일, 『인민일보』에 아잉의 독서 찰기 「'선현의 유훈'에서 '면전에서 거짓말하다'까지從"先賢
遺訓"到"當面撒謊"」가 발표되었다.

28일, 『인민일보』에 리지의 연작시 「불가리아에서在保加利亞」(「장미촌의 어느 공인玫瑰村一工人」, 「부가스 전선 공장의 여공들布加斯電纜廠的女工們」 등 수록)가 발표되었다.

『해방일보』에 우중제, 가오윈高雲의 「중국 인민 승리의 기록—류바이위의 「역사의 폭풍우」를 읽고中國人民勝利的紀錄——讀劉白羽<歷史的暴風雨>」가 발표되었다.

29일, 『해방군보』에 원퉁우文童伍의 「호소 운동의 노래—류바이위 동지의 단편소설집 『전화가 흩날리다』를 읽고訴苦運動之歌——讀劉白羽同志的短篇小說集<戰火紛飛>」가 발표되었다.

30일, 『인민일보』에 야오원위안의 「농촌생활 속의 새로운 사물을 성실히 반영하다—리준 단편소설의 몇 가지 특징에 관하여努力反映農村生活中的新事物——談李准短篇小說的幾個特點」, 셰판謝帆의 문예수필 「예술의 독창성과 백화제방藝術獨創和百花齊放」이 발표되었다.

『희극보』 제22호에 본지 평론가의 글 「생활의 교과서와 역사의 교과서가 모두 필요하다既要生活的教科書, 也要歷史的教科書」가 발표되어 역사극 창작의 진실성 문제에 대해 역사성과 계급성의 통일을 고수할 것을 강조하였다.

이달에 두펑의 장편소설 『칭펑뎬清風店』이 해방군문예출판사에서 출간되었다.

마이샹馬憶湘의 장편소설 『해바라기朝陽花』가 중국청년출판사에서 출간되었다.

우한의 잡문집 『등하집燈下集』이 싼롄서점에서 출간되었다.

12월

1일, 『해방군문예』 12월호에 장양의 소설 「홍기가 휘날리다紅旗飄揚」, 사설 「문학예술은 반드시 정치사상공작의 강력한 무기가 되어야 한다文學藝術必須成爲政治思想工作的有力武器」, 허줘원의 평론 「하이모의 군사 소재 소설에 나타난 잘못된 경향 비판批判海默軍事題材小說中的錯誤傾向」이 발표되었다. 허줘원은 글에서 하이모가 최근에 발표한 십여 편의 소설이 "자산계급의 감상주의적 정서를 선전"하고, "혁명 영웅의 모습을 희화화"했으며, "일부는 노골적으로 자산계급의 '인성론'을 선전"하였다고 보았다.

『우화雨花』 제18호에 판인차오의 「북행잡시北行雜詩」가 발표되었다.

『양청만보』에 광둥성 제1차 문학예술공작자 대표대회에서의 러우치, 샤오이肖毅, 천찬윈, 한베이핑의 발언「영웅의 시대를 묘사하고, 시대의 영웅을 그려내자描繪英雄的時代 刻畫時代的英雄」가 발표되었다.

『인민일보』에 우한의 수필「격분한 원이둬拍案而起的聞一多」가 발표되었다.

3일, 『인민일보』에 궈모뤄의 시「중국의 대지가 부르짖고 있다―농업생산 최전선을 지원하는 동지들을 환송하며中國的大地在呼喚――歡送支援農業生産第一線的同志們」가 발표되었다.

『광명일보』에 우한의「역사의 진실성을 논하다―「의화단 이야기」를 읽고, 의화단 운동 60주년을 기념하며」가 발표되었다.

『문회보』에「낡은 것을 정리하고 새것을 창조하고, 옛것을 오늘의 현실에 맞게 활용하고, 투지를 북돋우자―수도 사학자와 극작가가 합작해, 역사극 작품 창작이 새로운 진전을 맞다整舊創新' 古爲今用' 激勵鬪志――首都史學家與劇作家協作，歷史劇目創作有了新進展」라는 제목의 기사가 게재되었다.

『극본』12월호에 치옌밍의「역사극과 역사적 진실성歷史劇和歷史眞實性」이 발표되었다. 그는 글에서 "역사극의 임무는 객관적인 역사의 진실을 반영하는 것뿐만이 아니라, 더 중요한 것은 역사적 진실을 통해 그 속에서 교육과 격려의 효과를 얻어 오늘날의 사회주의 혁명과 사회주의 건설사업에 이롭게 하는 것이다"라고 보았다. 같은 호에 춘장春江의 앙가극「진달래映山紅」, 위안수이파이의 평론「극적인 모순과 역사극에 관한 문제를 말하다―「갑오 해전」을 보고 생각한 것談戲劇矛盾以及關於歷史劇的問題――從＜甲午海戰＞想到的」이 발표되었다. 그는 글에서 해군 정치부 문공단이 공연한「갑오 해전」은 전반적으로 말하자면 성공적인 화극이지만, 예술 기교 면에서는 성숙함이 부족하다고 보았다. 그는 또한 역사적 진실과 예술적 허구 문제에 관해 "특정한 역사적 조건과 계급 범위 내에서의 과장과 상상은 허용될 수 있으며 필요한 것이다. 이와 동시에 개성화 역시 필요하다. 혁명적 현실주의와 혁명적 낭만주의의 결합을 제창해야 한다'라고 밝혔다.

4일, 『인민일보』에 장융메이의 시「출정出征」, 아잉의 독서 찰기「증국번 막내에서 온 정보來自曾國藩幕內的情報」가 발표되었다.

『문회보』에 궈펑의 산문「알제리에게致阿爾及利亞」가 발표되었다.

5일, 『상하이문학』12월호에 류칭의 소설『창업사』제2부 부분「입당入黨」, 지쉐페이의 보고문학「리지셴 이야기李繼先的故事」, 저우얼푸의 산문「전 인민의 명절全民的節日」, 장즈민의 시「밭두렁 단곡田頭短曲」 2편, 간징甘競의 평론 「루쉰의 인도주의 등을 논하다－루쉰에 대한 바런의 왜곡을 반박한다試論魯迅的人道主義及其他──駁巴人對魯迅的歪曲」가 발표되었다. 같은 호에 리쭤李佐의 평론 「농촌 인민공사의 송가－왕원스의 소설 세 편에 관하여農村人民公社的頌歌──談王汶石的三篇小說」가 발표되었다. 그는 글에서 왕원스의 소설 「중대한 순간」, 「신임 대장 옌싼」, 「여름밤」에 대해 분석하고, 이들 작품이 "이처럼 위대한 농촌 인민공사화 운동에 바치는 우렁찬 송가"라고 보았다.

『북방문학』에 위얀슈袁袖의 시 「농촌으로 가다到農村去」, 뤼린綠林의 시 「혁명의 붉은 꽃－상산 하향한 전우에게革命的紅花──致下鄕上山的戰友」, 진펑金鋒의 단편소설 「창업의 개선가一支創業的凱歌」, 런푸任蒲의 특필 「창공에 날개를 펼치다長空展翅」, 천지위안陳紀元의 특필 「우샤모吳夏默」가 발표되었다.

『인민일보』에 리지의 연작시 「체코슬로바키아행捷克斯洛伐克行」(「오스트라바俄斯特拉發」, 「유리詠玻璃」, 「레인 해트雨帽」 등 3편 수록)이 발표되었다.

『중국소년보中國少年報』에 캉쥐의 아동소설 「양샹메이楊香梅」가 발표되었다.

7일, 『인민일보』에 이정易征의 평론 「우렁찬 시대의 개선가－류바이위의 보고문학 작품에 관하여激越的時代凱歌──談劉白羽的報告文學作品」가 발표되었다.

『광명일보』에 자오수리의 소설 「놓을 수 없는 손」, 마쭤룽馬焯榮의 평론 「저우빙을 논하다也論周炳」가 발표되었다.

8일, 『인민문학』 12월호에 어우양산의 소설 「시골의 기인鄕下奇人」, 량빈의 소설 「연림행緣林行」, 린진란의 소설 「신생新生」, 천찬윈의 산문 「주펑 미담竹棚佳話」, 리지의 연작시 「국제항로 위에서在國際航線上」 3편(「'중화 담배' 이야기"中華煙"的故事」, 「소리 없는 대화一次無聲的談話」, 「베이징으로 날아가다飛向北京」), 장융메이의 시 「황금 책 전설金書的傳說」, 리잉의 시 「꽃집花店」과 「젖 짜는 사람擠奶員」, 광췬光群의 평론 「작가의 추구－단편 「쫓고 쫓기다」에 관하여作家的追求──談短篇＜你追我趕＞」, 거친葛琴의 평론 「'인성론'에서 '진실 창작'까지 － 쑨첸의 소설 세 편을 평하다從"人性論"到"寫眞實"──評孫謙的三篇小說」가 발표되었다. 거친은 글에서 쑨첸이 1954년 이후에 발표한 작품들에서 "쑨첸 동지의 창작에 존재하는 심각하게 잘못된 경향을 보았다", "작가의 근본적인 문제는 세계관과 입장의 문제이다. 이는 곧 그가 자산계급의 부패한 도덕관념으로써 오늘날의 우리의 새로운 생활을 묘사하고 있음을 뜻한다"라고 보았다.

『베이징문예』 12월호에 하오란의 단편소설 「자 현장이 최전선에 오다賈縣長來到第一線」, 페이즈

費枝의 단편소설 「·집家」, 리젠李建의 혁명 회고록 「스자좡 전투에 마오 주석 사상의 빛이 번뜩인다石家莊戰役閃爍著毛主席思想的光芒」가 발표되었다.

9일, 저우쭤런이 차오쥐런曹聚仁의 소개를 통해 홍콩 『신만보新晚報』에서 「약당담왕藥堂談往」의 집필을 시작해 1962년 11월 29일에 집필을 완료하였다. 제목은 「지당회상록知堂回想錄」이라고도 한다. 1964년 8월에 홍콩 『신만보』에서 연재를 시작해 1974년에 홍콩 삼육도서문구공사三育圖書文具公司에서 출간되었다.

『상하이희극』에 양콴楊寬의 「역사극의 역사 진실 반영 방법 문제 만담漫談歷史劇如何反映真實問題」, 구중이의 「중국 전통 희곡의 몇 가지 특징中國傳統戲曲的幾個特點」이 발표되었다.

10일, 『창장일보』에 루딩이, 자퉈푸賈拓夫, 리보자오 등이 장정 시기에 창작한 시가 「장정 시초長征詩抄」라는 제목으로 발표되었다.

『산둥문학』 12월호에 하오란의 특필 「자매간의 정姊妹情」이 발표되었다.

『해방일보』에 친자치, 우환장의 「「붉은빛이 대지를 두루 비춘다」를 평하다評<紅光普照大地>」가 발표되었다.

11일, 『인민일보』에 장융메이의 시 「전투하는 청춘은 광채를 발한다戰鬥的青春放光彩」가 발표되었다.

『문회보』에 샤오리曉立의 평론 「『창업사』 제1부의 모순 충돌과 사상적 의의<創業史>第一部的矛盾沖突和思想意義」가 발표되었다.

『문예보』 제23호에 허치팡의 「톨스토이의 작품은 여전히 살아 있다ー1960년 11월 15일 소련 과학원 문학언어학부 및 고리키 세계문학연구소의 톨스토이 서거 50주년 기념 학술회의에서의 발언托爾斯泰的作品仍然活著——1960年11月15日在蘇聯科學院文學語言學部和高爾基世界文學研究所紀念托爾斯泰逝世五十周年的學術會議上的發言」이 발표되었다. 같은 호에 시옌細言의 「『산촌의 대격변』 속편의 인물창조에 관하여談<山鄉巨變>續篇的人物創造」, 평무의 「우리의 생활 열차는 앞을 향해 질주한다ー샤오무의 단편소설 몇 편으로부터 이야기를 시작하다我們的生活列車在奔馳前進——從肖木的幾篇短篇小說談起」, 옌자옌의 「사회주의 새봄의 찬가ー「사람은 행복을 바라고, 나무는 봄을 바란다」를 읽고社會主義新春的贊歌——讀<人望幸福樹望春>」, 라오서의 「독서에 관하여談讀書」, 차오쯔시曹子西의 「형제 민족의 새로운 생활의 광휘ー형제 민족 작가 단편소설 선집 『새로운 생활의 광휘』에 관하여兄

弟民族新生活的光輝——談兄弟民族作家短篇小說合集＜新生活的光輝＞」, 기사 「문학작품의 민족화 문제에 관하여－량빈 동지 방문기關於文學作品民族化問題——梁斌同志訪問記」 등의 글이 발표되었다.

14일, 중앙선전부에서 문화부의 「서적의 정치적 오류와 그 처리 의견에 관한 보고關於書籍中的政治錯誤和處理意見的報告」를 비준하였다.

『인민일보』에 빙신의 평론 「반드시 선두에 서야 한다－루즈쥐안의 「고요한 산원에서」를 읽고一定要站在前面——讀茹志鵑的＜靜靜的產院裏＞」, 아이셴艾鹹의 문예수필 「진흙의 향기泥土的芬芳」, 리잉의 시 「아프리카의 북소리非洲的鼓聲」가 발표되었다.

16일, 『양청만보』에 친무의 산문 「활발하고 민첩한 한 순간活潑靈動的一瞬」이 발표되었다.

『허난일보』에 스퉈의 산문 「모래밭 속의 걸작沙荒中的傑作」이 발표되었다.

18일, 『해방일보』에 루싱량陸行良의 「인민의 군대는 천하무적이다!－류바이위 동지의 「전화가 흩날리다」를 읽고人民的軍隊, 無敵於天下!——讀劉白羽同志的＜戰火紛飛＞」가 발표되었다.

19일, 『인민일보』에 위안잉의 산문 「아프리카의 피非洲的血」, 아잉의 독서 찰기 「옛 중국의 담배 시장에서의 제국주의의 전쟁帝國主義在舊中國的香煙市場之爭」이 발표되었다.

20일, 『시간』 11, 12월호 합본에 나 · 싸이인차오커투의 「동풍東風」, 리지의 「소련 방문 시초」 등의 시와 셰몐의 「허징즈의 정치 서정시를 논하다論賀敬之的政治抒情詩」 등의 글이 발표되었다.

21일, 『인민일보』에 톈젠의 시 「광주리와 가래筐和鍁」(장시 『인력거꾼 전기』 제6부 「진부환金不換」 부분)가 발표되었다.

『광명일보』에 중이鍾藝의 평론 「저우빙을 논하다論周炳」가 발표되었다. 그는 글에서 "작가는 저우빙의 성격을 묘사할 때 주관이 없이 그의 무산계급적인 일면을 회피하였다. 작가가 인물 성격의 중요한 특징을 포착하기는 했으나, 예술적인 감화력은 비교적 부족하다"라고 보았다.

22일, 문화부에서 「예술공연단체 배우의 건강 상황 및 업무와 휴식시간 안배 의견에 관한 통지關於藝術表演團體演員健康情況和勞逸安排意見的通知」를 발포하였다.

23일, 『인민일보』에 비예의 산문 「한강 상류의 산간─치산 영웅 가오화탕을 처음으로 방문하다漢江上遊叢山間──初訪治山英雄高華堂」가 발표되었다.

『민간문학』12월호에 8월에 개최된 중국민간문예연구회 확대이사회에서의 자즈의 발언 「사회주의 건설 시기의 민간문학의 한계 범위와 공작 임무 문제社會主義建設時期民間文學的範圍界限和工作任務問題」가 발표되었다.

23일~1961년 1월 26일, 바이옌白彥을 단장으로 하는 상하이월극단이 홍콩으로 가서 「홍루몽」, 「서상기」, 「벽옥잠碧玉簪」, 「반부盤夫」 등을 공연하였다. 위안쉐펀, 쉬위란徐玉蘭, 왕원쥐안王文娟, 장구이펑張桂鳳 등의 배우가 공연에 참여하였다.

25일, 『문학평론』제6호에 탕타오의 「역사의 긴 강 속의 작은 물거품─소위 '제3의 길' 문제에 관하여, 『마오쩌둥 선집』 제4권 학습 필기歷史長河中的一陣小泡沫──談所謂"第三條道路"問題, 學習＜毛澤東選集＞第四卷筆記」, 주광첸의 「산수시와 자연미山水詩與自然美」가 발표되었다. 주광첸은 글에서 "사람이 자연미를 느끼지 않는다면 그만이지만, 일단 이를 느낀다면 자연미는 이미 이데올로기성과 계급성을 가지게 된다"라고 보았다. 같은 호에 루칸루의 「도연명의 전원시陶淵明的田園詩」가 발표되었다. 그는 글에서 "당시의 역사 조건하에서는 이러한 전원시의 적극적 역할이 주된 것으로, 그 소극적 역할을 초월하였다. 그러나 오늘날의 역사적 조건하에서는 정반대로, 전원시의 소극적 역할이 적극적 역할을 초월한다"라고 보았다. 랴오중안廖仲安은 「도연명 전원시에 대한 몇 가지 이해對陶淵明田園詩的一些理解」에서 "도연명의 시에 나타난 은거해서 농사를 지음으로써 당시의 어두운 현실에 대항한다는 이상은 오늘날에는 역사를 인식한다는 가치만을 가지고 있을 뿐이다. 그의 시에 반영된 중세기의 농촌 생활 모습은 오늘날 우리의 나날이 새로워지고 약진하며 변화하는 사회주의 농촌의 생활과는 아무런 공통점이 없다"라고 보았다. 이 외에도 첸중원이 톨스토이를 기념해 집필한 글 「톨스토이에 대한 수정주의자의 왜곡에 반대한다反對修正主義者對托爾斯泰的歪曲」가 발표되었다.

『문회보』에 우한의 「역사극에 관하여談歷史劇」가 발표되었다. 그는 글에서 "역사극과 역사는 관련이 있지만 동시에 차이도 존재한다. 역사극은 반드시 역사적 근거가 필요하며, 인물과 사실에 모두 근거가 있어야 한다", "인물과 사건이 모두 허구라면 결코 역사극이라 할 수 없다", "동시에 역사극은 역사와는 다르다. 둘 사이에는 차이가 존재한다. 만약 역사극이 완전히 역사와 동일하고 예술적인 처리를 더하지 않아 돋보이거나 과장하거나 집중하지 않는다면, 그것은 역사일 뿐 역사 극이라 할 수 없다", "역사극은 역사의 실제와 진실을 반영해야 하며, 또한 역사적 사실에 대해 예술적 가공을 더해 역사적 사실을 더욱 강렬하게 하여 높은 감화력을 가지게 할 것을 요구한다"라고 보았다. 우한의 역사극 창작 관념은 역사극 창작에 대한 역사적 사실의 제약을 강조한 것이다.

26일, 『문예보』제24호에 황메이의 평론 「「전화 속의 청춘」 만담漫談＜戰火中的靑春＞」, 왕수이한汪歲寒의 「「전화 속의 청춘」의 성격 충돌＜戰火中的靑春＞的性格沖突」이 발표되었다. 같은 호에 라오서의 「「신생」 간평＜新生＞簡評」, 리시판의 「『수호전』에서의 송강의 비극적인 형상과 의병의 비극적인 결말＜水滸＞中宋江的悲劇形象和義軍的悲劇結局」이 발표되었다.

27일, 『광명일보』에 치옌밍의 「역사극과 역사적 진실성」이 발표되었다.

28일, 『광명일보』에 원자쓰聞家駟가 원이둬를 추억한 글 「기개를 가진 사람이 되자做個有骨氣的人」가 발표되었다.
『전영예술』제12호에 위안원수의 「마오쩌둥의 큰길을 따라 큰 걸음으로 전진하는 영화문학沿著毛澤東的道路大步前進的電影文學」이 발표되었다.

29일, 『인민일보』에 저우얼푸의 산문 「혁명의 횃불革命的火炬」이 발표되었다.

30일, 『인민일보』에 리잉의 시 「연하장 위에 쓴 시寫在賀年片上的詩」가 발표되었다.
『해방일보』에 후완춘의 「연말에 약진을 말하다歲末話躍進」가 발표되었다.

31일, 『광명일보』에 12월 24일의 베이징시 역사학회 성립대회에서의 우한의 연설 「베이징 사학계의 1년간의 학술활동一年來北京史學界的學術活動」이 발표되었다.
이달에 일본 『세계아동문학世界兒童文學』 잡지에서 '현대 중국 아동문학 특집'을 발간하였다. 특집호에는 옌원징의 「일본의 아동문학 작가에게致日本的兒童文學作家」, 이토 게이이치伊藤敬一의 「장톈이의 소설과 동화張天翼的小說和童話」, 우치야마 가기치內山嘉吉의 「동화극 「마란화」를 논하다論童

話劇<馬蘭花>」, 이데사와 마키토出澤萬紀人가 번역한 마펑의 단편소설 「한메이메이韓梅梅」, 카사하라 요시로笠原良郎가 번역한 허이賀宜의 논문 「현재 동화 창작에 존재하는 몇 가지 문제當前童話創作上的幾個問題」, 중국 아동문학 작가를 소개한 논문, 중국과 일본 아동문학 좌담회 기록 및 「호리병의 비밀」 어린이 좌담회에 관한 기사 등이 게재되었다.

귀차오런郭超人의 장편 통신 보도 『에베레스트에 홍기를 꽂다紅旗插上珠穆朗瑪峰』가 인민체육출판사人民體育出版社에서 출간되었다.

이달 하순에 톈한이 타이위안으로 가서 산시陝西, 산시山西, 쓰촨 등 성의 희극공작 상황을 조사하기 시작하였다.

1960년 정리

『문예보』 1960년 제2호에 야오원위안의 「바런의 '인성론' 비판批判巴人的"人性論"」이라는 글이 발표된 후로 '인성론'에 관한 비판이 고조에 달했다. 『문예보』, 『신항』, 『맹아』, 『문학평론』, 『독서』, 『인민문학』, 『해연』, 『해방군문예』, 『북방문학』, 『베이징문예』, 『산둥문학』, 『광명일보』 등 중요 간행물이 모두 '인성론' 비판의 진지로 변했다. '인성론'에 대한 비판은 주로 바런, 쑨첸, 하이모, 왕수밍, 장쿵양, 천보추이, 바이런 등의 작가와 문학평론가들을 대상으로 진행되었다.

지린성 민간문학공작위원회와 지린대학, 지린사범대학 중문과에서 120인으로 민간문학 전면 조사대를 조직해 지린 지구의 융지永吉현, 자오허蛟河 현, 바이청白城 지구의 바이청白城시, 타오난洮南 현, 첸궈뤄치前郭羅旗에 대하여 민간문학 전면 조사를 진행하였다. 이를 기초로 삼아 지린성에서는 『지린 민간고사吉林民間故事』(민간문학 총서民間文學叢書), 『푸쑹현 인삼 이야기撫松縣人參故事』, 『창바이산 인삼 이야기長白山人參故事』(춘풍문예출판사 1962년 출판) 및 둥베이 항일연합군 고사집 등 여러 권의 서적을 편찬해 출간하였다.

전국의 각 성, 시, 자치구에서 건국 10년간의 문학작품 선집을 편찬해 출간하였다. 이 가운데 『산시 산문특필선(1949~1959)山西散文特寫選(1949－1959)』이 산시인민출판사에서, 『산문특필선散文特寫選』(옌안문학총서延河文學叢書)이 둥평문예출판사에서 출간되었다.

작가출판사에서 『어빙과 쌍뤄』와 『자오수툰召樹屯』을 출간하였다. 이 두 권의 책이 출판된 후 더욱 많은 독자들이 충실하고 순결한 사랑 이야기를 통해 다신교와 불교의 영향을 받은 태족의 전통문화를 이해하게 되었을 뿐만 아니라 문예계, 특히 시가계詩歌界에도 상당한 영향을 끼쳐 여러 잡지에서 열렬한 토론이 진행되었다.

중앙민족학원의 교수와 학생들이 신장 우치烏恰현에서 '마나쓰치瑪納斯奇' 톄무얼鐵木爾의 노래를 근거로 하여 「마나쓰瑪納斯」 제2부 「싸이마이타이이賽麥台依」를 기록해 『톈산』(중국어판)과 『타림塔裏木』(위구르어판)에 발표하였다.

『쓰촨 10년 문학논문선四川十年文學論文選』이 쓰촨인민출판사에서 출간되었다.

『'해방군문예' 100호 소설선"解放軍文藝"百期小說選』이 해방군문예출판사에서 출간되었다.

『단편소설선短篇小說選』(1950~1959)이 춘풍문예출판사에서 출간되었다.

『소설산문선小說散文選』(1949~1959)이 푸젠인민출판사에서 출간되었다.

『공인 단편소설선工人短篇小說選』이 산둥인민출판사에서 출간되었다.

『네이멍구 자치구 단편소설집內蒙古自治區短篇小說集』(1957~1959)이 네이멍구인민출판사에서 출간되었다.

『간쑤 단편소설선甘肅短篇小說選』(1949~1959)이 둔황문예출판사敦煌文藝出版社에서 출간되었다.

『안후이 단편소설선安徽短篇小說選』(1959년)이 안후이인민출판사에서 출간되었다.

『장시 10년 단편소설선江西十年短篇小說選』이 장시인민출판사에서 출간되었다.

『허난 10년 단편소설선河南十年短篇小說集』이 허난인민출판사에서 출간되었다.

『신장 10년 소설선新疆十年小說選』이 신장인민출판사에서 출간되었다.

린위林予의 단편소설집 『우리의 정치위원我們的政委』이 상하이문예출판사에서 출간되었다.

뤼정呂錚의 장편소설 『적의 심장 속에서 전투하다戰鬥在敵人心髒裏』가 상하이문예출판사에서 출간되었다.

단편소설집 『영웅 시대의 사람英雄時代的人』이 춘풍문예출판사에서 출간되었다.

양페이진楊佩瑾의 장편소설 『은빛 번개銀色閃電』가 해방군문예출판사에서 출간되었다.

『옌허』 편집부에서 편찬한 소설산문집 『거인巨人』이 둥평문예출판사에서 출간되었다.

청짜오즈程造之의 장편소설 『황푸의 봄물결黃浦春潮』이 상하이문예출판사에서 출간되었다.

사팅의 단편소설집 『과도집』이 인민문학출판사에서 출간되었다.

잉톈스應天土의 장편소설 『검은 눈썹黑眉』이 장쑤문예출판사에서 출간되었다.

스차오스史峭石의 단편소설집 『지뢰의 비밀地雷的秘密』이 산시인민출판사에서 출간되었다.

린위의 단편소설집 『멍링허 강가에는 봄이 일찍 온다猛鈴河邊春來早』가 작가출판사에서 출간되었다.

젠셴아이의 소설집 『묘령집苗嶺集』이 상하이문예출판사에서 출간되었다.

가오거高歌의 장편소설 『외로운 무덤의 허깨비孤墳鬼影』가 장시인민출판사에서 출간되었다.

리이민李逸民의 단편소설집 『초봄 아침初春的早晨』이 산시인민출판사에서 출간되었다.

『후난 10년 단편소설선湖南十年短篇小說選』이 후난인민출판사에서 출간되었다.

처우즈제仇智傑의 단편소설집 『이른 봄비가 봄을 재촉한다新雨催春』가 광둥인민출판사에서 출간되었다.

거지戈基 등의 단편소설집 『새싹新芽』이 해방군문예출판사에서 출간되었다.

중국작가협회 란저우분회蘭州分會에서 편찬한 『간쑤 산문특필선甘肅散文特寫選』이 둔황문예출판사에서 출간되었다. 선집에는 홍류洪流의 「우리의 정치위원我們的政委」, 런모任莫의 「눈바람 부는 우차오링風雪烏鞘嶺」 등의 작품이 수록되었다.

중국민간문예연구회 연구부에서 편찬한 『민가 작가가 민가 창작을 말하다』가 작가출판사에서 출간되었다.

루궁, 장쯔천張紫晨, 저우정량周正良, 중자오진鍾兆錦의 『바이마오 공사 신민가 조사白茆公社新民歌調査』가 상하이문예출판사에서 출간되었다.

칭하이민족학원靑海民族學院 중문과에서 편찬한 『티베트족 문학사 약본藏族文學史簡編』이 칭하이 시닝인민출판사西寧人民出版社에서 출간되었다.

『상하이 민간고사선上海民間故事選』이 상하이문예출판사에서 출간되었다.

마창이馬昌儀가 번역한 소련 문학가 리푸칭李福淸의 저서 『현대 중국의 민간문예학現代中國的民間文藝學』이 중국과학원 문학연구소 민간문학조에 의해 인쇄되었다.

올해 상영된 중요 영화는 다음과 같다.

「혁명 가정革命家庭」(샤옌, 수이화水華 각본, 수이화 감독, 베이징전영제편창 제작. 1961년 모스크바국제영화제 최우수 작품상 후보에 올랐으며 위란於藍이 최우수 여자배우상을 수상. 1962년 제1회 영화 백화상 최고 각본상 수상)

「홍기보」(후쑤胡蘇, 링쯔펑凌子風, 하이모, 우젠吳堅 각본, 링쯔펑 감독, 베이징전영제편창 제작)

「임해설원」(류페이란劉沛然, 마지싱馬吉星 각본, 류페이란 감독, 8·1전영제편창 제작)

「기습奇襲」(리양黎陽, 정훙鄭洪 각본, 쉬유신許又新 감독, 8·1전영제편창 제작)

「철도 호위병鐵道衛士」(선양 철로 공안鐵路公安 합동 창작 및 각색, 팡잉方熒 감독, 창춘전영제편창 제작)

「손오공이 백골요정을 세 번 공격하다孫悟空三打白骨精」(저장성 문화국 「손오공이 백골요정을 세 번 공격하다」 정리소조 각본, 양샤오중楊小仲, 위중잉俞仲英 감독, 톈마전영제편창 제작)

「양문여장」(판쥔훙範鈞宏, 뤼루이밍呂瑞明 각본, 추이웨이, 천화이아이陳懷塏 감독, 베이징전영제편창 제작)

「올챙이의 엄마 찾기小蝌蚪找媽媽」(합동 각색, 상하이미술전영제편창 제작)

「혁명의 이름으로以革命的名義」(소련 작가 샤트로프 각본, 스다첸史大千, 리언제李恩傑 감독, 베이징전영제편창 제작)

신중국 최초의 컬러 뮤지컬 영화 「유삼저」가 완성되어 관중들의 열렬한 환영을 받았다. 이 외에도 올해 상영된 중요 작품으로 「홍기보」, 「임해설원」, 「혁명 가정」 등이 있다.

다큐멘터리 「61명의 계급 형제를 위하여」가 공산주의 정신의 우월성을 선전하는 영화로서 전국적인 붐을 일으켰다.

전국의 방송국, 실험대試驗台, 중계국이 29곳에 이르렀으며, 중국이 7개 국가에 61개의 드라마를 수출하였다. 베이징, 상하이 등지의 방송국에서 방송통신대학電視大學을 시작하였다. 베이징방송국에서는 「한 집안 식구一家人」, 「행복령幸福嶺」, 「노병이 보초를 서다老列兵站崗」, 「비익조가 짝지어 날다比翼齊飛」, 「아이들의 선물孩子們的禮物」, 「류원쉐劉文學」, 「소년 운동선수少年運動員」, 「리 아주머니李大娘」, 「청춘곡青春曲」, 「새로 온 보모新來的保育員」, 「황소 세 마리三頭黃牛」, 「맞선을 보다相親」 등의 12부 드라마를 방영하였다.

헤이룽장 방송국과 지린 방송국에서 합동으로 제작한 드라마 「3월의 눈三月雪」을 방영하였다.

올해 말까지 중국 대륙에 설립된 출판사는 모두 79곳으로, 그 가운데 중앙급 출판사는 30곳, 지방 출판사는 49곳이다. 출판한 서적은 30,797종으로 그 가운데 신판 도서는 19,670종이며, 총 인쇄 수량은 18억 100만 권이다. 잡지는 442종이 출간되었다.

1960. 1 ~ 1965. 12

1961年

1월

1일, 『옌허』1월호에 '단편소설의 창작 문제 좌담' 특집란이 개설되어 1960년 12월 9일에 『옌허』, 『산시일보陝西日報』, 『시안일보西安日報』부간 편집부에서 개최한 단편소설 창작 문제 좌담회에서의 왕원스의 발언 「구상 만담漫談構思」이 게재되었다(2월 2일자 『인민일보』에 전재). 같은 호에 류칭의 장편소설 『창업사』제2부의 제2, 3장이 발표되었다(편집자의 말은 이 내용이 『상하이문학』1960년 12월호에 발표한 내용을 기초로 하여 몇몇 부분에 큰 수정을 가한 것이라고 밝혔다).

『신항』1월호에 라오서의 문예필담 「왕페이전의 일기를 읽고讀王培珍的日記」, 량빈의 소설 『파화기』(장편소설 『홍기보』제2부)의 제16장, 톈젠의 장시 『인력거꾼 전기』제6부 제1장 「백일장賽詩會」이 발표되었다.

『열풍』1월호에 차이치자오의 시 「공사 현장 격려시工地現場鼓動詩」4편(「시범 경기表演賽」, 「목계영 돌격대穆桂英突擊隊」, 「번개 돌격대閃電突擊隊」, 「면첨병 돌격대勉尖兵突擊隊」)이 발표되었다.

『불꽃』1월호에 마펑의 영화극본 「우리 마을의 젊은이我們村裏的年輕人」(속편)가 발표되었다.

『인민일보』에 유럽의 '복지 국가'(서독, 프랑스, 영국) 인민의 비참한 생활(물가 상승, 주택 부족 등)을 소개한 글과 소련 등 사회주의 국가가 발전하는 모습을 소개한 글이 여러 편 발표되었다. 같은 호에 셰줴짜이謝覺哉의 구체시 「농촌으로 하방한 간부에게致下放農村的幹部」, 덩퉈의 시 「봄바람이 부드럽다 — 1961년을 맞이하며春風嫋娜——迎接1961年」, 톈젠의 시 「진군나팔進軍號」(장시 『인력거꾼 전기』제6부 「진부환」부분)이 발표되었다.

『광명일보』에 펑쯔카이의 만화 「새해 축하恭賀新禧」, 리시판의 글 「「서상기」 낭만 정신의 시대적 특색에 관하여談＜西遊記＞浪漫精神的時代特色」가 발표되었다.

『문회보』에 페이리원의 산문 「시곗바늘이 0시를 가리킨다……時針指著零點……」가 발표되었다.

『중국청년보』에 량상취안의 시 「조국에 기쁨이 넘치다祖國滿面春風」가 발표되었다.

2일, 『인민일보』에 위안수이파이의 시 「장엄한 한 막－「전투하는 쿠바」를 보고莊嚴的一幕──看＜戰鬥的古巴＞」가 발표되었다.

3일~10일, 아시아 아프리카 작가회의 상설위원회 회의가 스리랑카 콜롬보에서 개최되었다. 회의에서는 3월에 도쿄에서 긴급회의를 개최할 것을 결의하였다.

3일, 『인민일보』에 류바이위가 단장을 맡은 중국작가대표단이 콜롬보에 도착해 아시아 아프리카 작가회의 상설위원회 회의에 참석했다는 소식을 알리는 기사가 게재되었다. 같은 호에 왕라오주의 시 「신년 송가新年頌歌」가 발표되었다.

4일, 궈모뤄, 샤옌, 자오펑趙渢이 쿠바에서 대통령 도르티코스와 만남을 가졌다.

『베이징문예』 1월호에 하오란의 소설 「대장의 딸隊長的女兒」, 린진란의 소설 「뤼인강綠蔭崗」이 발표되었다. 같은 호에 우한의 역사극 「해서파관海瑞罷官」이 발표되었다. 극본은 1960년 11월 13일에 완성되었다. 극본이 발표되고 공연된 후 여러 독자와 관중들로부터 호평을 받았다.

판싱繁星(랴오모사)은 이 작품이 "'역사'와 '극'의 문을 모두 깨부순", "보기 드문 작품"이기 때문에 "창조적인 공작"이며, "'역사'를 연구하는 사람도 '극'을 이해해야 하고, 심지어 극을 창작해야 한다. 이는 극을 창작하는 사람이 반드시 '역사'를 이해하고, '역사'를 연구해야 하는 것과 마찬가지이다"라고 밝혔다. 그는 또한 우한에게 역사적 진실과 희극적 진실에 차이가 있어야 하는가 등 몇 가지 문제를 제기하기도 하였다(「'역사'와 '극'－우한의 「해서파관」 공연을 축하하며"史"與"戲"──賀吳晗的＜海瑞罷官＞的演出」, 『베이징만보』 1961년 2월 16일자).

덩윈젠鄧允建은 「「해서파관」을 평하다評＜海瑞罷官＞」에서 "우한 동지는 역사주의에서 출발해 역사적 진실을 창작했다", "오늘날의 어떤 상황들에 억지로 끌어다 붙여 비유하거나 암시하지 않았으며, 반역사주의적인 묘사도 없다", "현재까지의 모든 역사극 창작 상황에 드러난 역사적 진실을 위반하는 현상, 가령 현대인의 사상과 행위를 역사 인물에게 억지로 주입하거나 혹은 어떤 역사적 인물의 행위나 역사적 사건을 오늘날의 일에 억지로 비유하는 상황에서 보아, 우리가 「해서파관」이 역사주의적으로 역사적 진실을 묘사했음을 지적하는 것은 의미있는 일일 것이다"라고 밝혔다(『베이징문예』 1961년 3월호).

『인민일보』에 리잉의 시 「차茶」가 발표되었다.

『광명일보』에 종합기사 「1960년 상하이 외문학계의 학술토론1960年上海外文學界的學術討論」이 게재되어 1960년 이후로 상하이의 외국문학 연구 및 번역계에서 '번역 문풍', '읽기, 쓰기, 듣기, 말하기 문제', 어언語言과 언어言語 등의 문제에 관해 진행한 토론에 대해 종합적으로 보도하였다. 같은 호에 초망사가草莽史家(멍차오)의 「진석진─중국 역사상 최초의 여황제陳碩真──中國歷史上第一個女皇帝」가 발표되었다.

『베이징만보』에 량빈의 장편소설 『파화기』(제140절)의 연재가 시작되었으나, 작가가 정리를 끝마치지 않고 뒷편을 창작하게 되어 1961년 9월 3일에 연재가 중지되었다.

『베이징일보』에 린진란의 단편소설 「열쇠鑰匙」가 발표되었다.

5일, 『상하이문학』 1월호에 야오원위안의 논문 「아Q에서 량성바오까지─문학작품 속의 인물을 통해 중국 농민의 역사적 노선을 보다從阿Q到梁生寶──從文學作品中的人物看中國農民的歷史道路」, 루즈쥐안의 단편소설 「엔촹에 세 번 가다三走嚴莊」, 옌이의 시 「말몰이꾼趕馬人」, 바진의 인물특필 「두려움을 모르는 전사 리다하이無畏戰士李大海」가 발표되었다. 같은 호에 량신梁信의 영화문학 극본 「홍색낭자군紅色娘子軍」의 연재가 시작되어 3월호에 완료되었다.

『베이징일보』에 저우얼푸의 산문 「카리브해의 보배加勒比海的明珠」가 발표되었다.

6일, 『인민일보』에 쿠바 작가 체 게바라의 소설 「리자麗佳」(탕슈저唐修哲, 쑨룬위孫潤玉 번역), 베네수엘레 시인 카를로스의 시 「흑인의 어깨 위에서在黑人肩上」(왕중녠王仲年 번역) 및 아잉의 독서 찰기 「애국의 무명 조타수愛國的無名舵工」가 발표되었다.

『베이징만보』에 류신우의 아동소설 「위안위안의 새 옷園園的新衣裳」이 발표되었다.

7일, 중앙에서 조직부 부부장 안쯔원安子文의 「중앙 1급 기관 간행물 간소화 공작에 관한 보고關於中央一級機關精簡刊物工作的報告」를 비준해 각지 각 부문의 당 조직에 간행물에 대한 지도를 강화하고, 간행물이 사상 정치 전선에서 당의 날카로운 무기가 되게 할 것을 요구하였다. 또한 각 성,

시, 자치구에서는 반드시 서기 혹은 당위원을 지정하고, 중앙 1급 각 부문에서는 부부장 혹은 당조 구성원을 지정해 간행물 공작을 책임지고 주관하고, 간행물에 게재되는 중요 원고에 대해 직접 심사할 것을 요구하였다.

8일, 『문회보』에 라오서의 단문 「시를 읽은 감상讀詩感言」이 발표되었다. 이 글은 롼장징의 장시 『바이윈어보 교향시』(『인민문학』 1960년 9월호)에 대한 감상으로, "창작에는 준비가 필요하다. 생활, 노동, 문학수양 가운데 하나라도 빠져서는 안 된다"라고 말했다.

『인민일보』에 궈모뤄의 시 「호세 마르티가 환호하고 있다─쿠바 혁명 2주년 기념회 소묘何塞·馬蒂在歡呼──古巴革命二周年紀念會素描」, 톈젠의 시 「헤이니黑妮」(장시 『인력거꾼 전기』 제6부 「진부환」 부분), 양모의 회고록 「잊을 수 없는 기억不能忘掉的記憶」이 발표되었다. 같은 호에 가극 「유삼저」를 각색한 경극 「유삼저」의 베이징 공연 소식과 경극 「만강홍滿江紅」 관련 소식이 게재되었다.

9일, 『문회보』에 자오징선의 「역사극에서 옛것을 오늘의 현실에 맞게 활용하는 것에 관하여談歷史劇的古爲今用」가 발표되었다. 이 글은 『상하이문학』 1960년 10월호에 발표된 선치웨이의 「역사극에서 옛것을 오늘의 현실에 맞게 활용하는 두 가지 문제에 관하여」에 드러난 역사극의 예술적 진실, 역사 인물 형상의 창조 등의 측면에 대해 자신의 견해를 제시하였다.

10일, 『홍기수紅旗手』 1월호에 리지의 시 「불가리아 기행保加利亞紀行」이 발표되었다.

『동해東海』 1월호에 진진의 시 「사랑스러운 조국의 산하可愛的祖國河山」가 발표되었다.

『시간』 제1호에 위안잉의 시 「봄맞이 노래를 부르다唱支迎春歌」, 쑨유톈孫友田의 시 「광산 입구의 포스터礦門口的宣傳畵」, 톈젠의 장시 『인력거꾼 전기』 제6부 제12장 「홍화포紅花坡」가 발표되었다. 이번 호를 기해 『시간』이 격월간으로 변경되었다.

『베이징일보』에 돤무훙량의 특필 「바람은 초원에서 불어온다風從草原來」가 발표되었다.

11일, 『해방군전사解放軍戰士』 제1호에 라오서의 문예 필담 「선택과 감별─문학서적을 어떻게 읽을 것인가選擇與鑒別──怎樣閱讀文藝書籍」가 발표되었다.

『인민일보』에 콩고 공화국 수상 루뭄바의 유작시 「우리의 인민이 승리를 거두게 하자讓我們的人民贏得勝利」(1960년 12월 20일자 소련 『문학보』에 게재된 원고를 번역한 것으로, 원문은 1959년 말에 콩고의 『독립보獨立報』에 발표)가 발표되었다.

『광명일보』에 우한의 「와신상담 이야기臥薪嘗膽的故事」, 초망사가(멍차오)의 「진석진(하)」, 아잉의 단문 「『크릴로프 우화』―중국에 최초로 소개된 러시아 문학 명저<克雷洛夫寓言>――最早介紹到中國的俄羅斯文學名著」가 발표되었다.

12일~2월 25일, 민주 당파 대표와 무소속 민주 인사들이 베이징에서 여러 차례의 좌담회를 가지고 '쌍백' 방침 관철 등의 문제에 관해 토론하였다.

13일, 『인민일보』에 위안수이파이의 「해학극이라는 한 송이의 꽃滑稽戲這一朵花」이 발표되었다. 같은 호에 『문회보』에서 진행된 희극의 종류와 그 성질 문제에 관한 토론에 대해 종합적으로 보도하는 기사가 게재되었다.

저우쭤런이 세이 쇼나곤清少納言의 작품 「마쿠라노소시枕草子」의 번역 원고를 탈고하고, 세이 쇼나곤에 관한 단문을 집필하였다.

14일, 중공중앙 제8기 중앙위원회 제9차 전체회의가 베이징에서 개최되었다. 회의에서는 국민 경제 발전의 '조정, 공고, 충실, 제고'라는 방침이 제기되었으며, 전국적인 범위에서 분기와 지역을 나눈 정풍운동의 진행을 결정하였다. 회의 성명은 정풍의 대상이 "당과 정부의 공작인원"이며, "이러한 여러 상황에 비추어 보아, 많은 지방의 당 조직이 중앙의 지시에 근거해 이미 농촌과 도시의 공작인원들 사이에서 정풍운동을 진행하고 그 효과를 거두었음을 알 수 있다. 전체회의는 전국적인 범위에서 분기와 지역을 나누어 이 운동을 진행해 간부들의 사상 및 정치적 수준을 제고하고, 공작 방법과 공작 작풍을 개선하는 것을 도우며, 조직을 깨끗하게 해, 성실한 고찰을 거쳐 당과 정부기관 속에 숨어들어 있는 극소수의 불량분자를 제거하고 불량분자의 파괴 활동을 방지하고 제지할 것을 결정한다. 전체회의는 이 모든 공작 과정에서 반드시 군중을 충분히 동원해 누구나 자신의 견해를 자유롭게 밝히고 대대적으로 진행해야 한다고 본다"라고 밝혔다(「중국공산당 제8기 중앙위원회 제9차 전체회의 성명中國共產黨第八屆中央委員會第九次全體會議公報」, 전문은 『인민일보』 1961년 1월 21일자에 게재). 중공중앙은 성명 발표 직후 출판공작 조정을 통해 출판사 정비 작업을 시작하였다.

『광명일보』에 둥비우의 구체시 2편 「황저우 적벽을 유람하다遊黃州赤壁」, 「왕화잉 동지를 노래하다詠汪華英同志」, 우한의 역사지식 소개 「세 부인洗夫人」이 발표되었다.

『중국청년보』에 사설「옌안 작풍 만세延安作風萬歲」가 발표되었다.

15일, 『상하이희극』 1월호에 ‘「갑오 해전」 필담’ 특집란이 개설되어 류허우성劉厚生의 「분노가 머리끝까지 차오르고, 원대한 포부가 격렬하다—「갑오 해전」 무대예술의 기세를 논하다怒發沖冠, 壯懷激烈——論＜甲午海戰＞舞台藝術的氣勢」, 웨이진즈의 「미 제국주의의 죄악을 폭로한 훌륭한 희극一出揭露美帝罪惡的好戲」이 발표되었다.

『전영문학』 1월호에 쑤리蘇裏, 우자오디武兆堤, 우인吳茵의 원작을 청인成蔭이 각색한 영화문학극본 「강철 전사鋼鐵戰士」가 발표되었다.

『인민일보』에 판페이潘非의 보고문학 「템스강泰晤士河」이 발표되었다.

판페이(1918~1986), 저장성 핑후平湖 출신이다. 1938년에 중국공산당에 가입하였다. 팔로군 진시 독립지대晉西獨立支隊 선전대 대장, 115사단 제4여단 선전과 부과장, 화선보火線報사 사장, 『진차지일보』 편집자, 다롄방송국 편집과 과장을 역임하였다. 1948년 이후에는 『둥베이일보』 편집자 및 총편집실 부주임, 부편집장, 『인민일보』 국제신문편집부 부주임, 영국 주재 수석기자, 편집위원회 상무위원 겸 국제부 주임, 부편집장을 역임하였다. 저서로 『미 제국주의의 군사적 위기美帝國主義的軍事危機』, 『템스강』, 『해외 스냅海外掠影』 등이 있다.

16일, 『광명일보』에 1960년의 「전통 희곡의 인민성 문제에 관한 토론關於傳統戲曲人民性問題的討論」에 관한 종합기사가 게재되어 장경, 주줘췬朱卓群, 귀한청郭漢城 등의 의견을 종합하고 “충, 효, 절, 의 등 도덕에 관한 계급성 문제가 광범위하고 깊이 있는 토론을 불러일으켰다”라고 정리하였다.

『인민일보』에 파블로 네루다의 시 「철조망이 있는 노래有刺鐵絲的歌」가 발표되었다.

『문회보』에 귀펑의 산문 「다시 쿠바에게再致古巴」가 발표되었다.

17일, 『문회보』에 야오원위안의 「생활 속의 미와 추를 논하다—미학 필기 제1편論生活中的美與醜——美學筆記之一」이 발표되었다.

상하이희극학원 실험화극단에서 8장 화극 「전투하는 청춘」을 공연하였다. 극본은 쑤쿤蘇坤, 천자린陳加林이 쉐커의 동명의 소설을 각색한 것으로, 주돤쥔朱端鈞이 감독을 맡았다. 극본은 『극본』 4월호에 발표되었다.

18일, 『광명일보』에 둥비우의 구체시 4편 「징강산을 방문하다訪問井岡山」(1960년 10월 28일), 「징강산에서 구이저우로 가다由井岡山赴貴州」(1960년 10월 30일), 「루이진을 방문하다訪問瑞金」(1960년 11월 1일), 「징더전에 처음으로 가다初到景德鎮」(1960년 11월 2일)가 발표되었다.

19일, 『인민일보』에 위안잉의 「샹수이와 룽화는 하나로 통한다 — 영화 「혁명 가정」 감상湘水龍華一脈通——看影片<革命家庭>以後的感想」, 리잉의 시 「농기구 수리조農具修配組」, 아잉의 독서 찰기 「랴오하이 전투에서의 덩스창遼海之戰中的鄧世昌」이 발표되었다.

20일, 잡지 『광시문학廣西文學』, 『광시예술廣西藝術』, 『광시군중廣西群眾』이 『광시문예廣西文藝』로 합병되었다.

21일, 문화부가 상하이에서 희극 창작좌담회를 개최하였다. 상하이 월극원上海越劇院, 광둥 월극원廣東粵劇院, 충칭 천극원重慶川劇院, 청두 천극원成都川劇院, 우한 한극단武漢漢劇團 및 화둥 각 성 문화 지도 부문과 상하이시 경극, 호극, 회극淮劇, 화극, 평탄評彈 등 5개 극(곡)종의 국영 단체 책임자 총 56인이 참석하였다. 회의에서 문화부 부부장 치옌밍이 희곡 창작 문제를 정리하였다.

　『광명일보』에 둥비우의 구체시 4편 「푸저우에 처음으로 가다初到福州」(1960년 11월 5일), 「구랑위의 일광암을 유람하다遊鼓浪嶼日光岩」(1960년 11월 9일), 「뤄푸산 주밍둥에 묵으며 세상을 떠난 벗 린보취 동지를 추억한다宿羅浮山朱明洞憶亡友林伯渠同志」(1960년 11월 15일), 「뤄푸산을 유람하다遊羅浮山」(1960년 11월 16일)와 작가 러우스柔石의 유작 친필 원고가 발표되었다.

23일, 『민간문학』 제1호에 엥겔스의 「독일의 민간고사 책德國的民間故事書」(차오바오화 번역)이 발표되었다. 같은 호에 「제1차 국내 혁명전쟁 시기의 가요第一次國內革命戰爭時期的歌謠」와 「항일전쟁 시기의 가요抗日戰爭時期的歌謠」가 발표되었다.

　『인민일보』에 덩튀의 잡문 「책 빌리기로부터 이야기를 시작하다從借書談起」가 발표되었다.

24일, 『인민일보』에 친무의 산문 「고기잡이 고수 예찬贊漁獵能手」이 발표되었다.

25일, 『시간』 제1호에 궈모뤄의 구체시 「쿤밍 잡영昆明雜詠」이 발표되었다.

『인민일보』에 리시판의 「성격, 줄거리, 구조와 임무의 등장─고전소설의 몇몇 인물 등장의 예술 처리에 관하여性格′情節′結構和任務的出場──談古典小說中幾個人物出場的藝術處理」가 발표되었다.

『해방군보』에 편집부가 수집 및 기록한 「마오쩌둥 동지가 조사 연구를 논하다毛澤東同志論調查研究」가 발표되었다.

『광명일보』의 '서림만보書林漫步' 특집란에 아잉의 「1862년 후난 교안에 관하여關於1862年湖南教案」가 발표되었다.

26일, 『문예보』가 격주간에서 월간으로 변경되었다. 이번 호에 후완춘의 「탕커신 동지에게 보내는 서신給唐克新同志的一封信」, 주광첸의 「레싱의 「라오콘」萊辛的＜拉奧孔＞」 및 「아시아 아프리카 작가회의 상설위원회 회의 성명亞非作家會議常設委員會會議公報」이 게재되었다.

『인민일보』에 진진의 시 「톈무산 위의 훌륭한 사냥꾼天目山上好獵手」이 발표되었다.

27일, 『인민일보』에 아잉의 「두궈샹 동지의 문학활동을 추억하며回憶杜國庠同志的文學活動」가 발표되었다.

『광명일보』에 『해방군보』 편집부가 수집 및 기록한 「마오쩌둥 동지가 조사 연구를 논하다」가 전재되었으며, '편집자의 말'이 추가되었다.

28일, 『광명일보』에 천이의 구체시 「제 고송도題高松圖」가 그림과 함께 게재되었다.

『인민일보』에 라오서의 단문 「산문은 중요하다散文重要」가 발표되었다.

29일, 『인민일보』에 지쉐페이의 소설 「도시에 들어가다進城」, 천찬윈의 산문 「라오스 처녀老撾姑娘」가 발표되었다.

『문회보』에 궈펑의 산문 「우리는 쿠바와 함께 서 있다我們和古巴站在一起」가 발표되었다.

『베이징만보』에 덩퉈의 구체시 「막상漠上」이 발표되었다.

30일, 『희극보』 제1, 2호 합본에 라오서의 문예필담 「신년 축하賀新年」가 발표되었다.

『인민일보』에 우한의 잡문 「다시 사람과 귀신에 관하여再談人和鬼」, 리젠우의 「죽간 정신─한 편의 공개 서신竹簡精神──一封公開信」이 발표되었다.

『문회보』에 라오서의 문예필담 「희극의 언어喜劇的語言」가 발표되었다.

31일, 궈모뤄가 이끄는 중국우호대표단이 쿠바에서 귀국해 베이징 시민 1,000여 명이 모여 환영하였다. 천이, 라오서, 샤옌, 쉬광핑 등이 집회에 참석하였다.

상하이 『문회보』에 시옌(왕시옌)의 글 「비극에 관하여關於悲劇」가 발표되었다. 그는 글에서 비극이 "우리의 문학예술에서는 이미 죽었거나 혹은 죽기 직전"이라고 밝혔다. 이후로 『문회보』에서는 비극 문제에 관한 토론이 전개되었다. 『희극보』 9, 10월호 합본에 총론 「비극 문제에 관한 토론－관련 논문 총론關於悲劇問題的討論——有關論文綜述」이 발표되어 비극 문제 토론 상황을 소개하였다. 이 글은 토론 과정에서 제기된 비극이란 무엇인가, 사회주의 사회에는 비극이 존재하는가, 비극의 주인공과 비극의 소재, 인민 내부의 모순은 비극을 만들어낼 수 있는가, 사회주의 시대 비극의 특징 등의 문제를 정리하였다.

『광명일보』에 종합기사 「상하이 희극계에 자유 변론의 공기가 활발하다上海戲劇界自由論辯空氣活躍」가 발표되었다. 기사는 1960년 이후에 상하이 희극계에서 진행된 영웅 형상 창작 방법, 역사적 소재 표현방법 및 희극 양식의 이해 방법 등에 관한 토론에 대해 보도하였다.

『인민일보』에 왕야판王亞凡의 유작 「농업의 최전선으로 가다到農業第一線去」와 롼장징의 시 「야판을 추모하며悼亞凡」가 발표되었다.

이달에 중공중앙 선전부 문예처, 문화부 예술국, 중국희극가협회, 중공 베이징시위원회 문화부, 베이징시 문화국이 연합하여 조사조를 조직해 예술 공연단체에서의 '쌍백' 방침의 집행, 지식분자 정책, 예술 규율 장악 및 지도 작풍 등의 측면에서 문제를 이해하고, 중앙선전부가 개최할 문예공작 좌담회의 준비 작업을 진행하였다.

『농촌 조사農村調査』 출판 20주년을 기념해 『인민일보』, 『광명일보』, 『중국청년보』, 『홍기』 등의 간행물에 사설과 마오쩌둥의 「『농촌 조사』 서문<農村調査>的序言」(1941년 3월 17일)이 게재되어 '조사 연구의 바람을 크게 일으킬 것'을 제창하였다.

『문회보』 8일자에 웨이펑未風의 「셰익스피어의 희극으로부터 이야기를 시작하다從莎士比亞的喜劇談起」, 26일자에 자오징선의 「중국 희극전통 약술中國戲劇傳統簡述」, 30일자에 라오서의 「희극의 언어」 등의 글이 발표되어 희극의 특징과 그 종류, 희극이 적아 간의 모순과 인민 내부의 모순을 반영하는 방법, 희극의 극적 충돌과 표현 수법 등의 문제에 관해 토론이 전개되었다. 『문회보』 1960년 11월 16일자에 발표된 저우청의 「희극을 논하다」를 시작으로 『문회보』와 『상하이희극』 등의 잡지에 희극 창작과 이론에 관한 토론문이 게재되었다. 구중이, 후시타오, 추원, 다이허우잉

등이 이에 관한 글을 발표하였다. 『인민일보』 1월 13일자에 「『문회보』에서 희극 문제에 관해 토론을 전개하다<文滙報>對戲劇問題展開討論」라는 제목의 종합기사가 게재되었다.

라오서, 리젠우, 빙신, 우보샤오, 친무, 펑쯔 등이 『인민일보』, 『문회보』 등에 '필담 산문筆談散文'을 발표해 약 2개월간 토론을 진행하였다.

펑쯔(1912~1996), 여성 작가로 본명은 펑펑쯔封鳳子이며 광시성 룽현容縣 출신이다. 공화국 성립 이전에 우한, 상하이, 충칭, 구이린, 홍콩 등지에서 화극 및 영화 연출에 종사하였으며, 이후에는 『중앙일보中央日報』 부간 편집자, 구이린의 월간 『인세간人世間』 편집자, 충칭 『신민만보』 특약 기고가, 상하이의 월간 『인세간』 편집장, 베이징시 문련 『이야기하고 노래하다』, 『베이징문예』 편집위원, 베이징인민예술극원 예술처 부처장 겸 문학조 조장, 중국극협의 월간 『극본』 편집장 및 편집심사위원 등을 역임하였다. 1952년에 중국작가협회에 가입하였다. 저서로 장편소설 『소리 없는 가기無聲的歌女』, 소설산문집 『폐허 위의 꽃송이廢墟上的花朵』, 『8년八年』 등이 있다.

리준의 소설 『경운기』가 드라마로 각색되었다.

톈젠의 『인력거꾼 전기』(상), 『영웅 군가英雄戰歌』, 짱커자의 『리보자오李大釗』, 리지의 『5월 단오五月端陽』, 『홍군이 된 오빠가 돌아왔다當紅軍的哥哥要回來了』, 『위먼 자녀 출정기』, 원제의 『복수의 화염復仇的火焰(1)』 등의 장시가 작가출판사에서 출간되었다.

샤오판曉凡의 시집 『철공 서정곡鐵匠抒情曲』, 쉬광푸徐光夫 등의 특필 소설집 『거인의 파종巨人播種』이 춘풍문예출판사에서 출간되었다.

해방군문예사에서 편찬한 특필집 『영웅촌英雄村』이 출간되었다.

『홍기가 펄럭이다』 편집부에서 재편집한 『해방전쟁 회고록解放戰爭回憶錄』이 중국청년출판사에서 출간되었다.

딩징탕丁景唐, 취광시瞿光熙가 편찬한 『좌련 다섯 열사 연구 자료 편찬 목록左聯五烈士研究資料編目』이 상하이문예출판사에서 출간되었다.

궈모뤄의 『문사론집文史論集』이 인민출판사에서 출간되었다.

정치무鄭其木의 『극본 창작을 말하다談談寫劇本』가 지린인민출판사에서 출간되었다.

2월

1일, 『홍기』 3, 4월호 합본에 허치광의 「귀신을 겁내지 않는 이야기 · 서문不怕鬼的故事 · 序」(5일자 『인민일보』, 『중국청년보』, 6일자 『해방군보』 및 『변강문예』 3월호에 전재)이 발표되었다. 같은 호에 「각국 공산당과 공인당 대표회의에 관한 중국공산당 제8기 중앙위원회 제9차 전체회의의 결의中國共產黨八屆九中全會關於各國共產黨和工人黨代表會議的決議」, 「중국공산당 제8기 중앙위원회 제9차 전체회의 성명中國共產黨第八屆中央委員會第九次全體會議公報」 및 사설 「조사와 연구의 풍조를 크게 일으켜, 모든 것이 실제에서 출발하게 하자大興調查研究之風, 一切從實際出發」가 게재되었다.

『옌허』 2월호에 두펑청의 소설 「잊을 수 없는 준령難忘的摩天嶺」, 상원젠商文健이 수집 정리한 티베트족 신민가 「베이징을 향해 송가를 부르다頌歌向著北京唱」 등 10편이 발표되었다.

『신항』 2월호에 하오란의 소설 「편지信」, 캉줘의 소설 「류청왕이 당을 찾다劉成旺找黨」(장편소설 『동방홍』 부분), 장융메이의 시 「해변의 새 노래海邊新唱」(「해초를 줍다撿海菜」, 「낯선 글자와 생선生字和鮮魚」, 「바다 위에서 밥을 짓다海上炊」, 「소라 나팔이 울렸다螺號響了」 등 4편 수록. 이 시들은 모두 1960년 6월에 난워다오南沃島에서 창작한 것이다)가 발표되었다.

『해방군문예』 2월호에 탕타오의 「잡문 창작에 관한 몇 가지 문제關於雜文寫作的幾個問題」, 하오란의 소설 「사람과 말이 모두 건장하다人強馬壯」가 발표되었다.

『해연』이 1, 2월호 합본을 발간한 이후 폐간되었다.

『인민일보』에 우보샤오의 「산문을 많이 쓰자多寫些散文」가 발표되었다.

『문회보』에 친무의 산문 「선인장이 무성한 곳에서在仙人掌叢生的地方」가 발표되었다.

『광명일보』에 궈모뤄의 구체시 「헤이룽탄을 유람하다遊黑龍潭」가 발표되었다(1961년 1월 23일에 쿤밍에서 창작).

『베이징만보』에 아잉의 단문 「윈양탄 이야기雲陽灘的故事」가 발표되었다.

『양청만보』와 『광저우일보廣州日報』가 합병되어 명칭은 그대로 『양청만보』로 유지되었다. 같은 일자에 어우양산의 '일대 풍류一代風流' 시리즈 소설 제2권 『고투苦鬥』의 연재가 시작되었다.

2일, 『인민일보』에 주광첸의 「디드로의 『배우에 관한 역설』狄得羅的＜談演員的矛盾＞」과 왕슈잉王秀英의 보고문학 「아드리아해의 영웅(용감하고 굽힐 줄 모르는 선원)亞得裏亞海上的英雄(英勇不屈的船員)」이 발표되었다. 주광첸의 글에 대해 『인민일보』 8일자에 쓰투빙司徒冰의 「배우에 관한 역설을 논하다論演員的矛盾」가 편집자의 말과 함께 발표되어 희극계의 큰 주목을 받았으며 토론이 전개되었다. 중국희극가협회는 3월 16, 17일에 이에 관한 좌담회를 두 차례 개최하여 배우가 역할을 창조하는 과정 중에 모순이 존재하는가 하는 문제와 디드로 글의 번역 등 여러 가지 문제에 관해 토론을 진행하였다.

『베이징일보』에 하오란의 단편소설 「산채를 거두다收山」가 발표되었다.

3일, 중국인민해방군 총정치부 선전부에서 베이징 주둔 부대의 작가, 예술가 좌담회를 개최해 양질의 문학예술작품으로써 부대 정치사상 건설을 위한 복무를 요청하였다.

『양청만보』에 라오서가 1월에 창작한 춘련 4편이 발표되었다.

4일, 『베이징문예』 2월호에 하오란의 소설 「서설이 내려 풍년이 들다」, 톈젠의 시 「해당화나무 아래海棠樹下」(장시 『인력거꾼 전기』 제6부 「진부환」 제9장), 장융메이의 시 「홍등紅燈」이 발표되었다.

『광명일보』에 뤼웨성呂日生의 산문 「밤에 돌비늘을 잡다夜捕石鱗」, 펑치융馮其庸의 잡문 「지성이 귀신을 다스리다季生治鬼」가 발표되었다.

펑치융(1924~2017), 본명은 펑츠馮遲, 자는 치융其庸, 호는 콴탕寬堂으로 장쑤성 우시無錫 출신이다. 우시국학전문학교無錫國學專修學校를 졸업한 후 인민대학 교수, 중국예술연구원中國藝術研究院 부원장, 중국홍루몽학회 회장 등을 역임하였다. 대표 저서로 산문집 『추풍집秋風集』, 학술수필 『낙엽집落葉集』 등이 있다.

『베이징만보』에 예쥔젠의 단문 「「각성」을 보고觀<覺醒>」가 발표되었다.

5일, 『변강문예』 2월호에 류수더의 장편소설 『귀가歸家』(상부)의 연재가 시작되었다(1962년 11월호에 상부의 연재가 완료되었으며, 마지막 장은 1962년 9월 23일에 집필이 완료되었다. 단행본은 1963년에 상하이문예출판사에서 출간되었다). 소설이 발표된 후 『문예보』, 『문학보』, 『변강문예』, 『문회보』, 『광명일보』 등 간행물 십여 곳에 40편이 넘는 평론이 발표되어 이 작품에 대해 열띤 토론이 전개되었다.

류진은 「「귀가」-특징이 풍부한 신작<歸家>——一部富有特色的新作」에서 "인물의 성격과 관계를 단순화하지 않은 것이 바로 「귀가」의 뚜렷한 특징으로, 이는 이 작품의 형상이 풍부하고 독자들을 황홀하게 하는 원인 중 하나이다", "작가는 섬세하고 열정적이며 복잡다단한 애정 묘사와 심각하고 첨예한 사회 투쟁을 융합해 작품이 깊은 사회적 의의와 감동적인 예술적 매력을 가지게 하였다", "예술 표현은 함축적인 특징을 가지고 있어, 한눈에 이해가 되는 작품이 아니다", "암시가 매우 풍부하다"라고 평하였다(『문예보』1963년 제1호).

반면에 『문회보』에 발표된 두 편의 글은 "작가가 두 사람의 상당히 '기묘'한 감정을 표현하는 데 과하게 치중해 모순되고 조화롭지 못한 모습이 다수 보인다"(쑨광쉬안孫光萱, 「「귀가」에 대한 류진 동지의 평론을 평하다評劉金同志對＜歸家＞的評論」, 1963년 7월 8일자 『문회보』), "작가는 그들의 사랑과 갈등을 처리할 때 많은 부분에서 그들이 일에서 출발해 이지理智로써 감정을 이기려는 모습을 표현하려 했으나, 이러한 묘사는 인물의 성격과는 부합하지 않아 진실하지 못하고 믿음이 가지 않는다", 또한 인물 쥐잉菊英의 심리에 대해서는 "이러한 복잡함은 사회주의 농촌 청년의 건강하고 풍부한 정신상태가 아니라, 확연히 소자산계급 지식분자의 비천한 심리가 반영된 것"이며, 작가가 "새로운 인물의 정신적 면모를 표현하면서 소자산계급과 소자산계급 지식분자의 케케묵은 복잡한 감정 및 소위 내면세계의 모순과 투쟁을 무산계급의 새로운 인물에게 억지로 주입하였다", "이러한 작품은 겉으로 보기에는 새로운 인물을 노래하는 것처럼 보이지만, 실제로는 소자산계급 지식분자를 영웅으로 그려내고 있다", "사실상 작가는 어두운 심리를 무산계급의 새로운 인물에게 억지로 주입하고 있다"(쩡원위안曾文淵, 우리창吳立昌, 다이허우잉, 「「귀가」의 주요 인물 형상 분석－인물의 정신적 면모의 풍부성, 복잡성 문제에 관하여＜歸家＞主要人物形象評析──兼談人物精神面貌的豐富性´複雜性問題」, 1963년 7월 29일자 『문회보』)라고 보았으며, "작품 속의 새로운 영웅 형상은 생활 속의 새로운 영웅 인물보다 더욱 이상적이고 완벽해야 하"지만, 작가는 "우리 시대의 선진적 인물의 본질적인 특징과 사회생활 속에서의 이들의 지위 및 의의를 전혀 고려하지 않았다"(천궈화陳國華, 톈번샹田本相, 「새로운 영웅 인물의 창조는 사회주의 문학의 영광스러운 임무이다塑造新英雄人物是社會主義文學的光榮任務」, 1963년 12월 13일자 『문회보』)라고 보았다.

『변강문예』 2월호에 천이의 구체시 「쿤밍의 신년昆明新年」, 궈모뤄의 구체시 「펑밍링을 유람하다遊鳳鳴嶺」, 「동백꽃을 노래하다詠茶花」 등 10편이 발표되었다.

『상하이문학』 2월호에 사팅의 「휴일假日」, 루옌저우의 「엄마媽媽」, 리차오의 「일찍 온 봄早來的春天」 등의 소설과 저우텐의 시론時論 「좌련 다섯 열사의 혁명정신을 학습하고 계승하자－다섯 열사 서거 30주년을 기념하며學習和繼承左聯五烈士的革命精神──紀念五烈士被難三十周年」가 발표되었다.

『인민일보』에 마라친푸의 산문 「다칭산맥 송가大靑山的頌歌」가 발표되었다.

6일, 중화전국문학예술계연합회, 중국작가협회, 중국희극가협회 등 8개 단체가 합동으로 인도 시인 타고르 탄생 100주년 기념행사 준비위원회를 조직하였다. 톈한, 샤옌, 라오서, 딩시린, 양한성, 빙신, 양숴, 어우양위첸 등 20인이 준비위원회 위원으로 선출되었으며 마오둔이 주임을 맡았다.

『인민일보』에 궈모뤄의 시「쿠바를 방문하다訪問古巴」5편(「하바나 교외 풍경哈瓦那郊外即景」등)이 발표되었다.

7일, 『인민일보』에 아잉의 「인푸의 유고「어느 형에게 보내는 답장」을 다시 읽다重讀殷夫遺稿<寫給一個哥哥的回信>」가 발표되었다.

『전영문학』이 격월간으로 변경되어 짝수 달에 출간되었다.

8일, 『인민일보』에 차오바오화, 취젠밍渠建明이 번역한 「고리키 문예 서신高爾基文藝書簡」의 연재가 시작되었다.

『베이징만보』에 천이의 구체시 「쿤밍의 신년」(1월 2일에 창작), 하오란의 산문 「사소한 일小事」이 발표되었다.

9일, 『인민일보』에 양숴의 산문 「아프리카의 심장이 불을 뿜고 있다非洲的心髒在噴火」가 발표되었다.

『문회보』에 사예신沙葉新, 리전퉁李振潼의 「예술사상의 비극藝術史上的喜劇」이 발표되었다.

사예신(1939~2018), 회족回族 극작가로 장쑤성 난징 출신이다. 국가 1급 각본가로 중국희극가협회 상무이사 및 창작위원회 부주임, 중국작가협회 회원, 상하이희극가협회 부주석, 상하이작가협회 이사, 상하이시 문학예술계연합회 위원 등을 역임하였다. 대표작으로 희극喜劇「돈 한 푼一分錢」, 화극「만약 내가 진짜라면假如我是真的」, 「천이 시장陳毅市長」(1980~1981년 '전국우수극본창작상', '전국 소수민족 문학창작상' 수상), 「마르크스 '비사'馬克思"秘史"」, 「사나이 대장부를 찾아서尋找男子漢」, 「예수 · 공자 · 비틀즈 레넌耶穌 · 孔子 · 披頭士列儂」, 「태양 · 눈 · 사람太陽 · 雪 · 人」, 「도쿄의 달東京的月亮」, 「존엄尊嚴」 등이 있다.

10일, 『충칭일보』에 궈모뤄의 구체시 「자오창커우 사건 15주년較場口事件十五周年」이 발표되었다.

11일, 『인민일보』에 궈모뤄의 구체시 「돌아가는 길에 쿠바의 계엄 해제 소식을 듣다在歸途中聞古巴解嚴」, 판싱의 잡문 「한 편의 고문을 통해 조사 연구를 보다從一篇古文看調查研究」가 발표되었다.

『문회보』에 멍차오의 「역사와 역사극歷史與歷史劇」이 발표되었다.

베이징경극단이 베이징공인클럽北京工人俱樂部에서 우한의 신작 역사 경극 「해서파관」을 공연하였다. 마롄량, 추성룽裘盛戎이 주연을 맡았다.

12일, 『인민문학』 1, 2월호 합본에 리지의 「마란馬蘭」, 류수더의 「깃발을 뽑다拔旗」, 바진의 「군단장의 마음軍長的心」, 루윈푸의 「거 사부葛師傳」 등의 소설, 웨이양의 「고향의 길故鄕的路」, 라오제바쌍의 「차를 따서 마오 주석께 바치다采茶獻給毛主席」 등의 시, 위안잉의 「징강산 기록井岡山記」, 예쥔젠의 「꽃花」, 친무의 「토지土地」, 궈펑의 「지방지 3장地方志三章」 등의 산문, 위린의 보고문학 「여장부鐵姑娘」가 발표되었다. 같은 호에 영화문학 극본 「루쉰 전기魯迅傳」(상편)이 발표되었다. 본 극본은 작가 천바이천, 예이췬, 탕타오, 커링, 두쉬안, 천리팅陳鯉庭이 창작하였으며 천바이천이 집필하였다. 「루쉰 전기」의 제6고는 1963년 3월에 상하이문예출판사에서 초판이 출간되었다. 출간 당시에 제목이 『루쉰魯迅』(상편)으로 변경되었다.

『인민일보』에 가오스치의 과학소품 「농사의 친구와 적莊稼的朋友和敵人」이 발표되었다.

『문회보』에 위안잉의 산문 「돛단배 기록風帆小記」(「해제題解」, 「신신당부叮嚀」, 「향설香雪」, 「강수江水」 등 4편 수록)이 발표되었다.

『베이징만보』에 라오서의 잡문 「근검절약해 가계를 꾸리자勤儉持家」, 덩퉈의 구체시 「만년홍萬年紅」이 발표되었다.

13일, 『인민일보』에 메이란팡의 「25년간의 깊고 두터운 우정厚誼深情廿五年」, 아잉의 「고리키와 중국 재난 구제회高爾基和中國濟難會」가 발표되었다.

14일, 『문학평론』 제1호에 「문학에서의 공감 문제와 산수시 문제에 관한 토론關於文學上的共鳴問題和山水詩問題的討論」 특집란이 개설되었다. 토론은 약 1년간 계속되었는데, 우선 제민의 「공감의 기초는 무엇인가?共鳴的基礎是什麽?」, 쭝바이화의 「산수시화에 관한 감상關於山水詩畫的點滴感想」 등 20여 편의 글이 발표되었으며 전국의 기타 간행물, 특히 고등교육기관의 학보에도 60여 편의 토론문이 발표되었다. 이 글들은 주로 서로 다른 계급의 사람들이 문예작품을 감상할 때 공감 현상이 나타나는가 하는 문제, 공감과 계급성의 관계, 산수시에는 계급성이 있는가, 계급성은 어떻게 표현되는가 등의 문제에 관해 토론하였다. 문학에서의 공감 문제에 관한 토론은 류밍주의 「인성론자의 공감설 비판批判人性論者的共鳴說」(『문학평론』 1960년 제5호)으로부터 시작되었다. 『문학평론』 편집부는 연말에 이 토론에 관한 총론에서 "여전히 의견 차이가 존재"하지만 몇몇 "결정적인 문제"에 있어서는 "진전과 수확이 있었다"라고 보면서, 이번 토론이 "서로 존중하고, 이치를 따지는 분위기 속에서 전개"되었으며, 학술에서의 "양호한 풍조"를 보여 "학술적 문제를 토론하는 비교적 정상적인 방법"이라고 보았다. 같은 호에 리시판의 「혁명 영웅 전형의 순례革命英雄典型的巡禮」가 발표되었다.

『인민일보』가 '중소우호동맹 상호조약 체결 11주년 기념 특집호'로 간행되어 리지의 시 「자작나무와 소나무—어느 소련 동지에게白樺與青松——寄一個蘇聯同志」가 발표되었다.

『광명일보』에 리지의 연작시 「소련 방문 시초」(「바쿠 사람이 위먼 사람에게 안부를 묻다巴庫人問候玉門人」 등 3편)가 발표되었다.

『중국청년보』에 취보의 「인민영웅은 대담무쌍하다—영화 「임해설원」의 상영 전에 쯔룽 동지를 추억하며人民英雄渾身是膽——影片<林海雪原>上映前憶子榮同志」가 발표되었다.

15일, 『희극보』 제3호에 사설 「레퍼토리를 쌓아 작품 순환 공연 제도를 수립하자積累保留劇目, 建立劇目輪換上演制度」가 발표되었다.

『전영예술電影藝術』 제1호에 뤄이쥔羅藝軍의 「영화 양식의 다양화電影樣式的多樣化」, 라오서의 「대화 약론對話淺論」이 발표되었다.

상하이인민예술극원 학관교연조學館教研組에서 천극 전통희극 '차친안借親案'을 각색한 7장 화극 「아내를 빌리다借妻」를 공연하였다. 황쭤린이 감독을 맡았다.

베이징인민예술극원에서 차오밍의 소설을 각색한 6장 화극 「바람을 타고 파도를 헤가르다」를 공연하였다. 주린, 란톈예藍天野, 메이쳰, 량빙쿤梁秉坤이 각색을 맡았으며 어우양산쭌, 샤춘이 감독을 맡았다. 다오광탄, 란톈예, 톈충田沖, 란인하이藍蔭海 등이 주연을 맡았다.

16일, 『베이징만보』에 판싱(랴오모사)의 「'역사'와 '극'"史"與"戲"」이 발표되었다.

18일, 베이징 인민 50만 명이 집회를 가지고 미 제국주의와 그 대리인이 콩고 대통령 루뭄바와 그 전우를 살해한 범죄를 강력히 규탄하였다. 루뭄바를 추모하기 위해 베이징, 상하이 등지의 문예계에서 시와 희극 등의 작품을 창작하고 공연하였다.

『베이징만보』에 우한의 「역사극에 관한 몇 가지 문제關於歷史劇的一些問題」가 발표되었다. 이 글은 판싱이 16일자 『베이징만보』에 발표한 글에 대한 답변이다.

『광명일보』에 리류루의 장편 혁명역사소설 『60년의 변천六十年的變遷』 제2권 제10장 「길을 밝히는 등불이 생겼다有了指路明燈」의 연재가 시작되었으며 편집자의 말이 추가되었다. 소설은 18, 19, 20일자에 연재되었다.

19일, 『베이징만보』에 둥비우가 1960년 3월에 「홍후 적위대」의 공연을 보고 쓴 시가 발표되었다.

20일, 『세계문학』 2월호에 위안잉의 산문 「봄의 씨앗─아프리카 인민영웅 루뭄바를 추모하며春天的種籽──悼非洲人民英雄盧蒙巴」가 발표되었다.

『문회보』에 궈펑의 산문 「콩고에게致剛果」가 발표되었다.

21일, 『인민일보』에 라오서의 산문 「루뭄바 대통령을 삼가 애도하며敬悼盧蒙巴總理」, 아잉의 단문 「청 말기의 반제국주의 세화清末的反帝年畫」가 발표되었다.

『광명일보』에 우한의 「부인성夫人城」, 친무의 산문 「옛 전장의 봄날 새벽古戰場春曉」 및 라오서의 산문 「한숨을 토해내다吐了一口氣」(같은 일자 『양청만보』 및 『극본』 2, 3월호 합본에 전재)가 발표되었다. 라오서의 산문은 그가 화극 「의화단義和團」(이후에 제목을 「신권神拳」으로 변경)을 창작한 의도를 설명한 글로, 이후에 「신권」의 서문으로서 단행본에 수록되었다.

하이주러우주가 59세로 병사하였다. 그의 작품은 민국 시기의 허황되고 괴이한 무협소설의 대표격으로 신화, 지괴志怪, 검선劍仙, 무협을 한데 융합해 상상력과 철학적인 면이 어우러진 특징을 보이며, 이후의 무협소설에 큰 영향을 끼쳤다. 그의 작품에 관해서는 탄생한 시점부터 논쟁이 끊이지 않아 공화국 성립 후 오랫동안 '봉건적 미신의 독소'라고 비판받았다. 80년대 이후에야 하이주러우주 작품의 심미적 가치가 연구되기 시작하였다.

덩사오지鄧紹基는 하이주러우주의 "전통문화에 대한 예술적 수집은 편집적이지 않고, 미신에 빠지지 않으며, 어디에도 구속되지 않는 현대적 시각을 가지고 있다. 그는 고도로 종합적인 현대적 안목을 통해 관대한 태도로 전통문화를 설명하였다"라고 보았다.[1]

첸리췬錢理群 등은 "하이주러우주는 우선 40년대의 북파北派 무협 4대 작가인 바이위白羽, 정정인

鄭證因, 왕두루王度廬, 주전무朱貞木에게 큰 영향을 끼쳐 북파 무협소설이 남파의 작품을 초월하게 하였다. 관념과 기술적인 면에서 후대 작가에게 깨달음을 주어 홍콩과 마카오에서 등장한 신무협에까지 영향을 끼쳤다"라고 보았다.[2]

탕진하이唐金海는 하이주러우주를 더욱 높이 평가하며 "초현실의 세계를 수립해 철학과 문학의 시각에서 '무협'에 대해 신선하고도 심오한 해석을 하여, 30년대 무협소설이 '현대'적인 기풍을 가지게 하였다. 이러한 창작방법은 이후의 홍콩과 타이완 무협소설 창작에 큰 깨달음을 주어, 이들이 창조한 정서는 정도의 차이는 있으나 「촉산검협전蜀山劍俠傳」의 영향을 받았다"라고 보았다.[3]

22일, 『인민일보』에 롼장징의 시 「콩고여, 핏물을 밟고 전진해라!剛果, 踏著血淚前進!」가 발표되었다.

23일, 『민간문학』 2월호에 「마오 주석이 우리를 천당으로 이끈다毛主席領我們上天堂」 등 19편의 티베트 신민가가 발표되었다.

『인민일보』에 친무의 시 「보아라, 저 피를 흘리는 유엔기를瞧, 那面滴血的聯合國旗」, 리지의 시 「밤에 모스크바를 지나다夜過莫斯科」, 펑치융의 산문 「귀신을 겁내는 이야기怕鬼的故事」가 발표되었다.

『광명일보』에 제민의 「『삼가항』의 예술 풍격 약론略談<三家巷>的藝術風格」이 발표되었다.

『베이징만보』에 하오란의 산문 「미묘한 종소리鍾聲美妙」가 발표되었다.

『해방일보』에 바진의 잡문 「루뭄바 대통령의 피는 결코 헛되이 흘린 것이 아니다盧蒙巴總理的血絶不會白流」가 발표되었다.

25일, 문화부에서 「1961년 도서출판 용지 배급에 관한 통지關於分配1961年圖書出版用紙的通知」를 발포하였다. 통지는 제지 원료와 전력 부족 등의 상황으로 인해 중앙의 비준을 거쳐 1961년도 전국 신문 및 잡지 용지 수량을 35%로, 일반 서적은 40%로 감축한다고 밝혔다.

광탸에 우한의 「신선회와 백가쟁명神仙會和百家爭鳴」, 린진란의 특필 「쇳조각鐵疙瘩」이 발표되었다.

1) 장중張炯, 덩사오지, 판췬,『중화문학통사 · 근현대문학편中華文學通史 · 近現代文學編』(제6권), 제316쪽, 베이징화이출판사北京華藝出版社 1997년.

2) 첸리췬, 원루민溫儒敏, 우푸후이吳福輝,『중국 현대문학 30년中國現代文學三十年』, 제348쪽, 베이징대학출판사 1997년.

3) 탕진하이, 저우빈周斌,『20세기 중국문학통사二十世紀中國文學通史』, 제413쪽, 상하이동방출판중심上海東方出版中心 2003년.

『중국청년보』에 천바이천이 집필한 영화문학 극본 「루쉰 전기」가 발표되었으며 '편집자의 말'이 추가되었다.

26일, 『문예보』 제2호에 마오둔의 「형제의 우애는 영원하리―중소우호동맹 상호조약 체결 11주년을 경축하며兄弟友誼萬古長青――慶祝中蘇友好同盟互助條約簽訂十一周年」와 「마오둔이 페진에게 보낸 축하 전보茅盾致費定賀電」, 빙신의 문예필담 「옥공의 깨우침玉工的啟發」, 탕타오의 「예술가와 '도덕가'―「류썬」을 읽고藝術家和"道德家"――讀<琉森>」, 멍차오의 「「이립옹곡화」에 관하여談<李笠翁曲話>」가 발표되었다.

『인민일보』에 장융메이의 시 「파종하는 사람播種人」이 발표되었다.

『문회보』에 쉬츠의 시 「창장이 콩고강에 애도와 경의를 표한다長江爲剛果河志哀, 長江向剛果河致敬」, 두쉬안의 시 「콩고의 폭풍剛果風暴」, 빙신의 필담 「산문에 관하여談散文」, 왕다오첸의 산문 「두 군인―여정 잡기兩個軍人――旅途散記」가 발표되었다.

27일, 『신건설』 편집부에서 주광첸, 왕자성王家聲, 쭝바이화 등 베이징의 일부 미학자와 예술 공작자를 초청해 좌담회를 가지고 미학 연구에서 대상의 문제, 현실에서 출발해 미학을 연구하는 문제, 예술과 현실의 관계 문제, 미학에서 민족적 특색의 문제 등에 관해 토론을 진행하였다. 『광명일보』 3월 23일자 1면에 좌담회 기사가 게재되었으며 좌담회 요록 전문이 게재되었다.

『인민일보』에 펑쯔의 「산문에 관하여也談散文」가 발표되었다.

28일, 『인민일보』에 천이의 시 「미얀마 방문 시장訪緬詩章」, 커링의 「산문―문학의 경기병 부대散文――文學的輕騎隊」가 발표되었다.

『베이징일보』에 천이의 구체시 「미얀마 방문 시장」, 돤무훙량의 산문 「봄을 붙잡다抓春」가 발표되었다.

『희극보』 제4호에 우쉐의 「작품 순환 공연 제도를 고수하자堅持劇目輪換上演制度」, 쉐언허우薛恩厚의 「레퍼토리 공작을 적극적으로 수행해야 한다要積極做好保留劇目地工作」, 어우양산쭌의 「작품 순환 공연 제도를 공고히 하자鞏固劇目輪換上演制」 등의 글이 발표되었다.

이달에 『인민일보』, 『광명일보』, 『문회보』, 『상하이문학』, 『신민만보』 등의 간행물에 아잉, 이첸 등이 '좌련 다섯 열사' 서거 30주년을 기념한 글이 발표되었다.

『인민일보』, 『중국청년보』 등에 여러 편의 혁명 회고록과 사설이 발표되어 옌안 정신의 발양을 제창하였다. 이 가운데 2월 2, 3일자 『중국청년보』에 개설된 '옌안 작풍을 우리 시대 청년의 기풍으로 삼자' 특집란에 다수의 글이 발표되었다.

중국아동예술극원의 주이朱漪, 바이산白珊 등 3인이 라오서를 방문해 원고를 청탁하였다. 라오서는 청탁에 응해 「보물선寶船」을 창작하였다.

중국과학원 문학연구소에서 편찬한 『귀신을 겁내지 않는 이야기不怕鬼的故事』가 인민문학출판사에서 출간되었다.

딩산丁山의 『중국 고대 종교와 신화 고찰中國古代宗敎與神話考』이 베이징룽먼연합서국北京龍門聯合書局의 '내부 자료'로서 출판되었다.

중앙희극학원 실험화극원에서 편찬한 8장 화극 『영웅 열차英雄列車』가 베이징출판사에서 출간되었다.

중국철로문공단中國鐵路文工團에서 합동 창작한 화극 『12번 열차12次列車』가 상하이문예출판사에서 출간되었다.

양모의 장편소설 『청춘의 노래』(제2판)가 작가출판사에서 출간되었다.

『산시희극』이 폐간되었다.

3월

1일, 『홍기』 제5호에 사설 「학술 연구에서 백화제방, 백가쟁명 방침을 고수하자在學術研究中堅持百花齊放百家爭鳴的方針」가 발표되었다. 사설은 "최근에 국내 학술계에서는 문제를 제기하고 서로 다른 의견을 제시하여 자유 토론을 진행하는 분위기가 고조되었다. 이는 매우 좋은 현상이다"라며, "정치 분야에서 사회주의 노선과 당의 지도를 인정하는 것, 그리고 학술 영역에서 마르크스레닌주의의 지도를 인정하는 것은 별개의 일이다. 이 두 가지는 물론 서로 관련이 있지만 같은 일은 아니다", "마르크스레닌주의자는 응당 정치 분야에서 사회주의 노선과 당의 지도를 인정하는 모든 학술공작자와 단결해 백화제방, 백가쟁명 방침하에서 그들과 함께 우리의 과학사업의 발전을 위해 노력해야 한다"라고 밝혔다. 『인민일보』(3월 1일자), 『광명일보』(3월 1일자), 『베이징일보』 및 『변강문예』 4, 5월호 합본에 본 사설의 전문이 전재되었다.

『해방군문예』 3월호에 두펑청의 소설 「잊을 수 없는 준령」, 리잉의 시 「피가 타오르고 있다血在

燃燒」, 라오제바쌍의 시 「2월의 강물은 먼 곳으로 흐른다二月江水向遠方」가 발표되었다.

『우화雨花』 3월호에 '희극 속의 갈등 문제에 관한 토론' 특집란이 개설되어 천서우주의 「희극 속의 갈등을 논하다論戲劇沖突」, 바이젠白堅의 「희극 속의 갈등을 어떻게 이해할 것인가怎樣理解戲劇沖突」 및 토론에 관한 총론 「희극 속의 갈등 문제 토론에 관한 몇 가지 상황關於戲劇沖突問題討論的若幹情況」이 발표되었다. 같은 호에 청샤오칭의 역사소설 「고사려高士驢」, 저우서우쥐안의 시 「옌안 시대 혁명생활 전람회 참관 감상參觀延安時代革命生活展覽會有感」, 루원푸의 특필 「금 열쇠金鑰匙」가 발표되었다.

『옌허』 3월호에 왕원스의 소설 「모래톱 위沙灘上」, 웨이강옌의 산문 「추수 잡기秋收散記」가 발표되었다. 왕원스의 소설은 『인민일보』에 전재되어 4월 16, 17일자에 연재되었다. 『인민일보』에서는 이 소설에 관한 소설 평론 특집란을 개설하였다. 옌강은 이 소설에 대해 "작가가 더 높은 사상적 수준에서 보다 기묘한 예술적 수법을 운용해 농촌생활의 새로운 문제를 제기하고, 이에 대해 명확하고도 깊이 있는 답안을 제시한 작품"이라고 평하였다(옌강, 「소설 「모래톱 위」의 사상과 예술小說＜沙灘上＞的思想和藝術」, 1961년 5월 17일자 『인민일보』).

『신항』 3월호에 캉줘의 소설 「사계영춘四季迎春」(1961년 2월 4일에 바오딩에서 창작), 라오서의 「인물은 에누리가 없다人物不打折扣」가 발표되었다. 또한 거바오취안이 셰브첸코 서거 100주년을 기념해 번역한 그의 시 8편이 발표되었다.

『문예홍기』 2, 3월호 합본에 텐젠의 시 「우레와 번개雷和電」(『인력거꾼 전기』 제6장 부분), 리시판의 「'레닌이 고리키를 논하다'가 우리에게 깨달음을 준다"列寧論高爾基"啟示著我們」가 발표되었다.

『열풍』 3월호에 궈펑의 산문 「섬 위의 38축목장島上的三八畜牧場」(1961년 2월 3일 밤에 푸저우에서 창작)이 발표되었다.

『불꽃』 3월호에 후정의 장편소설 『펀수이가 길게 흐른다汾水長流』의 연재가 시작되어 8월호에 완료되었다.

『인민일보』에 젠셴아이의 「참신한 산문嶄新的散文」이 발표되었다.

『베이징만보』에 위안잉의 평론 「강물이 도도하게 오십 년간 흐른다江水滔滔五十年」가 발표되었다.

2일, 『인민일보』에 리준의 「나는 「노병의 새 전기」를 어떻게 썼는가我怎樣寫＜老兵新傳＞」, 친무의 산문 「빵과 소금面包和鹽」이 발표되었다.

『광명일보』에 쩌우디판의 평론 「「혁명 가정」의 몇몇 장면에 관하여談＜革命家庭＞的幾個細節」가 발표되었다.

『베이징일보』에 제민의 「사람이 귀신을 겁내지 않으면 귀신이 사람을 겁낸다—'귀신을 겁내지 않는 이야기'를 읽고人不怕鬼, 鬼就怕人——讀"不怕鬼的故事"」가 발표되었다.

『문회보』에 천서우주의 「희극 문제에 관하여關於喜劇問題」가 발표되어 작년 이후로 『희극보』에 서 진행된 희극 속의 갈등 문제에 관한 토론에 대해 종합적으로 논술하였다.

3일, 『인민일보』에 아잉이 팡즈민의 단편소설 「일을 꾀하다謀事」를 소개한 글 「팡즈민 동지 가 초기에 창작한 소설方志敏同志早年寫的小說」이 발표되었다.

4일, 『중국청년보』에 우한의 잡문 「기개에 관하여談骨氣」가 발표되었다.

『광명일보』에 초망사가(멍차오)의 「악비와 조구—역사 인물을 어떻게 평가하고, 어떻게 역사 에 근거해 극을 창작할 것인가에 관하여嶽飛與趙構——兼談怎樣評價曆史人物, 怎樣依史作劇」가 발표되 어 다이부판의 "악비는 조구가 아끼는 장수였다"는 견해를 반박하였다. 글은 4, 7, 9, 11일자에 연 재되었다.

『베이징문예』 3월호에 쭝푸의 시 「황혼黃昏」이 발표되었다.

5일, 『상하이문학』 3월호에 탕커신의 소설 「기수旗手」, 뤼웨성의 소설 「밤에 우펑링에 묵다夜 宿舞鳳嶺」, 스퉈의 산문 「훙치취紅旗渠」가 발표되었다.

『변강문예』 3월호에 궈모뤄가 본지에 보낸 친필 글귀가 발표되었다. "보급을 기초로 삼고, 제고 를 지침으로 삼으니, 백화가 저마다 꽃을 피우고, 군중이 모두 한마음이네."

『인민일보』에 쭝푸가 농촌을 소재로 창작한 산문 「어디에나 있다無處不在」가 발표되었다.

『문회보』에 네루다의 시 3편 「누군가를 생각하다想起一個人」, 「사신은 살바도르를 배회한 다……死神在薩爾多瓦徘徊……」, 「카리브해의 청년들에게致加勒比海的青年們」(위지於紀 번역)가 발표 되었다.

『광명일보』에 장중張炯의 「우리나라 문학사에서의 현실주의와 낭만주의의 결합을 논하다也論我 國文學史上現實主義和浪漫主義的相結合」가 발표되었다.

장중(1933~), 필명은 둥팡량東方亮, 팡후이方惠로 푸젠성 푸안福安 출신이다. 중국당대문학연구 회 상무부회장, 중국소설학회 이사, 중국화극문학연구회 회장, 중국대중문학학회 이사, 『문학평 론』 편집장, 『작품과 쟁명作品與爭鳴』 편집장 등을 역임하였다. 현재 중국사회과학원 학술위원회 위원, 중국작가협회 부주석을 맡고 있다. 저서로 평론집 『문학의 진실과 작가의 직책文學真實與作家

職責』, 『장중 문학평론집張炯文學評論選』, 『신시기 문학평론新時期文學論評』, 『신시기 문학의 구조新時期文學格局』 등이 있으며『장중 문집張炯文集』이 출간되었다.

6일, 문화부와 민족사무위원회가 민족문화궁民族文化宮에서 좌담회를 개최해 새로 설립된 민족문화공작지도위원회民族文化工作指導委員會와   민족역사연구공작지도위원회民族歷史研究工作指導委員會의 공작 문제에 관해 토론하였다. 라오서, 치엔밍, 우한, 어우양위쳰, 허우와이루侯外廬 등이 참석하였다.

6일~10일, 중국민간문예연구회에서 총서 편집부 주임 타오젠지陶建基와『민간문학』편집부의 우차오, 연구부의 류시청劉錫誠을 푸양阜陽에 파견해 '염군捻軍 전설 좌담회'를 개최하여 염군 전설 기록 정리 과정에서 발견된 학술 문제와 실제적 문제에 관해 토론하였다.

7일, 중국문학예술계연합회, 중국작가협회 등 기관이 합동으로 세계 문화 명인인 아르헨티나 작가 도밍고 사르미엔토 탄생 150주년 기념대회를 개최하였다. 라오서가 사르미엔토의 생애에 관한 보고를 진행하였다. 3월 8일자『광명일보』에 라오서의 보고「아르헨티나의 위대한 작가이자 민주전사阿根廷的偉大作家和民主戰士」의 전문이 게재되었다.

『인민일보』에 천이의 구체시「루뭄바의 유서를 읽고讀盧蒙巴遺書」, 우쭈샹의「호랑이를 잡는 이야기打虎的故事」가 발표되었다.

8일, 『인민일보』에 쓰투빙의「배우의 모순을 논하다論演員的矛盾」, 하오란의 소설「한밤중에 문을 두드리다半夜敲門」가 발표되었다.

9일, 아시아 아프리카 작가회의 중국연락위원회에서 회의를 소집해 바진, 라오서, 빙신, 류바이위 등이 참석하였으며, 마오둔이 회의를 주관하였다. 회의에서는 바진이 중국 대표단을 인솔해 3월 말에 개최될 아시아 아프리카 작가회의 상설위원회 도쿄 긴급회의에 참가할 것 등의 사항을 결정하였다.

『인민일보』에 판싱의 잡문「공자와『주역』의 저자는 '변혁'을 어떻게 관찰했는가孔子和<周易>作者是怎樣觀察"變革"的」가 발표되었다.

『광명일보』에 거바오취안의 「위대한 우크라이나 인민시인 셰브첸코偉大的烏克蘭人民詩人謝甫琴柯」
및 그가 번역한 셰브첸코의 시 「나의 노래, 나의 노래여我的歌呀, 我的歌」, 「꿈夢」 등 2편이 발표되
었다.

『베이징일보』에 린진란의 단편소설 「서른 명 아이의 엄마三十個孩子的媽媽」가 발표되었다.

10일, 베이징 문화계 인사들이 민족궁 강당에서 셰브첸코 서거 100주년을 기념하는 집회를
가졌다. 마오둔, 딩시린, 양한성, 라오서, 류바이위, 차오위, 차오징화, 옌원징 등이 참석하였으며
마오둔이 개회사를 하였다.

『시간』제2호에 짱커자의 「중원을 바라보다望中原」, 궈샤오촨의 「혼기 문제婚期問題」, 진진의 「
엄마가 내게 임무를 주었다媽媽給了我任務」(3편), 리잉의 「우정의 노래友誼之歌」, 쑨유톈의 「우정의
등友誼燈」, 옌천의 「카토비체의 등불卡托維茲的燈火」(2편) 등의 시와 궈펑의 산문시 「룽바오자이에
보내다致榮寶齋」, 빙신의 산문시 「폭죽 소리처럼象一聲爆竹」이 발표되었다.

『극본』2, 3월호 합본에 마사오보의 6장 화극 「악운嶽雲」, 라오서의 4막 7장 역사 화극 극본 「의
화단」(이후에 제목을 「신권」으로 변경) 및 그 창작담 「한숨을 토해내다」, 문예필담 「희극 습작을
통해 능력을 키우다習寫喜劇增本領」가 발표되었다.

『광명일보』에 천바이천의 평론 「「혁명 가정」의 풍격 등에 관하여<革命家庭>的風格及其他」가 발
표되었다.

『인민일보』에 거바오취안이 번역한 셰브첸코의 시 「내가 죽으면當我死了的時候」, 「나의 노래, 나
의 노래여」, 「아, 사람들아! 가련한 사람들아!哦, 人們! 可憐的人們!」3편이 발표되었다.

11일, 『인민일보』에 친무의 「원림·선화·산문園林·扇畵·散文」이 발표되었다.
『문회보』에 '역사극의 정명正名 문제에 관하여' 토론란이 개설되었다.

12일, 『인민문학』3월호에 마스투의 「홍군을 찾아서」, 하오란의 「수레바퀴가 나는 듯 돌다
車輪飛轉」, 후완춘의 「설을 쇠다過年」 등의 소설과 짱커자의 「개선凱旋」, 리잉의 「루뭄바 이야기盧
蒙巴的故事」, 장즈민의 「철학의 뜰哲學大院」 등의 시, 양숴의 「차화부茶花賦」, 웨이강옌의 「사공의 노
래船夫曲」(1961년 2월에 창작), 류바이위의 「창장에서의 사흘長江三日」(산문집 『홍마노집紅瑪瑙集』
에 수록, 작가출판사 출판), 빙신의 「옛 전장이 과수원이 되었다古戰場變成了大果園」 등의 산문 및 라
오서의 3막 5장 아동극 극본 「보물선」이 발표되었다.

『인민일보』에 원제의 시 「초원 위의 혼례草原上的婚禮」(장시 『복수의 화염』 제2부 제3장)가 발표되었다.

13일, 『인민일보』에 옌천의 시 「거문고 줄－폴란드 방문 시초琴弦──訪波蘭詩抄」가 발표되었다.

15일, 『광명일보』에 사설 「'신선회'를 널리 활용해 자아교육과 자아개조를 진행하자廣泛地用 "神仙會"進行自我教育和自我改造」가 발표되었다. 사설은 "자유 토론의 풍조가 더욱 발전하고, 학술 연구 분야가 번영하며, '백화제방, 백가쟁명' 방침을 더욱 효과적으로 관철하는 데", "신선회가 분명히 도움이 된다는 것이 경험으로써 증명되었다"라고 밝혔다.

『희극보』 제5호에 톈한의 「희극 창작의 번영에 관한 몇 가지 문제關於繁榮戱劇創作的一些問題」가 발표되었다.

『중국청년』 제5호에 양즈린楊植霖이 집필한 혁명 회고록 「옥중에서의 왕뤄페이王若飛在獄中」의 연재가 시작되어 제7호에 연재가 완료되었다.

『인민일보』에 위안잉의 산문 「메콩강의 여명湄公河的黎明」이 발표되었다.

16일, 저우쩌런이 루쉰의 친필 글씨 여러 점을 사오싱의 루쉰기념관에 보냈다.

『베이징일보』에 하오란의 단편소설 「신춘의 들판新春的田野」이 발표되었다.

『광명일보』에 위안수이파이의 「분노의 웃음소리－아르헨티나 극본 「공격수는 여명 전에 죽는다」를 읽고憤怒的笑聲──讀阿根廷劇本＜中鋒在黎明前死去＞」, 위관잉이 번역한 문언문 단문 「귀신을 겁내지 않는 이야기」 및 저우구청周穀城의 「사학과 미학史學與美學」이 발표되었다.

저우구청(1898~1996), 중국사학자이자 사회활동가로 후난성 이양益陽 출신이다. 역사학, 철학, 미학, 논리학, 정치학, 사회학, 교육학 등의 분야의 연구 및 교육에 종사하였다. 저서로 『생활 체계生活系統』, 『중국통사中國通史』(2권), 『중국정치사中國政治史』, 『세계통사世界通史』(3권), 『형식 논리와 변증법形式邏輯與辯證法』, 『사학과 미학』 등이 있다.

17일, 『문회보』에 주광쳰의 「야오원위안 동지의 미학관점에서 출발해 미학 속의 이론과 현실의 결합을 말하다從姚文元同志的美學觀點談到美學中理論與現實的結合」가 발표되었다. 그는 글에서 야오원위안이 내린 '아름다움'이라는 개념에 대한 정의 및 그가 제시한 예술미와 현실미의 관계에 대해 반박하였다.

『인민일보』에 위안수이파이의 평론 「진흙에서 나왔으나 물들지 않는다──「대지의 소금」을 보고出汙泥而不染──<社會中堅>觀後」가 발표되었다.

『중국청년보』에 원제의 시 「진정한 전사真正的戰士」가 발표되었다. 이 시는 장시 『복수의 화염』 제2부 「전투의 초원戰鬥的草原」 제2장의 일부이다.

18일, 파리 코뮌 성립 90주년을 기념해 『인민일보』, 『중국청년보』 등에 샤오싼의 「코뮌의 노랫소리가 전 세계에 울려 퍼진다──파리 코뮌의 시 만담公社的歌聲響遍全世界──漫談巴黎公社的詩歌」, 지뤄季洛의 「무산계급의 군가無產階級的戰歌」(『중국청년보』) 등 기념 논문이 발표되었다. 『세계문학』 3월호에도 「파리 코뮌 시문초巴黎公社詩文抄」의 번역문이 발표되었다. 이달에 인민문학출판사에서 『파리 코뮌 시선巴黎公社詩選』을 출간하였다.

『광명일보』에 궈펑의 산문 「푸저우 민간공예미술 판매점을 기억하며記福州民間工藝美術門市部」가 발표되었다.

『곡예曲藝』 제2호에 라오서의 필담 「건강한 웃음소리健康的笑聲」가 발표되었다(3월 25일자 『인민일보』에 전재).

19일, 덩퉈가 마난춘이라는 필명으로 『베이징만보』에 「옌산 야화燕山夜話」라는 특별란을 개설해 19일자에는 잡문 「생명의 3분의 1生命的三分之一」을 발표하였다. 덩퉈는 1962년 9월 2일까지 본 특집란에 총 153편의 잡문을 발표하였는데, 이 중 대표작으로는 「'잡가'를 환영한다歡迎"雜家"」, 「노동력을 애호하는 학설愛護勞動力的學說」, 「어느 달걀의 가산一個雞蛋的家當」, 「주관과 겸허主觀和虛心」, 「왕도와 패도王道和霸道」, 「사후 약방문馬後炮」 등이 있다. 베이징출판사에서 1961년부터 『옌산 야화』 합본의 출간을 시작하였다. 제1집은 1961년에, 제2, 3, 4, 5집은 1962년에 출간되었으며, 1963년에 『옌산 야화』 합본이 출간되었다. 덩퉈는 합본 서문에서 "『옌산 야화』 합본을 출간하면서 다시 수정을 거쳤다. 이 작업은 꽤나 큰 작업으로, 한 편씩 쓰는 것처럼 쉽지 않았다. 그래서 몇몇 부분을 바로잡는 것에 그쳤다. 이 경험을 통해 모든 일은 일단 할 때 진지하게 임해야지, 나중에 고치려면 아주 힘들다는 교훈을 얻었다. 어떤 이는 한 편씩 쓰는 것도 힘이 많이 드는 일인데, 시간이 지체되는 것이 걱정되지 않느냐고 물었다. 솔직히 말하자면, 나는 짧은 글을 쓰는 것이 그리 힘들다고 생각하지 않는다. 관점과 소재만 있다면 손 가는 대로 쓰면 그만이라, 시간만 좀 있다면 쓸 수 있다. 이것은 일반적인 글은 짧을수록 좋고, 글을 짧게 쓴다면 바빠서 못 쓸 일은 없다는 것을 증명해 준다. 우리는 이런 위대한 시대에 살고 있고, 조상들이 피와 땀으로 일궈낸 옌산 지역에서 활동하고 있다. 우리는 단 한순간도 노력을 게을리하지 말고, 더 열심히 배우고 노력해서 선조에게도, 후세에도 부끄럽지 않게 해야 한다"라고 밝혔다.

　문화대혁명 초기에 덩퉈와 그의『옌산 야화』는 린뱌오와 '4인방'의 비판을 받았다. 1966년 4월 16일자『베이징일보』는 세 면을 할애해『옌산 야화』와『싼자춘 찰기』에 관한 비판 자료를 게재하고 덩퉈의 직무를 중단하였다. 5월 8일, 장칭은『해방일보』에「반당적이고 반사회주의적인 반동 노선을 향해 발포하자向反黨反社會主義的黑線開火」를 발표해『옌산 야화』와『싼자춘 찰기』를 악의적으로 공격하였다. 5월 10일, 야오원위안은『문회보』와『해방일보』에 동시에「'싼자춘'을 평하다—『옌산 야화』,『싼자춘 찰기』의 반동적 본질評"三家村"——<燕山夜話>, <三家村劄記>的反動本質」을 발표해 덩퉈, 우한, 랴오모사를 악랄하게 공격하고, 덩퉈를 소위 '싼자춘 집단'에 포함시켰다. 5월 16일, 중앙에서는「5·16 통지를 통해 반당적이고 반사회주의적인 반동 노선에 맹렬히 발포할 것을 호소한다五一六通知號召向反黨反社會主義的黑線猛烈開火」를 발포하였다.

　1966년 5월 18일, 덩퉈가 사망하였다. 문화대혁명이 종결된 후 중공 베이징시위원회에서 '싼자춘 반당집단 오판 사건'의 철저한 복권을 정식으로 결정해 덩퉈와 그의 잡문이 오명을 벗게 되었다. 1979년 4월에 베이징출판사에서『옌산 야화』의 재판이 출간되었다. 재판에는 1963년 말에 추가된「진강과 왕경의 안건陳絳和王耿的案件」,「비둘기의 이름은 비둘기다鴿子就叫做鴿子」,「올해 춘절今年的春節」등 3편의 잡문과 딩이란丁一嵐의 서문「그저 기념을 위해서만이 아니다不單是爲了紀念」가 추가되었다. 재판의 인쇄 부수는 1~150,000부이다. 덩퉈의 부인 딩이란은「그저 기념을 위해서만이 아니다—『옌산 야화』재판에 부쳐不單是爲了紀念——寫在<燕山夜話>再版的時候」에서 "이 잡문들은 그 기치가 선명하고, 애증이 분명하며, 시대의 병폐를 정확히 지적하면서도 짧고 간결하고, 흥미진진하고 우의寓意가 풍부해 수많은 독자의 환영과 지지를 널리 얻었다. 전국의 여러 신문과 잡지에서 이를 모방해 유사한 잡문 특별란을 개설해 당시의 '백화제방, 백가쟁명' 풍조에 생기를 더했다"라고 밝혔다. 주변인의 회고에 의하면 당시 라오서가 어느 편집자에게 덩퉈에 대해 "큰 필치로 작은 문장을 쓰는 독창적인 형식을 창조해 독자적인 풍격을 갖추었다"라고 평했다고 한다.[4]

20일, 『인민일보』에 펑쯔의「천극 신인의 새로운 연기川劇新人新演技」, 저우얼푸의 보고문학「초원 위의 봄 경치草原上的春光」가 발표되었다.

---

4) (구싱顧行, 류명홍劉孟洪,「덩퉈 동지와 그의『옌산 야화』鄧拓同志和他的<燕山夜話>」,『덩퉈를 추억하며憶鄧拓』제31, 32쪽, 푸젠인민출판사 1980년.

21일, 『광명일보』에 궈모뤄의 구체시 「시 2편詩二首」이 발표되었다.

22일, 문화부가 중난하이 쯔광거紫光閣에서 희곡 각본 및 감독 공작 좌담회를 개최해 베이징 희곡계의 지도자, 각본가, 감독 및 공연을 위해 베이징을 방문한 쓰촨성 충칭시 천극원의 주요 배우들이 참석하였다. 치옌밍이 좌담회를 주최하였으며 천이 부총리가 참석해 "한계성 문제", "역사극 창작 문제", "유산의 긴급 구조 문제" 등에 관해 연설하였다.

『베이징만보』에 하오란의 산문 「사소한 일 속편小事續篇」이 발표되었다.

23일, 『민간문학』 3월호에 허치광의 「『대약진 공인가요선』 서문＜大躍進工人歌謠選＞序」 및 키르키즈족 민가 19편이 발표되었다.

『인민일보』에 차오징화의 산문 「꽃花」이 발표되었다.

『광명일보』에 리준의 산문 「진차오의 이른 봄金橋早春」이 발표되었다.

『베이징만보』에 위안잉의 잡문 「진정한 미국을 보았다看到了真正的美國」, 마난춘의 잡문 「하늘을 두려워하지 않는다不怕天」가 발표되었다.

24일, 바진이 단장을 맡은 중국작가대표단이 일본 도쿄에 도착해 아시아 아프리카 작가회의 위원회 도쿄 긴급회의에 참가하였다.

『해방일보』에 야오원위안이 「계급투쟁의 역사적 경험으로써 인민을 교육하자用階級鬥爭的歷史經驗教育人民」를 발표해 천바이천 등이 창작한 극본 「루쉰 전기」에 관하여 역사극 소재 문제를 언급하였다.

25일, 『시간』 제3호에 궈샤오촨의 시 「탄광 도시의 메아리煤都的回聲」가 발표되었다.

『문회보』에 시옌의 「새 집을 짓는 새 주인－민족형식 창조에 대한 루쉰의 의견을 다시 학습하다做新宅子的新主人——重溫魯迅對創造民族形式的意見」가 발표되었다.

『중국청년보』에 탕타오의 잡문 「귀신에 관하여談鬼」가 발표되었다.

26일, 『문예보』 제3호에 허우진징의 「창작 개성과 예술적 특징－루즈쥐안의 소설 독서 감상創作個性和藝術特色——讀茹志鵑小說有感」 및 장광녠이 집필한 전문 논고 「소재 문제題材問題」가 발표되었다. 장광녠은 글에서 "사회주의 문예를 촉진하는 백화제방을 표현하기 위해서는 소재 문제에 존재하는 불합리한 규율을 반드시 타파해야 한다"라고 주장하면서, "일부 문예평론은", "중대한 소재를 다뤘는가 하는 것을 작품의 가치를 평가하는 최우선 기준 혹은 주된 기준으로 삼아", "소재 문제에서의 단순화 경향을 퍼뜨리거나 혹은 조장하였다"고 보았다. 그는 또한 "소재 문제에서의 편협화 경향은 일부 동지들이 문예와 정치의 관계를 과도하게 편협하게 이해했기 때문이다"라고 보았다(『인민일보』 5월 10일자에 본 주제에 관한 개요가 전재되었다).

『문예보』에서는 6월호와 7월호에 '소재 문제론' 특집란을 개설해 저우리보의 「소재 약론略論題材」, 후커의 「소재에 대한 얕은 견해對題材的淺見」, 펑치융의 「소재와 사상題材與思想」, 샤옌의 「소재, 주제題材, 主題」, 톈한의 「소재의 처리題材的處理」, 라오서의 「소재와 생활題材與生活」 등의 글이 발표되었다. 1963년, 탕타오는 『문학평론』 제1호에 발표한 「소재에 관하여關於題材」에서 본 토론을 이론적으로 돌아보고 보충하였다.

같은 호에 천모의 「화극창작에 존재하는 몇 가지 문제 질의話劇創作中幾個問題質疑」가 발표되어 희극 속의 갈등, 인물 형상 및 창작 방식 등 몇 가지 문제에 대해 의문을 제기하였다.

『인민일보』에 후완춘의 소설 「다리를 건너다過橋」가 발표되었다.

『광명일보』에 톈한의 구체시 「천겅 동지를 추모하며悼陳賡同志」가 발표되었다.

『베이징만보』에 마난춘의 잡문 「'잡가'를 환영한다」가 발표되었다.

27일, 『인민일보』에 쉬광핑의 회고록 「루쉰 선생은 창작과 편집 공작을 어떻게 대했는가魯迅先生怎樣對待寫作和編輯工作」의 연재가 시작되어 29일에 완료되었다. 같은 호에 친무의 수필 「'재난을 미연에 방지하는' 사상예술"曲突徙薪"的思想藝術」이 발표되었다.

27일~30일, 아시아 아프리카 작가회의 상설위원회 긴급회의가 도쿄에서 개최되어 아시아 아프리카 18개국의 작가 대표들이 참가하였다. 바진이 중국대표단 단장을, 양숴가 대표단 비서장을 맡았으며 구성원에는 빙신, 사팅, 예쥔젠 등이 포함되었다. 바진이 축사를 하였다. 회의 후에 「아시아 아프리카 작가회의 상설위원회 도쿄 긴급회의 성명亞非作家會議常設委員會東京緊急會議公報」이 발표되었다(3월 31일자 『인민일보』와 『해방일보』에 전문이 게재되었다).

28일, 『인민일보』에 궈펑의 산문시 「베이징 2장北京二章」이 발표되었다.

『광명일보』에 쌍커자의 시 「큰 깃발—루뭄바의 죽음—面大旗——盧蒙巴之死」 등 2편과 뤼웨이성의 산문 「버드나무가 푸르다─농민 조합 풍경楊柳青青──農會即景」이 발표되었다.

『베이징일보』에 라오서의 산문 「봄이 오고 꽃이 피니 손님이 온다春暖花開賓客來」가 발표되었다.

29일, 『인민일보』에 짱커자의 시 「과원집果園集」이 발표되었다.

30일, 『광명일보』에 궈모뤄의 구체시 「잔장 송가頌湛江」(「바다를 막는 공정堵海工程」, 「항구港口」, 「레이저우 청년 운하雷州青年運河」, 「「춘진차오」 공연을 보다看演＜寸金橋＞」 등 4편)가 발표되었다.

『베이징만보』에 마난춘의 잡문 「식량이 나무에서 자랄 수 있는가?糧食能長在樹上嗎?」가 발표되었다.

31일, 문화부 당조에서 중앙선전부에 「서적의 질 제고 및 출판공작 개선에 관한 의견關於提高書籍質量, 改進出版工作的意見」을 보고해 출판공작 개선을 위한 다섯 가지 원칙과 장기적인 제목의 정확한 선정, 원고 편집 심사 제도의 건전화 등 13가지 조치를 제시하였다.

『인민일보』에 웨이양의 시 「밥 한 그릇一碗飯」, 친무의 수필 「뱀과 농작물蛇與莊稼」이 발표되었다.

이달에 해방군 총정치부 선전부에서 일부 베이징 주둔 부대의 작가 및 문예가를 소집해 좌담회를 개최해 문예창작 문제를 토론하였다.

베이징시 작가협회에서 차오위의 신작 극본 「와신상담臥薪嘗膽」에 관한 좌담회를 여러 차례 개최하였다. 위안수이파이의 건의에 따라 차오위는 극본의 제목을 「단검편膽劍篇」으로 확정하였다.

상하이인민예술극원, 중국복리회 아동예술극원 등 화극 공연단체에서 작품 순환 공연제를 채택하기 시작하였다.

자오수리가 산시 친수이沁水, 창즈長治 등지에서 판융푸潘永福를 방문한 후 소설 「착실한 일꾼 판융푸實幹家潘永福」를 창작하였다.

상하이문예출판사에서 편찬한 『해방전쟁 시기 가요解放戰爭時期歌謠』가 출간되었다.

춘풍문예출판사에서 편찬한 『마오 주석의 저작이 금빛을 발한다毛主席著作放金光』가 출간되었다.

마웨이馬威의 단편소설집 『청춘의 화염青春的火焰』이 허난인민출판사에서 출간되었다.

양즈린, 차오밍푸喬明甫의 혁명 회고록 『옥중에서의 왕뤄페이』가 중국청년출판사에서 출간되었다.

혁명 회고록 『베이핑 톈진 전투 회고록平津戰役回憶錄』, 『여명 전의 어둠을 돌파하다沖破黎明前的黑暗』가 베이징출판사에서 출간되었다.

천쥔陳軍이 번역한 아르헨티나 작가 아구스틴 쿠자니의 3막 풍자극 『공격수는 여명 전에 죽는다』가 중국희극출판사에서 출간되었다.

이달 하순에 바진이 아시아 아프리카 작가회의 도쿄 긴급회의 기간에 일본 작가 이노우에 야스시井上靖의 자택을 방문해 일본의 저명한 평론가 나카지마 겐조中島健藏와 인연을 맺었다.

잡지 『홍기수』가 폐간되었다.

봄에 시인 궈샤오촨이 안산鞍山, 푸순撫順 등지를 방문한 후 시 「용철을 꺼낼 때出鋼的時候」, 「탄광 도시의 메아리」 등의 작품을 창작해 이후에 시집 『두 도시 송가兩都頌』에 수록되었다.

3월에서 6월 사이에 베이징시 문련에서 세 차례의 좌담회를 소집해 전통 희곡 작품의 발굴, 정리, 수정 문제에 관해 토론하였다.

4월

1일, 『산화』 4월호에 젠센아이의 단편소설 「창장의 봄 경치楚江春色」가 발표되었다.

『신항』 4월호에 리잉의 시 「야영 서정野營抒情」(3편) 및 젠센아이의 「새 며느리新媳婦」(1961년 3월 8일에 구이양貴陽에서 창작), 비예의 「한강 예찬漢江禮贊」, 궈펑의 「산간 지대 3편山區三題」(「서리 내린 아침霜晨」, 「대대 화학 비료 공장大隊化肥廠」, 「임산 화학공장林產化工廠」 3편 수록, 1961년 2월 14일에서 18일 사이에 푸저우에서 창작) 등의 산문이 발표되었다. 같은 호에 차오바오화, 취젠밍渠建明이 번역한 「고리키 문예 서간高爾基文藝書簡」의 연재가 시작되어 연말에 완료되었다.

『쓰촨문학四川文學』과 『별』이 합병되어 명칭은 그대로 『쓰촨문학』으로 간행되었다. 4월호에 바진의 단편소설 「재회再會」, 량상취안의 시 「퉁장의 노래通江歌」가 발표되었다.

『해방군문예』 4월호에 량빈의 소설 『파화기』 제25~29장 「쉬징 풍운鎭井風雲」의 연재가 시작되어 5월호에 완료되었다. 같은 호에 리시판의 「전형, 개성, 그리고 군상典型, 個性和群象」과 옌천의 연작시 「아우슈비츠 수용소奧斯威辛集中營」가 발표되었다.

『우화雨花』 4월호에 판인차오의 구체시 「쑤저우 신영蘇州新詠」(8편), 아이쉬안艾煊의 보고문학 「벽라춘신碧螺春汛」이 발표되었다.

아이쉬안(1922~2001), 본명은 광다오光道로 안후이성 수청舒城 출신이다. 『신화일보』 편집위원 및 부간 편집장, 장쑤성 문련 부주석, 장쑤성 작가협회 주석 등을 역임하였다. 저서로 산문집 『벽라춘신』, 영화문학 극본 『비바람 부는 중산 아래風雨鍾山下』 등이 있다.

『민족단결民族團結』 4월호에 궈샤오촨의 시 「탄광 도시와 작별하며別煤都」, 옌천의 시 「패랭이

꽃石竹花」(2편)이 발표되었다.

『아동시대兒童時代』 제7호에 위안잉의 시「류원쉐를 영원히 기억하리－류원쉐 상찬永遠記住劉文學
──劉文學像贊」, 캉줘의「다이현의 폭풍우代縣風暴」가 발표되었다.

『인민일보』에 궈모뤄의 구체시「하이난 기행海南紀行」(「하이난다오 송가頌海南島」, 「야현 가무
단에 바치다贈崖縣歌舞團」 등 총 10편 수록)이 발표되었다.

2일, 『인민일보』의「신민가선新民歌選」란에 티베트족 민가「마오 주석께 바치다獻給毛主席」,
톈젠의 신민가 평론「길－수상록路──隨感錄」, 원제의 수필「나는 민가를 사랑한다我愛民歌」가 발
표되었다.

『베이징만보』에 마난춘의 잡문「가장 현대적인 사상最現代的思想」이 발표되었다.

3일, 『인민일보』에 샤옌의 과학 소품문「피마자 예찬蓖麻贊」이 발표되었다.

4일, 『인민일보』에 저우제푸의 산문「산촌의 봄밤山村春夜」이 발표되었다.

『베이징문예』 4월호에 류허우밍의「아동 심리상태의 묘사에 관하여－아동문학 찰기談談兒童心
理活動的描寫──兒童文學劄記」가 발표되었다.

5일, 『해방解放』 월간 제5호에 사설「마르크스레닌주의 학풍을 제창하고 발양하자提倡和發揚
馬克思列寧主義的學風」가 발표되어 실사구시의 학풍을 통해 '백화제방, 백가쟁명'을 촉진할 것을 제
창하였다. 본 사설은『문회보』 등에 전재되었다.

『북방문학』 4월호에 옌천의 시「항구海港」, 바이웨이白薇의 시「강철이 금빛 바다를 노래한다鋼
鐵歌唱金色海」가 발표되었다.

『상하이문학』 4월호에 후완춘의 소설「권리權利」가 발표되었다. 같은 호에 친무의 문예수필「
예술의 바다에서 조개를 줍다藝海拾貝」의 연재가 시작되어 1961년 12월호에 완료되었다.

『인민일보』에 수난舒楠의 총론「역사극 문제에 관한 토론關於歷史劇問題的討論」이 발표되어 1960
년 10월 이후로 전개된 역사극 토론을 종합 정리하였다. 1960년 10월부터『상하이희극』,『희극보
』,『극본』,『문회보』,『광명일보』,『베이징만보』 등의 간행물에 역사극 문제에 관한 토론문 30여
편이 발표되어 '역사극이란 무엇인가', '역사극에서의 옛것을 오늘의 현실에 맞게 활용하는 문제'

에 관해 집중적으로 토론하였다. "반드시 역사유물주의적 관점을 통해, 역사를 소재로 하여 역사극 창작을 진행해야 한다. 역사극의 임무는 객관적인 역사의 진실을 반영하는 것뿐만이 아니라, 그보다 더 중요한 것은 역사의 진실을 통해 그 속에서 교육과 격려의 역할을 취하여 오늘날의 사회주의 혁명과 사회주의 건설에 이롭게 하는 것이다. 이 두 가지 근본적인 문제에 관해서는 모두의 견해가 일치한다. 그러나 어떠한 역사적 자료에 근거할 것인가, 역사적 자료란 곧 역사적 진실을 말하는 것인가, 역사적 진실과 예술적 진실의 관계, 옛것을 오늘의 현실에 맞게 활용하는 방법, 그리고 역사적 인물(왕후장상과 인민 군중을 모두 포함하는 역사상의 영웅들)의 역할을 정확하게 평가하는 방법 등의 문제들에 관해서는 서로 다른 의견이 존재한다."

'역사극이란 무엇인가'라는 문제에 관해 우한은 「역사극에 관하여」(1960년 12월 25일자 『문회보』)에서 "역사극은 반드시 역사적 근거를 가져야 한다. 인물과 사실에 모두 근거가 있어야 한다", "역사극의 임무는 역사의 실제 상황을 반영하고, 그 속에서 유익한 경험을 취하여 수많은 인민들에게 역사주의 및 애국주의 교육을 진행하는 것이다"라고 보았다. 닝푸건寧富根은 「인민 군중의 모습을 창조하고, 그 역할을 강조하자塑造人民群眾的形象突出人民群眾的作用」(『상하이희극』 1960년 제2호)에서 "예술적 진실은 반드시 역사적 진실보다 우위에 있어야 하며, 역사적 진실의 속박을 받지 않아야 한다", "극작가는 역사적 진실의 기초 위에서 드넓은 예술 창조의 길을 가진다"라고 보았다. 치옌밍은 「역사극과 역사적 진실성歷史劇和歷史真實性」(『극본』 1960년 제12호)에서 역사극의 작가는 반드시 역사적 진실성에 주의해야 하고, 역사적 시대 및 사건과 인물의 진실, 특히 시대적 사상의 진실을 존중해야 한다고 보았다.

'옛것을 오늘의 현실에 맞게 활용하는 문제'에 관해 마사오보는 「역사극에서의 옛것을 오늘의 현실에 맞게 활용하는 문제에 관하여淺談歷史劇的古爲今用」(『극본』 1961년 제12호)에서 "옛것을 오늘의 현실에 맞게 정확하게 활용하기 위해서는 역사적 진실성과 현실의 교육적 역할이 통일되어야 한다"라고 보았다. 쳰잉위錢英鬱는 「역사극에서의 옛것을 오늘의 현실에 맞게 활용하는 문제에 관하여也談歷史劇的古爲今用」(『상하이희극』 1960년 제11호)에서 역사극 창작의 성패를 가르는 결정적 요인은 "작가가 마르크스레닌주의적 입장과 관점과 방법을 가지고 역사적 소재를 정확하게 취사선택하는 데 있다"고 보았다.

역사 인물을 정확하게 평가하는 방법에 관해 치훙齊虹은 「왕후장상 및 기타帝王將相及其他」(『상하이희극』 1961년 제2호)에서 "왕후장상의 진보성을 긍정함에 있어 정도를 지켜야 한다. 그들이 어느 정도의 진보성을 가지고 있다는 이유로 맹목적으로 찬양하거나 혹은 과도하게 미화해서는 안 된다"라고 보았다. 쑨제孫傑는 「역사극에서의 옛것을 오늘의 현실에 맞게 활용하는 문제 등에 관하여歷史劇的古爲今用及其他」(『상하이희극』1961년 제1호)에서 "역사극에서의 인물 성격 창조는 반드시 역사주의적으로 대해야 한다. 시대적 특징뿐만 아니라 인물의 계급성에도 주의해야 한다"라고 보았다. 치엔밍 역시 "역사 인물에 대한 정확한 평가는 그들을 역사적 지위에 두고서 평가해야만 가능하다"라고 보았다.

인민 군중의 역할을 묘사하는 방법에 관해서는 우선 중국 농민전쟁을 어떻게 묘사할 것인가 하는 문제가 대두되었다. 양콴은 「역사극의 역사 진실 반영 방법 문제 만담」(『상하이희극』1960년 제12호)에서 "농민전쟁의 일반적인 발전 규칙뿐만 아니라, 더 중요한 것은 중국 농민전쟁의 특징과 중국 인민의 영광스러운 혁명 전통을 표현하는 것이다. 또한 모든 농민전쟁의 주된 특징을 표현해야 한다"라고 보았다. 농민전쟁의 실패를 표현해도 되는가 하는 문제에 관해 그는 "개별적인 농민전쟁의 실패에 관해서는 표현할 수 있다. 어떠한 방식으로 이들의 투쟁을 계속하는 정신과 수많은 인민들이 혁명의 앞날에 대해 가지고 있는 믿음을 표현하는가가 중요하다"라고 보았다. 쉬진徐進은 「역사극 창작 과정에서의 몇 가지 깨달음歷史劇寫作中的幾點體會」(『상하이희극』1961년 제1호)에서 창작 과정에서 인민이 역사의 창조자라는 개념을 단순화해서 표현해서는 안 되며, "결코 어떤 공식을 정해 두고서, 인민이 역사의 창조자이므로 모든 역사극이 몇몇 인민 군중에서만 출발하게 해서는 안 되며, 이러한 인민 군중을 표현하는 목적은 민족 영웅을 교육해 그들이 인민의 역량 아래서 굳건해져 인민 역량의 결정적인 요소를 드러내기 위해서라고 말해서는 안 된다"라고 보았다.

6일, 『민족단결』4월호에 아오더쓰얼敖德斯爾의 소설 「초원 위草原上」가 발표되었다.

아오더쓰얼(1924~2013), 몽골족 작가로 본명은 아·아오더쓰얼阿·敖德斯爾이며 네이멍구 자오우다멍昭烏達盟 바린우기巴林右旗 출신이다. 1945년에 혁명에 참가하였으며 『초원』, 『꽃의 들판花的原野』잡지 편집장, 네이멍구 문련 부주석 및 명예주석, 네이멍구 작가협회 주석 등을 역임하였다. 저서로 장편소설 『기병의 노래騎兵之歌』, 중편소설집 『초원의 아들草原之子』, 중단편소설집 『진주가 흩뿌려진 초원撒滿珍珠的草原』등이 있다.

『베이징만보』에 둥비우의 구체시 「충화 온천從化溫泉」(3월 2일에 창작), 마난춘의 잡문 「벗을 사귀고 손님을 대접하는 도리交友待客之道」가 발표되었다.

『베이징일보』에 라오서의 단문 「세 가지가 많다三多」가 발표되었다.

『미술美術』제2호에 라오서의 문예평론 「봄맞이 회화 전람회迎春畫展」가 발표되었다.

7일, 『인민일보』의 '필담 산문' 특집란에 마톄딩의 산문 「뭇 꽃들이 아름다움을 다투다群芳競麗, 各顯神通」가 발표되었다.

8일, 『문예보』 편집부에서 '중국 문예의 이론 유산의 비판적 계승' 좌담회를 개최해 마오둔, 린모한, 톈한, 멍차오 등이 참석해 발언하였다. 『문예보』에서는 제5호와 제7호에 특집란을 개설해 이에 관한 필담을 지속적으로 게재하였다. 본 좌담회에는 쭝바이화, 위핑보, 멍차오, 탕타오, 왕차오원, 왕야오, 유궈언, 주광첸, 천샹허, 궈사오위, 리지쓰王季思 등 저명한 고전문학 연구자 및 이론가들이 참석하였다.

왕뤄페이와 예팅葉挺 등 '4 · 8' 열사 순국 15주년을 기념해 『인민일보』, 『중국청년보』 등에 둥비우의 구체시 「오군영－'4 · 8' 열사 서거 15주년을 기념하며五君詠——紀念"四八"烈士遇難十五周年」 및 궈모뤄 등의 시와 기념의 글이 발표되었다.

『해방군일보』에 둥비우의 구체시 친필 원고 「「옥중에서의 왕뤄페이」를 읽고讀＜王若飛在獄中＞」가 발표되었다.

9일, 『인민일보』에 궈사오촨의 시 「늙은 광부의 사랑老礦工的愛情」, 쉬츠의 보고문학 「물고기의 신화魚的神話」가 발표되었다.

『해방일보』 제1면에 둥비우의 구체시 「오군영－'4 · 8' 열사 서거 15주년을 기념하며」가 발표되었으며 편집자의 말이 추가되었다.

『베이징만보』에 마난춘의 잡문 「'삼십진신두도'를 평하다評"三十鎮神頭圖"」가 발표되었다.

10일, 『산둥문학』 4월호에 뤼웨성의 산문 「봄날에 타이산에 오르다春日登岱」가 발표되었다.

『극본』 4월호에 상하이희극학원 실험화극원에서 공동 창작한 화극 극본 「전투하는 청춘戰鬥的青春」이 발표되었다.

11일~24일, 중공중앙 선전부에서 고등교육기관 문과 교재 편찬 기획회의를 소집해 대학 및 전문대학의 문과 교재 편찬 공작의 계획을 시작하였다.

12일, 『인민문학』 4월호에 자오수리의 「착실한 일꾼 판융푸」, 리류루의 「잠자는 사자가 포효하다睡獅怒吼了」(장편소설『60년의 변천』제2권 부분), 궈샤오촨의「하산下山」, 마라친푸의「6월의 첫 아침六月的第一個早晨」등의 소설과 톈졘의「해당海棠」, 옌천의「미키에비치 상密茨凱維支象」, 「당신들과 우리의 자유를 위하여爲了你們和我們的自由」등의 시, 우보샤오의「어떤 물레를 기억하며記一輛紡車」(1961년 2월 15일에 창작해 1963년 4월에 작가출판사에서 출간된『북극성北極星』에 수록되었으며, 1983년에 인민문학출판사에서 출간된『우보샤오 산문선吳伯簫散文選』에 수록되었고, 1980년 8월에는 인민문학출판사에서 출간된『산문특필선 1949∼1979散文特寫選1949─1979』제2권에 수록되었다), 샤옌의「쿠바 기행古巴紀行」, 친무의「제야의 꽃시장年宵花市」등의 산문, 마자의「광저우 농민운동 강습소를 기억하며記廣州農民運動講習所」가 발표되었다.

『해방군문예』4월호에 량빈의 장편소설『파화기』제25∼29장「쉬징 풍운」이 발표되었다.

『인민일보』에 친무의 시「위대한 평범偉大的平凡」이 발표되었다.

13일, 소련이 우주선 발사에 성공하였다.

문화부에서「과거 출판도서에 대한 중점적인 정리 진행에 관한 통지關於對曆年出版的圖書進行重點清理的通知」를 발포해 건국 이후에 출판된 15만 종의 도서에 대해 중점적인 정리를 진행해 수량, 품질, 품종 유형 등 세 가지 측면의 기본 상황을 파악할 것을 요구하였다.

광저우『양청만보』'문예평론' 격주간 특집란에 위펑의 장편소설『진사저우金沙洲』에 관한 평론이 게재되어 문학의 전형 문제에 관한 토론이 시작되었다. 토론은 4월 중순부터 8월까지 진행되어 220여 편의 토론문이 발표되었다. 차이이는「문학예술에서의 전형 문제文學藝術中的典型問題」(『문학평론』1962년 제6호)에서 이번 토론에서 우선 다룬 문제는 전형이 무엇인가에 관한 문제로, 여러 토론자들이 "전형은 공통성과 개성의 통일, 혹은 보편성과 개별성의 통일이다"라는 점에 찬성했다고 보았다.

이 외의 주된 논점은 계급사회에서의 전형 인물의 보편성과 계급성의 관계에 관한 문제로, 이에 대한 의견은 세 가지로 나뉜다. 첫째는 전형의 보편성이 곧 계급성이라고 보는 관점으로, 쑨즈룽孫之龍의「전형이란 무엇인가典型是什麼」(『양청만보』6월 13일자)가 이에 속한다. 둘째는 전형의 보편성이 계급성에 한정되지 않고 더 넓은 사회성을 포함한다는 관점으로, 천쩌광陳則光의「전형의 사회성을 논하다論典型的社會性」(『양청만보』12월 21일자)가 이에 속한다. 셋째는 전형의 보편성이 계급성과 유형성이라는 의견으로, 우원후이吳文輝의「전형의 보편적 의의를 논하다論典型的普遍意義」(『양청만보』1962년 1월 18일자)가 이에 속한다. 이 외에도, 1961년 8월 3일자『양청만보』에는 중국작가협회 광둥분회 이론연구조의「전형 형상─익숙한 낯선 이典型形象──熟悉的陌生人」가 발표되어 벨린스키의 '익숙한 낯선 이'라는 관점을 인용해 이 토론 과정에서 점차 나타난 '절대주의' 사상 방법과 '전형이 곧 대표'라는 논리에 대해 비평하였다. 글은 '절대주의'가 "성격, 환경, 소재의 획일화를 초래"할 수 있으며, '전형이 곧 대표'라는 논리는 "일반적인 예술 규율의 개별적인 반영과 전혀 공통점이 없다"고 보았다. 글의 결론에서는 예술 전형에 대한 비평은 "생활의 변증법, 예술의 변증법, 그리고 일반적인 예술 규율의 개별적인 반영을 존중해야 한다. 즉 일반적인 것과 개별적인 것을 모두 인정하고, 공통성과 개성을 모두 인정하며, 작품의 구체적인 실제에서 출발해 구체적인 인물에 대해 구체적인 분석을 진행해야만 문예비평의 단순화, 절대화 경향을 극복할 수 있다"라고 밝혔다.

『인민일보』에 궈모뤄의 시 「동방호를 노래하다歌頌東方號」, 톈한의 시 「소련 우주선의 귀환을 축하하며賀蘇聯載人宇宙飛船歸航」, 짱커자의 시 「지구에게 작별을 고하다向地球告別」(외 1편)가 발표되었다.

『문회보』에 위안잉의 시 「구장 안팎球場內外」이 발표되었다.

14일, 『광명일보』에 톈젠의 시 「최초의 우주비행사에게─최초의 우주선을 축하하며寄第一個宇宙飛行員──並賀第一個載人宇宙飛船」가 발표되었다.

15일, 『전영예술』 제2호에 천황메이의 「시대에 부끄럽지 않은 새로운 영웅 인물을 창조하자創造無愧於時代的新英雄人物」, 뤄이쥔羅藝軍의 「사회주의 영화와 희극에 관하여試談社會主義的電影戲劇」, 라오서의 문예필담 「풍격과 한계風格和局限」가 발표되었다.

『인민일보』에 덩퉈의 「사리풀·유리 가가린(유리 알렉세예비치 가가린: 소련의 우주비행사로 1961년 4월 12일에 인류 최초로 우주 비행을 하였음-역자 주) 동지를 축하하며天仙子·祝賀尤·阿·加加林同志」가 발표되었다.

『광명일보』에 궈모뤄의 시 「다시 「동방호」를 노래하다再歌頌＜東方號＞」가 발표되었다.

16일, 『아동시대』 제8호에 위안잉의 산문 「징강산에서 보낸 편지從井岡山寄出的一封信」가 발표되었다.

『문회보』에 리류루의 장편소설 『60년의 변천』의 일부가 「난창성 아래南昌城下」라는 이름으로 연재되기 시작해 16, 20, 23일자에 연재되었으며 편집자의 말이 추가되었다.

『베이징만보』에 짱커자의 시 「두 가지 공적을 축하하다─중국 탁구선수의 단체전과 남녀 개인전 세계 1위를 축하하며雙慶功──賀中國兵兵球選手獲得團體賽世界冠軍及男女單打世界冠軍」, 마난춘의 잡문 「우주비행의 가장 오래된 전설宇宙航行的最古傳說」이 발표되었다.

17일, 미국 용병이 쿠바를 침략해 19일에 쿠바 군대가 미국군을 격퇴하였다. 베이징, 상하이 등지에서 대규모의 시위행진이 진행되었으며, 문예계에서 수많은 작품을 창작해 발표 및 공연하였다.

18일, 『광명일보』에 차오바오화, 취젠밍이 번역한 「고리키 문예 서간」의 연재가 계속되었다.

『중국청년보』에 리류루의 소설 「민중운동의 새로운 방향民衆運動的新方向」(장편소설 『60년의 변천』 제2부 부분)이 발표되었다.

19일, 『인민일보』에 위안잉의 시 「우리는 반드시 승리한다!我們必勝!」가 발표되었다.

20일, 『인민일보』에 원제의 「흰 눈과 태양이 대지를 비추다 – 「유삼저」 가사의 언어와 표현 기법 만담紅裝素裹——漫談<劉三姐>歌詞的語言和表現手法」, 쉬츠의 「노동 구호는 원천이다 – 공인 시인 황성샤오 시 약론勞動號子是源泉——略論工人詩人黃聲孝的詩」, 짱커자의 시 「혁명의 대문 앞에서 적을 소멸시키자 – 쿠바에 경의를 표하다把敵人消滅在革命的大門前——向古巴致意」, 리잉의 시 「쿠바여, 나는 너를 보았다古巴, 我看見了你」(외 1편), 궈모뤄의 잡문 「쿠바 침략자의 마수를 끊자打斷侵略古巴的魔手」가 발표되었다.

『베이징만보』에 마난춘의 잡문 「식물 속의 강철植物中的鋼鐵」이 발표되었다.

21일, 마오둔이 중국을 방문한 인도네시아 작가 대표단을 접견하였다.

『문예보』 편집부에서 소년아동문학 창작 문제 좌담회를 소집해 "소년아동의 요구를 더 많이, 더 완전히 만족시키자"라는 목표를 제시하였다. 좌담회 요록은 『문예보』 제5호에 게재되었다.

문화부와 대외문화연락위원회가 합동으로 「외국 서적 번역시 원작자에게 원고료를 전달하는 방법에 관한 통지關於翻譯外國書籍致送原作者稿酬辦法的通知」를 발포하였다.

『인민일보』에 톈젠의 시 「자유 쿠바 만세!自由古巴萬歲!」가 발표되었다.

『베이징일보』에 톈젠의 시 「나팔과 칼 – 영용한 쿠바 전사에게 바치다號角和砍刀——獻給英勇的古巴戰士」가 발표되었다.

22일, 『인민일보』에 궈모뤄의 시 「쿠바의 승리를 축하하며 – 미 제국주의 용병 군대가 쿠바를 침략했다가 이미 섬멸된 소식을 듣다祝賀古巴勝利——聞美帝雇傭軍隊侵入古巴, 已被擊潰」가 발표되었다.

『광명일보』에 톈한의 시 「쿠바의 승리를 위해 환호한다!爲古巴的勝利歡呼!」, 짱커자의 시 「네 가지 기운의 노래─쿠바의 대승리를 축하하며四氣歌──慶祝古巴大勝利」가 발표되었다. 이 두 편의 시는 모두 4월 21일에 창작된 것이다.

23일, 『민간문학』 4월호에 윈난대학 중문과 56학번 학생들이 수집 정리한 태족傣族 장편서사시 『랑징부郎鯨布』의 연재가 시작되어 5월호에 완료되었다.

『인민일보』에 리차오의 소설 「진구아뤄金古阿略」(장편소설 『일찍 온 봄早來的春天』 부분)와 짱커자의 시 「여자 미장공女瓦工」이 발표되었다.

『문회보』에 톈한의 구체시 「쿠바 혁명 군민이 미 제국주의 용병군을 섬멸한 소식을 기쁘게 듣다喜聞古巴革命軍民消滅美帝雇傭軍之捷」(3편)가 발표되었다.

『광명일보』에 우한의 산문 「칭화 기억─어두운 세월 속에서淸華雜憶──在黑暗的歲月裏」가 발표되어 24일자에 연재가 완료되었다. 이 글은 4월 11일에 칭화대학 개교 50주년을 기념해 창작된 글이다.

『베이징만보』에 마난춘의 잡문 「란커산 이야기 재해석爛柯山故事新解」이 발표되었다.

『시간』 제4호에 주더의 시 23편과 라오서의 문예필담 「더 넓게 보자看寬一點」가 발표되었다.

『인민일보』, 『문회보』, 『베이징일보』, 『해방군보』 등에 저우얼푸의 보도 「쿠바 전선에서在古巴前線」가 발표되었다.

『인민일보』에 가오스치의 과학 소품 「월궁 방문 전날 밤訪問月宮的前夜」이 발표되었다.

『광명일보』에 궈모뤄의 시 「케네디가 자백하다肯尼迪自白」, 친무의 산문 「사람과 보물人與寶藏」이 발표되었다.

『베이징일보』에 톈젠의 시 「훙잉紅鷹」(장시 『인력거꾼 전기』 제7부 「낙원가樂園歌」 제14장)이 발표되었다.

26일, 『문예보』 제4호에 마오둔의 문예이론 「1960년 단편소설 만평一九六零年短篇小說漫評」의 연재가 시작되어 제6호에 완료되었다. 마오둔은 글에서 1960년의 단편소설에 대해 "수량에서는 예년보다 다소 부족하지만 질은 더욱 제고되었다"라고 보았다. 같은 호에 천서우주의 「희극 속의 갈등을 논하다」, 바진의 「아시아 아프리카 작가회의 상설위원회 도쿄 긴급회의에서의 연설在亞非作家會議常設委員會東京緊急會議上致詞」이 발표되었다.

중국청년극원이 베이징에서 화극 「공격수는 여명 전에 죽는다」를 공연하였다. 극본은 아르헨티나 작가 아구스틴 쿠자니의 작품으로 천쿤이 번역하였으며 우쉐, 샤오치肖崎가 감독을 맡았다.

극본은『극본』1월호에 발표되었다. 역자인 천쥔은 "작가는 우화적 색채를 띤 줄거리를 통해 자본주의 생활방식의 추악한 본질을 날카롭고 강력하게 풍자하였으며, 끝없는 욕심으로 가득한 자산계급의 소유욕과 자본주의 사회에서 모든 것을 지배하는 금전의 세력을 무자비하게 폭로하였다"라고 보았다(「「공격수는 여명 전에 죽는다」번역 후기<中鋒在黎明前死去>譯後附記」,『극본』1961년 1월호).

『베이징만보』에 덩퉈의 시「비둘기 한 쌍雙鴿」이 발표되었다.

27일,『문회보』에 왕라오주의 시「가가린이 본 것을 나도 본다加加林看到的我也看見」가 발표되었다.

『베이징만보』에 마난춘의 잡문「양다옌의 귀로 읽는 법楊大眼的耳讀法」이 발표되었다.

28일, 마오둔이 미얀마 작가협회 주석을 접견하였다.

『인민일보』에 저우제푸의 산문「파종할 때播種的時候」가 발표되었다.

29일,『인민일보』에 양쉬의 산문「벚꽃비櫻花雨」가 발표되었다.

『광명일보』에 궈모뤄의 구체시「베이징 동물원을 유람하다遊覽北京動物園」(4월 25일에 창작), 제민의「평탄의 새로운 운율을 기쁘게 듣다喜聽評彈新韻」가 발표되었다.

30일,『희극보』제7, 8호 합본에「희극 속의 갈등 문제에 관한 토론—관련 논문과 원고 총론關於戲劇沖突問題的討論——有關論文和來稿綜述」과「역사극에 관한 쟁명關於曆史劇的爭鳴」등 두 편의 총론이 발표되었다.「희극 속의 갈등 문제에 관한 토론—관련 논문과 원고 총론」은 1960년 이후로 희극계에서 전개된 희극 속의 갈등 문제에 관한 토론 상황을 상세히 소개하고, 본 토론에서 희극 속의 갈등은 내용인가 형식인가, 희극 속의 갈등과 생활 모순의 관계, 희극 속의 갈등과 인물 창조와 성격 충돌, 인간과 자연의 모순 반영 등의 문제를 다루었다고 정리하였다.「역사극에 관한 쟁명」은 현재 여전히 진행 중인 역사극에 관한 토론을 정리하면서 토론에서 다루고 있는 역사극에서의 옛것을 오늘의 현실에 맞게 활용하는 문제, 역사적 진실과 예술적 진실의 관계, 봉건 통치계급 속의 영웅 인물 평가 문제, 역사에서의 인민 군중의 역할 표현 문제 등에 관해 정리하였다.

『문회보』에 돤무훙량의 산문「석강의 봄石鋼的春天」이 발표되었다.

『베이징만보』에 마난춘의 잡문「노동력을 애호하는 학설」이 발표되었다.

이달에 전국 각지에서 미국의 쿠바 침략에 항의하는 집회가 열렸으며, 문예계에서도 다수의 관련 작품을 창작하였다.

선충원이 차오위의 극본 「단검편」에 등장하는 기물과 도구에 대해 실물 참고 목록을 만들고 소장된 곳을 명시하였다.

리웨룬李月潤 등이 창작하고 자오밍위안趙明遠이 삽화를 그린 단편소설집 『행복의 난류幸福的暖流』(공안문예소총서公安文藝小叢書)가 군중출판사에서 출간되었다.

허징즈 등의 시집 『사회주의 조국社會主義祖國』(한자와 병음문자 대조본)이 문자개혁출판사文字改革出版社에서 출간되었다.

상하이민가편집위원회에서 편찬한 『벼꽃과 쇳물이 새로운 노래를 짓다稻花鋼水譜新歌』(1960년 『상하이 민가 선집』)가 상하이문예출판사에서 출간되었다.

쑹주핑宋祝平의 산문특필집 『조선 방문 잡기訪朝散記』가 푸젠인민출판사에서 출간되었다.

우위장吳玉章 등의 『충칭에서의 마오 주석毛主席在重慶』, 위안쉐카이袁學凱 등의 『영명한 예견英明的預見』, 탕핑주唐平鑄 등의 『천 리를 약진해 천하를 다투다千裏躍進逐鹿中原』, 예젠잉 등의 『위대한 전략 결전偉人的戰略決戰』, 왕진쉬안王進軒의 『우리 중대我們的連隊』 등의 혁명 투쟁 회고록이 해방군문예사에서 출간되었다.

톈한의 화극 「관한경」(『극본』 1958년 5월호에 최초 발표)의 수정본이 인민문학출판사에서 출간되었다. 이 책은 1958년 6월에 중국희극출판사에서 초판 단행본이 출간된 바 있다.

광시동족자치구廣西僮族自治區 '유삼저' 공연대회에서 각색한 8장 가무극 『유삼저』가 중국희극출판사에서 출간되었다.

페이바이飛白가 번역한 마야코프스키의 장시 『레닌列寧』이 상하이문예출판사에서 출간되었다.

국무원에서 천황메이를 문화부 전영국 국장으로, 쓰투후이민司徒慧敏과 지홍季洪을 부국장으로 임명하였다.

4월부터 6월 초까지, 예성타오가 쓰촨, 난징, 쑤저우 등지에서 교육공작을 시찰하면서 여행 중에 쓴 일기에 「쓰촨 여행 일기旅川日記」, 「음미할 만한 여행頗有回味的旅行」 등의 세목을 붙여 『나와 쓰촨我與四川』(쓰촨인민출판사 1984년 1월 출판) 및 『예성타오집葉聖陶集』 제23권에 수록하였다(『예성타오집』은 총 25권으로, 예즈산葉至善(예성타오의 장남—역자 주) 등이 편집해 장쑤교육출판사江蘇敎育出版社에서 1987년부터 출판을 시작해 1994년 9월에 완료하였다).

5월

1일, 중국작가협회와 중국을 방문한 인도네시아 전국 작가 대표단이 공동 성명을 체결하였다. 행사 후에 만찬을 가지고 인도네시아 대표단을 배웅하였다. 마오둔, 라오서, 허치팡, 장광녠, 궈샤오촨 등이 성명 체결 행사와 만찬에 참석하였다.

『옌허』 4, 5월호 합본에 류칭의 장편소설 『창업사』 제2부 제4, 5장이 발표되었다. 같은 호의 '단편소설 창작 문제 좌담' 특집란에 두펑청의 「줄거리에 관하여關於情節」가 발표되었다. 이번 호를 기해 『옌허』는 순문학 간행물에서 종합성 문예 간행물로 변경되어, 문학창작 작품을 위주로 하면서 음악, 희극, 미술 등의 내용을 추가하였다.

『신항』 5월호에 시 특집란이 개설되어 톈젠의 장시 『인력거꾼 전기』 제7부 「낙원가」의 '산정화원山頂花園'과 '천지天池' 등 두 장이 발표되었으며, 이 외에도 궈샤오촨의 「라오멍타이의 발자취를 쫓아서追隨著老孟泰的腳步」, 옌천의 「바르샤바華沙」, 왕라오주의 「인간 세상에 봄이 오니 산하가 웃는다春到人間山河笑」, 장융메이의 「혁명 고향革命故鄉」 등의 시가 발표되었다. 같은 호에 빙신이 번역한 타고르의 시 「방글라데시 풍경孟加拉風光」, 거바오취안이 번역한 모잠비크 시인 미카이아 Lilinhu mikaia의 시 「조국을 추억하다懷念祖國」(외 3편)가 발표되었다.

『쓰촨문학』 5월호에 옌이의 단편소설 「조각상雕象」, 량상취안의 시 「비천 예찬飛天贊」, 덩쥔우 鄧均吾의 시 「위수로 돌아가는 이를 배웅하다送人回玉樹」가 발표되었다. 같은 호에 '옛것을 오늘의 현실에 맞게 활용하는 문제에 관한 토론' 특집란이 개설되었다.

덩쥔우(1898~1969), 필명은 모성默聲, 웨이중微中으로 쓰촨성 구린古藺 출신이다. 1921년에 창조사에 가입해 궈모뤄, 위다푸, 청팡우와 함께 잡지 『창조』를 편찬하였으며 1922년부터 작품을 발표하였다. 『창조계간創造季刊』 편집자, 중국구린현위원회 서기, 중화전국문예계항적협회 이사를 역임하였다. 공화국 성립 후에는 충칭시 문련 부주석, 충칭시 작가협회 부주석, 잡지 『홍암』 편집장을 역임하였다. 대표작으로 신시 「백구白鷗」 등이 있으며 번역서로 『그리스 신화希臘神話』 등이 있다.

『열풍』 제4호에 궈펑의 산문 「섬 잡기海島散記」, 린췬잉林群英의 산문 「수향의 봄水鄉的春天」이 발표되었다. 이번 호를 기해 『열풍』이 월간에서 격월간으로 변경되어 홀수 달 1일에 출간되었다.

『해방군문예』 5월호에 하오란의 소설 「태양이 공중을 비추다太陽當空照」, 리잉의 시 「사람, 천체, 그리고 우주에 관하여關於人'星球和宇宙」 및 톈젠의 장시 『인력거꾼 전기』 제7부 「낙원가」 중에서 '웃어라!笑吧!'와 '화수火樹' 등 두 장이 발표되었다. 같은 호에 기사 「부대 예술창작의 수준을 적극적으로 제고하자—총정치부 선전부에서 소집한 가곡, 무용, 미술 창작좌담회 요록積極提高部隊藝術創作的水平——總政宣傳部召開的歌曲'舞蹈'美術創作座談會紀要」이 게재되었다.

2일, 『문회보』에 야오원위안의 문예이론 「미학 토론에 관한 몇 가지 문제—주광첸 선생에게 답하다關於美學討論的幾個問題——答朱光潛先生」가 발표되었다.

『베이징일보』에 쩌우디판의 시 「5월의 헌시五月之獻」, 펑쯔의 「새로운 형식, 새로운 풍격, 새로운 형태의 풍자극—「공격수는 여명 전에 죽는다」를 보고新形式'新風格'新型的諷刺劇——<中鋒在黎明前死去>觀後」가 발표되었다.

3일, 『문회보』에 우한의 「다시 역사극에 관하여再談歷史劇」가 발표되었다. 그는 글에서 「양문여장」을 둘러싸고 전개된 역사극 토론 문제에 관하여 "극작가의 자유에도 한계가 있다. 낭만주의는 만병통치약이 아니다"라고 자신의 견해를 밝혔다.

예성타오가 쓰촨에서 리제런을 방문하여 두 사람이 함께 자오줴쓰昭覺寺를 관람하였다.

4일, 『베이징문예』 5월호에 톈젠의 장시 『인력거꾼 전기』 제7부 「낙원가」 중에서 '덩굴줄기瓜和藤'와 '노랫소리歌聲' 등 두 장이 발표되었다.

『문회보』에 웨이진즈의 단문 「내가 영원히 젊게 해 다오使我永遠年輕」가 발표되었다.

『광명일보』에 궈모뤄의 논문 「「재생연」 앞부분 17권과 그 작가 진단생<再生緣>前十七卷和它的作者陳端生」이 발표되었다.

『베이징만보』에 마난춘의 잡문 「하룻강아지 범 무서운 줄 모른다初生之犢不怕虎」가 발표되었다.

『공인일보』에 덩훙의 혁명 회고록 「붉은 수송선紅色交通線」이 발표되었다.

5일, 『상하이문학』 5월호에 톈젠의 시 「천 번의 꿈一千夢」, 스튀의 산문 「난완南灣」, 궈펑의 산문 「민장 목운閩江木運」이 발표되었다.

『변강문예』 4, 5월호 합본에 샤오쉐의 시 「청춘 송가靑春頌」, 쯔후이紫暉, 니추泥芻의 「민족민간문학은 어째서 종교적 색채를 띠는가民族民間文學爲什麼有宗教色彩」, 천거화陳戈華의 「종교와 철학에 관하여泛談宗教和哲學」가 발표되었다. 이후에 『변강문예』 11월호에 멍류孟流의 「문학과 종교의 관계에 관하여關於文學和宗教的關系」가, 12월호에 저우톈헝周天恒, 룽차오장龍朝江의 「종교와 문예의 관계에 관하여 — 천거화 동지와의 논의也談宗教與文藝的關系──與陳戈華同志商権」가 발표되어 종교와 문학예술의 관계에 관한 토론이 전개되었다. 쯔후이와 니추는 글에서 "종교는 항상 민족민간문학에 소극적인 영향을 끼친다. 종교는 항상 민간문학의 발전과 대립한다. 민족민간문학과 종교는 항상 투쟁해 왔으며, 이는 민족민간문학 발전 과정에서의 두 가지 문화 투쟁의 형식 중 하나다"라고 보았다. 반면에 멍류는 "원시 종교는 문학에 적극적인 영향과 소극적인 영향을 모두 끼친다", "종교의 역할과 종교가 문학에 끼치는 영향을 과장하는 것은 대단히 해로우며 잘못된 것이다"라고 보았다.

6일, 『인민일보』에 친무의 산문 「쿠바의 농촌 아낙 네 명古巴四農婦」이 발표되었다.

광탸에 우한의 「향 피우기에 관하여談燒香」가 발표되었다.

『해방일보』에 쑨위의 「마오 주석을 세 번째로 뵙다第三次見到毛主席」가 발표되었다.

7일, 『문회보』에 왕다오첸의 잡문 「샹쯔아오 − 성쓰 수필箱子隩──嵊泗隨筆」이 발표되었다.

『베이징만보』에 마난춘의 잡문 「비결이 필요 없는 비결不要秘訣的秘訣」이 발표되었다.

8일, 인탸에 천이의 구체시 「중국 미얀마 우호 시장中緬友好詩章」이 발표되었다.

『해방일보』에 궈펑의 연작 산문시 「장난 사의江南寫意」(「우시無錫」, 「운하의 등불運河燈火」, 「장난 사의江南寫意」 3편)가 발표되었다.

9일, 라오서가 자오칭거의 생일에 대련과 서화를 보냈다.

10일, 『시간』 제3호에 궈샤오촨의 연작시 「탄광 도시의 메아리」, 옌이의 「산간 도시 서정山城抒情」(「중강의 저녁놀重鋼晚霞」 등 5편 수록), 장즈민의 「공산주의의 금빛 날개共産主義的金翅」, 리잉의 「제4호 성명을 환호한다歡呼第四號公報」(2편), 천징룽의 「발레 소묘芭蕾舞素描」(1959년 국경절 기간에 창작), 샤오쉐의 「위후玉湖」 등의 시가 발표되었다.

『인민일보』에 웨이펑魏風의 시 「미얀마 방문 시초訪緬詩抄」, 친무의 산문 「동포胞波」가 발표되었다.

『해방일보』에 상하이문예출판사에서 출간된 『역신을 물리치다送瘟神』에 수록된 민가 일부가 발표되었으며 편집자의 말이 추가되었다.

11일, 바진이 홍콩 남국출판사南國出版社 편집장 위쓰무餘思牧로부터 『작가 바진作家巴金』의 집 필에 대한 도움을 부탁하는 내용의 서신을 받았다. 바진은 서신을 통해 남국출판사에서 1952년부 터 쌴롄서점을 통해 카이밍서점에서 전쟁 전에 출판된 바진 문집을 입수해 구작을 출판했다는 소 식을 알게 되었다.

『해방일보』에 바이웨이白危의 산문 「탄후다오 단신灘滸島拾零」이 발표되었다.

『광명일보』에 귀펑의 산문 「천단 및 기타天壇及其他」가 발표되었다.

『베이징만보』에 마난춘의 잡문 「시는 3점, 낭송은 7점三分詩七分讀」이 발표되었다.

12일, 『인민문학』 5월호에 리준李準의 「봄 죽순春筍」, 린진란의 「산사나무山裏紅」, 돤무홍량의 「강에 봄 물결이 가득하다江河漲滿了春潮」, 취보의 「불청객不速之客」(장편소설 『산과 바다가 울부짖 다』 부분) 등의 소설, 쌍커자의 시 「일인자第一人」, 「해변에서 낙하산을 보다海濱看跳傘」, 「방문하다 探望」 및 스퉈의 「산천·역사·인물山川·歷史·人物」, 쩌우디판의 「찬란한 은하수—제26회 탁구 세계선수권 풍경星漢燦爛──第二十六屆世界乒乓球錦標賽即景」 등의 산문과 가오스치의 과학소품 「지구 의 장막地球的帳幕」이 발표되었다.

13일, 월간 『칭하이후』, 칭하이작가협회, 칭하이음악가협회 등의 단체가 합동으로 좌담회를 개최해 민가 '꽃花兒'에 대한 학습 및 '꽃'의 발전 문제에 관해 토론하였다.

『광명일보』에 구중이의 「비극 문제 만담漫談悲劇問題」은 13일자와 16일자에 연재되었다.

14일, 『인민일보』에 한쯔의 소설 「양 할머니羊奶奶」, 루즈쥐안의 산문 「그 동해 해변에서在那 東海邊上」가 발표되었다.

『베이징만보』에 마난춘의 잡문 「'비판' 정해"批判"正解」가 발표되었다.

『문회보』에 톈한의 시 「진중우─새로운 이야기金中舞──一個新的故事」(장시 『인력거꾼 전기』 제 7부 부분)가 발표되었다.

『중국청년보』에 친무의 산문 「기이한 나무奇樹」가 발표되었다.

15일, 중국문련 등의 단체가 합동으로 세계 문화 명인인 인도 시인 타고르 탄생 100주년 기념 행사를 개최해 마오둔, 라오서, 톈한, 어우양위첸, 샤옌. 딩시린, 양한성, 자오푸추趙樸初, 우쭤런, 지셴린, 빙신, 저우웨이츠 등이 참석하였다. 마오둔이 행사를 주관하고 개회사를 하였으며 지셴린이 「타고르-인도의 위대한 시인泰戈爾──印度偉大的詩人」이라는 제목의 보고를 진행하였다. 인민문학출판사에서 10권의 『타고르 작품집泰戈爾作品集』을 출간하였으며, 행사 기간에 베이징에서 타고르 전람회 등의 행사를 진행하였다.

『인민일보』에 가오스치의 시 「하이난다오 송가海南島頌」가 발표되었다.

16일, 『해방일보』에 웨이진즈의 「'피 대왕' 감상讀"皮大王"有感」, 다이허우잉의 「'송가형 희극'의 갈등과 충돌에 관하여關於"歌頌性喜劇"的矛盾沖突」가 발표되었다.

18일, 중국작가협회에서 보고회를 소집해 아시아 아프리카 작가회의 도쿄 긴급회의 상황에 관한 류바이위의 보고를 청취하였다. 마오둔이 회의를 주관하였다.

『문회보』에 톈한의 시 「낙원가」, 찬다오의 「산문은 시대적 풍격과 개인적 풍격을 모두 갖춰야 한다散文既須有時代風格, 也要有個人風格」가 발표되었다.

『베이징만보』에 마난춘의 잡문 「두 묘의 흥망성쇠兩座廟的興廢」가 발표되었다.

『베이징일보』에 펑치융의 잡문 「의심이 암귀를 낳는다疑心生暗鬼」가 발표되었다.

19일, 『인민일보』에 우옌의 보고문학 「종鍾」이 발표되었다.

20일, 『세계문학』 5월호에 마오둔의 「아시아 아프리카 작가회의 도쿄 긴급회의의 승리를 환호한다!歡呼亞非作家會議東京緊急會議的勝利!」, 류바이위의 「3월 춘풍三月春風」, 빙신의 「일본의 여성 작가들을 기억하며憶日本的女作家們」가 발표되었다.

21일, 『인민일보』에 쉬츠의 여행기 「두보의 쿠이저우 고거를 방문하다訪杜甫夔州故居」, 차오징화의 산문 「'신처녀'를 추모하며憑吊"新處女"」, 궈펑의 산문 「섬 소묘 소집海島素描小集」이 발표되었다.

『문회보』에 리광톈의 「「깃발을 뽑다」를 읽고讀＜拔旗＞」가 발표되었다.

22일, 『인민일보』에 한쯔의 수필 「시적 정취와 풍격詩意和風格」이 발표되었다.

23일, 『민간문학』에 소수민족 문학사 토론회 특집 보도가 게재되어 위안자화袁家驊의 「소수민족 인민 구두창작의 언어 문제少數民族人民口頭創作中的語言問題」, 푸마오쉰傅懋勳의 「소수민족 문학의 기록과 번역에 관한 몇 가지 의견關於記錄和翻譯少數民族文學的幾點意見」 등의 발언문이 게재되었다.

문화부 당조에서 중앙선전부에 「『지식총서』 편찬 및 간행 방안 수정 원고編刊＜知識叢書＞方案修正稿」를 보고하였다. 중앙선전부에서는 6월 8일에 본 방안을 비준하였다. 『지식총서』는 후위즈의 제안에 따라 중등 문화 수준을 갖춘 간부의 문화 및 과학지식 수준을 제고하기 위해 간행된 중급의 보급형 서적으로, 초기 계획에 따르면 2~3년 내에 3~400권을 출간하며, 인민출판사, 인민문학출판사, 중화서국, 상무인서관, 세계지식출판사, 과학보급출판사 등에서 편집 출판 임무를 맡기로 하였다. 『지식총서』는 1962년 5월에 출판이 시작되어 1965년까지 총 83종이 출판되었다.

『광명일보』에 주더의 구체시 「푸젠 유람 시초遊閩詩草」(「구산을 유람하다遊鼓山」, 「민장을 유람하다遊閩江」, 「구톈댐을 노래하다詠古田水庫」 등 3편이 수록되었으며 1961년 2월 8일에 창작하였다)가 발표되었다.

25일, 『문회보』 '필회筆會'란이 『광명일보』 '동풍東風'란과 합편되어 탕타오의 「시귀 창조에 관하여―장시 『위리허』에 관한 통신談詩貴創造――關於長詩＜於立鶴＞的一封通信」, 펑쯔카이의 산문 「황산 송가黃山松」 및 삽화, 쩌우디판의 산문 「사청 남쪽 교외沙城南郊」가 발표되었다.

『베이징만보』에 마난춘의 잡문 「기사회생起死回生」이 발표되었다.

26일, 『문예보』 제5호에 '중국 문예이론 유산의 비판적인 계승' 특집란이 개설되어 쭝바이화의 문예이론 「중국 예술표현 속의 허와 실中國藝術表現裏的虛與實」, 위핑보의 「옛것을 오늘의 현실에 맞게 활용하는 것에 관하여談談古爲今用」, 멍차오의 「한 가지 기본적인 건설공작一項基本建設工作」, 탕타오의 「'중국 작풍과 중국 기질中國作風和中國氣派'」, 왕차오원의 「유익할 계발과 참고有益的啟發和借鑒」가 발표되었다. 위핑보는 글에서 "창작과 이론 비평의 결합은 매우 중요하다. 이렇게 해야만 가려운 곳을 집어내어 설득력을 가질 수 있다. 이것이 백가쟁명에 더욱 이로울 것이다"라고 보왔다. 같은 호에 지셴린의 「타고르 탄생 100주년을 기념하며紀念泰戈爾誕生一百周年」, 왕쯔예의 「미학의 몇 가지 문제에 관해 야오원위안 동지와 논의하다和姚文元同志商榷美學上的幾個問題」가 발표되었다.

『네이멍구일보』에 라오서의 구체시 9편 「아름다운 봄 경치大好春光」가 발표되었다.

27일, 바진은 서신 「위쓰무에게致餘思牧」를 통해 "판권을 포기"한다고 밝히면서, 단 "「제4병실第四病室」, 「항해 잡기海行雜記」, 「여정 수필旅途隨筆」, 「물방울點滴」 등의 책은 재판을 출간하지 말 것"을 요청하였다. 바진은 또한 위쓰무가 서신에서 제기한 문제에 대해 "1. 당신이 잘못 기억하고 있습니다. 나는 마오둔 선생이 주관한 문예 강좌에서 강의한 적이 없습니다. 나는 지금까지 강의를 한 적이 없습니다", "2. 당신이 남양南洋의 독자들을 위해 써 주십시오", "고의적인 왜곡만 없다면 나는 개의치 않습니다", "3. 나는 책의 제목에 대해서는 의견이 없습니다"라고 일일이 답변하였다.

위쓰무(1925~2008), 기업가이자 캐나다 화교 출신의 중국문학 연구가로 바진 연구 전문가이다. 서태평양 집단 기구西太平洋集團機構를 설립해 총재를 맡았다. 교육 및 상업활동에 종사하면서도 연구와 저술 활동을 계속해『중국・서양 300 작가 평전中西300作家評傳』,『당시 걸작 평론 분석唐詩傑作論析』,『작가 바진』,『작가 빙신作家冰心』,『작가 마오둔作家茅盾』 등의 저서를 출간하였다. 이 가운데 1964년 1월에 홍콩 남국출판사에서 출간된『작가 바진』은 바진 연구계를 개척한 저서로 20쇄 이상 인쇄되었다. 위쓰무는 오랫동안 바진 연구에 힘썼으며 바진과 깊은 우정을 나누어 바진 연구계의 중요한 학자로 꼽힌다.

『베이징만보』에 예췬젠의 여행기 「장사의 요령生意經」이 발표되었다.

『해방군보』에 구궁의 시 「섬 단가海島短歌」(「작은 섬小島」, 「단체사진合影」, 「차茶」, 「우유병奶瓶」 등 4편 수록)가 발표되었다.

28일, 『인민일보』에 아오더쓰얼의 소설 「초원 동화草原童話」, 짱커자의 시 「마오 주석이 붉은 스카프를 맸다毛主席戴上了紅領巾」, 진진의 시 「'6・1'을 경축하며 노래를 부르다慶祝"六一"唱個歌」가 발표되었다.

『문회보』에 런룽룽任溶溶의 산문 「어린이가 책을 읽다孩子讀書」가 발표되었다.

『광명일보』에 궈모뤄의 논문 「무측천이 광위안에서 출생했다는 근거武則天生在廣元的根據」가 발표되었다. 본 논문은 이후에 단행본인『무측천武則天』에 수록되었다.

『해방일보』에 펑쯔카이의 산문 「황산 인상黃山印象」 및 그림 「반드시 정상에 높이 올라, 주위의 작은 산들을 굽어보리라會當凌絶頂, 一覽衆山小」가 발표되었다.

『베이징만보』에 마난춘의 잡문「기개를 말하다說志氣」가 발표되었다.

30일, 러시아 민주주의 혁명가이자 문예이론가인 베린스키 탄생 150주년을 기념해『문회보』 등의 간행물에 기념의 글이 발표되었다.

『문회보』제11호에「최근 미학 토론에 존재하는 몇 가지 문제最近美學討論中的幾個問題」,『전선前線』제11호에「미학 문제에 관한 토론關於美學問題的討論」이라는 제목으로 미학 문제 토론에 관한 종합기사가 게재되었다. 본 토론은 1958년 5월 3일자『문회보』에 게재된 야오원위안의「사진관에서 미학이 탄생하다照相館裏出美學」로부터 시작된 것으로, 주광첸, 왕쯔예 등이 토론에 참가하였다.

『동해』5, 6월호 합본에 진진의 소설「농번기의 휴가 도중에在農忙假期裏」가 발표되었다.

『희극보』제9, 10호 합본에 본지 평론가의「희곡유산 정리 공작을 논하다論整理戲曲遺産的工作」, 루메이의「우한 동지가 역사극을 말하다吳晗同志談曆史劇」및 종합기사「비극 문제에 관한 토론 － 관련 논문 총론關於悲劇問題的討論——有關論文綜述」이 발표되었다.

31일, 『베이징만보』에 짱커자의 시「명절 선물節日的禮物」이 발표되었다.

『중국청년보』에 친무의 역사 소품「싼위안리의 꺼지지 않는 화염三元裏不滅的火焰」이 발표되었다.

메이란팡이 중국과학원 강당에서「목계영괘수穆桂英掛帥」를 공연하였다. 공연 후에 중국과학원 원장 궈모뤄가 무대에 올라 과학자들을 대표해 메이란팡에게 감사를 표하고 기념촬영을 하였다. 본 공연은 메이란팡의 56년간의 무대 인생 중 마지막 공연이 되었다.

이달에 중국극협 희극창작위원회와『극본』편집부에서 아동극 창작좌담회를 개최해 허징즈, 쑨푸톈孫福田, 류허우밍, 커옌, 차오위喬羽, 바이산白珊 등 아동희극공작자가 참석하였다.

『베이징일보』에 '「임해설원」필담' 특집란이 개설되어 취보의 장편소설과 이를 각색한 동명의 영화에 관해 토론을 전개하였다. 본 토론은 5월부터 8월까지 계속되었다.

궈모뤄, 저우양이 편찬한『홍기가요』가 작가출판사에서 출간되었다.

스차오스의 시집『치빙집馳騁集』이 산시인민출판사에서 출간되었다.

리신李欣의 시집『대약진 교향악大躍進交響樂』이 네이멍구인민출판사에서 출간되었다.

우란바간의 소설 특필선집『초원의 새 역사草原新史』, 장잉張英의 단편소설집『상하이의 물보라 上海的浪花』가 상하이문예출판사에서 출간되었다.

왕민王敏의 4막 6장 화극『여자 민병女民兵』이 군중출판사에서 출간되었다.

6월

1일~28일, 중앙선전부가 신차오 호텔新僑飯店에서 문예공작좌담회를 개최해 「현재 문학예술공작에 관한 의견關於當前文學藝術工作的意見」(초안)(즉 「문예 10조文藝十條」의 초고를 말함)에 관해 중점적으로 토론하였다. 「문예 10조」의 초고는 저우양과 린모한의 책임하에 리즈黎之, 뤼지몸驥, 차이뤄홍蔡若虹, 장광녠, 위안수이파이, 궈샤오촨, 이빙 등 7인이 집필하였다. 「문예 10조」는 정치와 문예의 관계, 소재 풍격의 다양화, 보급과 제고, 중국 국내외 유산의 계승, 예술 실천 강화, 창작 시간 보장, 문예평론 강화, 인재 양성 중시, 정신적 및 물질적인 격려, 단결 강화, 모든 적극적인 요소 동원, 지도 개선 등 10개 방면에 대해 논하였다. 「문예 10조」는 수정을 거쳐 1961년 8월 1일에 각지에서 인쇄 발행되어 의견을 구한 후, 1962년 4월의 '광저우 회의' 이후에 중앙선전부에서 「문예 8조文藝十條」로 정리하여 30일에 정식으로 문화부 당조와 문련 당조를 거쳐 전국 각지의 문화예술기관에 배포하여 시행하였다. 문예 8조는 1. 백화제방, 백가쟁명 방침의 진일보 관철, 2. 창작의 질 제고를 위해 노력할 것, 3. 민족유산을 비판적으로 계승하고 외국문화를 흡수할 것, 4. 문예비평을 정확히 전개할 것, 5. 창작 실천을 보장하고 일과 휴식의 조화에 주의할 것, 6. 우수한 인재를 양성하고 격려할 것, 7. 단결을 강화하고 계속해서 개조할 것, 8. 지도 방법과 작풍을 개선할 것 등으로 구성되었다.

이 회의와 전국 극영화 창작회의가 모두 신차오 호텔에서 개최되었으며 간혹 두 회의를 통합해 개최하기도 하였기 때문에 '신차오 회의新僑會議'로 칭하기도 한다. 신차오 회의는 두 단계로 나뉘어 진행되었는데, 제1단계의 회의에는 각 성, 시, 자치구 당위원회의 문화선전부 부장, 각 성 문화국장 급의 문예활동 책임자가 참석해 문예지도와 '10조'에 관해 토론하였다. 루딩이, 저우양, 린모한 등이 회의에 참석해 토론을 전개하였지만 큰 진전을 얻지 못하였다. 제2단계의 회의에서는 문예좌담회와 극영화 창작회의를 통합해 개최하여 '문예 10조'와 「현재 영화공작에 관한 의견(초안)關於當前電影工作的意見<草案>」에 관해 중점적으로 토론하였다. 저명한 문예공작자들은 대부분 제2단계 회의에 참석해 열띤 토론을 벌였다. 저우언라이와 저우양이 각각 두 회의에서 중요한 연설을 하였다.

저우언라이는 19일에 「문예좌담회와 극영화 창작회의에서의 연설在文藝座談會和故事片創作會議上

的講話」이라는 제목으로 연설을 진행하였다. 그는 머리말에서 영화 「다지와 그녀의 아버지達吉和她的父親」를 예로 들어 최근 몇 년간 문예계에 출현한 '다섯 가지'("틀에 박힌 방식, 약점 잡기, 뿌리 캐내기, 딱지 붙이기, 누명 씌우기") 비정상적인 현상에 대해 비평하고, 물질 생산과 정신 생산, 계급투쟁과 통일전선, 누구를 위해 복무해야 하는가, 문예 규율, 유산과 창조 등의 문제에 관해 연설을 진행하였다. 저우양은 28의 결산회의에서 진행한 보고에서 과거에 혹자가 "정치를 좁은 의미로 이해"한 것은 잘못된 일이라고 보았다. 그는 문예가 정치를 위해 복무함에 있어 "사회와 시대를 표현한 작품이 있어야 할 뿐만 아니라", "과거의 문예유산을 정리"하기도 해야 하며, "시기와 상황에 따라 후자의 역할이 더 클 수도 있다"라고 보았다. 그는 "정치를 우선시해야 하지만 정치가 너무 많아서는 안 된다. 그러나 정치를 약화시키면 정치가 우선이 아니라 지엽적인 것이 된다……정치는 영혼이다. 영혼은 육체에 의지해야 한다. 업무와 예술이 바로 육체이다. 육체가 없으면 영혼은 의지할 곳이 없어 도대체 어디에 있는지 알 수 없게 된다"라고 보았다. 그는 "우리의 문예 대오는 가장 사랑스러운 대오이다", "당과 한마음이다"라고 강조하면서, "문학의 특징에 주의하지 않으면 통속사회학이 발생하게 된다. 후펑은 우리에게 수많은 악랄한 공격을 한 반혁명파이다. 그러나 그가 우리의 어떤 부분을 공격했는지 종종 상기하는 것은 우리에게도 득이 된다. 나는 그가 한 말 두 마디를 아직 잊지 못한다. 하나는 '20년간의 기계유물주의 통치'이다. 지금까지 헤아리자면 30년간이 된다. 그가 공격한 '기계유물주의'는 바로 마르크스주의이다. 우리는 마르크스주의가 문예를 지도하는 것이지 '통치'가 아니다. 그러나 우리는 우리에게 교조주의가 존재하는 것은 아닌지 진지하게 고려해 볼 필요가 있다……다른 하나는 '반 후펑 이후에 중국 문단은 중세로 진입했다'는 것이다. 우리는 당연히 중세로 진입하지 않았다. 그러나 우리에게는 크고 작은 '붉은 옷의 대주교'와 '수녀', '수도사'들이 존재해 사상이 경직되어, 입만 열면 마르크스레닌주의와 마오쩌둥 사상을 언급하는데, 이것 또한 사람을 화나게 하는 일이다. 나는 후펑의 이 두 마디 말을 줄곧 기억하고 있다"라고 밝혔다.

톈한은 「민주혁명 단계의 희극경험을 정리해야 한다要總結一下民主革命階段的戲劇經驗」라는 제목의 발언에서 건국 이후 "11년간 우리는 어느 정도의 경험을 쌓았나", 그러나 "아직 사회주의 희극을 건설할 객관적 규율을 충분히 찾아내지 못했다", "우리는 민주 혁명 단계의 경험을 진지하게 정리해 현재 우리의 공작을 개선해야 한다", "중국 희극의 혁명 전통을 잘 계승해야 한다"라고 밝혔다(『희극보』 1961년 제11, 12호 합본).

신차오 회의가 종료된 후 전국의 각 간행물에 발표되는 공농병 문학작품이 감소하고, 전문작가의 작품 수량이 증가하였다.

1일, 『홍기』 제11호에 리수즈黎庶之의 「백가쟁명에 관한 한 가지 문제關於百家爭鳴的一個問題」 가 발표되었다.

『문예홍기』 제5, 6호 합본에 귀샤오촨의 시 「안강 일별鞍鋼一瞥」이 발표되었다.

『우화雨花』 6월호에 류촨劉川, 양뤼팡楊履方의 「새롭게 부른 「두아」를 기쁘게 듣다喜聽新聲唱＜竇娥＞」가 발표되었다.

『옌허』 6월호에 "백화제방, 백가쟁명' 필담'란이 개설되었다.

『신항』 6월호에 "조국의 꽃'에 바치다'란이 개설되어 진진의 「글자를 쓰다寫字」, 펑쯔의 「풍경風筝」, 우란바간의 「도화촌桃花村」 등의 산문이 발표되었다.

『쓰촨문학』 6월호에 젠셴아이의 산문 「감자를 캐다挖薯記」가 발표되었다. 이 작품은 젠셴아이의 산문 연작 「우리 부대 안에서在我們隊裏」 중 한 편이다. 같은 호에 리레이李累, 즈광之光의 보고문학 「수옥에서 살아 나온 사람들 ─ 쓰촨 다이현 지주 장원 전시관 조사기從水牢裏活出來的人們──四川大邑縣地主莊園陳列館調查記」가 발표되었다.

리레이(1924~1995), 본명은 타오샤오쭈陶曉卒로 충칭 출신이며 중공 당원이다. 1944년에 장안국립희극전문학교江安國立戲劇專科學校 화극과를 졸업하였다. 『반격反攻』, 『정진보挺進報』 편집자, 『초지草地』, 『어샤峨遐』, 『쓰촨문학』, 『희극과 영화戲劇與電影』 부편집장 및 편집자, 극협 쓰촨분회 주석 등을 역임하였다. 1942년부터 작품을 발표하였다. 대표작으로 「수옥에서 살아 나온 사람들」, 「이름 없는 소금 굽는 노동자沒有名字的燒鹽工人」, 영화소설 「산산의 독백姍姍的獨白」 등이 있다.

『허베이문학河北文學』이 창간되었다. 창간호에 캉줘의 소설 「제1호 사원第一戶社員」, 톈젠의 시 「진차오金橋」(장시 『인력거꾼 전기』 제6부 「진부환」 제10장), 량빈의 시 「쑹뤄수의 노래宋洛曙之歌」, 난카이대학 중문과 56학번의 평론 「계급과 민족과 시대의 영웅─주라오중 형상을 논하다階級的民族的時代的英雄──論朱老忠的形象」가 발표되었다. 같은 호에 위안징의 장편소설 『홍색 소년 수확기紅色少年奪糧記』의 연재가 시작되어 연말에 완료되었다.

『베이징문예』 6월호에 하오란의 소설 「웃음소리笑聲」, 쩌우디판의 시 「농촌 풍경農村即景」이 발표되었다.

『해방군문예』 6월호에 웨이강옌의 소설 「천디晨笛」가 발표되었다.

『문예홍기』 5, 6월호 합본에 귀샤오촨의 시 「안강 일별」이 발표되었다.

『대중전영』 제6호에 마톄딩의 「충다오 영웅화─「홍색낭자군」 감상瓊島英雄花──＜紅色娘子軍＞觀後感」이 발표되었다.

『인민일보』 편집부에서 일부 아동문학 공작자를 초빙해 좌담회를 개최해 그 요록이 「작가들이 더 좋은 아동문학 작품을 더 많이 창작하기를 바란다希望作家們創作更多更好的兒童文學作品」라는 제목으로 발표되었다. 같은 호에 쑹칭링의 「아이들은 영원히 마오 주석의 말을 들어야 한다孩子們要永遠聽毛主席的話」, 차오위의 시 「누가 우리의 마음속에 사는가—'6·1' 아동절에 소학생 팡쯔, 위안위안, 나이화가 낭송한 시誰活在我們心當中——"六一"兒童節, 小學生方子, 元元, 乃華朗誦的一首詩」, 빙신의 산문 「나카노 토코와 샤오후이中野綠子和小慧」가 발표되었다.

『문회보』에 진진의 단문 「아이들의 의견孩子們的意見」, 천보추이의 소설 「어린 형제小哥倆兒」가 발표되었다.

『광명일보』에 천보추이의 산문 「약간의 성의一份心意」가 발표되었다.

『베이징만보』에 마난춘의 잡문 「어린 영혼을 귀중히 여기자珍愛幼小的心靈」가 발표되었다.

『베이징일보』에 류허우밍의 단편 이야기 「빛나는 어느 날光輝的一天」, 장즈민의 시 「할아버지의 선물爺爺的禮物」, 「그 작은 두 눈那雙小眼睛」이 발표되었다.

잡지 『초원』이 반년간 휴간한 끝에 이달부터 복간되었다.

2일, 중국작가협회 상하이분회, 중국극협 상하이분회, 중국영협 상하이분회, 중국미술가협회 상하이분회, 중국음악가협회 상하이분회가 합동으로 아동문예공작자 좌담회를 개최해 웨이진즈, 슝포시, 장러핑張樂平 등이 참석하였다.

『인민일보』에 궈위헝의 잡문 「전문과 박식專門與博識」이 발표되었다.

3일, 『해방일보』에 런다린의 소설 「가장 유쾌한 명절最愉快的節日」이 발표되었다.

『베이징만보』에 쌍커자의 시 「아동절을 기념하기 위하여爲了紀念兒童節」, 「어린 축구 팬小球迷」, 예쥔젠의 여행기 「'1·6은행一六銀行'」이 발표되었다.

『베이징일보』에 예쥔젠의 여행 산문 「어부—일본 잡기漁人——日本散記」가 발표되었다.

4일, 『베이징만보』에 마난춘의 잡문 「'아무 것도 없는' 예술"一無所有"的藝術」이 발표되었다.

5일, 『상하이문학』 6월호에 루즈쥐안의 단편소설 「동지 사이同志之間」, 린진란의 소설 「집에서 온 편지家信」, 리잉의 시 「해초를 줍다拾海菜」가 발표되었다.

『변강문예』 6월호에 허뤼팅賀綠汀의 산문 「아름답고 풍요로운 윈난美麗富饒的雲南」(1961년 4월

7일에 상하이에서 창작)이 발표되었다.

6일, 『인민일보』에 예성타오의 시 「날씨天氣」가 발표되었다.

『광명일보』에 빙신의 산문 「호랑이에 관하여談虎」가 발표되었다.

『베이징일보』에 위안잉의 시 「용시龍市」가 발표되었다.

8일, 『인민일보』에 장융메이의 시 「승리의 기치勝利的旗幟」, 바진의 「우리는 영원히 함께 서리라我們永遠站在一起」, 류바이위의 「앵화만기櫻花漫記」, 차오징화의 「마치 봄날의 첫 제비처럼好似春燕第一只」(1961년 6월 5일 창작) 등의 산문이 발표되었다.

『문회보』에 저우제푸의 산문 「'심산'의 말"窮山"的話」이 발표되었다.

『광명일보』에 궈모뤄의 「다시 「재생연」의 작가 진단생에 관하여再談<再生緣>的作者陳端生」, 루원푸의 소설 「차를 수리하다修車記」가 발표되었다.

『베이징만보』에 마난춘의 잡문 「3에서 10,000까지從三到萬」가 발표되었다.

중앙선전부에서 문화부 당조의 보고를 비준하여 인민출판사 내에 통속도서 편집부를 설립해 통속도서의 출판공작을 강화하는 데 동의하였다.

8월~7월 2일, 문화부가 베이징 신차오호텔에서 전국 극영화 창작회의를 개최하였다. 회의에서는 문화부에서 제출한 「현재 영화공작에 관한 의견(초안)」을 심의하고 최근 몇 년간의 영화공작을 통해 얻은 경험과 교훈을 정리하였다. 샤옌이 회의를 주최하였으며, 저우양이 창작 문제에 관해 보고를 진행하였고, 치옌밍, 샤옌, 린모한 등이 발언하였다. 7월 14자 『인민일보』의 기사에 따르면 전국 극영화 창작회에서는 백화제방, 백가쟁명 방침을 진일보 관철하고, 소재 범위를 확대하며, 예술의 질을 제고하기로 결정하였다.

9일, 중앙희극학원 실험화극원이 미국 작가 해리엇 비처 스토의 소설 「톰 아저씨의 오두막」을 어우양위첸이 각색한 10장 고전극 「흑인 노예」를 공연하였다. 쑨웨이스가 감독을 맡았으며 극본은 『극본』 1959년 11월호에 발표되었다. 톈한은 어우양위첸이 각색한 「흑인 노예」가 "반세기 전의 「톰 아저씨의 오두막」에 비해 질적인 면에서 비약적인 진보를 이루었다"라고 평하였다(「「흑인 노예」에 관하여談<黑奴恨>」, 『인민일보』 1961년 7월 12일자).

9일~16일, 바진이 산문 「후지산의 벚꽃富士山和櫻花」을 창작하였다.

10일, 중국극협 예술위원회에서 어우양위첸의 「흑인 노예」 좌담회를 개최하여 톈한이 좌담회를 주관하고 발언하였다. 참석자들은 극본과 공연을 높이 평가하였다. 톈한은 화극이 원작 소설에 비해 사상적인 면에서 "풍부해지고 질적으로 향상되었다"고 보았으며, "이 극으로 보아 당시의 춘류사는 어느 정도의 사회적 각오를 보여주었다"라고 보았다.

중국과학원 문학연구소에서 소수민족 문학사 집필 문제 좌담회를 개최하여 소수민족의 문학사 집필 경험을 교류하고, 집필에 관한 몇 가지 원칙을 확정하였다. 회의 개최 전까지 중국에는 16개 소수민족의 문학사 혹은 개황이 이미 완성되어 있었다. 『인민일보』 6월 28일자에 좌담회 요록이 게재되었다.

『산둥문학』 5, 6월호 합본에 류즈샤의 소설 「이멍산 이야기沂蒙山的故事」, 뤼웨성의 산문 「칭다오 잡기青島散記」가 발표되었다.

『극본』 5, 6월호 합본에 '소재 문제' 특집란이 개설되어 샤옌의 「소재, 주제題材, 主題」, 라오서의 「소재와 생활題材與生活」, 차오위喬羽의 「푸시킨과 고골로부터 이야기를 시작하다從普希金和果戈裏說起」 등의 글이 발표되었다. 같은 호에 주린, 메이첸, 란톈예, 량빙쿤이 각색한 6장 화극 「바람을 타고 파도를 헤가르다」가 발표되었다.

『인민일보』에 위안잉의 시 「우정이 깊어 떼어놓을 수 없다—팜반동 총리와 그 외 베트남 귀빈들을 환영하며如膠似漆——歡迎範文同總理和其他越南貴賓」, 젠셴아이의 산문 「여름 수확 소기夏收小記」가 발표되었다.

11일, 『문회보』에 허웨이의 산문 「벚꽃의 추억櫻花之憶」이 발표되었다.

『인민일보』에 저우서우쥐안의 산문 「옛 후추산을 방문하다訪古虎丘山」이 발표되었다.

『베이징만보』에 마난춘의 잡문 「허풍을 떠는 이야기說大話的故事」가 발표되었다.

12일, 『인민문학』 6월호에 루즈쥐안의 「아수阿舒」, 한쯔의 「완뉴萬妞」, 리차오의 「깨달음覺悟」(장편소설 『일찍 온 봄』 부분) 등의 소설, 샤오쉐의 시 「꽃송이花朵」, 빙신의 「벚꽃 예찬櫻花贊」, 우보샤오의 「채마밭 소기菜園小記」, 예쥔젠의 「일본 잡기日本雜記」 등의 산문, 우한의 「걸출한 학자 현장傑出的學者玄奘」, 진진의 동화 「흰 고니는 여기 있다小白鵝在這裏」, 커란의 보고문학 「물수리魚鷹」가 발표되었다.

13일~18일, 상하이에서 경극·곤극 전통극 공연대회가 개최되어 경극 「십팔차十八扯」, 「아관루雅觀樓」, 「반사동盤絲洞」, 「무문화武文華」, 「참경당斬經堂」, 이본二本 「협의강호俠義江湖」, 「도은호盜銀壺」, 두이본頭二本 「홍예관虹霓關」 및 곤극 「활착活捉」, 「치몽癡夢」 등 공화국 성립 후에 거의 혹은 전혀 공연된 적 없는 작품들을 공연하였다.

14일, 『문학평론』 제3호에 후커의 「줄거리·구조—희극 습작 필기情節·結構——習劇筆記一則」, 우한의 「역사극에 관하여」, 주자이의 「「바람을 타고 파도를 헤가르다」의 쑹쯔펑 형상 등에 관하여談＜乘風破浪＞中宋紫峰的形象及其他」, 류수더의 「소수민족 문학사 집필에 관한 몇 가지 문제編寫少數民族文學史的幾個問題」, 옌자옌의 「『창업사』의 량싼 노인 형상에 관하여談＜創業史＞中梁三老漢的形象」가 발표되었다. 옌자옌은 "『창업사』의 가장 큰 성취가 량성바오라는 참신한 청년 농민 형상을 창조한 데 있다는 말에", "동의하지 않는다"고 밝히면서, "량싼 노인은 긍정적인 영웅 형상의 예에 속하지는 않지만 거대한 사회적 의의와 독특한 예술적 가치를 가지고 있어", "『창업사』에서 가장 성공적인 인물"이라고 보았다.

15일, 『인민일보』에 안보의 산문 「꿈에 무난관을 지나다夢過睦南關」가 발표되었다.

『전영예술』 제3호에 시전席珍의 「옌안 영화단의 상영대와 관중延安電影團的放映隊與觀眾」이 발표되어 근거지에서 소련 영화가 상영되고 관중들이 이를 수용한 과정을 회고하였다.

『베이징만보』에 마난춘의 잡문 「어느 달걀의 가산」이 발표되었다.

『문회보』에 밍랑明朗의 보고문학 「우시는 큰 강과 맞닿아 있다巫溪連大江」가 발표되었다.

16일, 마오둔이 에구치 칸江口渙을 위시한 일본 작가 방문단을 접견하였다. 다음날 중국인민대외문화협회 등의 기관에서 환영 만찬을 개최해 톈한, 샤옌, 라오서, 쉬광핑, 메이란팡 등이 참석하였으며 마오둔이 환영사를 하였다.

17일, 『광명일보』에 예성타오의 구체시 「청두 잡시成都雜詩」가 발표되었다.

『베이징만보』에 예췬젠의 여행기 「농부農人」가 발표되었다.

『해방군보』에 구궁의 시 「어부 신편魚水新篇」(「친목聯歡」, 「송별送別」, 「재회重逢」 등 3편 수록)이 발표되었다.

18일, 중소우호협회 총회, 중국작가협회, 베이징시 중소우호협회가 합동으로 고리키 서거 25주년 기념행사를 개최하였다. 베이징 문예계 인사 1,400여 명이 참석하였으며 샤오싼, 장즈샹張致祥, 딩시린, 차오바오화, 쉬광핑, 허치팡, 옌원징 등이 참석하였다. 마오둔이 개회사를 하였으며 류바이위가 「고리키─위대한 무산계급 문학의 창시자高爾基──偉大的無產階級文學的奠基人」라는 제목의 보고를 진행하였다. 그는 보고에서 "고리키는 세계문학사에 새로운 시대, 즉 무산계급 사회주의 혁명문학의 시대를 개척하였다", "과거 시대의 모든 문학과는 본질적으로 완전히 다른 새로운 형태의 문학을 창립하였다"라고 보았다.

『문회보』에 예쥔젠의 산문 「내탄內灘」이 발표되었다.

『인민일보』에 펑무의 산문 「란창장 강변의 호접회瀾滄江邊的蝴蝶會」, 류바이위의 「고리키─위대한 무산계급 문학의 창시자」가 발표되었다.

『베이징만보』에 마난춘의 잡문 「가도의 창작 태도賈島的創作態度」가 발표되었다.

20일, 일본 작가 중국 방문단이 베이징의 저명한 작가들과 만남을 가졌다. 라오서, 린모한, 류바이위, 톈한, 차오위, 빙신, 양숴, 허징즈 등이 참석하였다.

『인민일보』에 쉬광핑의 여행 산문 「센다이 만필仙台漫筆」이 발표되었다.

22일, 『광명일보』에 웨이진즈의 산문 「즐거운 개펄歡樂的荒灘」이 발표되었다.

『베이징만보』에 마난춘의 잡문 「진강과 왕경의 안건」이 발표되었다.

23일, 『민간문학』 6월호에 상원젠商文健이 수집 정리한 티베트족 민가 「베이징을 향해 송가를 부르다」 등 15편과 빙신의 산문 「일촌 법사一寸法師」가 발표되었다.

24일, 바진이 다시 위쓰무에게 서신을 보내 "남국출판사에 앞으로는 절대로 카이밍서점의 판본을 사용해 내 구작을 출판하지 말라고 전해 주십시오"라고 부탁하면서, 그 이유에 대해 "그 판본에는 오자도 많고, 타당하지 못한 문장도 많습니다"라고 밝혔다.

『중국청년보』에 '혁명 열사 시초' 특집란이 개설되어 샤밍한夏明翰의 「의를 위하여 죽다就義詩」, 천란陳然의 「나의 '자유'서我的"自白"書」 등 혁명 열사의 유작들이 발표되었다.

『광명일보』에 예성타오의 「'자풍'을 바꾸다改變"字風"」가 발표되었다.

『베이징만보』에 예쥔젠의 여행기 「옛 친구舊交」가 발표되었다.

25일, 『인민일보』에 쉬츠의 시 「삼협 연작시三峽組詩」, 쭝푸의 동화 「호수 아래의 산촌湖底山村」, 우란한烏蘭汗의 보고문학 「고리키 생가를 방문하다訪高爾基故居」가 발표되었다.

우란한(1926~2017), 본명은 가오망高莽이다. 오랫동안 러시아문학의 연구, 번역, 편집 등의 업무와 대외문화교류활동에 종사하였으며 잡지 『세계문학』의 편집장을 역임하였다. 저서로 『오래간만이다, 모스크바여!久違了, 莫斯科!』, 『성산행聖山行』, 『러시아 대사 생가俄羅斯大師故居』, 『러시아 미술수필俄羅斯美術隨筆』 등의 수필집과 장편 전기 『파스테르나크帕斯捷爾納克』 등이 있으며 다수의 현·당대 러시아 소설가와 시인의 작품을 번역하였다.

『베이징만보』에 빙신의 「공통의 문자와 언어共同的文字和語言」가 발표되었다.

26일, 『문예보』 제6호에 촨다오의 「『인민문학』에 발표된 몇 편의 산문 만담漫談<人民文學>上的幾篇散文」, 예성타오의 산문 「벚꽃 정신櫻花精神」, 쨍커자의 「우보샤오 동지에게給吳伯蕭同志」, 빙신의 「「해시」가 나를 감동시켰다<海市>打動了我的心」, 라오서의 「「음양오행」에 관하여談<陰陽五行>」가 발표되었다.

27일, 『인민일보』에 천이의 구체시 「루소섬을 유람하다遊盧梭島」, 예쥔젠의 산문 「건배—일본 잡기幹杯──日本雜記」가 발표되었다.

『광명일보』에 린진란의 소설 「중재인和事老」, 황추윈의 산문 「추석 만찬中秋節的晩餐」이 발표되었다.

베이징인민예술극원에서 저명한 작품 「원숭이 떼群猴」, 「국폐 3위안三塊錢國幣」, 「명배우의 죽음名優之死」을 공연하였다. 이 가운데 「원숭이 떼」와 「국폐 3위안」은 쑹즈더의 유작으로 어우양산쭌, 바이썬柏森이 감독을 맡았으며 량징梁菁, 양바오충楊寶琮 등이 주연을 맡았다. 「명배우의 죽음」은 톈한의 작품으로 샤춘이 감독을 맡았으며 위스즈, 친짜이핑, 진자오金昭, 댜오광탄 등이 주연을 맡았다.

28일, 『중국청년보』에 리잉의 시 「굳세고 바른 기개─은막 위의 공산당원 형상 예찬浩然正氣──贊銀幕上的共產黨員形象」이 발표되었다.

『양청만보』에 천찬윈의 장편소설 『사계절 내내 향기롭다香飄四季』의 연재가 시작되어 8월 26일자에 완료되었다.

『베이징만보』에 궈모뤄가 룽바오자이 화집榮寶齋畫冊을 위해 쓴 친필 「십육자영十六字令」이 발표되었다. 말미에는 궈모뤄의 시집『백화제방』수록작 중 한 편인 「금낭화荷包牡丹」의 친필도 함께 게재되었다.

『베이징일보』에 커란의 산문 「지고지상의 지조至高無上的情操」가 발표되었다.

29일, 『인민일보』에 우보샤오의 산문 「옌안─북극성延安──北極星」이 발표되었다.

『문회보』에 천보추이의 「'새로운 동화'에 관하여試談"新童話"」가 발표되었다.

『광명일보』에 궈모뤄의 「진운정의 「기외서」의 수수께끼陳雲貞<寄外書>之謎」가 발표되었다.

『해방일보』에 친무의 산문 「어느 원로 공산당원을 그리워하다懷念一位老共産黨員」이 발표되었다.

『공인일보』에 천이의 구체시 「간난 유격사贛南遊擊詞」가 발표되었다.

『베이징만보』에 마난춘의 잡문 「황금과 보검의 속임수黃金和寶劍的騙局」가 발표되었다.

작가출판사에서 친무의 산문집『화성花城』을 출판하였다. 인쇄 부수는 1~7,000부이다. 책에는 「옛 전장의 봄 새벽古戰場春曉」(1961년작), 「토지土地」(1960년작), 「사직단 서정社稷壇抒情」(1956년작), 「화성」(1961년작), 「원림, 선화, 산문園林, 扇畫, 散文」(1961년작) 등의 명작이 수록되었다.

30일, 베이징인민대회당에서 중국공산당 성립 40주년 기념대회가 개최되어 마오쩌둥, 류사오치, 저우언라이, 주더, 덩샤오핑, 쑹칭링, 둥비우 등이 참석하였으며 류사오치가 발언하였다. 『인민일보』(7월 1일자)에 사설 「영광스럽고 위대한 40년光榮偉大的四十年」이, 『홍기』제13호에 사설 「당의 우수한 전통을 발양하자發揚黨的優良傳統」가 발표되었다.

『인민일보』에 짱커자의 시 「마오 주석이 충칭으로 날아가다毛主席飛到了重慶」, 친무의 산문 「중국의 태양中國的太陽」이 발표되었다.

이달에 바진이 산문 「조국을 향한 마음向著祖國的心」을 창작하였다.

신장 문화부문에서 민간문학연구소조를 조직해 800여 편의 민가와 46편의 민간고사, 우화 등 석백족錫伯族의 민간문학 작품을 채집하였다.

어우양산의 장편소설『삼가항』('일대 풍류' 제1권), 리야李雅의 단편소설집『리쐉쐉 약전李雙雙小傳』, 쥔칭의 단편소설집『바다제비海燕』, 톈젠의 장시『인력거꾼 전기』(하)가 작가출판사에서 출간되었다.

궈샤오촨의 시집『두 도시 송가』가 춘풍문예출판사에서 출간되었다.

푸자레이符加雷의 시집 『해안 방비 보초병의 노래海防哨兵之歌』가 산둥인민출판사에서 출간되었다.

옌전의 시집 『장난의 노래江南曲』가 상하이문예출판사에서 출간되었다. 본 시집에는 시인이 1959년에서 1960년 사이에 창작한 시가 수록되었으며 세 부분으로 구성되었다. 제1집 「아, 60년대啊, 六十年代」에서는 국내외의 새로운 승리를 환호하였고, 제2집 「장난의 노래」에서는 인민공사화 후의 장난 농촌을 노래하였으며, 제3집 「금천琴泉」에서는 혁명의 역사와 사회주의 건설을 노래하였다.

『중국인민해방군 30년中國人民解放軍三十年』 원고 공모 편집부에서 편찬한 산문집 『불티가 번져 들판을 태우다』(4)가 인민문학출판사에서 출간되었다.

춘풍문예출판사에서 편찬한 랴오닝 캉훙 투쟁抗洪鬥爭 특필집 『캉훙 개선가抗洪凱歌』가 춘풍문예출판사에서 출간되었다.

후베이성 실험가극단에서 편찬한 6장 가극 『훙후 적위대』가 중국희극출판사에서 출간되었다.

톈한이 편찬한 『1949~1959년 건국 10년 문학창작선 · 희극권1949—1959年建國十年文學創作選 · 戲劇卷』이 중국청년출판사에서 출간되었다. 톈한은 「서문」에서 "우리의 희극은 공산주의 사상으로써 인민을 교육할 책임을 지고 있어, 공산주의 풍격을 가진 긍정적 인물과 영웅 인물의 형상을 창조하기 위해 노력해야 한다"라고 밝혔다. 그는 또한 "'충돌이 없으면 희극이 없다'라는 것이 희극창작의 객관적 규율이다. 우리는 무충돌론에 반대하지만, 충돌을 위한 충돌에도 반대한다"라고 밝혔다.

고전문예이론역총古典文藝理論譯叢 편집위원회에서 편찬한 『고전문예이론역총古典文藝理論譯叢』이 인민문학출판사에서 출간되었다.

라오서가 베트남어판 『라오서 극작선老舍劇作選』의 「서문」을 집필하였다.

6월부터 8월까지, 선충원이 칭다오에서 휴양하는 동안 산문 「칭다오 여행기青島遊記」 및 문예필담 「추상적인 서정抽象的抒情」을 창작하였다. 이 두 편의 작품은 발표되지 않았다가 이후에 『선충원 전집』 제27권과 제16권에 각각 수록되었다.

7월

1일, 마오둔은 카메이 카츠이치로龜井勝一郎를 위시한 일본문학대표단이 중국을 방문했을 때 환영 만찬에 참석하였으며, 월초에 대표단을 접견하였다.

『인민일보』에 류사오치의 「중국공산당 성립 40주년 경축대회에서의 연설在慶祝中國共產黨成立四十周年大會上的講話」, 주더의 구체시「당의 40주년을 기념하며紀念黨的四十周年」(「당의 40주년을 기념하며」, 「광저우 봉기를 기념하며紀念廣州起義」, 「추수 봉기를 기념하며紀念秋收起義」「홍군이 징강산에서 집결하다紅軍會師井岡山」, 「쭌이 회의遵義會議」, 「당의 군중노선黨的群眾路線」, 「옌안 정풍운동延安整風運動」, 「당의 통일전선 성공黨的統一戰線成功」, 「12년의 건설十二年的建設」, 「당 탄생 전의 정치상황黨誕生前的政治情況」, 「10월 혁명十月革命」, 「아시아 아프리카 라틴아메리카 민주혁명 대봉기亞非拉美民主革命大起」 등 13편 수록), 셰줴짜이의 구체시「당의 경사를 경축하며慶祝黨慶」, 궈모뤄의 구체시「당의 경사를 노래하다頌黨慶」, 어우양위첸의 구체시「중국공산당 건당 40주년을 노래하다中國共產黨建黨四十周年誦」, 천찬원의 산문「빛나는 한 페이지光輝的一頁」가 발표되었다.

『쓰촨문학』 7월호에 사팅의 단편소설「여름밤夏夜」, 옌이의 시「산간도시의 그리움山城的懷念」(외 1편), 량상취안의 시「지하 당교地下黨校」(외 1편)가 발표되었다. 같은 호에 마스투의 장편소설 『칭장 장가』의 연재가 시작되어 1962년 7월호에 완료되었다.

『우화雨花』 7월호에 루원푸의 소설「용龍」, 예성타오의 사詞 작품「수룡음水龍吟」, 판인차오의 단문「굉천뢰轟天雷」가 발표되었다.

『신항』에 마라친푸의 소설「채금하는 사람采金者」, 예쥔젠의 「단편소설 2편短篇小說二篇」(「코바야시 신자부로小林信三郎」, 「오랜 친구老朋友」 2편), 톈젠의 시「홍양각 소집紅羊角小集」(4편), 리잉의 장시『송가頌歌』 제8장「송가」, 왕라오주의 시「공산당을 노래하다歌唱共產黨」가 발표되었다. 같은 호에 '소재 문제' 특집란이 개설되어 톈진 작가협회에서 6월 2일, 9일, 20일에 개최한 좌담회 요록이 게재되었다.

『안후이문학』 7월호에 한쯔의 소설「아침早」, 천덩커의 소설「끝내지 못한 일기寫不完的日記」, 옌전의 보고문학「무단위안 기록牡丹園記」이 발표되었다.

『허베이문학』 7월호에 톈젠의 「꽃─시에 관한 통신. 베트남 문예잡지에 부쳐花──關於詩的通信。為越南文藝雜志作」, 마라친푸의 보고문학「눈발이 날리는 어느 겨울밤에在一個飄舞雪花的冬夜」, 「사슴 이야기鹿的故事」가 발표되었다.

『불꽃』 7월호에 시룽의 소설「어느 노새 이야기一頭騾子的故事」가 발표되었다.

『해방군문예』 7월호에 류수더의 소설「목표─정면目標──正前方」, 라오제바쌍의 시「열세 명의 노예가 부르는 노래十三個朗生唱的歌」 및 중국인민해방군 전사화극단 각본조에서 합동 창작하고 자오환이 집필한 5막 9장 화극「홍영가紅纓歌」가 발표되었다.

『초원』 7월호에 마라친푸의 단편소설「시의 물결詩的波浪」이 발표되었다.

『문예홍기』7월호에 궈샤오촨의 시「강철은 어떻게 단련되었는가鋼鐵是怎樣煉成的」가 발표되었다.

『아동시대』제13호에 런다싱의 소설「산수 문제一道算術題」가 발표되었다.

『창춘長春』7월호에 친무의 문예수필「산문 소식散文小識」이 발표되었다.

『칭하이후』7월호에 웨이양의 시「사오산韶山」이 발표되었다.

『산화』7월호에 옌이의 연작시「2천 미터 고도에서在兩千公尺的高處」(「우리는 씨를 뿌리고, 모내기를 한다我們播種, 我們插秧」,「폭포봉瀑布峰」,「양잠실에서 쓰다寫在養蠶房」3편), 샤오쉐의 시「진사장 강변金沙江邊」(2편)이 발표되었다.

『열풍』제5호에 차이치아오의 시「사오산의 노래韶山之歌」,「창팅長汀」, 궈펑의 산문「죽림 속竹林裏」, 장양의 산문「바다로 나가다出海」가 발표되었다.

『광명일보』에 짱커자의 시「둘러싸다圍繞」(6월 10일에 창작),「발표를 보다-1950년 출관총서 당조직 공개 감상看榜──1950年出版總署黨組織公開有感」(5월 27일에 창작)이 발표되었다.

『베이징일보』에 하오란의 산문「달콤한 물甜水」, 톈한의「당의 딸 류후란의 묘를 방문하다謁黨的女兒劉胡蘭墓」가 발표되었다.

2일, 『인민일보』에 톈젠의 시「추뤄자이秋羅寨」(외 2편), 류바이위의 산문「홍마노紅瑪瑙」가 발표되었다.

『베이징일보』에 마난춘의 잡문「베이징 노동군중 최초의 시위행진北京勞動群眾最早的遊行」이 발표되었다.

『양청만보』에 황샹칭黃向青의 보고문학「야풍해운椰風海韻」이 발표되었다.

3일, 궈모뤄가 카메이 카츠이치로를 위시한 일본문학대표단을 접견하였다. 라오서, 양숴 등이 함께 참석하였다.

『산시일보陝西日報』에 류칭의 단론「세 가지 소원三願」이 발표되었다.

4일, 『베이징문예』7월호에 리잉의 시「송가」(장시『송가』제1~4장), 쩌우디판의 산문「톈안먼부天安門賦」, 라오서의 창작필담「조왕과 하주趙旺與荷珠」(이 글은 서문을 대신해 화극『하주배荷珠配』의 단행본에 수록되었다)가 발표되었다.

『인민일보』에 예쥔젠의 여행기「옛것을 모방한 '명승지'─일본 잡기一個擬古的"勝地"──日本雜記」가 발표되었다.

『광명일보』에 예성타오의 구체시 「충칭 남온천重慶南溫泉」, 「출협出峽」, 「루산 식물원廬山植物園」 등 3편과 뤄팅의 산문 「5백 리 뎬츠五百裏滇池」가 발표되었다.

5일, 중국인민해방군 총정치부 선전부 문예처와 잡지 『해방군문예』의 편집부에서 합동으로 베이징의 일부 부대문예공작자, 간행물 편집자 및 선전 교육 간부 30여 명을 초청해 소설 『임해설원』과 동명의 영화 및 최근에 이 작품에 관해 진행된 토론에 대한 좌담회를 개최하였다. 좌담회는 총정치부 선전부 문예처 처장 위지虞棘가 주관하였으며 천치퉁 등이 참석하였다.

본 토론은 5월 9일자 『베이징일보』에 발표된 펑중윈馮仲雲의 글 「영화 「임해설원」과 동명의 소설을 평하다評電影<林海雪原>及同名小說」로 인해 시작된 것으로, 『베이징일보』에서는 이후에 '「임해설원」 필담' 특집란을 개설해 약 3개월간 토론이 지속되었다. 토론은 소설의 교육적 의의, 작품의 진실성, 인물의 창조, 적에 대한 검보화臉譜化된 묘사, 작품의 예술 형식과 표현수법이 고전소설의 전통을 계승하였는가 아니면 혁명적 현실주의 정신을 위배하였는가 등의 문제에 관해 진행되었다.

8월 2일, 『베이징일보』에 좌담회 요록의 전문과 리시판의 「『임해설원』의 평가 문제에 관하여 關於<林海雪原>的評價問題」가 발표되었다. 리시판은 "『임해설원』이 가진 전기성이 풍부하며 혁명적 낭만주의적인 예술 특징이 이 부분에 잘 표현되어 있다. 이러한 낭만주의적 예술 전통은 일부 동지가 '당시의 현실 상황과 동떨어져 있으며, 군사적인 부분은 전기소설과 무협의 특징을 띠어 진실하지 못하다'라고 질책한 것과는 다르다. 생활과 인물에 대한 『임해설원』의 반응과 표현에는 비록 현실주의적인 묘사가 부족한 부분이 있으나, 예술 형상의 전체적인 창조라는 면에서 보면 전기적인 특징이 풍부한 혁명적 낭만주의는 기본적으로 혁명적 현실주의의 묘사 속에 침투해 있으며, 그 전기적인 특징은 결국 인민 전사의 영웅 형상을 돋보이게 하고, 인민 전사의 풍부하고 다채로운 정찰 및 전투 생활을 묘사하고 있다"라고 보았다. 그는 특히 "지취위호산"이라는 "책 전체 분량의 4분의 1을 차지하는 부분이 『임해설원』 속에서 확실히 전기적인 예술적 특징이 가장 풍부한 부분이며, 양쯔룽楊子榮의 성격을 가장 풍부하게 표현하는 부분이기도 하다. 전기성과 이야기의 적당한 과장은 양쯔룽의 성격에 손해를 끼치지 않고, 오히려 그의 성격을 더 강화해 누드러져 보이게 하였다. 전기성과 낭만주의 색채로 인해 여기서는 특정한 환경 속의 인물 성격과 인물 심리 표현의 진실한 묘사에서 멀어지지 않고", "모두 생활의 진실과 성격의 진실 속에서 그 합리성을 표현하였다"라고 평하였다. 리시판은 "『임해설원』은 전기적인 특징이 풍부한 소설로, 작가가 정련해 낸 특수한 소재와 내용이 이 작품이 반영하는 투쟁 생활의 용량을 결정했으며, 또한 작품의 사상 및 예술적 특징을 결정하였다. 따라서 이 작품을 평론할 때도 이러한 작품의 실제에서 벗어나 그 외의 요구를 할 수는 없다"라고 보았다.

이후에 8월 9일자 『베이징일보』 '문화생활' 부간에 발표된 편집자의 총론 「·「임해설원」 필담' 소결"筆談＜林海雪原＞"小結」은 "이는 군중적 성격을 띤 토론으로", "전문가들이 이미 제기한 논점을 보급하고 또한 보충하였다"라고 밝혔다.

『상하이문학』 7월호에 류수더의 소설 「새집新居」, 궈모뤄의 시 「당의 경사를 노래하다頌黨慶」, 라오서의 문예필담 「글을 고치는 것을 겁내서는 안 된다文章別怕改」, 웨이웨이의 산문 「7월 헌사七月獻辭」, 비예의 산문 「산천소기山川小記」, 후완춘의 산문 「콜롬보 견문在科倫坡的見聞」, 바진의 보고문학 「가마쿠라에서 가져온 사진從鎌倉帶回的照片」(6월 15일에 항저우에서 창작)이 발표되었다.

『변강문예』 7월호에 펑무의 보고문학 「란창장을 따라 흐르는 격류－시솽반나 만필 제1편沿著瀾滄江的激流——西雙版納漫記之一」이 발표되었다.

『해방일보』에 궈펑의 산문시 「우리의 지부 서기我們的支部書記」가 발표되었다.

6일, 『문회보』에 궈펑의 산문 「여정 2편旅途兩篇」이 발표되었다.

『광명일보』에 제민의 단문 2편 「아프리카의 불빛非洲的火光」, 「시와 창조詩與創新」가 발표되었다.

『베이징일보』에 아잉의 「60년 전의 상성六十年前的相聲」이 발표되었다.

7일, 『베이징만보』에 펑쯔의 「생생한 모습의 교재－인민예술극원의 「명배우의 죽음」 등 세 편의 화극을 보고形象生動的教材——看人藝的＜名優之死＞等三個話劇」가 발표되었다.

9일, 『인민일보』에 마라친푸의 산문 「아라탄부라거의 추억阿拉坦布拉格之憶」이 발표되었다.

『베이징만보』에 마난춘의 잡문 「반짝반짝하게 갈아낸 금화磨光了的金幣」가 발표되었다.

10일, 『동해』 7월호에 진진의 시 「나의 가장 가까운 엄마我最親的媽媽」(2편)가 발표되었다.

『전선』 잡지 제13호에 판싱의 잡문 「직접 듣고, 보고, 알다親聞, 親見, 親知」가 발표되었다.

『시간』 제4호에 주더의 구체시 「당의 40주년을 기념하며紀念黨的四十周年」 등 23편과 일부 친필 글씨, 류바이위의 시 「완난에서 겪은 일皖南即事」(7편), 「일본 여행 잡시遊日雜詩」(2편), 옌이의 시 「산간 도시와 작별하다告別山城」(장시 『장란江蘭』 제2, 3장), 톈젠의 시 「송시 6편頌詩六首」, 쉬츠의 시 「러산, 새벽, 다두허의 물소리를 듣다樂山, 凌晨, 聽大渡河濤音」, 장융메이의 시 「징강산의 달井岡山月」이 발표되었다.

11일, 베이징인민예술극원에서 13장 희극 「여자 점원」을 공연하였다. 라오서의 작품으로 메이첸이 감독을 맡았으며, 후쭝원胡宗溫, 거충셴葛崇嫻, 천궈룽陳國榮, 량징 등이 주연을 맡았다.

12일, 『인민일보』에 톈한의 「「흑인 노예」에 관하여」가 발표되었다.

『베이징일보』에 린진란, 장쑤이한江歲寒의 단편영화 극본 「아가씨의 집에서 온 편지姑娘的家信」의 연재가 시작되어 12, 14일자에 연재되었다.

13일, 『문회보』에 예성타오의 구체시 「여행 기록 편記遊詞四首」이 발표되었다.

14일, 『인민일보』에 리지의 시 「옌안으로 돌아가다回延安」가 발표되었다.

『베이징만보』에 마난춘의 잡문 「비둘기의 이름은 비둘기다」가 발표되었다.

15일, 『해방일보』, 『문회보』 등의 잡지에 원이둬 희생 15주년을 기념하는 여러 편의 글이 발표되었다.

『북방문학』 7, 8월호 합본에 옌천의 시 「옌수이延水」(2편)가 발표되었다.

『신화월보』 제7호에 역사극 문제, 희극喜劇 문제, 비극 문제에 관한 토론에 관한 종합기사가 게재되었다.

『톈산』 7월호에 『문예보』 제3호의 「소재 문제」 논고의 전문이 전재되었으며, 잡지 『톈산』이 1962년부터 『신장문학新疆文學』으로 명칭이 변경된다는 공고가 발표되었다.

『광명일보』에 후완춘의 산문 「큰 코끼리-스리랑카 여행기大象──錫蘭遊記」, 판인차오의 산문 「장난의 물고기江南魚」가 발표되었다.

상하이인민예술극원 화극 1단에서 3막 화극 「초모랑마珠穆朗瑪(에베레스트를 뜻함-역자 주)」를 공연하였다. 양춘빈, 지우펑녠周豐年, 훙비오쿤洪寶堃이 가색하고 양춘빈이 집필하였으며 황쮀린, 양춘빈이 감독을 맡았다.

16일, 『인민일보』에 린진란의 소설 「말괄량이假小子」가 발표되었다.

『대공보』에 차오마오탕曹懋唐의 「민족적 특색이 풍부한 동화, 인형극 영화예술富有民族色彩的動畫, 木偶電影藝術」이 발표되었다.

17일, 『인민일보』에 쩌우디판의 「창장의 화랑—산문 「창장에서의 사흘」을 읽고長江的畵廊——讀散文＜長江三日＞」가 발표되었다.

『해방일보』에 황쭝잉의 보고문학 「징강산에 간 상하이 처녀上海姑娘在井岡山」가 발표되었다.

19일, 『인민일보』에 예쥔젠의 산문 「대사—일본 잡기大使——日本雜記」가 발표되었다.

20일, 『인민문학』 7, 8월호 합본에 뤄빈지의 「산간지대 매입소在山區收購站」, 저우리보의 「아이 아주머니愛嫂子」, 시룽의 「코르덴燈芯絨」, 캉줘의 「삼면보경三面寶鏡」, 후완춘의 「간부幹部」 등의 소설, 옌천의 「7월 서정七月抒情」(「난후南湖」, 「케이폭수 아래 — 광저우 농민운동 강습소木棉樹下——廣州農民運動講習所」, 「룽화龍華」, 「징강산井岡山」), 짱커자의 시 「충렬편忠烈篇」(2편), 톈젠의 「송시 2편頌詩二首」, 웨이웨이의 「올리브나무—그리스 방문 연작시橄欖樹——一組訪問希臘的詩」(「가장 오래된 올리브나무最古老的橄欖樹」, 「가장 아름다운 만찬最美好的晩餐」, 「푸르른 초원靑靑的草地」, 「해변海邊」, 「어느 그리스 아이에게給一個希臘孩子」, 「아테네성에 오르다登雅典圍城」, 「선물禮物」) 등의 시, 류바이위의 「바다海」, 양쉬의 「학수鶴首」, 진진의 「여정 기록旅途記」, 펑무의 「맑은 호수와 푸른 산湖光山色之間」 등의 산문, 예성타오의 지식 산문 「자수와 자수품刺繡和緙絲」 및 차오위, 메이첸, 위스즈의 역사 화극 「단검편」(1962년 10월 중국희극출판사에서 단행본 출간)이 발표되었다.

리시판은 "역사극은 반드시 역사유물주의 정신으로써 역사 시대의 생활을 반영하고, 역사적 형상을 창조해 역사 인식에 대한 작가의 새로운 사상을 표현해야 하며, 참고의 역할을 통해 관중의 사색을 환기해야 한다"라고 지적하였다. 그러면서 「단검편」의 성공이 사상 면에서 "작가의 사상이 소재를 밝게 비춰 이 이야기가 독창적인 예술 처리의 성과를 거두게 하였다", "예술상의 새로운 창조이다"라고 보았다. 예술 면에서는 "첫째로 이 작품은 역사의 도해가 아닌 희극이다. 따라서 희극성이 풍부하고 줄거리가 있으며, 성공적인 인물 형상과 생동감 있는 언어를 가지고 있다", "희극의 줄거리에 대한 세심한 구성을 통해 작가가 반영하고자 하는 역사 생활의 첨예한 충돌을 드러내었다"라고 보았다. 리시판은 「단검편」이 "독자와 관중에게 준 것이 현재까지의 희극 창작에서 거의 이루지 못했던 것이라는 점은 의심의 여지가 없다. 역사극의 창작이라는 관점에서 보아도 이 작품은 독창적인 성취를 거두었다"라고 평하였다(「「단검편」과 역사극—「단검편의 예술 처리와 형상 창조」 만담＜膽劍篇＞和歷史劇——漫談＜膽劍篇的藝術處理和形象創造＞」, 『인민일보』 1961년 9월 6일).

옌전펀顔振奮은 「단검편」의 "인물 창조 면에서의 특징은 인물의 성격과 인물들 사이의 관계를 다방면에서 표현하여, 극중 인물들 사이의 대립적인 성격이 복잡한 갈등과 첨예한 충돌을 형성한다는 점이다. 이 때문에 인물들은 시종일관 행동하고, 활약하며, 살아 숨쉬는 개성과 독립적인 생명을 가지고 있다"고 보았다. 그는 이 극본이 가진 예술상의 또 다른 특징은 "간결한 언어로써 인물의 내면을 묘사하는 데 능하다는 것이다. 말은 간결하지만 뜻은 완전하고, 언어는 성격화되어 움직임이 풍부하다", "「단검편」의 언어는 간략하고도 깊이 있게 인물의 내면을 파헤쳤을 뿐만 아니라 인물의 복잡한 관계를 정확하게 표현하였다", "「단검편」은 깊은 사상적 의의를 가진 주제를 표현했을 뿐만 아니라", "줄거리가 생동감 있고 풍부하며", "인물 창조, 언어, 구조 등 예술 처리 면에서도 성공한, 특징을 가진 작품이다"라고 평하였다(「「단검편」의 예술적 성취에 관하여談＜膽劍篇＞的藝術成就」, 『극본』 1961년 10월호).

장광녠은 이 작품이 "역사적 진실에 대한 예술적 묘사를 통해 날카롭고도 중대한 정치 주제를 표현하여, 역사극 창작에 새로운 경험을 제공하였다"라고 보았다(「「단검편」의 사상성＜膽劍篇＞的思想性」, 『문예보』 1962년 제1호).

베이징시 문련 예술공작위원회는 1961년 10월 11일에 「단검편」 좌담회를 개최하였다. 어우양산쥔, 돤청빈, 차오위, 메이첸, 자오쥐인 등이 참석하였으며, 『베이징문예』 1961년 11월호에 좌담회 요록의 전문이 게재되었다. 『문예보』 1962년 제1호에 '「단검편」 필담' 특집란을 개설하였다.

『광시문학廣西文學』 7월호에 친쓰秦似의 시 「구이린 송가桂林頌」가 발표되었다.

『인민일보』에 위안잉의 잡문 「노예와 노예가 될 수 없는 자奴役和奴役不了的」가 발표되었다.

『베이징만보』에 마난춘의 잡문 「강구본薑夠本」이 발표되었다.

21일, 『문예보』 제7호에 시옌의 「루즈쥐안 작품에 관한 몇 가지 문제─어느 좌담회에서의 발언有關茹志鵑作品的幾個問題──在一個座談會上的發言」, 예성타오의 「「현란한 문금」─「완성하지 못한 치마」를 읽고＜絢爛的文錦＞──讀＜沒有織完的筒裙＞」, 펑무의 「「다지와 그녀의 아버지」─소설에서 영화까지＜達吉和她的父親＞──從小說到電影」가 발표되었다. 펑무는 글에서 「다지와 그녀의 아버지」 원작 소설이 "독자를 깊이 감동시키는 힘을 가졌다"고 보면서, 소설 속의 인물이 "높은 생산 적극성을 가지고 있을 뿐만 아니라 계급 정서와 우수한 인성 및 인정 또한 가지고 있다"라고 보았다. 그는 영화 「다지와 그녀의 아버지」는 "적절하지 못한 이론 혹은 개념적인 요구에 근거해 각본가가 작품의 주제 사상과 인물의 성격을 근본적으로 수정하도록 종용하였다", "작품을 단순화와 개념화의 길로 이끌었다"고 평하였다. 이후에 『문예보』에서 이 문제에 관한 토론이 전개되었으며 제10호에 토론의 총론이 발표되었다. 토론은 1962년 7월까지 지속되었다.

『인민일보』에 쩡커자의 독서수필 「설득력과 설득 방식－「촉룡이 조태후를 설득하다」를 다시 읽다說服力與說服方式──重讀＜觸讋說趙太後＞」가 발표되었다.

『베이징만보』에 빈신의 수필 「‘궁지에 빠진’ 것이 아니다不是"山窮水盡"」가 발표되었다.

22일, 『인민일보』에 차오징화의 산문 「한가하게 이야기할 세월이 어디 있겠는가哪有閑情話年月」가 발표되었다.

23일, 『인민일보』에 주더의 구체시 「칠성암 동굴을 보다看七星岩洞」, 「남고봉에 오르다登南高峰」, 「타이산을 날아서 지나다飛過泰山」, 「시베이후 정상에 오르다登西北湖高峰」, 「시후 차 산지를 보다看西湖茶區」, 등 9편과 양쒀의 산문 「여지밀荔枝蜜」(1961년 12월에 작가출판사에서 출판된 산문집 『동풍제일지東風第一枝』에 수록되었으며, 1978년 1월에 인민문학출판사에서 출판된 『양쒀 산문선楊朔散文選』에도 수록되었다. 이후에 1980년 8월에 인민문학출판사에서 출판된 『산문특필선 1949~1979散文特寫選1949─1979』 제2권에 수록되었다. 인쇄 부수는 1~55,000부이다)이 발표되었다.

25일, 『베이징일보』에 리잉의 시 「송가」(장시 『송가』 제9장)가 발표되었다.

26일, 『중국청년보』에 류신우의 단문 「영화를 보고 싶은 욕망을 불러일으키다－영화 포스터 잡담喚起看影片的欲望──小談電影海報」이 발표되었다.

27일, 『인민일보』에 자지賈霽의 「「홍색낭자군」의 기, 취, 진, 미＜紅色娘子軍＞的奇,　趣,　真,　美」가 발표되었다.

『문회보』에 친무의 산문 「모래 위의 아침햇살沙面晨眺」, 추원의 문예필담 「시화 4편詩話四題」이 발표되었다.

『베이징만보』에 마난춘의 잡문 「‘허튼소리’의 명제"胡說八道"的命題」가 발표되었다.

29일, 네이멍구 자치구 주석 마란푸烏蘭夫의 초청에 응해 전국문련에서 조직한 작가, 예술가 대표단이 베이징을 출발해 네이멍구 자치구를 56일간 방문 및 참관하였다. 방문 기간에 라오서가 문예창작에 관한 주제 보고를 진행하였다. 참관 기간 도중에 각 작가의 작품들이 여러 문예 간행물에 발표되었다. 10월 초순에 민족문화공작지도위원회에서 본 방문단에 참가했던 작가, 예술가, 교수들을 초청해 좌담회를 가지고 네이멍구 참관 경험을 청취하였다. 좌담회에서 라오서가 자작시를 낭송하였다.

『베이징일보』에 라오서의 단문 「두 개의 화조도 전람회兩個花鳥畫展覽」가 발표되었다.

『중국청년보』에 궈차오런郭超人의 보고문학 「탁파卓波」가 발표되었다.

30일, 『인민일보』에 리잉의 시 「해안 방비 전사 서정시海防戰士抒情詩」가 발표되었다.

31일, 『인민일보』에 짱커자의 시 「메아리回聲」가 발표되었다.

이달에 문화부 당조에서 「극원(단) 공작조례(10조)劇院(團)工作條例(十條)」의 초안을 작성하였다. '조례'는 극단이 각자의 특징과 중요 배우의 특기에 근거해 공연을 위주로 할 것을 확정하며, 공연 작품의 비율은 규정하지 않는다고 밝혔다. 창작 면에서 "극본의 소재, 형식, 체제의 선택에 있어서의 작가의 자유를 광범위하게 허용해야" 하며, "작가들에게 익숙하지 않은 소재를 다룰 것을 강요하지 않아야 한다"고 밝혔다. 본 조례는 정식 문서로 작성되지 않고 초안의 형태로 1961년 8월 8일에 각 성, 시, 자치구 문화국 및 관련 예술기관에 배포되어 의견을 구하고 시범적으로 시행되었다.

상하이와 베이징에서 루즈쥐안 소설 창작의 소재와 풍격 문제에 관한 좌담회가 네 차례 개최되었다. 토론은 '루즈쥐안의 창작 특징', '풍격을 어떻게 유지하고 발전시킬 것인가', '서로 다른 풍격과 시대의 반영' 등 세 가지 문제에 관해 진행되었다.

'루즈쥐안의 창작 특징'에 관한 관점은 대체로 일치하였다. 어우양원빈歐陽文彬은 「루즈쥐안의 예술 풍격을 논하다試論茹志鵑的藝術風格」(『상하이문학』 1959년 10월호)에서 작품에 대한 분석을 통해 네 가지를 지적하였다. 1. 소재 면에서는 "생활 속에서 특징이 풍부한 단면을 취하는 데 능하며", "세심하게 빚어내고 자세히 묘사하여 이를 돋보이고 빛나게 한다". 2. 구조 면에서는 "복잡하고 기이한 줄거리도, 마음을 뒤흔드는 충돌도 없"으나, "예술적 구상이 정교하고 취사선택과 조직이 치밀해", "평범한 사건을 풍부하게 서술한다". 3. 인물 창조 면에서는 "작은 것을 포착해 한 점을 통해 전체를 드러낸다", "측면적인 묘사를 통해 부각시키며, 함축적이고 여지가 남는 수법을 선호한다". 4. "언어가 간명하고 유창하고 완곡하면서도 감정이 풍부하다", "문체는 소설이라기보다 산문시에 가깝다"라고 보았다.

허우진징은 「창작 개성과 예술 특징―루즈쥐안 소설 독서 감상創作個性和藝術特色――讀茹志鵑的小

說有感」(『문예보』 1961년 제3호)에서 「노정裏程」, 「춘난시절春暖時節」, 「고요한 산원에서」 등의 작품에 대한 분석을 통해 루즈쥐안 창작의 세 가지 특징을 제시하였다. 1. "선택한 소재의 대부분이 시대의 격류 속의 작은 물보라, 내지는 사회주의 건설의 대합주 속의 작은 삽입곡이다". 2. "세밀하고 정교한 심리 묘사"를 통해 "인물의 내면을 곧장 파고들어 주인공의 정신생활의 넓은 세계를 독자의 눈앞에 펼쳐 보여주는" 데 능하다. 3. "호방하고 구속받지 않는" 색채는 매우 적고, "완곡하고 부드럽고 섬세하며 아름다운 서정"이 루즈쥐안 작품의 기조이다. 허우진징은 이런 점들이 루즈쥐안 작품의 장점이라고 보았다. 그는 「강가에 오르다澄河邊上」, 「관 아주머니關大媽」 등의 작품 분석을 통해 "큰 소재를 선택한 후 인물을 첨예한 투쟁 속에 위치시켜, 강렬한 색채를 통해 두드러지게 하고 거친 선으로 묘사하는 것이 바로 (최소한 현재까지의) 작가의 단점이다. 그의 능력이 자유자재로 발휘되지 못한다"라고 보았다.

'풍격을 어떻게 유지하고 발전시킬 것인가'에 대해서는 서로 다른 의견이 존재했다. 어우양원빈은 작가의 "길이 충분히 넓지 않다"면서, "작가에게는 자신의 개성과 장점에 따라 대상을 선택하고 다른 각도에서 묘사할 완전한 권리가 있다. 그러나 작가에게는 작품을 통해 생활 속의 모순을 반영해야 할 책임도 있다"라고 보았다.

허우진징의 의견은 달랐는데, 그는 "문제는 어우양원빈 동지가 작가에게 영웅 인물의 창조에 대한 희망을 제시한 데 있는 것이 아니라, 작품의 사상적 가치를 판단하는 기준을 너무 좁게 본 데 있다. 주제 사상의 깊이와 완전한(혹은 비교적 완전한) 예술 형식의 통일에 중점을 둔 것이 아니라 작품의 사회적 가치에 대한 소재의 영향과 역할을 강조하였다"라고 보면서, 작가가 "장점을 발양하고 단점을 피해야 한다"라고 보았다.

시옌은 「루즈쥐안 작품에 관한 몇 가지 문제」(『문예보』 1961년 제7호)에서 작가에게 뭔가를 요구할 때는 구체적인 상황에 근거해야 한다고 지적하였다. 그는 작가에게 "자신의 생활 범위를 넓히고, 생활 속에 더 깊이 침투해 현실의 중대한 모순을 발굴하며, 더 높은 사상적 수준에 서서 공산주의적 품성을 지닌 영웅 인물을 묘사할 것"을 요구하는 것은 "어느 작가에게든 유익한 일이며 필요한 일이다", "그러나 이것이 작가가 자신이 현재 가진 조건을 고려하지 않고 목적 달성에 급급하여 익숙하지 않거나 혹은 감당할 수 없는 소위 최신 소재에 매달려야 한다는 뜻은 아니다"라고 보았다.

웨이진즈는 「루즈쥐안의 소설에 관하여也來談談茹志鵑的小說」(『문예보』 1961년 제12호)에서 "작가는 언제나 자신에게 가장 익숙한 생활 속에서 소재를 취하고 이를 정련하며, 또한 심사숙고를 거친 가장 빈틈없는 주제를 자신의 생활 속에서 제련하기 마련이다"라고 보았다. 그는 작가가 본래의 풍격을 유지하는 것에 만족하지 않고, 본래 가진 풍격의 기초 위에서 발전시켜야 한다고 보았다.

'서로 다른 풍격과 시대의 반영' 문제에 관해서도 의견이 갈렸다. 허우진징은 중대한 소재를 묘사하고 영웅 인물을 창조하는 것, 그리고 생활의 관계를 다양화해 다방면에서 반영하는 것에 대해 만약 전자를 잃으면 "분명히 시대의 주된 선율을 듣지 못하게 되어 시대의 면모를 가장 잘 개괄하고 돋보이게 할 수 있는 깊고 견실한 작품을 잃게" 되고, 후자를 잃는다면 "시대의 면모가 다채롭게 반영되지 못하게 된다"면서, "전자는 후자를 포함하거나 대체할 수 없고, 반대로 전자는 후자의 보충이 필요하다"라고 보았다.

시옌은 '보충'이라는 단어가 "눈에 거슬린다"고 말하면서, 이는 "한쪽으로는 상찬하면서", "한쪽으로는 오히려 그 가치를 폄하하는 것이다"라고 보았다. 그는 "작가는 전적으로 자신의 예술적 풍격을 통해 우리 시대를 반영할 수 있으며, 여기에는 근본적으로 좋고 나쁨의 문제가 없다", "우리는 영웅 인물과 평범한 인물을 대립되는 위치에 놓을 수 없다", "영웅 인물은 모두 평범한 인물 속에서 온 이들이다. 그들은 평범한 사람이 성장하고 개조되어 탄생한 이들이다"라고 보았다.

웨이진즈는 작품의 사회적인 효과에 경중의 구분이 있다고 보았다. 그는 시옌이 루즈쉬안 창작의 특수한 풍격과 특수한 역할을 과도하게 강조했다고 보면서, "백화제방의 일면을 단편적으로 강조하고 백화제방 속의 주된 역할을 무시하여, 문학에서의 소위 전형성의 강약 문제를 말살하였다"라고 보았다.

제민은 「어떤 차이가 있는가?有沒有區別?」(『문예보』 1961년 제12호)에서 시옌이 영웅 인물과 평범한 인물을 대립적 존재로 본 일부의 견해를 비평한 것은 정확하다고 보았으나, 그가 위대한 영웅 인물과 현재 성장 중인 평범한 노동인민의 형상을 구분 없이 동일시했다고 지적하면서, 이는 "시대가 우리에게 요구하는, 사방을 밝게 비추는 영웅 인물을 창조하는 임무를 소홀히 하게 만들 수 있다"라고 보았다.

쭝푸가 산문 「시후 만필西湖漫筆」을 창작하였다.

『문예홍기』 7월호에 위민의 보고문학 「시후 풍경西湖即景」이 발표되었다.

중국평극원이 베이징에서 신작 역사극 「종리검鍾離劍」을 공연하였다. 안시安西, 가오천高琛이 각본을 맡았으며 장웨이張瑋가 감독을 맡았다.

비예의 산문집 『변경 풍모邊疆風貌』가 작가출판사에서 출간되었다.

우톈루吳天如 등의 산문집 『친지親人』가 군중출판사에서 출간되었다.

판톈서우潘天壽 등의 시집 『홍기 송가紅旗頌』(양장본)가 상하이인민미술출판사上海人民美術出版社에서 출간되었다.

지린대학 중문과의 지린 민간고사『진펑金鳳』이 상하이문예출판사에서 출간되었다.

중화서국 상하이 편집소에서 편찬한『좌전 고사 선역左傳故事選譯』(고전문학 보급 서적)이 중화서국에서 출간되었다.

왕티란江偶然이 번역한 영국 작가 존 골즈워디의 장편소설『열쇠鑰匙』(『현대희극現代喜劇』제2부)가 상하이문예출판사에서 출간되었다.

린윈林耘이 번역한 소련 학자 오브라초프奧布拉茲卓夫의 논저『중국 인민의 희극中國人民的戲劇』이 중국희극출판사에서 출간되었다.

8월

1일,『우화雨花』8월호에 청샤오칭의 역사소설「화망건선생畫網巾先生」, 저우서우쥐안의 구체시「시사 2편詩詞兩首」(「사회寫懷」, 「서강월西江月」)이 발표되었다.

『창장문예』가 창간되었다. 제1호에 하오란의 소설「중추가절中秋佳節」, 지쉐페이의 소설「비바람 부는 밤風雨夜」, 리잉의 시「역사의 비밀歷史的秘密」(외 1편), 친무의 시「소도시의 명의小城名醫」및 쉬츠의「삼협시필三峽試筆」, 비예의「창장의 유수大江流水」, 팡즈민의 유작 산문「일을 꾀하다謀事」, 마오정싼毛正三의「나는 너를 사랑한다, 변경이여我愛你，邊疆」등의 산문이 발표되었다.

『옌허』8월호에 옌이의 시「고향행故鄕行」(「황허에 보내는 말黃河寄語」, 「새 세대 사람一代新人」, 「펑황링 위鳳凰嶺上」, 「엄마媽媽」4편)이 발표되었다.

『신항』8월호에 구궁의 시「병영－촌락軍營──村莊」, 한잉산의 산문「농작물을 보다看莊稼」, 주자이의 산문「헤이룽장 위黑龍江上」가 발표되었다.

『쓰촨문학』8월호에 가오잉高纓의 시「마음의 노래心的歌」, 덩쥔우의 구체시「남온천南溫泉」(4편)이 발표되었다.

『허베이문학』8월호에 리칭의 시「국경에 처음 들어서다初入國門」, 캉줘의 산문「첫 번째 나무第一棵樹」가 발표되었다.

『전영문학』에 자오수리의 희곡 극본「삼관배연三關排宴」이 발표되었다.

『아동시대』제15, 16호 합본에 두쉬안의 산문「난창－영웅의 도시南昌──英雄的城市」가 발표되었다.

2일, 『인민일보』에 마톄딩의 평론 「수탉의 목을 졸라 죽여도 날 밝는 것을 막을 수는 없다─극본 「공격수는 여명 전에 죽는다」를 평하다扼殺雄鷄，阻止不了天明──評劇本＜中鋒在黎明前死去＞」가 발표되었다.

톈한이 경극 극본 「사요배謝瑤環」에 대한 「서문小序」을 집필해 "일부 동지가 희극喜劇적인 결말에 찬성"한 의견에 대해 "지금처럼 처리하는 것이 교육적인 의의가 비교적 깊다"고 보았다(톈한, 「사요배─서문謝瑤環──小序」, 『극본』 1961년 7, 8월호 합본).

3일, 『인민일보』에 주광첸의 「유럽 미학 사상 속에서의 전형적 성격설의 발전典型性格說在歐洲美學思想中的發展」이 발표되었다.

『베이징만보』에 마난춘의 잡문 「깊이 파고들지 않다不求甚解」가 발표되었다.

4일, 『베이징문예』 8월호에 하오란의 소설 「자물쇠鐵鎖頭」, 짱커자의 시 「횃불이 꺼지면 태양이 떠오른다爤火熄了出太陽」(6편)가 발표되었다.

『인민일보』에 리지의 시 「노래─일본 방문 소감 기록 및 일본 중앙합창단을 환영하며歌──記訪日所感並歡迎日本中央合唱團」가 발표되었다.

5일, 『상하이문학』 8월호에 마오둔의 「60년 소년아동문학 만담六〇年少年兒童文學漫談」(6월 23일에 집필), 바진의 「한데 모이다團圓」(7월 20일에 창작), 즈샤의 「훙 아주머니紅嫂」, 마라친푸의 「산대왕山大王」, 루윈푸의 「생각지 못했다沒有想到」 등의 단편소설, 저우얼푸의 산문 「쿠바 전선에서在古巴前線」가 발표되었다. 진의 소설 「한데 모이다」는 1963년에 영화문학 극본으로 각색되어 1964년에 「영웅 자녀英雄兒女」라는 제목으로 제작되었다. 마오둔은 「60년 소년아동문학 만담」에서 "1960년은 소년아동문학의 이론 투쟁이 가장 치열했던 해이며", "소년아동문학 작품이 가장 적었던 한 해이다"라고 밝혔다. 그는 당시의 현상에 대해 "정치를 우선시하였고, 예술에서 멀어졌고, 이야기는 공식화되었고, 임무는 개념화되었고, 문장은 무미건조해졌다"라는 다섯 마디로 정리하면서, "겉보기에는 정치가 우선시되어 사상성이 강화된 듯 보이지만, 실제로는 설교가 너무 많고 문장에 재능이 부족하여 가축을 강제로 살찌우는 식의 주입이 진행되었다"라고 보았다. 마오둔은 '동심론'을 비판하는 조류 속에서 당시 아동문학에 존재하는 불량한 창작 경향에 대해 날카로운 비평을 진행해, 이 글은 당대 중국 아동문학 발전사상 중요한 의의를 가지는 논문으로 꼽힌다.

『해방일보』에 저우서우쥐안의 구체시 「망강남백수望江南百首」의 일부가 발표되었다.

『광명일보』에 정잉鄭璧의 보고문학 「벼이삭을 꿰어 만든 시편穀穗串成的詩篇」이 발표되었다.

정잉(1925~), 광둥성 양장陽江 출신으로 민주동맹 회원이다. 1953년에 화난인민문학예술학원華南人民文學藝術學院 문학부를 졸업하였다. 공화국 성립 후에 광저우 월간 『신문예新文藝』 편집장, 광둥성 문화국 『광둥문예廣東文藝』 편집조장, 광둥성 작가협회 『월수총서越秀叢書』 편집위원, 『광둥작가廣東作家』 편집장을 역임하였다. 현재 중외산문시연구회中外散文詩研究會 이사, 광둥산문시학회廣東散文詩學會 상무부회장을 맡고 있다. 1944년부터 작품을 발표하였으며 1986년에 중국작가협회에 가입하였다. 저서로 산문시집 『뛰어나가다躍出去』, 『사랑의 꽃과 과실愛的花果』, 『내일의 부름明天的呼喚』, 『봄의 문턱을 들어서다踏進春天的門檻』, 보고문학 『고농 우쑹구이雇農伍松桂』, 『바다 위의 홍기海上紅旗』 등이 있다.

6일, 『인민일보』에 저우서우쥐안의 지식 소품 「분경盆景」이 발표되었다.

7일, 『베이징만보』에 마난춘의 잡문 「예가 아닌 것은 말라非禮勿」가 발표되었다.

8일, 경극 공연예술가 메이란팡이 향년 68세로 사망하였다. 문화부와 중국극협은 8월 말에 '메이란팡 동지 기념활동 위원회'를 조직해 치옌밍이 주임위원을, 톈한, 마옌샹이 부주임위원을 맡았다. 톈한은 메이란팡에 대해 "중국 희곡 예술가로서 메이란팡 동지는 조국의 우수한 전통의 성실한 계승자이면서, 동시에 천재적인 창조자이기도 했다. 그는 전통의 기초 위에서 전에 없이 정교한 공연예술을 창조하였으며, 소련, 미국, 일본 등을 방문해 당시 중국 희곡의 최고 수준을 충분히 대표하였다. 메이란팡 동지는 8년간의 항일전쟁 동안은 공연을 하지 않고, 뜻을 분명히 하여 드높은 민족의 기개를 보였으며, 이후에 미국과 장제스에 반대하는 애국 민주운동에 참가하였다. 그는 해방 후에는 당의 활동에, 그리고 사회주의 건설에 참가해, 시종일관 당과 함께하였다"라고 평가하였다(톈한, 「메이란팡 동지와의 마지막 만남 몇 차례和梅蘭芳同志最後幾次見面」, 1961년 8월 10일자 『인민일보』).

궈모뤄는 메이란팡의 사후에 "당신의 일생은 예술 활동의 일생이었습니다. 각고분투한 일생이요, 인민을 위해 복무한 일생이었으며, 사회를 아름답게 만든 일생이었습니다", "당신의 아름다운 노랫소리, 당신의 단정하고 장중한 자태, 고상하고 우아한 동작, 당신의 손짓, 발짓, 눈썹의 움직임과 숨결이 모두 아름다움의 전형을 창조했습니다……당신이 바로 예술의 화신이요, 무대 예술의 미의 화신입니다. 당신의 예술 교육 활동은 공간과 시간을 초월해 중국 인민을 대대손손 영원히 감화시킬 것입니다"라고 말했다(궈모뤄, 「메이란팡 동지가 영면에 든 찰나在梅蘭芳同志長眠榻畔的一刹那」, 1961년 8월 10일자 『인민일보』).

『인민일보』에 짱커자의 수필 「시인의 부-「아방궁부」를 다시 읽고詩人之賦──重讀＜阿房宮賦＞」가 발표되었다.

『해방군보』에 라오제바쌍의 시 「매鷹」가 발표되었다.

10일, 베이징 각계 인사 3,000여 명이 수도극장에 모여 메이란팡 추모회를 개최하였다. 국무원 부총리 천이가 제를 주관하였으며 중공중앙과 국무원을 대표해 그를 애도하고 메이란팡의 가족들에게 조의를 표하였다. 문화부 부부장 치옌밍이 추모사를 하였다.

『산둥문학』 8월호에 장양의 소설 「바다의 노래海歌」가 발표되었다.

『해방군문예』 8, 9월호 합본에 마스투의 소설 「관계를 맺다接關系」, 둥비우의 구체시 「징강산을 방문하다訪問井岡山」, 톈젠의 시 「당을 노래하다頌黨」가 발표되었다.

『광명일보』에 덩퉈의 시 「도원에서 고인을 추억하다-메이란팡 동지를 추모하며桃源憶故人──悼梅蘭芳同志」가 발표되었다.

『베이징만보』에 펑쯔의 산문 「전투의 노랫소리-일본 합창단의 공연을 듣고戰鬥的歌聲──聽日本合唱團演唱」, 마난춘의 잡문 「예술의 매력藝術的魅力」이 발표되었다.

『극본』 7, 8월호 합본에 톈한의 경극 극본 「사요배」, 멍차오의 곤곡 극본 「이혜낭李慧娘」, 딩시린의 역사극 「맹려군孟麗君」, 쑹즈더의 유작 화극 「원숭이 떼」 및 톨스토이의 「희극 창작을 논하다論戲劇創作」가 발표되었다.

「이혜낭」은 멍차오가 명나라 때의 주조준周朝俊의 작품 「홍매기紅梅記」(「홍매각紅梅閣」이라고도 함)에 근거해 각색한 작품이다. 그는 「홍매기」의 배순경裴瞬卿이 "매번 남녀간의 정에 얽매이는 점이 격조가 높지 못하다"라고 보면서, "만약 시대 배경을 날실로, 이혜낭과 배순경의 사랑을 씨실로 삼아 정의롭고 호방한 마음과 사람을 구하고 간사한 이에게 복수하는 뜻에 중점을 둔다면, 비록 생과 사가 다르다 할지라도 사람들을 충분히 감동시킬 수 있을 것이다"라고 보았다(「「이혜낭」 발문跋＜李慧娘＞」, 『문학평론』 1962년 제3호).

판싱(랴오모사)은 「이혜낭」이 "훌륭한 희곡"이라고 평하면서, 비록 "무대에 귀신이 출현하기는 하나", "압박에 반항하는 투쟁"을 선전했으므로 "인민의 투지를 고무할 수 있는 좋은 귀신"이기 때문에, 이 작품에 "귀신은 있으나 해는 없다"라고 보았다.(「유귀무해론有鬼無害論」, 『베이징만보』 1961년 8월 31일).

멍차오는 캉성의 지지하에 「이혜낭」을 창작하였다. 공연 후에 캉성은 이 작품을 크게 상찬하며 작가와 주요 배우들을 초청해 축하의 뜻을 표하였다. 그러나 1963년에 「이혜낭」과 판싱의 「유귀무해론」은 장창에 의해 비판받았다. 량비후이梁壁輝는 『문회보』 1963년 5월 6, 7일자에 「'유귀무해'론"有鬼無害"論」을, 리시판은 『희극보』 1963년 제9호에 「대단히 유해한 '유귀무해'론非常有害的"有鬼無害"論」을 발표해 '귀신극'을 대대적으로 비판하였다. 1964년의 경극 현대극 공연대회 폐막식에서 캉성은 멍차오의 「이혜낭」을 '나쁜 극'의 전형이라고 비판하면서, 이 작품이 "귀신을 이용해 무산계급 독재 정치를 전복"시키려 한 "계급투쟁"이라고 보았다.

11일, 천이가 영국 작가 올드릿지와 그 부인을 접견하였다. 대외문화협회 부주석 저우얼푸 등이 함께 참석하였다.

『인민일보』에 장경의 「메이란팡 동지를 추모하며悼念梅蘭芳同志」가 발표되었다.

『중국청년보』에 후완춘의 여행기 「스리랑카 방문 인상기訪問錫蘭印象記」가 발표되었다.

13일, 『베이징만보』에 마난춘의 잡문 「수집가의 공적收藏家的功績」이 발표되었다.

14일, 문화부에서 「극원(단)에 관한 문화부의 공작조례(수정 초안)文化部關於劇院(團)工作條例(修改草案)」를 발포해 "극원(단)은 반드시 당의 사회주의 건설 총노선과 문예가 공농을 위해 복무한다는 방침, 백화제방, 백가쟁명 방침, 옛것을 취사선택하여 새롭게 발전시키는 방침을 관철하고 시행해야 한다. 극원(단)의 인물들은 희극예술을 활용해 무대 공연을 통해 인민에 대해 애국주의 교육을 진행하고 인민군중의 노동 열정과 혁명 열정을 고무해야 한다"라고 밝혔다.

『문학평론』 제4호에 리젠우의 「발자크는 어떠한 정통파인가?-독서 필기巴爾紮克是一個什麽樣的正統派?——讀書筆記」가 발표되었다.

15일, 『상하이희극』 7, 8월호 합보넝 야오원위안의 「예술의 변증법-미학 필기 제4편藝術的辯證法——美學筆記之四」이 발표되었다.

16일, 『대공보』에 빙신의 산문 「일본에서 돌아오다日本歸來」의 연재가 시작되어 세 호에 걸쳐 연재되었다.

17일, 마오둔과 궈모뤄가 합동으로 쿠바 작가 예술가 대표대회에 대회의 성공을 축하하는 전보를 보냈다.

『광명일보』에 우한의 「「해서파관」 서문<海瑞罷官>序」이 발표되었다. 우한은 글에서 "총 일곱 번을 수정하였다", "일곱 번의 수정에 1년의 시간이 걸렸다"라고 밝혔다. 우한은 「해서파관」을 창작할 때 "두 가지 기본적인 원칙을 정했다. 첫째는 해서의 일생을 전부 서술하지 않고 해서의 투쟁 생활 속의 한 단면을 표현할 것", "둘째는 이미 존재하는 극본과 중복되지 않을 것이다", "수차례의 고려를 거쳐 기원후 1569년 여름에서 1570년 봄에 이르는 반년 동안 해서가 응천순무應天巡撫를 맡아 패도를 멸하고 민전을 돌려준 사건에 대해 쓰기로 결정하였다"라고 밝혔다. 우한은 "문외한과 전문가의 한계는 넘을 수 없는 것이 아니라 타파할 수 있는 것이다. 내 경험으로 미루어 보면 가능한 일일 뿐만 아니라, 반드시 타파해야 하는 것이다"라고 밝혔다.

『문회보』에 구궁의 시 「시후西湖」가 발표되었다.

『베이징만보』에 마난춘의 잡문 「중국 고대의 부녀절中國古代的婦女節」이 발표되었다.

18일, 『인민일보』에 짱커자의 시 「대화─소련 '동방 2호' 우주비행사 지토프, 그리고 미국 '수성호' 비행사 셰퍼드와의 대화對話──和蘇聯"東方二號"宇宙飛行員季托夫和美國"水星號"謝潑德的對話」가 발표되었다.

20일, 『광시문예廣西文藝』 8월호에 어우양뤄슈歐陽若修의 평론 「비평과 집성은 반드시 '동시 병행'되어야 한다批判與集成必須"同時並行"」가 발표되었다. 그는 1, 2월호 합본에 발표된 란사오청藍少成의 글 「동시 병행同時並行」에 대해 '동시 병행'의 관점으로 문학작품을 평가할 것을 주장하였다. 이후에 야오정캉姚正康, 무잉穆映, 어우양뤄슈 등이 글을 발표해 '동시 병행'의 관점을 모든 문학작품의 평가에 활용할 수 있는가 하는 문제에 관해 토론을 진행하였다. 본 토론은 9월까지 계속되었다.

『인민일보』에 허웨이의 산문 「소도시의 큰길小城大街」, 예쥔젠의 산문 「복숭아가 익었다桃子熟了」가 발표되었다.

『해방일보』에 청샤오칭의 구체시 「여정 견문旅途見聞」 2편(「풍차風車」, 「이모작雙季稻」)이 발표되었다.

『베이징만보』에 마난춘의 잡문 「오한이 언제 아내를 죽인 적이 있는가吳漢何嘗殺妻」가 발표되었다.

21일, 『문예보』 제8호에 쨩커자의 「고전시가 속의 자연 경물 묘사古典詩歌中的自然景物描寫」, 뤄쑨의 「진리를 탐구하는 위대한 전사─베린스키探索真理的偉大戰士──別林斯基」, 찬다오의 문예필담 「강산은 이렇게나 아름답다江山如此多嬌」, 한쯔의 문예필담 「작은 것을 통해 큰 것을 보다由小見大」, 쩌우디판의 시 「소요유─'동방 2호'에게逍遙遊──給"東方二號"」가 발표되었다.

『인민일보』에 천이의 구체시 「항저우 메이화우 방문 즉흥訪杭州梅花塢即興」이 발표되었다.

22일, 『인민일보』에 캉줘의 산문 「해상명주가 불처럼 붉다海上明珠紅似火」가 발표되었다.

『베이징일보』에 하오란의 단편소설 「8월의 새벽八月的清晨」이 발표되었다.

23일, 『인민일보』에 셰진謝晉의 「감독의 감상에서 관중의 감상까지─「홍색낭자군」 감독 잡기從導演的感受到觀眾的感受──＜紅色娘子軍＞導演散記」가 발표되었다.

『해방일보』에 궈펑의 산문 「강 2편江兩題」(「첸탕장錢塘江」, 「푸툰시富屯溪」)이 발표되었다.

23일~9월 16일, 중공중앙 공작회의가 루산에서 개최되어 공업, 식량, 무역, 교육문제 등에 관해 토론하고 모든 공업부문에 '조정, 공고, 충실, 제고'의 방침을 성실히 관철할 것을 요구하였다.

24일, 『베이징만보』에 마난춘의 잡문 「학습은 많이 하고 평은 적게 하라多學少評」가 발표되었다.

25일, 『인민일보』에 위안잉의 「신념信念」이 발표되었다.

27일, 『인민일보』에 판인차오의 「쑤저우의 비석 글귀蘇州的碑刻」가 발표되었다.

『베이징만보』에 마난춘의 잡문 「안고공지탁顔苦孔之卓」이 발표되었다.

28일, 문화부에서 일부 출판사가 원고료를 너무 낮게 지급하는 경향에 대해 통지를 발포해 각 출판사 지도자들에게 원고료 제도의 시행 상황을 수시로 검사하고, 많이 일한 만큼 보수를 받는 정신을 정확히 관철하며 절대 평등주의에 반대하고, 원고료를 낮게 지급하는 경향과 기준의 편차를 바로잡을 것을 요구하였다. 또한 높은 원고료를 내세워 원고를 억지로 모집하는 불량한 경향에도 반대하였다.

『인민일보』에 진보金波의 시 「호수湖」(외 1편)가 발표되었다.

29일, 『인민일보』에 예쥔젠의 산문 「'중화면'을 파는 사람－일본 잡기賣"中華面條"的人——日本雜記」가 발표되었다.

30일, 『인민일보』에 마톄딩의 잡문 「신문 독서 감상讀報偶感」, 친무의 잡문 「울타리 속의 장사檻柵裏的大力士」가 발표되었다.

『문회보』에 웨이진즈의 「우리나라 단편소설의 서두와 결말 문제를 논하다略論我國短篇小說的頭尾問題」가 발표되었다.

31일, 베이징시 문련에서 신작 곤극 「이혜낭」에 관한 좌담회를 개최해 「이혜낭」을 비교적 긍정적으로 평가하였다. 본 좌담회에서는 현재 열띤 논쟁 중에 있는 '귀신극' 문제에 관해서는 다루지 않았다.

『인민일보』에 마톄딩의 잡문 「노름꾼賭棍」이 발표되었다.

『광명일보』에 예성타오의 구체시 연작 「네이멍구 동부 후룬베이얼맹 유람 기록東蒙呼倫貝爾盟記遊」(「야커스에서 간허 삼림 지대까지自牙克石至甘和林區」, 「천바얼후기 방목지를 방문하다訪陳巴爾虎旗牧區」 등)이 발표되었다.

『베이징만보』에 마난춘의 잡문 「당신은 '탄기'를 아는가?你知道"彈棋"嗎?」, 판싱(랴오모사)의 「유귀무해론」이 발표되었다. 판싱은 글에서 극본 「이혜낭」이 "상상력이 뛰어날 뿐만 아니라, 극의 내용이 늘어지지 않고 간결해 본래의 「홍매기」보다 정련되어 있다. 이 작품은 보기 드문 훌륭한 개작 작품이다", "희극 무대 위의 귀신은 사상에 반항하는 형상일 뿐이다. 우리가 던져야 할 질문은 이혜낭이 사람인가 귀신인가가 아니라, 그녀가 누구를 대표하고 누구에게 저항하는가이다"라고 보았다.

하오란이 『아문우호보俄文友好報』에서 『홍기』 잡지사로 이동해 편집자를 맡았으며, 이후에 베이징작가협회로 이동해 전문작가를 맡았다.

이달에 인민출판사에서 『루쉰 전집』을 출간하였다.

장양의 소설 『홍기가 휘날리다』가 산둥인민출판사에서 출간되었다.

저우얼푸의 보고문학집 『횃불火炬』이 작가출판사에서 출간되었다. 책에는 「영원한 광휘永恒的

光輝」, 「스위스의 가을 경치瑞土秋色」, 「역사의 거울曆史的鏡子」, 「남극과 북극南極和北極」, 「인디언」 등의 작품이 수록되었다.

제런解人이 번역한 프랑스 작가 쥘 베른의 『해저 2만리』(제1, 2부)가 중국청년출판사에서 출간되었다.

9월

1일, 중앙선전부에서 「작가 창작 안배 문제에 관한 작가협회 당조의 지시 요청 보고作家協會黨組關於安排作家創作問題的請示報告」를 인가하였다.

펑쯔카이가 상하이 정협 답사단을 따라 광시로 가서 난창, 간저우贛州, 루이진瑞金, 징강산, 푸저우撫州, 징더전 등지를 방문하였다. 3주에 걸쳐 5천 리를 여행하는 동안 「붉은 난간 밖 천 개의 버드나무 가지赤欄杆外柳千條」, 「물을 마시며 근원을 생각하다飮水思源」, 「봄 진흙 속에 녹아들어 다시 꽃을 보살핀다化作春泥更護花」 등의 문학작품과 대량의 회화 작품을 창작하였다. 이 작품들은 국내의 유명 간행물에 발표되었다.

희극교육가 사커푸가 향년 58세로 칭다오에서 병사하였다. 사커푸는 중앙소구中央蘇區 시기의 혁명 예술교육의 창시자 중 하나이다. 그는 옌안루예의 설립 준비 시기에 경영 방침, 교육 계획, 조직 창작 및 공연활동 등에 대해 큰 공헌을 하였다. 50년대에는 정규화된 희극교육을 수립하고 전문적인 희극 인재를 양성하기 위해 길을 개척하였다. 저우웨이츠는 그에 대해 "청년기에 5·4 사상의 영향을 받아 반봉건적인 진보 사상을 가지게 되었다. 그는 1926년에 프랑스에서 유학하던 때 중국공산당에 가입하여, 우리 당의 교육사업의 최초의 개척자이자 창시자이고, 당의 문예공작, 특히 대중문예운동의 조직자이자 지도자이며, 혁명예술 창작의 개척자이자 실천자이고, 또한 진보 문예이론 번역공작의 선구자이다"라고 평가하였다[5].

『쓰촨문학』 9월호에 아이우의 공화국 성립 전 구작 소설 「남행기南行記」의 속편 제1편 「달밤月夜」, 가오잉의 소설 「나와 랴오 아주머니의 우스운 일화我和廖大媽的一段趣事」, 덩쥔우의 구체시 「어링공원鵝嶺公園」(외 1편), 중수량鍾樹梁의 보고문학 「햇빛에 비친 연꽃이 유달리 붉다—신두 구이후 여행기映日荷花別樣紅——新都桂湖遊記」가 발표되었다.

---

5) 「묵묵히 노력하며 일생을 마치다—사커푸 탄생 100주년을 기념하며默默耕耘終一生——紀念沙可夫百年誕辰」, 『중국예술보中國藝術報』 2003년 11월 7일 .

『허베이문학』 9월호에 하오란의 소설 「튼실한 모종苗壯的幼苗」, 리지의 시 「‘와카’ 3편“和歌”三篇」, 리잉의 시 「북행 2편北行二首」이 발표되었다.

『안후이문학』 9월호에 루옌저우의 소설 「눈바람 아래風雪下」, 하오란의 소설 「산굴山洞」, 구궁의 시 「창장 나루長江渡口」, 「길路」, 옌이의 시 「연무煙霧」(외 1편), 친무의 산문 「비방秘方」이 발표되었다.

『후난문학』 8, 9월호 합본에 샤오보충蕭伯崇의 보고문학 「난롯가 야화爐邊夜話」가 발표되었다.

『칭하이후』 9월호에 장융메이의 시 「분지의 전사盆地戰士」(3편), 량샹취안의 시 「향이 만 리까지 풍기다萬裏飄香」(외 1편)가 발표되었다.

『우화雨花』 9월호에 리루칭의 시 「칭펑옌青鳳岩」, 저우서우쥐안의 산문 「현묘관 관광觀光玄妙觀」, 위관잉의 문예필담 「매승枚乘」이 발표되었다.

『창춘』 9월호에 가오스치의 시 「커얼친 초원科爾沁草原」이 발표되었다.

『열풍』 제6호에 궈펑의 연작시 「시초詩鈔」(「지토프에게致季托夫」, 「가을 및 기타秋天及其它」(「가을秋天」, 「린볜 제분소林邊磨坊」 등))가 발표되었다.

『홍기』 제17호에 탕타오의 「사회를 보고 배우다向社會學習」가 발표되었다.

2일, 광톄에 저우서우쥐안의 산문 「바람소리 빗소리 들으며 옌산에 들어서다聽風聽雨入雁山」가 발표되었다.

『중국청년보』에 천이의 「베이징시 고등교육기관 졸업예정 학생을 대상으로 한 연설對北京市高等院校應屆畢業學生的講話」이 발표되었다.

3일, 인탸에 양숴의 산문 「가을바람이 소슬하다秋風蕭瑟」가 발표되었다.

4일, 『베이징문예』 9월호에 량샹취안의 시 「윈딩 목장雲頂牧場」, 라오서의 추모의 글 「메이란팡 동지는 영원하리梅蘭芳同志千古」, 둥촨東川의 「메이란팡 동지를 추억하며憶梅蘭芳同志」, 돤무훙량의 산문 「우리는 마음속으로 노래한다—베이징我們心中在歌唱——北京」, 천징룽의 산문 「해당편海棠篇」, 린진란의 문예수필 「소재에 관한 자질구레한 감상有關題材的零星感想」, 제민의 문예수필 「풍격 문제 잡담風格問題雜談」이 발표되었다.

『민간문학』 9월호에 ‘민간문학 작품을 어떻게 평가할 것인가에 관한 문제’ 특집란이 개설되어 「어빙과 쌍뤄」에 관해 토론이 전개되었다.

『베이징만보』에 마난춘의 잡문 「광양학파廣陽學派」가 발표되었다.

5일, 『상하이문학』 9월호가 루쉰 탄생 80주년 특집호로 간행되어 루쉰의 실전된 글 3편(『미명 총간未名叢刊』 광고문, 『서재 생활과 그 위험書齋生活與其危險』 역자 후기, 『러시아의 동화俄羅斯的童話』 광고문) 및 미발표 서신 2편(「시디에게給西諦」)이 발표되었으며, 궈모뤄 등이 루쉰의 작품에 대해 쓴 서문과 평론이 게재되었다.

『문회보』에 두쉬안의 구체시 2편 「위핑 만조玉屛晩眺」, 「북해음北海吟」이 발표되었다.

6일, 『인민일보』에 리시판의 「「단검편」과 역사극—「단검편의 예술 처리와 형상 창조」 만담<膽劍篇>和歷史劇——漫談<膽劍篇的藝術處理和形象創造>」, 짱커자의 「시 학습 단상學詩斷想」이 발표되었다.

『베이징만보』에 마스투의 소설 「관계를 맺다」의 연재가 시작되어 1961년 10월 7일자에 완료되었다.

『중국청년보』에 우한의 담화를 기록 정리한 「역사극을 어떻게 볼 것인가怎樣看歷史劇」가 발표되었다. 우한은 어째서 청년이 역사극을 보아야 하는가, 역사극과 역사 고사극歷史故事劇의 차이, 역사극 속의 왕후장상을 어떻게 보아야 하는가, 역사극 속의 노동인민 형상을 어떻게 보아야 하는가 등 네 가지 문제에 대한 견해를 피력하고, "좋은 역사극은 역사를 살아 움직이게 한다. 이러한 극은 형상화된 역사로, 인민, 특히 청년들이 더욱 받아들이기 쉽고 좋아하게 된다", "역사극의 역할은 역사 교과서보다 훨씬 크고 넓다"라고 보았다.

『해방군보』에 리잉의 시 「송가」(장시 『송가』 제3장)가 발표되었다.

7일, 『광명일보』에 궈펑의 산문 「삼나무 왕杉樹王」과 「시냇물澗水」이 발표되었다.

『네이멍구일보』에 라오서의 구체시 「철맹 전시관哲盟展覽館」, 「모리먀오댐莫力廟水庫」, 「댐에서 연꽃을 감상하다水庫賞蓮」, 「홍산 공원을 유람하다遊紅山公園」 4편과 신시 「자란툰의 여름紮蘭屯的夏天」이 발표되었다.

9일, 『인민일보』에 마톄딩의 풍자 소품 「전무행全武行」이 발표되었다.

10일, 『산둥문학』 9월호에 뤼웨성의 산문 「월하에 칭저우에 가다月下走靑州」가 발표되었다.

『시간』 제5호에 장즈민의 시 「베이징 시전北京詩箋」(「내가 이곳을 지날 때마다……每當我從這兒

走過……」, 「금빛 갈대 한 줄기一根金色的蘆葦」 2편), 리잉의 시 「고비 사막의 피리소리戈壁笛聲」(「고비 사막의 피리소리」, 「수러허疏勒河」 2편), 쩌우디판의 「글의 정화를 음미하다含英咀華」, 추원의 「문외시담門外詩談」, 쉬츠의 「삼협 시화三峽詩話」가 발표되었다.

『베이징만보』에 마난춘의 잡문 「'양생학'에 관하여談"養生學"」가 발표되었다.

12일, 라오서가 산시성 다퉁시大同市 문예보고회에서 '백화제방, 백가쟁명' 방침의 관철에 관해 연설하였다(연설문은 『불꽃』 1962년 1월호에 게재).

『인민문학』 9월호에 류수더의 소설 「전해춘추甸海春秋」(1961년 5월 1일에 창작한 후 6월 18일에 수정), 마스투의 소설 「최고로 방법이 있는 사람最有辦法的人」, 리잉의 시 「전사 공연대가 왔다來了戰士演出隊」, 천징룽의 시 「휴일에 딸을 학교에 바래다주다假日後送女兒返學」(1961년 7월 14일 창작), 탕타오의 산문 「자질구레한 기억瑣憶」, 지셴린의 산문 「타슈켄트의 어느 남자아이塔什幹的一個男孩子」(1961년 7월 5일 창작), 한쯔의 산문 「향촌 소곡鄕村小曲」, 저우서우쥐안의 산문 「꽃무늬 신발 한 켤레一雙花布小鞋」가 발표되었다.

『문회보』에 궈모뤄의 「『루쉰 시고』 서문<魯迅詩稿>序」, 구궁의 시 「푸퉈산普陀山」, 루즈쥐안의 문예필담 「물방울과 세계水珠和世界」(루쉰 작품 학습 찰기)가 발표되었다.

『광명일보』에 펑쯔카이의 글 「일본어를 처음 배우는 이에게告初學日本文者」가 발표되었다.

13일, 『광명일보』에 '「단검편」 필담' 특집란이 개설되었다.

14일, 『광명일보』에 제민의 문예수필 「편애에 관하여談偏愛」가 발표되었다.

『해방일보』에 저우서우쥐안이 장쑤성 곤극원 배우 장지칭張繼靑을 위해 창작한 구체시 「청군 예찬青君贊」이 발표되었다.

『베이징만보』에 마난춘의 잡문 「새로운 사패를 창조하다創做新詞牌」가 발표되었다.

15일, 『문회보』에 쩡커자의 시 「시산 소시西山小詩」, 구궁의 시 「소금 바구니鹽簍」 등이 발표되었다.

16일, 『인민일보』에 허웨이의 산문 「석공石匠」이 발표되었다.

17일, 『베이징만보』에 마난춘의 잡문 「누가 아메리카를 제일 먼저 발견했는가誰最早發現美洲」가 발표되었다.

『네이멍구일보』에 라오서가 차오위에게 보낸 구체시 2편과 7언시 「네이멍구 박물관을 참관하다參觀內蒙古博物館」, 예성타오의 구체시 「완계사 · 철맹안대무浣溪沙 · 哲盟安代舞」 등이 발표되었다.

중국아동극원에서 6장 역사극 「악운嶽雲」을 공연하였다. 마사오보가 각본을, 천융이 감독을 맡았다. 극본은 『극본』 2, 3월호 합본에 발표되었다.

18일, 『인민일보』에 궈모뤄의 「『루쉰 시고』 서문」, 마톄딩의 잡문 「불법 객점 속에 불법 객점을 열다黑店裏面開黑店」가 발표되었다.

19일, 문화부에서 「희곡, 곡예 전통 작품의 발굴공작 강화에 관한 통지關於加強戲曲, 曲藝傳統劇目的挖掘工作的通知」를 발포하여 건국 이후의 전통 희곡, 곡예의 발굴 및 정리 공작이 이룬 성취를 긍정하고 이 공작을 잘 수행할 것을 강조하였으며, 전통 희극, 희곡 작품 및 특색 있는 곡조와 곡패曲牌, 각종 공연기술, 검보, 복장, 도구, 원로 예인의 연기 기술과 연기 경험의 기록, 원로 예인 보유한 사료, 각종 필사 비본, 유일본 등을 모두 주의 깊게 수집해 '유산의 긴급한 구조'를 위해 노력할 것을 요구하였다.

『인민일보』에 바이웨이가 루쉰을 추억한 글 「평범하지 않은 전람회不平常的展覽會」, 저우서우쥐안의 「졸정원에서 연꽃을 감상하다觀蓮拙政園」가 발표되었다.

『광명일보』에 판인차오의 지식산문 「맹녀탄사쇄담盲女彈詞瑣談」이 발표되었다.

『베이징일보』에 라오서의 「곡극 발전에 대한 몇 마디 말對曲劇的發展說幾句話」이 발표되었다.

20일, 『세계문학』 8, 9월호 합본에 차오징화의 「백화를 따서 꿀을 만든 후—루쉰 탄생 80주년을 기념하며采得百花釀蜜後──紀念魯迅八十誕辰」 및 톨스토이의 「공인 작가들에게 나의 창작경험을 이야기하다向工人作家談談我的創作經驗」의 번역문이 발표되었다.

『인민일보』에 린즈하오林志浩의 「루쉰─위대한 반제국주의 전사魯迅──偉大的反帝國主義戰士」 및 미발표 서신 2편 「시디에게給西諦」가 발표되었다.

『광명일보』에 왕야오의 「루쉰 선생이 공개한 도서 목록으로부터 이야기를 시작하다從魯迅先生所開的一張書單說起」가 발표되었다.

21일, 『문예보』 제9호에 마톄딩의 「위대한 공산주의 인격의 역량―『옥중에서의 왕뤄페이』를 평하다偉大的共産主義人格力量——評＜王若飛在獄中＞」가 발표되었다.

『인민일보』에 루쉰의 미공개 서신 「왕희지에게致王熙之」 2편이 발표되었다.

『베이징만보』에 마난춘의 잡문 「'부상' 소고"扶桑"小考」가 발표되었다.

23일, 『인민일보』에 롼장징의 시 「자유 쿠바 탄생지自由古巴誕生地」, 마톄딩의 「재난災難」이 발표되었다.

『광명일보』가 루쉰 기념 특집호로 간행되어 루쉰의 미발표 친필 서신 「장팅첸에게致章廷謙」(1930년)가 발표되었다.

『광시일보』에 「루쉰이 수집한 민간 가요魯迅搜集的民間歌謠」가 발표되었다.

24일, 『인민일보』에 아오더쓰얼의 산문 「어얼둬쓰 고원의 독수리鄂爾多斯高原雄鷹」가 발표되었다.

『문회보』에 이천의 문예이론 「루쉰의 잡문을 논하다―루쉰 탄생 80주년을 기념하며論魯迅的雜文——紀念魯迅誕生八十周年」가 발표되었다.

『베이징만보』에 마난춘의 잡문 「혜심의 국적으로부터 이야기를 시작하다由慧深的國籍說起」가 발표되었다.

『네이멍구일보』에 라오서의 구체시 5편 「바오터우 송가包頭頌」가 발표되었다(10월 15일자 『베이징일보』에 전재).

25일, 베이징 문예계 및 기타 각계 인사 1,400여 명이 정협 강당에 모여 루쉰 탄생 80주년 기념회를 거행하였다. 기념회의 주석단은 천이, 루딩이, 쑹칭링, 후차오무, 쉬터리徐特立, 궈모뤄, 덩잉차오鄧穎超, 마오둔, 저우양, 샤옌, 린모한, 귀광핑 등 98인으로 구성되었다. 저우언라이도 대회에 참석하였다. 궈모뤄가 대회를 주관하고 「루쉰의 정신과 능력을 계속해서 발양하자繼續發揚魯迅的精神和本領」라는 제목으로 개회사를 하였으며, 마오둔이 「루쉰, 중국 인민의 위대한 전사이자 위대한 작가魯迅, 中國人民的偉大戰士和偉大作家」라는 제목의 보고를 진행해 루쉰 정신을 학습할 것을 호소하였다. 마오둔은 보고에서 루쉰의 "문예와 정치의 관계, 문예가 정치를 위해 복무하는 방법에 관한 견해는 오늘날의 우리에게도 깊은 깨달음을 주고 있다", "그리고 그의 작품은 문예가 혁명의 정치를 위해 복무하는 방법의 모범을 제공하였다", "그는 직접적 혹은 간접적으로 혁명을 위해 복무하였으며, 문화혁명의 확대와 심화를 위해 자원을 축적하였고, 젊은 혁명 세대에게 풍부한 영향을 제공하였다"라고 밝혔다. 『인민일보』, 『광명일보』, 『해방일보』, 『베이징일보』 등의 신문에 궈모뤄와 마오둔의 보고문 전문이 게재되었다.

『베이징일보』에 루쉰의 미발표 서신 「장마오천에게致章矛塵」 2편과 차오징화의 산문 「지혜의 꽃이 활짝 피어나다智慧花開爛如錦」가 발표되었다.

26일, 『광명일보』에 궈모뤄의 「루쉰의 정신과 능력을 계속해서 발양하자―루쉰 선생 탄생 80주년 기념대회 개회사繼續發揚魯迅的精神和本領――在魯迅先生誕生八十周年紀念大會上的開幕詞」, 마오둔의 「루쉰 선생 탄생 80주년 기념대회에서의 보고在魯迅先生誕生八十周年紀念大會上的報告」의 전문이 게재되었다.

27일, 신해혁명 50주년 기념 준비위원회가 설립되어 바진, 마오둔 등이 위원을 맡았다.

『해방일보』에 바진이 1961년 9월 25일에 집필한 글 「루쉰 선생은 여전히 우리와 함께 있다魯迅先生仍然同我們在一起」가 발표되었다.

28일, 『인민일보』에 궈모뤄의 시 「촉도기蜀道奇」가 발표되었다.

『광명일보』에 위핑보의 지식 단문 「양저우의 이십사교에 관하여談揚州的二十四橋」가 발표되었다.

『베이징만보』에 마난춘의 잡문 「당신은 필명 사용에 찬성합니까?你贊成用筆名嗎?」가 발표되었다.

29일, 『문회보』에 궈펑의 산문 「산문 2편散文兩題」(「황푸장에게致黃浦江」, 「산간지대의 기상 관측소山區氣象站」)이 발표되었다.

이달에 『문회보』 베이징 편집부에서 화췬우, 천바이천, 허우바오린, 셰톈謝添을 초청해 내부 풍자와 희극 처리 문제에 관해 토론하였다. 토론 요약문 전문은 1961년 9월 27일자 『문회보』에 게재되었다.

바진이 중편소설 「세 동지三同志」의 결말 부분을 완성하였으나, 너무 조잡하다고 생각해 줄곧 발표하지 않았다.

북방곤곡극원北方昆曲劇院에서 신작 곤곡 「이혜낭」을 공연하였다. 멍차오가 각본, 바이윈성白雲生이 감독을 맡았으며 루팡陸放이 작곡을 맡았다. 리수쥔李淑君, 충자오환叢肇桓, 저우완장周萬江 등이 주연을 맡았다.

사리차오의 장편소설『깨어난 토지醒了的土地』(『즐겁게 웃는 진사장歡笑的金沙江』제1부)가 작가출판사에서 출간되었다.

류수더의 단편소설집『라오뉴진老牛筋』이 윈난인민출판사에서 출간되었다.

춘풍문예출판사에서 편찬한 단편소설집『높은 곳에 오른 노인登高老頭』, 사오화韶華의 단편소설집『거인 이야기巨人的故事』가 춘풍문예출판사에서 출간되었다.

왕청둥汪承棟의 시집『고원에서 소리 높여 노래하다高原放歌』가 상하이문예출판사에서 출간되었다.

안린安林의 시집『시간은 전진한다時間在前進』가 산둥인민출판사에서 출간되었다.

상하이루쉰기념관에서 편찬한『루쉰 시고魯迅詩稿』(사철 제본)가 상하이인민미술출판사上海人民美術出版社에서 출간되었다.

베이징루쉰박물관에서 편찬한『루쉰 친필 원고 선집魯迅手稿選集』(보급판)이 문물출판사에서 출간되었다.

딩징탕의『루쉰과 취추바이 작품 학습 찰기學習魯迅和瞿秋白作品的劄記』(증보판)가 상하이문예출판사에서 출간되었다.

장평蔣風이 편찬한『루쉰이 아동교육과 아동문학을 논하다魯迅論兒童教育和兒童文學』가 소년아동출판사에서 출간되었다.

톈한의 역사극『문성공주』가 중국희극출판사에서 출간되었다.

허베이민간문학연구회에서 편찬한『의화단의 기개는 영원히 꺼지지 않으리義和團的志氣永不滅』가 백화문예출판사에서 출간되었다.

쥐하이左海가 번역한 소련 작가 페딘의 장편소설『초년의 기쁨早年的歡樂』, 주팡主方이 번역한『평범하지 않은 여름不平凡的夏天』, 왕양러王央樂가 번역한 칠레 시인 네루다의 시『영웅 사업의 찬가英雄事業的贊歌』가 작가출판사에서 출간되었다.

10월

1일, 『홍기』제19호에 샤옌의「우리나라 영화예술을 더욱 새로운 수준으로 제고하자把我國電影藝術提高到一個更新的水平」가 발표되었다. 그는 글에서 모든 극본이 반드시 특정한 시기, 특정한 사회 속의 특정한 인물, 즉 전형적인 환경 속의 전형적인 성격을 묘사해야 한다고 주장하였다.

『신항』 9, 10월호 합본이 루쉰 기념 특집호로 간행되어 『루쉰 문집』 제3권 '부록'의 미수록 후기 3편(『자기 발견의 기쁨自己發現的歡喜』 번역 후기, 『유한 속의 무한有限中的無限』 번역 후기, 『문예 감상의 4단계文藝鑒賞的四階段』 번역 후기) 및 여러 편의 추모의 글과 평론이 발표되었다. 같은 호에 리제런의 소설 「큰 흐름으로 모이는 길 위에서在彙爲洪流的道路上」(『큰 파도』 제3부 제4장 후반부), 위안징의 소설 「물水」(「홍색 소년 수확기」 제9장), 주자이의 산문 「다싱안산맥 안大興安嶺裏」, 펑무의 「완궈루 창작 약론略論萬國儒的創作」이 발표되었다.

『쓰촨문학』 10월호에 뤄광빈羅廣斌, 양이옌楊益言의 장편소설 『붉은 바위紅岩』 부분 「오누이兄妹」, 리제런의 소설 『큰 파도』 제3권 제5장 「투항 전후의 충칭重慶在反正前後」의 연재가 시작되었다. 같은 호에 옌이의 시 「촨장행川江行」(5편), 덩쥔우의 구체시 「충칭 풍경 연작시重慶風光組詩」(7언 율시 5편)가 발표되었다.

『옌허』 10월호에 류칭의 장편소설 『창업사』 제2부 제6, 7장이 발표되었다.

『허베이문학』 10월호에 바진의 소설 「'날아라, 영웅의 작은 자동차야!飛罷, 英雄的小嘎嘶!'」(8월 15일 창작), 한잉산의 산문 「나루터渡口」, 마오둔의 「다섯 가지 문제—1961년 8월 30일 어느 좌담회에서의 연설五個問題——一九六一年八月三十日在一次座談會上的講話」이 발표되었다. 마오둔은 "만약 중국 고대문학 작품 속에 현실주의와 낭만주의가 동시에 존재한다 하더라도, 그것은 우리가 오늘날 말하는 '혁명적'인 '두 결합'의 방법과는 근본적으로 다를 것이다"라고 보았다.

『간쑤문예甘肅文藝』 10월호가 루쉰 기념 특집호로 발간되었다.

『창장문예』 제2호에 관화의 소설 「옌츠雁池」, 하오란의 소설 「한 등급 승급하다高升一級」, 장융메이의 시 「슝전관雄鎮關」, 양펑의 산문 「삼협의 시적 정취와 아름다움三峽的詩情畵意」, 리지의 아동시극兒童詩劇 「나라 강의 큰 석교奈良川的大石橋」가 발표되었다.

『해방군문예』 10월호에 리잉의 시 「위먼 3편玉門三首」, 궈펑의 산문 「우리의 해군과 어민我們的海軍和漁民」이 발표되었다.

『칭하이후』 10월호에 리잉의 장시 『송가』 일부가 발표되었다.

『초원』 9, 10월호 합본에 예성타오의 구체시 「모리먀오 모래톱 댐莫力廟沙壩水庫」, 「퉁랴오 다린 공사 바오안툰通遼大林公社保安屯」, 라오서의 구체시 「네이멍구 풍광內蒙風光」(「후허하오터 새 도시를 방문하다訪問呼和浩特新城」, 「이인타이를 보다看二人台」, 「철맹안대무哲盟安代舞」, 「자오기 사과昭旗蘋果」, 「다싱안산맥 원시림大興安嶺原始森林」 5편) 및 「문예창작의 제고 문제에 관하여談談文藝創作的提高問題」가 발표되었다.

『아동시대』제19호에 런다린의 소설 「배船」와 웨이진즈의 「루쉰의 전투의 일생魯迅戰鬥的一生」
이 발표되었다.

『문회보』에 빙신의 산문 「기념일을 맞을 때마다每逢佳節」, 왕시옌의 산문 「연근 철蓮藕季節」이
발표되었다.

『광명일보』에 우보샤오의 산문 「옌안의 노랫소리延安的歌聲」가 발표되었다(1963년 4월에 작가
출판사에서 출간된 산문집『북극성北極星』에 수록).

『베이징만보』에 마난춘의 잡문 「화봉삼축華封三祝」, 우보샤오의 산문 「기념일을 축하하며賀佳
節」가 발표되었다.

2일,『베이징일보』에 쌍커자의 산문시 「명절에, 직책에서節日，在崗位上」가 발표되었다.

3일,『광명일보』에 빙신의 산문 「인민이 안락의자에 앉아 있다人民坐在羅圈椅上」가 발표되었다.

베이징인민예술극원이 5막 역사극 「단검편」을 공연하였다. 차오위, 메이첸, 위스즈가 창작하고
차오위가 집필하였으며 자오쥐인, 메이첸이 감독을 맡았다. 댜오광탄, 톈충, 퉁차오, 쑤민蘇民 등이
주연을 맡았다. 극본은『인민문학』7, 8월호 합본에 발표되었다.

4일,『베이징문예』10월호가 루쉰 탄생 80주년 기념 특집호로 간행되어 제민의 「루쉰 산문시
의 예술적 특징에 관하여略談魯迅散文詩的藝術特色」 등 여러 편의 글이 발표되었다. 같은 호에 하오란
의 소설 「정오晌午」, 쩌우디판의 시 「거리에서 쓰다寫在街頭巷尾」, 예성타오의 구체시 「완계사 · 안
대무浣溪沙 · 安代舞」가 발표되었다.

『인민일보』에 쌍커자의 시 「'10 · 1' 서정"十一"抒情」, 량상취안의 시 「다바산맥의 달大巴山月」,
옌이의 시 「광부의 눈礦工的眼睛」이 발표되었다.

『문회보』에 샤옌의 「예술성 기교藝術性技巧」가 발표되었다.

5일,『상하이문학』10월호에 어우양산의 단편소설 「교만한 처녀驕傲的姑娘」, 옌이의 시 「공업
단지에서在工業區」(2편)가 발표되었다. 같은 호에 루쉰 서거 25주년 기념 특집란이 개설되어 예성
타오, 마오둔 등이 집필한 추모의 글과 평론이 발표되었다.

『북방문학』10월호에 친무의 산문 「남국 풍물화南國風物畫」(1961년 8월 30일에 광저우에서 창

작)가 발표되었다.

『인민일보』에 쩌우디판의 산문 「가을 하늘이 높고 공기가 맑다秋高氣爽」가 발표되었다.

『문회보』에 쩌우디판의 시 「광장 위의 맹세廣場上的誓言」가 발표되었다.

『베이징만보』에 마난춘의 잡문 「매사에 관심을 가지다事事關心」가 발표되었다.

6일, 『인민일보』에 허샹닝의 회고문 「나의 추억我的回憶」의 연재가 시작되어 7일자에 완료되었다.

7일, 『광명일보』에 마오쩌둥의 친필 「청평악 · 류판산淸平樂 · 六盤山」이 발표되었다.

『해방일보』에 소련 시인 마야코프의 장시 『좋아!好!』가 발표되었다.

8일, 『인민일보』에 리제런의 소설 「룽취안 역에 반란이 일어났다―『큰 파도』 속의 한 점 물보라龍泉驛兵變了――＜大波＞中的一朵浪花」(장편소설 『큰 파도』 부분), 위안수이파이의 시 「에스페란토世界語」가 발표되었다.

『해방일보』에 펑쯔카이의 구체시 「강서도중작江西道中作」 5편(「난창南昌」, 「간저우贛州」, 「루이진瑞金」, 「징강산」, 「추석에 푸저우에 묵으며 탕현조의 묘를 참배하다中秋宿撫州吊湯顯祖墓」)이 발표되었다.

『광명일보』에 마오쩌둥이 루쉰의 시 「무제 · 만가묵면몰호래無題 · 萬家墨面沒蒿萊」를 쓴 친필 글씨가 발표되었다. 이 글씨는 7일에 마오쩌둥이 중국을 방문한 일본 대표단을 접견했을 때 대표단에 선물한 것이다. 궈모뤄가 이 시를 백화문으로 번역하고 이 시의 운자에 맞춰 시를 한 수 지어 일본 대표단에 증정하였다.

9일, 베이징에서 신해혁명 50주년을 기념하는 대형 행사가 진행되었다. 류사오치, 쑹칭링, 주더 등이 참석하였다. 저우언라이가 개회사를 하였으며 둥비우, 허샹닝 등이 연설하였다.

『인민일보』에 아잉의 「신해혁명 문담辛亥革命文談」이 발표되었다.

『문회보』에 저우서우쥐안의 지식 단문 「정조情鳥」가 발표되었다.

『베이징만보』에 마난춘의 잡문 「항해와 조선航海與造船」이 발표되었다.

10일, 우한, 덩퉈, 랴오모사 3인이 『전선』(격주간)에 '우난싱吳南星'이라는 필명으로 「싼자춘 찰기」란을 개설해 「고인의 여가 학습古人的業餘學習」을 발표하였다. 본 특별란은 1964년 7월까지 지속되어 총 65편의 잡문이 발표되었는데, 이 가운데 덩퉈가 18편, 우한이 21편, 판싱(랴오모사)이 21편의 작품을 발표하였다.

1966년 4월 16일, 『전선』에 「'싼자춘'과 「옌산 야화」에 관한 비판關於"三家村"和<燕山夜話>的批判」 자료 및 이에 대한 편집자의 말이 발표되어 "본지에서는 과거에 이러한 글들을 발표하면서도 이에 대해 적시에 비판하지 않았는데, 이는 잘못된 것이다", "이로 인해 이 중대한 투쟁에서 입장 혹은 경계심을 상실하는 결과를 낳았다"라고 반성하였다.

1966년 5월 10일, 야오원위안은 『해방일보』와 『문회보』에 동시에 「'싼자춘'을 평하다─「옌산 야화」, 「싼자춘 찰기」의 반동적 본질」을 발표해 덩퉈, 우한, 판싱 등 3인이 "당중앙과 마오 주석을 대단히 악독하게 모욕하고, 우경 기회주의 분자를 지지하면서 총노선과 사회주의 사업을 공격하였다"라고 모독하면서, "덩퉈, 우한, 랴오모사가 이 시기에 쓴 당을 공격하는 다수의 글은 서로 관계가 없는 '단독 행동'이 아니라 '싼자춘'이라는 합자 회사에서 내놓은 것으로, 음모와 계략을 가지고 대단히 선명하게 서로 협력하고 있다. 우한이 최선봉에 서 있고 랴오모사는 근근이 따라가고 있으며, 세 사람 가운데 진정한 '사령관', 즉 '싼자춘' 불법 객점의 지배인은 바로 덩퉈이다"라고 보았다. 야오원위안은 「옌산 야화」와 「싼자춘 찰기」를 "하나의 반동적인 노선이며, 몇 가닥의 사악한 기풍"이라고 형용하면서, "치밀한 계획을 거쳐 목적과 계획과 조직성을 가진 반당 반사회주의적인 대대적인 공격이다"라고 보았다. 이 글이 『인민일보』 5월 11일자에 전재된 후 전국적으로 '싼자춘' 비판이 고조에 올랐다.

1979년 2월, 베이징시 당위원회에서 '싼자춘' 반당 집단 사건의 시정을 결정하였다. 같은 해에 베이징출판사에서 『싼자춘 찰기』를 책으로 엮어 출간하였다. 린모한은 이 책의 「서문」에서 "「해서파관」과 '싼자춘'에 대한 공격을 시작으로 먹구름이 문단 전체를 뒤덮었다. 린뱌오와 '사인방'이 만들어낸 문자옥文字獄이 전국적으로 퍼져, 거의 모든 정직한 작가와 진보적인 작품이 그들이 설치한 그물에 걸렸다"라고 밝혔다.

『산둥문학』 10월호에 리젠우의 산문 「취푸 여행기曲阜遊記」가 발표되었다.

『극본』 10월호에 두펑의 11장 화극 「천 리 밖에서 승리를 거두다決勝千裏之外」가 발표되었다.

『인민일보』에 사설 「위대한 민주혁명─신해혁명 50주년을 기념하며一次偉大的民主革命──紀念辛亥革命五十周年」가 발표되었다. 같은 호에 주더의 구체시 「신해혁명 잡영辛亥革命雜詠」(8편) 및 회고문 「신해혁명 회고辛亥革命回憶」, 아잉의 「신해혁명 문담(2)辛亥革命文談(二)」가 발표되었다.

『문회보』에 저우서우쥐안의 문예필담 「말을 줍다語言拾零」(루쉰 작품 학습 찰기)가 발표되었다.

『광명일보』, 『해방일보』에 9일에 개최된 신해혁명 50주년 기념회에서의 저우언라이, 둥비우, 허샹닝의 연설 전문이 게재되었으며, 쑹칭링이 9월 9일에 집필한 「『신해혁명 회고록』 서문＜辛亥革命回憶錄＞序言」 및 주더가 10월 7일에 『신해혁명 회고록』을 위해 창작한 구체시 「신해혁명 잡영」(8편) 친필 원고, 둥비우가 8월 31일에 『신해혁명 회고록』을 위해 창작한 시 「신해혁명 회고록 앞머리에 쓰다寫在辛亥革命回憶錄前面」가 발표되었다. 『광명일보』에 사설 「신해혁명의 역사적 의의辛亥革命的曆史意義」가 발표되었다.

11일, 베이징시 문학예술공작자연합회에서 화극 「단검편」 좌담회를 개최해 차오위, 자오쥐인, 어우양산쥔 등이 참석하였다. 좌담회 요록은 「「단검편」 좌담회 요록＜膽劍篇＞座談會紀要」라는 제목으로 『베이징문예』 11월호에 발표되었다.

『인민일보』에 위안수이파이의 시 「기이한 것이 없으면 시가 되지 않는다無巧不成詩」, 시옌의 「루쉰 소설의 예술적 기교에 관한 찰기關於魯迅小說的藝術技巧的劄記」가 발표되었다.

12일, 『인민문학』 10월호에 리제런의 소설 「돤팡의 계획端方的打算」(장편소설 『큰 파도』 제3부 부분), 어우양산의 소설 「푹신한 침대차 칸 안에서在軟席臥車裏」(8월 13일에 광저우 훙화강紅花崗에서 창작), 마라친푸의 소설 「폭풍우가 초원 위에서 울부짖다暴風在草原上呼嘯」, 허치팡의 시 「시 10편」(「노래를 듣다聽歌」, 「양지푸에게贈楊吉甫」, 「판하이량에게贈範海亮」, 「밤에 완현을 지나다夜過萬縣」, 「베트남에서의 첫 아침在越南的第一個早晨」, 「베트남 중심부로 가다走向越南的中部」, 「세 명의 베트남 남방 아가씨三個越南南方的女青年」, 「셴량장賢良江」, 「어느 전시회를 관람하고參觀一個展覽會後」 등), 허징즈의 시 「구이린 산수가桂林山水歌」(1959년 7월에 초고를 완성한 후 1961년 8월에 베이다이허에서 정리하였고, 1979년 12월에 산둥인민출판사에서 출판된 『허징즈 시선賀敬之詩選』에 수록), 광지의 산문 「손을 흔드는 사이揮手之間」(1960년 10월에 창작한 후 1961년 7월에 수정), 비예의 산문 「우당산 기록武當山記」, 위린의 보고문학 「런청수이의 길任成水的道路」이 발표되었다.

『인민일보』에 마톄딩의 「나날이 향상하다－「지난 일을 회상하다」를 읽고天天向上——＜追懷往事＞讀後記」가 발표되었다.

『문회보』에 야오원위안의 산문 「게의 잡감蟹的雜感」이 발표되었다.

『광명일보』에 가오잉의 산문 「복숭아 예찬桃之贊」이 발표되었다.

13일, 베이징 문예계 인사들이 모여 알바니아 혁명 시인 미곈니Migjeni 탄생 50주년 기념행사를 개최하였다. 라오서가 개회사를 하였다.

『인민일보』에 라오서의 산문 「네이멍구 풍광內蒙風光」, 짱커자의 「마오 주석이 친히 루쉰의 시를 쓰다毛主席親題魯迅詩」가 발표되었다.

14일, 『문학평론』 제5호에 탕타오의 「루쉰의 미학사상을 논하다論魯迅的美學思想」, 마오둔의 「역사와 역사극에 관하여─「와신상담」의 서로 다른 여러 극본으로부터 이야기를 시작하다關於歷史和歷史劇──從〈臥薪嘗膽〉的許多不同劇本說起」, 허치팡의 「소수민족 문학사 집필 과정에서의 문제少數民族文學史編寫中的問題」가 발표되었다. 이 가운데 마오둔의 글은 제5, 6호에 걸쳐 연재되었다.

『인민일보』에 궈모뤄의 시 「다시 쿠이먼을 나서다再出夔門」(10월 1일 창작, 「완현을 지나다過萬縣」, 「취탕샤를 지나다過瞿塘峽」, 「우샤를 지나다過巫峽」 등)가 발표되었다.

『해방일보』에 펑쯔카이의 산문 「물을 마시며 근원을 생각하다─장시 혁명 근거지 참관 수필飲水思源──參觀江西革命根據地隨筆」이 발표되었다.

『광명일보』에 예성타오의 산문 「황폐한 모래땅의 개조荒沙的改造」가 발표되었다.

『베이징일보』에 라오서의 단문 「단결 송가團結頌」가 발표되었다.

15일, 『톈산』 10월호에 리잉의 시 「신장에 바치다獻給新疆」(「신장에 바치다」, 「9월, 궈쯔거우의 산길 위九月, 果子溝的山路上」, 「톈산 위의 반도공에게給天山上的班道工」 3편)가 발표되었다.

『인민일보』에 장즈민의 연작시 「수도 풍치首都風情」(「징산의 새벽 조망景山晨眺」, 「트랙터 위의 처녀拖拉機上的姑娘」, ''쿤밍' 뱃노래"昆明"槳唱」, 「광부의 말礦工的語言」, 「선물 판매부禮品門市部」, 「공원 사진기사公園攝影員」 6편), 양숴의 산문 「어적漁笛」, 우창의 산문 「봄비 오는 밤─알바니아 방문 잡기春雨之夜──訪問阿爾巴尼亞散記」, 저우리보의 특필 「장만전張滿貞」이 발표되었다.

16일, 『홍기』 제20호에 양숴의 산문 「설낭화雪浪花」(1960년 1월에 작가출판사에서 출간된 산문집 『해시海市』에 수록되었으며, 1961년 12월에 작가출판사에서 출간된 산문집 『동풍제일지東風第一枝』에 수록되었다. 이후에 1978년 1월에 인민문학출판사에서 출간된 『양숴 산문선楊朔散文選』에 수록되었다), 저우제푸의 산문 「백운심처白雲深處」가 발표되었다.

『아동시대』 제20호에 바이웨이의 「루쉰과 목각魯迅和木刻」이 발표되었다. 같은 날 발간된 제21

호에는 지셴린의 산문 「나는 네가 그립다, 셴야여我想念著你，謝尼亞」가 발표되었다.

『인민일보』에 마톄딩의 「지구와 지옥地球與地獄」, 아잉의 「신해혁명 잡담(3)辛亥革命雜談(三)」이 발표되었다.

『해방일보』에 루즈쥐안의 산문 「모리평 아래莫厘峰下」가 발표되었다.

『베이징만보』에 라오서의 구체시 「머릿수건 송가包頭頌」, 마난춘의 잡문 「말로만 독서를 주장하지 말라不要空喊讀書」가 발표되었다.

17일, 『인민일보』에 옌이의 시 「석탄 운반장에서 쓰다寫在運煤場」, 빙신의 「황허가 인민의 시대까지 흘러오다黃河流到了人民的時代」가 발표되었다.

18일, 『인민일보』에 한사오화韓少華의 보고문학 「서곡序曲」이 발표되었다.

한사오화(1933~2010), 베이징 출신이다. 60년대 초에 발표한 보고문학 「서곡」으로 이름을 얻었으며, 70년대 이후에는 주로 산문을 창작하였다. 제1, 2회 전국 우수 보고문학상을 받았으며 산문, 풍자 소품, 아동문학, 소설 등의 영역에서 여러 상을 받았다. 저서로 『한사오화 산문선韓少華散文選』, 『푸른 물이 유유히 흐르다碧水悠悠』, 『산책遛彎兒』, 보고문학 『용사여, 역사의 새로운 시기가 너를 필요로 한다－천아이우 동지를 기억하며勇士，歷史的新時期需要你──記陳愛武同志』, 『계모繼母』 등이 있다.

19일, 루쉰 선생 서거 25주년 기념일을 맞이해 바진 등이 훙커우 공원의 루쉰 묘에 헌화하였다. 이날 상하이에서는 6천여 명이 묘지를 방문하고 헌화하였다.

『인민일보』에 예성타오의 구체시 「루쉰 선생 서거 25주년 기일에魯迅先生逝世二十五周年祭」가 발표되었다.

『베이징만보』에 마난춘의 잡문 「형이상학의 몰락形而上學的沒落」이 발표되었다.

『해방군보』에 예융례葉永烈의 지식 단문 「낙엽을 보고 가을이 왔음을 알다－엽록소 만담葉落知秋──漫話葉綠素」이 발표되었다.

예융례(1940~2020), 필명은 샤오융蕭勇, 예양葉揚 등으로 저장성 원저우溫州 출신이다. 1963년에 베이징대학 화학과를 졸업하였다. 상하이 작가협회 전문작가, 홍콩 문련 명예주석을 역임하였다. 초기에는 아동문학, SF, 과학 보급문학 및 기록문학을 창작하였다가 이후에는 기록문학 위주로 창작하였다. 저서로 장편 기록문학 『1978: 중국 운명의 대전환1978:中國命運大轉折』, 『천원의 길陳雲之路』, 『

후차오무 전기胡喬木傳』, 『마쓰충 전기馬思聰傳』, 『푸레이와 푸충傳雷與傳聰』, 『랑스추의 황혼 연애梁實秋的黃昏戀』, 『붉은 기점紅色的起點』, 『장칭 전기江靑傳』, 『반우파의 전말反右派始末』, 『역사는 마오쩌둥을 선택했다歷史選擇了毛澤東』 등이 있으며, 『예융례 문집葉永烈文集』(50권), 『예융례 자선집葉永烈自選集』(7권)이 출간되었다.

20일, 『광시문예』 10월호에 장융메이의 시 「구이린 단장桂林斷章」, 친쓰의 단문 「루쉰의 저작을 열렬히 사랑하다熱愛魯迅的著作」가 발표되었다.

『인민일보』에 류허우밍의 평론 「어린 관중에게 여지를 남기다―소련 아동 극영화 「살아 있는 영웅」 감상給小觀衆留些餘地――看蘇聯兒童故事片＜活著的英雄＞有感」이 발표되었다.

21일, 『광명일보』에 마톄딩의 잡문 「문화의 적文化的敵人」, 선충원의 지식 단문 「문물을 통해 옛사람의 수염 문제를 말하다從文物談談古人的胡子問題」가 발표되었다. 선충원의 글은 21, 24일자에 연재되었다.

『중국청년보』에 하화哈華의 보고문학 「양봉을 하는 노인養蜂老爹」이 발표되었다.

22일, 『광명일보』에 궈모뤄의 문예이론 「진운정의 「기외서」에 관한 새로운 자료關於陳雲貞＜寄外書＞的一項新資料」가 발표되었다.

『중국청년보』에 친무의 산문 「변화무쌍한 닭變化萬千的雞」이 발표되었다.

『베이징만보』에 마난춘의 잡문 「팔고문의 잔당八股餘孽」이 발표되었다.

23일, 『인민일보』에 마톄딩의 잡문 「일본 인민의 눈은 밝다日本人民的眼睛是雪亮的」가 발표되었다.

『해방일보』에 페이리원의 소설 「소년행少年行」의 연재가 시작되어 23, 25, 26, 28일자에 연재되었다. 본 소설은 1961년 4월에 초고가 완성된 후 10월에 수정되었다.

24일, 『인민일보』에 천찬원의 산문 「우감 2편偶感二則」이 발표되었다.

『광명일보』에 마톄딩의 잡문 「'사는 게 귀찮다'론"活得不耐煩"論」이 발표되었다.

25일, 바진이 문예필담 「「제4병실」에 관하여談＜第四病室＞」를 창작해 이후 『바진 문집』 제

14권에 수록하였다.

『인민일보』에 궈모뤄의 시「쿤밍 7편昆明七首」(「쿤밍으로 돌아가다回昆明」, 「쿤밍에서 화극「무측천」을 보다在昆明看話劇<武則天>」, 「관쑤솽 동지에게贈關肅霜同志」, 「윈난성 농업 전시관에 바치다(2편)題曾雲南省農業展覽館(二首)」, 「추숭에 묵다(2편)宿楚雄(二首)」), 량신의「생활에서 창작까지－우충화 형상의 창조 과정從生活到創作——吳瓊花形象的塑造過程」이 발표되었다.

『전선』제19호에 우난싱의 잡문「걷는 것과 넘어지는 것으로부터 학습을 시작하다從走路和摔跤學起」가 발표되었다.

『해방군보』에 리잉의 시「조선 전우에게寄朝鮮戰友」가 발표되었다.

26일,『인민일보』에 마톄딩의「내 채찍에 복종해라聽從我的鞭子'」, 쉬광핑의「「영원히 소멸되지 않는 인상」을 읽고讀<永不磨滅的印象>」가 발표되었다.

『광명일보』에 시옌(왕시옌)의「문예비평 만담漫話文藝批評」이 발표되었다.

『베이징만보』에 마난춘의 잡문「소를 키우면 장점이 많다養牛好處多」, 펑쯔카이의 산문「붉은 난간 밖 천 개의 버드나무 가지－징더전 참관 수필赤欄杆外柳千條——參觀景德鎮隨筆」이 발표되었다.

『베이징일보』에 쩌우디판의 시「신월집新月集」이 발표되었다.

27일,『인민일보』에 리잉의 시「고비 사막 3편戈壁三首」(「비雨」, 「고비 사막 병참戈壁兵站」, 「위성류, 사막보리수, 백자－변경 건설을 지원하는 청년 동지들에게紅柳, 沙棗, 白茨——給支援邊疆建設的青年同志們」)이 발표되었다.

28일,『중국청년보』에 루원푸의 산문「쑤저우 만보蘇州漫步」가 발표되었다.

일본공산당 중앙위원회에서『마오쩌둥 선집』일본어판의 출판을 결정하였다.

29일,『인민일보』에 탕커신의 산문「호수 유람遊湖」이 발표되었다.

『광명일보』에 탕타오의「마오 주석이 직접 루쉰의 시를 쓰다毛主席親書魯迅詩」가 발표되었다.

『베이징만보』에 마난춘의 잡문「감자의 내력甘藷的來歷」, 빙신의「편지봉투와 편지지에 관하여談信封信紙」가 발표되었다.

30일, 『인민일보』에 마톄딩의 잡문「'열정'의 매수"熱情"的收買」가 발표되었다.

31일, 『베이징일보』에 돤무훙량의 산문「내싱안링의 원시림 속에서在內興安嶺原始森林裏」가 발표되었다.

이달에 대형 문예월간『홍기수』잡지가 반년여 간의 휴간 끝에『간쑤문예甘肅文藝』로 명칭이 변경되어 다시 발행되었다.

사팅, 아이우, 린진란, 류전 등이 구이저우, 윈난 등지를 참관하였다. 사팅은 여행 도중에「곤수기困獸記」를 기초로 한 3부작 장편소설을 구상하고 창작을 시작하였다.

황추윈이 잡문『사필史筆』을 창작하였다.

저우페이周非의 장편소설『둬랑허 강가多浪河邊』가 상하이문예출판사에서 출간되었다.

류융劉勇의 소설산문집『봄꽃春花』이 후난인민출판사에서 출간되었다.

리지의 시『왕구이와 리샹샹』(양장본, 옌한彥涵 삽화)이 인민문학출판사에서 출간되었다.

팡빙方冰의 시『전투하는 농촌戰鬥的鄉村』(증보판), 쉬광핑의『루쉰 회고록』, 친무의 산문집『화성花城』, 저우얼푸의 산문집『횃불火炬』등이 작가출판사에서 출간되었다.

『마오둔 문집』제9권,『바진 문집』제10, 11권,『루쉰 일기魯迅日記』(상, 하권) 양장본이 인민문학출판사에서 출간되었다.

원페이文非의 문예이론『문예가 정치를 위해 복무하는 것에 관하여談文藝爲政治服務』가 춘풍문예출판사에서 출간되었다.

우뤼伍律의 과학 보급 작품『뱀섬의 비밀蛇島的秘密』이 중국소년아동출판사에서 출간되었다.

소년아동출판사에서 아동문학자료총서兒童文學資料從書의 출간이 시작되었다. 본 총서에는『1921~1937 아동문학 선집1921－1937兒童文學選集』,『1911~1960 아동문학 논문 목록 색인1911－1960兒童文學論文目錄索引』,『1913~1949 아동문학 논문집1913－1949兒童文學論文集』,『고대 동요 자료古代兒歌資料』등이 포함되었다.

친수이秦水가 번역한 영국 작가 마가렛 하크니스의 중편소설『도시 아가씨城市姑娘』가 인민문학출판사에서 출간되었다.

저우슈량周煦良이 번역한 영국 작가 존 골즈워디의 장편소설『궁경騎虎』(『포사이트가 이야기福爾賽世家』제2부)이 상하이문예출판사에서 출간되었다.

황청라이黃成來가 번역한『고리키高爾基』, 왕원치汪文琦가 번역한『마야코프스키馬雅可夫斯基』, 진젠金堅이 번역한『톨스토이阿·托爾斯泰』, 웨이즈韋之가 번역한『파데예프法捷耶夫』등의 작가 연구

저서가 상하이문예출판사에서 출간되었다.

11월

1일, 『신항』 11월호에 한잉산의 소설 「하방 전야下放前夕」가 발표되었다.

『산화』 11월호가 '시 특집호'로 발간되어 젠셴아이의 구체시 「첸둥난 시초黔東南詩抄」, 옌이의 시 「쭌이행遵義行」, 리잉의 시 「허시행河西行」, 구궁의 시 「대지大地」(외 2편)가 발표되었다.

『문예홍기』 11월호에 덩퉈의 구체시 「비둘기詠鴿」, 「위농慰農」, 옌전의 시 「홍산차紅山茶」(외 2편)가 발표되었다.

『열풍』 제7호에 차이치자오의 시 「닝화寧化」가 발표되었다.

『인민일보』에 쩌우디판의 시 「흑백철 수리점黑白鐵修補站」, 궈모뤄의 구체시 「'손오공이 백골요정을 세 번 공격하다'를 보고 저장성 소극단에 보내다看"孫悟空三打白骨精"書贈浙江省紹劇團」가 발표되었다. 마오쩌둥은 11월 17일에 궈모뤄와 함께 운자를 맞추어 「칠언 율시 · 궈모뤄 동지와 함께七律 · 和郭沫若同志」를 창작하였다.

『우화雨花』 11월호에 청샤오칭의 여행 산문 「옌당 기승雁蕩紀勝」, 판인차오의 「낙엽을 쓰는 것처럼 가르치다校書如掃落葉」가 발표되었다.

『안후이문학』 11월호에 옌전의 산문 「대나무 잎 편지竹葉信」가 발표되었다.

『초원』 11, 12월호 합본에 라오서의 이인전二人轉 극본 「시커우로 가다走西口」, 차오위의 「문예공작 잡담雜談文藝工作」이 발표되었다.

2일, 『인민일보』에 양숴의 「동풍제일지 · 발문東風第一枝 · 小跋」, 라오서의 상성 극본 「독서讀書」가 발표되었다.

『광명일보』에 마톄딩의 잡문 「코가 꿰어 끌려가는 사람被牽著鼻子走的人」이 발표되었다.

『문회보』에 구궁의 시 「마등馬燈」, 「대못竹釘」 2편이 발표되었다.

『베이징만보』에 마난춘의 잡문 「고대의 만화古代的漫畫」가 발표되었다.

3일, 『충칭일보』에 탕청唐程의 보고문학 「수밀도蜜桃」가 발표되었다.

4일, 『베이징문예』 11월호에 라오서의 시 「네이멍구 경물內蒙即景」(6편), 정전둬의 유작 「시 디 일기초西諦日記鈔」가 발표되었다.

『인민일보』에 친무의 잡문 「장애인의 꽃缺陷者的鮮花」이 발표되었다.

『베이징만보』에 돤무훙량의 가사 「후룬베이얼 초원 위呼倫貝爾草原上」가 발표되었다.

5일, 『상하이문학』 11월호에 야오원위안의 「인민에 대한 예술작품의 역할을 논하다―미학 필기 제5편論藝術作品對人民的作用――美學筆記之五」(제1~4편은 각각 『문회보』 1월 17일자와 5월 2일자, 『학 술월간』 6월호, 『상하이희극』 7, 8월호 합본에 발표)의 연재가 시작되어 12월호에 완료되었다. 같은 호에 류바이위의 산문 「추창우기秋窗偶記」, 런다린의 산문 「내 친구 룽룽我的朋友容容」이 발표되었다.

『해방일보』에 궈모뤄의 친필 구체시 「1961년 가을 상하이 경곤실험극단 설립 공연 관람 기념一 九六一年秋觀上海京昆實驗劇團建團公演紀念」이 발표되었다.

6일, 『민족단결』 10, 11월호 합본에 예성타오의 구체시 연작(「보살만·모직 공장에서 카펫 을 짜는 것을 보다菩薩蠻·毛織廠觀織地毯」 등)이 발표되었다.

7일, 『광명일보』에 리잉의 시 「백양나무 숲―허시 회랑 노상 문답白楊林――河西走廊路上問答」 이 발표되었다.

『해방일보』에 페이바이飛白가 번역한 마야코프스키의 장시 『좋아!』의 제6장이 발표되었다.

9일, 『인민일보』에 펑치융의 「경극 「청매자주논영웅」談京劇＜青梅煮酒論英雄＞」, 짱커자의 「다 시 마오 주석이 루쉰의 시를 직접 쓴 것에 관하여再談毛主席親題魯迅的詩」가 발표되었다.

『광명일보』에 마톄딩의 잡문 「향기로운 것과 역겨운 것香與臭」이 발표되었다.

『베이징만보』에 마난춘의 잡문 「완핑 대소미宛平大小米」가 발표되었다.

10일, 『중국청년보』에 뤄광빈, 양이의 장편소설 『붉은 바위』의 연재가 시작되었으며 편집자 의 말이 게재되었다. 본 소설은 12월에 중국청년출판사에서 단행본이 출간되었으며 인쇄 부수는 1~50,000부이다. 이후에 여러 차례 재판이 출간되었으며, 가극 「장제江姐」, 영화 「열화 속에서 영 생하다烈火中永生」 등으로 재창작되었다. 마스투가 「『붉은 바위』에 관하여且說＜紅岩＞」에서 소개한 바에 따르면 "저자인 뤄광빈과 양이 동지는 작가가 아니다. 심지어 내가 아는 바에 의하면 그들은 창작을 직업으로 삼으려 한 적이 전혀 없다. 그저 그들이 해방 전에 한동안 '중미합작소中美合作所'에 수감된 적이 있어, 수많은 공산주의 영웅의 모습이 그들의 기억 속에서 밖으로 나가고자 했으며, 여러 동지와 벗들이 그들을 격려하고 재촉해 그들이 이 작품을 쓰도록 압박했을 따름이다. 그들은 「열화 속에서 영생하다」를 쓴 후에도 부족하다 느껴 소설도 창작해 이 영웅 인물들이 오래도록 이 세상에 머무르게 하였다. 그래서 그들은 이 소설을, 거절할 수 없는 정치적 임무로 삼아 창작했다", "『붉은 바위』의 초고가 완성된 후에 문예공작자들을 초청해 원고를 검토하고 토론하는 자리에서 이 작품은 일부 동지들의 매서운 비평을 받았고, 심지어 까다로운 질책을 받기도 했다. 나는 이 작품에 대해 그들이 초고를 쓸 때 분위기를 저조하게 표현해 감옥 안의 잔혹한 분위기와 처참한 희생을 너무 많이 묘사하고, 감옥을 마치 혁명 영웅이 고난을 겪는 곳 내지는 혁명의 도살장, 즉 '금고의 세계禁錮的世界'(이 책의 예전 제목)로 묘사해, 감옥이 우리 지하당地下黨이 혁명 투쟁을 진행하는 제2의 전장이자 공산주의 학교처럼 표현되었다고 질책하였다"라고 밝혔다(『중국청년』 1962년 제11호).

옌강은 "사람들은 『붉은 바위』를 '공산주의 기서奇書'라고 부른다. 내가 이해하는 바에 따르면 '기'라는 글자의 의미는 두 가지가 있다. 하나는 사건이 기이한 것이다. 사건은 중국에서(또한, 전 세계에서) 가장 비밀스럽고 잔혹한 감옥 속에서 발생했으며, 사건의 발생과 발전 과정은 의외의 전개를 보여준다. 비극 속에 희극이 있고, 희극 속에 비극이 있으며, 절대적인 잔혹함과 절묘한 투쟁이 모두 들어 있다. 다른 하나는 인물이 기이한 것이다. 손발을 묶인 사람들이 온몸을 무장한 적에 대항해 죽음의 직전에서도 죽음을 두려워하지 않고 투쟁하고 있으며, 포위된 상황에서 포위를 돌파하려 한다. 그들은 열화 속에서 희생하고, 또한 열화 속에서 영생한다"(『비장한 『붉은 바위』悲壯的〈紅岩〉』 제1쪽, 상하이문예출판사 1963년), "장제江姐와 쉬윈펑許雲峰은 『붉은 바위』의 긍정적 인물들 가운데 가장 독자를 감동시키는 두 인물이다"(38쪽), "그들을 통해 작가가 열렬히 찬미하는, 공산주의자의 굳세고 과감하며 티 없이 깨끗한 품성과 지조가 집중적으로 표현되어 있다"(제39쪽), "이 외에도 당의 공작을 위해 마지막 피 한 방울까지 바친 청강成崗, 자산계급 출신이지만 열화와 같은 혁명 투쟁 속에서 점차 성장하는 지식분자 류쓰양劉思揚, 그리고 앞에서 비교적 상세히 소개한 화쯔량華子良 등이 모두 『붉은 바위』에서 존경할 만한 인물이다. 그들은 장제, 쉬윈펑과 서로 대조되고 서로 돋보이면서 서로 어울려 빛나는 예술적 효과를 얻었다"(제57쪽)라고 밝혔다. 그는 『붉은 바위』가 "사람을 감동시키는 매력"은 "의심할 여지가 없는 진실성, 선명한 형상의 설득력, 격렬하고 강렬하며 심금을 울리는 감화력, 저자의 표현에 드러나는 뜨거운 감정, 그리고 견실한 혁명 이성주의가 시종일관 고양되어 있다는 점"(제2쪽)이라고 보면서, "『붉은 바위』에서 묘사한 옥중 투쟁생활은 복잡하고도 풍부하다"(제35쪽), "공산주의자에 대한, 그리고 그들이 적의 감옥이라는 특수한 환경하에서 특수한 투쟁을 진행하는 정치적 생활과 정신적 생활에 대한 작가의 이해는 전면적이며 실제에 부합한다. 또한 이에 대한 작가의 묘사 역시 진실하고 풍부하다", "사상의 깊이, 그리고 현실주의와 낭만주의 창작방법의 파악과 운용에 있어 모두 상당한 수준에 이르렀다. 이 작품은 중국 신민주주의 혁명사 과정에서의 공산주의자의 분투와 감동적인 역사를 생생하게 표현했을 뿐만 아니라, 더 중요한 것은 이러한 역사에 대한 구체적이고도 깊이 있는 묘사를 통해 중국 공산당원의 혁명 정신과 숭고한 기개를 발굴하고 발양하였으며, 또한 이를 충분히, 그리고 감동적으로 표현하였다는 것이다"(제36쪽)라고 밝혔다.

『홍기』제21, 22호 합본에 관화의 소설 「갈매葛梅」, 짱커자의 「정련·가지런함·압운―시 학습 단상精煉·大體整齊·押韻──學詩斷想」이 발표되었다.

『인민일보』에 궈모뤄의 단문 「루쉰의 시를 번역하다翻譯魯迅的詩」, 마톄딩의 「자신의 추한 모습을 통해 세계의 모습을 그리다以自己的醜相畵世界的面貌」, 아잉의 「전기문학의 발전―신해혁명 문담 제5편傳記文學的發展──辛亥革命文談之五」, 예성타오의 산문 「삼림 지대에서 이틀 동안의 기록林區二日記」이 발표되었다.

『문회보』에 야오원위안의 산문 「대약진의 과실大躍進的果實」이 발표되었다.

『광명일보』에 젠보짠의 구체시 「왕소군 묘를 유람하다遊昭君墓」가 발표되었다.

『전선』제21호에 우난싱의 잡문 「'위대한 공론偉大的空話'」이 발표되었다.

『시간』제6호에 쑨유톈의 연작시 「자동차가 탄광지대로 들어서다汽車開進煤礦區」, 량상취안의 시 「화교花橋」(「화교」, 「채색된 강물彩色的河流」, 「도원에서 물고기를 감상하다桃源觀魚」, 「봄날에 제비가 오다陽春燕子來」), 궈모뤄의 구체시 「한단에서在邯鄲」(「진지루위 열사 공원묘지를 참배하다謁晉冀魯豫烈士陵園」, 「조 무령왕 총대를 오르다登趙武靈王叢台」 2편), 리잉의 시 「레닌 이야기列寧的故事」(3편), 샤오쉐의 시 「화뎬바 시초花甸壩詩草」(2편), 쩌우디판의 「봄바람 속의 웃음소리―「베이다황 저너」를 읽고春風裏的笑聲 讀<北大荒的姑娘>」가 발표되었다.

11일, 『인민일보』에 예성타오의 산문 「삼림 지대에서 이틀 동안의 기록」이 발표되었다.

12일, 『인민문학』11월호에 아이우의 소설 「고원 위高原上」, 천샹허의 소설 「도연명이 「만가」를 쓰다陶淵明寫<挽歌>」, 라오서의 구체시 「네이멍구 동부 여행기內蒙東部紀遊」(4편), 짱커자의 「추이웨이산의 노래翠微山歌」(13편), 옌천의 「어룬춘의 노래鄂倫春之歌」, 「동방홍東方紅」, 쩌우디판의 「성문의 서정都門的抒情」(「노래歌」, 「화이인 후퉁槐蔭胡同」, 「베이하이차오 위北海橋上」, 「작은 채마밭 스케치一張小菜園的速寫」, 「룽바오자이의 예술가榮寶齋的藝術家」), 장즈민의 「수도 풍치首都風情」(「차 파는 처녀賣茶姑娘」, 「수송대의 여자 운전기사運輸隊女司機」, 「채소 운반차를 미는 사람推菜車的人」), 린경의 「초가을의 노래新秋之歌」 등의 시, 리젠우의 「빗속에 타이산을 오르다雨中登泰山」, 돤무훙량의 「초원 위에서在草原上」, 런다린의 「찬란한 별하늘 아래서在燦爛的星空下」 등의 산문, 마톄딩의 잡문 「신문 독서 우감讀報偶感」, 가오위안高源의 보고문학 「등대의 비바람燈塔風雨」이 발표되었다.

『베이징만보』에 마난춘의 잡문 「'무성 음악' 및 기타"無聲音樂"及其他」가 발표되었다.

바진이 문예필담 「「게원」에 관하여談<憩園>」를 창작해 『바진 문집』 제14권 『나의 창작을 말하다談自己的創作』에 수록하였다. 그는 글에서 「게원」의 등장인물의 내력에 관해 중점적으로 소개하고, 양라오싼楊老三의 모델이 자신의 다섯째 숙부라고 설명하였다.

14일, 『인민일보』에 마톄딩의 잡문 「기개骨氣」가 발표되었다.

『문회보』에 야오원위안의 잡문 「또 다른 독약另一種毒藥」이 발표되었다.

『해방군보』에 구궁의 연작시 「난창음南昌吟」(「난창南昌」, 「여관旅社」, 「종루鐘樓」, 「창턱窗台」, 「8·1대교八一大道」)이 발표되었다.

15일, 『인민일보』에 우한의 「소년 작가에게─『나는 오늘 닭에게 모이를 준다』 서문寫給少年作者──<今天我喂雞>序」이 발표되었다.

16일, 『아동시대』 제22호에 라오서의 산문 「사랑스러운 네이멍구可愛的內蒙古」, 류허우밍의 소설 「만년필 집一個鋼筆套」이 발표되었다.

『광명일보』에 친무의 산문 「열정의 과실熱情的果子」이 발표되었다.

17일, 『문회보』에 구궁의 시 「돌아오다歸來」가 발표되었다.

『양청만보』에 궈모뤄의 구체시 「시 3편詩三首」(「류시 수력발전소 풍경流溪水電站即景」, 「펑위안 과수원을 유람하다遊鳳院果樹園」, 「충화 온천從化溫泉」)이 발표되었다.

18일, 『인민일보』에 마톄딩의 「방울뱀響尾蛇」이 발표되었다.

『중국청년보』에 짱커자의 글 「루쉰의 「무제」 번역魯迅＜無題＞試譯」이 발표되었다.

『해방일보』에 친무의 「열대지방 사람이 가죽옷을 사다熱帶人買皮衣」가 발표되었다.

『베이징만보』에 하오란의 소설 「추란은 내일 시집간다秋蘭明天出嫁」가 발표되었다.

19일, 『인민일보』에 한쯔의 소설 「증여贈予」, 궈모뤄의 시 「다리 여행遊大理」(「얼하이의 달洱海月」, 「망부운望夫雲」, 「대리석 채석장大理石場」, 「만인총萬人塚」, 「톈성차오天生橋」, 「다리 온천大理溫泉」, 「후뎨취안蝴蝶泉」, 「조주화朝珠花」, 「부석관음負石觀音」, 「천자묘파天子廟坡」 10편으로, 이 가운데 8편은 구체시이며 나머지 2편은 현대시이다), 위안잉의 산문 「성은 백양나무 숲 깊은 곳에 있다城在白楊深處」가 발표되었다.

『베이징만보』에 마난춘의 잡문 「사람이 가난해도 뜻은 궁하지 않다人窮志不窮」, 빙신의 「나는 도연명을 보았다我看見了陶淵明」가 발표되었다.

20일, 바진이 문예필담 「「추운 밤」에 관하여談＜寒夜＞」를 창작해 『바진 문집』 제14권에 수록하였다.

『장시문예』 11월호에 샤오쉐의 시 「공장장場長」이 발표되었다.

21일, 『문예보』 제11호에 '「다지와 그녀의 아버지」 토론' 특집란이 개설되어 뤼빙履冰의 「인물 형상과 시대정신－「다지와 그녀의 아버지」의 인물 창조에 관하여人物形象與時代精神——試談小說＜達吉和她的父親＞中的人物塑造」, 탄페이성譚霈生의 「성격 충돌, 사상 의의 및 기타性格沖突, 思想意義及其他」가 발표되었다.

『베이징일보』에 돤무훙량의 산문 「손님을 반기는 주인好客的主人」이 발표되었다.

22일, 중국작가협회에서 연회를 개최해 홋타 요시에堀田善衛 단장이 이끄는 일본문학가 대표단을 환영하였다. 랴오청즈廖承志, 라오서, 마오둔, 저우얼푸 등이 참석하였다.

『인민일보』에 짱커자의 시 「국보－마오 주석이 1929년에 민시에서 사용한 문서 보관함國寶——詠毛主席1929年在閩西用的公文箱」, 커란의 산문시 「기념 책자에 쓰다－아침노을 피리寫在紀念冊上——早霞短笛」, 아잉의 「각성하는 희극계－신해혁명 문담 제6편覺醒的戲劇界——辛亥革命文談之六」(연작 완결)이 발표되었다.

23일, 『민간문학』11월호에 태족 민가 「도혼조逃婚調」와 동족 민가 「늑각가勒脚歌」가 발표되었다.

『인민일보』에 리잉의 시 「목장에서-터커쓰 초원에서 쓴 시在牧場上——寫在特克斯草原的詩」가 발표되었다. 같은 호의 기사에 따르면, 전국 희곡계가 다년간의 노력 끝에 귀중한 희곡예술 유산을 대량으로 발굴, 정리 및 계승해 올해 봄부터 전국의 각 극종의 공연예술단체에서 우수한 전통 작품을 상시 공연하여, 이를 통해 공연 작품의 범위를 확대한다고 밝혔다.

『베이징만보』에 마난춘의 잡문 「베이징의 옛 항구北京的古海港」가 발표되었다.

24일, 『인민일보』에 마톄딩의 잡문 「도둑과 사기꾼의 비애慣竊'騙子手的悲哀」가 발표되었다.

25일, 『전선』제22호에 우난싱의 잡문 「귀신을 무서워하는 '아학'怕鬼的"雅謔"」이 발표되었다.

『광명일보』에 저우서우쥐안의 산문 「쑤저우의 당백호蘇州唐伯虎」, 마톄딩의 단문 「이 역시 일종의 진실이다也是一種真實」가 발표되었다.

26일, 『베이징만보』에 마난춘의 잡문 「외국 우화 두 가지兩則外國寓言」가 발표되었다.

27일, 바진이 문예필담 「「신생」 등에 관하여談＜新生＞及其他」를 창작해 『바진 문집』제14권에 수록하였다.

28일, 『광명일보』에 제민의 문예수필 「함축에 관하여談含蓄」, 마톄딩의 단문 「초혼招魂」이 발표되었다.

29일, 바진이 문예필담 「『나의 창작을 말하다』 서문＜談自己的創作＞小序」을 창작해 『바진 문집』제14권에 수록하였다.

30일, 『인민일보』에 라오서의 「하오서우천 노선생을 삼가 추모하며敬悼郝壽臣老先生」가 발표되었다.

『광명일보』에 하오란의 단편소설 「열차칸 안車廂裏」, 장융메이의 연작시 「산의 마음속山的胸懷」

(「나는 산의 마음속으로 들어간다我走進山的胸懷」, 「철마를 재촉하다催促鐵馬」, 「두렵지 않다不怕」, 「정조情操」 4편)이 발표되었다.

『베이징만보』에 마난춘의 잡문 「청산은 변하지 않는다靑山不改」가 발표되었다.

이달에 쩡쥐가 우한시 교외에서의 노동개조 기간에 연시 「바치다有贈」를 창작하였다.

『마오둔 문집』 제10권, 『바진 문집』 제12권, 마오둔의 장편소설 『서리 맞은 잎이 이월의 꽃보다 붉다霜葉紅於二月花』, 쑨리의 중단편소설집 『시골 민요村歌』가 인민문학출판사에서 출간되었다.

마이샹馬憶湘이 창작하고 왕성례王盛烈가 삽화를 그린 장편소설 『해바라기朝陽花』가 중국청년출판사에서 출간되었다.

루디魯荻의 『여명의 순간黎明時刻』(『십년十年』 제1부), 한수이漢水의 『용감하게 앞으로 나아가다勇往直前』 등의 장편소설이 백화문예출판사에서 출간되었다.

후완춘의 소설 『붉은빛이 대지를 두루 비춘다』, 리지의 시집 『맹세海誓』가 작가출판사에서 출간되었다.

리류루의 장편소설 『60년의 변천』(제2권)이 작가출판사에서 출간되었다. 인쇄 부수는 1~50,000부이다. 이 소설은 1956년에 『베이징일보』에 연재를 시작해 10월 21까지 연재되었다. 『60년의 변천』은 우수한 장편 혁명 역사소설로, 저자 리류루는 독특한 예술적 기교와 생생하고 세밀한 필치로 60년간(청 말기 무술변법 유신 전후부터 1949년 전국 해방까지)의 중국의 정치 및 사회상의 거대한 변화를 그려내었다. 책은 3권으로 구성되었는데, 제1권에서는 무술변법 유신부터 신해혁명이 실패한 시기까지의 중국 사회의 변화를 묘사하였다. 제1권은 1958년에 작가출판사에서 출간되었으며 인쇄 부수는 1~30,000부이다. 제2권은 북양군벌 통치 시기부터 1927년의 제1차 대혁명이 실패한 때까지를 다룬다. 제2권에서는 중국공산당이 탄생한 이후에 중국의 혁명군중이 당이 제시한 반제국주의 반봉건주의라는 정치 강령과 공농 연맹, 연합전선 등의 정확한 정책적 지시 아래 일으킨 드높은 대혁명의 파도를 중점적으로 묘사하였다. 작품은 제국주의와 봉건세력의 파괴, 자산계급의 반란, 천두슈의 잘못된 우경 기회주의 노선 등으로 인해 제1차 대혁명이 실패한 과정을 생생하게 설명하였다. 또한 마오쩌둥의 청년기의 혁명활동에 대해서도 사실적으로 서술하였다. 이 외에도 중국공산당 초기의 우수한 당원인 허수헝何叔衡, 천옌녠陳延年, 팡웨이샤方維夏 등의 생생한 모습을 창조하였으며, 동시에 장제스, 탄옌카이譚延闓, 장후이짠張輝瓚 등 반동파의 추악한 모습도 폭로하였다. 문화대혁명으로 인해 작가가 제3권의 내용을 채 10만 자를 창작하지 못하고 사망해, 유고는 1982년 1월에 작가출판사에서 출간되었다.

커위안의 시집 『야채가椰菜歌』, 장융메이의 시집 『눈처럼 흰 하다雪白的哈達』, 궈펑의 산문집 『영웅과 꽃송이英雄和花朵』, 샤오무의 소설, 특필집『드넓은 세계寬廣的世界』가 상하이문예출판사에서 출간되었다.

우한의 역사극『해서파관』 단행본이 베이징출판사에서 출간되었다.

자오중趙忠 등이 합동 창작한 가극『붉은 산호紅珊瑚』가 해방군문예출판사에서 출간되었다.

후치광胡奇光 등의『신민가의 언어예술新民歌的語言藝術』이 상하이교육출판사上海教育出版社에서 출간되었다.

뤄녠성羅念生이 번역한『소포클레스 비극 2종索福克勒斯悲劇二種』,『아이스킬로스 비극 2종埃斯庫羅斯悲劇二種』이 인민문학출판사에서 출간되었다.

선리중沈立中이 번역한 소련 작가 페딘의 장편소설『형제들弟兄們』, 천잔위안陳占元이 번역한 프랑스 작가 발자크의 장편소설『농민農民』이 상하이문예출판사에서 출간되었다.

『대중전영』에서 제1회 영화 백화상을 진행해 이듬해 5월에 시상식을 거행하였다.『대중전영』은 중국영협에서 편찬하는 영화 간행물로, 백화상은 매년 한 차례 관중의 투표를 통해 선정하였다. 1964년에 중단되었다가 1980년에 재개되었다.

이달 하순에 차오징화가 산문「눈안개가 자욱한 때 서화를 방문하다雪霧迷蒙訪書畫」를 창작하였다.

12월

1일,『인민일보』에 리준李準의 시「뒤 부아에게致杜波伊斯」, 위안잉의 산문「날이 추워진 후에야 송백의 지조를 알게 된다歲寒然後知松柏之後雕」가 발표되었다.

『신항』12월호에 하오란의 소설「밀월蜜月」, 마오둔의「「리위안」을 읽고<力原>讀後感」가 발표되었다.

『허베이문학』11, 12월호 합본에 쉬광야오의 소설「졸병 장가小兵張嘎」, 마라친푸의 산문「어룬춘 모음곡鄂倫春組曲」이 발표되었다.

『옌허』11, 12월호 합본에 리제런의 소설「죽어 가는 때의 암투垂死時候的勾心鬥角」(장편소설『큰 파도』제3부 제7장)가 발표되었다.

『아동시대』제23, 24호 합본에 류신우의 소설「소포 이야기郵包的故事」가 발표되었다.

『쓰촨문학』12월호에 옌이의 시「량산행涼山行」(6편), 천보추이의 산문「아이들孩子們」, 화스化

石의 보고문학 「'워와' 전기^{"沃瓦"傳奇}」가 발표되었다.

『우화^{雨花}』 12월호에 저우서우쥐안의 구체시 「이싱 장궁등 2편^{宜興張公洞二首}」, 판인차오의 구체시 「양셴 여행 기록^{陽羨紀遊}」(4편)이 발표되었다.

『창장문예』 제3호에 둥비우의 구체시 「칠십자수^{七十自壽}」(7편)가 발표되었다.

3일, 『베이징만보』에 마난춘의 잡문 「수양^{涵養}」, 라오서의 「『하오서우천 검보집』서문<郝壽臣臉譜集>序」(9월 4일 창작)이 발표되었다.

4일, 『민간문학』 12월호에 예성타오의 시 「몽골족 가수 하자부의 노래를 듣다^{聽蒙古族歌手哈紮布歌唱}」, 돤무훙량의 산문 「초원에서 소리 높여 노래하다^{草原放歌}」가 발표되었다.

『베이징문예』에 돤무훙량의 산문 「비 온 후^{雨後}」, 쭝푸의 산문 「추색부^{秋色賦}」가 발표되었다.

5일, 『상하이문학』 12월호에 젠셴아이의 단편소설 「다시 오다^{重來}」가 발표되었다.

『인민일보』에 쉬터리의 「청년에 대한 몇 가지 희망^{對青年人的幾點希望}」이 발표되었다.

『광명일보』에 리잉의 시 「목장 기후 관측소^{牧場氣候站}」, 「다리—옛날이야기^{橋──一個舊日的故事}」, 우한의 「역사 인물의 평가와 역사 지식 보급에 관한 문제^{有關歷史人物評價和歷史知識普及的問題}」가 발표되었다.

『해방군보』에 구궁의 시 「원자스^{文家市}」, 「어머니^{母親}」, 「길을 묻다^{問路}」 3편이 발표되었다.

6일, 『신장일보』에 예성타오의 평론 「「타림행」—사상성과 예술성이 모두 뛰어난 여행기<塔裏木行>──一篇情文並茂的遊記」가 발표되었다.

7일, 『전영창작』에 영화문학 극본 「루쉰 전기」(상)이 발표되었다. 천바이천, 예이췬, 탕타오, 커링, 두쉬안, 천리팅이 창작하였으며 천바이천이 집필하였다. 극본은 1961년 11월 25일에 베이징에서 완성되었다.

『베이징만보』에 마난춘의 잡문 「문물을 보호하자^{保護文物}」가 발표되었다.

9일, 문화부에서 「희곡, 곡예 전통 작품의 발굴공작 진행 과정에서 원로 예인의 신체적 건강을 중시하는 데 관한 통지關於在進行挖掘戲曲, 曲藝傳統劇目, 曲目工作中要注意老藝人的身體健康的通知」를 발포하였다.

『인민일보』에 둥비우의 친필 구체시 「『12·9 회고록』을 읽고讀<一二·九回憶錄>」, 평쯔의 평론 「「단검편」 공연에 관하여<膽劍篇>演出淺談」, 짱커자의 「시 학습 단상」이 발표되었다.

『광명일보』에 아잉의 「황 장군이 호문에서 엘리엇을 사로잡다—아편전쟁 전설黃將軍虎門擒義律———鴉片戰爭傳說」이 발표되었다.

10일, 『전선』 제23호에 우난싱의 잡문 「독서에 관하여談讀書」가 발표되었다.

『극본』 12월호에 라오서가 천극을 각색한 6장 화극 「하주배荷珠配」, 차오위의 「독서에 관하여談讀書」가 발표되었다.

『인민일보』에 인수충尹叔聰의 보고문학 「반짝이는 눈明亮的眼睛」이 발표되었다.

『베이징만보』에 마난춘의 잡문 「미씨삼원米氏三園」이 발표되었다.

11일, 문화부와 중국극협에서 '저우신팡 연기 인생 60주년 기념' 행사를 개최해 저우언라이, 루딩이가 참석하였다. 저우신팡이 「해서상소海瑞上疏」, 「의책왕괴義責王魁」, 「사진사四進士」 등의 작품을 공연하였다.

12일, 『인민문학』 12월호에 한쯔의 소설 「전방前方」, 웨이쥔이의 소설 「15년 후十五年後」, 롼장징의 시 「4월의 하바나四月的哈瓦那」(「새벽의 하바나淸晨的哈瓦那」 등 6편, 4월 16일에 하바나에서 창작한 후 9월에 베이징에서 수정), 리잉의 시 「이리행伊犁行」(「이닝의 8월伊寧八月」 등 3편, 9월에 이닝에서 창작), 양숴의 「산과 물을 그리다畫山繡水」, 펑쯔카이의 「조리가 정연하다—장시 혁명 근거지 참관 수필頭有尾———參觀江西革命根據地隨筆」(10월 9일에 상하이에서 창작), 판인차오의 「꽃의 공사花之社」, 지셴린의 「굳은살이 가득한 두 손一雙長滿老繭的手」(9월 25일), 천보추이의 「청년 전사와 어린 팔로군 병사靑年戰士與小八路」(7월에 수정) 등의 산문, 친무의 잡문 「이규와 이귀李逵與李鬼」(10월에 광저우에서 창작), 추양丘揚이 동명의 향극鄉劇을 각색한 화극 극본 「삼가복三家福」 및 셰쉐처우謝雪疇의 보고문학 「'노호단'의 결말"老虎團"的結局」이 발표되었다.

셰쉐처우(1920~2017), 후난성 닝샹寧鄉 출신으로 1938년에 신사군에 참가하였으며 같은 해에 중국공산당에 가입하였다. 화둥야전군華東野戰軍 연대 정치위원, 제2야전군 사단 정치부 주임 및 군구 공군 부정치위원 등을 역임하였다. 1943년부터 작품을 발표하였으며 1954년에 중국작가협회에 가입하였다. 저서로 중편소설『연대 지도원團指導員』,『흰구름 깊은 곳에 인가가 있다白雲深處有人家』, 영화문학 극본『청운곡青雲曲』, 산문집『'노호단'의 결말』,『구타의 신화 및 기타古塔的神話及其他』등이 있다.

『문회보』에 야오원위안의 단문「시의 경구詩的警語」가 발표되었다.

『광명일보』에 친쓰의 문예수필「획익편獲益篇」이 발표되었다.

13일, 『인민일보』에 톈한의 구체시「저우신팡 동지 연기 인생 60년을 축하하며賀周信芳同志演劇生活六十年」(4편), 젠보짠의 산문「네이멍구 고적 탐방內蒙訪古」이 발표되었다.

14일, 『문학평론』제6호에 문학의 공감 문제와 산수시 문제 토론에 관한 편집부의 총론 기사「문학에서의 공감 문제와 산수시 문제에 관한 토론關於文學上的共鳴問題和山水詩問題的討論」이 발표되었다. 글은 "문학에서의 공감 문제와 산수시 문제는 모두 문학예술의 계급성이라는 근본적인 문제에 닿아 있다", "또한 과거의 문예 유산을 정확하게 이해, 평가하고 비판적으로 계승하는 문제, 그리고 기초를 정확히 인식하고 상층과 관계를 구축하는 문제와 관련되어 있으며", "문학예술의 특징에도 관련되어 있다"고 보았다.

문학에서의 공감 문제에 관한 토론은『문학평론』1960년 제5호에 발표된 류밍주의「인성론자의 공감설 비판」을 계기로 시작된 것으로, "수정주의가 문학의 계급성을 부정하고 인성론을 선전하는 것을 비판하는 것에는 모두가 동의한다. 이번 토론에서 논쟁의 중심은 공감 현상을 발생시키는 계급적 기초 문제이다." 논쟁의 초점은 계급사상과 감정이 일치해야만 공감의 기초를 형성할 수 있는가 하는 것이다. 이에 대한 의견은 1. "공감을 위해서 반드시 동일한 계급사상과 감정의 기초가 있어야만 하는 것은 아니다. 서로 다른 계급에 속한 이들이라도 특정한 조건하에서 어떠한 측면 혹은 어떠한 한 점에 있어서는 동일하거나 혹은 유사한 사상 감정이 존재하기 때문에, 이들 사이에 공감이 형성될 수 있다." 2. "공감은 동일한 계급사상과 감정의 기초 위에서만 형성될 수 있다." 이 두 가지 의견은 공감의 개념, 공감을 형성하는 조건과 기초, 공감의 역할과 범위 능 여러 가지 문제에 있어 모두 다른 견해를 보였다.

산수시 문제에 관한 토론에서 논쟁의 초점은 계급성 문제에 집중되었다. 논쟁의 대상은 "산수시라는 유형의 작품의 계급성을 어떻게 대하고, 판단하고, 해석할 것인가, 모든 산수시에 계급성이 존재하는가"이다. "주된 논쟁과 의견의 불일치는 산수 경물의 아름다움만을 노래하고 예찬하면서 사회와 인생에 대한 견해와 감회를 드러내거나 토로하지 않은 작품에 집중되었다." 이에 대한 의

견은 1. 이러한 작품들에 대해 "그 자체에서 계급성을 발견할 수 없"으며, 이들 작품에 대한 "감상에도 계급성이 없다"는 것이다. 2. "산수시가 반영한 자연 경물 자체에 객관적인 자연미가 존재한다. 이러한 자연미에는 사회의 아름다움과 마찬가지로 객관적인 계급성이 존재한다. 따라서, 모든 산수시에 계급성이 존재한다고 보아야 한다"라는 것이다. 산수시 평가 문제에 있어 예술 측면에서의 평가는 비교적 일치했으나, "이들의 사상 측면에 대해서는 토론 과정에서 이들 작품의 계급성, 탄생과 발전 등에 대해 다른 견해가 존재하였다."

같은 호에 류밍주의 「다시 공감 현상의 본질과 그 원인을 논하다 — 공감 문제에 대한 답변再論共鳴現象的實質及其原因——關於共鳴問題的答復」, 마오둔의 「역사와 역사극에 관하여 —「와신상담」의 서로 다른 여러 극본으로부터 이야기를 시작하다」가 발표되었다.

『베이징만보』에 마난춘의 잡문 「루츠수이의 자줏빛 국화로부터 이야기를 시작하다從魯赤水的墨菊說起」가 발표되었다.

15일, 『전영예술』제6호에 한상이, 쉬쑤링徐蘇靈의 「희곡 예술 영화 — 서로 다른 두 가지 예술 형식의 결정戲曲藝術片——兩種不同藝術形式的結晶」, 옌커펑顏可風(취바이인)의 「희극 영화 토론 과정에서의 한 가지 문제喜劇電影討論中的一個問題」가 발표되었다. 옌커펑은 글에서 희극에서의 '풍자'라는 예술 수단의 역할을 충분히 긍정하였다.

16일, 중공 국가기관과 각 민주 당파 중앙기관에서 펑쉐펑, 황야오몐, 우쭈광, 아이칭, 바이랑 등 일부 우파 분자의 오명을 바로잡았다.

『홍기』제24호에 저우리보의 단편소설 「어느 일요일에在一個星期天裏」가 발표되었다.

『광명일보』에 아잉의 단문 「마카오의 두 의인澳門兩義士」, 구중이의 「영웅 희극이란 무엇인가什麼是英雄喜劇」가 발표되었다.

17일, 『인민일보』에 톈젠의 연작시 「타림의 장塔裏木之章」(「타림塔裏木」, 「장군將軍」 등 5편), 청샤오칭의 산문 「구름 한 점이 동굴 입구를 가리다一片飛雲掩洞門」가 발표되었다.

『베이징만보』에 마난춘의 잡문 「금거북의 몸에 황금이 있다金龜子身上有黃金」가 발표되었다.

19일, 『광명일보』에 마톄딩의 단문 「죽어도 돈을 원하는 것'과 '죽은 돈을 원하는 것」"死要錢"

與"要死錢"이 발표되었다.

20일, 문화부 당조에서 회의를 소집해 문화예술, 영화, 출판, 문물 등 사업의 지도 관리 공작 강화를 연구하였다.

『광시문예』 12월호에 하오란의 소설 「영지靈芝草」가 발표되었다.

21일, 『문예보』 제12호에 '「다지와 그녀의 아버지」 토론' 특집란이 지속되어 셰진, 황쯩잉 등의 관련 문장 14편이 발표되었다. 같은 호에 추원의 「도연명이 「만가」를 쓰다陶淵明寫<挽歌>」, 빙신의 평론 「갈매葛梅」, 차오위의 평론 「설랑화雪浪花」, 제민의 「차이가 있는가?有沒有區別?」, 웨이진즈의 「루즈쥐안의 소설에 관하여也來談談茹志鵑的小說」가 발표되었다.

『베이징만보』에 마난춘의 잡문 「남진과 북최南陳和北崔」가 발표되었다.

21일~1962년 1월 21일, 단장 멍보가 이끄는 상하이 청년경곤극단靑年京昆劇團이 홍콩을 방문해 공연하였다. 위전페이가 예술 지도자를 맡았다.

22일, 『인민일보』에 궈모뤄의 구체시 「류시허 즉흥流溪河即事」(「류시허댐에서 물고기를 감상하다」 등 4편)이 발표되었다.

23일, 『인민일보』에 저우서우쥐안의 산문 「스쯔린에서 국화를 감상하다賞菊獅子林」가 발표되었다.

『광명일보』에 짱커자의 문예수필 「'평론'에 관하여小談"評論"」가 발표되었다.

『중국청년보』에 하오란의 단편소설 「작은 시냇물小河流水」가 발표되었다.

24일, 『베이징만보』에 마난춘의 잡문 「잘못은 '목불식정'에 있는가?錯在"目不識丁"嗎?」가 발표되었다.

25일, 『전선』 제24호에 우난싱의 잡문 「'전자 음악극'은 본래 이런 것이다"電子音樂劇"原來如此」가 발표되었다.

26일, 『인민일보』에 예젠잉의 구체시「후 주석께 상비선을 삼가 올리다敬贈胡主席湘妃扇」, 차오징화의「『꽃』발문<花>小跋」이 발표되었다.

28일, 『희극보』제23, 24호 합본에 마오둔의「저우신팡 연기 인생 60년을 기념하며爲周信芳演劇六十年紀念題詞」, 라오서의「무대 회갑舞台花甲」이 발표되었다.

『인민일보』에 타오쥔치陶君起, 리다커李大珂의「선연한 한 송이 '홍매'―「홍매기」의 각색에서 출발해 곤곡「이혜낭」을 말하다一朵鮮豔的"紅梅"――從<紅梅記>的改編，談到昆曲<李慧娘>」가 발표되었다. 글은「이혜낭」에 대해 긍정적으로 평가하였다.

바진이 산문「아오노 스에키치 선생青野季吉先生」을 창작해 작품집『다 쏟아낼 수 없는 감정傾吐不盡的感情』에 수록하였다.

31일, 『인민일보』에 궈샤오촨의 시「싼먼샤三門峽」가 발표되었다.

『베이징만보』에 마난춘의 잡문「섣달그믐을 쇠며 도소주를 마시다守歲飲屠蘇」가 발표되었다.

『양청만보』에 궈모뤄의 구체시「시 3편詩三首」(「계화헌에 부쳐題桂花軒」등 3편)이 발표되었다.

이달에 문화부 당조에서 중앙선전부에「출판공작자협회 설립에 관한 보고關於設立出版工作者協會的報告」를 제출하였다.

총정치부에서 문화공작회의를 소집해 부대문예공작에서 '백화제방, 백가쟁명' 방침을 관철하는 것에 대해 토론하였다. 전군 문예공작자 170여 명이 참석하였으며, 회의 후에 천이, 뤄룽환羅榮桓이 참석자들을 접견하고 연설하였다.

선충원이 문단 '복귀'를 준비하면서 왕전王震의 안배하에 롼장징, 거비저우 등 9인과 함께 장시 징강산 지구를 방문해 참관하고 창작의 소재를 수집하였다. 선충원은 롼장징, 화산과 함께 징강산, 루산盧山 등지를 여행하는 동안 구체시「징강산의 새벽井岡山清晨」(외 4편)을 창작하였다. 이 작품은『인민문학』1962년 2월호에 발표되었다.

『바진 문집』제13권이 인민문학출판사에서 출간되었다. 중편소설「게원」, 「제4병실」및 이에 대한 머리말과 후기가 수록되었다.

바진의 중단편소설집『리다하이李大海』, 지쉐페이의 단편소설집『농촌 기록農村紀事』이 작가출판사에서 출간되었다.

류융劉勇의 단편소설집『금색의 가을金色的秋天』이 상하이문예출판사에서 출간되었다.

징신敬信의 단편소설집『풍우기風雨旗』가 춘풍문예출판사에서 출간되었다.

양쑤楊蘇의 단편소설집『완성하지 못한 치마沒有織完的筒裙』가 윈난인민출판사에서 출간되었다.

베이징시 문학예술공작자연합회에서 편찬한 단편소설집『광야 위曠野上』가 베이징출판사에서 출간되었다.

허징즈의『방가집放歌集』, 장즈민의『마을의 기풍村風』등의 시집이 인민문학출판사에서 출간되었다.

리다이성李代生, 류전劉鎭 등의『온 하늘에 노을이 흩날리다滿天飛霞』(공인 작가 시선), 훠만성霍滿生 등의『들판의 새 노래田野新歌』(농민 작가 시선)가 춘풍문예출판사에서 출간되었다.

궈샤오촨의 장편서사시『장군 3부작將軍三部曲』, 광지의 시집『창장은 동쪽으로 흐른다大江東去』, 자오푸추의 시집『적수집滴水集』,『시간』편집부의 시론집『신시가의 발전 문제新詩歌的發展問題』(제4집), 양쉬의 산문집『동풍제일지東風第一枝』, 우한의 산문집『춘천집春天集』이 작가출판사에서 출간되었다.

장치張岐의 산문집『소라 나팔螺號』, 단딩丹丁의 잡문집『과두편瓜豆篇』이 산둥인민출판사에서 출간되었다.

왕런중王任重의 산문집『담심집談心集』이 상하이문예출판사에서 출간되었다.

중국인민해방군 해군 정치부 문공단 화극단에서 각색한 화극『갑오 해전』, 철도부 우루무치 철도국 문공단에서 합동 창작한 4막 가극『두 세대 사람兩代人』이 중국희극출판사에서 출간되었다.

장양, 궈쭈페이郭祖培 등이 창작한 2장 화극『추석 이야기中秋節的故事』가 윈난인민출판사에서 출간되었다.

『중국인민해방군 30년中國人民解放軍三十年』공모 편집부에서 편찬한『불티가 번져 들판을 태우다』(6)가 인민문학출판사에서 출간되었다.

류즈劉志가 창작하고 탄페이성이 정리한 혁명 회고록『베이징 지하 투쟁의 나날 속에서在北京地下鬥爭的日子裏』가 베이징출판사에서 출간되었다.

판나이중範乃仲의 평서評書『적진 후방의 영웅敵後英雄』이 허난인민출판사에서 출산되었다.

톈진군중예술관天津群眾藝術館에서 편찬한『군중문예 공연 자료群眾文藝演唱材料』가 백화문예출판사에서 출간되었다.

톈예훙田野紅이 편찬한 혁명가요『비가 멎고 날이 개어 태양이 드러나다雨過天晴出太陽』가 장쑤인민출판사에서 출간되었다.

광시동족자치구 민간문학연구회 준비위원회, 광시사범학원 중문과에서 편찬한『태평천국 고사 가요선太平天國故事歌謠選』(류시융劉錫永 삽화)이 광시인민출판사에서 출간되었다.

라오서의 아동극『보물선』, 쑨유쥔孫幼軍의 동화『샤오부터우의 뜻밖의 만남小布頭奇遇記』이 중국소년아동출판사에서 출간되었다.

자즈, 쑨젠빙孫劍冰이 편찬한『중국민간고사선中國民間故事選』(제2집)이 작가출판사에서 출간되었다.

중화서국 상하이편집소에서 편찬하고, 위짜이춘於在春이 선정 및 번역하고, 청스파程十發가 삽화를 그린『요재지이 고사 선역聊齋故事選譯』(고전문학 보급 도서)이 중화서국에서 출간되었다.

위전餘振 등이 번역한 소련 작가 마야코프스키의『마야코프스키 선집馬雅可夫斯基選集』(제5권: 논문, 강연, 특필)이 인민문학출판사에서 출간되었다.

베이징편역사北京編譯社에서 번역한 일본 작가 아키야마 히로시秋山浩的의『731 세균부대731細菌部隊』가 군중출판사에서 출간되었다.

겨울에 시인 궈샤오촨이 남방 각지를 방문해 참관하고 창작의 소재를 수집하였다.

펑쉐펑이 우파의 오명을 벗은 후 다시 인민문학출판사 편집자를 맡았으나, 대장정을 소재로 한 소설을 완성해 달라는 요구는 거절하였다. 펑쉐펑은 이전의 원고를 소각하였다.

왕멍이 베이징 근교에서 3년 반 동안의 '노동 개조'를 거친 후 우파의 오명을 벗고 이듬해 9월에 베이징사범학원 중문과 교수로 부임하였다.

1961년 정리

루링이 베이징 친청秦城 감옥에 수감 중에 과도한 정신적 자극을 받아 정신이상이 생겨 병원에 입원하였다. 퇴원 후 자택에서 1년여 동안 보석 치료를 받았으나, 이후에 당중앙에 서신을 보내 불만을 표시한 일로 인해 다시 수감되었다.

우미吳宓가 충칭에서 우한으로 이동해 삼협을 여행하고 옛 친구를 방문한 후 광저우로 가서 천인커를 방문하였다.

친무가 『양청만보』 부편집장직에서 전출되었다.

창야오昌耀가 칭하이 서부 황야 유배지에서 「구멍이 뚫린 바위를 밟고서踏著蝕洞斑駁的岩原」, 「이것은 황토색 토지이다這是赭黃色的土地」, 「황야荒甸」, 「밤에 서부 고원을 가다夜行在西部高原」 등 4편의 시를 창작하였다.

『신체육보新體育報』 제8호에 본지 기자의 「조국을 빛내다-제26회 탁구 세계선수권의 중국 대표단을 기억하며爲國增光——記第二十六屆世界乒乓球錦標賽中的中國代表隊」가 게재되었다.

커란이 산문 「물수리魚鷹」를 창작하였다.

차오징화가 '윈난 서정' 연작을 창작해 이후에 『비화집飛花集』에 수록하였다.

펑쯔카이가 일본 문학 명저 『겐지 이야기源氏物語』의 번역을 시작하였다.

저우쭤런이 「약당담왕藥堂談往」(후에 제목을 「지당담왕록知堂談往錄」으로 변경) 약 20만 자를 집필하였다.

여름에서 가을 사이에 야오쉐인이 「이자성」 제1권의 원고 수정을 마치고 중국작가협회에 보내 심사를 요청하였다.

1961년부터 친무가 「장애인의 꽃」, 「빵과 소금」, 「뱀과 농작물」, 「용수의 아름다운 수염榕樹的美髯」 등의 잡문을 창작하였다. 이 작품들은 이후에 1978년에 인민문학출판사에서 출간된 『장하낭화집長河浪花集』에 수록되었다.

중국민간문예연구회, 신장문련, 신장문학연구소, 커쯔러쑤커얼커쯔자치주克孜勒蘇柯爾克孜自治州위원회 및 중앙민족학원에서 서사시 「마나쓰瑪納斯」 공작조를 조직해 25만 행을 기록하였다(이 가운데 주쑤푸·마마이朱素甫·瑪瑪依가 117,000행을 불렀으며, 『마나쓰』 상, 하권으로 출간되었다).

쓰촨인민출판사에서 '문예소총서文藝小叢書'를 출판하였다. 본 총서에는 사팅의 『쫓고 쫓기다』, 황머우위안荒謀遠의 『영원히 시들지 않는 꽃永不凋謝的花朵』, 마스투의 『홍군을 찾아서』, 쩌우중펑

鄒仲平 등의 『은행과 '트랙터 운전수'銀杏和"拖拉機手"』 등의 단편소설집이 포함되었다.

상하이문예출판사에서 '문학작품 분석 소총서文學作品分析小叢書'를 출판하였다. 본 총서에는 전푸전푸의 『마오 주석 시사 해석毛主席詩詞淺釋』, 저우톈의 『'창업사' 제1부에 관하여小談"創業史"第一部』, 이정易征, 장춰의 『'삼가항'에 관하여談談"三家巷"』, 후차이의 『쥔칭의 '자오둥 기록'에 관하여談峻青的"膠東紀事"』 등이 포함되었다.

『모뤄 선집沫若選集』(4권), 『모뤄 문집沫若文集』(제13, 14권), 『마오둔 선집茅盾選集』(양장본), 『샤옌 선집夏衍選集』(양장본), 『톈한 선집田漢選集』(양장본), 『차오위 선집曹禺選集』(양장본) 등이 인민문학출판사에서 출간되었다.

궈모뤄가 창작하고 위페이거於非闇가 그림을 그린 『백화제방百花齊放』(비단 표지 제본)이 룽바오자이에서 출간되었다.

아이칭이 창작한 장편 보고문학 『수송병 쑤창푸運輸兵蘇長福』가 신장군구생산건설병단 기운처機運處 문예창작조의 이름으로 신장청년출판사新疆青年出版社에서 출간되었다.

우위안즈의 장편소설 『금색의 뭇 산』, 혁명 회고록 『홍기가 바람에 펄럭인다』(제15, 16집)가 중국청년출판사에서 출간되었다.

중국희극가협회에서 편찬한 『메이란팡 공연 극본 선집梅蘭芳演出劇本選集』(양장본), 『저우신팡 공연 극본 선집周信芳演出劇本選集』(양장본), 『저우신팡 공연 극본 신편周信芳演出劇本新編』(양장본), 리사오춘李少春이 각색한 『야저림野豬林』(경극, 양장본), 판쥔훙이 각색한 『엽호기獵虎記』(경극, 양장본)가 중국희극출판사에서 출간되었다.

밍러우明樓 등이 각색한 평극 『차병기茶瓶記』(수정판)이 춘풍문예출판사에서 출간되었다.

중화서국 상하이편집소에서 편찬한 『수호전』(전3권, 양장본), 아잉이 편찬한 『만청문학종초晚清文學從鈔』(장회소설)가 중화서국에서 출간되었다.

샤즈칭의 『중국현대소설사中國現代小說史』가 미국 예일대학교 출판사에서 출간되었다. 중국어 번역본은 류사오밍劉紹銘, 리어우판李歐梵이 번역해 홍콩 우련출판사友聯出版社 유한공사에서 1979년 7월에 출간되었다.

연말부터 1962년까지 라오서가 자전적 장편소설 『정홍기 아래正紅旗下』의 창작을 시작해 제11장까지 약 8만 자를 창작하였으나 완성하지 못하였다. 1979년에 『인민문학』 3월호에 최초 발표되었으며, 1980년 6월에 인민문학출판사에서 출간되었다.

베이징 방송국에서 「돼지 치는 처녀養豬姑娘」, 「경운기」, 「메아리回聲」, 「한메이메이韓梅梅」, 「영예榮譽」, 「폭풍우 속暴風雨中」, 「단추扣子」 및 아동 소재 드라마 「붉은 술이 달린 창紅纓槍」, 「샤오밍은 왜 산수를 못할까小明爲什麼算不出算數」, 민간전설에 근거해 각색한 드라마 「장발매長發妹」 등

13편의 드라마를 방영하였다.

올해 상영된 중요 영화는 다음과 같다.

「세차고 모진 비바람暴風驟雨」(린란林蘭 각본, 셰테리謝鐵驪 감독, 베이징전영제편창 제작)

「다지와 그녀의 아버지」(가오잉 각본, 왕자이王家乙 감독, 어메이전영제편창峨嵋電影制片廠, 창춘 전영제편창 제작)

「눈바람 부는 다볘산」(천덩커, 루옌저우 각본, 황쭈모黃祖模 감독, 안후이전영제편창安徽電影制片廠 제작)

「훙색낭자군」(량신 각본, 셰진 감독, 톈마전영제편창 제작. 제1회 '백화상' 최우수 극영화상, 최우수 감독상, 최우수 여자배우상, 최우수 남자조연상, 1964년 제3회 아시아 아프리카 영화제 '만륭상萬隆獎', 1995년 '중국영화 세기상中國電影世紀獎' 수상)

「고목에 꽃이 피다」(왕롄, 정쥔리 각본, 정쥔리 감독, 하이옌전영제편창 제작)

「우장을 돌파하다突破烏江」(주신朱欣 각본, 리수톈李舒田, 리마오李昴 감독, 8·1전영제편창 제작)

「51호 병참51號兵站」(장웨이칭張渭清, 량신梁心, 류취안劉泉 각본, 류충劉瓊 감독, 하이옌전영제편창 제작)

「대뇨천궁(상)大鬧天宮(上)」(리커뤄李克弱, 완라이밍萬籟鳴 각본, 완라이밍, 탕청唐澄 감독, 상하이 미술영화제편창上海美術電影制片廠 제작)

「둥메이冬梅」(린산林杉 각본, 왕옌王炎 감독, 창춘전영제편창 제작)

「훙후 적위대」(메이사오산梅少山, 장징안張敬安 각본, 셰톈, 천팡첸陳方千, 쉬펑徐楓 감독, 베이징 전영제편창, 우한전영제편창武漢電影制片廠 제작. 1961년에 상영되었으며 1962년 제1회 백화상 최우수 음악상 수상)

올해 관중으로부터 가장 큰 환영을 받은 영화는 「세차고 모진 비바람」, 「51호 병참」, 「훙후 적 위대」, 「붉은 산호」이다. 「훙후 적위대」와 「붉은 산호」의 삽입곡이 널리 알려져 불렸다.

톈진인민예술극원에서 쿠바의 3막 화극 「사탕수수밭甘蔗田」을 공연하였다. 원작은 쿠바 작가 바그 알폰소巴格·阿爾豐索의 작품으로 잉뤄청이 번역하였으며 팡천方沉이 감독을 맡았다. 극본은 『극본』7, 8월호 합본에 발표되었다.

중국평극원에서 선동 작품 「화위매花爲媒」를 긱색해 공연하였다. 원작은 청지오치 이成兆才가 창 작하였으며 천화이핑陳懷平, 뤼쯔잉呂子英이 각색을, 우젠, 뤼쯔잉이 감독을 맡았다. 신펑샤新鳳霞, 리이란李憶蘭, 장더푸張德福, 자오리룽趙麗蓉이 주연을 맡았다.

올해 말까지 중국 대륙에 설립된 출판사는 모두 80곳으로, 그 가운데 중앙급 출판사는 30곳, 지 방 출판사는 50곳이다. 출판한 서적은 13,529종으로 그 가운데 신판 도서는 8,310종이며, 총 인쇄 수량은 10억 1,600만 권이다. 잡지는 410종이 출간되었다.

1962年

1월

1일, 『중국청년』제1호에 하오란의 소설 「결혼식날喜期」이 발표되었다.

『후난문학』1월호에 커란, 원추의 장편소설 『추수 봉기秋收起義』의 연재가 시작되었다.

『옌허』1월호에 뤄광빈, 양이옌의 소설 「장제江姐」, 옌이의 시 「공사 현장을 다시 방문하다重訪工地」가 발표되었다.

『허베이문학』1월호에 톈젠의 시 「시詩」(천리시초千裏詩抄 머리말)가 발표되었다.

『신항』1월호에 량빈의 소설 『파화기』(장편소설 『홍기보』제2부)의 연재가 시작되어 9월호에 완료되었으며, 10월호에는 『파화기』후기가 발표되었다. 같은 호에 광징의 시 「우리의 베이징我們的北京」, 먀오더위苗得雨의 시 「향정소집鄕情小集」(4편), 리잉의 시 「신병 일기新兵日記」(2편), 우보샤오의 산문 「난라오취안難老泉」 및 톨스토이의 「우리는 어떻게 창작하는가我們怎樣寫作」가 번역 게재되었다.

『분예홍기』1월호에 샹창궁張長弓, 정스젠鄭士謙의 소설 「사냥꾼의 일화獵人軼事」, 위안징外 중편소설 「홍색 소년 수확기」 부분, 위안잉의 산문 「비바람 부는 사자 바위風雨獅子岩」가 발표되었다.

『해방군문예』1월호에 저우리보의 단편소설 「장난꾸러기 역할調皮角色」, 장즈민의 시 「서행 실루엣西行剪影」(2편), 장융메이의 시 「군영이 없는 깊은 산속에서在沒有軍營的深山」(2편), 쌍커자의 수필 「훌륭한 작품은 백 번 읽어도 질리지 않는다佳作不厭百回讀」, 예성타오의 신작 단평 「「타림행」 —사상성과 예술성이 모두 뛰어난 여행기」가 발표되었다.

『창춘』 1월호에 장톈민의 시 「채홍집彩虹集」(6편)이 발표되었다.

『초원』 1월호에 나·싸이인차오커투의 시 「선거 기록選擧大會紀實」, 장창궁의 소설 「종소리鍾聲」가 발표되었다.

『간쑤문예』 1월호에 톈젠의 시 「백설무곡白雪舞曲」(3편), 장즈민의 시 「서행 실루엣」(3편), 옌천의 시 「붉은 바위紅岩」(외 1편)가 발표되었다.

『인민일보』에 양한성의 시 「덜레스를 노래하다詠都勒斯」가 발표되었다.

4일, 중화서국이 베이징에서 설립 50주년 기념회를 개최하였다.

『광명일보』에 우한의 「역사를 어떻게 학습할 것인가如何學習歷史」가 발표되었다. 글은 1. 역사와 평론의 결합 문제, 2. 이론을 어떻게 학습하고 운용할 것인가, 3. 사료를 어떻게 수집하고 파악할 것인가, 4. 기초 지식과 기본 기능 강화 문제 등 네 부분으로 구성되었다.

『베이징문예』 1월호에 러우스이의 시 「옌안의 노래延安曲」(8편), 리잉의 시 「스허쯔 풍경선石河子風景線」(2편), 라오서의 「기본기를 많이 연마하자多練基本功」, 류허우밍의 「쑹판 동지에게 보내는 서신給宋汎同志的一封信」이 발표되었다.

『양청만보』에 친무의 문예수필 「예림만상록藝林漫想錄」이 발표되었다.

5일, 『변강문예』 1월호에 「생활, 학습, 창작 - 위안수이파이, 사팅, 궈샤오촨의 창작 문제 좌담 요록生活, 學習, 創作——袁水拍, 沙汀, 郭小川座談創作問題摘要」, 태족 민간 장편서사시 『선수線秀』(윈난민족민간문학조사대雲南民族民間文學調査隊 수집, 리광톈 정리), 리광톈의 「태족 장편서사시 『선수』 서문序傣族敍事長詩＜線秀＞」이 발표되었다.

『양청만보』에 우커런의 역사소설 「유종원이 좌천되다柳宗元被貶」가 발표되었다.

『상하이문학』 제1호에 루즈쥐안의 소설 「첫걸음第一步」, 셰푸謝璞의 소설 「즐거운 산간 오지喜樂的山窩」, 한잉산의 소설 「친척집 나들이串親」, 장융메이의 시 「함께 기뻐하다一同歡喜」(외 1편), 뤄빈지의 산문 「헤이룽장 위에서의 항해航行在黑龍江上」, 저우서우쥐안의 산문 「옌당에는 기이한 봉우리와 바위가 많다雁蕩奇峰怪石多」, 웨이진즈의 「우리의 자산을 어떻게 사용할 것인가怎樣使用我們的財富」, 친무의 문예수필 「예술의 바다에서 조개를 줍다」가 발표되었다.

셰푸(1932~2018), 필명은 춘후이春暉로 후난성 둥커우洞口 출신이다. 1956년에 중국작가협회 문학강습소를 졸업한 후 1959년에 중국작가협회에 가입하였다. 저서로 장편소설 『학질 산채에서 도망쳐 나온 아이從擺子寨逃出的孩子』, 중단편소설집 『이월란二月蘭』, 『자매간의 정姊妹情』, 우화 동화집『처마 아래의 큰 세계屋簷下的大世界』, 산문집『진주부·셰푸 산문선珍珠賦·謝璞散文選』등이 있다.

『신장문학』1월호에 톈젠의 시「톈산 시초天山詩草」(5편), 옌천의 시「매山鷹」(외 2편), 장즈민의 시「서행 실루엣」(4편) 및 톈젠의 글「시의 내용과 기교에 관하여關於詩的內容和技巧」, 옌천의 평론「높음, 깊음, 순수함高, 深, 精」, 장즈민의 글「독서와 창작 만담漫談讀書和創作」이 발표되었다.

6일,『양청만보』에 궈모뤄의 시「칠성암을 유람하다遊七星岩」가 발표되었다.

7일,『인민일보』에 쉬츠의 시「그림 같은 강산如畫江山」(「창장 연작長江組歌」제1부. 「창장 연작」은 총 4부로 구성되어 제2부의 제목은「큰 파도와 붉은 강변洪濤赤岸」, 제3부의 제목은「강대한 군대가 강을 날아 건너다雄師飛渡」, 제4부의 제목은「높은 협곡과 평평한 호수高峽平湖」이다), 왕예추王冶秋의「'신궁' 변이기"神宮"變異記」, 지쉐페이의 소설「두 대장兩個隊長」이 발표되었다.

『해방일보』에 관인차오의 산문「쑤저우 옥각蘇州玉刻」이 발표되었다.

9일,『인민일보』에 마톄딩의 서평「진실한 감정과 생각―「첫 번째 풍랑」을 읽고真情實感――讀＜第一個風浪＞」가 발표되었다. 그는 글에서 덩훙의 혁명 회고록「첫 번째 풍랑第一個風浪」을 높이 평가하면서 "작가는 허구의 줄거리에 힘을 쏟지 않았음에도 감동적인 이야기가 작가의 펜 끝에서 자연스럽게 흘러나온다. 작가는 인물 창조에 애쓰지 않았음에도 감동적인 인물 형상이 자연스럽게 책 속에서 살아 움직인다"라고 평하며 풍부한 진실성이 있다고 보았다.

『양청만보』에 저우서우쥐안의 잡담「아름다운 시와 아름다운 글美的詩和美的文」이 발표되었다.

『문회보』에 궈모뤄의「『두궈샹 문집』서문序＜杜國庠文集＞」이 발표되었다.

10일,『문회보』편집부와 중국극협이 합동으로 베이징에서 화극언어예술좌담회를 개최하였다. 톈한, 라오서, 딩시린, 차오위, 천치퉁, 천바이천, 리젠우, 장광녠 등이 참석하였으며 톈한이 좌담회를 주관하였다. 참석자들은 화극의 언어예술, 창작 기초, 청년 극작가의 양성 등의 문제에 관해 토론을 진행하였다. 같은 일자『문회보』에 '화극 언어 문제' 특집란이 개설되었다.

『산둥문학』1월호에 하오란의 소설「아내妻子」, 쩡커자의 시「보내다寄」(외 1편)가 발표되었다.

『쓰촨문학』1월호에 천보추이의 산문「장군과 어린이將軍和小孩」가 발표되었다.

『시간』 제1호에 톈젠의 시 「일출日出」, 장즈민의 시 「서행 실루엣」이 발표되었다.

『극본』 월호에 바이원白文, 쉬원펑의 5장 화극 「나는 병사다我是一個兵」가 발표되었다.

『동해』 1월호에 진진의 시 「피마자를 심는 아이種蓖麻的孩子」가 발표되었다.

11일, 『문예보』 제1호에 '「단검편」 필담' 특집란이 개설되어 허치광의 「「단검편」 인상＜膽劍篇＞印象」, 장경의 「「단검편」 단상＜膽劍篇＞隨想」, 장광녠의 「「단검편」의 사상성＜膽劍篇＞的思想性」이 발표되었다. 「단검편」은 차오위 등이 합동 창작한 역사극으로 『인민문학』 7, 8월호 합본에 최초로 발표된 후 널리 호평을 얻었다. 같은 호에 위안잉의 시 「이 세상이 생기발랄한 것은 바람과 우뢰 덕이다九州生氣恃風雷」, 마오둔의 「리위안力原」(『신항』 961년 12월호에 최초 발표), 커링의 평론 「진실, 사상, 그리고 허구－예술 개괄 단편 제1편真實, 想象和虛構——藝術概括談片之一」이 발표되었다.

『인민일보』에 펑무의 평론 「귀중한 전통－『불티가 번져 들판을 태우다』 제6집을 읽고珍貴的傳統——＜星火燎原＞第6集讀後」가 발표되었다.

12일, 『인민문학』 1월호에 류바이위의 소설 「왕즈후이와 천진슈王智輝與陳金繡」(장편소설 『눈보라 찬가風雪贊歌』 부분), 뤄빈지의 소설 「큰 수레바퀴와 가구大車軲轆與家具」, 톈젠의 시 「흰 눈의 화첩白雪的畵冊」(5편), 장즈민의 시 「서행 실루엣」(3편), 량상취안의 시 「훙타이를 바라보다望紅台」(2편), 위안잉의 산문 「고비 사막의 물은 길게 흐른다戈壁水長流」, 궈평의 산문 「방파제 위海堤上」, 허웨이의 여행기 「백로와 일광암白鷺與日光岩」이 발표되었다.

13일, 『인민일보』에 장즈민의 시 「서행 실루엣」이 발표되었다.

『광명일보』에 예쥔젠의 산문 「장미玫瑰」, 판인차오의 시 「동정홍洞庭紅」이 발표되었다.

베이징인민예술극원에서 5막 현대화극 「영웅 만세」를 공연하였다. 두펑이 각본을, 메이첸이 감독을 맡았으며 마춘馬群, 댜오광탄, 퉁차오 등이 주연을 맡았다. 극본은 『극본』 1960년 2월호에 발표되었다.

14일, 『인민일보』에 위안수이파이의 시 「윈난 예찬雲南禮贊」이 발표되었다.

『문회보』에 장융메이의 시 「떠돌이 요족過山瑤」이 발표되었다.

『문학평론』 제1호에 첸중수의 논문 「공감각通感」, 첸구룽의 평론 「「뇌우」 인물담＜雷雨＞人物談

」이 발표되었다.

　상하이희극학원 공연과 티베트족반에서 졸업 기념 공연으로 티베트어 화극「문성공주」를 공연하였다. 톈한이 각본을 맡았으며 톈자田稼가 감독을 맡았다.

15일,『신화월보』제1호에 젠보짠의 산문「네이멍구 고적 탐방」(1961년 7월 25일자『네이멍구일보』에 최초 발표되었으며, 본 호에는 일부를 생략한 수정본을 전재하였다),톈한의「저우신팡 동지의 전투정신을 학습하자!―저우신팡 연기 인생 60주년 기념회에서의 연설向周信芳同志的戰鬥精神學習!――在周信芳演劇生活60年紀念會上的致詞」, 류허우성의「전투의 공연예술가 저우신팡戰鬥的表演藝術家周信芳」이 발표되었다.

　『작품』신新1권 제1호에 천찬윈의 소설「광저우의 밤廣州之夜」, 장융메이의 시「시 3편詩三篇」(「적위군 전설赤衛軍傳說」,「시산 송가西山頌」,「쿠리솅코 묘를 참배하다謁庫裏申科墓」), 친무의 산문「조석과 배潮汐和船」, 어우양산의 문예서간「사나운 눈초리와 수그린 고개橫眉和俯首」가 발표되었다.

　『양청만보』에 마오둔의 산문「하이난 여행海南之行」이 발표되었다.

　『해방일보』에 야오원위안의 수필「야독우감夜讀偶感」이 발표되었다.

16일,국무원 문교판공실에서 문화부의「성, 시의 일부 전문극단을 조직해 농촌과 전, 현으로 보내 장기적인 공연을 진행하는 것에 관한 지시 요청 보고關於組織城市一部分專業劇團到農村和專, 縣進行較長期演出的請示報告」를 인가하고, "공연 횟수를 적절하게 통제해 극단의 과도한 피로를 피할 것"과 "현재 재해 지역은 식량 공급이 곤란하니 당분간 제외할 것" 등의 의견을 제시하였다.

　『양청만보』에 궈모뤄의 산문「나의 고향―러산我的故鄉――樂山」이 발표되었다.

17일,『해방일보』에 후완춘의 소설「섬광閃光」의 연재가 시작되었다.

　17, 18, 25일에 중국작가협회 광둥분회 시가조와『양청만보』편집부에서 광저우 문예계의 일부 인사를 초청해 세 차례의 좌담회를 개최하여 신시가 고전시가의 전통을 어떻게 계승할 것인가에 대한 문제를 토론하고 연구하였다. 토론의 주된 내용은 1. 고전시가의 전투 전통 학습, 2. 새로운 의경을 창조하고, 새로운 경지를 개척할 것, 3. 정련하고, 대체로 가지런하게 하며, 압운을 맞출 것, 4. '계단식' 문제, 5. 존재의 문제 등이다.

18일, 베이징의 문예계 인사들이 모여 미국 정부가 미국 공산당과 진보 인사를 박해한 일을 엄중히 질책하였다. 이들은 케네디 정부의 파렴치한 행동은 전 세계 인민에 대한 도전이며, 문예계 인사들은 자신의 문예를 무기로 삼아 케네디 정부의 추악한 면모를 철저히 폭로해야 한다고 주장하였다. 본 집회는 중국문학예술계연합회 부주석 마오둔이 주관하였으며, 부주석 양한성은 발언을 통해 미국의 여러 저명한 작가와 평론가들이 미국 정부가 작가와 극작가를 박해한 사실을 폭로한 사실을 열거하였다. 중국문련 부주석이자 극협 주석인 톈한은 집회에서 "문예계는 수많은 인민의 목소리를 대표하며, 우리는 문예라는 무기를 통해 미 제국주의에 반대하는 투쟁을 한층 더 전개해야 한다"라고 밝혔다. 해방 전에 미국을 방문한 적이 있는 미술가협회 부주석 예첸위葉淺予는 미국의 진보 미술가들은 미술 활동과는 관계가 없는 조사 위원회와 파시스트의 박해를 받았을 뿐만 아니라, 최소한의 전시회를 열 권리와 거주의 권리조차 침해받았다고 폭로하였다. 전영공작자협회 서기처 제1서기 위안원수는 발언을 통해 미국 반동집단이 한편으로는 미국의 진보 영화사업을 박해하고, 다른 한편으로는 TV를 통해 파시즘을 부추겨 노골적으로 전쟁을 선전하고 있음을 폭로하였다. 이 외에도 쉬광핑, 빙신, 우샤오방吳曉邦, 푸쉐자이薄雪齋, 자오쥐인, 자즈, 마롄량, 구위안, 후커, 장인취안張印泉, 허우바오린侯寶林, 두진팡杜近芳 등 여러 저명한 작가, 희극가, 미술가, 서예가, 배우 및 무용, 촬영, 곡예 등 각계 인사들이 발언하였다. 이들은 이구동성으로 미국 정부의 반공 폭행을 질책하고, 미국 공산당의 정의로운 투쟁을 성원할 것을 단호히 밝혔다.

『인민일보』에 마톄딩의 잡문 「정의는 반드시 승리한다正義必勝」가 발표되었다.

『광명일보』에 톈젠의 시 「톈산 시초天山詩草」(「흰 눈의 화첩白雪的畫冊」, 「눈사람雪人」, 「화염산의 전설火焰山的傳說」 3편)가 발표되었다.

『문회보』에 옌두허嚴獨鶴의 수필 「문명희를 회상하며回憶文明戲」가 발표되었다.

『양청만보』에 친무의 문예수필 「예림만상록」이 발표되었다.

『희극보』가 정식으로 격주간에서 월간으로 변경되어 매월 18일에 간행되었다.

20일, 『광명일보』에 한잉산의 산문 「갈대를 베다─바이양뎬 잡기割葦──白洋澱散記」가 발표되었다.

21일, 『인민일보』에 우한의 생활지식 잡문 「복두로부터 이야기를 시작하다從襆頭說起」가 발표되었다.

『광명일보』에 황추원의 산문 「추운 밤에 『요재지이』 이야기를 하다^{寒夜話<聊齋>}」가 발표되었다.

22일, 중국 작가들이 미국 정부의 반공 폭행에 항의하는 집회를 열어 중국작가협회 부주석 라오서가 회의 첫 발언을 하고, 짱커자, 천바이천, 샤오싼, 정샤오쉰^{鄭效洵}, 예쥔젠, 옌원징, 장광녠, 러우스이, 두쉬안, 왕원스, 안보 등이 발언하였다.

23일, 『광명일보』에 옌전의 시 「금조, 신적─다볘산의 두 가지 전설^{金鳥, 神笛──大別山的兩個 傳說}」, 한쯔의 시 「겨울에 보는 봄 경치^{冬有春色}」가 발표되었다.

24일, 베이징인민예술극원이 소련의 3막 14장 혁명 역사 화극 「총을 든 사람^{帶槍的人}」을 공연 하였다. 거이홍^{葛一虹}이 원작을 번역하였으며 어우양산쭌, 샤춘이 감독을 맡았다. 톈충, 댜오광탄 등이 주연을 맡았다.

25일, 『불꽃』제1호에 선충원의 시 「징강산 시초^{井岡山詩草}」, 롼장징의 시 「징강산^{井岡山}」이 발표되었다.

『시간』 1월호에 짱커자의 「허징즈 동지의 시 몇 편에 관하여^{談賀敬之同志的幾首詩}」가 발표되었다. 짱커자는 글에서 허징즈의 「목 놓아 노래하다^{放聲歌唱}」, 「옌안으로 돌아가다^{回延安}」, 「싼먼샤의 노 래^{三門峽歌}」, 「구이린 산수가^{桂林山水歌}」에 대해 논하였다. 그는 이 시들이 허징즈의 예술 풍격과 성 취를 대표하고 있으며, 이상의 작품들 가운데 개인적으로 「옌안으로 돌아가다」를 가장 좋아한다 고 밝혔다. "「목놓아 노래하다」는 열정이 넘치나 다소 간결하지 못하고, 「싼먼샤의 노래」와 「구 이린 산수가」는 그 의경이 아름답기는 하나 너무 애쓴 느낌이 있다. 「옌안으로 돌아가다」는 감정 이 풍부해 읽는 이를 감동시키며, 시구가 아름답고 소박하면서도 자연스럽다"라고 평하였다.

26일, 『문회보』에 톈젠의 잡문 「승냥이와 '자유의 신'^{豺狼和"自由神"}」이 발표되었다.

중국작가협회 서기처와 아시아 아프리카 작가회의 중국연락위원회에서 합동으로 회의를 소집 해 16인으로 구성된 중국작가대표단을 제2차 아시아 아프리카 작가회의에 파견할 것을 결정하였 다. 본 회의는 마오둔이 주관하였으며 라오서, 차오위, 옌원징, 장광녠, 천바이천, 빙신, 자오수리 등이 참석하였다.

27일, 『인민일보』에 광웨이란의 시 「먹구름은 해를 가릴 수 없다(케네디의 반공 폭행을 규탄하며)烏雲遮不住太陽(爲聲討肯尼迪反共暴行而作)」(3편)가 발표되었다.

『광명일보』에 팡허方赫의 「보름의 달十五的月亮」이 발표되었다.

30일, 『광명일보』에 짱커자의 「'마음이 파도를 따라 고조되다心潮逐浪高'」가 발표되었다.

『인민일보』에 마톄딩의 잡문 「인민의 답안人民的答案」이 발표되었다.

이달에 『극본』 편집부에서 일부 희극계 인사들을 초청해 화극 창작 발전 문제에 관한 좌담회를 개최하였다. 톈한은 발언에서 "반드시 화극을 확실히 군중화하고 민족화해야 한다", "화극 창작의 발전을 위해서는 서로 다른 풍격과 양식이 존재할 수 있으며, 새롭고 독특한 표현수법을 활용할 수 있다", "우리는 한편으로는 현시대의 살아 숨쉬는 영웅 형상을 창조해야 하며", "다른 한편으로는 역사와 전설에 존재하는 여러 가지 인물의 전형을 통해 오늘날의 관중을 교육해야 한다"라고 밝혔다(「화극 창작을 대대적으로 발전시키자大力發展話劇創作」, 『극본』 1962년 1월호).

중앙선전부와 문화부에서 화극 「퉁소를 가로로 불다」의 공연 재허가 통지를 발포하였다.

바진의 장편소설 『집』(『격류』 제1부)이 인민문학출판사에서 출간되었다(1953년 6월에 초판이, 1962년 1월에 제2판이 발행되었다).

후완춘의 단편집 『누가 기적의 창조자인가誰是奇跡的創造者』가 상하이문예출판사에서 출간되었다(1958년 12월에 초판이, 1962년 1월에 제2판이 발행되었다).

허웨이의 산문집 『직금집織錦集』이 상하이문예출판사에서 출간되었다.

베이징대학, 베이징사범대학 중문과 교수 및 학생들이 합동 편찬한 『도연명 연구 자료 집성陶淵明研究資料彙編』이 중화서국에서 출간되었다.

2월

1일, 『해방군문예』 2월호에 자오수리의 소설 「'양 영감님楊老太爺'」, 리잉의 시 「톈산 위와 아래天山上下」(3편), 리루칭의 시 「다볘산 시초大別山詩草」(2편), 우쭤샹의 산문 「생활·창작·독서生活·寫作·讀書」, 천찬윈의 산문 「나룻배 풍경拖渡風光」이 발표되었다.

『옌허』 2월호에 우옌헌吳煙痕의 소설 「여자 발파공女炮工」, 옌전의 시 「세필世筆」, 리잉의 시 「북

행 2편北行二首」, 량상취안의 시 「화룡이 춤추며 날다火龍飛舞」, 친무의 문예수필 「예림만상록」이
발표되었다.

『신항』 2월호에 량빈의 소설 『파화기』(장편소설 『홍기보』 제2부)의 연재가 시작되었다. 같은
호에 한잉산의 장편掌篇소설 「오리를 기르다放鴨」가 발표되었다.

『허베이문학』 2월호에 쑨리의 소설 「여자 보관인女保管」, 옌천의 시 「호랑이 담요虎毛毯」가 발
표되었다.

『간쑤문예』 2월호에 옌이의 시 「고향행」(「공창루 위에서 쓰다寫在工廠路上」, 「전우회戰友會」),
리잉의 시 「허시 2장河西二章」(「야광배夜光杯」, 「천불동千佛洞」)이 발표되었다.

『인민일보』 2월호에 쉬츠의 산문 「치롄산 아래祁連山下」가 발표되었다.

『창장문예』 2월호에 쉬츠의 산문 「징강산에서의 하루를 기억하며記井岡山的一日」가 발표되었다.

『문예홍기』 2월호에 바무巴牧의 산문 「해변 3장海邊三章」, 리잉의 시 「북쪽 변경에서在北疆」(4편)
가 발표되었다.

『쓰촨문학』 2월호에 류훙榴紅의 소설 「진달래映山紅」, 장슈수張秀熟의 소설 「옥수수包穀」가 발표
되었다.

3일, 『문회보』에 천서우주의 논문 「「맹려군」의 희극 풍치＜孟麗君＞的喜劇風情」가 발표되었
다. 그는 글에서 딩시린의 신작 「맹려군」을 높이 평가하면서 "딩시린은 「맹려군」에서 새로운 인
물을 창조했을 뿐만 아니라, 전통 희곡에 대한 학습이라는 기초 위에서 자신의 예술적 풍격이 뚜
렷한 민족적 특색을 가지게 했다", "그가 표현한 새로운 풍격은 희곡의 대사를 활용해 인물의 성격
을 창조한 데 있다", "이는 현대 구어에 비해 더욱 정련되어 있으며 리듬감이 있고, 또한 진부한 느
낌이 없어, 지방 희곡의 대사보다 성격을 더욱 잘 표현할 수 있다. 이는 희극 언어 측면에서의 딩시
린의 공헌이라 할 수 있다"라고 보았다. 같은 호에 린경의 「'변새시' 수필"邊塞詩"隨筆」이 발표되었다.

『광명일보』에 우한의 「관습에 관하여談框框」, 천찬윈의 「신춘 소식新春消息」, 차이치자오의 「푸
젠의 꽃과 나무를 노래하다詠福建花木」(남곡/가사南曲歌詞)가 발표되었다.

4일, 인탸에 자오수리의 산문 「제삼십—농촌 옛이야기 제1편擠三十——農村舊話之一」, 친무의 산
문 「봄의 색채와 소리春天的色彩和聲音」, 하오란의 소설 「수차가 땡땡 울린다水車叮咚響」가 발표되었다.

『베이징문예』 2월호에 라오서의 수필 「서술과 묘사에 관하여談傳述與描寫」가 발표되었다.

5일, 『상하이문학』 제2호에 탕커신의 소설 「사구이잉沙桂英」, 우창의 산문 「코르처에서의 3일科爾察三天」, 커링의 산문 「홍紅」, 친무의 문예수필 「예술의 바다에서 조개를 줍다」가 발표되었다.

『변강문예』 2월호에 린진란의 소설 「풀草」, 류수더의 소설 「귀가歸家」, 위안수이파이의 시 「쿤밍 및 기타昆明及其他」(11편)가 발표되었다.

『인민일보』에 리지의 시 「석유시―어느 석유 노동자에게 보내는 춘절 축하 편지石油詩――給一個石油工人祝賀春節的信」가 발표되었다.

『해방일보』에 위안잉의 산문 「강남일지춘江南一枝春」, 커란의 「봄맞이 상상迎春暢想」이 발표되었다.

6일, 『인민일보』에 톈한의 「화극은 어떤 인물을 중점적으로 창작해야 하는가에 관하여談話劇該著重寫哪樣的人」가 발표되었다. 톈한은 글에서 "5~60년 전부터 현재까지, 중국 화극은 일관된 장점이 있다. 그것은 바로 중국 화극이 시종일관 정치와 긴밀히 결합해 왔다는 것이며, 그 자신을 혁명 투쟁과 결합시켜 왔다는 것이다", "중국 화극의 주류는 줄곧 현실주의와 혁명의 길을 따라 발전해 왔다. 바로 이런 이유로 중국 화극은 종종 새로운 역량으로써 자신의 형제 극종의 발전을 추진한다"라고 보면서, "영웅 형상의 창조를 통해 인민을 교육하고 고무하는 것은 중국 화극 예술의 흔들리지 않는 전통이다. 우리는 이 영광스러운 전통을 반드시 유지해야 한다! 극작가들은 한편으로는 물론 각종 계급과 계층의 각양각색의 감동적인 인물 형상을 창조해야 하며, 다른 한편으로는 특히 광명과 진보와 혁명을 추구하는 영웅 인물 형상을 창조해야 한다"라고 밝혔다.

『인민일보』에 짱커자의 시 「대지에 봄이 돌아오다春回大地」가 발표되었다.

7일, 『인민일보』에 라오서의 「화극의 풍작을 기원하며祝話劇豐收」가 발표되었다. 그는 글에서 "전국의 희곡은 3~400종쯤 된다. 바다까지는 아니더라도 창장이나 황허 정도는 된다. 이에 비하면 화극의 역량은 훨씬 미약하다. 때문에 창작에 힘써야 한다", "나의 개인적인 바람은 올해 화극이 풍작을 거두는 것, 특히 현대 소재의 화극이 풍작을 거두는 것이다! 화극은 현대 생활을 표현하기에 좋으니, 책임을 지고 발전시켜야 한다!"라고 밝혔다. 그는 극본 문제의 해결에 힘쓰고, 극작가가 더 많은 극본을 창작하도록 격려하며, 새로운 작품에 공연될 기회를 주어야 한다고 밝혔다. "우리는 3년간 지속된 심각한 자연재해를 겪었지만, 지혜로운 당과 용감한 인민들은 어려움을 극복하고 귀중한 새로운 경험을 얻었다. 3년 동안 창작할 가치가 있는 소재, 새로운 인물과 새로운 사건이 도처에 널렸다. 그리고 무대 위에서 이러한 인물과 사실을 노래할 책임은 우선 화극 작가에게 있다"라고 밝혔다.

8일, 『양청만보』에 궈모뤄의 시 「동풍음東風吟」이 발표되었다.

작가협회 푸젠분회가 설립되었다.

9일, 『인민일보』에 쩌우디판의 시 「배와 다리 — 춘절 부식품 판매원에게 바치다船和橋梁——獻給春節副食品售貨員」가 발표되었다.

『문회보』에 라오서의 시 「봄을 맞아 벗을 송별하다迎春餞友」, 다이허우잉의 평론 「시적인 정취와 아름다움, 그리고 '매운맛'과 '야생의 맛' — 영화 「유삼저」를 보고詩情畵意與"辣味"和"野味"——電影 <劉三姐>觀後」가 발표되었다.

10일, 『극본』 2월호에 바오얼한包爾漢의 5막 7장 화극 「전투 속의 피의 우정戰鬥中血的友誼」이 발표되었다.

『양청만보』에 저우서우쥐안의 산문 「봄맞이 시기에 양청에서迎春時節在羊城」, 우커런의 소설 「전기를 쓰다寫傳」가 발표되었다.

『광시문예』 2월호에 친무의 산문 「중국의 집시中國的吉蔔賽」가 발표되었다.

『인민일보』에 라오서의 구체시 「봄을 맞아 벗을 송별하다」가 발표되었다.

『해방일보』에 루즈쥐안의 산문 「부탁한다, 봄바람이여托你, 春風」가 발표되었다.

11일, 『문예보』 2월호에 옌원징의 「제2회 아시아 아프리카 작가회의를 맞이하며迎接第二屆亞非作家會議」, 바진의 평론 「「마쓰카와 사건」을 보고看了<松川事件>之後」(『상하이전영上海電影』 1962년 제1호에 최초 발표), 러우스이의 「고요한 곳에서 천둥소리를 듣다—『경뢰집』 머리말於無聲處聽驚雷——<驚雷集>前言」이 발표되었다. 같은 호에 충칭시 문예계에서 전개한 「다지와 그녀의 아버지」 토론에 관한 기사 「「다지와 그녀의 아버지」 토론討論<達吉和她的父親>」이 게재되었다. 기사에 따르면, 「다지와 그녀의 아버지」(소설에서 영화까지)에 관한 심화 토론을 진행하기 위해 충칭시 문련에서 최근에 충칭시의 문예공작자 20여 명을 초청해 2일간 좌담회를 개최하였다. 참석자들은 「다지와 그녀의 아버지」 소설과 영화 및 이들 작품에 대한 평론, 그리고 『전영문학』, 『문예보』, 『쓰촨일보』, 『쓰촨문학』에서 진행된 토론에서 다룬 문예 이론 문제(전형 문제, 작품의 사상성 문제,

문예작품이 시대정신을 반영하는 방법 문제 등)에 관해 각자의 견해를 제시하였다. 본 좌담회에서는 주로 1. 소설의 사상과 예술, 2. 영화의 성취와 부족한 점, 3. 일부 비평에 대한 견해 등 세 가지 문제에 관해 토론을 진행하였다.

12일, 『인민문학』 2월호에 마라친푸의 소설 「노랫소리歌聲」, 하오란의 소설 「아름다운 노을彩霞」, 마스투의 소설 「두 가지 제일兩個第一」, 선충원의 시 「징강산의 새벽井岡山淸晨」(5편), 우한의 역사 소품 「위대한 역사학자 사마천偉大的歷史學家司馬遷」, 웨이강옌의 산문 「행군行軍」, 쉬츠의 특필 「치롄산 아래祁連山下」(3월호까지 연재, 1978년에 『골드바흐의 추측哥德巴赫猜想』에 수록되었으며 이후에 『중국신문학대계(1949~1976) 보고문학집中國新文學大系(1949—1976), 報告文學集』에 수록되었다)가 발표되었다.

『인민일보』에 량상취안의 시 「바산의 안개비巴山雨霧」가 발표되었다.

13일, 『인민일보』에 판인차오의 산문 「류허 어항 일별瀏河漁港一瞥」, 펑즈의 「세상에는 좋은 시가 필요하다人間要好詩」가 발표되었다. 펑즈는 글에서 "우리의 이 풍부하고 위대한 시대에 인민은 미증유의 투쟁과 건설을 진행하고 있으므로, 좋은 시로써 이를 노래하고 반영해야 한다. 또한, 우리는 후대 사람으로서 과거의 역사를 회고하면서 수많은 좋은 시를 통해 역사를 더 분명히, 그리고 생생하게 인식해야 한다. 전자에 대해서는 당대의 시인들이 서로 격려하며 더 많은 노력을 해야 한다. 후자에 대해서는 옛사람들이 우리에게 대량의 우수한 시편을 남겨 주어, 과거 인민의 현실 생활과 정신적 면모를 생생하게 묘사하였다"라고 보았다. 그는 글에서 두보의 시를 주로 평론하면서, 두보의 시가 읽는 이로 하여금 낙관주의 정신을 느끼게 한다고 보았다. "그의 시는 비록 슬프고 비통하지만, 독자는 이 시들에서 깊은 감동을 받으면서도 의기소침해지지는 않고, 오히려 사기가 진작되는 기분을 느낀다. 다른 한편으로, 두보는 자연계의 아름다운 풍경에 대해서도 세심히 관찰하였으며, 이에 대해 진실한 사랑을 품고 있었다. 이러한 감정이 드러난 시들은 대부분이 그의 생활이 비교적 안정적일 때에 창작한 것들이다. 그러나 이 작품들은 보통의 소극적인 전원시 혹은 산수시들과는 달리, 이러한 작품들에도 작가의 깊은 낙관주의 정신이 표현되어 있다."

『해방일보』에 야오원위안의 평론 「전진하는 길 위에서 ─ 후완춘의 단편소설집 『붉은 빛이 대지를 두루 비춘다』를 평하다在前進的道路上——評胡萬春短篇小說集＜紅光普照大地＞」가 발표되었다.

14일, 『인민일보』에 작가 대표단 단장 마오둔의 「아시아 아프리카 작가회의에서의 발언(개요)在亞非作家會議上的發言(摘要)」, 「급격히 변화하는 시대에 아시아 아프리카 문학의 찬란한 전망을 축복하며爲風雲變色時代的亞非文學的燦爛前景而祝福」, 아잉의 「리커눙 동지를 애도하며哀悼李克農同志」가 발표되었다.

15일, 『신화월보』 2월호에 1962년 1월 5일에 개최된 베이징 과학기술공작자 초청 만찬에서의 천이의 연설 「분발하여 부강해져서 과학기술의 보루를 공격하자發憤圖強, 向科學技術堡壘進攻」, 젠보짠의 「몇 가지 역사 문제의 처리에 대한 초보적인 의견對處理若干歷史問題的初步意見」, 마오둔의 「역사와 역사극에 관하여―「와신상담」의 서로 다른 여러 극본으로부터 이야기를 시작하다」가 발표되었다.

광탸에 리잉의 시 「미국의 어머니들에게給美國的母親們」가 발표되었다.

『양청만보』에 친무의 문예수필 「예림만상록」이 발표되었다.

『작품』 신1권 제2호에 예링펑葉靈鳳의 독서수필 「라퐁텐의 우화拉封丹的寓言」, 「하르사니의 별 보는 이哈爾桑伊的望星者」, 「「최후의 만찬」의 기이한 소식<最後的晚餐>的異聞」이 발표되었다.

예링펑(1905~1975), 본명은 예원푸葉蘊璞로 난징 출신이다. 1925년에 창조사에 가입해 격주간인 『홍수洪水』의 편집장을 맡았다. 1926년에는 판한녠潘漢年과 함께 『환주幻洲』를 창간했으며, 1928년에 『환주』의 간행이 금지되자 『고비戈壁』로 변경하였고, 연말에 다시 간행이 금지되자 『현대소설現代小說』로 변경하였으나, 1929년에 창조사가 봉쇄되고 일제 체포당했다. 1937년에 중일전쟁이 발발한 후 『구망일보』의 공작에 참여하여 이후에 광저우로 이동하였다. 1938년에 광저우가 함락된 후 홍콩으로 이동해 정착하였다. 저서로 소설집 『국화 부인菊子夫人』, 『구록미鳩綠媚』, 『처녀의 꿈處女的夢』, 『붉은 천사紅的天使』, 『나의 생활我的生活』, 산문 수필집 『천죽天竹』, 『백엽십기白葉什記』, 『망우초忘憂草』, 『독서수필讀書隨筆』, 『문예수필文藝隨筆』 등이 있으며, 홍콩에 관한 저서로는 『홍콩 방물지香港方物志』, 『청포차이의 전설과 진상張保仔的傳說和真相』, 『홍콩의 소실香港的失落』 등이 있다.

16일, 『인민일보』에 친무의 산문 「노쇠衰老」가 발표되었다.

17일, 저우언라이가 중난하이 쯔광거에서 베이징 소재 극작가 회의를 소집해 화극, 가극, 아동극 작가들에게 연설하였다. 그는 연설에서 "해방 이래……문예운동의 성취가 첫째, 결점은 둘째이다. 문예운동은 큰 발전을 이루었으며, 그 향상은 나선식이다"라고 밝히면서, 1. 미신 타파와 사상 해방, 2. 당은 희극과 영화 공작을 어떻게 지도해야 하는가, 3. 시대정신, 4. 전형적 인물, 5. 인민 내부의 모순 창작 문제, 6. 생활의 진실, 역사의 진실과 예술적 진실 등 여섯 가지 문제에 관해 연설하였다. 본 회의는 '광저우 회의'의 준비 회의이다.

18일, 『희극보』제2호에 총론 「마오둔 동지가 역사극을 논하다茅盾同志論曆史劇」, 리시판의 평론 「'사실'과 '허구' – 역사극 창작에서의 역사적 진실과 예술적 진실의 통일 만담"史實"和"虛構"——漫談曆史劇創作中的曆史真實與藝術真實的統一」이 발표되었다.

19일, 『인민일보』에 쨩커자의 독서수필 「한유의 「사설」韓愈的＜師說＞」이 발표되었다.

20일, 『인민일보』에 리시판의 「소재 사상 예술 – 1961년의 단편 몇 편에 관하여題材思想藝術——談談1961年的幾個短篇」가 발표되었다. 그는 글에서 "소재 면에서 보면 단편소설의 창작은 다양화라는 새로운 모습을 보였다. 오랫동안 비교적 냉대받아 왔던 역사소설도 1961년에는 점차 창작이 시작되었다", "과거에 그 수가 적었던 사회주의 상업공작자의 생활을 반영한 작품도 독자들의 큰 환영을 받았다", "훈련 생활에 가까이 있어 소재를 발굴하고 제련하는 데 능한 작가들도 비교적 훌륭한 단편을 창작하였다", "혁명 투쟁의 역사를 묘사한 작품도 1961년의 우수한 단편들 가운데 여전히 빛나는 위치를 차지하고 있다"라고 보았다. 그는 1961년이 '산문의 해'일 뿐만 아니라 단편소설에서도 큰 수확을 거둔 해라고 보면서, 1961년의 단편소설의 소재는 대체로 아래와 같은 두 가지 상황을 보였다고 정리하였다. 1. 소재의 다양화. 독자들은 1961년의 단편소설에서 확대된 새로운 소재와 내용의 작품에 대해 큰 흥미를 보였다. 2. 소재는 작품의 성공 여부를 결정하는 절대적인 요소가 아니다. 소재의 다양화를 제창하는 목적 또한 작가에게 소위 '냉대'받던 소재를 찾을 것을 요구하기 위함이 아니라, 몇몇 오해들을 타파하고, 작가들이 예술창작의 규율에 더욱 잘 적응해 자신의 특장점을 발휘하게 하기 위한 것이다. 그는 또한 1961년의 단편소설에 사상성과 예술성의 결합이 드러났으며, 창작 기교에서도 특징을 드러내었다고 평하였다.

21일, 『인민일보』에 한잉산의 소설 「빗자루 왕箒帚王」이 발표되었다.

22일, 『인민일보』에 장즈민의 시 「서행 실루엣」(7편), 궈모뤄의 시 「하이난 시 4편詠海南詩四首」이 발표되었다.

24일, 후스가 타이완에서 사망하였다. 그가 신문학운동에 한 공헌은 모든 이가 아는 일로, 어느 학자가 말했듯이 "후스는 중국 신문학이 싹트고 건설되는 과정에서 최초로 개척하는 공로를 세웠다. 백화문, 백화시, 현대소설과 희극의 제창과 실천 등에 있어 후스는 모든 면에서 동시대 사람들의 최선두에 섰다……그는 중국 문학 관념의 변혁, 문체의 구축에 대해 시대의 조류를 절대적으로 이끌었다. 그는 관념적으로만 지도자의 자리에 있었던 것이 아니라, 새로운 문체의 창조와 건설에 참고가 될 이론적 체계와 실험 방법을 제공하였다. 종합적으로 말하자면, 후스는 자신의 이론과 실천을 통해 신문학을 개척하는 공을 세운, 의심할 바 없이 신문학의 대가라 할 만한 사람이다."[1] "후스의 필생의 사업은 두 가지로 귀납할 수 있다. 하나는 현대 신문화운동을 시작한 것이다. 이 운동은 중국 인문 전통의 변혁으로, 후스는 이를 '중국의 르네상스 운동'이라 불렀다. 그가 이 운동의 초기에 여러 문화 영역에 남긴 저술은 모두 공전의 것이다. 다른 하나는 중국에 자유주의의 참뜻을 전파한 것이다. 이는 근대 서방 문명의 정수를 흡수한 것으로, 후스는 이를 '세계 문화의 추세'이자 '중국이 응당 취해야 할 방향'으로 확정하였다. 후스는 일생 동안, 특히 만년에 이 목표를 실현하기 위해 온 힘을 다해 선전하고 지지를 얻어, 중국 자유민주운동의 정신적 지주가 되었다."[2] 후스에 대한 국내외 학자들의 평가는 서로 엇갈린다. 타이완과 홍콩의 학자들은 후스를 높이 평가하였는데, 리아오李敖는 그에 대해 "후스는 간단히 이해할 수 있는 사람이 아니다. 따라서 그에 대해 쉽게 논단할 수 없다"라고 밝혔다.[3]

『인민일보』에 리젠우의 수필 「사회주의는 가장 아름다운 한 편의 시다社會主義是一首最美麗的詩」가 발표되었다.

『광명일보』에 샤오싼의 「이채를 발하는 꽃─혁명시인 루터푸라·무타리푸의 시 약론一朵放著異彩的花──略談革命詩人魯特夫拉·穆塔裏甫的詩」, 위핑보의 「우메이춘 절필사 질의吳梅村絕筆詞質疑」가 발표되었다.

26일, 『해방일보』에 야오원위안의 수필 「꽃 감상 만필看花漫筆」이 발표되었다.

27일, 『광명일보』에 멍차오의 수필 「양사오러우가 황천패를 연기하다楊小樓演黃天霸」가 발표되었다.

1) 첸전강錢振綱, 펑위원馮玉文, 랑쉐추郎學初, 『루쉰과 후스─문단을 비춘 해와 달魯迅與胡適──雙懸日月照文壇』 제158쪽, 지린인민출판사吉林人民出版社 2005년.
2) 어우양저성歐陽哲生, 「자유주의의 고됨─후스 사상의 현대적 의의 해석自由主義之累──胡適思想之現代意義闡釋」, 쯔퉁子通 엮음, 『후스 평론 80년胡適評說八十年』, 제414쪽, 중국화교출판사中國華僑出版社 2003년.
3) 리아오, 『후스 평전胡適評傳』 제6권, 중국우의출판사中國友誼出版社 2000년.

28일, 『인민일보』에 궈모뤄의 문예수필 「『수원시화』 독서 찰기讀<隨園詩話>劄記」의 연재가 시작되었다.

이달에 저우얼푸의 장편소설 『상하이의 아침上海的早晨』이 작가출판사에서 출간되었다.

시룽의 장편소설 『코르덴』이 산시인민출판사에서 출간되었다. 이 책은 통속문예소총서通俗文藝小叢書에 포함되었다.

리신톈李心田의 소설 『두 명의 어린 팔로군 병사兩個小八路』가 중국소년아동출판사에서 출간되었다.

리신톈(1929~2019), 장쑤성 쑤이닝睢寧 출신이다. 1950년에 화둥군정대학華東軍政大學을 졸업한 후 전위화극단前衛話劇團 창작실 주임 및 부단장을 역임하였다. 저서로 장편소설 『3천 년 동안 꿈을 좇다尋夢三千年』, 『결혼 30년結婚三十年』, 『꿈속의 다리夢中的橋』, 『약동하는 화염跳動的火焰』, 『지붕 위의 푸른 별屋頂上的藍星』, 중편소설 『두 명의 어린 팔로군 병사』, 『반짝이는 붉은 별閃閃的紅星』, 『청군이 돌격하다藍軍發起沖擊』, 『라오팡의 가을老方的秋天』, 화극 『마파람에 게 눈 감추듯風卷殘雲』, 『넓은 세상廣闊天地』, 서사시 『금색의 화환金色的花環』 등이 있다.

마난춘의 잡문집 『옌산 야화』(제2집)가 베이징출판사에서 출간되었다.

3월

1일, 『옌허』 3월호에 장경의 평론 「옌안문예좌담회 전후의 루예의 희극활동을 회상하며回憶延安文藝座談會前後魯藝的戲劇活動」, 류칭의 평론 「『창업사』를 다시 읽는 독자에 관한 두 통의 서신關於<創業史>複讀者的兩封信」, 리뤄빙의 소설 「미완의 여정未完的旅程」, 웨이강옌의 시 「녹색의 탄생綠色的誕辰」이 발표되었다.

『신항』 3월호에 예췬젠의 「길동무旅伴」, 장즈싱의 「보석으로 만든 꽃寶石花」 등의 소설이 발표되었으며, 량빈의 소설 『파화기』(장편소설 『홍기보』 제2부)의 연재가 시작되었다. 같은 호에 천샹허의 민간고사 「장헤이가 서천에 일곱 번 오르다張黑七上西天」, 딩리丁力의 시 「배웅送行」, 쑨유톈의 시 「금색의 별金色的星」, 짱커자의 「『창장은 동쪽으로 흐른다大江東去』 서문」, 황추윈의 「세부 줄거리의 진실에 관하여談談細節的真實」가 발표되었다.

딩이싼丁一三(1931~1996), 극작가로 톈진시 닝허寧河 출신이다. 본명은 보뎬푸薄殿輔이며 필명은 헤이옌난黑雁男, 딩리丁力이다. 1948년에 군에 입대하였으며 공군 정치부 문공단 창작실 주임,

중국극협 상무이사, 중국희극문학학회中國戲劇文學學會 총간사總幹事를 역임하였다. 1951년부터 작품을 발표하였다. 저서로 영화문학 극본『영웅의 담력英雄虎膽』, 『궁지에 몰리다山窮水複』(합동 창작), 화극『'9·13' 사건"九一三"事件』, 『간바라甘巴拉』, 『천이가 산을 나서다陳毅出山』, 가무극 극본『세계는 그녀들의 손안에 있다世界在她們手中』, 장편 기록 소설『10년 동란十年動亂』, 드라마 극본『노자老子』 등이 있다.

『창춘』3월호에 리잉의 시「자오쑤 초원에서在昭蘇草原」(3편)가 발표되었다.

『산화』3월호에 젠셴아이의 여행기「구타이산 여행기鼓台山遊記」, 량상취안의 시「톄산을 바라보다望鐵山」(외 1편) 및 1961년 10월에 작가협회 구이주분회 준비위원회에서 개최한 문학창작좌담회에서의 사팅과 아이우의 좌담 기록「사팅, 아이우 동지가 문학창작을 말하다沙汀, 艾蕪同志談文學創作」가 발표되었다.

『문예홍기』3월호에 옌천의 시「허톈和闐」(4편), 량상취안의 시「꽃덤불花叢」이 발표되었다.

『해방군문예』3월호에 루즈쥐안의 소설「내게 총을 다오給我一支槍」, 옌이의 시「광산지구행礦區行」(2편)이 발표되었다.

『허베이문학』3월호에 류전의 산문「가을의 여행秋天的旅行」, 쑨리의 평론「부지런히 배우고 열심히 연마하자勤學苦練」가 발표되었다.

『양청만보』에 친무의 문예수필「예림만상록」이 발표되었다.

2일,『인민일보』에 차오징화의 산문「뎬창산 아래의 금화교 − 윈난 서정點蒼山下金花嬌——雲南抒情」, 궈모뤄의 문예수필「『수원시화』독서 찰기讀〈隨園詩話〉劄記」, 옌강의 평론「공산당인의 '정기가' − 장편소설『붉은 바위』의 상상력과 예술적 특징共產黨人的"正氣歌"——長篇小說〈紅岩〉的思想力量和藝術特色」이 발표되었다. 그는 글에서 "뤄광빈, 양이옌 동지는 낭랑한 혁명의 선율과 현실주의의 진실한 역량을 통해 고금을 깜짝 놀라게 할 마르크스주의자의 넓은 포부를 노래하였으며, 공산당인의 호연지기를 신장하여, 독자들에게 모든 반동파에 대해 죽을 각오로 투쟁하고자 하는 의지를 불러일으켰다. 때문에 이 작품은 1961년의 장편소설 가운데 대단히 뛰어난 길작이 되었다"라고 밝혔다.

옌강은『붉은 바위』가 사상 측면에서 위험도, 유혹도, 위협도 두려워하지 않고, 희생은 더더욱 겁내지 않는 진정한 공산당원의 모습을 표현하였으며, 해방전쟁의 끝이 다가오고 장제스 집단의 반동 통치가 가장 악랄했던 시기의 충칭에서 우리의 동지들이 일련의 교묘하고 기민하며 유연한 전략 전술을 활용하는 모습을 묘사해, 끝까지 목숨을 걸고 혁명에 임하겠다는 공산당인의 두려움을 모르는 정신뿐만 아니라 마르크스주의자의 날카로운 안목과 놀라운 지혜 또한 표현하였다고 보았다.

그는 또한 『붉은 바위』가 묘사에 있어 현실주의 원칙을 고수했으며, 소설에 반영된 투쟁 생활이 대단히 풍부하다고 평하였다. "이 작품은 기이함을 가장 쉽게 추구할 수 있는 부분에서 스릴을 더하지 않고, 가장 특수하고 첨예한 투쟁을 일반화하지 않았으며, 인물을 신화 혹은 추악화하지 않았다. 이 작품은 생활과 인물 형상 및 인물과 환경과의 관계에 대한 진실한 묘사에 충실했으며, 이 점을 작품의 주제 및 예술 창조의 기초이자 출발점으로 삼았다. 『붉은 바위』에서 묘사한 생활과 인물은 처음부터 작가의 마음속에 살아 숨쉬고 있었던 이들이었기 때문에 작품 속에서 구체적인 환경, 인물, 관계와 모순 등 일련의 구체적인 묘사가 가능했다.

마지막으로 이 작품은 구체적인 투쟁 방식으로써 수용소 내의 구체적인(일련의 크고 작은, 바로 지금 여기의) 충돌을 해결하여, 전장과도, 공장과도, 학교와도 다른, 또한 다른 시기와 장소와도 다른 수용소의 모습을 표현하였다. 때문에 우리는 『붉은 바위』에서 한 장, 또 한 장의 생생하고도 신빙성 있는 그림을 볼 수 있다."

옌강은 작품 속에서 묘사한 몇몇 혁명가의 형상이 대체로 깊은 감동을 주며, 주인공 또한 깊은 인상을 준다고 보았다. "작품 속의 이 모든 감동적인 묘사는 현실주의의 승리이며 또한 낭만주의의 승리이다. 작가 뤄광빈, 양이옌 동지는 당시의 수용소를 직접 경험한 피해자로, 그들의 실제 투쟁과 세밀한 관찰, 진실하고 풍부한 생활의 소재, 장기간의 고된 투쟁 속에서 연마한 반동파에 대한 뼈에 사무치는 원한, 고난을 함께 한 열사들에 대한 절절한 슬픔, 그리고 작가가 쓰촨 청년들에게 진행했던 수용소에 수감된 열사들의 용감한 투쟁에 대한 수백 차례의 보고서 및 혁명 회고록의 집필과 소설 창작 과정에서의 수차례의 반복된 구상과 수정이 모두 그들이 묘사한 인물의 성격과 선택한 장면에 처음부터 녹아들어 현실 생활에 대한 풍부하고 다양한 귀중한 소재를 제공하였으며, 작가의 실제 창작 과정에서의 사상과 정서에 필요한 준비를 제공해 작품의 선율 속에서 격렬하고 기개가 넘치며 심각하고 비장한 기조를 형성하였다. 이 모든 것이 현실 생활과 작가의 진실한 감정에서 출발한 것이기 때문에, 세부 묘사와 인물 묘사가 진실할 뿐만 아니라, 작가의 풍격과 기질이 인물의 풍격과 기질과 조화롭게 융화되어 있다. 우리는 작품 속에서 작가의 마음속에 끓어오르는 억누를 수 없는 분노를 느낄 수 있다. 아니, 작가 본인을 볼 수 있다 해도 과언이 아니다. 사상과 예술 면에서의 성취는 소설 『붉은 바위』가 독자들 속에 빠르게 전파되도록 해 주었다. 이 작품은 예술품이며, 혁명 전통 교육을 진행할 강력한 도구이다."

3일, 『문회보』에 야오원위안의 「혁명의 기개와 착실한 작풍의 힘-1961년 단편소설 선평 제
1편革命志氣和踏實作風的力量──1961年短篇小說選評之一」이 발표되었다.

『인민일보』에 예쥔젠의 소설 「포도葡萄」가 발표되었다.

『광명일보』에 친무의 산문 「차풍 기록茶風紀事」이 발표되었다.

3일~26일, 문화부와 극협이 광저우에서 화극, 가극, 아동극 창작좌담회(속칭 '광저우 회의')
를 개최하였다. 톈한, 라오서, 차오위, 양한성, 슝포시, 천바이천, 리보자오, 리젠우, 싸이커塞克, 황
쥐린, 자오쥐인, 진산, 장경, 후커, 허징즈 등 160여 명의 극작가, 감독, 희극이론가, 희극공작자들
이 참석하였으며, 톈한이 개회식을 주관하고 발언하였다. 저우언라이, 천이 등도 참석해 중요 연
설을 진행하였다.

저우언라이는 2일에 「지식분자 문제에 관한 보고關於知識分子問題報告」를 진행해 중국 지식분자
는 노동인민의 일부분이라는 관점을 거듭 천명하였다. 그는 우선 과거 2년간 지식분자의 공작 환
경이 제한을 받았으며, 심지어 정신적으로도 유쾌하지 못하게 변했다고 밝히면서, 그러나 "희극
창작 면에서는 뚜렷한 성취를 보였으므로 축하할 만하다"라고 밝혔다. 그의 보고는 아래와 같은
다섯 부분으로 구성되었다. 1. 지식분자와 지식계의 정의와 지위, 2. 중국 현대 지식분자의 발전 과
정, 3. 지식분자의 단결 방법 문제, 4. 지식분자의 자아개조 문제, 5. 몇 가지 희망: 민주주의를 발양
해 상부와 하부의 마음이 통하고, 관계를 개선해 모두 힘을 합쳐 일하며, 일치단결하여 공작에 힘
쓸 것.

천이는 6월에 진행한 보고에서 건국 후 13년간, 특히 최근 3년간의 힘든 시기에 중국 지식분자
및 희극공작자들이 당의 지도하에서 얻은 성취와 그들이 한 공헌에 대해 높이 평가하였다. 그는
13년간의 개조와 검증을 거쳤으므로 "자산계급 지식분자"라는 꼬리표를 떼어 주어야 하며, 이들
에게 "꼬리표를 떼는 의식"을 치러 주어야 한다고 밝혔다. 그는 또한 예술창작의 소재, 비극 창작,
작가의 민주적 권리, 희극 비평, 당의 창작지도 방법 등의 문제에 관해 중요한 의견을 제시하였다.
문화부 부장 마오둔, 부부장 치옌밍도 보고를 진행하였다. 톈한, 양한성, 라오서, 차오위, 린모한,
장경 등도 발언하였다.

회의는 당중앙의 정책 정신의 격려 아래 「문예 8조」 정신을 관철하면서 창작 번영, 백화제방,
인민의 새로운 시대에 대한 적극적인 표현, 소재와 풍격의 다양화에 대한 격려, 희극 속의 갈등을
통해 인민 내부의 모순을 표현하는 문제, 생활의 진실과 예술의 진실 문제, 화극 및 가극의 민족화
문제, 그리고 희극 언어, 구조, 예술 기교 등의 문제에 관해 열띤 토론을 진행하였다.

회의에서는 또한 「동고동락」, 「퉁소를 가로로 불다」, 「뻐꾸기가 또 울었다」 등 비판을 받은 몇몇 화극들에 대해 새롭게 긍정적인 평가를 내렸다. 『인민일보』 31일자에 본 회의의 과정 및 정신에 대한 기사가 게재되었다. 본 회의는 문예계와 지식계 전체에 큰 영향을 끼쳤으며, 적극성을 대대적으로 불러일으켜 새롭게 활기를 띤 국면이 형성되었다. 그러나 문화대혁명 과정에서 '4인방'에 의해 '불법 회의'라는 모함을 당해 회의에 참석했던 수많은 저명한 희극가들이 박해를 받았다. 이들은 문화대혁명이 종결된 후에야 복권되었다.

4일, 『문회보』에 선충원의 산문 「간저우 통천암을 여행하다遊贛州通天岩」가 발표되었다.

5일, 『상하이문학』 제3호에 저우얼푸의 소설 「한커우루 위漢口路上」(「상하이의 아침」 제2부 부분), 예성타오의 시 「희극 관람 2편觀劇二題」, 리잉의 시 「포도 상집葡萄上集」(2편), 야오원위안의 평론 「「뇌고집」을 평하다評＜擂鼓集＞」, 친무의 문예수필 「예술의 바다에서 조개를 줍다」가 발표되었다.

『변강문예』 3월호에 아이우의 소설 「마미—남행기 속편 제1편瑪米——南行記續篇之一」이 발표되었다.

6일, 커란이 산문 「안개비霧雨」를 창작하였다.

7일, 『중국청년』 제3, 4호 합본에 리얼중의 잡문 「정직한 사람이 되는 것에 관하여談談做老實人」가 발표되었다.

『문회보』에 첸중수의 문예이론 「영감靈感」이 발표되었다.

8일, 『해방일보』에 리루칭의 산문시 「산촌의 여자 집배원에게給山村女郵遞員」가 발표되었다.

『문회보』에 웨이진즈의 잡문 「줄넘기로부터 이야기를 시작하다從跳繩說起」가 발표되었다.

『광명일보』에 판인차오의 산문 「쑤저우를 사랑한 백거이熱愛蘇州的白居易」가 발표되었다.

9일, 『인민일보』에 바무의 시 「랴오난의 봄遼南春」(3편)이 발표되었다.

『문회보』에 선충원의 시 「간저우 팔경대를 여행하다遊贛州八境台」, 천보추이의 산문 「춘광곡春

光曲」이 발표되었다.

10일, 『해방군보』에 뤄광빈, 양이옌의 소설 「맑게 빛나는 붉은 별晶亮的紅星」(장편소설 『붉은
바위』 제11~13장에서 발췌하였으며, 『해방군보』에서 제목을 정하였다)이 발표되었다.

『쓰촨문학』 3월호에 량상취안의 시 「피파탄琵琶灘」(외 1편)이 발표되었다.

『인민일보』에 궈모뤄의 여행기 「단얼행儋耳行」이 발표되었다.

『광명일보』에 선충원의 시 「징강산 시초井岡山詩草」가 발표되었다.

『극본』 3월호에 류허우밍의 5장 아동극 「기러기들이 일제히 날다小雁齊飛」, 자오위샹趙羽翔의
단막극 「쟁기 가는 법을 배우다學犁記」가 발표되었다.

중국극협에서 편찬한 『외국 희극 자료外國戲劇資料』가 출간되었다. 본 잡지는 외국의 희극 동태
와 현 상황 및 사료 등의 자료를 주로 소개하였다.

11일, 『문예보』 제3호에 마오둔의 「급격히 변화하는 시대에 아시아 아프리카 문학의 찬란한
전망을 축복하며」가 발표되었다. 그는 글에서 "아시아와 아프리카는 세계 문자와 문학의 최초 발
상지이다. 중국 인민은 일찍부터 아시아와 아프리카 작가들의 우수한 작품을 사랑하고 주목해 왔
다. 아시아 아프리카 인민은 거세게 일어나 우레와 같이 민족의 독립과 자유 민주를 쟁취하여, 아
시아 아프리카 각국의 작가들에게 심오한 창작의 원천을 제공해 이들의 창작의 영감을 불러일으
켰다"라고 보면서, "아시아 아프리카 작가들은 현재 문화 부흥의 위대한 시대를 직면하고 있다. 우
리는 이러한 고대 문화의 계승자일 뿐만 아니라 당대의 가장 선진적인 문화와 문학의 창조자이기
도 하다. 오늘날에도 고도의 사상성과 예술성을 겸비한 빛나는 작품들이 부단히 출현하고 있다고
할 수 있다"라고 밝혔다.

같은 호에 「제2회 아시아 아프리카 작가회의 종합 결의第二屆亞非作家會議總決議」, 「제2회 아시아
아프리카 작가회의의 전 세계 작가에 대한 호소문第二屆亞非作家會議致全世界作家呼籲書」이 게재되어
"아시아 아프리카 작가회의는 참석자들의 일치단결의 정신 아래 누 대륙이 각 방면에서 제국주의
를 뿌리 뽑고자 하는 숭고한 희망을 다시금 강조하였다"라고 밝혔다.

이 외에도 리시판의 「영혼에 충격을 주고 깨끗이 씻어 주는 훌륭한 작품一部沖擊, 滌蕩靈魂的好作品
」, 허우진징의 「「열화 속에서 영생하다」에서 『붉은 바위』까지從<烈火中永生>到<紅岩>」, 짱커자
의 「천이 동지의 시사陳毅同志的詩詞」가 발표되었다. 허우진징은 글에서 "「열화 속에서 영생하다」
와 『붉은 바위』는 요약본과 확장본의 관계가 아니다. 서로 다른 두 가지의 문학 장르에서 작가의

목표와 작가가 힘쓴 점도 각기 다르다. 전자가 선택을 거친 역사적 사실과 그 기술에 작가들의 짙은 감정을 더한 것이라면, 후자는 인물과 사건에 모두 예술적 상상, 제련, 요약의 과정을 거쳐, 작가들이 이를 통해 도달하고자 했던 것은 또 다른 목적, 즉 혁명 영웅들의 숭고한 정신세계라는 화폭을 완성하는 것이다"라고 밝혔다. 허우진징은 소설 『붉은 바위』는 시대적 배경이 돋보이며, 중요 인물의 사상과 감정이 「열화 속에서 영생하다」에 비해 더욱 심화되었다고 평하였다.

12일, 『인민문학』 제3호에 마라친푸의 소설 「거문고 소리琴聲」, 후완춘의 소설 「만년晚年」, 쉬광야오의 소설 「치유창齊又昌」, 옌천의 시 「이파얼한伊帕爾汗」, 사오옌샹의 시 「야경夜耕」(외 1편), 류바이위의 산문 「진주珍珠」, 레이자의 산문 「벽라설산碧羅雪山」, 쉬츠의 특필 「치롄산 아래」(하), 주광첸의 문예수필 「논문 만담漫談說理文」이 발표되었다.

14일, 『인민일보』에 화산의 시 「징강산 4편井岡山四首」이 발표되었다.
『문회보』에 펑위안쥔의 시 「이청조 기념당에 부쳐題李清照紀念堂」가 발표되었다.

15일, 『작품』 신1권 제3호에 친무의 「어휘의 바다 속에서在詞彙的海洋中」, 궈모뤄의 「시가 만담詩歌漫談」(작가 서신)이 발표되었다.
『인민일보』에 지캉季康의 시 「변방 요새 야곡邊塞夜歌」, 가오스치의 시 「잔장행湛江行」(외 1편)이 발표되었다.
『광명일보』에 한잉산의 산문 「갈대밭—바이양뎬 잡기馬葦田——白洋澱散記」가 발표되었다.

16일, 『인민일보』에 일본 시인 오시마 히로미쓰大島博光의 시 「이백오십 묘지의 이름을 외쳐 부르다呼喚二百五十基地的名字」(선잉沈英 번역)가 발표되었다.
『광명일보』에 궈모뤄의 산문 「하이난다오 산에서의 리더위李德裕在海南島山」가 발표되었다.

16일~5월 3일, 전국도서발행공작회의가 베이징에서 개최되었다. 회의의 중요 의제는 공급과 수요의 모순 완화 경험에 대한 정리였다. 문화부에서는 도서의 공급과 수요의 모순을 완화하기 위해 출판용지 7천 톤을 추가로 지급하여 현재 독자가 필요로 하는 일부 도서의 재판을 출간할 것을 결정하였다. 회의 후에 출판국과 신화서점 본점에서 재판 발행 공작을 진행해 총 250종

1,618만 권을 발행하였다. 이 가운데 102종의 도서는 농촌에 공급되었다.

17일, 『문회보』에 야오원위안의 평론 「사회주의 건설 과정의 새로운 인물 형상─1961년 단편소설 선평 제2편社會主義建設中的新人形象──1961年短篇小說選評之二」이 발표되었다.

18일, 『희극보』 제3호에 이빙伊兵의 평론 「「사요배」 만담漫話＜謝瑤環＞」이 발표되었다. 그는 글에서 이 희곡이 "무측천 시대의 생활의 본질을 드러내었으며, 원작에 존재하는 대량의 낭만주의 요소를 취사선택 및 제련"한 "독특한 풍격을 가진 역사 비극"이라고 평하면서, "역사극의 개념은 역사상의 실제 인물과 사건을 묘사한 작품이라는 범위에 한정될 필요가 없다"라고 보았다.

19일, 『인민일보』에 류전의 산문 「아창 소녀阿昌少女」, 옌저의 시 「붉은 비紅雨」(2편)가 발표되었다.

21일, 『인민일보』에 리잉의 시 「영광은 전투하는 알제리의 것이다光榮屬於戰鬥的阿爾及利亞」, 류전의 산문 「아름다운 후라싸美麗的戶拉撒」가 발표되었다.

22일, 『문회보』에 「바진 저서 창작담巴金著書談創作」 및 톈젠의 시 「횃불火把」이 발표되었다.

23일, 『인민일보』에 우한의 평론 「역사 인물 평가를 논하다論歷史人物評價」가 발표되었다. 그는 글에서 우리는 반드시 마르크스주의적 방법을 통해 역사 인물을 새롭게 비판 및 정리해야 하며, 역사와 단절된 평가를 내려서는 안 된다고 보았다. 그는 또한 역사 인물을 평가하는 방법에 관해 아래와 같은 몇 가지 건의를 제시하였다. 1. 역사 인물을 평가할 때는 현시대 현 장소의 기준에 따라야 하는가, 아니면 당시와 해당 장소의 기준을 따라야 하는가? 응당 후자를 따라야 한다. 2. 역사 인물을 평가할 때는 생산투쟁과 계급투쟁에서 출발해 계급 활동으로 귀결하여야 한다. 3. 역사 인물을 평가할 때는 역사의 전체적인 발전에서 출발해야 하며, 수천 년간의 다민족 국가의 구체적인 사실에서 출발해야 한다. 4. 역사 인물을 평가할 때는 정치적 조치와 역할에서 출발해야 하며, 개인의 생활이라는 면에서 출발해서는 안 된다. 즉 정치가 제일이며, 정치를 역사 인물을 평가하는 척도로 삼아야 한다. 5. 계급 관계에 주의하고, 계급 분석의 방법을 활용해 역사 인물을 연구해야 한다. 그러나 이를 절대화하여 계급 성분을 역사 인물 평가의 유일한 척도로 삼아서는 안 된다. 6. 역사 인물을 평가할 때는 결코 현재의 이데올로기를 고대인에게 덮어씌워서는 안 된다. 고대인을 현대인화시키면 역사를 왜곡하게 되어 비非역사주의가 될 뿐만 아니라, 현대인에 대한 교육적 의의도 잃게 된다.

같은 호에 차오징화의 산문「하늘 끝 도처에 향초가 가득 돋다—시솽반나 잡기天涯處處皆芳草——西雙版納散記」, 한잉산의 산문「자리를 짜다—바이양뎬 잡기織席——白洋澱散記」가 발표되었다.

25일, 문화부 당조에서 중앙에「1959년에 발포한 원고료 시행 방법 회복 건의 지시 요청 보고建議恢復1959年頒發施行的稿酬辦法的請示報告」를 발송해 1959년에 문화부에서 발포한 기본 원고료와 인세를 결합하는 방법을 기본 원고료를 위주로 하는 방법으로 회복할 것을 건의하였다. 5월 4일, 중앙에서 본 보고를 비준해 건의에 동의하였다.

27일, 『문회보』에 우한의 논문「역사 지식의 보급을 논하다論歷史知識的普及」가 발표되었다.

『광명일보』에 우한의「논쟁에 관하여說爭論」가 발표되었다.

28일, 『인민일보』에 펑원빙(페이밍)의 논문「두보의 가치와 두시의 성취杜甫的價值和杜詩的成就」가 발표되었다.

29일, 중국작가협회 서기처와 아시아 아프리카 작가회의 중국연락위원회가 베이징에서 합동 회의를 개최하였다. 회의는 아시아 아프리카 작가회의 중국연락위원회 부주석이자 중국작가협회 부주석 류바이위가 주관하였으며 바진, 쩡커자, 옌원징, 장광녠, 샤오쌴, 위안수이파이, 빙신, 톈젠, 예쥔젠, 거바오취안 등이 참석하였다. 제2회 아시아 아프리카 작가회의에 참석한 중국작가대표단 단장이자 중국작가협회 주석 마오둔이「단결하고 서로 도와 우정의 기반이 강해졌다團結互助友誼的基礎加強了」라는 제목의 보고를 진행하여 카이로에서 개최된 아시아 아프리카 작가회의 상황을 보고하였다.

『인민일보』에 장융메이의 시「난하이 3편南海三首」, 왕얼링王爾齡의 서평「루쉰 작품 학습의 참고서一本學習魯迅作品的參考書」가 발표되었다. 왕얼링은 글에서 쉬친원의 저서 『어문 과목에서의 루쉰 작품의 교육語文課中魯迅作品的教學』을 평하였다.

『문회보』에 「궈모뤄가 시를 말하다郭沫若談詩」가 발표되었다.

『광명일보』에 친무의 산문 「북소리鼓聲」, 옌전의 시 「도화수桃花汛」(외 1편)가 발표되었다.

『양청만보』에 친무의 문예수필 「예림만상록」이 발표되었다.

30일, 『인민일보』에 궈모뤄의 시 「쑨중산 선생의 고향을 방문하다訪孫中山先生故鄕」, 지셴린의 산문 「발연發㲻」이 발표되었다.

31일, 『인민일보』에 왕시옌의 산문 「풍요로운 화과산富饒的花果山」, 노사카 산조野阪參三의 산문 「옌안 잡기延安雜憶」(광지성方紀生 번역, 원제는 「옌안 사정 등延安事情等」으로 1958년에 창작한 글이다)가 발표되었다.

『양청만보』에 마스투의 시 「양청 잡시羊城雜詩」가 발표되었다.

이달에 『전영예술』 제3호에 취바이인의 글 「영화 창조성 문제에 관한 독백關於電影創新問題的獨白」이 발표되었다. 그는 글에서 영화 창작에 존재하는 공식화, 개념화 및 주제 선행, 통속사회학 등의 폐단을 비평하고, '진부한 말'을 타파하여 사상, 형상, 구상 등 세 가지 측면에서 창조성을 확립할 것을 주장하였다.

리차오의 장편소설 『일찍 온 봄』(『즐겁게 웃는 진사장』 제2부)이 작가출판사에서 출간되었다.

하오란의 단편소설집 『밀월蜜月』이 베이징출판사에서 출간되었다.

쑨리의 소설 산문집 『바이양뎬 기록白洋澱紀事』이 출간되었다. 책에는 소설과 산문 총 54편과 엮은이의 '편집 설명'이 수록되었으며, 「장추거張秋閣」 등 6편의 작품과 '재판 후기'가 추가되었다. 재판은 중국청년출판사에서 양장본으로 출간되었으며 발행 부수는 5,000권이다. 1978년 4월에 중국청년출판사에서 재출간되었다. 이때는 「여자 보관인」이 추가되었으며, 「괘종시계鍾」, 「게으른 말 이야기懶馬的故事」, 「퉁커우전과 십 년 동안 이별하다一別十年同口鎭」 등 3편이 삭제되었고, 저자의 '재출간 후기'가 추가되었다.

리준의 소설집 『춘순집春筍集』이 허난인민출판사에서 출산뇌었나.

장즈민의 시집 『공사가 한 가족公社一家人』이 상하이문예출판사에서 출간되었다. 본 시집에는 저자가 1960년 전후에 창작한 서정시가 수록되었는데, '공사 인물公社人物', '생활 산가生活散歌', '수도 풍치首都風情' 등 3부로 구성되었다. '공사 인물'에 수록된 작품은 주로 농촌 인민공사의 새로운 인물과 사건을 반영하였으며, 저자의 다른 시집인 『공사의 인물社裏的人物』의 속편이라고 볼 수 있다. 나머지 두 부분은 서로 다른 각도에서 수도 베이징의 아름다운 풍경을 묘사하고, 조국과 생활에 대한 시인의 사랑을 표현하였다.

허치팡의 당대문학 논저『시가 감상詩歌欣賞』이 작가출판사에서 출간되었다. 초판의 인쇄 부수는 1~10,000부이다. 1978년 5월에 인민문학출판사에서 재판이 출간되었다. 1983년에는 인민문학출판사에서 출간된『허치팡 문집何其芳文集』제5권에 수록되었다.

가오잉의 영화문학 극본『다지와 그녀의 아버지』가 상하이문예출판사에서 출간되었다.

4월

1일,『허베이문학』4월호에 캉쥐의 장편소설『동방홍東方紅』의 연재가 시작되었다. 같은 호에 쑨리의「진문소집津門小集」(3편) 및 후기, 하오란의 소설「행화우杏花雨」, 옌전의 시「요람·새벽종搖籃·晨鍾」(2편), 캉쥐의 평론「마오 주석 사상의 지도 아래—20년의 간단한 회고在毛主席思想的教導下──二十年簡單回顧」가 발표되었다.

『문예홍기』4월호에 류수더의 소설「배를 팔다賣梨」, 옌전의 시 2편「동백설茶花雪」이 발표되었다.

『중국청년』제7호에 하오란의 소설「새해 인사拜年」가 발표되었다.

『옌허』4월호에 장창궁의 소설「스승에게 가르침을 받다投師」, 친무의 문예수필「예림만상록」이 발표되었다.

『쓰촨문학』4월호에 옌이의 시「등燈」이 발표되었다.

『산화』4월호에 린진란의「위나라 문학魏文學」이 발표되었다.

『해방군문예』4월호에 위안잉의 산문「모쒀완 야화莫索灣夜話」, 커란의 산문「산림 속의 사람山林裏的人」, 웨이양의 시「사오산으로 들어가다進韶山」(2편), 량상취안의 시「푸른 숲과 붉은 장식용 술靑林紅纓」(2편)이 발표되었다.

『우화雨花』4월호에 리루칭의 산문시「어느 여교사에게給一位女教師」가 발표되었다.

『창장문예』4월호에 쉬츠의 산문「산문에 관하여說散文」, 친무의 문예수필「코끼리는 왜 코를 들어올렸는가象鼻子爲什麼舉了起來」가 발표되었다.

『신항』4월호에『홍기보』창작에 관한 몇 가지 문제에 관한 량빈의 글「독자에게致讀者」가 발표되었다. 그는 글에서 창작경험 문제에 관해 질문한 청년 작가들의 서신에 대해 답변하였다. 그는 "창작을 배우는 사람에게 있어 생활의 기초를 잘 다지는 것은 일생의 대사이다. 농촌 생활, 공장 생활, 병영 생활, 학교생활 등등 각종 생활을 체험하고, 적어도 한 가지 생활에는 익숙해져야 한다. 큰 뜻을 가지고 여러 전선의 영웅들과 함께 전투에 임하고, 사회주의 혁명과 건설 과정에서의 그들의 최고의 충성심과 그들의 일상생활을 체험해야 하며, 시대 생활의 바닷속을 헤엄칠 용기를 가져야 한다", "책을 많이 읽어 감상 능력과 예술 수준을 제고해야 한다", "장편소설을 창작할 때는 각종 기교를 활용해야 한다. 일기 쓰기는 창작을 연습하는 좋은 방법이다"라고 밝혔다.

2일, 『인민일보』에 톈한의 산문 「「문성공주」를 창고에 넣다送<文成公主>入藏」가 발표되었다.

3일, 『인민일보』에 판인차오의 산문 「산판선 송가鏟板船之頌」가 발표되었다.

4일, 『민간문학』 제2호에 커중핑의 「생활로부터 배우고, 민가로부터 배우자向生活學習, 向民歌學習」, 톈젠의 시 「길路」, 웨이웨이의 「신시는 어떻게 민가와 고전시가의 기초 위에서 발전했는가新詩如何在民歌和古典詩歌的基礎上發展」, 장즈민의 「민가로부터 배우자向民歌學習」가 발표되었다.

『베이징문예』 4월호에 리잉의 시 「베이징 3편北京三首」, 하오란의 「부지런히 배우고 열심히 연마하자勤學苦練」, 황추원의 소설 「두자미가 집으로 돌아가다杜子美還家」가 발표되었다. 정공둔鄭公盾은 이후에 「『베이징문예』는 누구를 위해 복무하는가<北京文藝>在爲誰服務」에서 이 소설에 대해 "옛일을 빙자해 현실을 풍자한 독초"라고 보면서, "이 소설은 시인 두보의 이야기를 빌려 다른 속셈을 가지고 현실을 암시하여 당과 사회주의 제도를 악독하게 반대하였다. 또한 두보가 귀가하는 길에 마주한 풍경을 '백성이 안심하고 살아갈 수 없으며, 이재민이 가득하다'고 표현하였다. 작가는 중상모략의 의도를 가지고 어느 노인의 입을 빌려 두보에게 '당신은 관직에 올라 녹봉을 받는 사람이니, 우리 백성들을 위해 방법을 찾아 줘야 하지 않습니까?……우리 백성들의 고통을 이야기해야 하는 게 아닙니까!'라고 하면서, '요 몇 년 사이……관리들은 부패하고 황제는 궁궐 속에 처박혀, 총명한 이들을 가로막아 아무런 간언도 듣지 않아, 인민의 고통은 날이 갈수록 깊어지고, 생산력은 나날이 쇠락했다. 그러나 황제는 아무것도 모르는 채로 있다가 결국 '안사의 난'이 발생하였다'라는 식으로 서술하고 있다"라고 지적하였다(1966년 5월 20일자 『인민일보』).

『문회보』에 「주광첸이 논문을 말하다朱光潛談說理文」가 발표되었다.

5일, 『상하이문학』 제4호에 커위안의 시 2편 「시사 사람西沙人」, 류바이위의 산문 「겨울의 풀

冬日草」, 쉬츠의 산문 「우리 공사 현장의 농장我們工地的農場」, 친무의 잡문 「이리에 관하여說狼」가 발표되었다.

『문회보』에 톈한의 시 「시 2편詩兩首」이 발표되었다.

『인민일보』에 리잉의 시 「톈산 아래天山下」(2편), 리리싼李立三의 독서필기 「「추근 생가를 방문하다」를 읽고讀<訪秋瑾故居>一文以後」가 발표되었다.

『광명일보』에 돤무훙량의 산문 「비둘기鴿子」, 친쓰의 산문 「양페이춘을 지나다過楊妃村」, 우한의 「영인본『명경세문편』서문影印<明經世文編>序」이 발표되었다.

7일, 『문회보』에 황쭤린의 「'회극관' 만담漫談"戲劇觀"」이 발표되었다. 이 글은 전국 화극, 가극 창작좌담회에서의 황쭤린의 발언문이다. 그는 글에서 세계 3대 희극 공연 체계(스타니슬랍스키 체계, 브레히트 체계, 메이란팡 체계)가 가진 각자의 희극관에 관해 토론을 진행하였다. "토론의 목적은 이들의 공통점과 근본적인 차이점을 찾아내 세 가지 체계가 서로 영향을 끼치고 참고하며 옛것을 취사선택하여 새롭게 발전시킨 과정을 탐구하여, 현재까지 우리의 화극 창작에서 한 가지 희극관만을 인정하는 편협한 국면을 타파하는 것이다." 그는 또한 "사의寫意 희극관"이라는 개념을 제시하였는데, 그 기본 내용은 구조 면에서 연결성과 융통성을 강조하여 시간과 공간의 제한을 받지 않으며, 인물 형상의 창조 면에서는 조소성과 입체감을 강조하고, 표현방식 면에서는 사의와 격식을 강조하는 것이다. 그는 화극, 특히 역사극의 공연은 응당 희곡을 참고해야 하며, 동시에 진전이 있어야 한다고 보았다. 이 글은 4월 25일자 『인민일보』에 전문이 게재된 후에 희극계의 주목을 받았으나, 정치운동이 대두됨에 따라 곧바로 화제성을 잃었다. 80년대가 되어서야 희극계에서는 이 글의 가치를 재발견하였다.

『광명일보』에 리시판의 「우한 동지에게 답하다ー「논쟁에 관하여」를 읽고答吳晗同志——讀<說爭論>讀後」가 발표되었다.

『인민일보』에 옌전의 시 「붉은 감시 초소ー다볘산 단상紅色守望台——大別山隨想」, 한쯔의 소설 「술에 취한 노인小醉翁」이 발표되었다.

『전영창작』제2호에 위링, 예밍葉明, 셰진, 량옌징梁延靖, 우리伍黎, 장룽취안藚榮泉의 영화문학 극본 「다리, 샤오리, 그리고 라오리大李'小李和老李」가 발표되었다.

『문회보』에 우보샤오의 「기초 지식과 기본 훈련을 결합해야 한다基礎知識與基本訓練要結合」가 발표되었다.

8일, 『문회보』에 빙신의 「아시아 아프리카 작가의 전투 우정亞非作家的戰鬥友誼」, 루즈쥐안의 산문 「전우를 방문하다訪戰友」가 발표되었다.

9일, 『양청만보』에 우커런의 소설 「독충毒蟲」이 발표되었다.

『인민일보』에 쨍커자의 수필 「'책'을 읽다讀"書"」가 발표되었다.

『해방일보』에 야오원위안의 「국가가 떠올랐다想起了國歌」가 발표되었다.

10일, 『인민일보』에 라오서의 「희극 언어─전국 화극, 가극, 아동극 창작좌담회에서의 발언 戲劇語言──在全國話劇, 歌劇, 兒童劇創作座談會上的發言」(『극본』 4월호에 최초 게재), 슝포시의 「훌륭한 극본이 더 많이 필요하다需要更多好劇本」가 발표되었다. 슝포시는 글에서 극작가들이 다양한 소재의, 특히 마오쩌둥의 빛나는 시대를 반영한 내용의 극본을 더 많이 창작하기를 기대한다고 밝혔다. 그는 극작가가 좋은 극본을 창작할 수 있는 기초는 생활이며, 문예가 공농병을 위해 복무한다는 마오 주석의 정확한 방침의 지도 아래 우리의 극작가들은 모두 뜨거운 투쟁 생활에 적극적으로 투신해야 한다고 지적하였다. 그는 또한 "극작가가 기교를 장악하기 위해서는 우선 동작을 파악해야 한다. 동작을 활용해 인물의 사상과 감정을 정확히 표현하는 방법을 파악해야 한다", "우리의 극작가들은 마르크스레닌주의를 학습해야 한다. 이것이 가장 기본적인 것이다. 그러나 동시에 희극 이론도 학습해야 한다……우리의 극작가와 감독들은 또한 자매 예술을 학습해야 한다. 이는 우리의 의경을 풍부하게 하고 사상을 제고하는 데 큰 도움이 된다"라고 보았다.

『문회보』에 예성타오의 「독서는 창작의 기초이다閱讀是寫作的基礎」가 발표되었다.

『쓰촨문학』 4월호에 톈한, 왕즈추王治秋 등의 시 「초당시초草堂詩抄」, 류카이양劉開揚의 「쓰촨에서의 두보의 시가 창작 활동杜甫在四川的詩歌創作活動」, 주단난朱丹南의 「열심히 학습하고, 부단히 제고하자努力學習, 不斷提高」, 루유路由의 「옌안 '루예'에서의 정풍학습 참가를 회상하며回憶在延安"魯藝"參加整風學習」, 쩡커의 「옌안문예좌담회 참석 전후參加延安文藝座談會前後」가 발표되었다.

『광시문예』 4월호에 린진란의 소설 「석공石匠」이 발표되었다.

11일, 『문예보』 제4호에 중국작가협회 서기처와 아시아 아프리카 작가회의 중국연락위원회 합동회의의 「제2회 아시아 아프리카 작가회의 결의서에 관하여關於第二屆亞非作家會議的決議書」 및 리허우지李厚基의 「「다지와 그녀의 아버지」 토론─다시 마허 등에 관하여討論＜達吉和她的父親＞──

重話馬赫及其它」, 커옌의 문예필담 「반드시 학습하고 제고해야 한다必須學習, 必須提高」가 발표되었다.

『인민일보』에 지캉의 산문 「연인情侶」, 궈모뤄의 수필 「담이에 관하여說儋耳」가 발표되었다.

12일, 『광명일보』에 멍차오의 「메이란팡 동지 화불입축 발문跋梅蘭芳同志畫佛立軸」이 발표되었다.

『인민문학』4월호에 펑즈의 소설 「백발에 검은 머리가 돋다白發生黑絲」, 옌이의 시 「룽청을 읊다蓉城詠」, 장융메이의 시 4편 「군대의 노래軍中謠」, 싱예의 시 「시인에게給詩人」, 빙신의 산문 「나일강 위의 봄尼羅河上的春天」, 차오징화의 산문 「얼하이 일지춘洱海一枝春」, 비예의 특필 「새벽 꽃이 찬란한 절벽 위에서在晨花燦燦的山崖上」, 양스楊石의 혁명 회고록 「늙은 말老馬」이 발표되었다.

14일, 『해방군보』에 자오수리의 소설 「'양 영감님'」이 발표되었다.

15일, 『신화월보』제4호에 우한의 평론 「역사 인물의 평가를 논하다論歷史人物評價」. 마오둔의 「급격히 변화하는 시대의 아시아 아프리카 작가회의를 위한 축전爲風雲變色時代的亞非作家會議的賀電」, 「단결과 우정의 기반이 강화되었다─제2회 아시아 아프리카 작가회의에 관한 보고團結和友誼的基礎加强了──關於第二屆亞非作家會議的報告」가 발표되었다.

17일, 베이징 문예계에서 당나라 시인 두보 탄생 1250주년 기념회를 거행하였다. 궈모뤄가 개회사를 하였으며 펑즈가 두보의 생애와 창작을 소개하였다.

『양청만보』에 라오서의 시 「산터우행汕頭行」, 양한성의 시 「시 3편詩三首」이 발표되었다.

『인민일보』에 위안잉의 역사 소품 「강호에 가을 물이 붇다江湖秋水多」, 아잉의 「완화초당팔경제략」 발문<浣花草堂八景題略>跋」이 발표되었다.

18일, 『인민일보』에 펑즈의 「위대한 시인 두보를 기념하며紀念偉大的詩人杜甫」(세계 문화 명인─중국의 위대한 시인 두보 탄생 1250주년 기념회에서의 보고在世界文化名人──中國偉大詩人杜甫誕生1250周年紀念大會上的報告)가 발표되었다.

『양청만보』에 양쉬의 시 「시의 섬에서 시를 줍다詩島拾詩」가 발표되었다.

19일, 중국 아시아 아프리카 학회中國亞非學會가 베이징에서 성립되었다. 천이 부총리가 성립

대회에서 연설하였으며 저우양이 회장으로, 후위즈가 부회장으로 당선되었다. 학회의 취지는 아시아 아프리카 각국에 대한 연구를 추진해 문화학술 교류를 촉진하는 것이다.

『시간』 편집부에서 시가 좌담회를 개최해 현대 시가 창작 문제에 관해 토론하였다. 커중핑, 짱커자, 샤오싼, 창런샤常任俠, 위안수이파이, 빙신, 펑즈, 라오멍칸饒孟侃, 벤즈린, 톈젠, 장광녠, 롼장징, 리지, 웨이웨이, 원제, 나·싸이인차오커투 등이 참석하였다. 참석자들은 시가의 내용, 형식, 운율 문제 및 시가의 우수한 전통 계승, 시가와 생활의 관계 등의 문제에 관해 토론을 진행하였다.

『인민일보』에 팡지의 「단계에 관하여談端溪」, 궈모뤄의 「목련과 살구나무玉蘭和紅杏」가 발표되었다.

20일, 『인민일보』에 톈젠의 시 「아프리카 여행기非洲遊記」가 발표되었다.

『세계문학』 4월호에 빙신이 번역한 타고르의 서간 「방글라데시 풍경」, 아잉의 「중국에서의 게르첸―번역문학 사화赫爾岑在中國――翻譯文學史話」가 발표되었다.

『양청만보』에 궈모뤄의 수필 「'오래된 연밥'에 관하여關於"古蓮子"」가 발표되었다.

22일, 『문회보』에 라오서의 시 「봄놀이 소시春遊小詩」가 발표되었다.

『후베이일보』에 쉬츠의 수필 「산문에 관하여說散文」가 발표되었다.

24일, 『광명일보』에 돤무훙량의 소설 「피마자蓖麻」가 발표되었다.

26일, 『광명일보』에 아잉의 「위안스카이의 반혁명 문예선전袁世凱的反革命文藝宣傳」이 발표되었다.

28일, 『광명일보』에 우한의 「논쟁하지 않는 '논쟁'並非爭論的"爭論"」이 발표되었다.

29일, 『쓰촨문학』에 가오잉의 「시창의 달西昌月」이 발표되었다.

『인민일보』에 탄원루이譚文瑞의 산문 「적도국의 지하의 불赤道國的地下火」이 발표되었다.

30일, 중공중앙에서 중앙선전부의 「현재 문학예술공작의 몇 가지 문제에 관한 의견(초안)關於當前文學藝術工作若幹問題的意見(草案)」(약칭 '문예 8조')를 비준하였다. '문예 8조'는 1961년 8월 1일에 인쇄 발행되어 각지의 의견을 구한 '문예 10조'를 기초로 하여 수정한 것으로, 그 내용은 1. 백화제방, 백가쟁명 방침의 진일보 관철, 2. 창작의 질 제고를 위해 노력할 것, 3. 민족유산을 비판적으로 계승하고 외국문화를 흡수할 것, 4. 문예비평을 정확히 전개할 것, 5. 창작 실천을 보장하고 일과 휴식의 조화에 주의할 것, 6. 우수한 인재를 양성하고 창작을 격려할 것, 7. 단결을 강화하고 계속해서 개조할 것, 8. 지도 방법과 작풍을 개선할 것 등으로 구성되었다.

이달에 작가출판사 편집부에서 편찬한 문예이론집 『소설 창작에 관하여談小說創作』가 출간되었다. 책에는 탕타오의 「인물 창조 잡담人物創造雜談」, 왕위안젠의 「굳건한 영웅 형상結結實實的英雄形象」, 아이우의 「생활·인물·이야기生活·人物·故事」, 왕원스의 「구상 만담漫談構思」, 두펑청의 「줄거리에 관하여關於情節」, 리시판의 「성격, 줄거리, 구조, 그리고 인물의 등장性格, 情節, 結構和人物的出場」, 우쭈샹의 「『홍루몽』의 몇몇 조연의 안배에 관하여談<紅樓夢>裏幾個陪襯人物的安排」, 웨이진즈의 「루쉰 소설의 창작 수법 만담漫談魯迅小說中的創作手法」, 량빈의 「『홍기보』 창작 만담漫談<紅旗譜>的創作」, 허우진징의 「개성과 예술 특징의 창조創造個性和藝術特色」, 탕타오의 「사회를 학습하고 묘사하자學習社會, 描寫社會」, 왕원스의 「『문학지식』 편집부의 질문에 답하다答<文學知識>編輯部問」, 허치팡의 「시가 감상詩歌欣賞」 등의 글이 수록되었다.

두펑청의 단편소설집 『젊은 친구年輕的朋友』가 중국청년출판사에서 출간되었다.

마라친푸의 단편소설집 『꽃의 초원花的草原』이 인민문학출판사에서 출간되었다.

량상취안의 시집 『다바산맥의 달大巴山月』이 충칭인민출판사에서 출간되었다.

옌천의 시집 『홍하집紅霞集』이 상하이문예출판사에서 출간되었다.

펑무의 산문집 『격류소집激流小集』이 상하이문예출판사에서 출간되었다.

리시판의 산문집 『촌심집寸心集』, 천찬원의 산문집 『주장 강가珠江岸邊』가 작가출판사에서 출간되었다.

마난춘의 산문집 『옌산 야화』(제3집)가 베이징출판사에서 출간되었다.

리준의 영화 극본 『리쐉쐉李雙雙』이 상하이문예출판사에서 출간되었다.

허치팡의 시론집 『시가 감상詩歌欣賞』이 작가출판사에서 출간되었다.

류허우밍의 장편소설 『기러기들이 일제히 날다』가 소년아동출판사에서 출간되었다.

5월

1일, 『초원』 5월호에 궈모뤄의 「네이멍구자치구 성립 15주년을 기념하며內蒙古自治區成立十五周年紀念」, 예성타오의 「수조가두─네이멍구자치구 성립 15주년을 기념하며水調歌頭──內蒙古自治區成立十五周年紀念」, 라오서의 시 「눈부신 15년의 봄─네이멍구자치구 성립 15주년 헌시輝煌十五春──內蒙古自治區成立十五周年獻詩」, 나·싸이인차오커투의 시 「잔을 들어라擧杯」, 「주석님의 저작이 내 작품이 새로운 생명을 얻게 해 주었다主席著作使我的作品獲得了新生」가 발표되었다.

『옌허』 5월호에 사설 「기나긴 역사가 새 장을 열다─「옌안문예좌담회에서의 강화」 발표 20주년을 기념하며歷史長河開新篇──紀念＜在延安文藝座談會上的講話＞發表20周年」, 커중핑의 「불의 삼림과 불의 꽃─옌안문예좌담회에서의 마오 주석의 강화 20주년을 기념하며火的森林火的花──紀念毛主席在延安文藝座談會講話20周年」, 정보치의 「등대는 영원히 우리를 비추리─마오 주석의 「옌안문예좌담회에서의 강화」 발표 20주년燈塔永遠照耀著我們──毛主席＜在延安文藝座談會上的講話＞發表20周年」, 왕원스의 산문 「책임責任」, 톈젠의 시 「장미 2편玫瑰二題」, 장즈민의 시 3편 「서행 실루엣」이 발표되었다.

『해방군문예』에 5월호에 사설 「전투생활에 깊이 침투해 창작의 질을 제고하자─마오쩌둥 동지의 「옌안문예좌담회에서의 강화」 발표 20주년을 기념하며深入鬥爭生活, 提高創作質量──紀念毛澤東同志＜在延安文藝座談會上的講話＞發表20周年」, 리잉의 「생활의 격류 속에서 단련하고 성장하자在生活的激流中鍛煉成長」, 「혁명문예공작자의 젖革命文藝工作者的乳漿」(베이징 주둔 부대 작가 예술가들의 「옌안문예좌담회에서의 강화」 발표 20주년 기념 좌담회 기록), 장융메이의 시 「군대의 노래」(3편), 가오잉의 시 「버들피리柳笛」가 발표되었다.

『후난문학』 5월호에 전문 논고 「공농병 방향하의 백화제방, 백가쟁명 방침을 진일보 관철하자進一步貫徹在工農兵方向下的百花齊放' 百家爭鳴」, 저우리보의 「위대한 문헌의 탄생 20주년을 기념하며紀念一個偉大文獻誕生的20周年」, 웨이둥밍魏東明의 「옌안문예좌담회를 회고하며回憶延安文藝座談會」가 발표되었다.

『우화雨花』 5월호에 장허江河의 시 「이륙선起飛線」, 천덩커의 산문 「옌푸의 대중鹽阜大眾」이 발표되었다.

『창장문예』 5월호에 비예의 소설 「청산에 정이 가득하다情滿青山」, 야오쉐인의 장편소설 연재 『구청 봉기穀城起義』, 마오쩌둥의 「시 6편詩六首」, 궈모뤄의 「마오 주석의 「시 6편」을 기쁘게 읽다喜讀毛主席的＜詩六首＞」, 쉬츠의 산문 「충칭의 추억重慶回憶」이 발표되었다.

『허베이문학』 5월호에 리잉의 시 「싼먼샤의 노래三門峽歌」, 톈젠의 시 「마오 주석의 문예 강화 학습 찰기學習毛主席文藝講話劄記」(3편), 류전의 산문 「변경에서 온 편지邊疆來信」, 중링鍾玲의 평론 「『인력거꾼 전기』 독서 잡기＜趕車傳＞讀後小記」, 한잉산의 단편소설 필담 「'돌출'에 관하여談"凸"」가 발표되었다.

『신항』 5월호에 위안징의 「창작과 생활－「옌안문예좌담회에서의 강화」 학습 감상創作與生活－－學習＜在延安文藝座談會上的講話＞的一點體會」, 쑨리의 소설 「강의 원류河源」, 예쥔젠의 소설 「새 학우新同學」, 량빈의 소설 『파화기』 연재(장편소설 『홍기보』 제2부), 톈젠의 시 「해연행海燕行」(외 2편), 장융메이의 시 「단결 전투의 기치團結戰鬥的旗幟」, 옌이의 시 「광산 지대 서정礦區抒情」(4편), 류전의 산문 「여행 일기旅行日記」가 발표되었다.

『산화』 5월호에 리제런의 소설 「주저하며 결정하지 못하다擧棋不定」(『큰 파도』 제3부 제6장), 젠셴아이의 「학습하고, 실천하고, 다시 학습하자學習, 實踐, 再學習」가 발표되었다.

『문예홍기』 5월호에 장즈민의 시 「서행 실루엣」(3편), 먀오더위의 시 「사념집思念集」이 발표되었다.

2일, 『양청만보』에 친무의 장편 역사소설 『분노하는 바다憤怒的海』의 연재가 시작되어 12월 26일자에 완료되었다. 이번 호에는 소설 도입부의 10장 분량이 게재되었다.

3일, 『광명일보』에 톈한의 여행기 「자오칭 여행肇慶遊」, 나·싸이인차오커투의 시 「잔을 들어라」가 발표되었다.

4일, 『베이징문예』 5월호에 린진란의 소설 「집회에 가다趕擺」, 하오란의 소설 「대장이 중매를 서다隊長作媒」, 장즈민의 시 「서행 실루엣」이 발표되었다.

4일~13일, 허베이성 문련에서 허베이성의 일부 청년 아마추어 작가들을 초청해 단편소설의 창작 기교를 제고하는 방법에 관해 토론하였다. 회의에서는 쑨이孫一, 선웨중, 런원샹任文祥, 궈청칭郭澄淸, 칭린靑林 등 청년 작가의 작품을 분석하고 단편소설의 주제 사상, 줄거리, 구조, 인물 묘사, 언어 등의 문제에 대해 열띤 토론을 벌였다. 작가 아이우, 캉줘, 웨이웨이, 리만톈李滿天, 평론가 허우진징 등이 참석해 발언하였다. 캉줘가 「최근 몇 년간의 단편소설 창작을 논하다試論近年間的短篇小說創作」라는 제목의 보고를 진행하였다(이후에 『문학평론』 제5호에 발표).

5일, 『변강문예』 5월호에 사설 「마오쩌둥 문예사상은 영원히 우리의 승리를 보증한다毛澤東文藝思想永遠是我們勝利的保證」, 류수더의 소설 「귀가歸家」가 발표되었다.

『상하이문학』 제5호에 바진의 「작가의 용기와 책임감—상하이시 문학예술공작자 제2차 대표대회에서의 발언作家的勇氣和責任心———在上海市文學藝術工作者第二次代表大會上的發言」, 옌이의 시 「난롯불이 이글이글 타오르다爐火熊熊」, 왕신디의 시 「옌안 짜오위안에서在延安棗園」, 웨이진즈의 산문 「나는 우리의 공인 작가들을 축복한다我爲我們的工人作者祝福」, 커란의 「인민 군중의 언어를 학습하자學習人民群衆的語言」, 루즈쥐안의 산문 「회고回顧」, 저우서우쥐안의 산문 「쉰양장 강가潯陽江畔」가 발표되었다.

『열풍』 제3호에 저우얼푸의 소설 「봄밤春夜」(「상하이의 아침」 제2부 제5장)이 발표되었다.

『신장문예』 5월호에 톈젠의 시 「톈산 시초天山詩草」(5편)가 발표되었다.

『해방군보』에 웨이웨이의 「생활을 더 깊이 있게 하고, 더 많이 찬양하자生活再深些, 贊得再多些」가 발표되었다.

6일, 『인민일보』에 랴오모사가 원이첸文益謙이라는 필명으로 잡문 「정판교의 가서 두 통鄭板橋的兩封家書」을 발표하였다.

7일, 『인민일보』에 량상취안의 시 「차가 친링산맥으로 향하다車向秦嶺」(외 1편)가 발표되었다.

8일, 『광명일보』에 마톄딩의 잡문 「장미薔薇」가 발표되었다.

9일~17일, 상하이시 문학예술공작자 제2차 대표대회가 개최되었다. 위원회는 바진을 주석으로, 위링, 펑쯔카이, 예이췬, 류톈윈劉天韻, 선푸, 선인모, 리쥔민李俊民, 장쥔샹, 천치우陳其五, 멍보, 저우신팡, 자오단趙丹, 자오차오거우趙超構, 궈사오위, 위안쉐펀, 허뤼팅, 슝포시를 부주석으로 선출하였다. 그리고 쿵뤄쑨孔羅蓀을 비서장으로, 류허우성, 선즈바이沈知白, 선러우젠沈柔堅, 리보룽李伯龍, 저우쉬량周煦良, 홍린洪林, 양춘빈楊村彬, 셰즈류謝稚柳를 부비서장으로 선출하였다. 또한 상하이시 문학예술계연합회 제2기 위원회 위원 222인을 선출하였으며, 상하이시 문학예술계연합회 규정과 대회 결의를 통과시켰다.

14일에 개최된 상하이시 작가협회 제3차 회원대회에서 바진이 상하이시 작가협회 주석으로, 이췬, 류다제, 우창 등이 부주석으로 당선되었다. 바진은 상하이시 제2차 문대회에서 「작가의 용기와 책임감」이라는 제목으로 발언하였으며, 발언문은 『상하이문학』 5월호에 게재되었다. 그는 "나는 내가 작가로서 책임을 다하지 못했으며, 신중국의 문예공작사로서도 문예라는 무기를 활용해 인민을 위해 잘 복무하지 못했다고 생각한다. 요 몇 년 동안 나는 전심전력으로 인민의 문학사업에 헌신해 더 좋은 작품을 더 많이 써야 한다고 부단히 외쳐 왔다. 그러나 나는 계속해서 시간을 이런저런 일들에 써 왔다. 나는 여전히 말이 많고 글은 적게 쓰며, 글의 수준도 낮다. 때때로 나도 이 때문에 조급해진다. 나는 부끄러움을 느끼고, 심지어 안절부절못하기도 한다. 그러나 나는 가끔은 내가 남긴 것들이 많지 않다는 이유로 오히려 안심이 되는 기분을 느끼기도 한다. 나는 종종 내가 용기가 없으며 책임감이 강하지 못한 것을 질책하지만, 또 가끔은 나를 위해 변명하기도 한다. 나처럼 공을 세우기는 바라지 않고 그저 잘못이 없기만 바라는 이들이 적지 않기 때문이다. 그러나 나는 이런 식으로 계속 창작을 해서는 안 된다고 생각한다. 작가라는 이름을 내걸고 있는 이상 반드시 진지하게 창작하고, 작가의 용기와 책임감을 중시해야 한다. 신중국의 작가라면 더더욱 그저 잘못이 없기만을 바라서는 안 된다. 그러나 그런 생각을 없애는 것이 쉬운 일이 아님을 인정할 수밖에 없다. 사실대로 말하자면, 나는 욕을 먹는 것이 두렵지 않다. 나는 호된 비평을 견딜 수 있다. 가끔은 비평에 의해 정곡을 찔려 한 차례 고통을 겪고 나면 오히려 마음이 편해지곤 한다. 하지만 내가 나의 결점과 비밀을 털어놓는 것을 허락해 주기 바란다. 나는 '말이 많아 실수를 저질러' 번거로운 일이 생기는 것이 두렵다. 흰머리가 점점 더 늘어 가고 기억력도 점차 쇠퇴해, 나는 조급해하지 않을 수 없다. 나는 항상 이 유한한 시간을 잘 이용해 작품을 더 많이 쓰고 싶다. 나는 한 손에는 테두리를, 한 손에는 몽둥이를 들고 어디서든 잘못을 찾아내는 사람들이 조금 두렵다. 물론 내가 몽둥이를 보자마자 목이 움츠러드는 것은 아니다. 그러나 몽둥이에 자꾸 맞다 보면 두뇌가 망가지게 된다. 이런 이들을 마주치면 번거로운 일이 늘어난다. 나는 농담을 하는 것이 아니다"라고 밝히면서, "작가에게 너무 많은 책임을 지워, 작가가 글을 쓰지 않는 것이 오히려 어깨가 가볍고, 작품을 발표하지 않으면 남에게 약점을 잡히지 않아 오히려 평온한 나날을 보낼 수 있다고 여기게 하는 것은 결코 좋은 방법이 아니다"라고 보았다.

펑쯔카이는 발언에서 문예의 '쌍백' 방침을 적극적으로 옹호하고, 일률적인 창작방법을 강요하는 것에 대해 "상록수를 자르는 큰 가위"라고 질책하였다. 그는 작은 꽃과 이름 없는 꽃이 잘 피어나도록 도와야 한다고 호소하였다.

대회는 17회에 폐회하였다. 슝포시가 「더욱 긴밀하게 단결해, 문학예술을 더욱 번영시키기 위해 노력하자更加緊密地團結起來, 爲進一步繁榮文學藝術而努力」라는 제목으로 폐회사를 하였다.

10일, 『양청만보』에 어우양산의 「생활은 끝이 없다─「옌안문예좌담회에서의 강화」 발표 20주년을 기념하며生活無邊──紀念＜在延安文藝座談會上的講話＞發表20周年」가 발표되었다.

『쓰촨문학』 5월호에 마스투의 장편소설 『칭장 장가』(7월호에 연재 완료), 야오원위안의 평론 「어두운 감옥 속의 붉은 매─『붉은 바위』 예찬黑牢中的紅鷹──贊＜紅岩＞」이 발표되었다.

『산둥문학』 5월호에 펑위안쥔의 「문학유산을 계승하는 길 위에서在繼承文學遺産的道路上」, 야오원위안의 「첫 번째 사람의 공작第一位的工作」이 발표되었다.

『광시문예』 5월호에 친자오양의 소설 「주운 편지一封拾到的信」, 웨이치린의 시 「가수歌手」, 아이우의 산문 「심야의 새深夜的鳥」, 친쓰의 「위대한 시인 두보와 그 창작偉大詩人杜甫及其創作」이 발표되었다.

『동해』 제5호에 진진의 동화 가무극 「나비에게는 작은 거울이 있다蝴蝶有一面小鏡子」가 발표되었다.

『광명일보』에 판인차오의 「탄사 「삼소」의 유래＜三笑＞彈詞的由來」가 발표되었다.

11일, 『문회보』에 량상취안의 시 「진청의 화회錦城花會」가 발표되었다.

『인민일보』에 지셴린의 산문 「연원에 봄이 가득하다春滿燕園」가 발표되었다.

12일, 베이징 문화계 인사들이 모여 세계 문화 명인 게르첸 탄생 1250주년 기념행사를 개최하였다. 마오둔, 샤옌, 추투난, 후위즈, 우마오쑨吳茂蓀, 샤오싼肖三, 차오징화, 정신鄭昕, 천빙이陳冰夷 등이 참석하였다.

『인민문학』 5월호에 아이우의 소설 「들소 소굴野牛寨」, 웨이진즈의 소설 「선물禮物」, 마오쩌둥의 「시 6편」, 궈모뤄의 「마오 주석의 「시 6편」을 기쁘게 읽다喜讀毛主席的＜詩六首＞」, 나·싸이인차오커투의 시 「갈색의 사구褐色的沙崗」, 라오제바쌍의 시 「설산의 노래雪山之歌」, 펑장鳳章의 시 「수항의 다리 어귀水港橋畔」, 마오둔의 글 「배운 후에야 부족함을 알다學然後知不足」, 저우리보의 글 「20년 전二十年前」, 톈젠의 산문 「사랑愛」, 리광톈의 산문 「산의 경치 및 기타山色及其他」, 예쥔젠의 산문 「쑤이스 운하 위를 오가다在蘇彝士運河上來去」가 발표되었다.

『인민일보』와 『광명일보』에 마오쩌둥의 「사 6편詞六首」(13일자 『해방일보』, 『문회보』, 『양청만보』에 전재), 궈모뤄의 「마오 주석의 「사 6편」을 기쁘게 읽다喜讀毛主席<詞六首>」(13일자 『문회보』, 『양청만보』에 전재)가 발표되었다. 『광명일보』에 짱커자의 「마오 주석의 「사 6편」을 읽다讀毛主席<詞六首>」가 발표되었다(13일자 『문회보』에 전재).

13일, 『문회보』에 야오원위안의 잡문 「두 편집자 동지의 견해兩個編輯同志的想法」가 발표되었다.

14일, 중국작가협회 상하이분회에서 제3차 회원대회를 개최하였다. 저우쉬량, 장쿵양, 쉬쥔제徐俊傑, 메이린梅林, 주원朱雯, 리건바오李根寶, 런쥔, 첸구룽, 주둥룬朱東潤, 천보추이, 왕신디, 탕커신 등이 참석해 시, 외국문학 번역, 아동문학, 아마추어 창작 등 각 방면의 공작에 관해 발언하고, 문예이론 비평 공작을 정확히 전개하는 방법에 관해 여러 가지 건의를 제시하였다. 최근에 아프리카에서 귀국한 작가 두쉬안이 제2회 아시아 아프리카 작가회의에 참석한 후에 아프리카의 국가를 방문한 감상을 보고하였다.

15일, 『극본』 5월호에 왕베이王蓓의 3막 5장 화극 「두십낭杜十娘」이 발표되었다. 같은 호에 왕차오원의 「침투와 격리－희극이 어떻게 사상을 표현하는가에 관하여透與隔——談戲劇怎樣表達思想」, 후커의 「성격과 성격 충돌－전국 화극, 가극, 아동극 창작좌담회에서의 발언性格與性格沖突——在全國話劇, 歌劇, 兒童劇創作座談會上的發言」, 천바이천의 「희극 잡담－전국 화극, 가극, 아동극 창작좌담회에서의 발언喜劇雜談——在全國話劇, 歌劇, 兒童劇創作座談會上的發言」이 발표되었다. 천바이천은 글에서 "일반적으로 보아, 희극의 극적 충돌은 사회의 모든 모순을 반영할 수 있다. 그러나 희극의 특징은 웃음을 무기로 삼는 것이며, 희극의 한계도 여기에 있다. 희극은 사회 속의 거대한 모순을 반영할 수 있으나, 상징극이나 비극처럼 이를 직접적으로, 정면으로 반영할 수 없고, 간접적으로, 측면에서, 혹은 이면에서, 우회적으로, 혹은 심지어 변형해서 반영하는 경우가 많다. 따라서 정극이나 비극에 비해 희극의 극적 충돌은 수단으로써 사용하는 경우에 유독 변화가 복잡하다"라고 밝혔다.

『신화월보』 5월호에 펑즈의 「위대한 시인 두보를 기념하며紀念偉大的詩人杜甫」, 라오서의 「희극 언어戲劇語言」가 발표되었다.

『광명일보』에 선충원의 산문 「「서역행」을 보고觀<西域行>」가 발표되었다.

16일, 『인민일보』에 리잉루의 연설 「생활·언어·기교―마오 주석의 「옌안문예좌담회에서의 강화」 발표 20주년을 기념하며生活·語言·技巧――紀念毛主席＜在延安文藝座談會上的講話＞發表20周年」, 마자의 「창작의 감상에 관하여 ― 마오 주석의 「옌안문예좌담회에서의 강화」 20주년 학습 잡기談創作的感受――學習毛主席＜在延安文藝座談會上的講話＞20周年雜記」, 짱커자의 「큰 길을 따라가다 景行行止」가 발표되었다.

『양청만보』에 장융메이의 산문 「『홍기가요』의 시사점＜紅旗歌謠＞的啟示」이 발표되었다.

『광명일보』, 『해방일보』에 평론 「지식분자가 전진할 길―「옌안문예좌담회에서의 강화」 발표 20주년을 기념하며知識分子前進的道路――紀念＜在延安文藝座談會上的講話＞發表20周年」(『홍기』 1962년 제10호)가 전재되었다.

『해방일보』에 루즈쥐안의 산문 「올해 봄今年春天」이 발표되었다.

18일, 『희극보』 제5호에 자오쥐인의 「감독·작가·작품導演·作家·作品」, 우한의 「역사극은 예술이자 역사다歷史劇是藝術也是歷史」, 리시판의 「'역사 지식' 및 기타―다시 우한 동지에게 답하다"歷史知識"及其他――再答吳晗同志」, 리칭윈酈青雲의 「이혜낭의 '제고'에 관하여談談李慧娘的"提高"」가 발표되었다. 이전에 『광명일보』 1962년 3월 27일자에 우한의 「논쟁에 관하여」, 4월 7일자에 리시판의 「우한 동지에게 답하다―「논쟁에 관하여」를 읽고答吳晗同志――＜說爭論＞讀後」, 4월 28일자에 우한의 「논쟁하지 않는 '논쟁'」이 발표되었다. 두 사람은 서면으로 역사극의 진실성 문제에 관해 논쟁을 벌였다.

『인민일보』에 마톄딩의 잡문 「신발 한 짝 및 기타一只鞋及其他」가 발표되었다.

19일, 문화부 예술국에서 베이징의 예술 공연단체를 조직해 마오쩌둥의 「옌안문예좌담회에서의 강화」 발표 20주년 기념 공연 행사를 개최하였다.

『인민일보』에 커중핑의 「불의 삼림과 불의 꽃 ― 옌안문예좌담회에서의 마오 주석의 강화 20주년을 기념하며」, 자오수리의 소설 「장라이싱張來興」, 마커의 「「백모녀」의 창작 회고 및 소감＜白毛女＞的創作回顧與體會」이 발표되었다.

20일, 『광명일보』에 아잉의 산문 「「싼저우 시초」에 관하여關於＜三州詩鈔＞」가 발표되었다.

『세계문학』 5월호에 볜즈린의 평론 「브레히트 희극 인상기(상)布萊希特戲劇印象記(上)」이 발표되었다.

『문회보』에 마오둔의 「후완춘에게致胡萬春」와 후완춘의 「진심으로 감사드린다衷心的感謝」가 발표되었다.

22일, 중국문학예술계연합회를 비롯해 각 협회에서 연일 좌담회를 개최하여 마오쩌둥의 「옌안문예좌담회에서의 강화」 발표 20주년을 기념하였다. 작가협회의 회의는 마오둔이 주관하였으며 라오서, 사오취안린, 쌍커자, 빙신, 샤오싼肖三, 저우리보, 우쭈샹, 아이우, 허치팡, 차오징화, 리지, 웨이웨이, 롼장징, 스링허, 옌원징, 천바이천, 루룽 등 60여 명의 작가와 시인이 참석하였다. 좌담회에 참석한 작가와 예술가들은 발언을 통해 자신이 「강화」를 학습한 소감을 소개하고, 「강화」가 문예공작자들에게 명확한 방향을 제시하였으며, 중국 혁명문예에 마르크스레닌주의의 노선을 제정하였고, 혁명 문학예술사업의 번영과 발전에 대단히 중요한 역할을 하였다고 의견을 모았다.

『양청만보』에 어우양산의 「20년간의 훌륭한 교육―어우양산이 문예로써 공농병을 위해 복무한 감상을 말하다化雨春風二十年――歐陽山談文藝爲工農兵服務的感受」가 발표되었다.

『해방일보』에 후완춘의 「생활의 관찰 문제 ― 마오 주석의 「옌안문예좌담회에서의 강화」 학습 소감觀察生活的問題――學習毛主席＜在延安文藝座談會上的講話＞的一點體會」이 발표되었다.

『광명일보』에 궈모뤄가 마오쩌둥의 「옌안문예좌담회에서의 강화」 발표 20주년을 기념해 창작한 「시 1편詩一首」, 쌍커자의 시 「마음속으로 누군가를 그리워하다―어느 좌담회서의 낭송시心裏懷念著一個人――在一個座談會上的朗誦詩」가 발표되었다.

23일, 마오쩌둥의 「옌안문예좌담회에서의 강화」 발표 20주년을 기념해 베이징 문예계에서 성대한 환영 만찬을 개최하였다. 본 만찬은 문화부와 중국문학예술계연합회가 합동으로 주최하였으며, 중공중앙 정치국 후보위원 루딩이, 중국문련 주석 궈모뤄, 부주석 마오둔, 저우양, 라오서, 쉬광핑, 문화부 부부장 치옌밍, 후녠즈胡念之, 린모한, 쉬광샤오徐光霄 및 각 협회 책임자들과 문예계의 저명인사들이 참석하였다. 베이징 문예계에서는 같은 시기에 좌담회, 학술보고회, 촬영예술 전시회, 미술 전시회 등을 개최하였다.

중국극협에서 좌담회를 개최해 마오쩌둥의 「옌안문예좌담회에서의 강화」 발표 20주년을 기념하였다. 차오위가 좌담회를 주관하였으며 궈모뤄, 라오서 등이 발언하였다.

제1회 영화 '백화상' 시상식이 정협 강당에서 개최되었다. 영화 「홍색낭자군」이 최우수 극영화상을 받았다. 감독인 셰진은 최우수 영화감독상을, 여주인공 우충화吳瓊花 역을 맡은 배우 주시쥐안祝希鵑이 최우수 여자배우상을, 난바톈南霸天 역을 맡은 배우 천창陳强이 최우수 남자 조연상을 받았다. 영화 「혁명 가정」의 각본가 샤옌과 수이화가 최우수 각본가상을, 영화 「홍기보」에서 주라오중 역을 맡은 배우 추이웨이가 최우수 남자배우상을 받았으며, 촬영감독 우인셴吳印鹹이 최우수 촬영감독상을 받았다. 영화 「홍후 적위대」의 작곡가 장징안과 어우양첸歐陽謙이 최우수 영화음악상을 받았으며, 영화 「마란화」의 미술감독 딩천丁辰이 최우수 미술감독상을 받았다. 「두 운명의 결전兩種命運的決戰」이 최우수 장편 다큐멘터리상을, 「아시아의 폭풍亞洲風暴」이 최우수 단편 다큐멘터리상을, 「세계 최고봉을 정복하다征服世界最高峰」가 최우수 다큐멘터리 촬영상을 받았으며, 「'외할아버지'가 없는 두꺼비沒有"外祖父"的癩哈蟆」가 최우수 과학교육영화상을, 「올챙이의 엄마 찾기」가 최우수 미술영화상을, 「양문여장」이 최우수 희곡영화상을 받았다.

『인민일보』에 사설 「가장 광대한 인민 군중을 위해 복무하자―마오쩌둥 동지의 「옌안문예좌담회에서의 강화」 발표 20주년을 기념하며爲最廣大的人民群衆服務――紀念毛澤東同志＜在延安文藝座談會上的講話＞發表20周年」가 발표되었다(『문예보』 제5, 6호 합본, 24일자 『해방군보』와 『광명일보』에 전재). 사설은 「강화」의 이론적 의의에 대해 "마오쩌둥 동지는 마르크스레닌주의의 원칙을 창조적으로 활용해 우리나라 혁명문예공작에 오랫동안 존재해 온 일련의 중대한 문제를 해결하였다. 가장 근본적으로는 문예가 공농병, 그리고 광대한 인민 군중을 위해 복무한다는 방향을 제시하고, 문예가 군중을 위해 복무하는 길을 명확히 지시하였다"라고 분석하였다. 사설은 「강화」의 실천적 의의에 대해서는 "문예공작자들은 실제 투쟁과 사상 투쟁 속에서 단련되고, 사상과 감정에 근본적인 변화가 일어나 굳건한 노동인민의 문예대오가 형성되었으며, 광대한 인민 군중이 선호하는 수많은 우수한 작품이 탄생하였다"라고 보았다.

「강화」가 오늘날 가지는 지도적 의의에 대해서는 "우리의 문예는 위대한 사회주의 시대를 반영하고, 사회주의 건설의 각 전선에서의 인민의 노동 열정과 어려움을 극복하는 의지를 표현하기 위해 노력해야 한다. 인민이 새로운 생활을 건설하는 용기와 믿음을 강화해야 한다"라고 보았다. 또한 오늘날의 문예와 문예공작자들의 사회적 역할에 대해서는 "문학예술은 공산주의의 새로운 인물을 양성하고, 드높은 애국주의와 국제주의 정신으로 청년 세대를 교육하는 공작에 대해 특별히 중요한 사명을 가지고 있다", "문학예술에 대한 광대한 인민의 요구는 매우 다양하다. 우리의 문예는 사회주의, 공산주의 정신으로써 인민을 교육할 임무를 져야 할 뿐만 아니라, 각종 방식을 통해 문화생활에 대한 인민의 광범위한 요구를 다방면으로 만족시켜야 한다"라고 보았다.

같은 호에 왕차오카이王朝開의 「기쁘게 보고 듣다―마오쩌둥 동지의 「옌안문예좌담회에서의 강화」 발표 20주년을 기념하며喜聞樂見――紀念毛澤東同志＜在延安文藝座談會上的講話＞發表20周年」가 발표되었다.

『문예보』제5, 6호 합본에 라오서의 「오십이지천명五十而知使命」, 예성타오의 「문학계에 빛나는 해와 별－「옌안문예좌담회에서의 강화」 발표 20주년을 기념하며藝苑炳日星——在＜延安文藝座談會上的講話＞發表20周年紀念」, 어우양산의 「생활은 한없이 넓다－「옌안문예좌담회에서의 강화」 발표 20주년을 기념하며生活無邊——紀念＜在延安文藝座談會上的講話＞發表20周年」, 리준의 「생활에 더욱 깊이 익숙해지자－마오 주석의 「옌안문예좌담회에서의 강화」 발표 20주년을 기념하며更深刻地熟悉生活——紀念毛主席＜在延安文藝座談會上的講話＞發表20周年」가 발표되었으며, 웨이웨이의 「생활을 더 깊이 있게 하고, 더 많이 찬양하자」(『해방군문예』1962년 5월호), 나·싸이인차오커투의 「주석님의 저작이 내 작품이 새로운 생명을 얻게 해 주었다」(『초원』1962년 5월호), 궈모뤄의 문예수필 「시가 만담詩歌漫談」(『작품』신1권 제3호), 짱커자의 「나는 신시와 구시를 모두 사랑한다 － 신시여, 마오 주석이 지시하는 방향을 따라 전진하라!新詩舊詩我都愛——新詩, 照著毛主席指示的方向前進!」가 전재되었다. 같은 호에 천황메이의 「인물 창조에 관한 몇 가지 문제－「옌안문예좌담회에서의 강화」 학습 필기關於創造人物的幾個問題——＜在延安文藝座談會上的講話＞學習筆記」, 장경의 「「극시」에 관하여－전국 화극, 가극 창작좌담회에서의 발언문 수정關於＜劇詩＞——根據在全國話劇, 歌劇創作座談會上的發言改寫」이 발표되었다.

『문회보』부간에 궈모뤄의 시 「백화상에서 최우수 여자배우상을 수상한 주시쥐안 동지를 위하여爲百花獎贈給最佳電影女演員祝希娟同志」, 마오둔의 시 「「올챙이의 엄마 찾기」의 『대중전영』 백화상 최우수 미술영화상 수상을 축하하며祝賀＜小蝌蚪找媽媽＞獲得＜大衆電影＞百花獎之最佳美術片獎」가 발표되었다.

『해방군보』에 사설 「문예공작의 전투적 역할을 충분히 발휘하자－마오 주석의 「옌안문예좌담회에서의 강화」 발표 20주년을 기념하며充分發揮文藝工作的戰鬥作用——紀念毛主席＜在延安文藝座談會上的講話＞發表20周年」가 발표되었다.

24일, 문화부에서 「1959년에 발포 및 시행한 원고료 임시 시행 규정 회복에 관한 통지關於恢復1959年頒發施行的稿酬暫行規定的通知」를 발포해 1962년 5월 1일부터 각 출판사에서 초판을 출간하는 철학, 사회과학, 문학 저서에 대해 모두 1959년 10월에 문화부에서 발포한 「문학 및 사회과학 서적 원고료에 관한 임시 시행 규정關於文學和社會科學書籍稿酬的暫行規定」에 따라 기본 원고료와 인세를 지급하며, 재판 도서에 대해서는 누적 인쇄 부수에 따라 인세를 지급하도록 하였다. 또한 문화부에서 1961년 3월 21일과 5월 5일에 발포한 관련 통지를 즉시 폐지할 것을 선포하였다.

『인민일보』에 장융메이의 시 「우리는 행복한 세대이다我們是幸福的一代」, 마룽의 「배를 매다－

어떤 전설과 진실의 시系纜──一個傳說和一首眞實的詩」가 발표되었다.

『문회보』에 루즈쥐안의 「더 높은 경지를 추구하자追求更高的境界」가 발표되었다.

『해방일보』에 황쭝잉의 산문 「우정友情」이 발표되었다.

25일, 「옌안문예좌담회에서의 강화」 발표 20주년을 기념해 극협 상하이분회에서 좌담회를 개최해 여러 배우들이 참석해 생활에의 침투, 사상개조와 업무 제고의 결합 등에 관한 체험을 이야기하였다.

26일, 『인민일보』에 리광톈의 산문 「화조花潮」, 마톄딩의 잡문 「흥미가 가득하다─예총평점趣味洋溢──藝叢評點」이 발표되었다.

『중국청년보』에 하오란이 저우리보에게 보낸 서신 「두 가지 좋은 책을 읽다讀兩種好書」와 저우리보의 답신이 발표되었다.

『광명일보』에 선충원의 산문 「「기무도」에 부쳐題＜寄廡圖＞後」가 발표되었다.

28일, 『인민일보』에 양숴의 산문 「고아행孤兒行」이 발표되었다.

『해방일보』에 야오원위안의 시 「영물잡감詠物雜感」(3편)이 발표되었다.

29일, 중국인민해방군 난징부대 정치부 전선화극단이 상하이에서 화극 「네온사인 아래의 보초병霓虹燈下的哨兵」을 공연하였다. 선시멍, 모옌, 뤼싱천呂興臣이 각본을, 모옌이 감독을 맡았으며 마쉐스馬學士, 타오위링陶玉玲, 류훙성劉鴻聲 등이 주연을 맡았다. 극본은 『극본』 1963년 2월호, 『해방군문예』 1963년 3월호에 발표되었다.

본 화극이 공연된 후 열띤 토론이 벌어져 총정치부 문화부에서는 1963년 3월에 화극 「네온사인 아래의 보초병」 좌담회를 개최하였으며, 『극본』 1963년 3월호에 좌담회 요록의 전문이 게재되었다. 좌담회에서 위안수이파이는 "이 화극은 주로 사상 투쟁을 표현하였기 때문에 대화가 '적나라한 사상'으로 표현되거나 '설교'가 되기 쉽지만, 이 화극은 보는 이에게 설교라는 느낌을 주지 않는다", "그것은 아마도 언어가 책이 아니라 생활에서 온 것이며, 몇몇 평범하면서도 영웅적인 전사의 형상을 성공적으로 창조하였기 때문일 것이다", "이 작품이 감동적인 이유는 사상적 역량뿐만 아니라 예술의 진실도 갖추었으며, 생활 논리의 설득력을 갖췄기 때문이다"라고 보았다.

자오쉰은 「네온사인 아래의 보초병」이 "새로운 예술적 구상을 통해 새로운 생활의 내용을 반영하였고, 새로운 긍정적 인물을 묘사하였으며, 새로운 주제 사상을 표현하였다", "극본이 반영한 모순 충돌은 생활 속의 것처럼 진실하고도 풍부하다"라고 보았다. 이후에 전개된 본 화극에 관한 토론에서 천모는 "이 작품은 관중들의 사고방식을 열어 주었으며, 희극 창작이 현재의 뜨거운 투쟁을 반영하는 길을 개척하였다"라고 보았다(「보는 이를 황홀하게 하고, 깊이 생각하게 하다 – 화극 「네온사인 아래의 보초병」을 보고引人入勝, 發人深思——看話劇＜霓虹燈下的哨兵＞」, 『문예보』 1963년 제3호).

천야딩陳亞丁은 "우리가 「네온사인 아래의 보초병」을 새롭고 아름다운 훌륭한 화극이라고 평하는 것은 결코 이 작품의 예술 형식만을 두고 평하는 것이 아니라, 더욱 근본적인 이유는 그 사상 내용에 있다", "본질적인 모순을 파악해 현재 부대 생활의 비밀을 밝힐 열쇠를 찾았다"라고 보았다(「새롭고 아름다운 훌륭한 희극－화극 「네온사인 아래의 보초병」 예찬一出又新又美的好戲——贊話劇＜霓虹燈下的哨兵＞」, 『해방군문예』 1963년 4월호).

펑무는 "이 작품은 진실한 극적 충돌과 선명한 인물 형상을 통해 깊이 있으면서도 보편적인 의의를 가진 주제 사상을 생생하고도 힘있게, 그리고 설득력 있게 표현하였다", "일견 평범해 보이는 인민해방군의 생활 풍경에 대한 묘사를 통해 훌륭한 예술적 구상을 활용하였다"라고 보았다(「영원히 혁명의 최전선에 서다－「네온사인 아래의 보초병」을 보고永遠站在革命的最前哨——看＜霓虹燈下的哨兵＞」, 『해방군문예』 1963년 4월호).

『인민일보』에 마톄딩의 잡문 「정교한 구상－예총평점構思精巧——藝叢評點」이 발표되었다.

30일, 『인민일보』에 천치퉁의 「마오쩌둥 사상의 양육을 받는 부대문예공작在毛澤東思想哺育下的部隊文藝工作」, 캉줘의 「금빛이 번쩍이다金光閃閃」가 발표되었다.

30일부터 상하이월극원이 인민대무대人民大舞台에서 각색을 거친 월극 「샹린댁祥林嫂」을 공연하였다. 위안쉐펀이 주연을 맡았다.

31일, 『인민일보』에 마톄딩의 평론 「궁진서우와 그 전우들－예총평점公今壽及其戰友們——藝叢評點」이 발표되었다.

『광명일보』에 멍차오의 「감극을 보고 링허 형에게 보내다看贛劇致淩鶴兄」, 황융위黃永玉의 「교자편教子篇」이 발표되었다.

이달에 『인민일보』에 「장단록長短錄」 잡문 특별란이 개설되어 12월호까지 유지되었다. 장쯔章

自(우한), 원이첸(랴오모사), 황쓰黃似(샤옌), 팡이위方一羽(탕타오), 천보陳波(멍차오), 장비라이張畢來 등이 37편의 잡문을 발표하였다. 본 특별란의 방침은 "본 특별란이 '백화제방, 백가쟁명' 방침의 진일보 관철에 호응해 선진적인 것을 표창하고, 시대의 병폐를 바로잡고, 사유를 활약하게 하고, 지식을 증가시키는 데 더욱 큰 역할을 하기를 바란다"라고 밝혔다. 1979년에 인민문학출판사에서 이 잡문들을 엮어 책으로 출간하였다.

중앙희극학원 실험화극원이 독립하여 명칭을 중앙실험화극원中央實驗話劇院으로 변경하고 「화염산의 노호火焰山的怒吼」를 공연하였다. 바오얼한이 각색을 맡았으며 극본의 원제는 「전투 속의 피의 우정」으로, 『톈산』1961년 10월호에 최초 발표되었으며 이후에 『극본』1962년 3월호에 발표되었다.

위안징의 장편소설 『홍색 소년 수확기』가 백화문예출판사에서 출간되었다.

쑹판宋汎의 장편소설 『융루와 그의 당나귀永路和他的小叫驢』가 톈진인민출판사에서 출간되었다.

예쥔젠의 장편소설 『벚꽃의 나라櫻花的國度』, 동화집 『길동무』, 쉬광야오의 중편소설 『졸병 장가』가 소년아동출판사에서 출간되었다.

장즈민의 단편소설집 『마음속에 묻어둔 원한埋在心底的仇恨』이 군중출판사에서 출간되었다.

탕커신의 단편소설, 특필, 산문집 『씨앗種子』이 상하이문예출판사에서 출간되었다.

옌이의 시집 『서정시초抒情詩草』가 충칭인민출판사에서 출간되었다.

류바이위의 산문집 『홍마노집』이 인민문학출판사에서 출간되었다.

한쯔의 산문집 『초청집初晴集』이 상하이문예출판사에서 출간되었다.

궈펑의 산문집 『새벽曙』이 푸젠인민출판사에서 출간되었다. 이 책은 푸젠문학창작총서福建文學創作叢書에 포함되었다.

야오원위안의 잡문집 『신송집新松集』이 상하이문예출판사에서 출간되었다.

격주간 『전선』에 랴오모사의 잡문 「과학적인 말과 과학적인 일科學話同科學事」이 발표되었다.

6월

1일, 문화부, 베이징시위원회 문화부, 베이징시 문화국에서 '수도 화극공작 좌담회'를 개최해 현재 화극공작의 임무, 베이징 소재 화극원의 방침 및 장기적인 건설 목표, 각 기관의 상호 협조 등의 문제에 관해 토론하였다. 회의를 통해 「화극원(단)의 예술 생산 문제에 관한 몇 가지 의견(초안)關於話劇院(團)藝術生産問題的幾點意見(草案)」을 결정해 베이징의 각 화극원에 발포해 참고 시행하도록 하였으며, 각지의 화극원(단)에 발포해 참고하도록 하였다.

『인민일보』에 빙신의 평론 「「춘추고사」를 읽고<春秋故事>讀後」, 커옌의 아동 유희시遊戲詩 「빨간불, 파란불, 경찰 아저씨紅燈, 綠燈和警察叔叔」, 장융메이의 시 「머나먼 곳에서在遙遠的地方」가 발표되었다.

『신항』 6월호에 궈평의 산문 「차오산 풍치潮汕風情」, 천보추이의 산문 「산속의 붉은 스카프山裏頭的紅領巾」, 진진의 시 3편 「나는 그림을 그려 네게 보여주리我畫圖, 給你瞧」, 먀오더웨이의 시 「어떤 소리를 그리워하다懷念一種聲音」(외 1편)가 발표되었다.

『간쑤문예』 6월호에 웨이양의 「어느 승리의 여명一個勝利的黎明」이 발표되었다.

『옌허』 6월호에 주딩의 소설 「아컨의 손녀阿肯的孫女」, 장멍張蒙의 소설 「공사 전영대公社電影隊」, 리뤄빙의 소설 「사막의 매沙漠之鷹」, 커란의 혁명 회고록 「잊을 수 없는 첫 수업-옌안문예좌담회 이후의 변구 문협 대중화 공작위원회에서의 활동을 회고하며難忘的第一課——回憶延安文藝座談會後, 邊區文協大衆化工作委員會的活動」가 발표되었다.

『허베이문학』 6월호에 류전의 소설 「빽빽한 대삼림密密的大森林」, 캉줘의 장편소설 연재 『동방홍』, 하오란의 산문 「영원히 노래하리永遠歌頌」, 진진의 소설 「사랑스러운 후계자可愛的接班人」가 발표되었다.

『칭하이후』 제5, 6호 합본에 옌이의 시 「청두-쿤룬 철로 위成昆路上」(3편)가 발표되었다.

『문예홍기』 6월호에 바무巴牧, 궈황郭煌의 연작시 「북방의 산수北方的山水」가 발표되었다.

『해방군문예』 6월호에 리잉의 시 「해안 방어 전사 서정시海防戰士抒情詩」(4편)가 발표되었다.

『우화雨花』 6월호에 저우서우쥐안의 산문 「'꽃무늬 신발'이 베이징에 오다"花布小鞋"上北京」, 팡수민의 천자문 「오호 통재라, 모욕적인 보시여!痛哉, 嗟來之食!」가 발표되었다.

『산화』 6월호에 천보추이의 산문 「삼천 팔백 구덩이三千八百坎」가 발표되었다.

『중국청년』 제11호에 짱커자의 「청년 동지와 함께 마오 주석의 '사 6편'을 이야기하다和青年同志談毛主席的"詞六首"」, 마스투의 「『붉은 바위』에 관하여且說<紅岩>」가 발표되었다.

2일, 문화부에서 「「현재 문학예술공작의 몇 가지 문제에 관한 의견(초안)」의 시행에 관한 통지貫徹執行<關於當前文學藝術工作若幹問題的意見(草案)>的通知」를 발포하였다.

『문회보』에 라오서의 「아동극의 언어兒童劇的語言」, 쉬광핑의 「『루쉰 회고록』의 한 가지 수정사항<魯迅回憶錄>的一個訂正」이 발표되었다.

『광명일보』에 판인차오의 산문「매실이 익는 계절黃梅時節」이 발표되었다.

3일, 『문회보』에 샤오쌴의 산문「시집 『질주하는 말굽』에 부쳐給詩集<奔騰的馬蹄>」가 발표
되었다.

『허베이일보』에 캉줘의 「단편소설의 꽃을 더욱 아름답게 피우자讓短篇小說花開更美」가 발표되었다.

4일, 『인민일보』에 하오란의 소설「과수원果樹裏園」이 발표되었다.

『해방일보』에 뤄광빈, 양이옌의 소설「'토굴 속의 동지'-『붉은 바위』 부분"地窖裏的同志"——選
自<紅岩>的一個片斷」이 발표되었다.

『베이징문예』 6월호에 쭝푸의 소설「두 차례의 '대전'兩場"大戰"」, 예성타오의 사词「네이멍구 유
람內蒙遊蹤」이 발표되었다.

5일, 『인민일보』에 마톄딩의 평론「죽방울과 의자 빼앗기-예총평점空竹和搶椅——藝叢評點」
이 발표되었다.

『변강문예』 6월호에 량상취안의 시「호접회蝴蝶會」(3편), 류수더의 「귀가歸家」, 하오란의 「그림
에서 시작된 연상從畫得到的聯想」이 발표되었다.

『상하이문학』 제6호에 루즈쥐안의 소설「사라진 밤逝去的夜」, 사오옌샹의 소설「샤오나오나오
小閙閙」, 리잉의 시 3편「해안 방어 전사 서정시」, 위즈於之의 시「반짝이는 작은 동전發亮的小分幣」,
스튀의 단막 희극喜劇「대나무를 벌목하다伐竹記」, 진진의 동화「쥐가 고양이를 돕는 이야기老鼠幫
小貓的故事」, 웨이진즈의 우화「송렴 우화 5편宋濂的寓言五則」, 리시판의 「생활의 진실과 이상의 위
력의 고도의 융합-『붉은 바위』 만담 제1편生活真實和理想威力的高度融合——漫談<紅岩>之一」, 야오
원위안이 천랴오陳遼의 「미학의 혁명, 혁명의 미학美學的革命, 革命的美學」을 반박한 글「바로잡기
一點辯正」가 발표되었다.

『양청만보』에 장융메이의 시「군대의 노래」가 발표되었다.

『북방문학』 6월호에 뤄빈지의 시「마오쩌둥의 기치를 높이 들고 전진하자高舉毛澤東旗幟前進」가
발표되었다.

7일, 『해방일보』에 황쭝잉의 산문 「밤 속, 바람 속, 빗속, 물속夜裏, 風裏, 雨裏, 水裏」이 발표되었다.

8일, 『인민일보』에 궈모뤄의 「'고목후주' 해석"枯木朽株"解」, 마톄딩의 평론 「인물과 환경―예총평점人物與環境――藝叢評點」이 발표되었다.

9일, 『광명일보』에 궈모뤄의 「시가사에서의 쌍둥이자리詩歌史中的雙子星座」가 발표되었다.

10일, 『쓰촨문학』 6월호에 천보추이의 소설 「샤오링이 오리를 기르다小玲養鴨」, 량상취안의 시 「장군과 아이將軍與孩子」가 발표되었다.

『광시문예』 6월호에 류전의 소설 「그래, 나는 경피족이다對, 我是景頗族」가 발표되었다.

『산둥문학』 6월호에 장즈민의 시 「서행 실루엣」(3편), 즈샤의 논문 「마오쩌둥 문예사상의 홍기를 더 높이 들자更高的舉起毛澤東文藝思想的紅旗」, 진진의 시 「그들은 모두 노동을 사랑한다他們都熱愛勞動」 및 「아동문학 창작 잡담兒童文學創作雜談」이 발표되었다.

『인민일보』에 가오스치의 「아이들이 풍부한 과학지식의 자양분을 얻게 하자讓孩子們獲得豐富的科學知識的滋養」, 류허우밍의 「아동극에 관한 세 가지 건의關於兒童劇的三點建議」가 발표되었다.

11일, 『인민일보』에 빙신의 산문 「투쟁하는 일본 부녀鬥爭中的日本婦女」가 발표되었다.

12일, 『인민문학』 6월호에 왕청치의 소설 「양 우리에서의 하룻밤羊舍一夕」(「네 명의 아이와 하룻밤四個孩子和一個夜晚」이라고도 함), 루옌저우의 소설 「영서靈犀」, 톈젠의 시 「아프리카 여행기」(5편), 리잉의 시 「둔황의 아침敦煌的早晨」(외 1편), 가오잉의 시 「성루에 오르다登城樓」(외 1편), 양숴의 산문 「아득한 들판野茫茫」, 웨이강옌의 산문 「입 밖에 내지 못한 노래沒出唇的歌」, 허웨이의 산문 「우이 산수武夷山水」, 판인차오의 산문 「등燈」이 발표되었다.

13일, 『해방일보』에 판인차오의 산문 「물고기의 고향漁之鄉」이 발표되었다.

『광명일보』에 마오둔의 「소학생이 병음 자모를 배웠다가 다시 잊어버리는 문제에 관하여關於小學生學會拼音字母又回生的問題」가 발표되었다.

14일, 『문학평론』제3호에 허치광의 「전투와 승리의 20년戰鬥的勝利的二十年」, 탕타오의 「작가와 군중의 결합을 논하다論作家與群眾結合」, 톈젠의 「『인력거꾼 전기』하권 후기―마오 주석 문예사상 학습 찰기＜趕車傳＞下卷後記――學習毛主席文藝思想劄記」, 멍차오의 「「이혜낭」 발문跋＜李慧娘＞」이 발표되었다.

15일, 『극본』6월호에 마오둔의 「축원―전국 화극, 가극, 아동극 창작좌담회에서의 발언祝願――在全國話劇, 歌劇, 兒童劇創作座談會上的發言」, 샤옌의 「생활, 소재, 창작―몇 명의 청년 극작가와의 대화生活, 題材, 創作――和幾位青年劇作家的談話」가 발표되었다.

『작품』제56호에 장융메이의 시 「삼림으로 진군하다進軍森林」, 톈젠의 시 「아프리카 여행기」, 커위안의 시 「앵무배鸚鵡杯」, 양숴, 량쭝다이梁宗岱의 「구체시 6편舊體詩六題」, 바진의 「「추운 밤」에 관하여」, 커위안의 「인민의 충실한 가수가 되자作人民忠實的歌手」 친무의 산문 「먼 곳에서 온 편지遠方來信」가 발표되었다.

량쭝다이(1903~1983), 시인이자 번역가로 필명은 웨타이嶽泰이며 광둥성 신후이新會 출신이다. 1923년에 링난대학嶺南大學에 입학해 수학하였으며 1924년에 유럽으로 유학하였다. 푸단대학, 난카이대학, 중산대학, 광저우외국어학원 교수를 역임하였다. 셰익스피어 시집과 괴테의 『파우스트』 등의 명저를 번역하였다. 대표 저서로 『량쭝다이 문집梁宗岱文集』, 시집 『저녁 파도晚濤』, 사집詞集 『노적풍蘆笛風』, 논문집 『시와 진실詩與真』 등이 있다.

『인민일보』에 마톄딩의 평론 「생생함―예총평점傳神――藝叢評點」이 발표되었다.

『문회보』에 마톄딩의 잡문 「시작開頭」이 발표되었다.

16일, 『중국청년』제12호에 궈모뤄의 「천재와 노력天才與勤奮」이 발표되었다.

17일, 『인민일보』에 왕위안汪原, 위안딩중袁定中, 왕쓰즈王思治의 「역사 인물 평가에 관한 의견―우한 동지와 한 가지 문제를 논의하다關於歷史人物評價的意見――同吳晗同志商榷一個問題」가 발표되었다. 이들은 글에서 역사 인물에 대한 계급과 계급투쟁 및 '계급 도덕 기준'의 지배적 역할 문제에 관해 논의하였다. 이들은 "우한 동지는 역사 인물은 반드시 계급 도덕의 지배를 받는다고 본다. 이는 표면적으로 보아서는 역사 인물이 반드시 계급과 계급투쟁의 지배를 받는다는 관점을 계급 도덕의 지배를 받는다는 관점으로 축소한 것일 뿐으로 보이지만, 실제로는 역사 인물이 그 계급과 계급투쟁의 지배 내지는 결정을 받는다는 관점을 계급 도덕의 지배를 받는다는 관점으로 바꾼 것이다. 이 두 가지 논점은 반드시 명확히 구별해야 한다"라고 보았다. 또한 "반드시 특정 사회의 계급 상황과 계급투쟁을 통해 당시의 도덕 기준의 본질을 드러내어야 하며, 이와 반대로 도덕 기준으로써 계급과 계급투쟁을 대체하거나 혹은 양자를 혼동해서는 안 된다", "역사가도 마찬가지로 그 계급적 지위의 지배를 받는다. 당시의 계급과 계급투쟁 상황을 통해서만 그 인물이 가진 도덕 기준을 드러낼 수 있으며, '계급 도덕 기준'으로써 그 계급적 지위와 당시 계급투쟁 속에서의 그 인물의 역할과 태도를 대체할 수는 없다"라고 보았다. 이들은 마지막으로 "문제는 역사 인물을 평가하는 기준을 열거하는 데 있는 것이 아니라, 마르크스레닌주의를 어떻게 더 잘 이해하고 이 기준을 종합적으로 활용할 것인가에 있다"라고 밝혔다.

18일, 『양청만보』에 우창의 소설 「진위상—장편 『보루』 부분金玉香——長篇＜堡壘＞的一節」이 발표되었다.

『인민일보』에 궈샤오촨의 시 「샤먼 풍경厦門風姿」, 루딩이의 시 「중국과 조선의 우정 예찬中朝友誼贊」이 발표되었다.

『희극보』 제6호에 우한의 평론 「역사극은 예술이자 역사다」가 발표되었다.

19일, 『양청만보』에 우창의 「판진성—장편 『보루』 부분範金生——長篇＜堡壘＞的一節」이 발표되었다.

『인민일보』에 궈모뤄의 「투창왕 동지를 애도하며挽塗長望同志」가 발표되었다.

20일, 『세계문학』 6월호에 푸레이가 번역한 발자크의 중편소설 「투르의 본당 신부都爾的本堂神甫」, 볜즈린의 평론 「브레히트 희극 인상기(속편)」, 라오멍칸이 번역한 세르게이 바루즈딘의 시 「비雨」가 발표되었다.

21일, 『인민일보』에 웨이진즈의 산문 「호랑이를 잡은 영웅 예찬贊打虎英雄」, 상예보尚野波의 「'신발 한 짝 및 기타'에 관하여—마톄딩 동지와의 논의也談"一只鞋及其他"——兼與馬鐵丁同志商権」가 발표되었다.

23일, 『양청만보』에 우창의 소설 「기습-장편 『보루』 부분突襲──長篇<堡壘>的一節」이 발표되었다.

『신민만보』에 신디의 시 「조선 여행 추억 시초朝鮮憶遊詩草」가 발표되었다.

24일, 『양청만보』에 친무의 산문 「경계 · 분개 · 전투警惕 · 憤恨 · 戰鬥」, 천찬원의 산문 「일치 단결해 적과 대항하다一致對敵」, 장융메이의 「타이완 춘몽台灣春夢」이 발표되었다.

25일, 『양청만보』에 어우양산의 「우리의 승리의 과실을 수호하자保衛咱們的勝利果實」가 발표되었다.

사오취안린이 『문예보』에서 개최한 중요 주제 선택 회의에서 '중간 인물 창작'에 관한 주장을 명확하게 제시하였다. 그는 "작가는 불합리한 규율들에 얽매여 고민이 크다. 평론가들이 이 문제에 대해 이야기해 주기를 바란다. 현재 작가들은 인민 내부의 모순을 감히 다루지 못한다. 현실주의의 기초가 충분하지 못하면 낭만주의는 붕 뜨게 될 뿐이다. 영웅 인물 창조 문제에 관해서도 작가들은 속박을 느낀다. 천치샤가 긍정적 인물과 부정적 인물을 구분하면 안 된다고 말했던 것은 물론 잘못된 것이다. 그러나 이 관점을 비판하는 과정에서 긍정적 인물과 부정적 인물로만 양분해 중간 인물을 소홀히 하는 결과를 낳았다. 그러나 사실 모순은 중간 인물에 집중되어 있는 경우가 많다"라고 밝혔다. 그는 『문예보』에 이러한 속박을 타파하는 요지의 글을 발표해 '중간 인물 창작'을 중요 주제 선택 계획에 포함시켜 줄 것을 요구하였다(『문예보』 편집부, 「'중간 인물 창작'에 관한 자료關於"寫中間人物"的材料」, 『문예보』 1964년 제8, 9호 합본).

26일, 『인민일보』에 마톄딩의 평론 「눈물을 머금은 웃음 − 예총평점含淚的笑──藝叢評點」이 발표되었다.

27일, 『양청만보』에 장융메이의 시 「우리는 모두 혁명인이다我們都是革命人」가 발표되었다.

『해방일보』에 원제의 시 「형제여! 경계하라兄弟!要警惕」가 발표되었다.

『인민일보』에 둥성東生의 「우공이 어떻게 산을 옮기는지 보라看愚公怎樣移山」가 발표되었다.

29일, 국무원의 비준을 거쳐 1958년에 문화부에서 베이징시 산하로 이동하였던 중국경극원 등의 예술단체가 다시 문화부 소속으로 변경되었으며, 중국평극원과 북방곤곡극원은 그대로 베이징시 소속으로 남게 되었다.

베이징인민예술극원에서 4막 7장 역사극「무측천」을 공연하였다. 궈모뤄가 각본을, 자오쥐인과 메이쳰이 감독을 맡았으며 주린, 퉁차오, 정룽, 천모沈默 등이 주연을 맡았다.『극본』은『인민문학』1960년 제5호에 발표되었으며, 1962년에 중국희극출판사에서 단행본이 출간되었다.

우한은 "궈모뤄 동지의 신작「무측천」은 5막 역사극으로, 무측천의 명예를 회복하였다. 나는 쌍수를 들어 이에 찬성하고 옹호한다", "무측천은 역사상 위대한 정치가이며", "역사상 가장 위대한 여성이다!"라고 밝혔다(「무측천에 관하여談武則天」,『인민문학』1960년 7월호).

장잉은 궈모뤄 작품의 특징에 주목하여 "궈모뤄 동지의 희극 작품은 낭만주의 표현방법을 주로 활용하여, 시인의 풍부한 감정이 흘러넘치며, 온 마음을 다해 인물을 노래하고 있다. 때때로 작가는 시인과도 같은 열정을 인물의 감정 속에 표현하였다", "「무측천」은 구조가 긴밀하고, 인물의 사상 성격의 발전을 세밀하고 깊이 있게 묘사하였으며, 작품 전체의 줄거리 배치에 극적 요소가 풍부하다. 그러면서도 작가의 기존 극본과 마찬가지로 풍부한 열정을 가지고 있어 시와도 같은 정취를 지니고 있다. 극 전체가 발전하는 정서적 기복이 자연스러우며, 관중을 감동시키는 예술적 매력이 풍부하다"라고 평하였다(「화극「무측천」만담漫談話劇＜武則天＞」,『희극보』1962년 제8호).

『인민일보』에 마톄딩의 평론「커옌의 아동시-예총평점柯岩的兒童詩——藝叢評點」이 발표되었다.

『문회보』에 쩡커자의 「'미저우'에 관하여關於"密州"」가 발표되었다.

이달에 마롄량이 베이징시 희곡학교 교장으로 부임하였다.

리제런의 장편소설『큰 파도』(제3부)가 작가출판사에서 출간되었다.

리잉루의 장편소설『야화춘풍두고성』이 인민문학출판사에서 출간되었다.

천보추이의 장편소설『예화禮花』, 하오란의 단편소설집『진주珍珠』가 백화문예출판사에서 출간되었다.

뤄쑨의 산문집『화화집火花集』, 마톄딩의 잡문집『불등당집不登堂集』이 상하이문예출판사에서 출간되었다.

상하이전영제편창에서 중국 최초의 컬러 와이드 스크린 스테레오 극영화「마술사의 기이한 만남魔術師的奇遇」을 완성하였다.

7월

1일, 『해방군문예』 7월호에 왕위안젠의 단편소설 「정벌하러 가는 길征途上」이 발표되었다.

『간쑤문예』 7월호에 장융메이의 장시 「용사 바쌍勇士巴桑」이 발표되었다.

『허베이문학』 7월호에 허우진징의 「단편소설 잡담―허베이성 단편소설 좌담회에서의 연설短篇小說瑣談――在河北省短篇小說座談會上的講話」, 장즈민의 시 「서행 실루엣」(3편), 장칭텐의 전기체 소설 「'라오젠줴' 외전"老堅決"外傳」이 발표되었으며, 캉줘의 장편소설 『동방홍』 제4장의 연재가 시작되었다. 같은 호에 류전의 「인물과 이야기人物和故事」를 비롯해 다섯 편의 단편소설 창작좌담회 필담이 발표되었다.

『작품』 신1권 제7호에 장융메이의 시 「군대의 노래」, 황구류의 소설 「고난을 함께 겪은 친구患難朋友」이 발표되었다.

『신항』 7월호에 황추원의 역사소설 「고모절식顧母絶食」, 한잉산의 단편소설 「담쟁이 아주머니耐冬嫂」, 량상취안의 시 「고향을 그리는 마음 3편鄕情三題」, 예쥔젠의 산문 「서행기西行記」, 리시판의 논문 「영혼의 세계를 탐색하는 예술―『붉은 바위』 만담 제2편開掘靈魂世界的藝術――漫話＜紅岩＞之二」이 발표되었다. 리시판은 글에서 『붉은 바위』를 예로 들어 "신시대 인물의 내면생활은 구시대에 비해 훨씬 풍부하고 신선한 내용을 가지고 있어, 작가가 탐색하고 표현하면 될 뿐이다. 따라서 문제는 표현할 수 있느냐 없느냐가 아니라, 표현이 진실한가 아닌가에 있다. '인학人學'이라 칭해지는 문학, 그리고 '정신의 거장', '영혼 기술자'라고 불리는 문학가는 반드시 새로운 인물의 영혼의 비밀을 탐구하고 이들의 풍부한 내면생활을 묘사해야만 피와 살을 가진 예술 형상을 창조하여, 새로운 인물의 숭고한 정신세계를 진실하고 깊이 있게 반영할 수 있다"라고 보았다. 같은 호에 쑨리의 장편소설 『풍운초기風雲初記』(제3집)의 연재가 시작되어 11월호에 완료되었다.

『불꽃』 7월호에 궁류의 시 「타이위안 서정太原抒情」(6편)이 발표되었다.

『우화雨花』 제7호에 청샤오칭의 시 「쑤저우 원림蘇州園林」(3편)이 발표되었다.

『산화』 7월호에 구궁의 시 「과수림果林」이 발표되었다.

『창춘』 7월호에 한잉산의 산문 「오이밭의 달밤瓜園月夜」이 발표되었다.

『중국청년』 제13호에 웨이진즈의 「추근 열사를 보고 생각한 것從秋瑾烈士想起」이 발표되었다.

이 글은 추근 열사 희생 55주년을 기념해 집필한 글이다.

『문회보』에 후완춘의 「위대한 혁명 서사시－대형 다큐멘터리「찬란한 역정」을 보고偉大的革命 史詩——大型紀錄片＜光輝的曆程＞觀後」가 발표되었다.

『베이징만보』에 쉬광야오의 소설「졸병 장가」의 연재가 시작되어 7월 19일자에 완료되었다.

2일, 『해방일보』에 황쭝잉의「중국 인민의 눈－영화「찬란한 역정」소감中國人民的眼睛——看 影片＜光輝的曆程＞抒感」이 발표되었다.

3일, 『인민일보』에 구궁의 시「비취색의 작은 섬翡翠色的小島」이 발표되었다.

4일, 문화부에서 전국 각 성, 시, 자치구 문화청(국)장 회의를 소집해 각 지방 희곡 극단을 소 유제로 변경하는 문제에 관해 토론하고,「지, 시, 현 이하 희곡 극단의 소유제 변경 문제에 관한 보 고關於地市縣以下戲曲劇團改變所有制問題的報告」를 제출하였다.

『베이징문예』7월호에 구궁의 시「봉화 속의 가수烽火中的歌手」가 발표되었다.

5일, 『상하이문학』7월호에 빙신의 산문「나막신 한 짝一只木屐」, 바진의 산문「후지산과 벚 꽃富士山和櫻花」, 쉬카이레이의「조각가 전기雕塑家傳奇」가 발표되었다.

『북방문학』7월호에 리잉의 시「황허 이야기黃河故事」가 발표되었다.

『신장문학』7월호에 위구르족 시인 톄이푸장·아이리예푸鐵衣甫江·艾裏耶夫의 시「마오 주석께 바치다獻給毛主席」가 발표되었다.

톄이푸장·아이리예푸(1930~1989), 위구르족 시인으로 신장 훠청霍城현 출신이다. 학창시절에 러시아와 소련의 여러 우수한 작품과 중앙아시아 튀르크어 민족의 고전시가를 접해 무타리푸穆塔 裏甫의 40년대 혁명시의 영향을 크게 받았다. 15세 때 창작을 시작해 '쥐얼아이티居爾艾提'('용감하 다'라는 뜻)라는 필명으로 작품을 발표하였다. 1962년에 전업 작가로 활동을 시작하였으며 1979 년에 중국작가협회 부주석에 당선되었고, 민족문학창작위원회 주임을 겸임하였다. 저서로 시집『 동방의 노래東方之歌』,『평화의 노래和平之歌』,『끝까지 부를 수 없는 노래唱不完的歌』,『조국 송가祖 國頌』,『더욱 아름다운 봄을 맞이하며迎接更美麗的春天』,『톄이푸장 시선鐵衣甫江詩選』등이 있다. 그 의 여러 작품은 가곡으로 작곡되어 널리 불렸다.

『변강문예』 7월호에 류수더의 소설 「귀가歸家」, 리잉의 시 「목장에서牧場上」(3편)이 발표되었다.

『베이징만보』에 하오란의 「걸리지 않는 전화─고향 견문 잡담 제1편打不通的電話──故鄕見聞雜談之一」이 발표되었다.

『해방일보』에 장융메이의 「시 전단 한 묶음詩傳單一束」이 발표되었다.

『베이징일보』에 멍차오의 「허구 속에서 진실한 아름다움을 보다─예극 「태화교」를 보고於虛擬中見真美──看豫劇<抬花轎>」가 발표되었다.

6일, 『문회보』에 리잉의 시 「베이징 4편北京四首」이 발표되었다.

『허베이일보』에 한잉산의 「전선 지원 ─ 해방전쟁 시기 생활 회고支前──解放戰爭時期生活回憶」가 발표되었다.

7일, 『해방군보』에 궈샤오촨의 시 「간저린─푸른 장막甘蔗林──靑紗帳」이 발표되었다.

『광명일보』에 양모의 산문 「영원한 그리움永久的憶念」이 발표되었다.

8일, 『광명일보』에 궈모뤄의 「나는 어떻게 「무측천」을 썼는가我怎樣寫<武則天>」가 발표되었다. 그는 글에서 극본의 창작과 인물 처리 등의 문제에 관해 설명하였다.

10일, 『쓰촨문학』 7월호에 리푸자李伏伽의 소설 「스승의 도리師道」, 량상취안의 시 「붉은 회랑紅色走廊」(3편), 가오잉의 시 「판즈화攀枝花」(2편), 푸처우의 시 「삼림 서정森林抒情」(2편)이 발표되었다.

리푸자(1908~2004), 쓰촨 출신으로 1936년에 쓰촨대학 외국어학부를 졸업하였다. 중학교 교사, 교장, 신문사 기자, 신문 부간 편집자 등을 역임하였다. 공화국 성립 후에는 러산전원공서樂山專員公署 문교과장, 어메이현 부현장, 러산전문학교 교무장, 러산시 문교국 부국장, 러산시 정협 위원 및 문사자료위원회 주임, 쓰촨 러산지구 교육국 부국장, 쓰촨성 정협 위원, 쓰촨성 시사학회詩詞學會 부회장을 역임하였다. 1934년부터 작품을 발표하였으며 1988년에 중국작가협회에 가입하였다. 저서로 소설산문집 『구불구불한 도로曲折的道路』, 장편 기록문학 『옛이야기舊話』, 『풍사기風乍起』, 시집 『연애집涓埃集』, 산문·잡문집 『관규집管窺集』 등이 있다.

『산둥문학』 7월호에 옌이의 시 「인민대회당에서在人民大會堂」(외 2편)가 발표되었다. 같은 호에 장위안江源, 둥쥔룬의 장편소설 『두 세대의 혼인兩代婚姻』의 연재가 시작되어 1962년 12월호까지 소설의 제4, 5, 18, 20, 22, 25장이 연재되었다.

『시간』제4호에 롼장징의 「역사의 긴 강을 따라가다沿著歷史的長河走」(8편), 류정의 「우화시 2편 寓言詩二首」, 커옌의 동시 「아빠의 손님爸爸的客人」(3편), 우보샤오의 「여정旅途」(4편) 등의 시가 발표되었다. 같은 호에 쩌우디판의 「건아쾌마편健兒快馬篇」, 장즈민의 「시 학습 잡기學詩瑣記」, 궈샤오촨의 시 「시골의 큰길鄉村大道」이 발표되었다. 이 시의 초고는 1961년 11월에 쿤밍에서 완성되었으며 1962년 6월에 베이징에서 수정하였다. 발표 당시 평론가들은 이 시에 대해 "시인은 '시골의 큰길'이라는 흔한 사물이 가진 넓고 길면서도 곡절이 많다는 특징을 날카롭게 포착해 투쟁의 참뜻을 드러내었다. 혁명사업은 웅장하고 아름다우면서도 고된 것이라는 혁명의 정서를 표현하였다. '이런 산과 물을 지나지 않고서 황금의 세계가 어찌 열리겠는가!' 시인은 체험 속에서 사고하고, 사고 속에서 체험하였기 때문에 그의 수많은 시가 모두 감정의 강도와 사상의 깊이의 유기적인 통일을 이루었다"라고 평하였다(우환장, 쑨광쉬안, 「혁명 투지를 격려하는 시 ― 궈샤오촨의 1962년 시작을 평하다鼓舞革命鬥志的詩——評郭小川1962年的詩作」, 『상하이문학』 1963년 제3호).

11일, 『문예보』 제7호에 장광녠의 「'공공불사' 및 기타"共工不死"及其他」, 웨이진즈의 「「사구이잉」을 위한 변호爲<沙桂英>辯護」, 친무의 「예술적 매력과 문필의 정취藝術魅力和文筆情趣」, 궈샤오촨의 「시가 곧 그 사람과 같다―『왕야판 시초』 서문詩如其人——<王亞凡詩抄>序言」, 펑무의 「문학의 '반면교사'에 관하여略談文學上的"反面教員"」가 발표되었다. 펑무는 글에서 "적에 대한 사실적이고 깊이 있는 묘사는 수많은 독자들에 대한 우리 문학작품의 교육 및 인식의 역할을 크게 강화할 수 있다"라고 보면서, "희화화 및 도식화의 수법을 이용해 적을 묘사하는 습관적인 방법"을 지적하고, "진정한 영웅 성격은 추악한 적수와의 격렬한 투쟁을 통해서만 눈부신 광채를 드러내기 마련이다. 이런 점에서 보면, 긍정적 인물 창조와 부정적 인물 형상에 대한 묘사는 서로 떼어 놓을 수 없는 완전한 주제의 두 측면이라 할 수 있다", "장엄하고 아름다운 혁명 투쟁의 역사를 소재로 하는 작품 속에서 허구가 아닌 사실적인, 조잡하지 않고 선명한 계급의 적이라는 예술 형상을 창조하는 것은 필요한 일일 뿐만 아니라 매우 중요한 과제이다"라고 보았다.

같은 호에 리시판의 「제고인가 아니면 '치켜세우기'인가?―「다지와 그녀의 아버지」와 그 토론을 읽고是提高還是"拔高"?——讀<達吉和她的父親>及其討論」, 가오잉의 「「다지와 그녀의 아버지」의 창작과정에 관하여關於<達吉和她的父親>的創作過程」가 발표되었다. 리시판은 글에서 영화 극본이 소설에 비해 새로운 '주제 사상의 깊이'를 가지고 있다는 견해에 대해 영화 극본의 각색이 "원작의 기초에서 멀어졌"으며, 이로 인해 "작품 본래의 주제 사상이 가진 풍부함과 심각성을 완전히 잃었다"

고 보았다. 그는 또한 이러한 결과를 야기한 원인에 대해 "목적을 '주제 사상의 제고'에 둔 이러한 각색은 원작의 소재가 가진 구체적인 생활의 토양에서 벗어나, 사람을 감동시키는 이 '이야기'를 그와 어울리지 않는 새로운 환경 속에서 생존하게 하였다. 때문에, 본래는 피와 살을 가진 풍부한 예술 형상이 이 전체적인 '개조' 속에서 빈혈을 앓게 만들었다"라고 보았다.

12일, 문화부에서 「각지의 자발적인 영화 상영 금지를 금하는 것에 관한 통지關於各地不得自動禁演影片的通知」가 발표되었다.

『인민문학』 7월호에 시룽의 「라이 아주머니賴大嫂」, 뤄빈지의 「자작나무 그늘 아래白樺樹蔭下」, 쭝푸의 「가라앉지 않는 호수不沉的湖」, 페이리원의 「새벽晨」, 위린의 「산 밖의 청산山外青山」, 이족 작가 리차오李喬의 「카와족의 신세기佧佤族的新世紀」 등의 단편소설, 궈샤오촨의 「간저린 — 푸른 장막」, 옌이의 「전사가 천안문에 오다戰士來到天安門」, 거비저우의 「후양 영웅수胡楊英雄樹」. 라오멍칸의 「여름밤에 망우 원이둬를 추억하다夏夜憶亡友聞一多」, 푸처우의 「마얼캉 시초馬爾康詩抄」, 궁류의 「타이위안의 구름太原的雲」 등의 시, 광지의 수필 「구이린 산수—리커란 동지의 사생화로부터 이야기를 시작하다桂林山水——從李可染同志的一幅寫生畫談起」, 추원의 수필 「새와 짐승·벌레와 물고기·나무와 풀鳥獸·蟲魚·草木」, 친무의 산문 「아득한 금빛 초원 위에서在茫茫的金色草原上」, 쑹주핑宋祝平의 「꽃을 심는 노인種花老人」이 발표되었다.

라오멍칸(1902~1967), 시인이자 번역가로 장시성 난창 출신이며 본명은 라오쯔리饒子離이다. 1916년에 칭화학당清華學堂에 입학해 외국어를 공부하였다. 신월파 회원이며, 쓰촨대학, 중국인민대학, 베이징외교학원北京外交學院 등의 교수를 역임하였다. 대표 저서로 시집『니인집泥人集』, 소설『오동우梧桐雨』및 번역서『란 아가씨의 비극蘭姑娘的悲劇』등이 있다.

쑹주핑(1929~2009), 허베이성 슝현雄縣 출신으로 중공 당원이다. 1948년에 상하이민치신문전과학교上海民治新聞專科學校를 수료한 후『푸젠일보福建日報』기자, 편집자, 부간부 부주임, 샤먼대학 교수, 푸젠전영제편창 책임자, 중공 푸젠성위원회 선전부 신문출판처 처장, 푸젠성 기자협회 부회장 겸 비서장, 푸젠일보사 부편집장 및 고급기사, 민태문화교류협회閩台文化交流協會 상무이사 등을 역임하였다. 1943년부터 작품을 발표하였으며 1981년에 중국작가협회에 가입하였다. 저서로 보고문학 및 산문집『조선 기록 잡기記朝散記』,『스마 어민이 바다와 싸우다石碼漁民戰海記』,『해류가海柳歌』,『시골 사투리鄉音』,『푸른색의 길藍色之路』등이 있다.

『인민일보』에 광지의 산문 「구이린 산수」가 발표되었다.

13일, 중국극협에서 좌담회를 개최해 화극 「무측천」의 극본 창작, 공연예술, 무대 미술 등의 측면에 관해 연구 및 토론을 진행하였다. 톈한, 자오쥐인, 징구쒜景孤血, 가오원란高文瀾, 왕룽성王戎生, 장아이딩張艾丁, 리차오李超, 왕쯔예, 장지춘張季純, 다이부판 등이 참석하였다.

중국작가협회 쓰촨분회에서 청두 지역의 일부 전문 시인 및 아마추어 시 창작자를 초청해 시가 좌담회를 개최하였다. 시인 거비저우가 좌담회를 주관하였으며 푸처우, 탕다퉁唐大同, 쩌우장鄒絳, 류빈劉濱 등 20여 명이 참석하였다. 좌담회를 통해 선배 시인과 젊은 시 창작자들이 시가 창작의 몇 가지 중요한 문제들에 관해 교류하고 토론을 진행하였다. 좌담회 발언 요약문은 「하늘에는 새들이 자유로이 날아다닌다 ─ 시가 좌담회 요록天高任鳥飛──詩歌座談會記要」이라는 제목으로 『쓰촨문학』 1962년 8월호에 발표되었다.

『산둥문학』 편집부에서 지난시의 일부 산문 작가들을 초청해 지난시 바오투취안 공원趵突泉公園에서 산문 창작의 몇 가지 문제에 관한 좌담회를 개최하였다. 본 좌담회는 『산둥문학』 부편집장인 쿵린孔林이 주관하였으며, 류빙난劉丙南, 런위안任遠, 궈퉁원郭同文, 쉬베이원徐北文, 자오옌지趙延吉 등의 작가 및 『산둥문학』 소설산문조의 편집자 전원이 참석하였다. 참석자들은 산문과 산문시의 창작을 긍정하고, 산문 작가 류바이위, 양쒀, 우보샤오, 친무 등의 작품을 탐구하였으며, 산문 창작의 예술적 규율을 연구하였다. 참석자들은 작가의 시대적 감각과 격정은 문학창작에 없어서는 안 될 중요한 요소이며, 이와 동시에 풍부한 생활 경험과 해박한 지식 및 문장 연습도 소홀히 해서는 안 된다고 보았다.

쿵린(1928~), 필명은 바이판白帆으로 산둥성 룽청榮成 출신이며 중공 당원이다. 1943년에 공작에 참가하였다. 『군력보群力報』, 『자오둥 대중보膠東大眾報』, 『칭다오일보青島日報』 편집자 및 기자, 중공 칭다오시위원회 선전부 문예과 부과장, 칭다오시 문련 부비서장 및 부주석, 잡지 『해구海鷗』 책임 편집자, 『산둥문학』 책임 편집자, 산둥성 문련 당조 구성원 및 부주석, 중국작가협회 산둥분회 상무이사, 『황허시보黃河詩報』 책임 편집자, 문학창작 1급文學創作一級 등의 직책을 역임하였다. 현재 중국 산문시학회散文詩學會 부회장, 산둥성 산문시학회 회장, 산둥작가협회 특별 초청 고문을 맡고 있다. 1950년부터 작품을 발표하였으며, 1979년에 중국작가협회에 가입하였다. 저서로 시집 『부용화 한 다발一束芙蓉花』, 『보춘집報春集』(합동 창작), 『몽고종다리百靈』, 『산수 연가山水戀歌』, 산문시집 『사랑의 여정愛的旅程』, 『조음집潮音集』(합동 창작), 『쿵린 산문시선孔林散文詩選』, 『쿵린 시선孔林詩選』 등이 있다.

14일, 중앙가극무극원中央歌劇舞劇院이 마오쩌둥의 「옌안문예좌담회에서의 강화」 발표 20주년을 기념해 가극 「백모녀」를 새롭게 공연해 관중들의 열렬한 환영과 희극계의 주목을 받았다. 중국극협 『희극보』 편집부에서는 같은 날 오후에 베이징의 문예계 및 희극계의 일부 인사들을 초청해 좌담회를 개최하였다. 장경이 좌담회를 주관하였으며 톈한, 샤오쎤, 리젠우, 진쯔광金紫光, 류자劉佳, 장정위張正宇, 차오위喬羽, 예린, 런핑任萍, 리차오李超, 허징즈, 수창, 왕쿤王昆, 궈란잉郭蘭英, 리보李波 등이 참석해 가극 「백모녀」 공연 관람 감상과 가극의 예술적인 면에 존재하는 몇 가지 문제점에 대해 이야기하였다. 좌담회 발언 요약문은 「가극 「백모녀」의 새 공연 좌담座談歌劇<白毛女>的新演出」이라는 제목으로 『희극보』 1962년 8월호에 발표되었다.

15일, 『신화월보』 제7호에 『문예보』 1962년 제5, 6호 합본의 사설 「문예 대오의 단결, 단련, 그리고 제고文藝隊伍的團結, 鍛煉和提高」, 후커의 「생활에 관하여試談生活」(『해방군문예』 1962년 제6호), 후완춘의 「생활의 문제를 관찰하다－마오 주석의 「옌안문예좌담회에서의 강화」 학습 체험觀察生活的問題──學習毛主席<在延安文藝座談會上的講話>的一點體會」(『해방일보』 1962년 5월 22일자) 등 「옌안문예좌담회에서의 강화」 발표 20주년 기념의 글이 여러 편 전재되었다.

『상하이희극』 제7호에 천서우주의 「마르크스주의 이전의 유럽 희극 이론 소개(속편 1)馬克思主義以前歐洲戲劇理論介紹(續一)」의 연재가 시작되어 제11호에 완료되었다.

『전영문학』 7월호에 장톈민, 저우위周予가 향극鄕劇 「삼가복三家福」을 각색한 극본 「73번째 현인第七十三賢人」이 발표되었다. 『전영문학』 1962년 11월호에 이 극본에 관해 전개된 토론문이 게재되었다.

『허베이일보』에 하오란의 「이웃－고향만필鄰居──家鄕漫筆」, 장칭톈의 「원천 송가－창작 잡담源泉頌──創作雜談」이 발표되었다.

16일, 『홍기』 제14호에 차오위의 「언어 학습 잡감語言學習雜感」이 발표되었다.

『광명일보』에 주광첸의 논문 「미감 문제美感問題」가 발표되었다.

17일, 『인민일보』에 랴오모사가 원이첸이라는 필명으로 잡문 「단역이 우선跑龍套爲先」을 발표하였다.

베이징인민예술극원에서 화극 「나는 병사다」를 공연하였다. 바이원, 쉬원핑이 각본을, 샤춘, 댜오광탄이 감독을 맡았으며 마췬馬群, 린자오화, 린롄쿤 등이 주연을 맡았다.

18일, 『문회보』에 천보추이의 「동화 창작의 계승과 창조童話創作的繼承與創新」가 발표되었다.

『희극보』 제7호에 양뤼팡의 「「나는 병사다」 잡담<我是一個兵>雜談」, 톈한의 「아키타 우자쿠 선생을 추모하며悼秋田雨雀先生」가 발표되었다.

『해방일보』에 위링의 산문 「야생화를 꺾어 고인을 추모하다摘得山花吊故人」, 청샤오칭의 시 「칠십 감흥 3편七十抒懷三首」이 발표되었다.

19일, 『베이징만보』에 하오란의 「밭두렁 훈련반-고향 견문 잡기 제2편地頭訓練班——故鄕見聞雜記之二」이 발표되었다.

20일, 『극본』 7월호에 5월 23일에 개최된 중국극협의 「옌안문예좌담회에서의 강화」 발표 20주년 기념 좌담회에서의 궈모뤄의 발언 「실천·이론·실천實踐·理論·實踐」이 발표되었다. 같은 호에 쓰촨여외극인항적연극대四川旅外劇人抗敵演劇隊에서 합동 창작하고 우쉐가 집필한 3막 화극 「장정을 징집하다抓壯丁」가 발표되었다.

『허베이일보』에 뤄광빈, 양이옌의 장편소설 『붉은 바위』의 연재가 시작되어 1962년 10월 17일자에 완료되었다.

『인민일보』에 랴오모사가 원이첸이라는 필명으로 잡문 「약도 변할 수 있는가?藥也會變麼?」를 발표하였다.

21일, 『베이징일보』에 위안잉의 산문 「당신은 베트남의 나무를 기억하는가?你記得越南的樹嗎?」가 발표되었다.

22일, 『인민일보』에 리쩌허우의 논문 「허와 실, 숨은 것과 드러난 것의 사이-예술 형상의 직접성과 간접성虛實隱顯之間——藝術形象的直接性與間接性」이 발표되었다.

23일, 『인민일보』에 짱커자의 시 「해안 방어 전장 위海防線上」가 발표되었다.

25일, 『베이징만보』에 빙신의 잡담 「우리의 어문 선생님께 감사드린다感謝我們的語文老師」가 발표되었다.

상하이인민예술극원 화극 2단에서 4막 7장 화극「해변의 격전海濱激戰」을 공연하였다. 본 극본은 푸젠군구 문공단에서 합동 창작하였으며 왕쥔王軍, 장룽제張榮傑가 집필하였다. 왕사오핑王哨平이 감독을 맡았다. 극본은『극본』1955년 1월호에 발표되었다.

26일, 중국극협 예술위원회에서 천치퉁의 화극「징강산井岡山」좌담회를 개최하였다. 본 화극은 이달에 중국인민해방군 총정치부 문공단에서 공연하였으며 천치퉁이 각본 및 감독을 맡았다. 극본은『해방군문예』9월호에 발표되었으며, 1963년에 해방군문예사解放軍文藝社에서 단행본이 출간되었다. 루이魯易는 "「징강산」이라는 희극은 혁명적 낭만주의의 색채를 띠고 있다"라고 보면서, 작가가 "역사의 눈높이에 서서 당시의 역사적 특징을 충분히 표현할 수 있는 전형적 의의가 풍부한 사건을 선택하여", "격동하는 시대의 투쟁의 모습과 기세를 표현하였으며", "관중으로 하여금 깊이 생각하게 하고, 심금을 울리는 예술적 매력을 가지고 있다"고 평하였다(「진실하고 감동적인「징강산」真實, 感人的＜井岡山＞」,『문예보』1962년 제8호).

『베이징만보』에 류신우의「비범한 기개와 부드러운 마음씨 — 화극「무측천」의 두 장면에 관하여氣宇軒昂與柔情一露──談話劇＜武則天＞中的兩個細節」가 발표되었다.

27일,『인민일보』에 류허우밍의 단편소설「음악 수업에서在音樂課堂上」가 발표되었다.

29일,『충칭일보重慶日報』에 루치陸棨의「유동나무 꽃이 필 때桐子花開的時候」가 발표되었다.

루치(1931~), 쓰촨성 청두 출신이며 중공 당원이다. 시난청년예술공작대西南青年藝術工作隊 대원, 시난군구 문화부 문예과 간사, 시난청년문공단西南青年文工團 및 충칭시 문공단 단원, 충칭시 가무단 및 가극단 각본가, 중국극협 충칭분회 주석을 역임하였다. 1953년부터 작품을 발표하였으며 1979년에 중국작가협회에 가입하였다. 저서로 시집『등불의 바다燈的河』,『양류춘에 다시 돌아가다重返楊柳村』, 논저『가극 창작론歌劇創作論』등이 있다.

30일,『인민일보』에 타오란의 산문「전사의 회상戰士懷想」이 발표되었다.

이달에 중국희곡학원 59학번 연구생 및 60학번 이론진수반理論進修班 총 51명이 졸업하였다. 이들은 중국 희곡 관련 고등교육기관에서 양성한 최초의 각본, 감독, 음악 등 창작 인재 및 이론 연구 인재이다.

후정의『편수이가 길게 흐른다』가 작가출판사에서 출간되었다.

리루칭의『칭펑옌』이 장쑤인민출판사江蘇人民出版社에서 출간되었다.

쩌우디판의『성문의 서정』이 상하이문예출판사에서 출간되었다.

쌍커자의『개선凱旋』이 작가출판사에서 출간되었다. 책에는 작가가 1961년에서 1962년 초 사이에 창작한 단시(연작시) 총 24편이 수록되었다.

자오수리의 장편소설『삼리만三裏灣』제1판이 작가출판사에서 출간되었다. 인쇄 부수는 1~30,000부이다. 본 소설은 1955년 1월 7일에『인민문학』1월호에 연재를 시작해 4월호까지 연재되었다. 1955년 5월에 통속독물출판사에서 초판이 출간되었으며 인쇄 부수는 1~600,000부이다. 1958년 3월에 인민문학출판사에서 재판이 출간되었으며 인쇄 부수는 1~100,000부이다. 이후에 1959년에 제2판이, 1963년에 제3판이 출간되었다. 본 소설은 화극, 평극, 예극, 후난 화고희湖南花鼓戲 등으로 각색되었으며「꽃이 활짝 피고 달이 둥글다花好月圓」라는 제목의 영화로 각색되어 상영되었고, 또한 각종 언어로 번역되어 해외에서도 출판되었다. 이 가운데 쉬짜이민許在民이 각색한 화고희는 건국 30주년 헌정 공연 우수 작품 창작상을 받았다.

8월

1일,『문예홍기』7, 8월호 합본에 류전의 산문「실 뽑는 처녀紡紗姑娘」, 첸구룽의 평론「'여름날의 춘몽'－「뇌우」의 저우충에 관하여"夏天裏的一個春夢"——談<雷雨>中的周沖」및 바이런, 뤄팅, 리수카이李樹楷가 합동 창작하고 바이런이 집필한 극본「적군이 성 아래까지 쳐들어오다兵臨城下」가 발표되었다.

『허베이문학』8월호가 소설 특집호로 간행되어 아이우의 소설「란창장 강가瀾滄江邊」, 류전의 소설「남동생弟弟」이 발표되었다.

『작품』에 어우양산이『일대 풍류』의 영어판을 위해 집필한「『일대 풍류』서문<一代風流>序」이 발표되었다. 그는 글에서 "『일대 풍류』는 내가 1957년에 창작을 시작한 장편소설로 총 5권이다. 소설의 내용은 저우빙周炳이라는 철강 노동자 출신 지식분자의 반평생을 서술한 것으로, 시간적 배경은 1919년부터 1949년까지이다. 이야기 속에는 수많은 기쁨과 슬픔, 헤어짐과 만남, 고됨과 괴로움이 들어 있다", "시간적 배경은 30년에 불과하지만, 이 30년 동안의 내용은 매우 풍부하고 다양하다. 역사적인 시각으로 보면, 이 소설은 신민주주의 운동의 시대를 전체적으로 다루고 있다"라고 밝혔다(『작품』 신1권 제8호).

『창장문예』 8월호에 류전의 산문 「산골짜기 속의 노랫소리山穀裏的歌聲」가 발표되었다.

『해방군문예』 8월호에 우창의 소설 「보루」(장편 『보루』 부분), 롼장징의 시 「늙지 않는 녹나무 不老的樟樹」(외 1편), 웨이강옌의 시 「나는 기꺼이 하리라我甘願」, 쥔칭의 산문 「웨이하이를 기억하며記威海」가 발표되었다.

『불꽃』 8월호에 지쉐페이의 소설 「'왕파쯔'가 돼지를 팔다"王耙子"賣豬」가 발표되었다.

『신항』 8월호에 리광톈의 산문 「아무개의 일기초或人日記抄」, 지셴린의 산문 「스린 송가石林頌」, 구궁의 산문 「장엄하고 아름다운 시구−황양제에 오르다壯麗的詩句——登黃洋界」, 장즈민의 시 「서행 실루엣」(3편), 리잉의 시 「서행 3장西行三章」 및 라오서의 「근본이 튼튼하면 가지와 잎이 무성하다 −톈진시의 문학애호청년들을 대상으로 한 연설 요약문本固枝榮——對天津市愛好文學靑年的一次講話摘要」이 발표되었다.

『우화雨花』 제8호에 루원푸의 단편소설 「대장의 경험隊長的經驗」, 판인차오의 「창작의 고락에 관하여就寫作談甘苦」가 발표되었다.

『산화』 8월호에 황추원의 역사소설 「노제량이 파면되다魯儕亮摘印」가 발표되었다.

『옌허』 7, 8월호 합본에 류전의 산문 「새해를 맞이하는 하루過年的一天」, 구궁의 산문 「태양이 탄생한 곳太陽的誕生地」, 웨이강옌의 연작시 「몇 년간의 비바람幾年風雨」, 리잉의 시 「홍류소집紅柳小集」(3편), 푸처우의 시 「삼림 여행기森林遊記」(4편), 차오스峭石의 시 「중난하이 송가中南海頌」 및 정보치의 회고록 「창조사 후기의 혁명문학활동創造社後期的革命文學活動」이 발표되었다. 같은 호에 양 커런楊克忍, 황티, 한유신韓又新의 4막 화극 「워후진臥虎鎭」의 연재가 시작되어 9월호에 완료되었다.

『문회보』에 판쥔훙, 뤼루이밍의 「줄거리−「양문여장」 창작 찰기情節——＜楊門女將＞寫作劄記」가 발표되었다. 같은 호에 「해외에서의 『홍루몽』＜紅樓夢＞在國外」이 발표되었다.

판쥔훙(1916∼1986), 극작가, 희곡 각본가 및 이론가. 본명은 판쉐리範學蠡로 본적은 항저우이며 베이징에서 출생하였다. 중국희극가협회 회원, 중국자가협회 회원, 중국극협 상무이사를 역임하였다. 저서로 경극 극본 『만강홍滿江紅』, 『엽호기』, 『양문여장』, 『백모녀』, 『구강구九江口』, 『강항 령強項令』, 『망강정望江亭』, 『접련화蝶戀花』 등이 있다.

베이징인민예술극원에서 러시아 극작가 오스트롭스키의 작품 「지혜로운 사람도 틀릴 수 있다 智者千慮, 必有一失」를 공연하였다. 린링林陵이 번역하였으며 어우양산쥔, 바이썬이 감독을 맡았다. 위스즈, 잉뤄청, 황쭝잉 등이 주연을 맡았다.

2일, 『간쑤문예』 8월호에 류전의 산문 「변경의 밤邊疆之夜」이 발표되었다.

『해방군보』 제4판에 구궁의 시 「전투의 음표戰鬥的音符」(4편)가 발표되었다.

2일~16일, 중국작가협회가 랴오닝성 다롄에서 농촌 소재 단편소설 창작좌담회를 개최하였다. 좌담회는 작가협회 부주석이자 당조서기 사오취안린이 주관하였으며 자오수리, 저우리보, 수웨이(리수웨이), 캉줘, 리준, 시룽, 리만톈李滿天, 마자, 사오화, 팡빙, 류수더, 허우진징, 천샤오위, 후차이 등 16명의 작가와 평론가들이 참석하였다. 마오둔, 저우양이 참석해 연설하였다. 참석자들은 인민 내부의 모순을 반영할 방법 및 단편소설 창작의 각 측면의 문제에 관해 세밀하고 심도 있게 탐구하였다.

사오취안린은 발언에서 현실주의를 심화하고, 창작 소재를 확대하며, 중간 인물에 대한 묘사와 다양한 인물에 대한 창조를 중시해야 한다고 주장하였다. 그는 "선진 인물과 중간 인물을 반드시 강조해야 한다. 영웅 인물은 우리 시대의 정신을 반영하는 것이다. 그러나 전체적으로 보면, 중간 상태의 인물을 반영한 경우는 비교적 적다. 양 끝은 작고 중간은 큰 법이다. 좋은 인물과 나쁜 인물은 적으며, 가장 광범위한 계층은 중간이다. 이들을 묘사하는 것은 매우 중요하다. 모순점은 종종 이러한 인물들에 집중되어 있다……'양 끝은 작고 중간은 크다'. 영웅 인물과 낙후된 인물은 양 끝이며, 중간 상태의 인물이 대다수이다. 문예가 중점적으로 교육해야 할 대상은 중간 인물이다. 영웅 인물을 창조하는 것은 본보기를 세우는 것이지만, 중간 상태의 인물을 창조하는 데에도 주의를 기울여야 한다", "만약 농촌을 국민 경제의 기초라 한다면, 현실주의는 우리 창작의 기초이다. 현실주의가 없으면 낭만주의도 없다. 우리의 창작은 응당 현실주의를 향해 나아가 착실하게 현실을 반영해야 한다. 마오둔 동지가 말한 현실주의의 넓이와 깊이, 그리고 높이는 긴밀히 연관되어 있다. ……현실주의를 심화하고, 이러한 기초 위에서 강대한 혁명적 낭만주의를 탄생시켜, 이 속에서 두 가지 방식의 결합의 길을 찾아야 한다", "내부 모순의 복잡성을 반영하기 위해서는 사상 의식 개조의 장기성, 복잡성을 파악해야 한다. 생활 속의 복잡한 투쟁을 더 깊이 인식하고, 이해하고, 분석하고 개괄하여 인민 내부의 모순을 더욱 정확하게 반영하는 것이 우리 작가들의 새로운 임무이다"라고 밝혔다.[4]

『문예보』 1964년 8, 9월호 합본에 '문예보 편집부'의 「'중간 인물 창작'은 자산계급의 문학 주장이다"寫中間人物"是資産階級的文學主張」가 발표되었으며, 「'중간 인물 창작'에 관한 자료關於"寫中間人

---

4) 「다롄 '농촌 소재 단편소설 창작좌담회'에서의 연설在大連"農村題材短篇小說創作座談會"上的講話」, 펑무 엮음, 『중국신문학대계 · 문예이론 제1권中國新文學大系 · 文藝理論卷一』, 제514~526쪽, 상하이문예출판사 1997년.

物"的材料」(자료 모음)가 공표되어 '다롄 회의'에서의 사오취안린의 연설이 "문예이론 영역에서의 일반적인 논쟁이 아니라, 문예 영역에서의 사회주의 노선과 자본주의 노선의 싸움이자, 사회주의 와 반사회주의의 문예노선의 싸움이며, 근본적인 투쟁이다"라고 지적하면서, 사오취안린이 연설 에서 언급한 서로 관련된 두 가지 중심 논점을 '중간 인물 창작'과 '현실주의 심화'로 정리하였다. 이후에 「부대문예공작 좌담회 요록部隊文藝工作座談會紀要」을 통해 이 두 가지 논점을 정식으로 '흑8 론黑八論' 가운데 두 가지로 규정하여, 이로 인해 사오취안린은 잔혹한 박해를 받았다.

2일과 24일에 중국극협 상하이분회에서 희곡계의 각본가, 감독, 배우, 평론공작자 및 일부 원로 예인을 초청해 좌담회를 가지고 무대에 출현한 장편 연속 희곡과 기관 배경 문제를 어떻게 인식하 고 대처할 것인가에 관해 토론하였다. 참석자들은 장편 연속 희곡에 관해서는 전통의 계승이라는 기초 위에서 옛것을 취사선택하여 새롭게 발전시켜야 하며, 기관 배경에 관해서는 반드시 극의 내 용을 위해 복무해야 하며, 내용과 형식의 통일을 이루어야 한다고 보았다.

3일, 『베이징일보』에 쩌우디판의 산문 「타이상댐 송가台上水庫頌」가 발표되었다.

4일, 『베이징문예』 8월호에 뤄빈지의 소설 「폭풍우 이후暴雨之後」, 우보샤오의 「토굴집 풍경 窯洞風景」이 발표되었다.
『인민일보』에 천이의 시 「서행 3편西行三首」이 발표되었다.
『광명일보』에 궈모뤄의 「망원경으로 고인을 보다-『위다푸 시사초』 서문望遠鏡中看故人——序 ＜鬱達夫詩詞鈔＞」이 발표되었다.
『베이징일보』에 라오서의 수필 「회화 관람 기록觀畫短記」이 발표되었다.
문화부가 상하이와 항저우에서 예술교육공작자 회의를 개최해 희극, 음악, 미술 교육기관의 교 육 방안과 교재를 수정하고, 희극 교육기관에 교학소조敎學小組 제도를 확립하였다.

5일, 『상하이문학』 8월호에 팡즈의 단편소설 「산을 나서다出山」, 저우얼푸의 장편소설 『상하 이의 아침』 부분 「강변江邊」, 췬칭의 산문 「고향 잡기故鄕雜憶」, 펑쯔카이의 산문 「아미阿咪」, 바진 의 산문 「조국을 향하는 마음向著祖國的心」, 구궁의 시 「호흡呼吸」, 후완춘의 논문 「생활의 시야를 넓히자-「사구이잉」 감상放寬生活的視野——讀＜沙桂英＞有感」이 발표되었다.
『신장문학』 8월호에 주딩의 소설 「뗏목 위木排上」, 장즈민의 서사시 「갈라진 쇠사슬一條殘斷的鎖鏈

」이 발표되었다.

『소년문예少年文藝』 7, 8월호 합본에 하오란의 소설 「좌석을 사다買席」, 장융메이의 시 「어린 선원小海員」이 발표되었다.

『공인일보』에 한잉산의 소설 「징소리鑼聲」가 발표되었다.

6일, 『인민일보』에 지쉐페이의 소설 「세 명의 서기三個書記」, 웨이웨이의 시 「징강산 유람井岡山漫遊」이 발표되었다.

7일, 『양청만보』에 천이의 시 「서행 3편」이 발표되었다.

『인민일보』에 어우양위첸의 「메이란팡 동지를 추억하며追念梅蘭芳同志」, 궈모뤄의 시 「메이란팡 2편詠梅二絶」 등 메이란팡 서거 1주년을 기념하는 글이 발표되었다.

홍콩의 문화예술계 저명인사와 메이란팡의 생전의 벗들이 좌담회를 개최해 메이란팡 서거 1주년을 기념하였다.

8일, 희곡예술가 메이란팡 서거 1주년을 기념해 오전에 베이징 문예계 인사들과 메이란팡의 가족 및 벗들 총 300여 명이 베이징 완화산萬花山 메이란팡 묘지를 참배하였다. 오후에는 베이징 희극계 인사 90여 명이 문련 강당에서 기념 좌담회를 개최해 탁월한 희곡예술가 메이란팡의 찬란한 예술 인생을 추억하였다. 중국극협 주석 톈한, 문화부 부부장 치옌밍, 예술사업관리국 부국장 마옌샹 및 메이란팡의 벗들, 문예계 저명인사 라오서, 장먀오샹, 쉬란위안徐蘭沅, 마롄량, 자오쥐인 등 및 메이란팡의 자녀들이 발언하였다. 치옌밍의 발언문 「메이란팡 동지를 학습하자ー메이란팡 서거 1주년 좌담회에서의 발언學習梅蘭芳同志──在梅蘭芳逝世一周年座談會上的發言」이 『광명일보』 8월 23일자에 발표되었다. 8일 오후에 상하이시 희극계에서 메이란팡 서거 1주년 기념행사를 개최해 저우신팡, 가이자오톈, 쉬링윈, 타오슝陶雄, 양완능楊晩農, 웨이롄팡魏蓮芳 등이 희극사업에 대한 메이란팡의 공헌에 대해 이야기를 나누고, 메이파梅派의 예술을 계승하고 발양할 방법에 관해 의견을 교환하였다. 8일부터 베이징, 상하이, 난징, 쿤밍, 우한, 타이위안 등지에서 메이란팡 서거 1주년 기념 공연이 진행되었다. 『베이징일보』, 『문회보』 등에 메이란팡을 추모하는 글이 발표되었다.

9일, 『해방군보』에 취보의 장편소설 『유격대장 차오룽뱌오遊擊隊長橋隆飆』의 연재가 시작되어

9, 12, 14, 16, 18, 21, 23일자에 연재되었다.

『양청만보』에 선충원의 글「광둥의 자수품에 관하여談廣繡」가 발표되었다.

『인민일보』에 톈한의 「그를 추억하고, 학습하고, 발양하자!追憶他, 學習他, 發揚他!」가 발표되어 메이란팡을 "실질적인 중국 희극학파의 대표 인물"이라고 지칭하였다.

10일, 『쓰촨문학』 8월호에 옌이의 시「대해행大海行」(3편), 샤오쉐의 「풍취의 노래風趣的歌」(외 1편), 푸처우의 시「삼림 서정」(2편) 및 논문「시 학습의 득과 실學詩得失」이 발표되었다.

『산둥문학』 8월호와 9월호에 거전잉戈振纓이 청나라 때 작가 공상임孔尙任의 「도화선」을 각색한 대형 희곡「도화선」이 발표되었다.

거전잉(1920~2008), 본명은 바오간푸包幹夫, 필명은 양판揚帆으로 산둥성 펑라이蓬萊 출신이며 중공 당원이다. 1938년 이후에 펑라이 항일구국군 제3군 제2로路 선전대원, 자오둥 군사학교 선전대 각본가, 자오둥문예공작대 편집조 조장, 『자오둥 대중膠東大衆』 편집조 조장, 옌타이 문협 주임, 자오둥 문협 문공단 단장, 『산둥문학』 부편집장, 중국작가협회 산둥분회 고문, 산둥성 문련 비서장 및 당조부서기, 산둥성 문련 부주석 및 고문을 역임하였다. 1940년부터 작품을 발표하였으며 1960년에 중국작가협회에 가입하였다. 저서로 장편소설『춘소의 수수께끼春宵謎』, 단편소설집『샤오쉬와 라오취小徐和老曲』, 중편소설『한데 모이다團圓』, 『들판의 노래田野的歌』, 시집『홍기를 노래하다歌唱紅旗』, 『도화선』(희곡 각색) 등이 있다.

『동해』 8월호에 하오란의 소설「만수萬壽」, 쉐커의 「「군영회장간중계」에 관하여談<群英會蔣幹中計>」가 발표되었다.

11일, 『문예보』 제8호에 펑무의 「새로운 인물이 병사의 행렬 속에서 성장하다 ─ 화극「형제들 안녕하신가」를 보고新人, 在士兵的行列中成長 ─ ─ 看話劇<哥倆好>」, 멍차오의 「웅장한 노래는 영원하고, 송백은 영원히 푸르리! ─ 『혁명 열사 시초』(증보판)를 읽고壯歌永徹, 松柏長靑! ─ ─ 讀<革命烈士詩抄>(增訂本)」, 허우진징의 「단편소설 잡담 ─ 허베이성 단편소설 좌담회에서의 발언短篇小說瑣談 ─ ─ 在河北省短篇小說座談會上的發言」이 발표되었다. 같은 호에 자오취인의 「「무측천」 감독 잡기<武則天>導演雜記」의 연재가 시작되어 제9호에 완료되었다. 그는 글에서 역사극 토론 과정에서 제기된 '예술성과 진실성' 문제에 관해 언급하면서 "역사극의 임무는 사물의 가능성을 이야기하는 것이다"라고 보았다. 이 가운데 허우진징의 발언문은 『허베이문학』 1962년 7월호에 최초 발표된 것으로, 본지에는 저자가 수정 및 보충하여 다시 발표되었다.

『문회보』에 첸구룽의 「'아'가 없어서는 안 된다不可無"我"」가 발표되었다. 이후에 『문회보』 10월 24일자에 쑤훙창蘇鴻昌의 「예술활동에서의 '아'와 '비아'의 변증법적 관계 문제—「'아'가 없어서는 안 된다」에 관해 첸구룽 동지와 논의하다藝術活動中的"我"與"非我"的辯證關系問題——就<不可無"我">一文和錢穀融同志商権」가 발표되었다. 그는 글에서 변증법의 관점에서 첸구룽의 논문에 대해 질의하고, 첸구룽이 제기한 예술창작 활동에서의 '아'와 '비아'의 관계에 관해 논의할 만하다고 보았다.

쑤훙창(1931~1983), 쓰촨성 이빈宜賓 출신으로 중공 당원이다. 시난사범학원西南師範學院 중문과 총지서기, 문예이론교연실 주임, 부교수, 전국고등교육기관 문예이론연구학회 이사, 중국작가협회 쓰촨분회 제2기 이사, 쓰촨성 문예이론학회 부회장 등을 역임하였다. 1956년부터 작품을 발표하였으며 1980년에 중국작가협회에 가입하였다. 대표작으로 논문 「오경재의 세계관과 창작방법에 관하여關於吳敬梓的世界觀和創作方法」, 「현재 현실주의와 사회주의 현실주의에 대한 토론에 존재하는 몇 가지 문제를 논하다試論目前在現實主義及社會主義現實主義討論中存在的若幹問題」, 「형상 사유는 세계 예술에 대한 파악이다形象思維是對世界藝術的掌握」, 「'인'에 대한 『홍루몽』의 폭로와 비판<紅樓夢>對"仁"的揭露和批判」, 「『홍루몽』의 대강을 논하다試論<紅樓夢>的總綱」 및 산문 「송가를 저우 총리께 바치고, 비수를 '사인방'을 향해 던진다頌歌獻給周總理，匕首投向"四人幫"」 등이 있다.

『베이징일보』에 바이펑시白峰溪의 산문 「포산의 '가을 경치'佛山"秋色"」, 차오스의 「연병장 시초練兵場詩抄」(2편)가 발표되었다.

바이펑시(1934~), 극작가로 허베이성 출신이다. 80년대에 화극 창작을 시작해 대표작으로 여성 '애정 3부작愛情三部曲' 『명월초조인明月初照人』, 『풍우고인래風雨故人來』, 『불지추사재수가不知秋思在誰家』가 있다.

12일, 『인민문학』 8월호에 천찬윈의 「대장의 집隊長之家」, 마스투의 「어린 통신원小交通員」, 아오더쓰얼의 「아리마쓰의 노래阿力瑪斯之歌」, 커옌의 「직책崗位」, 하이모의 「보도와 방패寶刀和盾牌」 등의 단편소설, 량상취안의 시 「나는 바산의 파수꾼이다我是巴山了望哨」, 장융메이의 시 「군대의 노래」, 지셴린의 산문 「시솽반나 예찬西雙版納禮贊」, 예쥔젠의 「옥과 상아玉和象牙」가 발표되었다.

『인민일보』에 리시판의 논문 「정론의 열정이 넘쳐흐르는 소설—코체토프의 「예르쇼프 형제」를 읽고一本洋溢著政論熱情的小說——讀柯切托夫的<耶爾超夫兄弟>」가 발표되었다.

『광명일보』에 우한의 「그들은 그 이면에 도착했다—주쯔칭 송가他們走到了它的反面——朱自清頌」가 발표되었다.

『충칭일보』에 추이잉崔英의 「여치가 노래한다蟈蟈兒在歌唱」가 발표되었다.

13일, 『인민일보』에 류바이위의 산문 「햇빛이 찬란하다陽光燦爛」, 톈한의 시 「난창에서 루이진까지從南昌到瑞金」가 발표되었다.

시안시 문예계 인사 1천여 명이 모여 유구한 역사를 가진 이속사易俗社 성립 50주년 기념행사를 개최하였다. 희극가 톈한, 어우양위첸, 차오위 등이 축하 전보를 보냈으며 사오리쯔邵力子가 축사賀詞 세 편을 보냈다. 같은 날 유물, 회화, 사진 전시회가 개최되어 관람객들에게 이속사의 역사와 그 발전 상황을 소개하였다. 이속사는 1912년 8월 13일에 설립되었으며, '이속사'라는 이름은 이 단체의 '낡은 풍속과 습관을 고친다移風易俗'라는 취지에서 정해진 것이다. 시안시 문화국 문예연구실에서 정리한 「시안 이속사 50년西安易俗社五十年」이 『희극보』 9월호에 발표되었으며, 『신화월보』 제10호에 전재되었다.

15일, 『신화월보』 제8호에 리시판의 「'역사 지식' 및 기타─다시 우한 동지에게 답하다」(『희극보』 제6호), 우한의 「역사극은 예술이자 역사다」(『희극보』 제6호), 징구쉐의 「명실상부하게 역사극을 말하다循名責實談曆史劇」(『광명일보』 7월 17일자) 등 우한의 「논쟁하지 않는 '논쟁'」(『광명일보』 4월 28일자)에 관해 토론한 글이 전재되었다.

16일, 『중국청년』 제15, 16호 합본에 리젠퉁李建彤의 「작디작은 불티─장편소설 『류즈단』 부분星星之火──長篇小說＜劉志丹＞選載」이 발표되었다.

리젠퉁(1919~2005), 여성 작가로 본명은 한위즈韓愈之이며 허난성 쉬창許昌 출신이다. 중공 당원이다. 1934년에 쉬창여자사범학교에서 수학하던 당시에 허난성 뤄허洛河의 『경종일보警鍾日報』 부간에 첫 시 작품 「이해理解」를 발표하였다. 1958년부터 장편소설 『류즈단』의 창작을 시작해 1962년에 소설의 일부를 『공인일보』에 발표하였다. 소설 『류즈단』이 '반당 소설'이라고 모함을 받아 이 사건에 여러 사람이 연루되었다. 작가 본인은 이 사건으로 인해 17년간 감금당해 노동개조에 임했으며 1979년에 복권되었다. 저서로 장편소설 『류즈단』, 이야기 『차오산에서의 류즈단劉志丹在橋山』 등이 있다.

『해방군보』에 장융메이의 시 「군대의 노래」가 발표되었다.

『양청만보』에 톈한의 감상 「아름다운 꽃은 뿌리에서 자라난다繁花綺麗從根生」가 발표되었다.

16일~9월 11일, 폴란드 희극가 예지 그로토프스키가 중국을 방문하였다.

18일, 『베이징일보』에 샤옌의 「커눙 동지와의 두세 가지 일화克農同志二三事」가 발표되었다.

19일, 『인민일보』에 딩시린의 「극본 비평―어느 중국 단막극 영역본의 머리말劇本評點――一個中譯英文獨幕劇的前言」이 발표되었다. 이 글은 「12파운드의 표정十二磅錢的神情」(『극본』 8월호)에 대한 글이다. 같은 호에 멍차오의 「경극 「강항령」의 극작과 공연에 관하여談京劇＜強項令＞的劇作和演出」가 발표되었다.

저장성 문련이 위야오餘姚현에서 제3차 민간문학 좌담회를 개최해 쉬친원, 탕샹칭唐向靑, 장례張烈, 류차오난劉操南, 장펑蔣風, 류야오린劉耀林 등 20인이 참석하였다. 회의에서는 13편의 「쓰밍산 혁명 전설 이야기四明山革命傳說故事」에 대한 분석과 연구를 통해 혁명 전설 이야기의 수집 정리 가공 공작을 어떻게 진행할 것인가, 혁명 전설 이야기에서 혁명적 낭만주의 기법을 어떻게 활용할 것인가, 수집 정리 공작과 계급 관점 및 군중 관점의 관계, 혁명 회고록, 혁명 투쟁 이야기, 혁명 전설 등 3종의 차이 등의 문제에 관해 중점적으로 토론하였다.

20일, 사오취안린, 허우진징이 다롄시 아마추어 작가 10여 명을 초청해 좌담회를 개최하였다. 사오취안린은 연설에서 아마추어 작가의 생활과 창작에 존재하는 문제에 대해 언급하고, 생활 속에서 사람에게 관심을 가지고, 이해하고, 가까워지는 방법 및 인물의 복잡성과 생활의 복잡성의 표현방법 등의 문제에 관해 중점적으로 탐구하였으며, 또한 청년 작가들의 학습과 제고 문제에 관해서도 이야기하였다. 좌담회 기간에 작가 자오수리, 캉줘, 리준 등이 다롄의 청년 아마추어 작가들에게 창작 문제에 관해 발언하였다. 자오수리의 발언문 「청년과 함께 문학을 이야기하다―뤼다시 문학애호가 모임에서의 연설與靑年談文學――在旅大市文學愛好者會上的講話」이 『압록강鴨綠江』 11월호에 발표되었다.

시인이자 『시간』 편집장인 쌍커자가 『압록강』 편집부의 초청에 응해 선양의 시인과 아마추어 작가 20여 명을 대상으로 좌담회를 진행해 신시와 구시의 관계, 신시가 민족 전통의 여러 문제를 받아들인 방법 등에 관해 견해를 발표하였다. 그는 또한 공인 시인 류전劉鎭의 시가 가진 특징을 언급하고 그가 노력해야 할 길을 제시하였다.

『인민일보』에 류전의 산문 「구이저우 산속의 작은 도시貴州山中一小城」, 구궁의 시 「해안 방어의 노래海防之歌」가 발표되었다.

일본의 원로 희극가 아키타 우자쿠를 기념하기 위해 『극본』 8월호에 그의 4장 화극 「국경의 밤國境之夜」 및 톈한의 「「국경의 밤」 추천推薦<國境之夜>」이 발표되었다. 같은 호에 영국 작가 제임스 매슈 베리의 단막극 「12파운드의 표정」 및 딩시린의 「「12파운드의 표정」 번역 후기譯批<十二磅錢的神情>後記」가 발표되었다. 딩시린은 글에서 "이 희곡을 번역한 것은 청년 극작가가 세계의 유명 희극을 이해하고, 이 극본들의 예술 기교를 학습하는 것을 돕기 위함이다"라고 밝혔다.

23일, 『희극보』 제7호에 메이란팡의 유작 「동녀참사-『무대 생활 40년』 제3집 연재童女斬蛇——<舞台生活四十年>第三集連載」가 발표되었다. 본 유작은 『희극보』 제7, 9, 12호에 연재되었다. 같은 호에 장경의 「한 세대의 거장 － 메이란팡 동지의 유작을 다시 읽고一代宗匠——重讀梅蘭芳同志遺著的感想」 등 기념의 글이 발표되었다.

24일, 『베이징일보』에 쩌우디판의 산문 「청산의 기념비青山的紀念碑」가 발표되었다.

25일, 『문회보』에 쉬츠의 「30년-짱커자의 시三十年——臧克家的詩歌」가 발표되었다.

26일, 『허베이일보』에 차오스의 시 「남행초南行草」가 발표되었다.

27일, 『광명일보』에 판지싱潘吉星의 「유럽에서의 중국 희극의 전파中國戲劇在歐洲的傳播」가 발표되었다. 그는 글에서 중국 희극에 대한 유럽인들의 감상, 참고, 번역, 연구 상황 및 유럽 극작가들이 중국의 영향을 받은 상황 등에 대해 탐구하였다.

『인민일보』에 한베이핑의 「아프리카 야화非洲夜話」가 발표되었다.

30일, 『인민일보』에 판인차오의 산문 「떨어지는 매화를 기억하며落梅憶語」가 발표되었다.

31일, 『인민일보』에 광웨이란의 시 「연해 강가邊海河畔」가 발표되었다. 이 시는 시인이 베트남민주공화국을 방문했던 당시 창작한 「베트남 연작越南組歌」 중 한 편으로, 전편은 『시간』 제5호에 발표되었다.

『허베이일보』에 한잉산의「마을의 노랫소리-항일 시기 생활 회고村裏的歌聲——抗日時期生活回憶」가 발표되었다.

이달에 문화부에서「현재 정책 정신을 위반한 영화 발행 정지에 관한 통지對違反當前政策精神的影片停止發行的通知」를 발포하여「류후의 새로운 송가柳湖新頌」,「봄이 오니 꽃이 핀다春暖花開」,「스싼 링댐 몽환곡十三陵水庫暢想曲」,「쫓고 쫓기다你追我趕」,「쇳물의 불꽃이 도처에 피다鋼花遍地開」,「두시정鬥詩亭」,「새로운 수업新的一課」,「박차를 가하다快馬加鞭」및 미술영화「참새를 잡다打麻雀」등 총 40여 편의 영화 발행을 금지하였다.

시안시 문화국과 시안시 문련이 합동으로 역사극 창작 및 정리 각색 문제 좌담회를 개최해 20여 명의 전문 극작가와 희극 평론공작자들이 참석하였다. 좌담회에서는 현지 작가가 창작 혹은 각색한「당태종唐太宗」,「홍낭자紅娘子」,「쌍금의雙錦衣」등의 작품을 중심으로 하여, 현재 역사극의 창작과 각색에 공통적으로 존재하며 보편적인 관심을 얻고 있는 문제에 대해 토론을 진행하였다.

우유헝吳有恒의『산촌 풍운록山鄕風雲錄』이 광둥인민출판사에서 출간되었다.

우유헝(1913~1994), 작가로 광둥성 언핑恩平 출신이며 중공 당원이다. 중공 홍콩 공인운동위원회工人運動委員會 서기, 광둥구위원회 남로지구南路地區 특파원, 웨중종대粵中縱隊 사령원司令員을 역임하였다. 공화국 성립 후에는 중공 광저우시위원회 서기, 중국작가협회 광둥분회 부주석, 광둥성 문련 부주석,『양청만보』편집장, 광둥성 제6기 인민대표대회 상무위원회 부주임 등을 역임하였다. 저서로 장편소설『산촌 풍운록』,『북산기北山記』,『빈하이 전기濱海傳』및『당대 잡문 선집ㆍ우유헝 편當代雜文選粹ㆍ吳有恒之卷』, 월극『산촌 풍운山鄕風雲』등이 있다.『우유헝 문집吳有恒文集』(3권)이 출간되었다.

수췬의 장편소설『이 세대 사람這一代人』, 차오징화의 산문집『꽃花』, 셰줴짜이의 산문집『불혹집不惑集』, 탕타오의 논문집『연추집燕雛集』이 작가출판사에서 출간되었다.

사오화의 장편소설『세찬 파도浪濤滾滾』, 루즈쥐안의 단편소설집『고요한 산원』이 중국청년출판사에서 출간되었다.

한잉산의 단편소설집『그림을 그리다作畫』, 탕커신의 단편소설집『씨앗種子』, 어화鄂華의 소설집『예술의 고발藝術的控訴』, 셰푸의 소설집『깊은 사랑深沉的愛』, 펑무의 문학평론집『격류소집激流小集』, 야오원위안의 문예평론집『신송집新松集』, 관화의 소설집『갈매』가 상하이문예출판사에서 출간되었다.

어화(1932~2011), 본명은 청칭화程慶華로 후베이성 징먼荊門 출신이며 중공 당원이다. 지린성 문련 부주석, 지린성 작가협회 부주석 및 전문작가, 문학창작 1급, 중국문련 제4기 위원, 중국작가협회 제4기 이사, 제5기 전국위원회 위원, 제6기 전국위원 명예위원, 지린성 제5, 6, 7기 인민대표대회 상무위원을 역임하였다. 1949년부터 작품을 발표하였으며 1962년에 중국작가협회에 가입하였다. 저서로 장편소설 『진녹색 파도 아래서在黛色的波濤下』, 『수정 동굴水晶洞』, 중단편소설집 『여제의 왕관 위의 다이아몬드女皇王冠上的鑽石』, 『자유의 신의 눈물自由神的眼淚』, 『예술의 고발』, 『붉은 봉황이 해를 향하다丹鳳朝陽』, 『제홍祭紅』, 『유령섬幽靈島』, 『귀거래사歸去來兮』, 『나비 계곡蝴蝶穀』, 아동문학집 『호수 위의 추적湖上的追逐』, 『보석의 지도寶石的地圖』, 『천공의 꿈天空的夢』, 산문보고문학집 『천지 환상곡天池幻想曲』, 『흑해의 돛黑海的帆』, 영화문학 극본 『제홍』, 『붉은 봉황이 해를 향하다』 등이 있다.

9월

1일, 『허베이문학』 9월호에 빙신이 번역한 타고르의 산문 「사자푸沙乍浦」, 쩌우디판의 산문 「푸밍 아주머니에게寄傅明嫂」, 야오원위안의 「정복당하지 않는 사람─두펑청 단편소설집 『젊은 친구』의 인물 형상에 관하여不可征服的人──談談杜鵬程短篇小說集＜年青的朋友＞中的人物形象」가 발표되었다. 같은 호에 「지중의 하루冀中一日」 특집이 간행되어 청쯔화程子華의 「머리말題詞」, 왕린王林의 「미소微笑」, 리잉루의 「가장자리에서의 하루邊沿上的一天」가 발표되었다. 「지중의 하루」는 1941년 5월에 지중구 군정軍政 책임자인 청쯔화, 황징黃敬, 뤼정차오呂正操의 제의와 중공 지중구위원회의 지도 하에 지중 지구에서 전개된 운동으로, 지중 지구의 항일운동을 표현한 조직적이며 지방적인 집단창작 운동이다. 쑨리, 왕린, 위안첸리, 앙모羊膜 등이 본 운동에 참가하였다. 본 운동은 쑨리가 『문예학습』에 언급한 후부터 주목을 받았으며, 이후에 1959년 7월에 백화문예출판사에서 『지중의 하루』 상권이 출간되었다.

『작품』 신1권 9, 10호 합본에 양후陽湖가 당나라 시대의 전기傳奇를 모방해 창작한 「소홀뇌小忽雷」의 연재가 시작되었다.

『간쑤문예』 9월호에 하오란의 소설 「고개를 들어 경사를 보다抬頭見喜」가 발표되었다.

『해방군문예』 9월호에 천치퉁의 7막 화극 「징강산」, 리잉루의 단편소설 「정치위원政治委員」, 관화의 단편소설 「술酒」, 옌이의 시 「낭화집浪花集」(5편), 궁류의 시 「베이징 3편北京三題」, 량상취안의 시 「노래歌」(3편), 푸처우의 시 「밀림 속에 천막이 있다密林裏有個帳篷」가 발표되었다.

『신항』 9월호에 왕시옌의 소설 「세 사람─장편소설 『기나긴 길 위에서』 가운데 3장三人──長篇小說＜在漫長的路上＞中的三章」, 광지의 산문 「초원 인상草原印象」, 광수민의 산문 「월하月下」, 리허린의 회고록 「'8·1' 난창 봉기 전후를 회고하며回憶"八一"南昌起義前後」, 옌이의 시 「하이허행(시 3편)海河行(詩三首)」 및 주단朱丹의 「화외수필畫外隨筆」이 발표되었다.

주단(1916~1988), 필명은 톈마天馬, 웨이란未冉으로 장쑤성 쉬저우徐州 출신이다. 1936년에 중국공산당에 가입하였다. 공화국 성립 후에는 『인민화보人民畫報』 초대 편집장을 맡았으며, 이후에는 신문촬영국新聞攝影局, 인민미술출판사人民美術出版社, 중앙문화부 예술국, 중국미술가협회, 미술연구소, 중앙미술학원中央美術學院 등에서 지도 공작을 담당하였고, 중국화연구원中國畫研究院의 준비 공작에 참여하였다. 전국문련 위원, 중국서법가협회中國書法家協會 부주석을 역임하였다. 30년대부터 작품을 발표하였으며 1956년에 중국작가협회에 가입하였다. 만화영화 「독 안에 든 자라를 잡다甕中捉鱉」의 각색 및 연출을 맡았다. 저서로 시집 『저주의 노래詛咒之歌』, 『주단 시문선朱丹詩文選』 및 화집 등이 있다.

『옌허』 9월호에 리시판의 논문 「생활의 시와 예술의 시─단편소설집 『젊은 친구』를 읽고生活的詩和藝術的詩──讀短篇小說集＜年青的朋友＞」가 발표되었다.

4일, 『베이징문예』 9월호에 옌이의 시 「베이징 2편北京二首」이 발표되었다.

『문회보』에 구궁의 시 「쯔진산 아래紫金山下」(외 2편)가 발표되었다.

5일, 중국작가협회 『시간』 편집부와 중앙광파전시극단中央廣播電視劇團이 합동으로 베이징의 광파대루廣播大樓 음악청音樂廳에서 시가 낭송회를 개최하였다. 본 낭송회는 『시간』 편집장 짱커자가 주관하였다. 낭송회에 참석한 시인과 시가 애호가들은 중국 국내외의 고전 및 현대시 가운데 다양한 장르와 풍격을 가진 30여 편의 시를 낭송하였다. 14일에 본 낭송회에 관한 좌담회가 개최되었다. 좌담회에서는 5일에 진행된 낭송회에 관한 의견 외에도 시가 낭송의 역할, 낭송과 시가 창작의 관계, 낭송의 형식, 시와 음악의 결합 등의 문제에 관해 토론하였다.

『상하이문학』 9월호에 가오잉의 단편소설 「황허에 물이 불다大河漲水」, 친무의 산문 「예술의 바다에서 조개를 줍다(13)」, 야오원위안의 논문 「무궁한 잠재력을 간직한 사람─탕커신 소설 속의 인물 형상에 관하여蘊藏著無窮潛力的人──談唐克新小說中的人物形象」가 발표되었다.

『신장문학』 9월호에 쩌우디판의 평론 「「서행 실루엣」의 실루엣＜西行剪影＞的剪影」이 발표되었다.

『북방문학』 9월호에 린칭林青의 「콩 딸랑이의 시절大豆搖鈴的時節」이 발표되었다.

『열풍』제5호에 궈펑의 평론 「웨이컨 농장 시초圍墾農場詩草」가 발표되었다.

『소년문예』9월호에 위안잉의 산문 「이리허 위의 아침놀伊犁河上的朝霞」, 천보추이의 산문 「영웅산 옆의 작은 영웅英雄山邊的小英雄」, 루즈쥐안의 소설 「사주기寫周記」가 발표되었다.

6일, 『인민일보』에 사커푸의 유작 「해변 서정(4편)海邊抒情(四首)」이 발표되었다.

8일, 『해방군보』에 라오제바쌍의 시 「흘러가는 구름이 봉우리를 놀래다流雲驚峰」(외 1편)가 발표되었다.

9일, 『허베이일보』에 위안징의 「해악을 제거하다―장편소설 『주샤오싱의 유년』 부분除害――長篇小說<朱小星的童年>中的一章」이 발표되었다.

10일 오후, 베이징 문학계에서 한국의 위대한 시인, 사상가, 학자인 다산 정약용 탄생 200주년 기념행사를 개최하였다. 행사는 중국작가협회 부주석이자 중조우호협회 부회장인 라오서가 주관하였으며, 중국작가협회 이사인 양쉬가 보고를 진행해 다산의 생애와 저작을 상세히 소개하였다. 중국작가협회와 중조우호협회에서 합동으로 행사를 주최하였다.

『쓰촨문학』9월호에 푸처우의 전설 「마오 주석과 벌목자毛主席和伐木者」, 리푸자李伏伽의 산문 「하삼충夏三蟲」, 마스투의 소설 「사위를 고르다挑女婿」가 발표되었다.

『산둥문학』9월호에 왕안유의 단론 「독자 비평으로부터 이야기를 시작하다從讀者批評談起」가 발표되었다.

『시간』제5호에 광웨이란의 「베트남 연작越南組歌」(6편), 라오제바쌍의 「길路」(2편), 라오멍칸의 「사 2편詞二首」, 궁류의 「탐광 일기探礦日記」(2편), 사어우의 「식량을 보내다送糧」(3편) 등의 시가 발표되었다. 같은 호에 쩌우디판의 「정기가―『혁명 열사 시초』를 읽고正氣歌――<革命烈士詩抄>讀後」가 발표되었다.

『인민일보』에 장칭톈의 평화評話 「'벙어리 우씨' 이야기"吳啞叭"記」가 발표되었다.

11일, 『문예보』제9호에 예성타오의 「「샤오부터우의 뜻밖의 만남」에 관하여試談<小布頭奇遇記>」, 무양沐陽의 「샤오순바오와 량싼 노인을 보고 생각한 것……從邵順寶, 梁三老漢所想到的……」이 발표되었다. 무양은 글에서 "새로운 영웅 인물을 창조하는 것과 동시에, 생활 속에서 대다수를 차지하는 중간 상태의 각양각색의 인물을 진실하게 묘사해야 한다. 이러한 진실한 묘사 속에는 작가의 평가가 자연스럽게 드러나 군중이 더욱 전체적으로 생활을 인식하고, 이를 통해 사상적인 깨달음을 얻도록 돕는다. 그러므로 이를 소홀히 해서는 안 된다. 문예작품 속에서 창조한 인물 성격이 다양할수록 사회생활의 다양성과 복잡성을 더욱 충분히 반영할 수 있으며, 그래야만 군중이 역사의 전진을 추진하는 것을 더욱 강력히 도울 수 있다"라고 밝히며 영웅 인물과 부정적 인물을 묘사해야 할 뿐만 아니라 중간 인물의 창조 역시 중시해야 한다고 보았다. 그는 『창업사』와 「사구이잉」두 작품이 모두 "평론계의 주목을 충분히 불러일으키지 못했다. 『창업사』는 출판된 지 2년 가까이 되었다. 사람들은 량성바오의 전형적 의의를 토론하고, 그에 대한 예술적 묘사가 풍부한가에 관해 논쟁한다. 「사구이잉」은 발표된 지 불과 반년이 지났지만, 이 작품에 대해서도 상당히 열띤 토론이 전개되고 있다. 이는 물론 필요한 일이며, 더욱 깊이 있는 토론이 전개되기를 바란다. 그런데 예술적인 성취가 그들에 비해 뒤떨어지지 않는 량싼 노인과 사오순바오의 경우, 냉대를 받고 있다고 말할 수밖에 없다"라고 보았다. 그는 "우리 평론계는 영웅 인물을 제창하는 동시에 이러한 인물(량싼 노인, 사오순바오를 말함—편집자 주)에 대해서도 충분히 중시하고, 인물의 다양성 문제를 연구해야 한다"라고 밝혔다.

이 글이 발표된 후에 『창업사』에 대한 새로운 토론이 시작되었다. 이 글에 대해 리즈는『문예보』 1962년 12월호에 발표한 글 「우리 시대의 영웅 형상을 창조하자—「사오순바오와 량싼 노인을 보고 생각한 것……」을 평하다創造我們時代的英雄形象——評<從邵順寶’梁三老漢所想到的…>」에서 "문학예술은 현실 생활을 반영한 것이다. 현실 생활 속에는 각양각색의 인물이 존재하므로, 문학예술도 자연히 각양각색의 인물을 묘사해야 한다. 이 속에는 중간 상태의 인물도 포함되어 있다"라고 보면서, 그러나 이와 동시에 "사회주의 문학예술 전형 창조라는 근본적인 임무를 명확히 알고, 우리 시대의 전진을 이끄는 영웅 인물의 빛나는 형상을 창조해야 한다"라고 보았다.

셰융왕謝永旺(1933~), 문학평론가로 필명은 무양沐陽이며 허베이성 싼허三河 출신으로 중공 당원이다. 중국작가협회『문예보』이론조 편집자 및 부조장, 인민문학출판사 소설조 편집자, 『문예보』편집부 주임, 중국작가협회 당조 구성원 및 창작연구실 주임, 『문예보』편집장 및 편집심사위원, 중국작가협회 제4기 이사, 제5기 전국위원회 위원을 역임하였다. 1952년부터 작품을 발표하였다. 저서로 평론집『당대소설문견록當代小說聞見錄』등이 있다.

『인민일보』에 류신우의 단편소설 「계화 향기가 날리다桂花飄香」가 발표되었다.

『양청만보』에 장융메이의 「지옥을 부수다—장편 시체 고사 『류롄링 위에 꽃구름이 걸리다』 제

10편 打碎地獄——長篇詩體故事<六連嶺上現彩雲>第十篇」이 발표되었다.

『광명일보』에 라오멍칸의 「해변 잡시海濱雜詩」가 발표되었다.

12일, 『인민문학』 9월호에 수췬의 「공장사 외에在廠史以外」, 류허우밍의 「촬영기攝影記」, 루원푸의 「소개介紹」, 관화의 「안개霧」 등의 단편소설, 우한의 「칙륵가 가창자 가족의 운명敕勒歌歌唱者家族的命運」, 양숴의 「히로시마 17년 제사廣島十七年祭」, 펑무의 「누장에서 펜마까지從怒江到片馬」, 쩌우디판의 「행림소기杏林小記」, 두쉬안의 「장상억長相憶」 등의 산문, 샤오싼의 「시 4편詩四首」, 가오잉의 「후이리會理」(외 1편), 옌전의 「전사의 눈戰士的眼睛」, 리잉의 「홍류소집」 등의 시가 발표되었다.

『베이징만보』에 저우얼푸의 「상하이의 아침」 제2부의 연재가 시작되어 10월 26일자에 완료되었다.

『광명일보』에 류미칭劉必慶의 「웃음 속에서 진심을 보다從笑裏見真情」가 발표되었다. 이 글은 미국 작가 오 헨리 탄생 100주년을 기념한 글이다.

12일~18일, 작가협회 안후이분회에서 안후이성의 시인 및 시가 창작자 20여 명을 소집해 황산에서 7일간 시가 좌담회를 개최하고 시가의 시대정신 문제, 민가와 고전시가 학습 문제 등에 관해 토론을 진행하였다. 시인 쉬츠가 두 차례의 발언을 통해 생활, 학습, 창작 문제에 관해 이야기하였다.

13일~18일, 허난성 문련에서 좌담회를 개최해 리준, 쑤잉蘇鷹, 쑤진싼 등이 참석하였다. 회의는 허난성 문련의 니니倪尼가 주관하였으며, 리준이 최근에 다롄에서 개최된 좌담회의 정신을 소개하였다. 참석자들은 몇 가지 문예정책을 학습하고 농촌 형세에 관해 토론하였으며, 농촌 소재 작품 창작의 경험과 깨달음을 서로 나누고, 성 문련의 공작 개선 방법에 관해서도 유익한 건의를 제공하였다.

14일, 『베이징만보』에 빙신의 잡문 「「세월이 비단과 같다」와 「비단 같은 세월」<年華似錦>和<似錦年華>」이 발표되었다.

15일, 『신화월보』제9호에 탕타오의 「작가와 군중의 결합을 논하다論作家與群眾結合」(『문학평론』제3호), 샤옌의 「생활, 소재, 창작生活, 題材, 創作」(『극본』6월호), 가오잉의 「「다지와 그녀의 아버지」의 창작 과정에 관하여關於<達吉和他的父親>的創作過程」(『문예보』제7호), 허웨이의 「메이란팡의 가창 예술梅蘭芳的歌唱藝術」(『인민일보』3월 7일자) 등의 글이 전재되었다.

『전영문학』9월호에 선모쥔沈默君, 뤄징羅靜의 극본 「자연히 계승자가 있다自有後來人」(「홍등지紅燈志」라고도 함)가 발표되었다.

16일, 두펑청이 선양시 랴오닝호텔遼寧賓館에서 10여 명의 청년 작가들과 좌담회를 가지고 공업건설 반영이라는 측면에 관해 자신의 창작경험을 결합해 두 가지 문제를 이야기하였다. 그 내용은 1. 생활 침투 문제: 작가가 생활을 대하는 방법, 생활에서 창작에 이르는 복잡한 과정. 2. 문학작품의 역할: 작품에서의 주제 사상의 중요성, 무엇이 작품의 수준을 결정하는가, 작품이 사상을 어떻게 표현해야 이 시대의 수많은 독자를 감동시킬 수 있는가 등이다.

17일, 위다푸 희생 17주년을 기념해 『광명일보』18일자에 「위다푸 애국시선鬱達夫愛國詩選」이, 29일자에 빙신의 「위다푸의 만강홍사를 읽고鬱達夫滿江紅詞讀後」가 발표되었다.

20일, 『극본』에 뤼펑侶朋이 관한경의 동명의 원작을 각색한 대형 가극 「두아원竇娥冤」이 발표되었다.

『인민일보』에 웨이양의 소설 「배를 찾다尋船」가 발표되었다.

『해방군보』에 장융메이의 시 「반장班長」이 발표되었다.

『광명일보』에 궈모뤄의 「시 5편詩五首」, 쭝푸의 산문 「모청의 붉은 달墨城紅月」이 발표되었다.

21일, 어우양위첸에 향년 74세로 베이징에서 사망하였다.

어우양위첸은 중국의 저명한 예술가이자 희극교육가로, 평생을 희극예술과 희극교육공작에 바친 중국 화극운동의 창시자 중 한 사람이다. 그는 희곡개혁과 영화창작 및 무용예술 연구 등의 분야에서 뛰어난 성취를 거두었으며, 중국 문예사업에 큰 공헌을 남겼다. "위첸 동지는 희극예술 분야의 만능인이며 완벽한 사람이다."(톈한, 「어우양위첸 동지의 화극창작에 관하여談歐陽予倩同志的話劇創作」, 『극본』10, 11월호 합본 제64~75쪽) 톈한은 그의 사후에 「위첸 동지를 추모하며悼予倩同志」

(『광명일보』9월 26일자)라는 제목의 시를 지어 그를 추모하였다. 24일, 어우양위첸 장례위원회가 루딩이 등 65인으로 구성되어 오전 10시에 베이징 수도극장에서 장례식을 진행하였다. 중국문학예술계연합회 부주석 라오서가 어우양위첸의 생애를 소개하고, 문화부 부부장 샤옌이 추도사를 하였다. 천수퉁陳叔通, 랴오청즈廖承志, 사오리쯔 등 각계의 저명인사 및 린모한, 아잉, 차오위, 장겅, 자오쥐인 등 문예계 인사들이 장례식에 참석하였다. 장례식 후에 어우양위첸의 영구는 바바오산 혁명열사 공동묘지에 안장되었다. 24일자『인민일보』에 톈한의 「오랜 전우 어우양위첸 동지를 추모하며悼老戰友歐陽予倩同志」가, 25일자『광명일보』에 라오서의 「우리의 스승을 삼가 애도하며敬悼我們的導師」가 발표되었다.

21일~25일, 저장성 작가협회에서 단편소설 좌담회를 개최해 전문작가 및 아마추어 작가 30여 명이 참석하였다. 참석자들은 여덟 편의 작품에 대한 구체적인 분석을 통해 단편소설의 특징, 소재 의의의 탐색과 표현, 허구와 과장의 진실성 등의 문제에 관해 중점적으로 토론하였다.

22일, 『문회보』에 야오원위안의 「초원은 노래한다─단편소설집『머나먼 고비 사막』을 읽고 草原在歌唱──讀短篇小說集<遙遠的戈壁>」가 발표되었다. 『머나먼 고비 사막遙遠的戈壁』은 몽골족 작가 아오더쓰얼의 작품이다.
　『해방군보』에 리루칭의 산문 「등燈」이 발표되었다.
　『광명일보』에 구궁의 시 「후추산虎丘山」(외 3편)이 발표되었다.

23일, 『문회보』에 슝포시의 「어우양위첸 동지를 추모하며悼歐陽予倩同志」가 발표되었다.
　『허베이일보』에 톈젠의 시 「산행 3편山行三首」이 발표되었다.

24일~27일, 중공 제8기 중앙위원회 제10차 전체회의가 베이징에서 개최되었다. 올해 7, 8월에 베이다이허에서 개최된 중공중앙 공작회의에서 마오쩌둥이 계급투쟁을 강조하기 시작하였다. 회의 기간에 "사회주의 사회 속의 일정 범위 안에 존재하는 계급투쟁 확대화와 절대화"로 인해 마오쩌둥은 "계급투쟁을 결코 잊어서는 안 된다"라는 구호를 거듭 제시하였다. 그는 연설에서 "소설을 이용해 반당을 자행하는 것은 일대 발명이라 할 수 있다. 무릇 어떤 정권을 전복시키기 위해서는 항상 우선 여론을 조성하고, 이데올로기 측면의 공작을 해야 한다. 혁명의 계급과 반혁명의 계급이 모두 마찬가지다"라고 밝혔다.

본 회의와 함께 논의된 안건은 소설『류즈단』에 관한 오판 사건이다. 이 소설의 작가는 리젠퉁으로, 그는 소설에서 산간닝 근거지의 투쟁생활을 묘사하고 류즈단의 영웅적 사적을 노래하였다. 그러나 캉성은 이 작품이 산베이 혁명근거지만을 노래했을 뿐 마오쩌둥이 대표하는 장시 혁명근거지에 관해서는 일체의 언급이 없어, 작가가 고의로 마오쩌둥의 역사적 지위를 폄하하였고, "산베이가 중앙을 구했다"고 선전하였으며 나아가 "가오강高崗의 명예를 회복시켰다"고 보았다. 이러한 이유로 그는 리젠퉁이 그의 장편소설『류즈단』을 이용해 "반당활동을 자행했다"고 모함하고,『류즈단』을 "시(중쉰), 자(퉈푸), 류(징판) 반당집단"이 당과 국가를 전복시키는 '강령'이라고 매도하였다. 전체회의에서는 캉성을 책임자로 하는 안건 수사위원회를 성립할 것을 결정해 시중쉰 등의 문제에 관해 심사를 진행하였다. 회의 후에는 당 내부에도 본 안건을 전달하였다. 조사 과정에서 캉성은 고의로 사태를 과장하여 공격의 화살을 수많은 당과 국가 지도자 및 각 부문의 간부들에게 돌렸다.『류즈단』의 작가 리젠퉁뿐만 아니라 본 소설의 일부를 게재하였던『공인일보』,『중국청년』,『광명일보』및 이 소설의 출판에 관심을 가졌던 여러 지도자와 공작자들까지 이 사건에 연루되어 대단히 불공평한 대우를 받았다.

26일,『문회보』에 구궁의 시「바다를 나서다出海」가 발표되었다.

『광명일보』에 톈한의 시「위쳰 동지를 추모하며」가 발표되었다.

27일,『문회보』에 톈한의「어우양위쳰 동지 추모시 7편悼歐陽予倩同志詩七首」이 발표되었다.

『인민일보』에 리지의 시「상견환—베트남 방문 시초相見歡——訪越詩草」가 발표되었다.

『양청만보』에 '온 세상에서 산문을 이야기하다'란이 개설되어 산문의 특징과 제고 문제, 산문의 군중성, 산문이 현실의 모순 투쟁을 표현하는 방법 등 현재 산문 창작에 존재하는 몇 가지 문제에 관해 토론하였다. 본란에는 어우양산의「낭만주의 정신을 지녀야 한다應該有浪漫主義精神」, 친무의「독자적 형식의 발전의 여지가 크다獨創一格 大有可爲」, 천찬윈의「생활의 아름다움을 창작하고, 인민의 기운을 북돋우자寫生活的美 鼓人民之勁」등의 글이 발표되었다.

『베이징일보』에 장경의「어우양위쳰 동지, 당신은 영원히 우리 속에 살아가리歐陽予倩同志，你永遠活在我們中間」가 발표되었다.

후난성 및 창사시 문예계가 창사에서 어우양위쳰 추모행사를 가졌다. 후칭포, 류페이장劉斐張, 차오커쉰曹克勳 및 화극, 희곡, 무용 배우 등이 행사에 참석하였다.

베이징인민예술극원에서 뤄광빈, 양이옌의 소설을 각색한 12장 화극「붉은 바위」를 공연하였다. 자오치양, 샤춘, 추양邱揚이 각색을, 샤춘, 스롄싱石聯星이 감독을 맡았다. 위스즈, 란톈예, 댜오광탄 등이 주연을 맡았다. 극본은 『베이징문예』 9월호에 발표되었다.

29일, 상하이시 문화국, 상하이시 문학예술계연합회, 중국극협 상하이분회, 중국전영공작자협회 상하이분회가 합동으로 문예회당文藝會堂에서 어우양위첸 추모회를 개최하였다. 진중화金仲華, 바진, 천치우陳其五, 저우신팡, 멍보孟波, 슝포시, 뤼푸 및 당시 상하이에 체류 중이던 중국문련 부주석 양한성 등 400여 명이 참석하였다.

『광명일보』에 자오수리의「독자와 함께 『삼리만』을 이야기하다與讀者談＜三裏灣＞」(『문예보』 11월호에 전재)가 발표되었다. 같은 호에 돤무훙량의 산문「산골짜기 속의 웃음소리山穀裏的笑聲」가 발표되었다.

『해방일보』에 커란의「기묘한 수향奇妙的水郷」이 발표되었다.

30일, 『문회보』에 후완춘의 산문「뎬산 호숫가의 작황이 좋다澱山湖畔收成好」가 발표되었다.

『해방군보』에 우한의 논문「민족영웅을 논하다論民族英雄」가 발표되었다.

이달에 『광명일보』 편집부에서 일부 극작가와 희극평론가 톈한, 장겅, 리차오, 궈한청, 판쥔훙 등을 초청해 역사극 창작 및 평론 문제에 관해 좌담회를 개최하였다.

왕시옌의 장편소설 『기나긴 길 위에서在漫長的路上』, 쑨리의 산문집『진문소집津門小集』이 백화문예출판사에서 출간되었다.

마톄딩의 잡문집『잔조록殘照錄』, 황추윈의 평론집『고금집古今集』이 작가출판사에서 출간되었다.

장겅이 편찬한『앙가극 선집秧歌劇選』, 궈모뤄의 4막 역사극『무측천』이 중국희극출판사에서 출간되었다.

가을에 중국민간문예연구회에서 리싱화李星華, 둥썬董森, 류시칭을 허베이성 러팅樂亭현 옌보하이沿渤海 지구에 파견해 어민의 민간고사를 조사 및 수집하였다.

10월

1일, 『홍기』 제19호에 라오서의 수필 「만수무강萬壽無疆」, 자오수리의 평론 「지방극과 수확地方戲和年景」, 저우리보의 소설 「리다구이가 의식에 참가하다李大貴觀禮」가 발표되었다.

『허베이문학』 10월호에 캉줘의 「최근 몇 년간의 단편소설을 논하다—허베이성 단편소설 좌담회에서의 발언試論近年間的短篇小說——在河北省短篇小說座談會上的發言」, 딩리의 장시 『답천踏天』 부분 「답천」이 발표되었다.

『후난문학』 10월호에 웨이양의 시 「파초선葵扇」이 발표되었다.

『간쑤문예』 10월호에 궁류의 시 「만리장성長城」(2편)이 발표되었다.

『창장문예』 10월호에 쥔칭의 「봉화가 끊이지 않다狼煙滾滾」, 페이리원의 「두 마음兩顆心」, 야오쉐인의 「초당춘추草堂春秋」, 위린의 「이야기故事」 등의 소설과 궁류의 시 「낫과 호미의 노래鐮刀與鋤頭的歌」(5편)가 발표되었다. 같은 호에 왕궈화王國華가 구술하고 장이궁張一弓이 정리한 혁명 회고록 「길路」이 발표되었다.

『해방군문예』 10월호에 웨이웨이의 단편소설 「강물은 끊임없이 흐른다江水不盡流」, 하오란의 단편소설 「대추나무 숲紅棗林」이 발표되었다. 같은 호에 량신의 영화문학 극본 「벽해단심碧海丹心」의 연재가 시작되어 11월호에 완료되었다.

『작품』 신1권 제10호에 쓰마원썬의 소설 「해외유협전海外遊俠傳」이 발표되었다.

『불꽃』 10월호에 시룽의 소설 「훌륭한 간부老好幹部」(『광명일보』 10월 9일자~11일자에 전재), 하이모의 소설 「어린 하인小伙人」, 궁류의 시 「10월의 시十月的詩」(3편)가 발표되었다.

『신항』 10월호에 후완춘의 단편소설 「금색의 꿈金色的夢」, 왕창딩의 단편소설 「늙지 않는 소나무—「해하춘농」 제2부 부분不老松——＜海河春濃＞第二部中的一章」, 류전의 산문 「두 자매兩姊妹」, 위린의 특필 「우리 시대 사람我們時代的人」이 발표되었다. 같은 호에 쉬광핑, 위안자허袁家和의 「루쉰의 우표 수집에 관한 통신關於魯迅集郵的通信」 등 루쉰 탄생 81주년 및 서거 26주년을 기념해 루쉰과 그의 저서 및 역서에 관한 글이 발표되었다.

『우화雨花』 제10호에 청샤오칭의 역사 고사 「도승교 아래渡僧橋下」가 발표되었다.

『산화』 10월호에 류전의 소설 「콩쯔」, 젠셴아이의 논문 「몇몇 신인의 신작 만담漫談幾位新人的新

作」이 발표되었다.

『옌허』10월호에 옌이의 시「베이징 송가北京頌」, 차오스의 시「간저린이여, 너는 무엇을 하소
연하는가甘蔗林, 你訴說些什麼」, 구궁의 시「원행집遠行集」(3편), 량상취안의 시「샤오우샤小巫峽」(외
2편), 궁류의 시「버드나무柳」(외 1편), 친무의 문예수필「예림만상록」이 발표되었다.

『창춘』10월호에 후자오胡昭의 시「장백산 안팎長白山內外」(4편)이 발표되었다.

랴오닝성 문련에서 편찬한『문예홍기』의 명칭이『압록강鴨綠江』으로 변경되었다.『압록강』10
월호(통권 87호)에 마오둔의「독서 잡기讀書雜記」, 라오서의「학생 말투學生腔」, 장톈민의 시「사랑
이야기愛情的故事」가 발표되었다.

『허베이일보』에 량빈의「'10·1' 감상"十·一"感事」이 발표되었다.

『문회보』에 바진의「다 쏟아낼 수 없는 감정」, 짱커자의 시「'10·1'을 맞이하며迎"十一"」가 발
표되었다.

『인민일보』에 궈샤오촨의 시「가을 노래秋歌」가 발표되었다.

『광명일보』에 짱커자의 시「네가……當你……」, 지셴린의 산문「자귀나무꽃馬纓花」, 라오서의
「현대 소재에 관하여談現代題材」(『인민일보』12월 11일자에 전재)가 발표되었다.

두펑청이 다롄에서 산문「바다와 화염海與焰火」을 창작하였다.

2일, 『베이징일보』에 라오서의「새로운 향기로운 꽃新的香花」이 발표되었다.

『베이징만보』에 빙신의「'공사의 과실'로부터 이야기를 시작하다從"公社果"談起」가 발표되었다.

쥔칭이 웨이하이에서 산문「추색부秋色賦」를 창작하였다.

4일, 『베이징문예』10월호에 웨이쥔이의 소설「달밤의 맑은 노랫소리月夜淸歌」, 왕멍의 소설
「눈眼睛」, 왕청치의 소설「물구경看水」및 궈샤오촨의 시「푸른 장막─간저린靑紗帳──甘蔗林」이
발표되었다. 이 시는「간저린 ─ 푸른 장막」의 자매편이다.

『광명일보』에 왕징즈의 장시『조국 송가祖國頌』제7장「조국 송가」및 멍차오의「강도무鋼都賦」
가 발표되었다.

5일, 『상하이문학』10월호에 아이밍즈의 단편소설「군중병群眾丙」, 우창의 장편소설『보루』
부분「불빛火光」, 위안수이파이의 시「그저 짧은 한 줄뿐只有短短的一行」(외 3편), 원제의 장시『복
수의 화염』부분「오래된 애가一支古老的哀歌」, 리지의 시「눈眼睛」(3편), 왕시옌의 산문「호수 위湖

上」, 친무의 산문 「예술의 바다에서 조개를 줍다(14)」, 톈잉의 「민장 강변에서 질주하다在閩江邊上奔馳」가 발표되었다.

『북방문학』 10월호에 친무의 산문 「초원과 파오草原和蒙古包」가 발표되었다.

『신장문학』 10월호에 위구르족 시인 톄이푸장 · 아이리예푸의 시 「조국, 내 생명의 토양祖國, 我生命的土壤」이 발표되었다. 이 시는 '거쩌리格則裏' 문체로 창작된 것으로, 커리무 · 훠자예푸克裏木 · 霍紮耶夫가 번역하였다.

『변강문예』 10월호에 돤무훙량의 소설 「분쇄粉碎」, 샤오쉐의 시 「삼월장三月街」(2편)이 발표되었다.

『소년문예』 10월호에 친무의 산문 「붉은 소년 예찬紅色少年禮贊」이 발표되었다.

6일, 『해방군보』에 궈샤오촨의 시 「간저린—푸른 장막」의 자매편 「푸른 장막—간저린」이 발표되었다.

『해방일보』에 후완춘의 산문 「거인은 전진한다!巨人在前進!」가 발표되었다.

『양청만보』에 천이陳毅의 「란저우 잡시蘭州雜詩」가 발표되었다.

6일~ 16일, 중국극협 랴오닝분회가 선양에서 랴오닝성 직속 극원, 극단 및 선양시의 극작가, 습작 작가들을 소집해 창작좌담회를 개최하였다. 타 도시의 일부 작가들도 좌담회에 참석하였다. 참석자들은 몇 년간의 자신의 창작경험을 정리하고, 생활에의 침투, 소재 선택, 주제 확정 및 희극 속의 갈등과 줄거리의 처리, 언어 활용 등의 문제에 관해 토론을 진행하였다. 희곡 작가들은 전통 극본에서 정수를 남기고 가치 없는 부분을 제거해 작품을 정리 및 각색하는 일에 관해 구체적으로 분석하였으며, 가극 작가들은 가극 예술 형식의 특징 결합에 관하여, 아동극 작가들은 대상의 여러 가지 상황을 연결하는 문제에 관하여 토론하였다.

7일, 『인민일보』에 짱커자의 산문 「징포후鏡泊湖」가 발표되었다.

9일, 『베이징일보』에 쩌우디판의 「거우베이 추흥 6편—순이현 리쑤이공사 거우베이 대대에서溝北秋興六首——在順義縣李邃公社溝北大隊」가 발표되었다.

9일, 11일, 13일에 중국과학원 철학사회과학학부 문학연구소의 리젠우가 랴오닝성 문련과 랴오닝대학의 초청에 응해 선양 문예계와 랴오닝대학 중문과 교수 및 학생들을 대상으로 '17세기 프랑스 고전주의 문학', '19세기 프랑스 현실주의 문학', '희극 특징' 등 세 가지 주제에 관해 강연하였다. 그는 풍부한 자료를 통해 프랑스 고전주의와 19세기의 현실주의가 탄생시킨 사회환경의 형성과정을 설명하고, 고전주의와 현실주의의 예술적 특징에 관해 분석하였다. 마지막으로 그는 희극의 특징 및 기타 문제에 관해 자신의 견해를 제시하였다.

10일, 문화부 당조에서 「극목 공작 개선 및 강화에 관한 보고關於改進和加強劇目工作的報告」를 통과시켰다. 본 보고는 최근 몇 년간의 희극공작의 성취를 긍정하면서 "기본적으로 양호하며 건강하다"라고 보았다. 그러나 이와 동시에 공작에 문제가 존재한다고 보면서, "주된 문제는 공연되는 극목이 현재 형세의 요구에 맞추지 못하고 있다는 것이다. 가령 현대 극목은 적고, 외국 극목과 역사극이 많다는 문제 등이다. 또한 일부 해로운 작품도 다시 무대에 오르고 있다"라고 지적하고, 극목 공작의 개선 및 강화에 관한 의견을 제시하였다. 중공중앙은 11월 22일에 본 보고를 비준하고, 각지 당위원회에 이를 발포해 "참고하여 시행"하도록 하는 데 동의하였다. 또한 이를 극단의 지도 간부와 예술 인원들에게 발포해 이들이 읽고 토론하여 공작 개선 방법을 함께 연구할 것을 건의하였다.

『쓰촨문학』 10월호에 가오잉의 시 「산 경치 4편山色四首」 및 저우샤오周曉, 위커鬱可의 역사소설 「이청조李清照」가 발표되었다.

『광시문예』 10월호에 친쓰의 「사 2편詞二首」이 발표되었다. 같은 호에 어우양위첸의 글 「백화제방 속의 계희百花齊放中的桂戲」 및 그를 기념하는 글이 발표되었다.

『동해』 10월호에 친원(쉬친원)의 산문 「쓰밍후四明湖」가 발표되었다.

10일~17일, 중국작가협회 장시분회에서 좌담회를 개최해 혁명 회고록의 형식, 특징, 회고록의 진실성 및 회고록 창작의 질 제고 방법 등의 문제에 관해 논의하고, 『붉은 바위』에 대한 학습을 중심으로 하여 상시성에서 혁명 역사 소재 소설의 창작을 전개할 방법에 관해 토론하였다. 좌담회 요록은 「혁명 선구자들의 정신적 자산을 더욱 잘 선전하기 위하여爲了更好地宣傳革命先輩的精神財富」라는 제목으로 『성화』 제6호에 발표되었다.

11일, 『문예보』 제10호에 무양(셰융왕)의 「「붉은 빛이 대지를 두루 비춘다」 만평漫評<紅光普照大地>」, 장광녠의 「어우양위첸 동지를 추모하며悼念歐陽予倩同志」가 발표되었다. 같은 호에 사설

「현재의 뜨거운 투쟁을 반영하자反映當前的火熱鬪爭」가 발표되었다. 사설은 중공 제8기 중앙위원회 제10차 전체회의 정신을 선전하고, 문학예술공작자들이 군중과 함께 생활하며 실제 투쟁에서 멀어져 있는 현상에 대해 "사회주의 문예가 강한 전투성과 고무 능력을 가진 것은 사회주의 문예가 생활 속의 모순과 어려움, 특히 이러한 모순과 어려움을 극복하는 투쟁을 묘사하는 데 능하기 때문이다"라고 지적하면서, 문예공작자들에게 "군중의 뜨거운 투쟁 속에 침투해 군중과 함께 행동하고, 군중의 투쟁을 정확하고 깊이 있게 반영하여, 군중의 투쟁을 고무해 달라"라고 호소하였다. 본 사설은 『불꽃』, 『쓰촨문학』, 『허베이문학』, 『변강문예』, 『동해』, 『광시문예』, 『산화』, 『북방문학』, 『문회보』, 『희극보』, 『분류』, 『신화월보』 등 여러 간행물에 전재되었다.

12일, 중국극협 상하이분회에서 좌담회를 개최해 칭다오시화극단이 공연한 「붉은 바위」에 관해 토론하였다.

『인민문학』 10월호에 자오수리의 「서로 평가하다互作鑒定」, 류전의 「기나긴 유수長長的流水」, 웨이강옌의 「밝은 태양 아래 거닐다艶陽漫步」 등의 단편소설, 천샹허의 역사소설 「광릉산廣陵散」, 바진의 「후지모리 선생의 미소藤森先生的笑容」, 빙신의 「해련海戀」, 우보샤오의 「차야산嵖岈山」 등의 산문, 리지의 「중추 서간中秋書簡」, 쉬광핑의 「루쉰 회고록」 및 롼장징의 「코치노스 만 송가科奇諾斯灣頌」, 옌천의 「혁철족의 노래赫哲人的歌」(2편), 리루칭의 「청춘집靑春集」(4편) 등의 시가 발표되었다.

14일, 『문학평론』 제5호에 캉줘의 「최근 몇 년간의 단편소설을 논하다－허베이성 단편소설 좌담회에서의 발언」, 아이우의 「류전의 단편소설에 관하여－작품과 작가 제1편談劉眞的短篇小說——作品與作家之一」 및 주자이의 「역사극 문제에 관한 논쟁關於歷史劇問題的爭論」이 발표되었다. 주자이는 글에서 역사극에 관한 우한과 리시판, 왕쯔예 등의 논쟁에 대하여 우한이 "역사극 문제에 대해 과학과 예술의 한계를 뒤섞고 있다", "몇몇 논점에서 역사극이 문예작품이자 희극 작품으로서 가진 공통성을 충분히 중시하지 않았다"라고 보았으며, 리시판과 왕쯔예는 "역사극의 개성과 특징에 대한 인식이 부족하다", "역사극과 현대 소재의 희극을 서로 대립시켰으며, 두 사람 모두 역사극을 과거 생활을 반영한 희곡으로 이해하고 있다", "허구를 과도하게 강조한다"라고 보았다. 그는 이러한 기초 위에서 역사극은 인물과 사건에 대한 역사적 근거를 과도하게 강조해서도 안 되고, 필요한 허구를 부인하거나 소홀히 해서도 안 된다고 보면서, "역사 인물과 사건에 대한 역사극의 처리는 반드시 기본적인 역사적 사실에 부합해야 한다"라고 보았다.

『인민일보』에 위안잉의 「혁명 감흥─시 독서 서신革命情懷──讀詩手劄」이 발표되었다.

15일, 『신화월보』 제10호에 '전통 극목을 정리 및 각색하자'라는 제목으로 자오쥐인의 「감독 · 작가 · 작품」(『희극보』 제9호), 후커의 「성격과 성격 충돌性格, 性格沖突」(『극본』 제5호) 등의 글이 전재되었다.

『상하이희극』 제10호에 톈한의 「어우양위첸 동지 추모시 7편」 등 어우양위첸을 추모하는 글이 여러 편 발표되었다. 같은 호에 자오쥐인의 「연속 공연 · 전편 공연 · 장편 연속 공연連台 · 本戲 · 連台本戲」, 다이허우잉의 「화극「붉은 바위」 만평漫評話劇<紅岩>」이 발표되었다.

『전영문학』 10월호에 왕위안젠의 소설 「육친親人」 및 궈웨이郭維가 이 소설을 바탕으로 창작한 극본 「육친」이 발표되었다.

16일, 『양청만보』에 장융메이의 「땅이 곧 금이다─레이저우의 노래一寸土地一寸金──雷州歌」가 발표되었다.

17일, 『양청만보』에 량상취안의 「난장의 노래南江謠」가 발표되었다.

18일, 『희극보』 제10호에 톈한의 「오랜 전우 어우양위첸 동지를 추모하며」(『인민일보』 9월 24일자에 최초 발표된 글을 수정하여 전재) 등 톈한, 슝포시 등이 어우양위첸을 추모한 글이 발표되었다. 같은 호에 정보눙鄭伯農의 「가극에서의 희극과 음악의 관계를 논하다淺論歌劇中的戲劇和音樂關系」가 발표되었다.

20일, 『해방일보』에 리루칭의 산문 「뇌우雷雨」가 발표되었다.

『세계문학』 10월호에 양쉬의 작가 평론 「조선의 위대한 작가, 사상가, 학자 정약용朝鮮偉大的作家, 思想家和學者丁茶山」이 발표되었다.

21일, 『베이징만보』에 아오더쓰얼의 산문 「초원의 노랫소리草原歌聲」가 발표되었다.

22일, 『인민일보』에 쿵칭의 산문 「추색부」가 발표되었다.

22~23일, 베이징시 문련에서 아마추어 작가 단편소설 창작좌담회를 개최해 작가 자오수리, 허우진징, 구리가오, 린진란 및 아마추어 작가 마잔쥔馬占俊, 샤훙夏紅 등이 참석하였다. 좌담회에서 작가들은 청년 작가들에게 자신의 창작경험을 소개하였다.

25일, 중국인민지원군 북한행 12주년을 기념해 『해방군보』에 웨이웨이의 산문 「우리의 마음은 영원히 함께 있다我們的心永遠在一起」가 발표되었다.

중국극협 광시분회가 난닝南寧에서 어우양위첸 추모 행사를 개최하였다. 만첸쯔滿謙子, 정톈젠鄭天健, 허우펑侯楓, 화잉선華應申, 궈밍郭銘 등 500여 명이 참석하였다.

작가협회 선양분회에서 최근에 출판된 중편소설 『세찬 파도』에 관한 좌담회를 개최하였다. 작가 쓰지思基, 톈자, 쉬수런胥樹人 등이 참석하였으며 소설의 저자 사오화도 초청에 응해 좌담회에 참석하였다. 참석자들은 소설에 관해 열띤 토론을 벌였으며, 마지막에 작가 사오화가 발언하였다.

쓰지(1920~2003), 토가족土家族 작가로 본명은 톈쓰지田思基, 필명은 후톈胡田이며 구이저우성 인장印江 출신으로 중공 당원이다. 랴오닝성 문련 부주석 및 전문작가, 중국작가협회 회원을 역임하였다. 저서로 장편소설 『어제의 비바람昨夜的風雨』, 소설집 『생장生長』, 평론집 『생활과 창작론집生活與創作論集』, 『과도집過渡集』, 『『이자성』 등을 논하다論<李自成>及其他』, 잡문집 『쓰지 문집思基文集』(4권) 등이 있다.

쉬수런(1922~2004), 필명은 허모何莫로 쓰촨성 청두 출신이며 중공 당원이다. 랴오닝성 사회과학계연합회 연구원, 중국민간문예연구회 주석, 중국작가협회 회원을 역임하였다. 저서로 『이백과 그의 시李白和他的詩歌』, 『둥베이는 좋은 곳이다東北好地方』, 『공인 대합창工人大合唱』, 논문 『음악의 관점에서 이백의 악부시를 보다從音樂角度看李白樂府詩』 등이 있다.

『인민일보』에 라오서의 「위대한 우정偉大的友誼」, 웨이웨이의 「우리의 마음은 영원히 함께 있다 —조선의 『평양 신문』을 위해 쓰다我們的心永遠在一起——爲朝鮮<平壤新聞>而作」 등 중국인민지원군 북한행 12주년 기념의 글이 발표되었다.

28일, 『인민일보』에 야오원위안의 논문 「생기발랄한 농촌의 한 장면—하오란의 최근 단편소설에 관하여生氣勃勃的農村圖畫——談浩然近年來的短篇小說」가 발표되었다.

31일, 『문회보』에 궈펑의 시 「민장 어귀 3편閩江口三題」이 발표되었다.

『베이징만보』에 취보의 장편소설『산과 바다가 울부짖다』일부의 연재가 시작되었다.

이달에 랴오닝인민예술극원에서 7장 화극「두 번째 봄第二個春天」을 공연하였다. 류촨이 각본을, 황쥐린, 샤오팅蕭汀이 감독을 맡았으며 리모란李默然, 신웨이辛微, 타오수즈陶淑芝 등이 주연을 맡았다. 극본은『극본』1963년 1월호에 발표되었다. 리보자오는 작가가 "이처럼 비교적 어려운 소재를 용감히 선택해 처리하였다. 이러한 창작의 기백은 우선 칭찬할 만한 것이다. 소재의 제련과 주제의 설명에 있어 작가는 어느 정도의 깊이에 도달했다", "예술 풍격 면에서 작가 고유의 특징을 유지하였으며, 이 신작에서는 작가가 풍격 면에서 이룬 새롭고 풍부한 발전을 발견할 수 있다. 작가는 자신의 풍격의 길을 따라 한 걸음 전진했다. 작가의 진전은 인물 묘사에 주의한 부분 및 여러 측면에서 인물의 성격과 개성을 드러내는 데 주의한 부분에 주로 표현되어 있다. 작가는 인물을 묘사할 때 세부 장면의 묘사에 주의하였다. 둘째로, 서정적인 분위기가 더욱 짙어졌다. 작가 고유의 독특한 풍격은 완전히 성숙되었다고 할 수는 없지만 발전하고 있다고 할 수 있다"라고 보았다(「기쁜 수확-류촨의 신작「두 번째 봄」을 평하다可喜的收穫——評劉川的新作＜第二個春天＞」, 『상하이희극』제11호).

이달 중순에 작가 차오징화, 자오수리, 시인 왕징즈, 희극평론가 펑쯔, 희극 및 영화예술가 장민章泯, 작곡가 마커馬可, 취시셴瞿希賢, 전국문련 학습부學習部 부부장 왕궁汪鞏, 판공실 부주임 왕보윈王波雲 등 9명이 세 팀으로 나뉘어 차례로 광시성 난닝을 방문해 참관을 진행하였다. 본 참관팀은 구이린과 난닝에서 10여 일간 체류하였으며, 이 기간 동안 자치구 문련에서는 일련의 학술보고회와 좌담회를 개최하였다. 학술행사에서 차오징화가 「루쉰 학습에 관하여關於學習魯迅」라는 보고와 「산문 창작에 관하여關於散文的創作」라는 연설을, 자오수리가 「생활에의 침투에 관하여關於深入生活」, 「소설 창작에 관하여關於小說的創作」, 「곡예 창작에 관하여關於曲藝的創作」라는 제목의 연설을 진행하였으며, 펑쯔가 「희극창작에 존재하는 몇 가지 문제戲劇創作中的幾個問題」라는 제목의 연설을, 왕징즈가 「신시의 발전 방향 문제에 관하여關於新詩的發展方向問題」, 「시가 예술의 기교 제고 문제提高詩歌藝術技巧問題」라는 제목의 연설을 하였다. 그 외의 참가자들도 각기 발언하였다. 참관팀은 각기 11월 15, 16일에 난닝을 떠났다. 광시성의 일부 문예공작자들이 학술보고회와 좌담회에 참여한 감상은 「사상·생활·기교思想·生活·技巧」(필담회)라는 제목으로『광시문예』12월호에 발표되었다.

『문회보』에서 상하이의 일부 아동희극 창작자 혹은 애호가들을 초청해 아동희극의 창작을 더욱 번영시킬 방법에 관해 좌담회를 개최하였다. 장리후이章力揮, 허궁차오何公超, 런더야오, 시리더奚裏德, 천원陳耘, 안리安利 등이 참석하였다.

천황메이가 「인물 창조에 관한 몇 가지 문제-「옌안문예좌담회에서의 강화」학습 필기關於創造

人物的幾個問題——<在延安文藝座談會上的講話>學習筆記」를 집필하였다(상하이문예출판사에서 1980년에 출간된『해방집解放集』에 수록).

짱커자의 수필집『시 학습 단상』이 베이징출판사에서 출간되었다.

루쉰의 산문집『아침 꽃 저녁에 줍다』가 인민문학출판사에서 출간되었다.

페이리원의 소설집『이른 봄早春』이 상하이문예출판사에서 출간되었다.

차오스의 단편소설집『들끓는 병영沸騰的軍營』, 후커의 논문집『희곡 습작 필기習劇筆記』가 해방군문예사에서 출간되었다.

차오위, 메이첸, 위스즈가 각색하고 차오위가 집필한 화극『단검편』, 홍선의『향도미香稻米』가 중국희극출판사에서 출간되었다.

하오란의 아동문학집『작은 시냇물小河流水』이 소년아동출판사에서 출간되었다.

11월

1일,『허베이문학』11월호가 소설 특집호로 간행되어 한잉산의 소설「일상생활日常生活」, 장칭톈의 소설「산길山路」이 발표되었다. 같은 호에 마오둔의「독서 속기讀書續記」가 발표되었다.

『간쑤문예』11월호에 구궁의 서사시「해변 위海灘上」가 발표되었다.

『작품』신1권 제11호에 구궁의 시「진지 앞에서 혁명가를 부르다陣地前唱著革命歌曲」가 발표되었다.

『불꽃』11월호에 수웨이의 소설「늦게 수령한 농작물遲收的莊禾」이 발표되었다.

『우화雨花』제11호에 양뤼팡의 소설「굳은 맹세海誓」, 천서우주의 산문「황산 소품黃山小品」이 발표되었다.

『옌허』11월호에 웨이강옌의 산문「해양을 사랑하다熱愛海洋」, 장즈민의 시「낙타 방울이 딸랑거리다駝鈴叮咚」(외 1편), 푸처우의 시「삼림 서정森林抒情」(3편)이 발표되었다.

『압록강』11월호에 마자의 산문「푸허의 늪蒲河草塘」, 자오수리의「청년과 함께 문학을 이야기하다與青年談文學」가 발표되었다.

『신항』11월호에 위안징의 단편소설「짐차를 가로막다截大車」, 쩌우디판의 특필「수리공장의 라오루修配廠的老陸」, 차오스의 시「전선의 시前線詩章」(2편), 리지예의 시「옛 시 한 묶음舊詩一束」,「『금석집』후기<今昔集>後記」가 발표되었다.

『창춘』11월호에 리수취안李叔權의 소설 「성공의 길成功之路」, 장톈민의 「영웅 궈하이와 해녀 황화ー장시『신기한 등불』제4장英雄郭海與漁女黃花——長詩〈神燈〉第四章」, 무양(셰융왕)의 문예수필 「휴일 잡담假日雜寫」이 발표되었다.

3일, 극협 랴오닝분회에서 성, 시 문예계 및 선양 주둔부대의 일부 희극공작 종사자를 초청해 청년 극작가 류촨의 신작 「두 번째 봄」에 관한 좌담회를 개최하였다. 참석자들은 이 극본이 넘쳐 흐르는 혁명의 열정으로 분발하여 부강을 도모하는 중국 인민의 정신을 노래하였으며, 중국 사회주의 혁명과 사회주의 건설이 부단히 승리를 거둬 온 역사적 의의와 그 광범위한 영향을 깊이 있게 표현하여, 최근 작품들 가운데 현실 생활 투쟁을 반영한 우수한 작품이라고 의견을 모았다. 또한 본 작품이 공업 소재의 처리, 인민 내부의 모순 반영, 선진 인물의 창조, 언어의 제련 등의 면에서의 예술적 탐색과 처리에서도 뚜렷한 성취를 거두었다고 보았다.

『광명일보』에 빙신의 시 「멀리 보내다遙寄」, 멍차오의 평론 「여극의 희극 세 편 예찬贊呂劇的三個喜劇」이 발표되었다.

4일, 『베이징문예』11월호에 린진란의 산문 「산촌 3편山村三題」, 샤오쉐의 시 「베이징의 가을北京的秋天」이 발표되었다. 이번 호에 '사회주의 혁명과 건설을 반영한 새로운 희곡 창작에 힘쓰자' 특집란이 개설되어 라오서의 「현대 소재에 관하여談現代題材」, 장경의 「한 가지 건의一點建議」, 후커의 「화극의 현실 소재 문제話劇的現實題材問題」가 발표되었다. 이 가운데 라오서와 후커의 글은 『인민일보』12월 11일자에 전재되었다.

5일, 『북방문학』11월호에 옌천의 시 「북국 2편北國兩首」, 사어우의 시 「쑹화장 강변松花江邊」, 멍차오의 시 「나는 징포후에 왔다我來鏡泊湖」가 발표되었다.

『상하이문학』11월호에 바진의 산문 「'분노하는 우치나다憤怒的內灘」가 발표되었다.

『변강문예』11월호에 사설 「들끓는 생활이 부른다沸騰的生活在召喚」, 리잉의 시 「고원 전사 서정시高原戰士抒情詩」(3편), 가오잉의 시 「배 과수원梨樹園」(2편), 류수더의 소설 「귀가歸家」(상부의 마지막 부분)가 발표되었다.

『열풍』제6호에 궈펑의 산문 「후장다오 필기壺江島筆記」가 발표되었다.

『소년문예』11월호에 쥔칭의 산문 「웨이하이 풍경威海風光」이 발표되었다.

6일, 『시간』 편집부와 중앙인민방송국 문예부에서 주최한 '쿠바 지원 시가 낭송회'가 수도극장에서 개최되었다. 『시간』 편집장 짱커자가 행사를 주관하였다.

『광명일보』에 펑더잉의 평론 「웅장하고 드넓은 하늘－화극 「젊은 매」를 보고氣壯長空——看話劇<年靑的鷹>」가 발표되었다.

8일, 『광명일보』에 주자이의 「보고문학의 전투적 역할報告文學的戰鬥作用」이 발표되었다.

10일, 『쓰촨문학』 11월호에 구궁의 시 「어머니의 마음小母親的心」이 발표되었다.

『광시문예』 11월호에 루디陸地의 소설 「고인故人」이 발표되었다.

옌이의 4장 화극 「풍설검風雪劍」이 『산둥문학』 11월호와 12월호에 연재되었다.

『동해』 11월호에 양후陽湖의 당나라 악인樂人 전기 「장명녀長命女」가 발표되었다. 같은 호에 단편소설 필담 특집이 게재되어 친원(쉬친원)의 「단편소설 약론略說短篇小說」 등의 글이 발표되었다.

『시간』 제6호에 톈젠의 시 「나는 묻는다我問」, 롼장징의 「「인터내셔널가」를 소리높여 부르며 용감히 나아가자高唱<國際歌>挺進」, 옌이의 「전지를 다시 방문하다重訪戰地」(3편), 궈샤오촨의 「가을날에 마음을 털어놓다秋日談心」, 옌천의 「북국 3편北國三首」, 라오제바쌍의 「창얼 사이蒼洱之間」(4편), 롼장징의 「『백양 송가』를 읽고讀<白楊頌>」, 주광첸의 「시가 낭송에 관하여談詩歌朗誦」가 발표되었다.

『해방군보』에 궈샤오촨의 시 「가을 노래(제2편)秋歌(之二)」이 발표되었다(「가을 노래(제1편)」은 10월 1일자 『인민일보』에 발표).

11일, 『문예보』 제11호에 황쭝잉의 평론 「「리솽솽」을 기쁘게 보다喜看<李雙雙>」, 옌자옌의 「「둬랑허 강가」를 읽고<多浪河邊>讀後」가 발표되었다. 같은 호에 저우리보의 「전투와 건설의 찬가－1959~1961년 3년간의 산문특필선집 서문戰鬥和建設的贊歌——1959年至1961年三年散文特寫選集序言」이 발표되었다. 이 글은 이후에 『산문특필선(1959~1961)散文特寫選(1959—1961)」에 수록될 때 제목이 「『산문특필선(1959~1961) 서문<散文特寫選(1959—1961)>序言」으로 변경되었다.

12일, 『인민일보』 11월호에 아이밍즈의 「동료同伴」, 하이모의 「말馬」, 왕청치의 「왕취안王全」, 커링의 「섬島」 등의 단편소설, 궈샤오촨의 「가을 노래」, 커란의 「기묘한 수향」(2편), 장톈민의

「묘포 속에서在苗圃裏」 등의 시와 궈펑의 「상견례認親」가 발표되었다.

『인민일보』에 구궁의 단편소설 「부부夫妻」가 발표되었다.

13일, 『광명일보』에 톈젠의 시 「여행자의 노래旅行者之歌」가 발표되었다.

14일, 『양청만보』에 친무의 역사 연의 장편소설 『분노하는 바다慎怒的海』의 연재가 시작되어 소설의 초반 10장 분량의 연재가 12월 26일에 완료되었다.

『문회보』에 라오멍칸의 시 「『붉은 바위』 독서 감상讀<紅岩>有感」이 발표되었다.

15일, 문화부 당조에서 중공중앙에 「예술공연단체 지도 체제에 관한 지시 요청 보고關於藝術表演團體領導體制的請示報告」를 발송하였다.

문화부가 베이징에서 '경극 창작좌담회'를 개최해 베이징의 각 경극원, 경극단 및 베이징시 소속의 기타 희곡 극단 창작자와 일부 주요 배우 총 80여 명이 참석하였다. 좌담회는 치엔밍이 주관하였다. 치엔밍은 전통극을 현대극과 동등하게 볼 수 없다는 의견에 대해 "애초에 동등하고 말고의 문제가 아니다. 인민에게 유익한 극이라면 고대와 현대, 그리고 전통과 신작을 막론하고 모두 우리에게 필요한 것이다"라고 지적하였다.

『후난문학』 11월호에 구화古華의 소설 「싱메이杏妹」, 웨이양의 시 「나는 맑은 나팔소리를 들었다我聽到嘹亮的號角」, 런광춘任光椿의 문예필담 「성숙시키다醞釀」이 발표되었다.

구화(1942~), 본명은 뤄훙위羅鴻玉로 후난성 자허嘉禾 출신이다. 1962년부터 작품을 발표하였으며 1980년에 중국작가협회에 가입하였다. 1985년에 중국작가협회 이사 및 후난성 작가협회 부주석으로 당선되었다. 현재 캐나다에 거주 중이다. 저서로 장편소설 『산천이 울부짖다山川呼嘯』, 단편소설집 『망천가莽川歌』, 중편소설 『수이주완 기록水酒灣紀事』, 『양톈후 전기仰天湖傳奇』, 『삼림의 신선森林仙子』 및 「싱메이」, 「극장의 순찰병梨園巡邏兵」, 「홍송곡紅松穀」, 「펑서우루 위豐收路上」, 「바이롄장에서 온 편지白蓮江來信」, 「유쾌한 보살快樂菩薩」, 「네게 목련꽃 한 송이를 주마給你一朵玉蘭花」 등의 단편소설, 산문, 가사 등이 있다. 장편소설 『푸룽전芙蓉鎭』으로 전국 제1회 마오둔문학상茅盾文學獎을, 『담쟁이가 가득한 통나무집爬滿春藤的木屋』으로 1982년 전국 단편소설상을 받았다.

런광춘(1931~2005), 후베이성 당양當陽 출신이다. 『공농병문예工農兵文藝』, 『문예생활文藝生活』 및 대형 문학총간 『부용芙蓉』 편집부 주임, 『문학월보文學月報』, 『후난문학』, 『시냇물小溪流』, 『초풍楚風』 편집장, 후난성 문련 집행주석執行主席, 후난성 작가협회 부주석 및 명예주석을 역임하였다.

저서로 장편 역사소설 『무술첩혈기戊戌喋血記』, 『신해풍운록辛亥風雲錄』, 『오사홍파곡五四洪波曲』, 장편 기록소설 『화성火城』, 장편 전기 『담사동譚嗣同』, 『황흥黃興』, 『채악蔡鍔』, 산문집 『일본 기록東瀛紀事』, 시집 『장미집薔薇集』이 있으며 번역서로 시집 『미조집迷鳥集』, 『당대 영미시선집當代英美詩選譯』 등이 있다.

『상하이희극』 제11호에 야오원위안의 「혁명: '붉은 장미꽃'—「사탕수수밭」을 읽고革命：“紅玫瑰花”——讀＜甘蔗田＞」가 발표되었다.

『전영문학』 11월호에 아이밍즈가 쉐커의 장편소설 『전투하는 청춘』을 각색한 극본 「쉬펑許鳳」이 발표되었다.

『광명일보』에 지셴린의 산문 「붉은 패랭이꽃 한 송이一朵紅色石竹花」가 발표되었다.

15~17일, 『홍기』 제22호에 장칭톈의 소설 「농민莊稼人」이 발표되었다.

16일, 신장 위구르족 시인 루터푸라 · 무타리푸 탄생 40주년을 기념해 그가 조국의 해방과 통일을 위해 용감히 투쟁한 행동을 기리기 위해 『시간』 등의 잡지에 그의 유작이 발표되었다.

루터푸라 · 무타리푸(1922~1945), 위구르족 시인으로 1937년부터 시 창작을 시작하였다. 1945년에 국민당에 의해 아커쑤阿克蘇에서 살해당했다. 대표작으로 시 「중국中國」, 「조국지상, 인민지상祖國之上, 人民至上」, 산문시 「그녀의 앞날은 밝고도 원대하다她的前途光明遠大」 등이 있다.

『문회보』에 리쩌허우의 「예술 종류 약론略論藝術種類」의 연재가 시작되었다(상, 중, 하편으로 구성).

『인민일보』에 쓰마원썬의 「소가죽 한 장—자카르타 이야기一張牛皮——雅加達的故事」가 발표되었다.

17일, 『해방군보』에 영화 이야기 「홰나무 마을槐樹莊」이 발표되었다. 신예辛冶는 "영화 「홰나무 마을」은 우리나라 농촌 사회주의 혁명을 반영한 서사시이다"라고 평하였다(「우리도 이 빚을 기억해야 한다—영화 「홰나무 마을」의 추이라오쿤에 관하여我們也要記住這筆帳——談影片＜槐樹莊＞裏的崔老昆」, 『해방군보』 12월 4일자).

18일, 『인민일보』에 친무의 산문 「남국의 분재南國盆景」, 위안잉의 수필 「충왕부—장난 수필忠王府——江南隨筆」이 발표되었다.

『희극보』 제11호에 리시판의 이론 「혁명 역사 소재 극작 만담漫話革命曆史題材的劇作」, 판쥔홍의 논문 「제목 선정 - 경극의 현대생활 반영 창작 산필選題——京劇反映現代生活寫作散筆」 및 종합 논술 「「불타는 홍롄쓰」에 관한 논쟁關於<火燒紅蓮寺>的爭論」이 발표되었다.

19일, 『인민일보』에 천찬위안의 산문 「고향 회고담故鄕敍舊」, 우보샤오의 산문 「사냥꾼獵戶」이 발표되었다.

20일, 문화부 출판국에서 「출판사 공작조례 임시 시행 규정 초안(제1고)出版社工作條例試行草案(第一次稿)」을 완성하였다. 조례의 내용은 출판사의 방침, 임무, 질과 수량 등에 관한 것으로 총 60개 조항이다. 조례는 4년에 걸쳐 십여 차례 수정을 거쳤으나, 당시의 '좌'경 사상의 영향 탓에 결국 정식으로 하달되지 못했다. 본 조례는 문화대혁명 시기에 "출판공작 자산계급 자유화의 수정주의 노선을 체계적으로 추진하는 강령의 성격을 띤 문건"이라는 모함을 받았다.

『광명일보』에 자오옌昭彦(황추위안)의 「보고문학의 재능을 발휘할 곳이 많다報告文學大有用武之地」가 발표되었다. 그는 글에서 보고문학이 "현실생활 속의 뜨거운 투쟁과 어려움 속에서의 인민의 성취를 신속하게 반영하는 데 가장 적합하므로, 투쟁 속에서 효과적으로, 그리고 적시에 문학작품이 정치 투쟁 및 생산투쟁과 긴밀히 호응하는 전투적 역할을 발휘할 수 있다", "우리는 보고문학 창작을 '거인의 중요한 사업'으로 보고, 이를 대대적으로 제창해 보고문학이 가진 전투 위력을 충분히 발휘해야 한다. 물론 보고문학의 창작 소재는 응당 풍부하고 다채로워야 하며, 예술 형식 면에서도 독창적이어야 하며 옛것을 취사선택하여 새롭게 발전시켜야 한다. 그러나 보고문학은 한 가지 공통적인 특징을 가져야 한다. 그것은 바로 강렬한 혁명성과 전투성, 그리고 선명한 시대정신이다. 이러한 작품이야말로 진정으로 인민에게 유익하며, 시대에 부끄럽지 않은 작품이기 때문이다", "우리 보고문학 작가들은 인민 생활에 더욱 깊이 침투하여 인민 군중과 더불어 호흡하고 고락을 함께하며, 현실을 변역하는 투쟁에 직접 참여해야 한다"라고 밝혔다.

『극본』 10, 11월호 합본에 위링의 대형 화극 「7월이 되어 날이 시원해지다七月流火」 및 「「7월이 되어 날이 시원해지다」 초기<七月流火>初記」가 발표되었다. 리젠우는 위링의 화극에 대해 "작가는 성격과 사물의 관계를 충분히 고려하기 때문에, 행동의 진전이 충만해 각 측면에서 변화무쌍한 예술적 호응을 얻는다……「7월이 되어 날이 시원해지다」는 거대한 실천과 수많은 재료를 장악하는 작가의 비범한 재능을 드러낸다. 그가 창조한 모든 인물은 극 속에서 굳건히 서 있어 예술이 더욱 성숙하고, 주제가 더욱 분명하다. 그의 신작을 읽고 나는 마음속에서 형용하기 힘든 희열이 용솟음치는 것을 느꼈다"라고 평하였다(「위링의 극작 및 「7월이 되어 날이 시원해지다」를 논하다試

論於伶的劇作並＜七月流火＞」, 『극본』 12월호). 같은 호에 왕수위안王樹元의 대형 화극 「두견산杜鵑山」, 톈한의 「어우양위첸 동지의 화극 창작에 관하여談歐陽予倩同志的話劇創作」, 판쥔훙의 「허와 실을 환히 비추다－「단검편」 제2막 탐구虛實照映——淺探＜膽劍篇＞第二幕」가 발표되었다.

왕수위안(1932~2016), 극작가로 허베이성 바오딩 출신이며 중공 당원이다. 1956년에 중앙희극학원 감독과를 졸업한 후 중앙희극학원 교사, 중국매광문공단中國煤礦文工團 각본가, 중앙희극학원 연구소 각본가, 중국방송학회 드라마 창작연구사 부사장을 역임하였다. 1945년부터 작품을 발표하였다. 저서로 영화문학 극본 「마지막 왕조末代王朝」, 「일대요후一代妖後」, 「궁궐로 시집간 남자嫁到宮裏的男人」, 「연기와 같은 옛일如煙往事」, 드라마 극본 「초한풍운楚漢風雲」, 「마지막 황제末代皇帝」, 화극 극본 「엄마, 내 말 좀 들어 봐요媽媽, 你聽我說」, 「양카이후이楊開慧」, 「북상北上」 등이 있다.

21일, 『허베이일보』에 후커의 「「홰나무 마을」 소재의 유래＜槐樹莊＞題材的來歷」가 발표되었다.

『문회보』에 쉬광핑의 「구름 속 깊은 곳이 내 집이오－『루쉰 회고록』 보유景雲深處是吾家——＜魯迅回憶錄＞補遺」가 발표되었다.

몽골의 서사시 「장거얼 전기江格爾傳」가 최초로 중국어로 번역되었다.

25일, 『성화』 제6호에 위린의 「창작에 관한 몇 가지 문제 만담－작가협회 장시분회에서 개최한 혁명 회고록 및 혁명 역사 소재 소설 창작좌담회에서의 발언漫談創作上的幾個問題——在作協江西分會召開的革命回憶錄和革命歷史題材小說創作座談會上的發言」이 게재되었다. 그는 글에서 구상, 인물, 예술 구상, 언어 등의 문제에 관해 탐구하였다.

28일, 『해방일보』에 우창의 「알바니아에서의 날들 속에서在阿爾巴尼亞的日子裏」가 발표되었다.

29일, 『인민일보』에 라오서의 「『하오서우천 검보집』 서문＜郝壽臣臉譜集＞序」이 발표되었다.

『광명일보』에 천찬윈의 산문 「매의 그리움山鷹的懷念」이 발표되었다.

30일 밤, 중국문련, 중국작가협회, 중국음협, 중국대회문화협회 등의 기관이 베이징 정협 강당에서 「인터내셔널가」의 작사가 외젠 포티에 서거 75주년 및 작곡가 피에르 드 제테르 서거 30주년 기념행사를 진행하였다. 루딩이, 캉성, 린모한, 사오취안린, 치옌밍, 위안수이파이, 장광녠,

샤옌 등이 참석하였다. 저우양이 개회사를 하였으며 장광녠이 보고를 진행하였다. 저우양의 개회사「「인터내셔널가」－전 세계 인민혁명을 호소하는 나팔<國際歌>——號召全世界人民革命的號角」과 장광녠의 보고「무산계급의 천재 가수無產階級的天才歌手」가 12월 1일자『광명일보』와『인민일보』에 게재되었으며,『신화월보』제12호에 전재되었다.

이달에 거뤄가『시간』부편집장을 맡았다.

닝샤 문련에서 민족민간문예 조사조를 조직해 융닝永寧현으로 가서 조사 및 수집 공작을 진행하였다.

베이징시 문련에서 화극, 희곡, 곡예 등 문예기관의 각본가와 일부 극작가를 초청해 현대 소재 희극 창작좌담회를 개최하여 현실생활 반영 소재 창작경험과 관련 문제에 관해 토론을 진행하였다. 라오서, 후커, 장겅, 리즈화李之華, 쉐언허우, 후단페이, 자오치양, 메이첸, 린한뱌오, 판쥔훙, 관스제關士傑, 돤청빈, 바이런, 셰리밍, 류허우밍, 가오천高琛, 안시安西, 허샤오충何孝充, 위전於真, 장딩화張定華 등이 참석하였다. 참석자들은 작품의 현실생활 반영, 작품의 사상성과 예술성의 중요 의의 견지, 작품의 인물 창조 및 현대생활의 정확한 반영 방법 등의 문제에 관해 토론을 진행하였다.

후완춘의 소설집『설을 쇠다』가 소년아동출판사에서 출간되었다.

장융메이의 시집『류롄링 위에 꽃구름이 걸리다』가 광둥인민출판사에서 출간되었다.

원제의 장시『복수의 화염(제2부)』, 마오둔의 평론집『고취 속집鼓吹續集』, 바·부린베이허巴·布林貝赫의 당대 시집『생명의 불꽃生命的禮花』이 작가출판사에서 출간되었다.

바·부린베이허(1928~2009), 몽골족 시인으로 네이멍구 바린우기 출신이며 중공 당원이다. 1948년에 혁명에 참가하였으며 네이멍구대학內蒙古大學 교수, 중국작가협회 네이멍구분회 부주석을 역임하였다. 1953년부터 작품을 발표하였다. 저서로 몽골어판 시집『안녕? 봄이여你好?春天』,『봉황鳳凰』,『샘噴泉』,『용궁의 혼례龍宮的婚禮』,『황금 계절黃金季節』및 중국어판 시집『성군星群』,『운명의 말命運之馬』,『생명의 불꽃』등이 있다.『바·부린베이허 문존巴·布林貝赫文存』(4권)이 출간되었다.

황성샤오黃聲孝의 장시『일어선 창장의 주인(제1부)站起來了的長江主人(第一部)』이 중국청년출판사에서 출간되었다.

빙신의 산문집『벚꽃 예찬櫻花贊』이 백화문예출판사에서 출간되었다.

12월

1일, 『창장문예』 12월호에 가오잉의 소설 「백두랑白頭浪」, 천셴장陳憲章이 정리한 예극豫劇「사마모가 고발하다司馬貌告狀」, 장융메이의 「군대의 노래」(3편), 지쉐페이의 소설 「골육의 정骨肉情」이 발표되었다. 같은 호에 쉬츠가 집필한 황성샤오의 장시 서문 「『일어선 창장의 주인』 서문＜站起來了的長江主人＞序」이 발표되었다.

『해방군문예』 12월호에 귀샤오촨의 시 「가을 노래」, 라오제바쌍의 시 「밀림의 매 노래(3편)密林鷹歌(3首)」, 췬칭의 중편소설 「노도怒濤」가 발표되었다.

『작품』 신1권 제12호에 어우양산, 두아이, 위헤이딩, 천찬윈 등이 작가의 생활 침투, 문학창작의 농업 반영, 작가와 정책의 관계, 인민 내부의 모순 반영 등의 문제에 관해 진행한 토론의 종합기사가 게재되었다.

『우화雨花』 제12호에 판인차오의 산문 「고향故鄕」, 리루칭의 시 「변방에서 온 편지邊防來信」, 청샤오칭의 시 「이허위안 2편頤和園二首」이 발표되었다.

『신항』 12월호에 왕징즈의 시 「조국 송가—장시 『조국 송가』 제7장祖國頌——長詩＜祖國頌＞的第七章」, 광수민의 소설 「서리 내린 아침의 달霜晨月」, 쉬친원의 산문 「징강산 3일 소기井岡山三日小記」가 발표되었다. 같은 호에 마오둔의 「독서 잡기讀書雜記」가 발표되었다. 이 글은 마오둔이 1959년에서 1961년 사이에 발표된 우수한 단편소설 근 백 편을 읽고 작성한 찰기의 부분이다.

『산화』 12월호에 허스광何士光의 소설 「참외를 팔다賣瓜記」, 황샹黃翔의 시 「광부와 보창礦工與報窗」이 발표되었다.

허스광(1942~), 구이저우성 구이양貴陽 출신으로 중공 당원이다. 야촨중학耶川中學 교사, 구이저우성 작가협회 전문작가, 부주석, 주석, 잡지 『산화』 편집장, 구이저우성 문련 당조 구성원 및 부주석, 전국 제 6, 7기 정협 위원, 구이저우성 제8기 정협 위원, 중국작가협회 제4기 이사, 제5, 6기 전국위원회 위원을 역임하였다. 1977년부터 작품을 발표하였으며 1982년에 중국작가협회에 가입하였다. 문학창작 1급 직책을 맡고 있다. 저서로 장편소설 『세월이 유수와 같다似水流年』, 산문집 『신비한 마오타이에서在神秘的茅台』, 『장마雨霖』, 『허스광 산문선何士光散文選』, 『번뇌와 보리煩惱與菩提』, 중편소설집 『풀이 푸르다草青青』, 중단편소설집 『호리행蒿裏行』, 『리화툰 여인숙에서의 하룻

밤梨花屯客店一夜』, 단편소설집『고향사故鄕事』, 장편 기록문학『여시아문如是我聞』 등이 있다.

황샹(1941~), 후난성 구이둥桂東 출신으로 몽롱시파의 선구자 가운데 한 사람이다. 1958년부터 작품을 발표하여 작품이 1958년 전국시선全國詩選에 수록된 바 있다. 같은 해에 중국작가협회 구이 저우분회에 가입하여 최연소 작가협회 회원이 되었으나 1959년에 제명되었다. 현재 미국 피츠버 그의 명예작가를 맡고 있다. 저서로 시문 선집『황샹—과음해도 취하지 않는 짐승의 모습黃翔—— 狂飮不醉的獸形』, 문예이론집『자기 과시의 상처鋒芒畢露的傷口』, 산문 수필집『몽소수필夢巢隨筆』, 자 서전『소란과 적막—황샹 자서전 · 동방 서사喧囂與寂寞—黃翔自傳 · 東方敍事』 등이 있다. 1993년 이 후로 그가 문혁 전과 문혁 시기에 창작한 초기 작품들이 몇몇 선집에 수록되었다.

『옌허』 12월호에 주딩의 소설「양계장의 두 노인鷄場二老」, 차오스의 시「녹색의 올리브綠色的橄欖 」(외 1편)가 발표되었다.

『압록강』 12월호에 하이모의 소설「구름 속의 사람雲中人」, 안보의「바다 독수리가 날개를 펼치 는 서정편—화극「두 번째 봄」이 불러온 생각海鷹展翅的抒情篇——由話劇＜第二個春天＞引起的思考」이 발표되었다.

『창춘』 12월호에 류수더의 소설「봄눈 후春雪後」가 발표되었다.

『아동시대』 제300, 301호 합본에 쑹칭링 부주석의 축하 서신「『아동시대』 창간 300호를 축하 하며祝＜兒童時代＞創刊三百期」가 게재되어 중국복리회에서 간행하는『아동시대』가 300호를 맞이 한 것을 축하하였다. 같은 호에 예쥔젠의 소설「형제들哥兒們」, 위안징의 소설「어린 정찰병이 총 을 빼앗다小偵察兵奪槍記」(장편 부분), 런다린의 소설「두 명의 새 대원兩個新隊員」이 발표되었다.

『광명일보』에 톈젠의 시「혁명가의 노래革命者之歌」 등「인터내셔널가」의 작사가와 작곡가를 기념하는 글이 발표되었다.

『인민일보』에 위안잉의 산문「청춘로靑春路」가 발표되었다.

2일, 『허베이일보』에 장칭톈의 소설「용천기湧泉記」가 발표되었다.

3일, 『인민일보』에 쥔칭의「오상편—고향 단찰傲霜篇——故鄕短簡」이 발표되었다.

4일, 『베이징문예』 12월호에 돤무훙량의 소설「농작물을 지키다護秋」, 광수민의 소설「한 마 디도 하지 않다一言不發」, 리즈의 산문「촌장 일가村長一家」, 짱커자의 서신「리쉐아오 동지에게給李 學鰲同志」가 발표되었다.

5일, 『상하이문학』12월호에 류바이위의 산문「평명소찰平明小劄」(이 글의 제1~6편은『인민문학』12월호에 발표되었으며, 본지에는 제7~12편이 발표되었다), 쥔칭의 산문「봉화대烽火墩」, 궈펑의 산문「옌싱저우 위의 처녀雁星洲上一姑娘」, 후완춘의 단편소설「마음의 소리心聲」, 량상취안의 시「우화대雨花台」(외 1편)가 발표되었다.

『신장문학』11, 12월호 합본에 위구르족 시인 리 · 무타리푸黎 · 木塔裏甫 탄생 40주년을 기념해 그의 작품이 발표되었다. 또한 톈젠의 시「리 · 무타리푸를 기념하며紀念黎 · 木塔裏甫」(2편), 톄이푸장의 시「회고緬想」등 기념의 글이 발표되었다.『신장문학』에서는 7월호에서 11, 12호 합본에 걸쳐「운전사의 아내司機的妻子」에 관한 토론을 전개하였다. 본 토론란에는 15편의 토론문이 발표되었는데, 대부분의 독자는 이 소설에 대해 "몇몇 결점이 존재하지만, 비교하자면 장점이 더욱 중요한 부분을 차지하며, 적극적인 역할이 두드러진다", "우리나사 사회주의 문학예술의 '백화제방, 백가쟁명' 방침에 부합한다. 따라서 이러한 측면에 대한 작가의 탐색과 노력은 응당 긍정해야 한다"라고 보았다(편집자의 글「「운전사의 아내」에 관한 토론關於＜司機的妻子＞的討論」, 11, 12호 합본).

『변강문예』12월호에 가오잉의 소설「진장에 배를 띄우다金江放舟」가 발표되었다. 같은 호에 중국작가협회 쿤밍분회에서 중공중앙 제8기 중앙위원회 제10차 전체회의를 학습한 논문 여러 편이 발표되었다.

『문회보』에 스팡위의「「리쐉쐉」의 문학 구상＜李雙雙＞的文學構思」이 발표되었다.

『후베이일보』에 천둥화陳東華의「나는 뿌리를 찬미한다我贊美根」가 발표되었다.

천둥화(1934~), 장쑤성 우시 출신으로 중공 당원이다. 후베이인민출판사湖北人民出版社 편집자 및 편집실 주임, 문예부 부주임, 창장문예출판사 부편집장, 후베이미술출판사湖北美術出版社 사장 및 당지부서기 등을 역임하였으며 국무원 정부 특수보조금을 받았다. 수십 권의 책을 편찬 및 출간하였고, 후베이성 최초의 9년 의무교육 중학 · 소학교 미술 교과서를 편찬하였다. 저서로『기념비 앞의 회상紀念碑前的回憶』,『어느 큰 칼 이야기一把大刀的故事』등이 있으며,「나는 뿌리를 찬미한다」,「고향의 버드나무家鄉柳」등 여러 편의 잡문을 발표하였다.

6일, 『광명일보』에 위안잉의「고소대 – 장난 수필姑蘇台——江南隨筆」이 발표되었다.

7일, 문화부에서「「극목 공작 개선 및 강화에 관한 보고」집행에 관한 통지貫徹執行＜關於改進和加強劇目工作的報告＞的通知」를 발포하였다.

『전영창작』제6호에 쉬광야오의 영화문학 극본 「졸병 장가」가 발표되었다.

8일, 『인민일보』에 양쉬의 산문 「만조급晚潮急」이 발표되었다.

10일, 『양청만보』에 천사오웨이陳紹偉의 「보고문학 창작의 번영을 기대한다期望報告文學創作的繁榮」가 발표되었다. 그는 글에서 보고문학이 "전투 과정에서 항상 최전선에 서서 큰 공을 세웠으며, 동시에 전투를 통해 단련되기도 했다", "혹자는 보고문학의 '예술 생명' 문제를 우려한다. 보고문학은 확실히 '응급'의 성격을 띤 작품이 많아 세밀한 퇴고를 하기가 비교적 어렵기는 하나, 이것이 보고문학이 필연적으로 예술 생명이 결여되어 있다거나, 혹은 예술의 전당에 오를 수 없다는 뜻은 아니다. 문학의 각종 장르 자체는 사실상 '예술 생명'이 긴가 아닌가를 두고 구분하는 것이 아니다"라고 밝혔다.

천사오웨이(1941~), 필명은 루빙녠廬冰念, 루푸儒父로 광둥성 신후이新會 출신이며 중공 당원이다. 광저우시 작가협회 부주석을 맡고 있다. 저서로 『심도소집心濤小集』, 『어느 반역 여성의 마음의 소리─샤오훙 전기 분석一個叛逆女性的心聲──蕭紅傳簡析』, 『타이완 탐색初探台灣』, 『시의 별빛을 찾아서尋找詩的星光』 등이 있으며, 『중국 신시집 서발선中國新詩集序跋選』, 『산천에 정이 가득하다─중국 현대 산수 신시 선주情滿山河──中國現代山水新詩選注』, 『마오쩌둥 시사 사전毛澤東詩詞詞典』 등을 편찬하였다.

『광시문예』12월호에 샤오쉐의 시 「그리움懷念」이 발표되었다.

『동해』12월호에 린진란의 소설 「교학일기教學日記」, 진진의 시 「풍작의 술을 드시오請來喝杯豐收酒」가 발표되었다.

10~11일, 일본을 방문하고 귀국한 중국희극대표단이 베이징에서 보고회를 가지고 베이징의 희극공작자들에게 일본 방문 감상을 보고하였다. 보고회는 중국인민대외문화협회와 중국희극가협회가 주최하였으며, 대외문화협회 부회장 샤옌, 극협 서기처 서기 리차오 및 베이징의 저명한 희극계 인사 리사오춘, 위안스하이袁世海, 런훙, 수창, 어우양산쭌, 샤춘 등 1,000여 명이 참석하였다. 대표단에 참가했던 천바이천, 자오쥐인, 장루이팡張瑞芳이 발언하였다.

11일, 『문회보』제12호에 장광녠의 「무산계급의 천재 가수─「인터내셔널가」의 작자 포티에

서거 75주년, 드 제테르 서거 30주년 기념대회에서의 보고無產階級的天才歌手——在＜國際歌＞作者鮑狄埃逝世75周年, 狄蓋特逝世30周年紀念大會上的報告」, 샤오싼의「최초의 전 세계 무산계급 혁명의 노래－「인터내셔널가」의 작자 포티에와 드 제테르를 기념하며第一支全世界無產階級的革命之歌——紀念＜國際歌＞的作者鮑狄埃和狄蓋特」가 발표되었다. 같은 호에 린즈하오의「시대의 예찬, 혁명의 찬가 － 류바이위 동지의『홍마노집』에 관하여時代的禮贊 革命的贊歌——談劉白羽同志的＜紅瑪瑙集＞」가 발표되었다. 그는 글에서 류바이위의 산문과 보고문학을 높이 평가하였다.

『광명일보』제4판에 구궁의 시「나는 땅 위를 걷는다……我在土地上行走……」가 발표되었다.

12일,『인민문학』12월호에 아이우의「망경채芒景寨」, 수웨이의「위청 노인玉成老漢」, 왕명의「밤비夜雨」등의 단편소설, 쌍커자의 시「송화강 위松花江上」(13편), 장즈민의 시「고원의 가을 경치高原秋色」(외 1편), 류바이위의 산문「평명소찰」, 돤무훙량의 산문「꽃 같은 돌花一樣的石頭」, 쩌우디판의 산문「훙후의 자녀洪湖兒女」가 발표되었다.

『해방일보』에 쥔칭의 산문「장지록－고향 단찰壯志錄——故鄉短簡」, 야오원위안의「인민의 위대한 혁명 영웅주의를 반영하다－「오상편」과「장지록」감상反映人民偉大的革命英雄主義——讀＜傲霜篇＞和＜壯志錄＞有感」이 발표되었다.

13일,『베이징일보』에 차오스의「가라앉지 않는 전함－어느 작은 섬에 바치다不沉的戰艦——獻給一座小島」(외 1편)가 발표되었다.

『톈진일보』에 지광의「'특필'에 관하여關於"特寫"」가 발표되었다.

14일,『문학평론』제6호에 차이이의「문학예술 속의 전형 인물 문제文學藝術中的典型人物問題」, 사오옌샹의「마오 주석의「심원춘·설」결구 해석毛主席＜沁園春·雪＞結句試解」이 발표되었다.

15일,『상하이희극』제12호에 슝포시의「당이 인도하는 방향으로 계속해서 전진하자!－상하이희극학원 개교기념일 술회沿著黨所指引的方向繼續前進!——上海戲劇學院校慶述懷」가 발표되었다.

『전영문학』12월호에 리준의 극본「리솽솽」, 구궁, 후후이링胡惠玲이 합동 창작한 극본「여배우女演員」가 발표되었다.

상하이인민예술극원 화극 2단에서 6장 화극「두견산」을 공연하였다. 왕수위안이 각본을, 왕샤오핑王嘯平이 감독을 맡았다. 극본은『극본』11, 12월호 합본에 발표되었다.

16일,『인민일보』에 리준의「새로운 인물의 정신세계를 학습하고 탐구하다-「리솽솽」창작 과정에서의 몇 가지 감상向新人物精神世界學習探索──＜李雙雙＞創作上的一些感想」이 발표되었다.

17일,『인민일보』에 톈젠의 시「공사의 노래社歌」(5편)가 발표되었다.

18일,『해방군보』,『광명일보』에 후커의「「홰나무 마을」소재의 유래」가 발표되었다.

『희극보』제12호에 멍차오의 평론「천리마 운동을 반영한 희극 신작을 위해 환호한다!-조선 화극「붉은 선전원」에 관하여爲反映千裏馬運動的戲劇新作而歡呼!──試談朝鮮話劇＜紅色宣傳員＞」, 리젠우의「영광은 영원히 인민의 나팔수의 것-세계 문화 명인 로페 드 베가 탄생 400주년 기념대회에서의 연설光榮永遠屬於人民的號手──紀念世界文化名人洛蔔·德·維迦誕生400周年大會上的講話」이 발표되었다.

19~21일,『해방일보』에 후완춘의 소설「떡을 팔다賣餠」의 연재가 시작되었다.

20일,『문회보』에 천서우주의「극적 충돌에 관하여-천바이천 동지와의 논의關於戲劇沖突──與陳白塵同志商榷」가 발표되었다. 이 글은『극본』5월호에 발표된 천바이천의「희극 잡담喜劇雜談」에 대한 글이다. 천서우주는 글에서 천바이천의 "희극의 극적 충돌에 관한 논술이 완전하지도, 명확하지도 않다"라고 보면서, "극작가는 비극, 정극, 희극 등의 양식을 통해 생활을 반영한다. 이를 결정하는 관건은 직, 간접 혹은 정면, 측면 등의 반영 방식이 아니라, 생활 모순의 성질과 작가의 정치적 평가"이며, 반영 방식은 "극작가가 선택한 관찰점과 관련이 있을 뿐, 반영 방식이 비극, 정극 혹은 희극의 특징을 결정할 수 없다"라고 지적하였다.

『세계문학』12월호에 빙신의 번역시「가나 시선加納詩選」이 발표되었다.

『극본』12월호에 멍차오의 4장 경극「목계영이 화살을 겨루다穆桂英比箭」, 우위샤오武玉笑의 3막 5장 화극「먼 곳의 청년遠方青年」, 리젠우의 평론「위링의 극작 및「7월이 되어 날이 시원해지다」를 논하다」가 발표되었다.

우위샤오(1929~2018), 산시陝西성 자현佳縣 출신이다. 1939년에 팔로군에 참가하였다. 공화국 성립 후에는 간쑤성화극단 각본가 및 예술위원회 주임, 간쑤성 문련 부주석, 간쑤성 작가협회 주석을 역임하였다. 1956년부터 작품을 발표하였다. 저서로 화극 극본 「톈산 아래天山脚下」, 「먼 곳의 청년」, 「캉부얼 초원 위에서在康布爾草原上」(합동 창작), 「어느 유쾌한 불운한 이一個快樂的苦命人」, 「아이커바얼과 사리야艾克拜爾和莎麗婭」, 단편소설 「유쾌한 바오얼장快樂的包爾江」, 「길동무路友」, 산문 「밤, 아라투바이晚, 阿拉圖拜」, 「옌안에서 꿈을 찾다延安尋夢」 등이 있다. 『우위샤오 극작선武玉笑劇作選』이 출간되었다.

『인민일보』에 한쯔의 산문 「신좡의 아침新莊之晨」, 장융메이의 「불어라, 불어라, 작은 나팔을吹吧, 吹吧, 小喇叭」이 발표되었다.

『베이징만보』에 리젠우의 평론 「사회주의의 인물 서정시社會主義的人物抒情詩」가 발표되었다.

『해방군보』에 리쥔룽李鈞龍의 산문 「소나무松」가 발표되었다.

리쥔룽(1935~), 이족 작가로 필명은 리쥔눙李軍農, 짜이리宰李이며 윈난성 쿤밍 출신이다. 윈난 작가협회 부주석을 맡고 있다. 저서로 장편소설 『깊은 골짜기, 사랑이 가득한幽穀, 盛滿愛情』, 『도망친 연인逃亡的情人』, 『다섯 여자와 한 남자의 이야기五個女人和一個男人的故事』, 중단편소설집 『우수수 떨어지는 야생 벚꽃飄零的野櫻花』, 『태족 여인의 사랑傣女之戀』, 『말몰이꾼 이야기趕馬人的故事』, 『글자 없는 연서無字的情書』 등이 있다.

21일, 마오쩌둥이 화둥성, 시 위원회 서기들과의 담화에서 희극에 관해 함축적으로 비평하였다. 그는 "수정주의에 대처할 방법이 있습니까? 전문적으로 연구하는 인원이 있어야 합니다. 선전 부문에서 책을 많이 읽고, 희극도 보아야 합니다"라고 밝히면서, 현재의 희극이 "왕후장상과 재자가인에 관한 내용이 많아져, 반동적 내용이 혁명적 내용을 다소 압도하는 형세"이므로, "혁명적 내용이 우세를 점해야" 한다고 보았다.[5]

『베이징만보』에 빙신의 잡담 「가장 새롭고 가장 아름다운 그림에 관하여談最新最美的圖畫」가 발표되었다.

22일, 『광명일보』에 린진란의 소설 「춘추春秋」가 발표되었다.

24일, 『인민일보』에 쩌우디판의 산문 「남국은 지금 봄날南國正芳春」이 발표되었다.

리제런이 청두에서 향년 72세로 사망하였다. 혹자는 리제런의 창작에 관해 "『고인 물에 잔물결

---

5) 보이보薄一波, 『몇 가지 중대한 정책 결정과 사건에 관한 회고若幹重大決策與事件的回顧』 제1225~1226쪽, 중공 중앙당교출판사中共中央黨校出版社 1993년.

이 일다死水微瀾』,『폭풍우 치기 전暴風雨前』,『큰 파도』의 제1, 2부를 읽어 본 이들이라면 모두 노작가 리제런이 가진 역사적, 사회적 지식이 대단히 풍부함을 알 것이다. 그는 구체적이고 감성적인 인상에 대한 기억력도 매우 좋았다! 바로 이 때문에 그의 작품의 세부 내용이 가진 진실성은 이처럼 독자들에게 믿음을 주었다. 이 작품들을 읽어본 이라면 작가가 복잡한 사건과 장면을 다루고, 정련되고도 생생한 쓰촨의 언어로 인물의 개성을 표현하며, 극적인 충돌을 전개하고, 쓰촨 고유의 풍물과 인정을 묘사하고, 중대한 역사적 사건을 냉정하게 기술하는 데 얼마나 능한지 느낄 수 있을 것이다. 이 모든 것이 그의 작품의 인식 및 교육적 효용을 강화하였다"라고 평한 바 있다(옌강, 선쓰沈思,「생생한『큰 파도』繪聲繪色的<大波>」,『문예보』제10호). 궈모뤄는 그에 대해 "사실주의 대중문학가로서 대중의 언어로 상당히 위대한 작품을 쓰는 작가"이며, "건전한 사실주의자가 될 듯하다"라고 평하였다. 또한 그의 소설에 대해서는 "'소설의 근대사', 적어도 '소설의 근대의『화양국지』'이다"라고 평하였다(궈모뤄,「중국의 에밀 졸라의 바람中國左拉之待望」,『중국문예中國文藝』1937년 제1권 제2호).

25일,『인민일보』에 쓰마원썬의「이비 형제－자카르타 이야기伊碧兄弟——雅加達的故事」가 발표되었다.

28일,『광명일보』에 북한 작가 조백령趙白嶺의「조선 신농촌의 거대한 변화를 반영하기 위해 노력하다－「붉은 선전원」작가의 자술努力反映朝鮮新農村的巨大變化——<紅色宣傳員>作者的自述」, 황강의「「붉은 선전원」의 창작경험<紅色宣傳員>的創作經驗」, 위스즈의「「붉은 선전원」의 고향에서在<紅色宣傳員>的故鄉」등 북한 극본「붉은 선전원」에 관한 토론의 글이 발표되었다.

29일, 베이징인민예술극원이 북한 화극「붉은 선전원」을 공연하였다. 북한 작가 조백령의 극본을 장린張琳이 번역하였으며, 이우 양산쥰, 바이션이 감독을 맡았다. 디신, 위스즈, 궈웨이빈 등이 주연을 맡았다. 극본은『극본』8월호에 발표되었다.

31일,『문회보』에 페이리원의「이곳에서在這個地方」가 발표되었다.

이달에 문화부 당조에서 중앙선전부와 당중앙에 지시 요청 보고를 제출하여 중앙 1급 출판사의 인쇄 부수 심사 비준 방식을 변경해, 앞으로 인쇄 부수는 그대로 각 출판사에서 스스로 결정하고,

만약 편집장이 결정할 수 없을 때에는 주관 기관의 당조와 당위원회에 지시를 요청해 결정하도록 하며, 문화부에서는 각 서적의 인쇄 부수에 대해 사후 검사를 진행해 문제가 있을 때만 처리하도록 할 것을 건의하였다. 이러한 의견은 중앙 1급 출판사에서만 시험적으로 시행하도록 하였다.

극협 상하이분회에서 좌담회를 진행해 상하이인민예술극원에서 공연한 현대극 「두 번째 봄」에 관해 토론하였다. 좌담회는 극협 상하이분회 부주석 주돤췬이 주관하였으며 우창, 예이친, 선푸, 취바이인, 황쭤린, 커링, 쌍후, 양춘빈, 리톈지李天濟 등이 참석하였다. 참석자들은 「두 번째 봄」이 중국 해안 방비 건설의 영웅 인물을 반영해 그들의 낙관적이고 열정적이며 호쾌한 기개를 표현하여, 인민의 사회주의 건설에 대한 자신감과 분발해 국가의 부강을 도모하는 역량을 고무하는 데 큰 교육적 역할을 하였다고 의견을 모았다.

저우얼푸의 『상하이의 아침(제2부)上海的早晨(第二部)』, 어우양산의 장편소설 『고투』(『일대 풍류』제2권), 안치의 시론집 『서사시를 논하다論敍事詩』, 탕타오의 『창작 만담創作漫談』이 작가출판사에서 출간되었다. 이 가운데 『상하이의 아침(제2부)』은 초판본으로, 인쇄 부수는 1~11,500부이다. 이 책의 제1부는 1958년 5월에 작가출판사에서 출간되었다. 인민문학출판사에서 제1부와 제2부를 1979년 6월에, 제3부는 1980년 2월에, 제4부는 1980년 12월에 출간하였으며 인쇄 부수는 모두 1~2,000부이다.

자오수리의 『샤오얼헤이의 결혼』, 친무의 『예술의 바다에서 조개를 줍다』, 이췬의 『금석문담今昔文談』이 상하이문예출판사에서 출간되었다.

마스투의 소설 『최고로 방법이 있는 사람』이 쓰촨인민출판사에서 출간되었다.

어우양위첸의 화극 『흑인 노예』와 천거陳戈 등이 합동 창작하고 우쉐가 집필한 화극 『장정을 징집하다』가 중국희극출판사에서 출간되었다.

판싱(랴오모사)의 『분음집分陰集』, 덩퉈(마난춘)의 『옌산 야화』가 베이징출판사에서 출간되었다. 이 가운데 『옌산 야화』는 초판본으로 인쇄 부수는 1~15,000권이다. 1979년 4월에 재판을 출간하면서 1963년에 수록되지 않았던 「진강과 왕경의 안건」, 「비둘기의 이름은 비둘기다」, 「올해 춘절」 등 3편의 잡문과 딩이란의 서문 「그저 기념을 위해서만이 아니다」가 추가되었다. 재판의 인쇄 부수는 1~150,000부이다.

겨울에 중국민간문예연구소에서 타오졘지陶建基, 첸밍쯔潛明茲 등을 후난성 장화 요족 자치현江華瑤族自治縣에 파견해 민간문학 조사를 진행하였다. 조사 보고서와 수집한 작품은 이후에 『민간문학』에 발표되었다.

1962년 정리

『희극보』에서 전통 희극 작품인 「참경당斬經堂」의 사상적 의의에 관한 토론을 진행하였다. 이 작품에 대한 의견은 이 작품이 충, 효, 절, 의를 선양하는 독초라는 의견과 왕망王莽에 반대하고 유수劉秀를 옹호하는 정통 역사관은 올바르다는 것으로 나뉘었다.

마오쩌둥의 「옌안문예좌담회에서의 강화」 발표 20주년을 기념해 북방곤곡극원에서 대형 역사극 「쫓기어 양산으로 도망치다逼上梁山」를 공연하였다. 진쯔광金紫光, 런구이린任桂林이 옌안 시기에 공연한 극본을 각색하였으며, 리쯔구이가 감독을 맡았다. 허우융쿠이侯永奎, 리수쥔李淑君이 주연을 맡았다.

베이징대학의 주간 잡지 『가요歌謠』가 창간 40주년을 맞아, 중국민간문예연구회에서 일련의 학술 보고회를 개최해 '5·4' 시대의 노학자들을 초청하였으며, 『민간문학』에 회고의 글을 게재하였다.

중국작가협회 상하이분회, 상하이시 군중예술관群衆藝術館, 상하이문예출판사에서 인원을 조직해 제1차 상하이 민간문학 현장 조사에 참가하였다. 장빈이 조사를 주관해 서사 장가長歌「백양춘白楊春」, 「곡가가哭嫁歌」를 수집하였으며, 「펑셴 민가 조사 보고奉賢民歌調査報告」를 집필하였다.

중국민간문예연구회에서 편찬한 『민간문학 수집 정리 문제民間文學搜集整理問題』(1)가 상하이문예출판사에서 출간되었다.

양궁지楊公冀의 『당대 민가 고증 해석 및 변문 고찰唐代民歌考釋及變文考論』이 창춘 지린인민출판사吉林人民出版社에서 출간되었다.

천리팅이 편찬한 『영화의 본보기―영화예술 표현 기교 개괄電影軌範――電影藝術表現技巧概釋』(1941년에 충칭 중국전영제편창中國電影制片廠에서 출판)이 중국전영출판사에서 재판이 출간되어 중국 영화이본비평계에 영항을 끼쳤다.

올해 말까지 중국 대류에 설립된 출판사는 모두 79곳으로, 그 가운데 중앙급 출판사는 31곳, 지방 출판사는 48곳이다. 출판한 서적은 16,548종으로 그 가운데 신판 도서는 8,305종이며, 총 인쇄 수량은 10억 8,500만 권이다. 잡지는 483종이 출간되었다.

베이징방송국에서 18편의 드라마를 방영하였다. 이 가운데 아동극은 「룽성이 집에 있다蓉生在家裏」, 「함께 진보하다共同進步」, 「자오다화趙大化」, 「새우 완자蝦球」, 「샤오쑹과 샤오메이小松和小梅」, 「담뱃갑煙盒」 등 6편이다. 이 외에도 올해에 「진정한 도움真正的幫助」, 「모리성 안건莫里生案件」, 「

흰 천사白天使」, 「알면서 일부러 죄를 짓다明知故犯」, 「녹림행綠林行」, 「백년해로白頭偕老」 등의 드라마가 방영되었다.

올해 희극喜劇 붐이 일어 「리쌍쌍」, 「금상첨화錦上添花」, 「여자 이발사女理發師」, 「형제들 안녕하신가」, 「다리, 라오리, 그리고 샤오리大李′老李和小李」 등 5편의 작품이 발표되었다. 이 외에 관중들의 환영을 받은 영화로는 「갑오 풍운」 등이 있다.

올해 상영된 중요 영화는 다음과 같다.

「벽해단심」(량신 각본, 왕빙 감독, 8·1전영제편창 제작)

「다리, 라오리, 그리고 샤오리」(위링, 예밍, 셰진, 량옌징梁延靖, 우리伍黎 각본, 셰진 감독, 톈마전영제편창 제작)

「동진 서곡」(쉬윈핑, 구바오장 각본, 쑤판蘇凡, 화춘華純 감독, 8·1전영제편창 제작. 1963년 총정치부 '우수영화상' 수상)

「지뢰전地雷戰」(류치후이柳其輝, 취훙차오屈鴻超, 천광성陳廣生 각본, 탕잉치唐英奇, 쉬다徐達, 우젠하이吳健海 감독, 8·1전영제편창 제작)

「형제들 안녕하신가」(쉬윈핑, 바이원 각본, 옌지저우嚴寄洲 감독, 8·1전영제편창 제작. 1963년 제2회 백화상 최우수 남자배우상 수상)

「홰나무 마을」(후커 각본, 왕핑王蘋 감독, 8·1전영제편창 제작. 1963년 제2회 백화상 영예상, 최우수 감독상 수상. 1963년 총정치부 '우수영화상' 수상)

「갑오 풍운」(시눙希儂, 예난葉楠, 천잉陳穎, 리슝페이李雄飛, 두리杜梨 각본, 린눙林農 감독, 창춘전영제편창 제작. 1983년 제12회 피구에라 다포즈 국제영화제 심사위원상 수상)

「금상첨화」(셰톈, 천팡첸, 천치창陳其昌, 뤄궈량羅國梁 각본, 우궈광吳國光, 셰톈, 천팡첸 감독, 베이징전영제편창 제작)

「리쌍쌍」(리준 각본, 루런魯靭 감독, 하이옌전영제편창 제작. 1963년 제2회 백화상 최우수 극영화상, 최우수 각본상, 최우수 여자배우상, 최우수 조연상 등 4개 항목 수상)

「불티가 번져 들판을 태우다燎原」(펑융후이彭永輝, 리훙신李洪辛 각본, 장쥔샹, 구얼이顧而已 감독, 톈마전영제편창 제작)

「마술사의 기이한 만남」(쌍후, 왕롄, 천궁민 각본, 쌍후 감독, 톈마전영제편창 제작)

「난하이 조수南海潮」(차이추성, 천찬원, 왕웨이이王爲一 각본, 차이추성, 왕웨이이 감독, 주장전영제편창珠江電影制片廠 제작)

「여자 이발사」(첸딩더錢鼎德, 딩란丁然 각본, 딩란 감독, 톈마전영제편창 제작)

「정전 이후停戰以後」(신이辛毅 각본, 청인 감독, 베이징전영제편창 제작)

「홍루몽」(쉬진徐進 각본, 천판岑範 감독, 홍콩 금성영업공사金聲影業公司, 하이옌전영제편창, 상하이월극단 합동 제작, 1962년 11월 22일 상영)

「멧돼지 숲野豬林」(리사오춘 각본, 추이웨이, 천화이아이 감독, 베이징전영제편창, 홍콩 대붕영업공사大鵬影業公司 합동 제작)

「인삼 인형人參娃娃」(바오레이包蕾 각본, 완구찬萬古蟾 감독, 상하이미술전영제편창 제작. 1961년 제4회 동독 라이프치히 국제 단편 및 기록영화제 영예상, 1979년 제1회 이집트 알렉산더 국제영화제 최우수 아동영화 은상 수상)

「어얼둬쓰 폭풍鄂爾多斯風暴」(윈자오광雲照光 각본, 하오광郝光 감독, 8·1전영제편창 제작, 1994년 국가민족사무위원회國家民族事務委員會 소수민족 '등룽상騰龍獎' 기념상 수상)

「영웅 전차병英雄坦克手」(저우젠화周建華 각본, 리마오李昴 감독, 8·1전영제편창 제작)

1월

1일, 상하이 문예계 인사들이 문예회당文藝會堂에서 1963년 원단 친목회를 개최하였다. 중공 상하이시위원회 제1서기이자 상하이시 시장인 커칭스柯慶施가 연설에서 '13년 창작'이라는 구호를 제시하면서 건국 후 13년 동안만이 사회주의 문예가 주목해야 할 중요한 소재라고 강조하였다. 커 칭스는 문예공작자들에게 건국 후 13년간의 현실생활을 반영한 작품을 창작할 것을 호소하면서, 특히 현실을 신속히 반영하며, 군중이 노래하고 공연하기에 적합한 가곡과 짧은 희극을 창작할 것 을 강조하였다. 본 연설을 계기로 문예계에 '대대적인 13년 창작'의 추세가 성행하기 시작하였다.

『광명일보』에 자오푸추의 「청평악 · 1963년을 맞이하며清平樂 · 迎1963年」, 궈모뤄의 「만강홍 滿江紅」 등의 사詞가 발표되었다.

『해방군문예』 1월호에 본지 편집부의 전문 논고 「인민과 군대의 전투 풍격을 묘사하고, 당과 조국의 위대한 공적을 구가하자描繪人民和軍隊的戰鬥風貌, 謳歌黨和祖國的豐功偉績」 및 취보의 장편소 설 부분 『차오룽뱌오橋隆飆』, 장창궁의 「서리지더의 혼례舍麗古德的婚禮」, 런빈우仟斌武의 「용감하 게 악조건과 싸우는 역할開頂風船的角色」 등의 소설, 부대 '쾌판시인' 비거페이의 유작 「시 3편詩三首」(1958년 1월 9일에 창작), 리잉의 「세기의 구름世紀的雲」, 옌전의 「들판 위의 뇌우田野上的雷雨」(3 편) 등의 시, 리시린李西林의 「금빛의 노을金色的霞光」, 탕징湯涇의 「나는 쿤룬을 사랑한다我愛昆侖」 등의 산문, 펑무의 「전사 생활의 진실한 모습 − 어느 전사 작가와 함께 차오스의 단편소설을 이야 기하다戰士生活的眞實寫照——和一位戰士作者談峭石的短篇小說」 등의 평론이 발표되었다.

스차오스史嵧石(1931~2012), 필명은 차오스嵧石, 위안바오핑袁堡屏, 좡망莊莽으로 산시陝西성 싱
핑興平 출신이며 중공 당원이다. 베이징군구 정치부 문화부 창작원, 산시성 셴양嶼陽지구 문예창작
연구실 주임, 셴양시 문련 부주석을 역임하였다. 1950년부터 작품을 발표하였다. 저서로 장편소설
『여황운사女皇韻事』, 『열근劣根』, 『당광나무 골목女貞巷』, 시집 『백양나무와 전사白楊樹和戰士』, 『보
리밭 청춘麥苗青春』, 『치빙집馳聘集』단편소설집 『지뢰의 비밀地雷的秘密』, 『들끓는 병영沸騰的軍營』,
『즐거운 꿈歡樂的夢』 등이 있다.

『쓰촨문학』1월호가 '극본 특집호'로 간행되어 류창랑의 3막 10장 화극「붉은 바위」(상편), 푸런
후이傳仁慧, 판이신潘一心, 쑹타오松濤의 단막 회극喜劇「장다냥이 친척을 방문하다章大娘探親」, 즈광
之光의 단막 방언 화극「이번 한번만 틀렸다就錯這一回」, 리페이李佩의 단막 방언 화극「생신 축하祝
壽」, 리밍장李明璋의 천극川劇「화친기和親記」가 발표되었다.

『후난문학』제1, 2호 합본에 저우리보의 창작담「소재 축적 및 기타素材積累及其他」, 자오수리의
「화고희「삼리만」에 관하여談談花鼓戲＜三裏灣＞」, 후잉胡英의 소설「산사람山裏人」, 리훙투李鴻圖의
소설「두 명의 대학생兩個大學生」, 왕이핑王以平의 산문「염사석 인상鹽沙石印象」, 가오위高宇의 평론
「농촌 계급투쟁의 장면－화극단의「홰나무 마을」공연을 보고農村階級鬥爭的畫卷――看省話劇團＜槐
樹莊＞的演出」가 발표되었다. 가오위는 글에서 본 화극이 서로 다른 혁명 계급의 시대적 특징을 매
우 전형적으로 드러내 보여 그 맥락이 분명하며, 서정적이고도 유머러스한 필치를 활용해 극 전체
의 주제를 집중적이고도 선명하게 표현했다고 보았다.

『안후이문학』제1호에 쑨샤오핑孫肖平의「자장가搖籃曲」, 왕위주王餘九의「코끼리를 잡는 사람
捕象的人」, 왕유런王有任의「샤오단의 혼사小旦的婚事」, 루옌저우의「눈바람 부는 찻집의 밤風雪茶亭
夜」등의 소설, 옌전의「중국의 가을을 논하다・눈論中國的秋天・雪」, 아훙阿紅의「화이허 감상淮河
情思」, 쑹다오더宋道德의「배 끄는 인부纖夫」, 먀오더위의「고향의 강이여家鄉的河流啊」, 장량쑤張良
蘇의「입대入隊」, 우러썬吳樂森의「밤의 창장夜的長江」등의 시, 루빙루兵의「행군 일기行軍日記」, 톈
스위田士雨의「풍뢰편風雷篇」등의 산문, 저우강周剛의 극본「입산進山」이 발표되었다. 같은 호의 '「
환혼초還魂草」필담'란에 장신젠章新建의「「환혼초」의 사상적 의의와 예술적 특징＜還魂草＞的思想
意義和藝術特色」, 옌윈서우嚴雲綬, 천위더陳育德의「「환혼초」의 근본적인 문제는 어디에 있는가＜還
魂草＞的根本問題在哪裏」, 류셴핑劉先平의「시대의 송가時代的頌歌」가 발표되었다.

『칭하이후』1월호에 천스위안陳士源의「치메이琪美」, 가오지高驥의「양의 분만기產羔時節」, 왕더
취안王德泉의「마유푸馬有福」등의 소설, 주치朱奇의「반마 원시림 속에서在班瑪原始森林裏」등의 산
문, 양즈린의「승리의 등대－피델과 쿠바에게 바친다勝利的燈塔――獻給菲德爾, 古巴」, 쌍지자桑吉加

(티베트족)의 「마음속의 노래를 부르다唱一支內心的歌」, 거싱歌行의 「너의 은빛 날개를 펼쳐, 내 전투의 페이지에 보내라展開你的銀翅, 捎去我戰鬪的詩頁」, 양즈린의 「시닝 야영西寧夜詠」, 「전사 찬가勇士贊歌」, 「빈사의 유령垂死的幽靈」, 먀오더웨이의 「압록강鴨綠江」, 팡춘디方存弟의 「쿤룬 화폭昆侖畫頁」, 왕하오王浩의 「산·별山·星」, 사오쭈핑邵祖平의 「칭하이후에서 소리 높여 노래하다靑海湖放歌」, 왕청둥汪承棟(토가족)의 「보우짠단波烏贊丹」(장시 부분), 리전李振의 「산화선散花船」, 왕쭝런王宗仁의 「나는 순찰병이다我是巡邏兵」, 황징타오黃靜濤의 「네이멍구 기행內蒙紀行」(연작시) 등의 시가 발표되었다.

왕청둥(1930~2018), 토가족 시인으로 후난성 융순永順 출신이며 중공 당원이다. 1950년에 군에 입대하였다. 티베트 문련 부주석, 티베트작가협회 부주석을 역임하였다. 1953년부터 작품을 발표하였다. 저서로 시집 『우즈산에서 톈산까지從五指山到天山』, 『브라마푸트라강雅魯藏布江』, 『고원에서 소리 높여 노래하다』, 『라싸강의 성격拉薩河的性格』, 『변경 송가邊疆頌』, 『왕청둥 시선汪承棟詩選』, 장시 『쿤룬 황무지 개간팀昆侖墾荒隊』, 『사마귀 영웅黑痣英雄』, 『설산의 폭풍雪山風暴』, 장시집 『왕청둥 서사시선汪承棟敘事詩選』, 장편소설 『설원의 작은 종달새雪原小雲雀』, 산문집 『쿤룬산 아래의 보배昆侖山下的明珠』, 영화문학 극본 『보우짠단』, 『탕구라唐古拉』, TV 드라마 극본 『들불野火』(합동 창작) 등이 있다.

『우화雨花』 제1호에 아이쉬안의 「수놓는 처녀繡娘」, 치밍齊明의 「추수와 가을 파종 전秋收種之前」 등의 소설, 위안잉의 산문 「후추 사람虎丘人」, 허윈賀雲의 「공산당共産黨」, 양쉬楊旭의 「만디나, 내 사랑하는 형제曼迪納, 我親愛的兄弟」, 징런靜人의 「시사 감상感時事」, 웨이위칭魏毓慶의 「아, 우람한 화이하이 전투 기념탑이여哦, 魏峨的淮海戰役紀念塔」, 쑨유톈의 「화랑畫廊」, 가오펑高風의 「초가을新秋」, 왕더안王德安의 「석탄 한 덩어리一塊煤」, 주광디朱光第의 「낚시釣魚」 등의 시, 리샤양李夏陽의 「한 걸음씩 발전하다步步高」, 쑨유톈의 「생활의 격류 속으로 들어가다到生活激流中去」, 양빙옌楊秉岩의 「「산을 나서다」에 관하여也談＜出山＞」(팡즈의 소설 「산을 나서다」는 『상하이문학』 1962년 8월호에 발표) 등의 문예잡담이 발표되었다.

『불꽃』 1월호에 본지 편집부의 글 「공농병을 위해 더욱 잘 복무하자—원단에 작가들에게更好地爲工農兵服務——元旦致作者」, 리이민李逸民의 「두 사돈倆親家」, 취안시캉權錫康의 「훌륭한 사람이 되지 못함을 아쉬워하다恨鐵不成鋼」, 마평의 『류후란 전기劉胡蘭傳』(장편 연재) 등의 소설, 자오샹첸趙向前의 「등불燈光」, 궁류의 「낫과 도끼의 노래鎌刀和斧頭的歌」, 왕즈루이王志瑞의 「평황산 아래鳳凰山下」, 리푸후李福虎의 「아빠爸爸」 등의 시, 위보鬱波의 「형제의 우정兄弟情誼」 등의 산문이 발표되었다.

『옌허』 1월호에 탕뤄湯洛의 소설 「‘비둘기’의 수수께끼“飛鴿“迷」, 차오스의 산문 「연해 지방 스케치海疆速寫」, 구궁의「트랙터 정류장拖拉機站」, 왕더팡王德芳의「출항啟航」, 안징安靜, 리유룽李幼容의「아, 타림哦, 塔裏木」, 리잉의「고비 사막을 나서다跨出戈壁」, 마오치毛錡의「영웅의 배英雄的船」, 류부슈劉不朽의「작은 마을 풍경小鎮即景」, 왕위량汪玉良의「목가牧歌」, 푸툰傅暾의「방목지 서정牧區抒情」, 쑤진싼의「집家」, 민치敏歧의「피리소리笛聲」 등의 시가 발표되었다.

리유룽(생년 불상~2021), 시인이자 사詞 작가로 산둥 출신이다. 1955년부터 작품을 발표하였다. 총정치부 가무단에서 오랫동안 전문 창작에 종사하였다. 저서로 시집『톈산 행진곡天山進行曲』, 가사집『마음속의 약속心靈之約』, 작사집『노래할 줄 아는 별會唱歌的星』, 낭송시집『태양 엄마를 축복하다祝福太陽媽媽』,『떠올라라, 신세기의 별이여升起吧, 新世紀的星』 등이 있다.

『창장문예』 제1호에 톈카이궈田凱國의「양어장에서在養魚場裏」, 천보추이의「다리 건너편의 바다표범橋那邊的海豹」 등의 소설, 장융메이의「국경 수비군邊防軍」, 류부슈의「「옥수수 사람들」에 부쳐題<苞穀人家>」, 양핑楊平의「강단 위의 황성샤오黃聲孝在講台上」, 웨이치린의「고산요채시초高山傜寨詩草」, 쑤진싼의「제비燕子」 등의 시가 발표되었다.

『신항』 1월호에 본지 편집부의 글「연초에 쓰다寫在歲首」를 비롯해 리더푸의「'재정부장'"財政部長"」 등의 소설, 웨이양의「주석의 고거에서在主席故居」, 지펑紀鵬의「초원 시정草原詩情」, 구궁의「집합 나팔號音」, 웨이예韋野의「포도원 서정葡萄園抒情」, 다이옌톈戴硯田의「마을 어귀의 난롯불村邊爐火」 등의 시, 천다위안陳大遠의「판산 여행기盤山記遊」, 바이위안의「가다메이린의 고향에서在嘎達梅林的故鄉」, 한잉산의「여울 위水灘上」 등의 산문, 팡지, 린셴비藺羨璧의「'특필'에 관하여關於"特寫"」, 청다이시程代熙의「톨스토이의 창작경험에 관하여談談阿·托爾斯泰的創作經驗」 등이 평론이 발표되었다.

『간쑤문예』 1월호에 리허李禾의「파종의 계절播種季節」, 차이치캉蔡其康의「월계화가 필 때月季花開時」, 두허杜河의「비바람 속의 발걸음風雨裏的步伐」(중편소설 연재) 등의 소설, 궁류의「공기空氣」, 이단차이랑伊丹才讓의「다라가 목가達拉加牧歌」, 저우위밍周雨明의「치수참治河站」 등의 시, 리지의「수필을 축복하며祝福隨筆」 등의 산문이 발표되었다.

『초원』 1월호에 마라친푸의 소설『아득한 초원茫茫的草原』(장편소설 부분), 차오커투나런의 극본「가혹한 세월嚴峻的歲月」, 나·싸이인차오커투의 시「쿠바 혁명 만세古巴革命萬歲」, 자만賈漫의「8월의 벌판八月的原野」, 치무더다오얼지其木德道爾吉가 정리하고 안커친푸安柯欽夫가 번역한「몽골족 민간 서사시「영웅 거쓰얼커한」 제2부 제4장蒙古族民間史詩<英雄格斯爾可汗>第二部第四章」, 후자오헝胡昭衡의「자치구 문예공작자에게致自治區文藝工作者」가 발표되었다.

후자오헝(1915~1999), 본명은 리신李欣이며 미密라는 이름을 사용하였다. 허난성 싱양滎陽 출신이다. '12·9' 운동을 조직 및 참가하였다. 1937년에 베이징대학 역사학과를 졸업하고 같은 해 팔로군에 참가하였다. 1938년에 중국공산당에 가입하였다. 네이멍군구 정치부 제1부주임, 네이멍구 자치구 당위원회 서기처 서기, 톈진시위원회 서기 및 위생부 부부장, 국가의약관리총국國家醫藥管理總局 당조서기 및 국장 등을 역임하였다. 베이징시 잡문학회 회장을 오랫동안 맡았다. 1935년부터 작품을 발표하였다. 저서로 『노생상담老生常談』, 『노성신탄老聲新彈』, 『노간신지老幹新枝』 등이 있다.

『창춘』 1월호에 왕쭝한王宗漢의 「안개 낀 아침起霧的早晨」, 원샤오위溫小鈺, 왕저청汪浙成의 「사소한 이야기瑣屑的故事」 등의 소설, 루핑蘆萍의 「길의 노래路之歌」, 양윈첸楊允謙의 「숲속의 '극원'林中"劇院"」, 치지광戚積廣의 「봄비春雨」 등의 시, 정다鄭達의 「술이 입술을 지나다酒過唇邊」 및 런옌팡任彥芳의 문예수필 「시에 관한 시關於詩的詩」, 펑원빙의 「잊을 수 없는 그림難忘的圖畫」 등의 산문이 발표되었다.

2일, 『인민일보』에 차오징화의 산문 「선연한 팥이 그리움을 전하다─광시 서정艷艷紅豆寄相思──廣西抒情」, 라오서의 산문 「신년을 축하하며賀新年」, 궈모뤄의 시 「공사의 전도가 찬란하다─영화 「홰나무 마을」을 보고公社的前途光芒萬丈──看了電影＜槐樹莊＞」가 발표되었다.

3일, 『광명일보』에 가오잉의 산문 「형제 나무兄弟樹」, 위스즈의 평론 「귀중한 경험寶貴的經驗」(북한 화극 창작 및 공연 경험에 대한 정리)이 발표되었다.

『인민일보』에 저우얼푸의 산문 「자유는 여기서 탄생한다自由在這兒誕生」가 발표되었다.

4일, 인민문학출판사에서 중일전쟁 기간의 해방군과 인민의 용감한 투쟁을 반영한 『불티가 번져 들판을 태우다』(제7집)를 출간하였다. 이 책의 저자들은 모두 중일전쟁에 참전한 용사로, 제7집에는 녜룽전聶榮臻의 「중국 인민은 어떻게 일본의 파시즘 침략자와 싸워 이겼는가中國人民怎樣戰勝了日本法西斯侵略者」 등 총 59편의 혁명 투쟁 회고록이 수록되었다.

『문회보』에 루망의 「송가頌歌」, 셰치구이謝其規의 「공인문화궁 송가工人文化宮頌」 등의 시, 원이부聞亦步의 잡담 「새해에 새 극을 보다新年看新戲」, 거진戈今의 평론 「찬란한 봄─화극 「두 번째 봄」을 평하다絢爛的春天──評話劇＜第二個春天＞」가 발표되었다.

『베이징문예』 1월호에 장쿠이푸張葵芙의 「관 어르신關大爺」, 장바오신張葆莘의 「섣달 그믐날除夕」 등의 소설, 예윈葉耘의 「친링산맥을 지나다過秦嶺」, 저우강周綱의 「전선 문예 경기병 부대에 보내다送前線文藝輕騎隊」, 왕야핑의 「시자오 산가西郊散歌」, 민치의 「마름을 따다采菱」 등의 시, 장밍의 「소년유少年遊」, 위안잉의 「풍범소집風帆小集」, 시훙의 「수렵기狩獵記」 등의 산문, 샤오자肖甲의 「희곡예술에서의 신선과 귀신 문제戲曲藝術中的神鬼問題」, 무후이牧惠의 「성격의 시대감性格的時代感」 등의 평론이 발표되었다.

5일, 『홍기』 제1호에 사설 「레닌과 현대 수정주의列寧和現代修正主義」가 발표되었다.

『인민일보』에 지핑의 시 「원단의 아침 해－쿠바 혁명 승리 4주년을 위하여元旦朝陽——爲古巴革命勝利四周年作」, 마톄딩의 잡담 「첨예한 대립－영화 「정전 이후」를 평하다針鋒相對——評電影＜停戰以後＞」, 사오리쯔의 사詞 「청평악－1963년 원단에 기쁘게 읊다淸平樂——1963年元旦喜詠」가 발표되었다.

『문회보』에 뤄쑨의 평론 「온 산의 진달래가 불처럼 붉다－화극 「두견산」을 보고遍山杜鵑紅似火——話劇＜杜鵑山＞觀後」가 발표되었다.

『상하이문학』 1월호에 광수민의 「같은 길을 가다同路」, 궈이저郭以哲의 「비밀秘密」, 웨이진즈의 「그를 따라가라跟著他走」, 류야오중劉耀忠의 「아샹 노인과 공기 펌프阿祥老頭和打氣筒」 등의 소설, 나자룬那家倫의 「밀림 잡기密林散記」 등의 산문, 가오잉의 「매의 나무山鷹之樹」, 리루칭의 「길路」 등의 시, 황정수黃政樞의 평론 「양쉬의 산문 예술楊朔的散文藝術」이 발표되었다. 황정수는 글에서 양쉬 산문의 뚜렷한 특징이 "시의 의경의 창조에 힘쓰는 점"이라고 보았다.

『북방문학』 1월호에 마오둔의 서신 「어느 청년 작가에게給一位靑年作者」 및 쑤처蘇策의 「다와 처녀達瓦姑娘」 등의 소설, 천궈핑陳國屛의 「멀리 떠나는 배征帆」, 사어우의 「홍송의 고향에서在紅松的故鄕」 등의 시, 황이융黃益庸의 문예수필 「굳어진 형식과 깊고 넓은 내용－단편소설 창작 만담凝固的形式和深廣的內容——短篇小說創作漫談」, 전문 논고 「문학의 전투적 역할을 더욱 충분히 발휘하자更充分地發揮文學的戰鬥作用」가 발표되었다.

『신장문학』 1월호에 싸이푸딩의 「영광스러운 희생光榮的犧牲」, 아부두러허만阿不都熱合滿의 「노상路上」, 류샤오우劉肖無의 「소가 말하다牛說」 등의 소설, 니무시이티尼木希依提의 「전투하는 쿠바 인민에게 바친다獻給戰鬥中的古巴人民」, 쓰마구러司馬古勒의 「어느 한족 작가에게致一位漢族作家」, 싸하리薩哈裏의 「맑고 깨끗한 샘물明淨的泉水」 등의 시, 위안잉의 「톈산로天山路」, 왕위후王玉胡의 「쑤궁타에 오르다登蘇公塔」 등의 산문, 톄이푸장·아이리예푸의 수필 「위구르의 전통적인 오락 활동維吾爾傳統的娛樂活動」이 발표되었다.

『열풍』에 먀오펑푸苗風浦의 「대나무 울타리 안팎籬笆裏外」, 청위추曾毓秋의 「용지초龍枝草」 등의 소설, 황쥔린黃駿霖의 「시사를 쫓다趨時事」, 장촨신張傳新의 「시 전단詩傳單」, 저우강의 「전사의 마음에는 불꽃이 가득하다!戰士的心，裝滿了火焰!」, 한루이팅韓瑞亭의 「도문행都門行」, 롄원슈練文修의 「농촌 단곡農村短曲」 등의 시, 궈펑의 「민칭과 그 육도閩淸和它的六都」, 허웨이의 「잊을 수 없는 순간難忘的時刻」 등의 산문이 발표되었다.

6일, 『인민일보』에 리시판의 「날개를 펼쳐 비상하는 '청산리 정신'—'붉은 선전원'의 이선자 형상의 시대적 의의展翅飛翔的"青山裏精神"——談＜紅色宣傳員＞中李善子形象的時代意義」가 발표되었다. 그는 글에서 "이 작품(「붉은 선전원」)은 중국과 조선의 예술가들이 형제처럼 합작한 노동의 성과이다", "「붉은 선전원」이 우리나라 희극 무대에서 공연되었다는 일의 더욱 큰 의의는 이 작품이 형제 나라 조선의 천리마 운동의 시대 생활을 반영했다는 데 있다", "중국의 관중들은 「붉은 선전원」을 보고, 이선자李善子의 정신적 품성 속에서 동시대 사람들의 생활의 모범을 어렵지 않게 찾을 수 있을 것이다"라고 보았다. 리시판은 '이선자'라는 인물 형상을 분석하면서 "이 평범한 농촌 처녀의 모습과 품성이 눈부신 광채를 발할 수 있는 이유는 그녀가 자신의 생활과 이상을 당의 사업, 그리고 공산주의의 미래와 빈틈없이 결합시켰기 때문이다", "이선자는 여러 유형의 낙후된 인물을 마주하고 있다", "선자의 성격은 온후하다", 하지만 그녀는 "자신이 사랑하는 농촌, 그리고 당의 사업을 공격하고 모독하는 이들을 결코 용인하지 않는다. 이것이 바로 공산주의자로서 반드시 갖춰야 할 절개이다"라고 보았다.

『문회보』에 선런캉의 시 「석탄 채집 공인采煤工」, 후완춘의 「스리랑카를 방문하다在錫蘭作客」, 자오펑趙澧의 「몇 가지 작은 이야기幾個小故事」, 원이부의 「문예계에 새해 인사를 하다向文藝界拜新年」 등의 산문이 발표되었다.

7일, 『인민일보』에 쉬츠의 산문 「창장 조곡長江組歌」, 판융더潘永德의 산문 「선물禮物」이 발표되었다.

『양청만보』에 허칭賀青(장한칭張漢青)의 보고문학 「종자 예찬種子贊」이 발표되었다.

8일, 『해방군보』에 커위안의 연작시 「병사 단가士兵短歌」, 허우밍쉰侯明勳의 잡문 「세계를 투시하는 'X'선透視世界的"X"光」이 발표되었다.

『인민일보』에 위안수이파이의 시 「푸른 하늘에 어찌 선을 그을 수 있는가—영웅적인 베트남 인민에게 바친다藍天怎能劃一道線——獻給英雄的越南人民」, 장더밍薑德明의 「날다飛」, 정중鄭重의 「농당

풍弄堂風」 등의 산문이 발표되었다.

『문회보』에 자오푸추의 시「선객을 맞이하다―스리랑카 총리를 환영하며迎仙客――歡迎錫蘭總理」, 판쉬란, 쩡화평의 평론「위대한 당과 위대한 조국을 위해 노래하다―허징즈의 최근 몇 년간의 시에 관하여爲偉大的黨爲偉大的祖國放歌――談賀敬之近年來的詩」가 발표되었다.

9일, 『인민일보』에 마오쩌둥의 전사填詞「만강홍 · 궈모뤄 동지와 함께滿江紅 · 和郭沫若同志」, 먼하이췬門海群의 산문「바투얼巴吐爾」이 발표되었다.

상하이시 문화국과 중국극협 상하이분회가 만찬회를 개최해 북한 국립화극원朝鮮國立話劇院 성립 16주년을 축하하였다. 중공 상하이시위원회 서기이자 상하이시 부시장 차오디추曹荻秋, 중공 상하이시위원회 서기처 후보서기이자 상하이시 부시장 류수저우劉述周가 참석하였으며, 만찬회 전에 북한 국립화극원 부원장 한진섭韓鎭燮의 인솔로 상하이를 방문한 북한 문화예술대표단과 회견을 가졌다. 상하이시 문화국 국장 멍보와 북한 문화예술대표단 단장 한진섭이 연설하였다. 베이징인민예술극원 부원장 어우양산쭌과 극작가 황강이 특별히 만찬회에 참석하였다. 이 외에도 상하이 문예계의 저명인사들과 북한을 방문한 경험이 있는 문예공작자들이 참석하였다(『광명일보』 1월 11일자 제1판에 보도).

『문회보』에 거진의 문예수필「빛나는 '보초병' 형상―화극「네온사인 아래의 보초병」을 보고光輝的"哨兵"形象――話劇＜霓虹燈下的哨兵＞觀後」가 발표되었다.

10일, 『해방군문예』 편집부에서 베이징의 일부 부대 청년 작가들을 초청해 좌담회를 개최해 해방군문예출판사에서 최근에 출판한 차오스의 소설집『들끓는 병영』에 관해 토론을 전개하였다. 이번 좌담회를 개최한 목적은 "부대 문예창작의 혁명성, 전투성, 현실성을 강화하고, 현재의 부대 생활에 대한 반영과 전사 형상의 창조 등의 문제를 연구하는 것"이다.

『인민일보』에 두뤄샹杜若湘의 산문「항해에서 돌아오는 범선歸帆」이 발표되었다.

『광명일보』에 왕청둥의 소설「여명黎明」, 주훙朱虹의 평론「프랑스의 신소설파는 어떤 점에서 '새로운'가?法國新小說派"新"在哪裏?」가 발표되었다.

『해방군보』에 쑨징루이孫景瑞의 산문 '하이난다오 인상 3편海南島印象三記' 중에서「선학仙鶴」이 발표되었다.

『산둥문학』 1월호에 취보의『차오룽뱌오』(장편소설 연재), 쥔칭의「원앙묘鴛鴦塚」, 머우충광牟崇光의「대로 위에서在大路上」, 란링의「호수 속의 갈대湖中的箸」 등의 소설, 옌전의「산중수필山中隨

筆」, 푸자레이의 「타이산의 일출泰山日出」, 빙푸의 「한밤중, 나는 낮은 노랫소리에 잠을 깼다深夜,
我被低吟的歌聲驚醒」, 궁류의 「탐광일기探礦日記」, 천셴룽陳顯榮의 「풍작의 징과 북豊收鑼鼓」 등의 시,
런푸셴仁孚先의 평론 「문예작품의 시대정신 약론淺論文藝作品的時代精神」 이 발표되었다. 런푸셴은 글
에서 문예작품의 시대정신은 "바로 시대의 선진적 사상과 시대의 주도적 정신"이며, "시대정신의
문예작품에서의 표현은 우리 시대에는 바로 공산주의 사상, 그리고 공산주의의 이상을 위해 분투
하는 고상한 품성과 공산주의의 도덕적 기풍이다"라고 보았다. 그는 문예작품은 응당 이러한 시대
정신을 "형상화하고, 생생하게 표현해야 한다"라고 지적하였다.

　『압록강』 1월호에 쑤처의 소설 「백학白鶴」, 스톈서우師出手의 「쿠바—용감한 바다제비古巴——
勇敢的海燕」, 천광성의 「뇌봉雷鋒」, 장창궁의 「양식을 보내다送糧」 등의 시, 본지 편집부의 글 「우리
의 희망我們的希望」, 마오둔의 「독서 잡기讀書雜記」(2), 리준의 「줄거리, 성격, 그리고 언어情節, 性格
和語言」 등의 평론이 발표되었다.

　스톈서우(1911~1995), 본명은 톈즈청田質成, 필명은 톈서우田手로 지린성 푸위扶餘 출신이다.
1936년에 베이징대학 중문과를 졸업하고 같은 해에 혁명에 참가하였다. 지린성 문교국장 및 교육
청장, 둥베이작가협회 부주석 및 당조부서기를 역임하였다. 1933년부터 작품을 발표하였다. 저서
로 작품집 『연소燃燒』, 『선두에서 활약하다活躍在前列』, 『할아버지와 할머니 이야기爺爺和奶奶的故事
』, 『난니완을 노래하다歌唱南泥灣』, 『나사못의 노래螺絲釘之歌』, 『홍우집紅雨集』, 『옌안延安』, 『톈서
우 단편소설선田手短篇小說選』 등이 있다.

　『광시문예』 1월호에 덩옌린鄧燕林의 소설 「작은 선작小仙雀」, 웨이치린의 「위장이여鬱江啊」 등
의 시, 차오징화의 「선연한 팥이 그리움을 전하다—광시 서정」, 저우민전周民震의 「꽃 중의 꽃花中
之花」 등의 산문, 안닝安寧의 「쑹쥔의 단편소설 창작에 관하여試談宋郡的短篇小說創作」, 쑹쥔宋郡의 「
사건 · 인물 · 줄거리事件 · 人物 · 情節」 등의 평론이 발표되었다.

　『시간』 제1호에 쩌우디판의 「훙후 송가洪湖頌」, 왕청둥의 「라싸강의 성격」, 장완수張萬舒의 「황
산송 · 일출黃山松 · 日出」 등의 시가 발표되었다.

　11일, 『문예보』 1월호에 저우양의 「쿠바 전국문화대표대회 폐막회의에서의 축사在古巴全國文
化代表大會閉幕會議上的致辭」, 위안잉의 「호방한 마음은 불과 같고, 기운은 무지개와 같다—시 독서
찰기豪情如火氣如虹——讀詩劄記」, 아이우의 「생활 기지의 심화와 확대生活基地的深入和擴大」, 리준의
「'원천'에 관한 체험關於"源泉"的體會」, 커링의 「인물에게 생명을 부여하다—예술 개괄 단편 제2편
給人物以生命——藝術概括談片之二」, 천상허의 「그리움과 추모懷念與追悼」(1962년 2월 24일에 사망한

리제런을 추모한 글) 등의 수필과 펑셴즈馮先植의 평론 「희곡평론은 희곡예술이 옛것을 취사선택하여 새롭게 발전시키는 데 도움이 되어야 한다戲曲評論應當有助於戲曲藝術的推陳出新」가 발표되었다.

『문회보』에 원이부의 잡담 「괄목상대하여 곤극을 말하다刮目相看話昆曲」가 발표되었다.

『인민일보』에 왕슈잉王秀英의 산문 「리신쯔를 방문하다訪李信子」가 발표되었다.

12일, 『인민문학』 1월호에 아이우의 「남행기 속편南行記續編」 중에서 「제하자이姐哈寨」, 구쓰판의 「쑤펀과 셋째 숙모素芬和三嬸」, 마닝馬寧의 「정착하다落戶」, 루원푸의 「주태를 두 번 마주치다二遇周泰」, 뤄빈지의 「1962년 가을, 웨이허에서1962年秋天在葦河」, 허웨이의 「후장의 새 집壺江新屋」 등의 소설, 리잉의 「세기의 구름」(3편), 테이푸장·아이리예푸의 「쌍바이이桑巴依」(6편), 푸러우의 「신악부新樂府」(2편), 무로족仏佬族 시인 바오위탕包玉堂의 「단저우자이 서정丹州寨抒情」 등의 시, 지셴린의 「협죽도夾竹桃」 등의 산문이 발표되었다. 이 외에도 장쥔샹이 각색한 영화문학 극본 「의사 베쑨白求恩大夫」이 『인민문학』 1월호와 2월호에 연재되었다.

『해방군보』에 쑨징루이의 산문 '하이난다오 인상 3편' 중에서 「결혼식 날婚期」이 발표되었다.

『인민일보』에 위안잉의 단편 「샤오둥무가 고발한다—동시 「샤오둥무」를 읽고小冬木在控訴——讀兒童詩＜小冬木＞」, 첸창시錢昌熙의 연작시 「산베이 기행陝北紀行」(「뤄촨洛川」, 「뤄촨에서 옌안으로 가는 길에從洛川趕延安途中」, 「미즈 가오시거우의 계단식 밭米脂高西溝水平梯田」, 「위린榆林」, 「산베이의 대설陝北大雪」)이 발표되었다.

『광명일보』에 궈모뤄의 시 「장하이행江海行」, 웨이쥔이의 「최후의 방문—작가 리제런을 추모하며最後的訪問——悼念作家李劫人」, 쉬치許淇의 「무춘 3편牧村三題」 등의 산문, 리젠우의 평론 「사회주의의 전원극—「붉은 선전원」社會主義的田園劇——＜紅色宣傳員＞」이 발표되었다.

청두시 천극원成都市川劇院이 베이징에서 대형 천극 「옌옌燕燕」을 공연하였다.

13일, 시간사詩刊社가 베이징 음악청北京音樂廳에서 시가 낭송회를 개최하였다. 자오윈루趙蘊如, 주린, 둥싱제董行潔, 양치톈楊啟天, 인즈광殷之光 등 5명의 배우가 낭송 공연에 참가하였다.

중공중앙 선전부 부부장이자 중국문련 부주석 저우양이 이끄는 쿠바 방문 중국 문화대표단이 귀국해 베이징에 도착하였다. 전국문련 부비서장 아잉, 중공중앙 문화부 부부장 샤옌 등이 대표단을 맞이하였다.

『문회보』에 옌전의 시 「시골의 정서鄉村的情調」가 발표되었다.

14일, 『인민일보』에 궁시宮璽의 시 「새벽晨」, 쉬치의 산문 「회의를 열다開會」가 발표되었다.

15일, 『인민일보』에 펑장鳳章의 소설 「비밀秘密」, 거비저우의 연작시 「황푸강 어귀에서 노래하다黃浦江口放歌」가 발표되었다.

『광명일보』에 사훙莎紅의 시 「향초 처녀香草姑娘」, 바이예白夜의 산문 「강변江邊」이 발표되었다.

『작품』 신2권 제1호에 리창쑹李昌松의 「소를 찾다尋牛」, 린젠정林建征의 「장대하다偉岸」, 장핑江萍의 「대좌의 군의大佐的軍醫」 등의 소설, 장융메이의 「불꽃 같은 세월火焰般的年華」 등의 시, 장융메이의 「「소라 나팔」 후기＜螺號＞後記」, 샤오인의 「형상과 구상形象和構思」, 후난의 「예술작품의 열량藝術作品的熱量」, 웨이쉬안韋軒의 「『고투』 소개＜苦鬥＞簡介」(어우양산의 작품 『고투』) 등의 평론이 발표되었다.

옌원징이 이끄는 중국작가대표단이 스리랑카 작가협회의 초청에 응해 스리랑카를 방문하였다.

16일, 『인민일보』에 저우강의 시 「훙허 소묘紅河素描」가 발표되었다.

『문회보』에 판파자樊發家의 시 「생활 산시生活散詩」가 발표되었다.

17일, 『문회보』에 니전슝倪振雄의 소설 「고요한 강가靜靜的河岸」가 발표되었다.

18일, 문화부와 중국아프리카인민우호협회中國非洲人民友好協會가 문예 만찬회를 개최해 베이징 발레학교 실험발레극단 및 발레학교의 교사와 학생들이 공연한 발레 작품 「바흐치사라이의 샘淚泉」을 감상하며 오포리·아타 부장을 위시한 가나 정부 우호 대표단을 환영하였다. 천이 부총리와 셰쥐짜이 등이 동석하였으며, 문화부 부부장 마오둔, 중국아프리카우호협회 회장 류창성劉長勝, 대외문화연락위원회 주임 장시뤄張奚若 등이 참석하였다.

중국인민대외문화협회의 초청에 응해 일본 투부키 하나야기花柳德兵衛 무용단의 무용극 「보련등寶蓮燈」 학습 대표단 일행 5인이 베이징에 도착하였다. 중국인민대외문화협회 부회장 저우얼푸가 대표단을 영접하였다.

『문회보』에 천치陳奇, 모옌의 「「네온사인 아래의 보초병」에 관한 통신關於＜霓虹燈下的哨兵＞的通信」이 발표되었다.

19일, 린모한이 연회를 개최해 쿠바『혁명보革命報』국제부 주임 베니테즈와 촬영부 주임 사라스를 환영하였다.

『광명일보』에 옌전의 시「겨울의 노래冬之歌」가 발표되었다.

『인민일보』에 장다광張大光의 「한데 모이다團聚」, 지칭산紀青山의 「이웃과 웅덩이鄰與墾」, 루쭈핀盧祖品의 「매鷹」 등의 산문이 발표되었다.

20일, 『문회보』에 쓰마원썬의 산문「시의 섬 기록─발리 서정詩島記──峇厘抒情」이 발표되었다.

『극본』1월호에 류찬의 6장 화극「두 번째 봄」, 귀모뤄의「학습하라, 또 학습하라─전국 화극, 가극, 아동극 창작좌담회에서의 발언學習, 再學習──在全國話劇, 歌劇, 兒童劇創作座談會上的發言」, 라오서의 「언어 · 인물 · 희극─청년 극작가와의 대화語言 · 人物 · 戲劇──與青年劇作者的一次談話」가 발표되었다.

22일, 『인민일보』에 리지의 소설「척량음脊梁吟」이 발표되었다.

『광명일보』에 아잉의 「세화의 판매年畫的叫賣」, 쉬치의 「열차는 우리 초원 위를 지난다列車在我們草原上經過」 등의 산문이 발표되었다.

23일, 상하이희극학원 실험화극단이 상하이청년화극단上海青年話劇團으로 개편되었다.

24일, 『해방군보』에 마톄딩의 평론「철옹성─『불티가 번져 들판을 태우다』(7) 독서 후기銅牆鐵壁──讀＜星火燎原＞(7)後記」가 발표되었다.

『인민일보』에 쩌우디판의 시「섣달 그믐밤의 낭송大年夜的朗誦」이 발표되었다.

『광명일보』에 리젠우의 평론「「수재 외전」 극본 분석＜秀才外傳＞劇本分析」이 발표되었다.

『문회보』에 저우루창의 평론「『홍루몽』의 유행＜紅樓夢＞的流行」이 발표되었다.

25일, 『산시일보山西日報』에 마평의 문학수필「시대에 부끄럽지 않은 작품을 쓰자寫出無愧於時代的作品來」가 발표되었다.

『인민일보』에 장아이핑張愛萍의 시「무제無題」, 사오리쯔의 사詞「1963년 춘절 축원1963年春節祝願」, 펑젠난馮健男의 산문「신춘대회─젠밍공사 잡기新春大喜──建明公社散記」, 리젠우의 평론「하루만에 장안의 꽃을 전부 구경하다―「피가로의 결혼」예찬一日看盡長安花――<費加羅的婚姻>禮贊」
이 발표되었다. 리젠우는 글에서 중국청년예술극원이 공연한 보마르셰의 「피가로의 결혼」을 분
석하면서, 제1막에서 백작이 숨어 있었던 것이 "교묘한 안배"라고 평하며, "피가로 형상의 전형적
존재"를 분석하고, 정원사의 딸이라는 인물 형상이 "매우 이해하기 힘들다", "그러나 가장 연기하
기 힘든 인물은 백작부인이다"라고 보았다. 리젠우는 "우리의 젊은 감독은 이 복잡한 줄거리를 장
악하였다. 리듬이 선명하고, 줄거리가 아름다우며, 경향성이 강렬하고, 그러면서도 '광희하는 하
루'를 표현하였다. 장치는 현실감이 풍부하면서도 둔중하지 않고 회색이 만면하다"라고 평하였다.

『성화』제1호에 주정핑朱正平의 「수매修梅」, 왕쯔창汪自强의 「류훠건劉火根」, 위린의 「홍수가 닥
친 상황에서在洪水沖擊下」 등의 소설, 궈위추郭蔚球의 「인민공사 연작시人民公社組詩」, 원망옌의 「공
사 단가행公社短歌行」, 쑤지리蘇輯黎의 「하늘에 눈이 가득 날리다漫天揚雪」, 정보취안鄭伯權의 「꿈에
징강산을 노닐다夢遊井岡山」, 저우사오신周劭馨의 「검무舞劍」 등의 시, 리딩쿤李定坤의 「사회주의 문
학예술의 새로운 승리를 쟁취하자―장시성 문학예술공작자 제3차 대표대회에서의 보고爭取社會主
義文學藝術的新勝利――在江西省文學藝術工作者第三次代表大會上的報告」가 발표되었다.

『문회보』에 라오서의 「봄맞이迎春」, 친무의 「하바나에서 가져온 선물從哈瓦那帶回來的禮品」 등의
시가 발표되었다.

27일, 『인민일보』에 궈샤오촨의 「베이다황의 땅 위에 새기다刻在北大荒的土地上」, 톈한의 「하
이난다오 영웅 군상海南島英雄群像」, 옌전의 「봄이 중국의 문과 창문을 두드린다春天正在敲中國的門窗
」, 리잉의 「국경선 위의 깊은 정(2편)邊境線上的深情(2首)」, 한샤오의 「그녀는 들판에서 노래한다她在
田野裏歌唱」 등의 시가 발표되었다.

29일, 『광명일보』에 톈젠의 「헌시―시솽반나 태족 자치주 성립 10주년을 기념하며獻詩――
爲西雙版納傣族自治州成立十周年紀念作」, 한루이팅의 「호세·마르티 송가何塞·馬蒂頌歌」 등의 시와 지
셴린의 「다시 양곤을 지나며重過仰光」, 칭리曾犁의 「겨울날 수필冬日隨筆」 등의 산문이 발표되었다.
『인민일보』에 자오푸추의 산문 「천년의 유대를 잇다―중국 미얀마 우호 및 상호불가침조약 체
결 3주년을 경축하며聯起來千年的紐帶――慶祝中緬友好和互不侵犯條約簽訂三周年」, 아잉의 평론 「「의용군
」―상하이 공인 의용군을 묘사한 소설에 관하여<義勇軍>――關於描寫上海工人義勇軍的小說」(「의용군
義勇軍」은 양한성이 1933년 1월에 창작한 소설이다)가 발표되었다.

30일, 『문회보』에 린샤의 산문 「봄소식春訊」이 발표되었다.

31일, 『해방군보』에 쑹허녠松鶴年의 산문 「연기 지도와 '낙관주의'說戲及"快樂主義"」, 장아이핑의 시 「황지광 열사 송가頌黃繼光烈士」가 발표되었다.

『인민일보』에 리쉐아오의 시 「베이핑에 보내다寄北京」가 발표되었다.

『광명일보』에 린경의 시 「봄의 발자국春的脚步」, 위안스하이의 「신춘 전망新春展望」, 장치張岐의 「상어를 잡다捕鯊記」 등의 산문이 발표되었다.

이달에 『전영창작電影創作』이 창간되었다.

『곡예曲藝』 1월호에 상성 좌담회에서의 라오서의 발언 「좋은 상성 여러 편多編好相聲」이 발표되었다.

왕청치의 단편소설집 『앙우리의 밤羊舍的夜晩』이 소년아동출판사에서 출간되었다.

리잉의 시집 『꽃의 벌판花的原野』이 백화문예출판사에서 출간되었다.

옌전의 시집 『창장은 내 창문 앞으로 흐른다長江在我窗前流過』가 안후이인민출판사에서 출간되었다.

펑즈의 『시와 유산詩與遺産』이 작가출판사에서 출간되었다.

천치퉁의 화극 『징강산』이 해방군문예출판사에서 출간되었다.

『소수민족 희극선少數民族戲劇選』(2)이 중국희극출판사에서 출간되었다.

2월

1일, 『해방군문예』 편집부가 베이징에서 단편소설 창작 보고회를 개최해 『문예보』 부편집장이자 중국작가협회 창작연구실 주임 허우진징을 초청해 단편소설 창작 문제에 관한 보고를 청취하였다. 그는 보고에서 1959년에서 1961년 사이의 단편소설 창작 상황에 대해 분석하였다.

『해방군문예』 2월호에 리즈시李之熙의 「302호 방어 지역302號防地」, 마오잉毛英의 「사령원의 발언권司令員的發言權」, 루전궈盧振國의 「양씨 집안의 사내아이楊家虎子」 등의 소설, 웨이촨퉁魏傳統의 「위대하고 친밀한 전우에게 경의를 표하다向偉大親密的戰友致敬」, 청광루이程光銳의 「위대한 보통 일병偉大的普通一兵」, 커위안의 「훈련의 노래練兵謠」(3편), 궁시의 「공군의 시空軍詩頁」(3편), 저우강의 「쿤룬의 폭설昆侖暴雪」(3편), 장푸톈張樸天의 「톈취안天泉」, 스잉의 「겨울의 노래冬天的歌」(외 1편) 등의 시, 모샤오촨莫孝川의 「새 창청新長城」, 웨이리칭尉立靑의 「쿤룬의 붉은 꽃昆侖紅花」, 왕창딩의

「산촌일별山村一瞥」, 장칭톈의 「꽃花」 등의 산문이 발표되었다.

『쓰촨문학』 2월호에 아이우의 「변경의 여교사－「남행기」 속편 제1편邊疆女教師——<南行記> 續編之一」, 추이화崔樺의 「단련鍛煉」, 가오잉의 「갈 길이 아득하다山高水遠」, 리제런의 「잊을 수 없는 하루－10월 18일難忘的一天——10月18日」(『큰 파도』 제4부 제3장) 등의 소설, 랴오궁셴廖公弦의 「태양가太陽歌」, 옌이의 「산간 도시 서정」, 선중沈重의 「그는 삼림 속을 순행한다他在森林裏巡行」, 량상취안의 「삼협의 산, 삼협의 물三峽山, 三峽水」, 탕다퉁의 「부두에서 만나다碼頭相會」 등의 시, 리루이李蕊의 「공평과公平果」, 장슈수張秀熟의 「리제런을 추모하며悼李劫人」, 셰양칭謝揚青의 「침통한 추모沉痛的悼念」 등의 산문, 쑤훙창蘇鴻昌의 평론 「마스투의 풍자소설에 관하여談馬識途的諷刺小說」가 발표되었다. 쑤훙창은 글에서 마스투가 1961년 9월 이후에 발표한 세 편의 단편소설을 평가하였는데, 이 소설들이 작가의 수준 높은 풍자와 유머의 재능 및 풍자문학의 몇 가지 기본적인 특징을 표현했다고 보았다.

『안후이문학』 제2호에 천덩커의 「싼성좡의 에피소드三省莊的一段插曲」, 쑨샤오핑의 「고공 혼례高空婚禮」, 왕칭평王慶豐의 「네 번의 아침 이야기四個早晨的故事」, 좡신루莊新儒의 「손님 접대站櫃台」, 샤오마肖馬의 「한 조각 남빛一片蔚藍」 등의 소설, 마진瑪金의 「신안장 위에서 풀을 읊다新安江上吟草」 등의 시, 선런캉의 「갈대蘆葦」 등의 산문이 발표되었다. 같은 호의 '「환혼초」 필담'란에는 링다이썬凌代森, 스셴밍時先明의 「고발의 시, 예찬의 시控訴的詩, 禮贊的詩」, 왕판王凡의 「양리쥐안이 바로 환혼초이다楊麗鵑就是一株還魂草」, 왕위안훙王遠鴻의 「양리쥐안의 성격에 관하여談楊麗娟的性格」, 쉬서우카이徐壽凱의 「양리쥐안은 노동 인민의 환혼초가 아니다楊麗娟不是勞動人民的還魂草」 등의 글이 발표되었다.

마진(1913~1996), 필명은 천반사陳斑沙로 안후이성 화이위안懷遠 출신이며 중공 당원이다. 1938년에 국립희극전문학교國立戲劇專科學校를 졸업하였다. 중국작가협회 문학강습소 교연조教研組 조장, 『인민문학』 편집부 부주임, 안후이성 문련 위원, 안후이성 작가협회 상무이사, 안후이성 정협 상무위원 등을 역임하였다. 1937년부터 작품을 발표하였다. 저서로 시집 『출발집出發集』, 『채벽집彩壁集』, 『마진 시선瑪金詩選』, 『마진 시존瑪金詩存』 등이 있다.

선런캉(1933~), 장쑤성 창저우 출신이며 중공 당원이다. 1955년에 베이징대학 중문과를 졸업하였다. 『중국청년보』 편집자 및 기자, 광둥성 작가협회 『작품』 부편집장, 광둥성 문학원 부원장, 광둥성 문련 위원, 광둥성 작가협회 이사를 역임하였다. 1953년부터 작품을 발표하였다. 저서로 장편소설 『기억 속의 낙엽 한 장記憶裏的一片落葉』, 『속세塵世』, 『황금대로 위의 스텝黃金大道上的舞步』, 시집 『가을의 자작나무 숲秋天的白樺林』, 『옌안의 길 위延安道上』, 『남방의 바람南疆風』, 산문집 『햇불

火把』, 중단편소설집『황야 위의 소년소녀荒原上的少男少女』, 『애정 왈츠愛情圓舞曲』, 『둔황의 저녁놀敦煌的晚霞』, 평론집『서정시의 구상抒情詩的構思』, 드라마 극본『난링산맥의 정南嶺情』 등이 있다.

『우화雨花』 제2호에 딩한자丁汗稼의 「배船」, 징런靜人의 「쿠바 송가古巴頌」, 사바이沙白(리타오李壽)의 「피리를 거리낌 없이 나오는 대로 불다短笛無腔信口吹」, 런훙쥐任紅舉의 「양매주를 받들어 변경의 전우에게 바치다楊梅酒捧給邊疆好戰友」, 장핀전章品鎮의 「매 2편詠鷹二題」, 바이더이白得易의 「관개 수로 위灌漑渠上」 등의 시, 리야루李亞如, 왕훙王鴻, 왕푸창汪複昌, 탄쉬안談煊의 「생활 속에서 역량을 얻다—양극「도장을 빼앗다」 창작 만담從生活中汲取力量——漫談創作揚劇<奪印>」, 우댜오궁吳調公의 「시대의 고수, 예술의 초상화가—보고문학의 예술적 구상과 영웅 묘사時代的鼓手, 藝術的傳真——報告文學的藝術構思與英雄描繪」, 천랴오의 「넓이 · 깊이 · 높이—농촌의 현실생활을 반영한 단편소설 몇 편을 평하다廣度 · 深度 · 高度——評幾篇反映農村現實生活的小說」 등의 문예잡담이 발표되었다.

우댜오궁은 글에서 "시대의 고수로서의 예술적 구상은 뜨거운 투쟁의 예술적 재현 속의 심각한 사유에 잠겨 있다. 이때 시대의 고수의 사상에 불을 붙이는 것은 영웅적인 인물이며, 이 구상이 더 높고 아름다운 시의 경지를 향하게 하는 것 역시 영웅적인 인물이다"라고 보았다.

천랴오는 글에서 팡즈의 「세교춘歲交春」, 리샤양의 「새해 인사拜年」, 양빙옌의 「늦게 핀 꽃遲開的花朵」, 팡즈의 「산을 나서다出山」 등의 소설을 분석하였는데, 그는 "농촌생활을 반영한 작품이 충분한 넓이와 깊이를 가지고 있는가는 작가가 생활에 얼마나 깊이 침투하였는가, 그리고 작가가 일정 수준의 예술적 표현력을 갖췄는가와 관련이 있다. 또한 작가가 창작을 할 때 충분한 사상적 수준을 갖췄는가와 특히 더욱 밀접한 관계가 있다. 작가가 생활의 높은 곳에서 생활을 인식하고, 이해하며, 생활에 대해 정확한 견해를 가지고 있어야만 생활 속에서 남들은 발견하지 못한 인물과 사물을 발견하거나, 혹은 생활의 본질을 꿰뚫어 보아 생활의 어느 구석에서 그보다 더 많은 생활을 파악할 수 있다. 이렇게 해야만 작가는 생활을 반영함에 있어 넓이와 깊이를 가질 수 있다"라고 보았다.

『불꽃』 2월호에 시룽의 「평범한 직책平凡的崗位」, 루쌍陸桑의 「라오민쯔老敏子」, 마펑의 『류후란 전기』(장편 연재) 등의 소설이 발표되었다.

『옌허』 2월호에 전문 논고 「당의 제8기 중앙위원회 제10차 전체회의의 정신을 더 잘 학습하고 이해하자更好地學習和領會黨的八屆十中全會精神」가 발표되었다. 글은 "혁명의 현실주의자, 혁명의 작가와 예술가는 현실 생활 속에 계급투쟁과 두 노선의 투쟁이 존재한다는 것을 인정하기만 해서는 안 된다. 이를 인정하는 것만으로는 한참 부족하다. 이 투쟁에 적극적으로 참가해야 한다. 자신의 작품 속에서 이러한 투쟁을 적극적으로 반영해 투쟁을 위해 복무해야 한다. 이는 즉, 반드시 자신의 생활 실천과 예술창작의 실천을 통해 '무산계급을 일으키고 자산계급을 타도하는' 정신을 강력히 선양하고, 자본주의의 자발적 세력을 비판하며, 자본주의의 길을 걷는 것을 반대하고 사회주의의 길을 고수하며, 집단주의 정신으로써 인민을 교육하고, 수많은 인민이 앞을 향하도록 인도해야 한다는 것이다"라고 밝혔다.

같은 호에 주딩의 「개척자開拓者」, 허수위賀抒玉의 「만년의 새로운 풍경晩年新景」, 쑤잉蘇鷹의 「생황 이야기笙的故事」 등의 소설, 허우웨侯鉞의 「퉁촨음銅川吟」, 차오스의 「미소짓는 적微笑的敵人」, 마오치의 「두 도시有兩個城市」, 무리牧犁의 「혁명의 작은 천사革命的小天使」, 리유룽의 「개척자의 노래開拓者的歌」, 선런캉의 「안심하세요請您放心」, 한싱寒星의 「푸른 하늘을 향해 민요를 부르다山歌對著青天唱」 등의 시, 류칭의 「가축을 기르고, 삼자경을 관리하다耕畜飼養' 管理三字經」, 후차이의 「류칭이 엮은 「가축을 기르고, 삼자경을 관리하다」를 읽고讀柳青編＜耕畜飼養 管理三字經＞有感」가 발표되었다.

『창장문예』 제2호에 비예의 「산 높고 구름 깊은 곳山高雲深處」, 추치楚奇의 「산중의 젊은이山裏年輕人」, 리더푸의 「밭두렁에서 터놓고 이야기하다地頭知心話」 등의 소설, 가오잉의 「장성江聲」, 궁류의 「산가山歌」, 지평의 「북방의 국경선 위塞北邊疆線上」 등의 시, 멍치孟起의 「생활의 부름生活的呼喚」, 펑젠난의 「단편소설 창작담短篇小說創作談」, 무후이의 「'나'의 언어로 '나'를 창작하다用"我"的語言寫"我"」 등의 문예수필이 발표되었다.

『신항』 2월호에 쭝푸의 「린후이추이와 그녀의 어머니林回翠和她母親」 등의 소설, 왕쑤이칭王綏青의 「칭청 송가青城頌」, 바이진白金의 「마음속에 숨겨두는 것이 낫다不如藏在心間」 등의 시, 펑무의 「후탸오샤에서 명승지를 찾다虎跳峽探勝」, 류쭈페이劉祖培의 「바다 위의 노을빛海上霞光」, 란화이저우冉淮舟의 「창청 성격長城性格」 등의 산문, 황추원의 평론 「시적인 소설－『풍운초기』의 예술적 특징 만담一部詩的小說——漫談＜風雲初記＞的藝術特色」이 발표되었다. 황추원은 글에서 쑨리에 대해 "의경과 정서를 창조하는 데 능한 서정적인 예술가이며, 시인형, 음악가형 예술가"라고 평하면서, "『풍운초기』는 강렬한 서정적 성격을 가진 시로 생각하고 읽어도 될 정도이다", "사람을 황홀하게 하는 짙은 시의 정취와 진실한 인물 성격의 묘사가 조화를 이루어 시와 소설을 결합하였다는 점이 『풍운초기』의 가장 뚜렷한 예술적 특징일 것이다"라고 보았다.

『간쑤문예』 2월호에 루융魯庸의 소설 「아빠爸爸」, 리지의 「수필을 축복한다祝福隨筆」, 장창궁의 「지기知音」, 자오화이칭趙淮清의 「칭하이후 여행기青海湖紀遊」 등의 산문, 왕쑤이칭의 시 「방상 군가防霜戰歌」 및 본지 평론가의 「혁명문학의 바다제비 정신을 발양하자發揚革命文學的海燕精神」, 가오펑의 논문 「시대정신 약론時代精神瑣議」이 발표되었다.

『초원』 2월호에 마오둔의 「『꽃의 초원』－독서 잡기 제4편<花的草原>──讀書雜記之四」(『꽃의 초원花的草原』은 마라친푸의 중단편소설집으로 1962년에 작가출판사에서 출간되었다), 마라친푸의 소설 「아득한 초원」(장편소설 부분 연재), 차오커투나런의 극본 「가혹한 세월」(연재 완료), 치무더다오얼지와 안커친푸가 번역한 「고향 산천故鄕山水」, 저우위밍周雨明의 「하늘색 감초꽃淡藍色的甘草花」 등의 시, 치무더다오얼지가 정리하고 안커친푸가 번역한 「몽골족 민간 서사시「영웅 거쓰얼커한」 제2부 제5장」이 발표되었다.

안커친푸(1929~2013), 몽골족 작가로 네이멍구 츠펑赤峰 출신이며 필명은 모난漠南이다. 잡지 『네이멍구일보』, 『네이멍구문예內蒙古文藝』, 『초원』 등의 편집자, 네이멍구인민출판사內蒙古人民出版社 부편집장, 중국작가협회 네이멍구분회 부주석, 네이멍구 문련 상무부주석, 중앙민족학원 교수를 역임하였다. 1953부터 작품을 발표하였다. 저서로 단편소설집 『초원의 밤草原之夜』, 『황금의 계절黃金季節』, 『북부의 새로운 모습北國新姿』(몽골어판), 『안커친푸 소설산문선安柯欽夫小說散文選』, 드라마 극본 『산 부처小活佛』 등이 있으며, 이 외에도 몽골족 대형 민간서사시 『영웅 거쓰얼커한英雄格斯爾可汗』(1, 2집)이 있다.

『창춘』 2월호에 딩런탕丁仁堂의 「배꽃은 언제 피는가梨花幾時開」, 푸즈판付之凡의 「푸른 장막 속青紗帳裏」, 스톈서우의 「돛帆」, 리건취안李根全의 「호랑이 새끼虎子」(장편소설 『노호암老虎岩』 부분) 등의 소설, 스톈서우의 「등하잡기燈下雜記」, 가오평의 「예술의 감각藝術的感覺」 등의 문예수필이 발표되었다.

2일, 『중국청년보』에 궈샤오촨의 시 「봄이 오니 꽃이 핀다春暖花開」가 발표되었다.

『문회보』에 우중제, 가오원의 평론 「두려움을 모르는 영웅의 조각상을 위하여爲大無畏的英雄塑像」(리지의 「척량음」 감상. 「척량음」은 1월 22일자 『인민일보』에 발표)가 발표되었다.

3일, 『문회보』에 루망의 시 「이때, 동해 해변의 어느 모퉁이에서……這時候，在東海邊一個角上……」가 발표되었다.

『인민일보』에 양양楊揚의 평론 「장편소설 『펀수이가 길게 흐른다』의 예술적 특징長篇小說<汾水長流>的藝術特色」이 발표되었다. 양양은 글에서 "후정 동지의 『펀수이가 길게 흐른다』는 주목할 만한 독특한 작품이다. 이 작품은 읽는 이에게 소박하고 밝은 생활의 화면을 보여준다. 비록 어느 마을의 농업합작화 운동이 공고해지고 확대되는 초기의 모습만을 포착하였고, 시간적 배경도 봄에서 여름 사이뿐이기는 하지만, 당의 과도기 총노선이 선포된 후에 농촌에서 전개된 두 노선 사이의 복잡하고 첨예한 투쟁을 상당히 폭넓게 반영하였다"라고 평하였다.

4일, 『베이징문예』 2월호에 페이즈의 「우창타이吳常泰」, 장바오썬張葆森의 「교묘한 사람巧糊匠」 등의 소설, 롼장징의 「쿠바 늪지대행古巴沼地行」 등의 시, 구궁의 「설산 속의 사람들雪山裏的人們」, 저우징周競의 「자시의 선물潗西的禮物」 등의 산문, 라오서의 단편 상성 「즐거운 새해新年愉快」, 루디蘆笛의 평론 「처음 핀 꽃봉오리─장바오신의 단편소설 몇 편을 읽고蓓蕾初開──讀張葆莘的一組短篇小說」가 발표되었다.

5일, 『인민일보』에 비예의 「깽깽이풀 선반黃連架」, 류전의 「기러기가 날아왔다大雁飛來了」 등의 산문이 발표되었다.

『광명일보』에 쭝바이화의 문예수필 「형상과 그림자 ─ 뤄단 작품 학습 찰기形與影──羅丹作品學習劄記」, 펑쯔의 산문 「싱핑의 고기잡이 등불興坪漁火」이 발표되었다.

『문회보』에 쉬치의 산문 「발자취蹤跡」, 쑨광쉬안의 평론 「『서행 실루엣』 약론漫論<西行剪影>」(『서행 실루엣』은 장즈민의 서정시집이다)이 발표되었다.

『상하이문학』 2월호에 셰푸의 「도롱이 엮는 여인織蓑女」, 샤오무骨木의 「탐색探索」 등의 소설, 원제의 「우리는 사주 위에서 격투를 벌인다我們酣戰在沙洲之上」, 선런캉의 「큰 눈이 날리다大雪飄飄」, 셰치구이의 「기적이여, 맹세의 말을 사방에 전해 다오汽笛，把誓言送向四方」 등의 시, 하화의 「고기 잡는 병사捕魚的士兵」, 이천의 「당대의 생활을 반영하고, 사회주의를 선양하자反映當代生活，宣傳社會主義」 등의 산문이 발표되었다.

『북방문학』 2월호에 라오서의 창작담 「사람, 사물, 언어人，物，語言」가 발표되었다.

『신장문학』 2월호에 톄이푸장·아이리예푸의 시 「승리의 악장勝利的樂章」이 발표되었다.

6일, 베이징 문예계 인사들이 모여 쿠바의 민족 영웅이자 문학가 호세 마르티 탄생 110주년을 기념하였다.

『해방군보』에 류즈젠劉志堅의 「위대한 전사, 고상한 품성偉大的戰士，尚的品德」이 발표되어 "레이펑 동지의 고상한 혁명정신을 발양하자"라고 호소하였다. 이를 계기로 『해방군보』, 『인민일보』 등의 신문에 레이펑을 학습하고, 추모하고, 레이펑 정신을 찬양하는 산문, 시, 쾌서快書, 그림 등 여러 형식의 작품들이 발표되었다. 2월 7일자 『인민일보』에는 「레이펑 일기 발췌雷鋒日記摘抄」, 「마오 주석의 훌륭한 전사─레이펑毛主席的好戰士──雷鋒」이 발표되었으며, 8일자에는 천광성의 「위대한 전사偉大的戰士」가 발표되어 레이펑의 성장 과정과 그의 선진적인 사적을 추억하였다. 9일자에는 사설 「레이펑 동지처럼 마오 주석의 훌륭한 전사가 되자像雷鋒同志那樣做個毛主席的好戰士」가, 11일자에는 「레이펑 일기 발췌」가 발표되었다. 『해방군보』에는 2월 14일자부터 허우밍쉰, 쑹허녠, 위안딩圓丁 등이 레이펑을 학습한 글이 발표되었다. 19일자에는 「레이펑 일기 발췌」(2)가, 23일자에는 궈모뤄의 「만강홍－레이펑 예찬滿江紅——贊雷鋒」이 발표되었다. 3월 5일자에는 뤄루이칭羅瑞卿의 「레이펑을 학습하자－『중국청년』에 보내다學習雷鋒——寫給＜中國靑年＞」가, 5일자와 12일자에는 샤오샹룽蕭向榮의 7언 율시 「레이펑 학습 일기學雷鋒日記」가 발표되었다. 3월 8일부터 지난 부대 전위화극단前衛話劇團과 선양 부대 문공단에서 화극과 합창 공연을 진행해 레이펑을 찬양하였다.

7일, 『해방군보』에 샤오샹룽의 시 「조선인민군 송가朝鮮人民軍頌」, 커위안의 연작시 「완산 군도 시초萬山群島詩草」가 발표되었다.

『인민일보』에 궈모뤄의 시 「27인의 전사를 기념하며紀念二七戰士」가 발표되었다.

『광명일보』에 왕광리王廣禮의 「'소 공관'"牛公館"」, 펑쯔의 「산촌의 인가－구이린 여행 잡기 제2편山村人家——桂林遊雜記之二」 등의 산문, 취류이曲六乙의 문예수필 「노파의 쌍권총－주마관극老太婆大雙槍——走馬觀劇」이 발표되었다.

취류이(1930～), 필명은 취안첸全前, 취안상全上으로 랴오닝성 와팡뎬瓦房店 출신이며 중공 당원이다. 중국희극출판사 부편집장, 중국극협 연구실 주임 및 예술위원회 부주임, 『중국희극연감中國戲劇年鑒』 편집주간, 중국소수민족희극학회中國少數民族戲劇學會 부회장을 역임하였다. 저서로『중국소수민족희극中國少數民族戲劇』, 『예술－진선미의 결정藝術——眞善美的結晶』, 『희극 무대의 오의와 자유戲劇舞台的奧秘與自由』, 『티베트 신무·희극과 가면 예술西藏神舞·戲劇及面具藝術』, 『최희·소수민족 희극 및 기타催戲·少數民族戲劇及其他』, 『중국나문화통론中國儺文化通論』(합동 창작) 등이 있다.

『문회보』에 궈모뤄의 시 「린샹첸 열사를 기념하며紀念林祥謙烈士」, 취류이의 문예수필 「곤곡 공연예술 풍격의 몇 가지 문제에 관하여－쑤저우, 저장, 상하이 세 성(시)의 곤곡 관람공연을 보고關於昆曲表演藝術風格的一些問題——蘇, 浙, 滬三省(市)昆曲觀摩演出觀後」가 발표되었다.

8일, 베이징 문예계에서 정월 대보름 연회를 개최하여 저우언라이, 저우양, 마오둔 등이 참석하였다. 저우언라이는 연설에서 '백화제방, 백가쟁명' 등의 문제를 언급하면서 "사회주의의 문학사업으로서 백화제방과 옛것을 취사선택하여 새롭게 발전시키는 방침을 관철하기 위해 해야 할

공작이 아주 많으므로, 우리가 잘 연구해야 한다"라고 지적하였다. 그는 작가와 예술가들에게 인민 군중과의 연결을 강화하는 것을 "중요한 당면 과제"로 삼을 것, 그리고 새로운 인물과 사건을 노래하여 '다섯 관문', 즉 사상관, 정치관, 생활관, 가정관, 사회관을 잘 건널 것을 요구하였다.

9일, 베이징시 문화국에서 쉰후이성의 요구에 따라 중공 베이징시위원회, 베이징시 인민위원회, 문화부 예술사업관리국에 요청을 통해 동의를 얻어 쉰후이성경극단을 본래의 국영 체제에서 집단 소유제 극단으로 정식으로 변경하였음을 선포하였다.

『인민일보』에 우잉탕吳映堂의 산문 「하디만과 붉은 양哈蒂曼和紅色羊」이 발표되었다.

10일, 『시간』제2호에 궈샤오촨의 시 「축배의 노래祝酒歌」(「삼림지대 삼창林區三唱」 제1편)가 발표되었다.

『산둥문학』2월호에 취보의 『차오룽뱌오』(장편소설 연재), 샤오잉蕭英의 「메밀꽃이 피다蕎麥花開」 등의 소설, 선런캉의 「등불燈」, 궁시의 「우즈산五指山」 등의 시, 류전의 「고향의 길家鄉的路」, 자오아오趙鷟의 「우음송羽音頌」 등의 산문, 멍하오의 평론 「생활의 길 위에서─「대로 위에서」를 읽고在生活的道路上──讀<在大路上>」, 이화藝華의 「소재에 관한 몇 가지 문제關於題材的幾個問題」가 발표되었다. 이화는 글에서 "문예의 소재 문제는 사회주의 문예의 번영, 그리고 문예의 전투적 역할의 강화와 관련된 중대한 문제이다. 우리는 소재의 다양화와 문예의 전투적 역할, 일반적인 소재와 중대한 소재, 소재 확대와 생활에의 침투의 변증법적 관계를 더욱 깊이 인식하고, 공농병 방향하에서의 백화제방, 백가쟁명 방침을 정확히 관철하여 우리의 문예사업을 번영시키고, 사회주의 문학예술이 사회주의 혁명과 건설 속에서 더 큰 전투적 역할을 발휘할 수 있도록 해야 한다"라고 지적하였다.

『압록강』2월호에 광즈方至의 소설 「태양을 향하다向太陽」, 리잉의 「베이징 3편北京三首」, 구궁의 「먼 산遠山」 등의 시가 발표되었다.

『광시문예』2월호에 리루李路의 「어느 별명의 유래一個綽號的來歷」, 황페이칭黃飛卿의 「귀향還鄉」 등의 소설, 후중스胡仲實의 극본 「초한춘추楚漢春秋」, 바오위탕의 산문 「어영선종魚影仙蹤」, 류쉬량劉碩良의 평론 「「고인」을 기쁘게 읽다喜讀<故人>」가 발표되었다. 그는 글에서 루디의 소설 「고인故人」에 관하여 "소설 속에서 묘사한 세 인물 형상 가운데 특히 리쥔밍黎尊明의 형상이 상당히 선명하다", "구조가 치밀하고 이야기를 엮는 데 능하며, 언어가 선명하고 개성이 풍부하다"라고 평하였다.

11일, 『문예보』 2월호에 린모한의 「라틴아메리카의 선각자이자 기수―쿠바의 민족 영웅 호세 마르티 탄생 110주년 기념대회에서의 연설拉丁美洲的先知和旗手——在古巴民族英雄何塞·馬蒂誕生110周年紀念大會上的講話」이 발표되었다. 같은 호에 중국작가협회 창작연구실에서 정리한 「'농촌에서의 소설에 관하여' 조사로부터 이야기를 시작하다記一次"關於小說在農村"的調査談起」가 발표되었다. 글은 자오수리의 소설에 대해 "줄곧 농촌에서 널리 환영받아 왔다"라고 평하며, "그의 초기 작품, 가령 「리유차이 판화」, 「샤오얼헤이의 결혼」 및 지난 몇 년간 발표한 『삼리만』은 모두 농촌에서 현재까지도 큰 영향을 끼치고 있다"라고 보았다.

이 외에도 허우진징의 「몇 가지 감회와 건의―어떤 조사로부터 시작된幾點感觸和幾點建議——從一個調査引起的」(『문예보』 이번 호에 발표된 「'농촌에서의 소설에 관하여' 조사로부터 이야기를 시작하다」에 관한 글), 황추윈의 「『고투』를 처음 읽고初讀＜苦鬥＞」, 짱커자의 「옌전의 시―「친취안」 서문嚴陣的詩——＜琴泉＞小序」 등의 글이 발표되었다. 황추윈은 글에서 "『고투』는 광활한 시대 배경 아래 대혁명 실패 후의 혁명 세력과 반혁명 세력 사이의 첨예하고도 복잡한 투쟁을 다방면에서 반영하였다"라고 평하였다. 짱커자는 글에서 옌전의 시에 대해, 특히 독자들의 극찬을 받은 「장난의 노래」를 높이 평가하면서, "「장난의 노래」를 읽노라면 마치 직접 장난 지방에 가서 아름다운 경치를 보고, 생활의 향기를 맡고 있는 것만 같다", "이 장난의 노래들은 구상이 정교하고, 감정이 새로우며, 시적 의미가 농후하고, 단어 구사가 아름답다", "이 연작시는 옌전 동지의 시 창작 속에서 상당히 중요한 위치를 가지고 있다"라고 평하였다.

12일, 『인민문학』 2월호에 마라친푸의 「여자 농구팀 6호女籃6號」, 한쯔의 「사돈어른親家公」, 셰팅위의 「수확收穫」 등의 소설, 위안수이파이의 「베트남 방문 기록시訪越紀事詩」(5편), 톈젠의 「신년 축하 서신―「공사의 노래」 중 한 편賀年信——＜社歌＞中的一首」, 롼장징의 「쑹수다오를 회상하며憶松樹島」 등의 시, 천샹허의 「리제런 동지에 관한 몇 가지 일李劫人同志二三事」, 루야오우盧耀武의 「토치카碉堡」 등의 산문이 발표되었다.

중국의 위대한 고전주의 현실주의 작가 조설근 서거 200주년을 기념해 마오둔, 허치팡, 왕쿤룬, 장톈이 등이 기념의 글을 발표하였다. 문화부, 중국문련, 중국작가협회, 고궁박물원이 합동으로 조설근 서거 200주년 기념 전시회를 개최하였으며, 『건륭 초본 120회 『홍루몽』 원고乾隆抄本百二十回＜紅樓夢＞稿』의 영인본을 출판하였다.

『인민일보』에 차오스의 소설 「복수의 총複仇的鋼槍」, 한샤오의 시 「수향 스케치水鄕速寫」가 발표되었다.

『광명일보』에 장커신의 시「변방 요새의 소학교邊寨小學」가 발표되었다.

14일, 『해방군보』에 지펑의 연작시「연해 군가海疆軍歌」, 한샤오의 시「수향 스케치」가 발표되었다.

『문회보』에 류즈젠의 산문「웨진후 호숫가躍進湖畔」, 이천의 문예수필「희극적 처리를 이용해 엄숙한 주제를 표현하자用喜劇的處理表現嚴肅的主題」가 발표되었다.

『문학평론』제1호에 자오톈趙天의 편론「「산을 나서다」에 관한 평론으로부터 이야기를 시작하다從〈出山〉的評論談起」, 탕타오의「소재에 관하여關於題材」, 리시판의「역사극 문제에 관한 재논의－주자이 동지에게 답하다歷史劇問題的再商権——答朱寨同志」가 발표되었다. 리시판의 글은 주자이의 글「역사극 문제에 관한 논쟁」(『문학평론』1962년 제5호에 발표)에 대해 의문을 제기하였다.

『광명일보』에 바이예의 소설「화해和好」가 발표되었다.

15일, 『작품』신2권 제2호에 쓰마원썬의 소설「이사와 앨리슨 부인依沙和阿裏遜夫人」, 롼장징의「광명등光明燈」, 구궁의「암초 위의 시礁石上的詩」, 어우양링歐陽翎의「남도 송가南島頌歌」등의 시, 한샤오의 문예수필「시 학습 수기學詩手記」, 타오주의「창작 번영에 대한 의견－1962년 3월 5일 전국 화극 가극 창작회의에서의 연설對繁榮創作的意見——1962年3月5日在全國話劇歌劇創作會議上的講話」이 발표되었다. 타오주는 글에서 "창작 번영 문제에 관하여" 및 이 문제의 해결에 착수할 방법 등에 관해 의견을 제시하였다.

16일, 『인민일보』에 리잉의 시「세기의 구름－황푸 부두에서世紀的雲——在黃埔碼頭」가 발표되었다.

17일, 『인민일보』에 왕중칭王中青의 평론「깊이 있는 반영, 강력한 호응－자오수리 동지의 최근 몇 년간의 단편소설 몇 편에 관하여深刻的反映, 有力的配合——簡談趙樹理同志近年來的幾個短篇小說」가 발표되었다.

18일, 저우언라이가 대중극장에서 중국평극원이 공연한 평극「도장을 빼앗다」를 관람하였다. 저우언라이는 휴게실에서 악단의 반주에 대해 "희곡 악단은 악단석에 자리하지 않아야 한다. 그렇게 하면 벽이 세워져 배우의 노래를 억누르게 된다"라고 의견을 제시하였다. 극원에서는 바로 그날 저녁에 긴급회의를 개최해 다음날부터 악단을 무대 옆 장막 쪽으로 이동시키고 반주 인원을 줄이기로 결정하였다. 다음날, 저우언라이 총리는 저우양, 뤼지呂驥, 저우웨이즈 등을 소집해 회의를 가지고, 악단이 악단석에서 반주를 하면 소리가 너무 울려 '철옹성'처럼 배우와 관중 사이를 격리시켜 관중들이 배우의 노래를 잘 감상할 수 없게 만든다고 지적하고, 문화부에 시급히 이 문제에 대해 연구할 것을 요구하였다.

베이징 부대 정치부에서 작가와 청년작가 좌담회를 개최해 웨이웨이, 두펑 등이 참석하였다. 회의에서는 이 시대와 위대한 군대를 반영한 작품의 창작에 힘쓰고, 사회주의 현대화 건설과 군대 건설을 위해 더욱 잘 복무할 것을 호소하였다.

『인민일보』에 지칭산紀青山의 산문「역사의 색깔歷史的顏色」이 발표되었다.

19일, 『해방군보』에 궈샤오촨의 시「축배의 노래祝酒歌」가 발표되었다.

『인민일보』에 쩌우디판의 산문「홍후의 물이여……洪湖水呀……」, 원제의 시「반짝이는 물결 위를 항해하다―「창장 만리」의 두 번째 부분航行在粼粼的波光上――<長江萬裏>的第二片段」이 발표되었다.

『문회보』에 니전슝倪振雄의 산문「한 걸음 차이一步之差」가 발표되었다.

20일, 난징 전선화극단南京前線話劇團이 베이징에서 부대의 현실을 반영한 화극「네온사인 아래의 보초병」을 공연하였다. 저우언라이, 뤄루이칭 등 당과 국가의 지도자들이 공연을 관람하였다. 23일자『해방군보』에 평론가의 글「산을 뒤흔들기는 쉽지만, 해방군을 뒤흔들기는 어렵다―「네온사인 아래의 보초병」의 베이징 방문 공연을 축하하며撼山易, 撼解放軍難――祝賀<霓虹燈下的哨兵>來京演出」가 발표되었다.

중국청년예술극원이 베이징에서 양한성의 화극「이수성李秀成」을 공연하였다.

『문회보』에 바이예의 산문「누에에 관한 연상關於小蠶的聯想」이 발표되었다.

21일, 문화부 당조에서 중앙선전부에「희극 창작 발전에 대한 몇 가지 조치에 관한 보고關於發展戲劇創作的幾項措施的報告」를 제출하였다.

『광명일보』에 장즈싱의 산문「까치 설날을 쇠다守歲」가 발표되었다.

『문회보』에 정청이鄭成義의 시「창장 단곡長江短曲」이 발표되었다.

22일, 『해방군보』에 시훙의 소설 「제3대第三代」가 발표되었다.

22일~28일, 제3회 베이징시 문대회가 진행되었다. 라오서, 뤼빈지 등의 발언문이 『베이징문예』 3, 4월호에 게재되었다.

23일, 『광명일보』에 리잉의 시 「수확收割」이 발표되었다.

『문회보』에 차오차오草橋의 「한 무리의 오래된 '개편집'을 통해 과거의 평탄을 보다從一批舊"開篇集"看過去的評彈」, 추원의 「화극예술의 철리성을 논하다論話劇藝術的哲理性」 등의 문예수필이 발표되었다.

26일, 『광명일보』에 궈모뤄의 시 「일본문화대표단에게 보내다題贈日本文化代表團」, 톈류田流의 시 「목축민의 집을 방문하다在牧民家裏作客」가 발표되었다.

『문회보』에 천쌍岑燊의 「미국의 '교양' 있는 '무례한 폭로'美國"文明"的"非禮暴露"」 등의 잡문이 발표되었다.

27일, 『문회보』에 리즈의 문예수필 「뜨거운 투쟁, 뜨거운 시火熱的鬥爭, 火熱的詩」가 발표되었다.

28일, 중국극협 베이징분회 준비위원회가 성립되어 차오위가 주석을, 마롄량, 한스창韓世昌, 장명경, 샤오바이위솽小白玉霜, 리구이원李桂雲이 부주석을 맡았다. 위원은 총 35인으로 구성되었다.

『해방군보』에 천야딩의 잡문 「새롭고 아름다운 훌륭한 희극—화극 「네온사인 아래의 보초병」 예찬一出又新又美的好戲——贊話劇<霓虹燈下的哨兵>」, 난궁南弓의 산문 「양말은 따뜻하고, 윤활유는 향기롭다布襪暖 檜油香」가 발표되었다.

『인민일보』에 마톄딩의 잡문 「누가 부패의 핵심인가?誰是腐朽的核心?」, 쓰마원썬의 산문 「반즈란—자카르타 이야기班芝蘭——雅加達的故事」가 발표되었다.

이달에 중앙선전부에서 전국에 홍콩 영화의 상영을 잠시 중단할 것을 지시하였다. 중국 최초의 대형 컬러 목각인형 영화 「공작 공주孔雀公主」가 상하이미술전영제편창에서 완성되었다. 전국 방송사업 조정을 통해 본래 36곳이던 방송국과 시험대試驗台가 그 4분의 1에 미치지 못하는 8곳만 남게 되었다.

리나李納의 단편소설집 『맑은 물明淨的水』이 백화문예출판사에서 출간되었다.

리나(1920~2019), 이족 여성 작가로 본명은 리수위안李淑源이며 윈난성 루난路南 출신이다. 1940년에 옌안으로 가서 1943년에 옌안루예 문학과를 졸업하였다. 공화국 성립 후에는 작가협회 상임 작가, 인후이문련 전문작가, 인민문학출판사 편집심사위원, 작가출판사 편집심사위원, 중국 작가협회 이사, 소수민족작가협회 상무이사 등을 역임하였다. 1945년부터 작품을 발표하였다. 저서로 장편소설 『수놓는 이의 꽃刺繡者的花』, 단편소설집 『석탄煤』, 『맑은 물』, 중단편소설집 『리나 소설선李納小說選』, 산문집 『흐린 빛 아래의 기념사진弱光下的留影』 등이 있다.

허베이성 문학예술계연합회에서 편찬한 『허베이 시초河北詩抄』가 백화문예출판사에서 출간되었다.

우한의 잡문집 『학습집學習集』이 베이징출판사에서 출간되었다.

'중국인민해방군 30년' 원고 공모 편집위원회에서 편찬한 『불티가 번져 들판을 태우다』(7)가 인민문학출판사에서 출간되었다.

군중출판사에서 편찬한 인물특필집 『인민의 훌륭한 자녀人民的好兒女』가 출간되었다. 책에는 「공명정대한 쉬쉐후이光明磊落的徐學惠」, 「영웅 소년 류원쉐英雄少年劉文學」, 「마오 주석의 착한 아이毛主席的好孩子」 등의 작품이 수록되었다.

류허우밍의 아동문학 『검은 화살黑箭』이 인민문학출판사에서 출간되었다.

이췬이 편찬한 『문학의 기본 원리文學的基本原理』(상)가 상하이문예출판사에서 출간되었다. 이 책의 하권은 1964년 8월에 출간되었다.

하순에 중국작가협회 상하이분회에서 아마추어 작가들이 문예라는 무기를 더욱 잘 활용하여 현재의 뜨거운 투쟁에 참여하는 것을 돕기 위해 상하이시의 공장, 농촌, 부대의 아마추어 작가 총 24인을 초청해 9일간 소설 및 산문 창작좌담회를 진행하였다. 바진, 웨이진즈, 탕커신, 쥐칭 등의 작가들이 참석하였다. 좌담회에서는 사회주의 문학공작자는 어떠한 전투의 의무를 져야 하는가 하는 문제에 관해 중점적으로 토론하였다.

3월

1일~7월 9일, 문화부에서 중국희곡학원에 위탁해 '희곡 각본 강습회'를 진행하여 희곡 작가들의 사상 수평과 창작 능력의 제고를 도왔다. 강습회의 지도 소조는 런구이린, 장경, 마옌샹, 자오쉰, 궈한청 등으로 구성되었으며, 29개 성, 시, 자치구에서 온 어느 정도의 창작경험을 가진 희곡 작가 총 44인이 참가하였다.

1일, 『문회보』에 원이부의 잡담 「역경에 처해 봐야 사람의 진가를 안다疾風勁草」가 발표되었다.

『해방군문예』 3월호에 뤄루이칭의 「레이펑을 학습하자—『중국청년』에 보내다」, 류즈젠의 「위대한 전사, 고상한 품성」, 차오스의 단편소설 「바둑을 두다下棋」, 장아이핑의 「레이펑 동지 예찬贊雷鋒同志」, 웨이촨퉁의 「내 마음에 단단히 박혀 있다緊緊釘在我心上」 등의 시가 발표되었다. 이 외에도 선시멍, 모옌, 뤼싱천이 창작하고 선시멍이 집필한 화극 「네온사인 아래의 보초병」이 발표되었다. 본 화극은 1962년에 창작되어 1963년 초에 난징군구 전선화극단이 베이징에서 여러 차례 공연하여 저우언라이, 허룽, 예젠잉, 궈모뤄 등 당과 국가의 지도자들로부터 호평을 받았다. 1963년 11월 29일, 마오쩌둥은 중난하이 화이런탕에서 이 화극의 공연을 관람하고 배우들과 악수를 나누며 축하하였다. 극본은 1964년 4월에 중국희극출판사에서 출간되었다.

『쓰촨문학』 3월호에 류훙榴紅(왕전화王振華)의 「인푸진과 그의 자형尹福金和他的姐夫」, 웨이한韋翰의 「진달래映山紅」, 커페이克非(류사오샹劉紹祥)의 「월계화月季花」 등의 소설, 푸처우의 「공사춘추公社春秋」, 궁시의 「산꼭대기에 작은 통나무집이 있다山頭有間小小的木屋」, 천궈핑의 「자매姐妹」 등의 시, 샤오춴肖群의 「설산과 설원 풍경冰山雪海風光」 등의 산문이 발표되었다.

『후난문학』 3월호에 커란의 「대나무 다락집 야화竹樓夜話」, 뤼썬綠森의 「친척에게 몸을 의탁하다投親記」 등의 소설, 웨이양의 「레이펑 예찬雷鋒贊」, 왕이핑의 「영생永生」 등의 시, 선런캉의 「매鷹」, 우밍런吳明仁의 「다젠산 시초大犍山詩草」, 리쿤춘李昆純의 「동정호 풍치洞庭風情」 등의 시가 발표되었다.

『안후이문학』 제3호에 류퉁추劉桐雛의 「폐품과 변발廢品與辮子」, 천덩커의 「단편 3제短篇三題」, 샤오마의 「특별 표창特別獎勵」 등의 소설, 옌전의 「불꽃 같은 시대火焰般的年代」, 마진의 「가장 아름답고 가장 웅장한 노래最優美和最壯麗的歌」, 궁시의 「내 마음속의 야자나무 숲我心中一片椰樹林」, 리유룽의 「변경 수비 초소邊防哨所」 등의 시, 청서우타이成綏台의 「창장 잡기長江散記」 등의 산문이 발표되었다.

『우화雨花』 제3호에 팡즈의 「참외밭을 지키는 사람看瓜人」, 샤량딩夏良錠의 「내 주위에서在我的周圍」 등의 소설, 푸겅福庚의 「광활한 신천지開闊的新天地」, 저우서우쥐안의 「영춘음초迎春吟草」 등의 시, 왕뤄위안王若淵, 왕리신王立信의 특필 「'녹슨 못'을 뽑다拔"鏽釘"」, 아이쉬안의 「강산을 가리키다指點江山」, 웨이위칭의 「메이청 단찰煤城短簡」, 하이샤오의 「우리후五裏湖」 등의 산문이 발표되었다.

『불꽃』3월호에 쑨첸의 「원로 사원元老社員」, 왕페이민王培民의 「농가莊戶人家」, 리이민의 「세 명의 대장三個隊長」, 마펑의 『류후란 전기』(장편소설 연재) 등의 소설, 옌전의 「참외를 심는 사람種瓜人」, 웨이웨이微薇의 「백양나무 아래白楊樹下」, 거페이戈非의 「산과 들판에서 꽃을 따다山野摘花」 등의 시, 가오제高捷의 평론 「다이아몬드 같은 언어 — 자오수리 작품 학습 필기金剛石般的語言——趙樹理作品學習筆記」가 발표되었다.

『옌허』3월호에 리샤오바李小巴의 소설 「등불燈火」, 장푸푸張樸夫의 「전서구信鴿」, 이단차이랑의 「바이스야白石崖」, 정청이鄭成義의 「강변河邊」, 자만賈漫의 「푸춘장의 치어富春江的魚苗」 등의 시, 류셴쯔劉賢梓의 「생활 속의 주류를 반영해야 한다要反映生活中的主流」, 리정펑李正峰의 「시가의 투쟁에 대한 침투를 논하다論詩歌投入鬥爭」, 판쉬란의 「허 속에서 실을 보다虛中見實」 등의 평론이 발표되었다. 리정펑은 글에서 "시대의 '뜻'을 '말'하고, 인민의 '뜻'을 '말'하여 인민이 생활을 인식하고, 개조하고, 생활의 전진을 추진하는 것을 돕는 것이 당대 시인의 주된 임무이다. 인민이 시의 존재를 허락하고 시를 사랑하는 이유 중 하나는 바로 시가 적시에, 깊이 있게, 감동적으로 인민의 생활과 투쟁을 반영하고, 인민의 사랑과 미움의 감정을 토로해 주기 때문이다"라고 보았다.

『창장문예』제3호에 리빙의 장시 『우산의 여신巫山神女』, 위린의 소설 「산의 홍수山洪」, 지쉐페이의 「생활·학습·창작生活·學習·創作」, 쉬츠의 「장난 수필江南隨筆」 등의 산문이 발표되었다.

『신항』3월호에 청다이시의 「어떤 이니셜의 사람─고리키의 『문학 서간』 독서 찰기一個大寫字母的人——讀高爾基＜文學書簡＞劄記」, 아이우의 「춘절春節」, 웨이쥔이의 「옛 친구를 방문하다訪舊」, 원샤오위, 왕저청의 「아내 동지妻子同志」, 량빈의 『파화기』(장편소설 『홍기보』 제2부 연재) 등의 소설, 한샤오의 「봄이 왁자지껄하게 웃는다春在喧鬧春在笑」, 한성의 「구이저우 시초貴州詩草」, 타오란의 「약초 캐는 남자采藥郞」, 장뎬민의 「우편 소포를 멘 처녀背郵包的姑娘」 등의 시, 쥔칭의 산문 「하이냥냥海娘娘」 등이 발표되었다.

청다이시(1927~1999), 필명은 다런大人, 산청커山城客이며 쓰촨성 충칭 출신이다. 중국인민대학 교수, 인민문학출판사 편집심사위원, 중국예술연구원 마르크스주의 문예이론연구소 부소장, 『문예이론과 비평文藝理論與批評』 편집장, 중국사회주의문예학회中國社會主義文藝學會 고문을 역임하였다. 1947년부터 작품을 발표하였으며, 1983년 이후에는 마르크스주의 문예이론 연구에 종사하였다. 저서로 『문예 문제 논고文藝問題論稿』, 『예술가의 눈藝術家的眼睛』, 『마르크스주의와 미학에서의 현실주의馬克思主義與美學中的現實主義』, 『해당집海棠集』, 『이론 풍운록─어느 문예이론공작자의 수기理論風雲錄——一個文藝理論工作者的手記』, 『사람·사회·문학人·社會·文學』, 번역서 『톨스토이가 문학을 논하다阿·托爾斯泰論文學』, 『플레하노프 미학논문선普列漢諾夫美學論文選』, 『발자크가 문학을 논하다巴爾紮克論文學」, 『현대 미학논문선現代美學文論選』(합동 집필), 편역서『마르크스와 엥겔스가 예술을 논하다馬克思恩格斯論藝術』(전4권), 『마르크스의 『수기』 속의 미학사상 토론집馬克思＜手稿＞中的美學思想討論集』, 『이화 문제異化問題』, 『서양 현대파 작가가 창작을 말하다西方現代派作家談創作』 등이 있다. 『청다이시 문집程代熙文集』(10권)이 출간되었다.

『간쑤문예』 3월호에 양중楊忠의 소설 「깊은 산 속의 복사꽃深山裏的桃花」, 우천쉬吳辰旭의 「중난의 달中南月」, 리지의 「'묘회' 구경逛"廟會"」 등의 시, 왕웨汪鉞의 6막 역사극 「악비嶽飛」가 발표되었다.

『초원』 3월호에 아오더쓰얼의 「싸란하와 바터얼薩蘭花與巴特爾」, 양핑의 「동방을 향하다向東方」 등의 소설, 안커친푸의 「산간지대행山區行」, 궁류의 「단가 3편短歌三章」, 한싱의 「첸둥난행黔東南行」, 왕쑤이칭의 「다칭 산맥 － 항일의 장성大青山——抗日的長城」, 민치의 「타이항산의 노래太行山歌」 등의 시, 마오둔의 평론 「『머나먼 고비 사막』을 읽고讀＜遙遠的戈壁＞」 등이 발표되었다. 마오둔은 글에서 아오더쓰얼의 작품집 『머나먼 고비 사막遙遠的戈壁』에 수록된 「진주가 흩뿌려진 초원」, 「늙은 반장 이야기老班長的故事」, 「즐거운 섣달그믐날歡樂的除夕」, 「봄비春雨」, 「늙은 마부老車夫」 등 몇 편의 소설을 분석하였다. 그는 아오더쓰얼이 최근 10년간 발표한 작품들이 비록 인물 성격의 묘사에 있어서는 깊이가 부족하지만, 줄거리가 매우 감동적이며 자기만의 풍격을 갖췄다고 평하였다.

2일, 『중국청년』이 레이펑 학습 특집호로 간행되어 마오쩌둥의 레이펑을 학습하자는 격려의 글이 게재되었다. 사설 「레이펑의 학습 태도로 레이펑을 학습하자用雷鋒的學習態度學習雷鋒」 및 천광성, 추이자쥔崔家俊의 보고문학 「공산주의 전사 － 레이펑共產主義戰士——雷鋒」이 발표되었다. 이 외에도 저우언라이의 격려의 글과 둥비우, 궈모뤄, 셰줴짜이 등의 시와 사 작품이 발표되었다.

『인민일보』에 차오징화의 산문 「경치는 역시 둥란이 좋다—광시 서정風物還是東蘭好——廣西抒情」이 발표되었다.

『광명일보』에 중징원의 시 「쿠바를 읊다古巴詠」, 취류이의 문예수필 「화쯔량이 미친 척하다—주마관극華子良裝瘋——走馬觀劇」이 발표되었다.

3일, 『문회보』에 원제의 산문 「온 하늘 가득한 아침놀朝霞滿天」이 발표되었다.

4일, 『베이징문예』 3월호에 '베이징 문학예술공작자 제3차 대표대회 특집'란이 개설되어 사설 「문예는 사회 투쟁과 사회주의 건설을 반영하기 위해 투쟁해야 한다文藝要爲反映社會鬥爭和社會主

義建設而鬪爭」와 베이징 제3차 문대회에서의 라오서의 보고 개요「문학예술의 전투적 역할을 더 잘 발휘하자更好地發揮文學藝術的戰鬪作用」가 발표되었다. 라오서는 보고에서 문학예술공작자들이 "가슴에 넘치는 뜨거운 피로 우리 시대의 새로운 인물, 새로운 사상, 새로운 풍조를 노래하고, 우리 시대의 영웅 인물을 충분히 묘사하며, 그들이 반동적이고 낙후된 사물과 투쟁하는 모습을 표현해 수많은 인민들이 학습할 수 있는 본보기를 세우고, 인민이 역사의 전진을 추진하는 것을 우리의 문예가 더욱 강력하게 도울 수 있도록 해야 한다"라고 지적하였다. 그는 또한 문예창작을 더욱 번영시킬 것, 공연 작품을 풍부하게 할 것, 창작의 질을 부단히 제고할 것, 문예비평을 정확히 전개할 것, 군중의 아마추어 창작과 예술활동을 적절히 전개할 것, 문예단체의 공작을 개선하고 문예계의 단결을 강화할 것 등 여섯 가지 측면에서 미래의 문예창작의 임무에 관해 요구를 제시하였다.

같은 호에 베이징 제3차 문대회에서의 뤄빈지, 린진란, 관화, 리쉐아오, 리팡리, 류허우민의 발언 개요「생활에 침투하고, 시대를 인식하자深入生活, 認識時代」, 쉐언허우의「희곡 전통 극목의 계승과 발전戲曲傳統劇目的繼承與發展」, 펑치융의「문예비평의 전투력을 제고하자提高文藝批評的戰鬪力」등의 글, 관화의 소설「혼사婚事」, 리쉐아오의 시「고향의 시故鄉的詩」, 차오스의 시「칭장허행淸漳河行」, 쓰쿵치司空齊의 평론「희곡에서의 귀신극 문제를 정확히 인식하자正確認識戲曲中鬼戲的問題」가 발표되었다.

5일,『인민일보』에 마오쩌둥의 격려사 "레이펑 동지를 학습하자向雷鋒同志學習"가 발표되었다. 같은 호에 뤄루이칭의「레이펑을 학습하자—『중국청년』에 보내다」가 발표되었다.

『광명일보』에 짱커자의 시「그와 비교해 보다—레이펑 동지를 학습하자和他一比——向雷鋒同志學習」, 쓰마원썬의 산문「'영원히 꺼지지 않는 불' – 메라피 화산 취재기"永恒不滅之火"——默拉比火山側記」가 발표되었다.

『문회보』에 셰치구이의 시「청년이여, 어떻게 살아야 하는가青年人, 該怎麽生活才好」, 차오징선의 문예수필「산가극「복숭아를 따다」에 관하여談山歌劇<采桃>」가 발표되었다.

『상하이문학』3월호에 장창궁의 소설「새벽 세 시淩晨三點鍾」, 췬칭의 산문「서설도瑞雪圖」, 롼장징의「둬바오후 호숫가의 꽃多寶湖邊花」, 정청이의「댐의 산과 달水庫山月」등의 시, 우환장, 쑨광쉬안의 평론「혁명 투지를 격려하는 시—궈샤오촨의 1962년 시작을 평하다」, 판보췬範伯群의「두펑청 소설 속의 청년 지식분자 형상杜鵬程小說中的青年知識分子形象」등의 평론이 발표되었다. 우환장과 쑨광쉬안은 글에서 "궈샤오촨은 현재의 현실 속에서 혁명 투쟁의 아름다움을 발견하고 전투 생활의 시적 의미를 느껴, 넘치는 격정으로 이를 노래하는 데 능하다"라고 평하였다. 판보췬은 글에서 두펑청이 청년 지식분자 형상을 창조할 때 공통적인 특징이 있다고 보면서, "공농업 노동전선에서의 그들의 각종 행동과 심리적 동향을 관찰"하는 것, 그리고 자신의 이상에 따라 인물의 좋고 나쁨을 판단하는 것에 치중해 있으며, 종종 두 세대의 인물을 작품 속에 함께 증장시킨다고 보았다.

판보췬(1931~2017), 저장성 후저우湖州 출신이다. 1955년에 푸단대학을 졸업한 후 쑤저우대학 중문과 교수를 맡았다. 1957년부터 작품을 발표하였으며 1980년에 중국작가협회에 가입하였다. 동창인 정화평과 함께 『루쉰 소설 신론魯迅小說新論』, 『위다푸 평전鬱達夫評傳』, 『빙신 평전冰心評傳』 등을 집필하였으며, 『중국 근현대 통속문학사中國近現代通俗文學史』, 『중국 근현대 통속작가 평전 총서中國近現代通俗作家評傳叢書』를 편찬하였고, 주둥린朱棟霖과 함께 『1898~1949 국내외 문학 비교사 1898－1949中外文學比較史』를, 우훙충吳宏聰과 함께 『중국현대문학사(1917~1986)中國現代文學史(1917－1986)』을 편찬하였다.

『북방문학』에 류창위안劉暢園의 시 「어느 마을의 인상一個村莊的印象」이 발표되었다.

『신장문학』 3월호에 위구르족 작가 커유무·투얼디克尤木·吐爾迪의 「누에 엄마蠶媽媽」, 카자흐족 작가 부란타이·두쓰자닝布蘭太·都斯加寧의 「진주 강변珍珠河畔」, 치수이위안綦水源의 「눈에 달빛이 비치다雪映明月」 등의 소설, 위구르족 시인 마이허마이티장·사디커푸麥合買提江·沙迪可夫의 「톈산과 마주보고 노래하다和天山對唱」, 푸툰傅暾의 「분무 여공에게 바치다贈噴花女工」 등의 시가 발표되었다.

『열풍』 제2호에 주단훙朱丹紅의 「사회주의의 선명한 기치를 더 높이 들자更高地舉起社會主義的鮮明旗幟」가 발표되었다.

6일, 『문회보』에 우중제, 가오원의 평론 「시대 풍운과 저우빙 성격의 발전－『고투』를 읽고時代風雲和周炳性格的發展——讀＜苦鬥＞」가 발표되었다.

7일, 『광명일보』에 황쭝잉의 「불·붉음·꽃－탐천소기 제1편火·紅·花——探泉小記之一」, 자라가후棨拉嘎胡의 「'아이옌'"艾岩"」, 청청曾成의 「레이펑을 학습하자學習雷鋒」 등의 산문이 발표되었다.
『문회보』에 궁시의 시 「자오둥을 노래하다唱膠東」가 발표되었다.

8일, 『문회보』에 런다린의 산문 「정오의 닭 울음소리－농촌의 노래 제1편近午的雞啼聲——鄉土曲之一」이 발표되었다.

9일, 타오주가 광저우문예좌담회에서 「문예 하향 문제에 관한 연설關於文藝下鄕問題的講話」이라는 제목으로 발표하였다(발표문은 4월 19일자 『남방일보』에 발표).

베이징의 문예계, 희극계 인사들이 청옌추 5주기를 기념해 성묘하였다. 희극계의 저명인사 톈한, 쉰후이성, 장경, 장멍경, 청핑曾平, 쉐언허우, 장둥촨張東川, 펑무 등 40인과 문예계의 저명인사가 참석하였다.

『해방군보』에 궈모뤄가 3월 6일에 「네온사인 아래의 보초병」을 관람한 후 창작한 구체시와 란마藍馬, 리웨이신李維新, 덩징쑤鄧敬蘇의 평론 「혁명의 격정이 가득한, 전사의 영웅본색 —「네온사인 아래의 보초병」의 공연예술에 관하여滿懷革命激情, 戰士英雄本色——談＜霓虹燈下的哨兵＞的表演藝術」이 발표되었다.

『광명일보』에 황쭝잉의 산문 「부녀자—탐천소기 제2편婦道人家——探泉小記之二」이 발표되었다.

10일, 『전영창작』 제2호에 궈모뤄의 영화문학 극본 「정성공鄭成功」(제3호까지 연재)과 거옌葛炎, 류충 등이 각색한 영화문학 극본 「아스마」가 발표되었다.

『인민일보』에 펑쯔의 평론 「화극 무대 위의 새로운 수확 — 화극 「네온사인 아래의 보초병」 추천話劇舞台上的新收獲——推薦話劇＜霓虹燈下的哨兵＞」이 발표되었다.

『광시문예』에 친자오양의 장편소설 『두 세대 사람』 제1권 초반부가 발표되었다.

『칭하이후』 제2호에 양즈린의 「영춘곡迎春曲」, 가오펑高鵬의 「영춘령迎春令」, 왕하오王浩의 「개나리가 해를 향해 피다迎春花兒向陽開」, 양즈린의 「농촌으로 가다到農村去」 등의 시와 양유더楊友德의 소설 「마하리무馬哈裏木」가 발표되었다.

『산둥문학』 3월호에 취보의 소설 『차오룽뱌오』(장편소설 연재), 지펑의 「초원 시정草原詩情」, 정청이의 「장 서기張書記」 등의 시, 쑹레이의 평론 「「안강 일별」의 몇 가지 예술 문제＜鞍鋼一瞥＞中的幾點藝術問題」가 발표되었다. 쑹레이는 글에서 궈샤오촨의 시 「안강 일별」이 "강철과 같은 언어로 안강이라는 강철의 도시의 영웅 형상을 창조하였다. 200여 행에 달하는 시 속에서 시인의 감정과 시에서 묘사한 객관적 대상이 긴밀히 일치하며, 풍경 묘사와 감정의 토로가 융합되어 읽는 이를 황홀하게 한다"라고 평하였다.

『압록강』 3월호에 마오둔의 평론 「「갈증」 등에 관하여＜渴＞及其他」가 발표되었다. 그는 글에서 사오화의 소설 「갈증渴」, 「양상군자梁上君子」, 「그들 두 사람他們倆」, 「세찬 파도浪濤滾滾」 등의 작품에 대해 평하였다.

『광시문예』 3월호에 친자오양의 『두 세대 사람』, 리잉민李英敏의 「샤랑夏朗」, 먀오옌슈苗延秀의 「

금목걸이金項鏈」, 린원례林文烈의 「충성스러운 전사忠誠的戰士」 등의 소설, 웨이치린의 「요족 마을 소기瑤寨小記」, 바오위탕의 「아름다운 화폭을, 펼쳐라, 펼쳐라美麗的畵卷, 展開, 展開」 등의 시가 발표되었다.

『시간』 제2호에 궈샤오촨의 「축배의 노래」, 리빙의 『우산의 여신』, 바·부린베이허의 「초원 기록草原紀事」 등의 시가 발표되었다.

11일, 『문예보』 3월호에 사설 「문예는 농민을 향하고, 농촌에서의 사회주의 신문예의 진지를 공고히 하고 확대해야 한다文藝面向農民, 鞏固和擴大社會主義新文藝在農村的陣地」, 류바이위의 「레이펑 형상雷鋒形象」, 천커陳克의 「농촌의 '소설 이야기'로부터 이야기를 시작하다從農村中的"講小說"談起」, 천모陳默의 「사람을 황홀하게 하고, 깊이 생각하게 하다－화극 「네온사인 아래의 보초병」을 보고引人入勝, 發人深思——看話劇<霓虹燈下的哨兵>」, 장경, 쉐언허우, 궈한청, 장전, 샤오자, 후사의 토론 「「도장을 빼앗다」·평극·현대극<奪印>·評劇·現代戲」, 장광녠의 「리잉의 시－『홍류집』 서문李瑛的詩——序<紅柳集>」, 친무의 「쿠바 문예전선 일별古巴文藝戰線一瞥」, 러우스이의 「「1928년 3월 15일」을 다시 읽다－고바야시 다키지 희생 30주년을 기념하며重讀<1928年3月15日>——紀念小林多喜二殉難30周年」, 첸구룽의 「좁은 식견 － 인물 창조 비밀 탐구管窺蠡測——人物創造探秘」가 발표되었다.

12일, 『인민문학』 3월호에 저우리보의 「부춘슈蔔春秀」, 린진란의 「부끄러움慚愧」, 장톈민의 「도로 주행 시험路考」, 류서우민의 「산중산山重山」 등의 소설, 원제의 「아침햇살, 아침놀, 태양을 향해 흐르다流向晨曦' 朝霞和太陽」, 커위안의 「하이난 산수海南山水」, 차오스의 「다원산을 뛰어 건너다－여정 기록飛跨戴雲山——征途紀事」 등의 시, 천바이천의 「춘야만필春夜漫筆」, 젠셴아이의 「양밍둥을 기억하며記陽明洞」 등의 산문, 류바이위의 보고문학 「대동강大同江」이 발표되었다.

『인민일보』에 구궁의 산문 「아이가, 돌아왔다……孩子, 回來了……」, 옌전의 시 「베이징역 송가北京站頌」가 발표되었다

『광명일보』에 선런캉의 산문 「해상명주海上明珠」가 발표되었다.

13일, 『광명일보』에 천강陳剛의 평론 「화극의 새로운 성취에 갈채를 보내다－화극 「네온사인 아래의 보초병」을 평하다爲話劇新成就喝彩——評話劇<霓虹燈下的哨兵>」가 발표되었다.

천강(1929~2008), 회족回族 작가로 필명은 바이롄白練이며 신장 이닝伊寧 출신으로 중공 당원이

다. 창지회족자치주昌吉回族自治州 문화국 부국장, 자치주 문련 주석 및 명예주석, 신장자치구 문련 위원, 신장작가협회 상무이사를 역임하였다. 1964년부터 작품을 발표하였다. 저서로 장편소설 『유유히 흐르는 이리허悠悠伊犁河』, 중단편소설집 『흑모란·백모란黑牡丹·白牡丹』, 중편소설 「대부호의 풍모大戶風度」, 「재생複蘇」, 「공작루孔雀樓」 등이 있다.

14일, 『인민일보』에 천쌍의 산문 「·전가복"全家福"」이 발표되었다.

『광명일보』에 저우자쥔周嘉俊의 산문 「어선 위에서의 수업漁輪上的一課」이 발표되었다. 저우자 쥔(1934~), 저장성 전하이鎭海 출신이다. 상하이 『노동보勞動報』 기자, 상하이전영제편창 문학부 편집자, 『문회보』 기자를 역임하였다. 1950년대부터 작품을 발표하였다. 저서로 장편소설 『산바 람山風』, 소설산문집 『상하이-런던上海──倫敦』, 『포신공의 후손包身工的後代』, 시집 『나는 아름 다운 황푸장을 사랑한다我愛美麗的黃浦江』, 단편소설집 『첫 항해初航』 등이 있다.

15일, 『작품』 신2권 제3호에 친무의 「하바나의 풍격과 정서哈瓦那的風格和情調」, 청셴장程賢章 의 「청명 시절淸明時節」, 황칭윈黃慶雲의 「노래歌」, 뤄더전羅德幀의 「진허란金荷蘭」, 마인인馬蔭隱의 「수향의 하루水鄕一日」 등의 산문이 발표되었다.

16일, 문화부 당조에서 중앙에 「'귀신극' 공연 중지에 관한 지시 요청 보고關於停演"鬼戲"的請示 報告」를 제출해 도시와 농촌을 막론하고 전국 각지에 각종 귀신 형상을 소재로 한 연극의 공연을 중지시킬 것을 요청하였다. 29일, 중앙에서 이에 회신하고 유관 문화부문과 예술단체에 이를 집행 할 것을 요구하였다.

8·1전영제편창 극단이 베이징에서 「네온사인 아래의 보초병」을 공연하였다.

『해방군보』에 양톈이 차오스의 소설집 『들끓는 군영』을 평한 글 「친근하고 감동적인 단편집─ 차오스의 『들끓는 군영』 추천一本親切感人的短篇集──推薦峭石的＜沸騰的軍營＞」이 발표되었다. 그는 글에서 차오스의 소설이 부대의 풍부하고 다채로운 생활을 보여주었다고 평하였다.

『문회보』에 뤄쑨의 문예수필 「두 가지 인생관-레이펑 일기 독서 감상兩種人生觀──讀雷鋒日記有 感」이 발표되었다.

17일, 『문회보』에 루옌저우의 산문 「고향 서간故鄕書簡」(1)이 발표되었다.

18일, 『해방군보』에 주단시朱丹西의 문예수필 「좋은 형세의 힘을 빌려, 많은 것을 익히다—「네 온사인 아래의 보초병」을 보고 생각한 것借東風, 受教益——看＜霓虹燈下的哨兵＞所想到的」이 발표되었다.

19일, 『인민일보』에 궈샤오촨의 시 「눈보라의 노래—삼림지대 삼창 제2편大風雪歌——林區三唱之二」이 발표되었다.

『해방군보』에 커위안의 낭송시 「찬란한 별燦爛的星辰」이 발표되었다.

『광명일보』에 장창궁의 산문 「초원草原」이 발표되었다.

『문회보』에 런다린의 산문 「소—농촌의 노래 제2편牛——鄉土曲之二」, 니다倪達의 시 「고향행故鄉行」이 발표되었다.

20일, 『희극보』 제3호에 중국극협에서 진행한 제1기 화극작가 창작 학습 연구회에서의 자오쥐인의 연설 「표범의 머리 · 곰의 허리 · 봉황의 꼬리豹頭 · 熊腰 · 鳳尾」의 연재가 시작되어 제4호에 완료되었다.

『인민일보』에 차오셴원曹憲文의 「웅대한 뜻과 호방한 마음壯志豪情」, 장더밍薑德明의 「봄 산과 차오바이허春山潮白河」 등의 산문, 바이위안의 「국경 밖의 봄 경치塞外春光」, 마오이성茅以升의 '다리 이야기橋話' 중에서 「다리의 운동橋的運動」 등의 시가 발표되었다.

『문회보』에 스다이쉬石岱虛의 잡문 「좋은 일은 많아도 싫지 않다好事不嫌其多」, 바오위탕의 시 「고향의 웃는 얼굴家鄉的笑容」이 발표되었다.

21일, 『광명일보』에 린샤의 소설 「이야기故事」, 추핑楚平의 평론 「뒷받침—희곡 극본의 기본 구조와 기교鋪襯——戱曲劇本的基本結構技巧」(상)가 발표되었다.

『문회보』에 바이예의 「종용蓯蓉」, 쉬치의 「상하이의 거리上海街頭」 등의 산문이 발표되었다.

22일, 중국작가협회와 『인민일보』 편집부에서 일부 작가와 기자들을 초청해 '보고문학' 좌담회를 개최하였다. 11일간 지속된 좌담회에서는 문학의 경기병인 보고문학의 전투적 역할을 충분히 발휘해 적시에, 그리고 생생하게 중국 인민의 혁명정신의 면모를 반영할 방법, 군중의 사회주의 건설에의 열정을 고무할 방법, 더 많은 작가를 동원해 보고문학 창작에 참가하게 하는 방법 등의 문제에 관해 광범위한 토론을 진행하였다. 『문예보』 제4호에 「보고문학의 전투적 역할을 충분히 발휘하자充分發揮報告文學的戰鬪作用」라는 제목의 기사가 게재되었다.

『문회보』에 '현대극 창작 문제에 관한 토론' 특집란이 개설되어 류찬의 「생활투쟁을 더 잘, 더 많이 반영하자更多更好地反映生活鬪爭」, 바이원의 「인민 내부의 모순을 창작한 감상寫人民內部矛盾的感想」, 양뤼팡의 「창작 과정에서의 두 가지 문제創作中的兩個問題」, 천궁민의 「전투성, 독창성 및 기타 ─현대 소재 화극 창작 문제 만담戰鬪性, 獨創性及其他──漫談現代題材話劇創作問題」이 발표되었다. 같은 호에 『베이징문예』 1962년 11월호에 발표된 라오서와 후커 등의 현대 소재 화극 문제 필담에 관한 종합기사가 게재되었다.

『문예보』에 「작가와 기자는 들끓는 생활의 부름에 응답해야 한다─'보고문학'의 전투적 역할을 충분히 발휘하자作者和記者要響應沸騰生活的召喚──充分發揮"報告文學"的戰鬪作用」가 발표되었다.

23일, 『광명일보』에 톈졘의 시 「아프리카의 노래非洲謠」, 차오셴원의 산문 「혁명 노인의 말을 들어야 한다要聽革命老人言」, 추핑의 평론 「뒷받침─희곡 극본의 기본 구조와 기교」(하)가 발표되었다.

『해방군보』에 샤오쭝肖宗의 평론 「「네온사인 아래의 보초병」의 구조와 인물─희극 필기<霓虹燈下的哨兵>的結構和人物──戲劇筆記」가 발표되었다. 그는 글에서 "작가는 '한 인물과 한 사건'이라는 구조적 요구에 얽매이지 않고, 대담하게 여러 인물과 여러 사건을 함께 엮어내어 완결성을 가진 다중 구조를 만들어냈다"라고 보았다. 그는 또한 이 작품에서 가장 선명하고 생생하게 창조된 세 인물이 반장 자오다다趙大大, 소대장 천시陳喜, 그리고 중대장 루다청魯大成이라고 보면서, 그 이유는 이 세 인물이 "희극이 요구하는 것은 동작이요, 주인공의 주동성과 적극성이며, 강렬한 감정, 신속한 감상, 간결하고 선명한 언어이다"라는 고리키의 관점에 부합하기 때문이라고 평하였다.

24일, 『문회보』에 탕커신의 산문 「발전하고 융성하는 대가정欣欣向榮的大家庭」이 발표되었다.

25일, 중국작가협회 서기처에서 농촌 문예도서 위원회를 설립할 것을 결정하였다. 『인민일보』에 사설 「문화예술공작은 농촌을 위해 더 잘 복무해야 한다文化藝術工作要更好地爲農村服務」가 발표되었으며, 베이징의 문예공작자들을 조직해 하향하여 사회주의 교육공작에 참가할 것을 통보하였다. 각 성의 문예공작자들도 조를 이루어 농촌으로 향했다. 『문예보』 제3호에도 사설 「문예는 농민을 향하고, 농촌에서의 사회주의 신문예의 진지를 공고히 하고 확대해야 한다」가 발표되어 문예가 수많은 농민 군중을 향해야 한다고 강조하였다.

『해방군보』에 취안카이全開의 평론 「날카로운 통찰력─화극 「네온사인 아래의 보초병」 감상敏

銳的洞察力——看話劇＜霓虹燈下的哨兵＞有感」이 발표되었다.

『성화』제2호에 구궁의 시『자매姐妹』가 발표되었다.

26일, 『광명일보』에 장커신의 산문「무뤄산 위의 황금죽穆洛山上的金竹」이 발표되었다.

『인민일보』에 마톄딩의「시적 정취가 넘쳐흐른다-「쿤룬산 위의 풀 한 포기」를 보고詩意盎然——＜昆侖山上一棵草＞觀後記」가 발표되었다.

27일, 『문회보』에 런다린의「진달래-농촌의 노래 제3편映山紅——鄕土曲之三」, 딩산더丁善德의「대나무 다락집을 방문하다竹樓作客」등의 산문이 발표되었다.

『인민일보』에 펑쯔의 평론「감동적인 영웅 형상-「이수성」감상一個動人的英雄形象——＜李秀成＞觀後感」이 발표되었다.

28일, 문화부에서 후베이성 문화국의 연속 공연 희극「맹려군」의 공연 중지에 관한 보고를 비준하였다.

『해방군보』에 차오스의 시「기다리다等待」가 발표되었다.

『인민일보』에 지평의 시「허란산의 봄노래賀蘭山春曲」, 차오징화의 산문「홍기가 부른다-고리키 탄생 95주년을 기념하며紅旗在召喚——紀念高爾基誕辰95周年」가 발표되었다.

『문회보』에 뤄쑨의「시대의 새로운 영웅 인물을 창조하자創造時代的新英雄人物」, 샤오싼의「고리키-당의, 혁명의, 전투의 정론가高爾基——黨的, 革命的, 戰鬥的政論家」가 발표되었다.

29일, 『해방군보』에 라오서의 평론「훌륭한 극을 보았다看了一出好戲」가 발표되었다.

『문회보』에 딩산더의「흙빛 유적土色遺址」등의 산문이 발표되었다.

30일, 『인민일보』에 차오스의 시「샹장의 돛 그림자湘江帆影」, 마톄딩의 잡담「담장'"圍牆"」이 발표되었다.

『문회보』에 니전승의 소설「종자를 바꾸다換種記」, 쓰쿵치의 문학수필「음악의 '벽'音樂之"牆"」이 발표되었다.

이달에 베이징시 시장 펑전이 베이징시에 극단이 여전히 너무 많으므로 조정을 통해 더욱 간소화할 것을 지시하였다. 또한 한 가지 유파가 극단을 이루는 것에 반대해 메이란팡, 상샤오윈, 쉰후이성, 청옌추 극단을 즉시 조정해 합병할 것을 지시하였다.

총정치부 문화부에서 화극「네온사인 아래의 보초병」좌담회를 개최하였다. 위안수이파이는 이 작품이 "사상적 역량과 예술적 진실을 겸비해 생활 논리의 설득력을 갖췄다"라고 보았다. 자오쉰은 이 작품이 "새로운 예술적 구상을 이용해 새로운 생활의 내용을 반영하였으며, 새로운 긍정적 인물을 묘사하였고, 새로운 주제 사상을 표현하였다", "극본이 반영한 모순과 충돌은 생활 속의 그것들과 마찬가지로 진실하고 풍부하다"라고 보았다.

이 작품은 평론계의 광범위한 토론을 불러일으켰다. 가령, 천야딩은 "작가는 마르크스레닌주의의 계급과 계급투쟁 관점으로써 새로운 시대를 표현하였다"라고 지적하며, 이 작품이 "사상성이 높고, 영웅 인물의 예술 형상이 훌륭히 창조되었다", "모순이 심도 있게 다뤄졌고, 인물의 사상과 감정을 깊이 탐색하였다", "우리의 새로운 시대와 이 새로운 시대에서의 계급투쟁을 성공적으로 표현하였으며, 또한 새로운 시대의 새로운 영웅 인물을 성공적으로 창조하였다", "우리가「네온사인 아래의 보초병」을 새롭고 아름다운 훌륭한 화극이라고 평하는 것은 결코 이 작품의 예술 형식만을 두고 평하는 것이 아니라, 더욱 근본적인 이유는 그 사상 내용에 있다"라고 보면서, 이 작품이 본질적인 모순을 파악해 현재 부대생활의 비밀을 밝힐 열쇠를 찾았다"라고 보았다(「새롭고 아름다운 훌륭한 희극─화극「네온사인 아래의 보초병」예찬」, 『해방군문예』1963년 4월호). 평무는 "이 작품은 진실한 극적 충돌과 선명한 인물 형상을 통해 깊이 있으면서도 보편적인 의의를 가진 주제 사상을 생생하고도 힘있게, 그리고 설득력 있게 표현하였다", "일견 평범해 보이는 인민해방군의 생활 풍경에 대한 묘사를 통해 훌륭한 예술적 구상을 활용하였다"라고 보았다(「영원히 혁명의 최전선에 서다─「네온사인 아래의 보초병」을 보고」, 『해방군문예』1963년 4월호). 리시판은 "「네온사인 아래의 보초병」은 기본적으로 상하이 난징루南京路의 '호 8중대好八連'가 혁명 전통을 고수한 모범적인 사적을 그 소재로 삼고 있다. 그러나 작가는 이 사적을 그저 재연하지 않고, 들끓는 생활의 소용돌이 속에서 이 영웅 인물들의 발전과 변화를 관찰하고 표현하였다. 작가는 '참가할 전장이 없는' '평범'한 생활 속에서 새롭게 시대를 향해 진군하는 진군나팔의 소리를 듣는다", "「네온사인 아래의 보초병」은 비록 해방 초기의 어느 연대의 투쟁 생활을 그 소재로 삼고 있으나, 상하이라는 특수한 환경을 통해 이 역사적 시기의 복잡한 계급투쟁을 폭넓고도 세밀하게 개괄하였으며, 시대정신의 주된 특징을 날카롭게 파악하였다"라고 평하였다(「난징루 위의 새로운 전투─화극「네온사인 아래의 보초병」감상南京路上的一場新的戰鬥──話劇《霓虹燈下的哨兵》觀後感」, 『인민일보』5월 12일자).

「네온사인 아래의 보초병」은 1962년에 창작되었으며 선시멍, 모옌, 뤼싱천이 각본을 맡았다. 극본은『해방군문예』1963년 3월호에 발표되었으며, 1964년 4월에 중국희극출판사에서 출간되었다. 1963년 초에 난징군구 전선화극단이 베이징에서 여러 차례 공연을 진행하였으며, 4월 8일에 중국인민해방군 총정치부에서 시상하는 우수극작상을 받았다. 이후에 베이징인민예술극원, 중국청년예술극원, 총정치부 화극단, 8·1전영제편창 배우화극단, 공군 정치부 화극단, 해군 정치부 화극단, 전우화극단戰友話劇團 등에서 공연을 진행하였다. 본 화극은 공연된 이후로 저우언라이, 허룽, 예젠잉, 궈모뤄 등 당과 국가의 지도자들로부터 호평을 받았다.

천찬원의 장편소설『사계절 내내 향기롭다』가 작가출판사에서 출간되었다.

바이신白辛의 중편소설『빙산 위의 손님冰山上的來客』이 군중출판사에서 출간되었다.

린진란의 단편소설집『산사나무山裏紅』가 베이징출판사에서 출간되었다.

리잉의 시집『고요한 초소靜靜的哨所』가 해방군문예출판사에서 출간되었다.

장즈민의 시집『서행 실루엣』이 백화문예출판사에서 출간되었다.

시훙의 산문집『끝없는 그리움無盡的懷念』이 해방군문예출판사에서 출간되었다.「끝없이 계속되는 그리움綿綿無盡的懷念」등의 작품이 수록되었다.

중국작가협회 헤이룽장분회에서 편찬한『헤이룽장 산문특필선黑龍江散文特寫選』이 북방문예출판사北方文藝出版社에서 출간되었다. 책에는 중타오鍾濤의「황야에 울려퍼지는 나팔소리荒野裏響起號角聲」, 루페이逯斐의「새로운 출발점新的起點」,「초원의 봄은 따뜻하다草原春暖」, 가오루이린高瑞林의「옌워다오雁窩島」등의 작품이 수록되었다.

4월

1일,『해방군문예』4월호에 지펑의「레이펑, 당신은 영원히 우리의 행렬 속에 있다雷鋒, 你永遠在我們的行列中」, 샤오샹룽의「레이펑 일기를 읽고讀雷鋒日記」, 리잉의「새로운 전우와 경계비에 대해 이야기하다和新戰友談界碑」(2편), 웨이양의「곡식을 고르다挑糶」(2편), 한샤오의「밤호랑이(夜老虎: 중국인민해방군 란저우군구蘭州軍區 특종대대特種大隊를 가리킴-역자 주)의 노래夜老虎之歌」(4편), 쩌우디판의「어느 훙후 어민의 꿈一個洪湖漁民的夢」등 레이펑을 찬양하는 시가 발표되었다.

『쓰촨문학』4월호에 푸처우의「위대한 보통 일병─레이펑의 노래偉大的普通一兵──雷鋒之歌」, 선런캉의 「봄이 대지 위를 걷는다春天在大地行走」, 루치의 「밤에 충칭 창장대교를 건너다夜過重慶長江大橋」 등의 시, 리루지林如稷, 인짜이친尹在勤의 평론 「시 같고 그림 같은 「남행기」 속편如詩如畫的<南行記>續編」이 발표되었다.

『후난문학』 4월호에 후커의 「외지인外村人」, 펑룬후彭倫乎의 「자고새 언덕 기록竹雞坡紀事」 등의 소설, 랴오다이첸廖代謙의 「사위를 배웅하다送嬌客」 등의 시가 발표되었다.

『안후이문학』 제4호에 가오산리高善禮의 「궤도 위에서在軌道上」, 왕싱궈王興國의 「메아리回聲」 등의 소설, 나사那沙의 「소리 높여 노래하자, 영웅의 조국을高歌吧，英雄的祖國」, 셰치구이의 「강성곡鋼城曲」, 장허江河의 「뗏목을 띄우다放筏」 등의 시가 발표되었다.

『우화雨花』 제4호에 루원푸의 「한 수 위棋高一著」, 잉톈스應天士의 「강산의 꽃江山小花」, 류전화劉振華의 「우리 사촌형我家表哥」 등의 소설, 청샤오칭의 「루거우차오를 거닐다盧溝橋漫步」 등의 산문, 징런靜人의 「치자가 숨은 곳에서 여명을 노래하다—장쑤 혁명가요선(제2차 국내 혁명전쟁 시기) 머리말於梔隱處唱黎明——江蘇革命歌謠選(第二次國內革命戰爭時期)前言」이 발표되었다. 같은 호의 '사회주의의 새로운 인물 형상 창조 방법에 관한 토론'란에는 천랴오의 「「산을 나서다」와 왕루하이에 대한 평가에 관하여關於<出山>和對王如海的評價」, 친더린秦德林의 「'새로운 인물, 새로운 세계'를 창작하자寫“新的人物，新的世界”」 등의 문예잡담이 발표되었다.

『불꽃』 4월호에 마펑의 소설 『류후란 전기』(장편소설 연재), 궁류의 시 「레이펑의 노래雷鋒歌」가 발표되었다.

『옌허』 4월호에 쑤처의 소설 「라오치老齊」, 웨이강옌의 「당신, 파도 속의 첫 물방울你，浪花裏的第一滴水」, 차오서의 「십 리의 방파제十裏海堤」 등의 시, 두펑청의 「바다와 불길海與焰火」, 청샤오칭의 「루거우차오를 거닐다」 등의 산문, 아훙阿紅의 평론 「홀로 높은 누각에 오르니, 하늘가 길이 멀어져 보이지 않네—시 잡담獨上高樓，望斷天涯路——談詩斷片」이 발표되었다.

『창장문예』 제4호에 '고리키 탄생 95주년 기념'이라는 제목으로 뤄원駱文의 「바다제비가 높이 난다海燕高飛」, 리리李力의 「전투 속에 즐거움이 있다戰鬥中就有快樂」, 멍치孟起의 「고리키는 미국놈을 원하지 않는다高爾基不要美國佬」 등이 발표되었다. 같은 호에 커위안의 「섬 시초海島詩草」, 관융허管用和의 「계단식 밭梯田」, 궁류의 「조림造林」, 왕메이王眉의 「야영의 노래紮營曲」 등의 시, 사훙莎蕻의 「채찍鞭子」, 비예의 「선눙자행神農架之行」, 왕청둥의 「사자춤醒獅」 등의 산문, 셰몐의 평론 「야오츠에서 우산까지—리빙의 장시 『우산의 여신』을 읽고從瑤池到巫山——李冰長詩<巫山神女>讀後」가 발표되었다.

『신항』 4월호에 예쥔젠의 「화집畫冊」, 량빈의 『파화기』(장편소설 『홍기보』 제2부 연재) 등의 소설, 옌이의 「루시베이를 다시 방문하다重訪魯西北」, 란만藍曼의 「풀잎 아래의 눈빛草葉下的目光」, 먀오더위의 「잃어버린 징과 북丟失了的鑼鼓」, 런옌광의 「등불 송가燈光頌」 등의 시가 발표되었다. 같은 호에 2월 14일에 진행된 톈진 창작좌담회에서의 쑨리의 발언문 「세 가지 의견三點小意見」이 발표되었다. 그는 글에서 '작가의 사상', '생활 침투', '예술 수양' 등 세 가지 측면에서 작가의 문예 창작에 대해 의견을 제시하였다.

『간쑤문예』 4월호에 루전샹陸振祥의 「리얼룽李二龍」, 왕웨이신王維新의 「흑모란黑牡丹」, 두허의 「비바람 속의 발걸음」(중편소설 연재) 등의 소설, 당융안黨永庵의 「산가호자山歌號子」, 원제의 「단오절에 노래하다端陽節放歌」(「창장 만리」 제6부분), 차오스의 「첫 번째 참호第一道塹壕」, 웨이강옌의 「해상신천요海上信天謠」, 셰치구이의 「시곗바늘이, 금빛으로 빛난다時針, 閃著金光」 등의 시, 관쉬란, 정화펑의 평론 「웨이강옌의 보고문학에 관하여談魏鋼焰的報告文學」가 발표되었다. 글은 웨이강옌의 보고문학의 특징이 "기세가 웅장하고, 호탕하고 열렬하며, 엄숙하면서도 친근하고, 표현은 솔직 명쾌하면서도 사상적 경지는 깊고 넓은 것"이라고 보았다.

『초원』 4월호에 장창궁의 「또 다른 전선另一條戰線」(장편 부분), 자오르거바투照日格巴圖의 「양어장 이야기魚塘的故事」 등의 소설, 나·싸이인차오커투가 창작하고 훠얼차霍爾查가 번역한 시 「「인터내셔널가」를 소리높여 부르다高唱＜國際歌＞」가 발표되었다.

『창춘』 4월호에 차오잉산의 「꽃이 향기롭고 과실이 무르익다花香果熟」, 웨치嶽奇의 「밭갈이를 시작하는 날開犁這天」 등의 소설, 치지광의 「레이펑과 우리의 시雷鋒和我們的詩」, 란만의 「다시 방문하다重訪」, 왕쑤이칭의 「민요村歌」 등의 시, 펑치융의 문예수필 「구조 묘사 풍격-「항우 본기」 독서 수필結構描寫風格——讀＜項羽本紀＞隨筆」이 발표되었다.

3일, 『인민일보』에 커옌의 시 「레이펑雷鋒」, 마톄딩의 잡문 「다시 '담장'을 논하다再論"圍牆"」, 한베이핑의 「잔을 들어 마음껏 마시다舉杯痛飮」 등의 산문이 발표되었다.

『문회보』에 톈젠의 시 「자유촌-「아프리카 여행기」에서 발췌自由樹——抄自＜非洲遊記＞」, 황쭝잉의 신문 「비들기 끝이 푸르다柳梢青青」, 이췬의 문예수필 「보고문학에 관한 통신關於報告文學的通信」이 발표되었다.

4일, 『베이징문예』 4월호에 '베이징 문학예술공작자 제3차 대표대회 발언문 개요' 특집란이 개설되어 라오서의 「창작의 번영과 제고創作的繁榮與提高」가 발표되었다. 라오서는 글에서 창작의 번영시키는 것이 본 대회의 주된 임무로, 창작의 번영이란 한편으로는 작품의 질을 제고하는 것이며, 다른 한편으로는 문학의 각종 형식을 번영시켜 백화제방을 이루는 것이라고 지적하였다. 같은 호에 왕스거王世閣의 「전사의 걱정戰士的心事」, 가오옌창高延昌의 「양치기 이야기牧羊人的故事」, 류사오탕의 「현보 기자縣報記者」 등의 소설, 샤오싼의 「나의 선언我的宣言」, 짱커자의 「시가 발언한다詩在發言」, 구궁의 「낭화편浪花篇」 등의 시, 캉스자오康式昭의 「압록강변을 거닐다漫步鴨綠江邊」, 정원광鄭文光의 「잠수 영웅潛水英雄」 등의 산문이 발표되었다.

『광명일보』에 황쭝잉의 「혁명의 요람 속에서-탐천 잡기 제3편在革命搖籃裏——探泉雜記之三」, 주자이의 「사진을 보다看照片」 등의 산문, 양징후이楊景輝의 문예수필 「작은 곳에는 붓을 두고, 큰 곳에는 눈길을 두다-「네온사인 아래의 보초병」을 보고小處著筆, 大處著眼——看<霓虹燈下的哨兵>一得」가 발표되었다. 양징후이는 글에서 "화극 「네온사인 아래의 보초병」의 작가들은 섬세한 필치로 이야기를 묘사하고 인물을 그려내었다"라고 보았다. 또한 '버선'과 '지갑' 등 두 장면을 상세히 분석하고 "작가가 어떻게 독자들이 주의를 기울이지 않는 소도구를 통해 인물의 성격과 심리를 표현했는가"를 이야기하였다.

5일, 『인민일보』에 궈샤오촨의 시 「청송가青松歌」(「삼림지대 삼창」 제3편)가 발표되었다.

『문회보』에 원이부의 잡담 「새 습관新習慣」이 발표되었다.

『상하이문학』에 후완춘의 「가정 문제家庭問題」, 웨이진즈의 「자선 공연義演」 등의 소설, 궈샤오촨의 시 「청송가」, 차오스의 산문 「샤먼 예찬廈門禮贊」이 발표되었다.

『신장문학』 4월호에 덩푸鄧普의 소설 「늙은 사냥꾼의 증거老獵人的見證」가 발표되었다.

6일, 『인민일보』에 한샤오의 시 「전사의 낭송을 듣다聽戰士朗誦」가 발표되었다.

『광명일보』에 바오위탕의 산문 「퉁자이 서정僮寨抒情」이 발표되었다.

『문회보』에 거진의 평론 「「적군이 성 아래까지 쳐들어오다」를 보고看<兵臨城下>」가 발표되었다.

7일, 상하이청년배우극단上海青年演員劇團과 상하이청년화극단이 합동으로 북한 화극 「붉은 선전원」을 공연하였다. 북한 작가 조백령의 각본을 장린이 번역했으며 톈자가 감독을 맡았다.

중국복리회 아동예술극원에서 4막 활보극 「위대한 전사-레이펑偉大的戰士——雷鋒」을 공연하였다. 중국복리회 아동예술극원에서 합동 창작하고 쑹제원宋捷文, 안리, 왕전王鎭이 집필하였으며, 런더야오, 후더룽胡德龍, 런푸任復가 감독을 맡았다.

『인민일보』에 양쉬의 산문 「적도의 눈赤道雪」이 발표되었다.

『문회보』에 톈젠의 시 「아프리카 여행기」가 발표되었다.

8일, 중국인민해방군 총정치부에서 우수 희곡 작품 시상식을 거행해 일부 부대 작가와 문예 공작자에게 상을 시상하였다(4월 9일자 『해방군보』에 기사 게재). 화극 부문에서는 선시멍(집필), 모옌, 뤼싱천의 「네온사인 아래의 보초병」, 천치퉁의 「징강산」, 류촨의 「두 번째 봄」, 세리밍, 예화이칭葉槐青의 「젊은 매年輕的鷹」가, 영화 부문에서는 「홰나무 마을」, 「동진 서곡」이, 가극은 「혁명 역사 가곡 연기 공연革命曆史歌曲表演唱」, 무극은 「랑야산의 다섯 장사狼牙山五壯士」가 우수 극작상을 받았다. 시상식은 총정치부 문화부 부장 리이민이 주관하였으며, 저우언라이가 시상식에 참석해 문예공작자들에게 생활에 깊이 침투한 더 좋은 작품을 더 많이 창작할 것을 격려하였다.

『문회보』에 구중이의 문학수필 「화극의 인민 내부 모순 반영에 대한 이해對話劇反映人民內部矛盾的一點體會」가 발표되었다.

9일, 『인민일보』에 장융메이의 시 「베트남 남방에 보내다寄往越南南方」가 발표되었다.

『광명일보』에 우수 희곡 작품 시상식에서의 해방군 총정치부 부주임 샤오화蕭華의 연설 「마오쩌둥 사상의 홍기를 높이 들고, 현실 투쟁을 대대적으로 반영하자高擧毛澤東思想紅旗, 大力地反映現實鬥爭」가 발표되었다. 같은 호에 사설 「현실을 향하고, 생활에 침투하자面向現實, 深入生活」와 런옌팡의 시 「바이양뎬의 봄노래白洋澱春曲」가 발표되었다.

10일, 『인민일보』, 『해방군보』에 류보청劉伯承의 혁명 투쟁 회고록 「다볘산으로 천 리를 약진하다千裏躍進大別山」가 발표되었다.

『문회보』에 루옌저우의 산문 「고향 서간」(2)가 발표되었다.

『산둥문학』 4월호에 취보의 소설 『차오룽뱌오』(장편소설 연재)가 발표되었다.

『광시문예』 4월호에 왕징즈의 시 「조국 송가祖國頌」, 차오징화의 「경치는 역시 등란이 좋다—광시 서정」, 왕보윈王波雲의 「아름답고 생생하며, 풍부하고 다채롭다—광시 가우(여러 명이 모여 노래하는 장족壯族의 전통 풍습-역자 주) 잡기優美生動, 豐富多彩——廣西歌圩散記」 등의 산문과 천바이천의 문학평론 「작가와 생활作家與生活」이 발표되었다. 이 글은 천바이천이 광시 장족 자치구를 참관하던 기간에 소수민족 작가 및 공인 작가들과의 교류 좌담회에 참석하여 진행한 연설문으로, 그는 "작가는 반드시 생활에 침투하고, 연구하고, 분석해야 하며, 뜨거운 투쟁에 참가해야 한다. 이것이 핵심 문제이다"라고 보면서, 이렇게 해야만 부단히 실천하고 자기 자신을 제고할 수 있다고 보았다.

11일, 『중국청년보』에 허징즈의 장편 정치 서정시 『레이펑의 노래雷鋒之歌』가 발표되었다.

『인민일보』에 우보샤오의 「『북극성』발문<北極星>跋」이 발표되었다.

『문예보』4월호에 본지 기자의 「문예의 전투적 역할을 충분히 발휘하자—베이징에서 개최된 보고문학 좌담회 기록充分發揮文藝的戰鬥作用──記在北京召開的報告文學座談會」이 게재되었다. 기사는 『인민일보』편집부와 중국작가협회에서 쉬츠, 한쯔, 비예, 허웨이, 궈샤오촨, 톈류, 웨이강옌, 마라친푸, 웨이양, 사오화, 린진란, 바이예 등 각지에서 온 30여 명의 작가와 기자들을 초청해 베이징에서 11일간 보고문학 좌담회를 가지고 보고문학의 창작 문제에 관해 토론하였다고 전했다. 참석자들은 창작경험, 보고문학의 특징과 역할에 대해 토론하였으며, "보고문학을 활용해 현실생활을 적시에 반영하고 시대정신을 표현하는 것이 수많은 중국 작가들이 직면한 절실한 임무 중 하나이다"라고 보았다. 좌담회 기간에 저우양, 라오서, 사오취안린, 샤옌, 자오수리, 저우리보 등이 참석해 발언하거나 참석자들과 의견을 교류하였다. 같은 호에 쉬츠의 「속기한 몇 가지 생각一些速記下來的思想」, 자오쉰의 「'귀신극' 공연에는 해로운 점이 없는가?演"鬼戲"沒有害處嗎?」, 샤오싼의 「고리키와 청소년高爾基與青少年」, 빙신의 「1959~1961년 아동문학 선집 서문1959年—1961年兒童文學選集序言」 등의 글이 발표되었다.

『광명일보』에 차오셴원의 산문 「나사못 · 바보 · 소나무—레이펑의 세 가지 소원에 관하여螺絲釘 · 傻子 · 松──略談雷鋒的三願」가 발표되었다.

12일, 『인민일보』4월호에 시룽의 소설 「풍작豐產記」, 리지의 「그 때 타이항산에서那時候在太行山」, 웨이양의 「호숫가의 생활湖邊的生活」 등의 시, 웨이웨이의 「이정표路標」, 선충원의 「명절과 관등過節和觀燈」, 팡지의 「밤하늘에 번갯불이 번쩍이다電光在夜空中閃耀」, 비예의 「월야청봉月夜青峰」 등의 산문이 발표되었다.

14일, 『작품』4월호에 보고문학에 관한 마톄딩의 글 「'철필어사'"鐵筆禦史"」가 발표되었다.

『인민일보』에 마톄딩의 문학잡담 「시대정신 소재 및 기타—보고문학에 관한 몇 가지 의견時代精神題材及其他──關於報告文學的一些意見」이 발표되었다. 그는 글의 제1부분에서 보고문학의 "현실성과 시대감 혹은 시대정신"에 대해 "시대의 주체를 구성하고, 시대의 전진을 추진하는 계급과 함께 호흡하고 그 운명을 같이 하는 사람만이, 그리고 위대한 혁명 투쟁에 투신하고 위대한 사회 변혁에 직접 참가하는 사람만이 시대감과 시대정신을 가진 작품을 창작할 수 있다. 또한, 자신의 작품 속에 시대감과 시대정신을 반영하는 사람만이 진정으로 계급의 귀와 눈이 되고, 계급의 대변자가 될 수 있다"라고 보았다. 제2부분에서는 "시대감과 시대정신을 가장 잘 표현할 수 있는 특정한, 그리고 전형적인 사물"을 찾아낼 방법에 관해 반드시 "깊이 파고들고, 멀리 보아야 한다"라고 지적하였다. 제3부분에서는 "작가의 사랑, 증오, 기쁨, 노여움, 그리고 시대에 호응하는 영혼의 불길이 객관적인 사물을 통해 서술되어 수많은 독자와 함께 타올라야 한다!"라고 보았다. 제4부분에서 마톄딩은 "우리는 공인과 농민 및 그 간부들의 노동과 투쟁을 소재로 한 작품을 창작할 것을 제창한다. 그러나 결코 소재의 다양화를 배척하는 것은 아니다"라고 밝혔다. 제5부분에서는 보고문학에서 실제 인물과 사건을 서술함에 있어 허구가 있어서는 안 된다고 강조하였다. 마지막 부분에서 그는 보고문학이 현재 가진 중요성을 분석하고, "이것은 시대의 요구이며, 독자의 요구이다. 보고문학이라는 예리한 무기를 충분히 활용하자!"라고 호소하였다.

『문학평론』제2호에 주자이의 「다시 역사극 문제 논쟁에 관하여再談歷史劇問題的爭論」가 발표되었다. 그는 글에서 제1호에 발표된 리시판의 글에 제기된 문제에 대해 답변하였다. 같은 호에 리젠우의 「희극의 특징戲劇的特征」이 발표되었다. 그는 글에서 경제, 공구, 조건, 생활, 사회 등 희극의 다섯 가지 제약이라는 측면에서 희극의 특징을 논술하였다.

『문회보』에 구쓰판의 산문 「조림—대고무 잡기 제1편造林——大高廡散記之一」이 발표되었다.

15일, 귀모뤄와 랴오청즈가 베이징에서 연회를 개최해 쿠바 전국 혁명수호위원회 주석 호세 마타를 환영하였다. 마오둔, 저우양, 샤옌, 류즈젠, 저우얼푸 등의 문예계 인사들이 참석하였다.

『작품』신2권 제4호에 커위안의 「찬란한 병사의 별燦爛的士兵星辰」, 장밍의 「늙은 민병·새신부老民兵·新嫁娘」, 루디의 「베이장의 봄 새벽北江春曉」 등의 시, 허즈何芷, 양자楊嘉의 단막 희극喜劇 「전곡이 봄을 재촉하다戰穀催春」, 천쌍의 산문 「징커우 만필京口漫筆」, 왕싱위안王杏元의 문학수필 「'철필어사'"鐵筆禦史"」가 발표되었다.

『전영문학』4월호에 루주궈, 왕옌王炎의 영화문학 극본 「'독립' 대대"獨立"大隊」가 발표되었다.

16일, 『광명일보』에 웨이웨이의 「이정표」, 쓰마원썬의 「지지 않는 꽃송이—중국과 인도네시아의 우정을 위해 환호하다不敗的花朶——爲中國和印度尼西亞友誼歡呼」가 발표되었다.

17일, 베이징인민예술극원이 화극 「네온사인 아래의 보초병」을 공연하였다. 선시멍, 모옌, 뤼싱천이 각본을, 어우양산쥔, 샤춘이 감독을 맡았으며 궈웨이빈, 뤼치呂齊, 톈충, 후쭝원胡宗溫 등이 주연을 맡았다. 베이징인민예술극원 외에도 중국청년예술극원, 총정치부 화극단, 8·1전영제 편창 배우화극단, 공군 정치부 화극단, 해군 정치부 화극단, 전우화극단 등 베이징의 여러 화극단에서도 「네온사인 아래의 보초병」을 공연하였다.

『문회보』에 탕커신의 산문 「혁명 기관차의 화부가 되자做革命火車頭的司爐工」가 발표되었다.

18일, 『인민일보』에 「수도 각계 인민의 쿠바와 라틴아메리카 인민 성원대회에서 ─궈모뤄 동지의 연설在首都各界人民聲援古巴和拉丁美洲人民大會上──郭沫若同志的講話」이 발표되었다.

19일, 저우언라이가 중앙선전부에서 개최한 문예공작회의와 중국문련 제3기 전체위원회 제2차 확대회의에서 「혁명의 문예공작자가 되자要做一個革命的文藝工作者」라는 제목으로 연설하였다. 연설의 요점은 첫째, 혁명의 문예공작자에 대한 다섯 가지 기본 요구사항(1. 정치 입장, 사상 작풍, 혁명적 입장, 혁명 사상 장악, 혁명 작풍 배양. 2. 공산주의의 원대한 이상을 수립할 것. 3. 자기를 개조하고, 이론, 정치, 기술을 학습하고, 예술의 기본 훈련을 진행하고, 창작 실천과 예술 실천을 진행할 것. 4. 부단히 자신을 검증하고, 이겼다고 자만하지 않고 졌다고 낙심하지 않을 것. 5. 계속해서 분투하고, 죽을 때까지 그치지 않을 것), 둘째, 혁명의 계급투쟁에 적극적으로 참가할 것, 셋째, 혁명 문예의 전개를 대대적으로 강화할 것 등이다.

24일, 『인민일보』에 뤄빈지의 보고문학 「봄의 보고春天的報告」가 발표되었다.

25일, 베이징시 문화국 당조에서 베이징시위원회에 「시 소속 메이란팡경극단, 상샤오원경극단 및 청년경극단에 대한 정돈 계획 지시 요청 보고爲擬對市屬梅劇團, 尙劇團及靑年京劇團進行整頓的請示報告」를 제출하고, 「메이란팡경극단, 상샤오원경극단, 청년경극단 정돈 초보 방안整頓梅, 尙, 靑年京劇團的初步方案」을 첨부하였다.

『광명일보』에 장춘차오의 산문 「난징루의 호 8중대南京路上好八連」가 발표되었다.

『인민일보』에 궁시의 시 「푸른 하늘 위에 쓴 편지寫在藍天上的信」가 발표되었다.

29일, 『문회보』에 평론가의 글 「모순 충돌과 인물 창조에 끼치는 영향─「네온사인 아래의 보초병」 평론에 관한 두 가지 문제矛盾沖突與影響人物的塑造──關於評論＜霓虹燈下的哨兵＞的兩個問題」가 발표되어 한동안 전개된 「네온사인 아래의 보초병」에 관한 토론에 대해 종합적으로 보도하였다.

『인민일보』에 덩퉈의 시 「국방 전선의 장병들을 위문하다－만강홍의 곡조로慰問國防前線指戰員—
—調寄滿江紅」가 발표되었다.

30일, 『인민일보』에 리잉의 시 「십만 대산의 초소 한 곳十萬大山一哨所」이 발표되었다.

이달에 중앙선전부가 신차오 호텔新僑飯店에서 문예공작회의를 개최하였다. 회의에서는 소위 '13년 창작' 문제에 관해 격렬한 논쟁이 벌어졌다. 저우양, 린모한, 사오취안린 등은 발언에서 '13년 창작'이라는 구호가 단편적이고 문예창작을 방해하며 당의 '백화제방' 문예방침에 부합하지 않는다고 보면서, 특히 "사회주의 시기의 생활을 창작하는 것만이 사회주의 문예이다"라는 관점을 반박하였다. 사오취안린은 "혁명 역사 소재와 기타 소재를 배척해서는 안 된다"라고 지적하였다. 반면에 장춘차오는 '13년 창작'이라는 주장을 적극적으로 변호하면서 "13년 창작의 10대 장점"을 제시하여 좌중을 놀라게 하였다. 마지막으로 린모한은 결산 발언에서 "사회주의 문학이란 사회주의 생활만을 반영하는 것을 뜻하지 않는다", "작가가 소재를 선정할 때 현실 소재에 대한 제창 탓에 그만둬서는 안 된다"라고 지적하였다. 그는 일부 사람들이 항상 마오쩌둥 주석의 사상을 '좌'를 향해 끌고 간다고 비평하면서, '우'에 치우쳐도, '좌'에 치우쳐도 나라가 망한다고 보았다.

『아동문학연구兒童文學硏究』가 폐간되었다.

하오란의 단편소설집 『채하집彩霞集』이 중국청년출판사에서 출간되었다.

관화의 아동문학집 『작은 영웅 위라이小英雄雨來』가 허베이인민출판사에서 출간되었다.

거비저우의 시집 『등림집登臨集』이 작가출판사에서 출간되었다.

허보禾波의 시집 『메이하이의 파도煤海浪花』가 춘풍문예출판사에서 출간되었다.

우보샤오의 산문집 『북극성北極星』이 인민문학출판사에서 출간되었다.

5월

1일, 『인민일보』에 옌전의 시 「중국 광부 송가中國礦工頌」가 발표되었다.

『광명일보』에 지셴린의 산문 「노란색 군복黃色的軍衣」이 발표되었다.

『해방군문예』 5월호에 우수 희곡 작품 시상식에서의 해방군 총정치부 부주임 샤오화의 연설 「

마오쩌둥 사상의 홍기를 높이 들고, 현실 투쟁을 대대적으로 반영하자」, 차오스의 시「연병장 시 초練兵場詩抄」(3편), 비예의 산문「후두완呼渡灣」이 발표되었다.

샤오화(1916~1985), 장시성 싱궈興國 출신으로 중국인민해방군 고위 장교를 역임하였다. 저서 로『장정 모음곡長征組歌』,『쇳물의 노래鐵流之歌』등이 있다.

『쓰촨문학』5월호에 시샹席向의 평론「사상·형식·민족형식—극본「붉은 바위」에 관하여思想 ·形式·民族形式——也談劇本<紅岩>」가 발표되었다. 그는 글에서 양톈춘楊田村의 평론에 관해 논의 를 제기하면서 사상, 형식, 민족형식 등에 대해 독해하였다. 양톈춘은『쓰촨문학』1963년 3월호에 발표한「새로운 탐색新的探索」에서 류창랑이 각색한 극본「붉은 바위」가 원작 소설의 사상적 기초 위에서 "새로운 개척"을 이루었다고 보면서, "미 제국주의가 중국 인민의 숙적이라는 사상을 더욱 선명하게 드러내었다"라고 평하고, 극본의 사상적 의지가 소설보다 더욱 높다고 보았다.

『후난문학』5월호에 웨이양의 보고문학「마오톈 성격毛田性格」, 커란의 평론「보고문학의 창작 에 관하여試談報告文學的寫作」가 발표되었다.

『안후이문학』제5호에 전문 논고「농촌을 향하고, 농업을 위해 복무하는 문예 노선을 고수하자 堅持文藝面向農村 爲農業服務的道路」, 쟝신루의 보고문학「아침早上」, 옌전의「화이허 평론淮河評論」, 지펑의「연해 지방 군가海疆軍歌」, 류잔추劉湛秋의「빗속의 칭이장雨中青弋江」, 스톈서우師田手의「 해안의 설송海岸雪松」등의 시가 발표되었다.

『우화雨花』제5호에 선런캉의 시「위화타이雨花台」가 발표되었다.

『불꽃』5월호에 마펑의 소설『류후란 전기』(장편 연재)가 발표되었다.

『옌허』5월호에 왕원스의 중편소설「흑풍黑風」의 연재가 시작되었다(9월호에 완료). 같은 호에 왕청둥의 소설「여명黎明」, 샤오원루肖雲儒의 평론「계급투쟁을 묘사한「봉화춘추」描寫階級鬪爭的 <烽火春秋>」가 발표되었다. 그는 글에서 "「봉화춘추」는 문예의 성격을 띤 공사사公社史이며, 문학 적 필치로 봉화 인민공사의 태동, 탄생, 발전, 공고화를 묘사한 역사이다"라고 평하였다.

『창장문예』제5호에 리지의「남천에 보내다寄南天」, 쉬츠의「봄에, 장한 평원을 건너다春天, 穿 過江漢平原」등의 시가 발표되었다.

『신항』5월호에 량빈의 소설『파화기』(장편소설『홍기보』제2부 연재), 톈젠의 평론「횃불—아시 아 아프리카 가수들의『아프리카 여행기』서문火把——致亞非歌手們<非洲遊記>代序」이 발표되었다.

『간쑤문예』5월호에 이단차이랑의 시「레이펑에게 바치다獻給雷鋒」, 우중제, 가오원의 평론「농 촌 생활 투쟁을 반영한 시편—자오수리 창작 만담反映農村生活鬪爭的詩篇——趙樹理創作瑣談」이 발표 되었다. 이들은 자오수리의 작품이 "농촌 생활 투쟁을 심도 있게 표현한 시편이며, 농민 혁명 승리의 송가"라고 보면서, 작품의 독특한 점에 대해서는 "주제가 가진 고도의 심각성과 진실성", "노동에 대한 송가", "새로운 관념의 지배하에 작품 속에 형성된 강렬한 풍자적 요소"라고 평하였다.

『초원』 5월호에 나·싸이인차오커투의 시 「즐거운 순간歡樂的時刻」, 치무더다오얼지가 정리하고 안커친푸가 번역한 「영웅 거쓰얼커한─몽골족 민간서사시 제2부 제10장과 마지막 장英雄格斯爾可汗──蒙古族民間史詩第二部第十章和最後一章」이 발표되었다.

『창춘』 5월호에 치지광의 특필 「봄꽃이 만발하다春花怒放」가 발표되었다.

3일, 『문회보』에 루옌저우의 산문 「고향 서간」(3)이 발표되었다.

4일, 중국청년화극원이 8장 화극 「레이펑雷鋒」을 공연하였다. 돤청빈이 각색을, 천융이 감독을 맡았다.

돤청빈(1924~), 극작가로 장시성 융신永新 출신이다. 중국청년예술극원 예술실 부주임 및 각본가를 역임하였다. 저서로 「건망증이 심한 사람健忘者」, 「들끓는 사람들沸騰的人們」, 「용을 굴복시키고 범을 제압하다」, 「레이펑」(합동 창작) 등이 있다.

『베이징문예』 5월호에 시훙의 보고문학 「소금밭 위의 일등병鹽灘上的列兵」이 발표되었다.

5일, 『상하이문학』 5월호에 우창의 「레이펑 예찬雷鋒贊」, 후완춘의 산문 「생활 기록生活紀事」이 발표되었다.

『신장문학』 5월호에 테이푸장·아이리예푸의 시 「충고」가 발표되었다.

6일, 『문회보』에 량비후이梁壁輝의 「'유귀무해'론"有鬼無害"論」의 연재가 시작되어 7일간 연재되었다. 이는 장칭이 조직한 「이혜낭」에 대한 대규모 비판의 시초로, 이 글을 계기로 '귀신극'에 대한 대대적인 비판이 시작되었다. 량비후이는 글에서 『극본』 1961년 7, 8월호 합본에 발표된, 북방곤곡원에서 공연하고 멍차오가 각본을 쓴 「이혜낭」과 『베이징만보』 1961년 8월 31일자에 발표된 판싱(랴오모사)의 「유귀무해론」에 대해 비판하였다. 또한 『희극보』 1963년 제9호에 발표된 리시판의 「대단히 유해한 '유귀무해론'」 역시 '유귀무해론'을 비판하였다. 리시판은 "이런 가련한 귀신을 그처럼 '존경스럽고 사랑스럽게', 그리고 생동감 있게 표현하는 것은 일반적인 유귀론有鬼論을 선전하는 것보다 훨씬 해롭다"고 보면서, 이 작품이 선전하는 "'억압에 반항하는 투쟁 정신'"은

"봉건 시대에, 그리고 약자에 속하는 것"이라고 보았다.

같은 호에 사예신의 평론 「'희극 속의 긍정적 형상'에 관하여"喜劇中的正面形象"芻議」가 발표되었다. 사예신은 글에서 우선 "희극에는 예술적 유형으로 구분했을 때 '긍정적 희극 형상'과 '희극 속의 긍정적 형상'이라는 두 가지 긍정적 형상이 존재할 수 있으며 또한 반드시 존재해야 한다"라고 보았다. 그는 "희극 속의 긍정적 형상이란 희극적인 성격을 가지지 않은 긍정적 형상, 즉 앞서 말한 우스꽝스러운 면이 없는 긍정적 형상을 말한다", "희극 속의 긍정적 형상은 어느 정도의 예술적인 위치가 있어야 하며, 이러한 형상의 출현이 희극적 풍격의 통일을 손상시키지 않아야 한다", "희극 속의 긍정적 형상은 긍정적 희극 형상과 다를 뿐만 아니라, 정극 속의 긍정적 형상과도 완전히 같지 않고, 그 나름의 독특한 예술적 특징을 가지고 있다"라고 보았다.

7일, 『인민일보』에 궈모뤄의 시 「쿠바 속담 모음古巴諺語集句」이 발표되었다.

『문회보』에 우중제, 가오원의 평론 「정론, 형상, 시대정신-류바이위의 보고문학에 관하여政論, 形象, 時代精神——談劉白羽的報告文學」가 발표되었다.

8일, 마오쩌둥이 「현재 농촌공작에 존재하는 몇 가지 문제에 관한 결정(초안)關於目前農村工作中若幹問題的決定(草案)」을 제정하는 항저우 회의杭州會議 기간에 "'우귀무해론'은 농촌과 도시의 계급투쟁의 반영이다"라고 밝혔다.

『인민일보』에 궈샤오촨의 보고문학 「무산계급 전사의 고상한 품성 - 난징루 위의 호 8중대無産階級戰士的高尚風格——南京路上好八連」가 발표되었다.

『인민일보』에 장융메이의 시 「작은 등불 아래의 시小燈下的詩」가 발표되었다.

9일, 『광명일보』에 선런캉의 시 「혁명의 산천革命的山水」이 발표되었다.

10일, 『해방군보』에 시훙의 소설 「비바람 부는 고향風雨故鄉」이 발표되었다.

『산둥문학』 5월호에 전문 논고 「문화예술공작은 농민을 향하고, 농촌을 위해 복무하는 임무를 최우선으로 두자文化藝術工作面向農民, 把爲農村服務的任務放在第一位」가 발표되었다.

『압록강』 5월호에 편집부의 단론 「5억 농민을 위해 더 잘 복무하자更好地爲五億農民服務」가 발표되었다.

『광시문예』5월호에 3월 9일에 진행된 광둥성, 광저우시 문예계 집회에서의 타오주의 연설「문예 하향에 관하여關於文藝下鄕」가 발표되었다. 같은 호에 궈모뤄의「시 4편詩四首」, 민치의「수도 서정首都情懷」, 젠보짠의「시 3편詩三首」등의 시가 발표되었다.

『시간』제3호에 루치가 '계급투쟁'을 소재로 창작한 연작시「양류춘에 다시 돌아가다」, 왕스샹王石祥의「병사의 노래兵之歌」, 리잉의「산의 주인山的主人」등의 시, 셰몐의「황산 정상의 전투 선율黃山頂上的戰鬪旋律」등의 평론이 발표되었다.

11일, 『문예보』5월호에 본지 기자의「방송을 이용해 농민을 위해 더 잘 복무하자—허베이성 라오양현, 진현의 문학방송 청취 상황 견문 찰기更好地利用廣播爲農民服務——河北省饒陽縣, 晉縣收聽文學廣播情況的見聞劄記」및 톈젠의「장융메이의 시집『소라 나팔』에 부쳐題張永枚的詩集<螺號>」, 량비후이의「'유귀무해'론」, 펑치융의「의분이 시인을 낳는다義憤出詩人」등의 글이 발표되었다.

12일, 『인민문학』5월호에 쥔칭의「창송지蒼松志」, 마라친푸의「흑녹색 당구대 옆에서在墨綠色球台旁」, 탕커신의「석탄—나를 교육한 공인계급의 아버지 세대에게 바친다炭——獻給教育過我的工人階級的父輩」, 마스투의「돌아오다回來了」등의 소설, 옌이의「허 아주머니—소형 서사시賀大娘——小型敘事詩」, 톄이푸장·아이리예푸의「기차가 우리 마을 앞을 지난다火車經過我們村前」, 치지광의「등불燈光」, 리유룽의「충링의 길을 가다去蔥嶺路上」등의 시, 샤오싼의「아시아, 아프리카, 라틴아메리카가 단결하다亞, 非, 拉美團結來」, 친무의「쿠바의 붉은 땅 위에서在古巴紅色的土地上」, 빙신의「잔장에서의 열흘湛江十日」, 시훙의「제련하다熔煉」, 쓰마원썬의「풍조의 노래天堂鳥之歌」등의 산문이 발표되었다.

『인민일보』에 리시판의 평론「난징루 위의 새로운 전투 — 화극「네온사인 아래의 보초병」감상」이 발표되었다. 같은 호에 야오원위안의 평론「이것은 그저 가정 문제가 아니다—「가정 문제」를 읽고這不僅是家庭問題——讀<家庭問題>」가 발표되었다. 그는 글에서 "후완춘 동지의 단편소설「가정 문제」(『상하이문학』4월호)는 여러 독자에게 소개할 만한 전투성을 가진 훌륭한 작품이다. 이 작품은 어느 늙은 공인 가정에서 발생한 모순과 투쟁을 통해 대단히 중요한 문제, 즉 공인계급의 젊은 세대를 어떻게 교육할 것인가, 그리고 청년 세대가 어떻게 윗세대 공인들의 무산계급 풍격을 진정으로 계승하게 할 것인가라는 문제를 선명하게 제시하였다"라고 보았다. 야오원위안은 소설의 주된 사건과 인물 형상을 분석한 후 "사회주의 혁명과 사회주의 건설 시기의 혁명 현실, 그리고 계급투쟁과 사회 개조 과정에서의 절실한 문제를 반영하는 것, 입장이 견고하고 사상 감정이

고상한 사회주의 혁명 시기의 다양한 공인계급의 선진 인물 형상을 창조하는 것이 사회주의 문학
예술의 중요한 임무이다"라고 지적하였다.

14일, 『광명일보』에 황쭝잉의 산문 「제비－탐천소기 제4편燕子——探泉小記之四」이 발표되었다.

15일, 『전영문학』에 펑더잉馮德英의 영화문학 극본 「씀바귀꽃」이 발표되었다.

18일, 문화부에서 「불법 극단의 불법 활동 상황 및 그 제지에 관한 몇 가지 의견關於黑劇團非法
活動的一些情況及制止其非法活動的幾點意見」을 발포하였다.

『광명일보』에 리지의 장시 『검의 노래劍歌』 부분이 발표되었다.

19일, 『인민일보』에 차오스의 산문 「비바람 아래風雨下」가 발표되었다.

20일, 『문회보』에 야오원위안의 문예수필 「'참신하고 독창적인 견해'를 보라請看一種"新穎獨到
的見解"」가 발표되었다. 그는 글에서 음악가 드뷔시의 저서 『크로스 선생克羅士先生』을 평가하면서
사실상 이 책의 엮은이에 대해 그들에게 "계급투쟁 관념"이 없다고 보았다.

21일, 『인민일보』에 선런캉의 시 「민병이 출동했다民兵出動了」가 발표되었다.

『광명일보』에 징구쉐의 「귀신극의 해로움鬼戲之害」의 연재가 시작되어 25일자에 완료되었다.

22일, 『대중전영』에서 개최한 제2회 영화 '백화상' 결과가 발표되었다. 「리쌍쌍」이 최우수
극영화상을 받았으며, 이 영화의 각본가 리준이 최우수 영화 각본가상을, 장루이팡이 최우수 여자
배우상을, 중싱훠仲星火가 최우수 조연상을 받았다. 「형제들 안녕하신가」의 장량張良이 최우수 남
자배우상을, 「홰나무 마을」이 영예상을, 왕핑이 최우수 감독상을 받았으며, 「유삼저」가 최우수
촬영상과 최우수 미술상을 받았다.

『인민일보』에 기사 「중국문학예술계연합회 제3기 전국위원회 제2차 확대회의中國文學藝術界聯
合會第三屆全國委員會擴大的第二次會議」가 게재되었다. 기사는 "중국문학예술계연합회 주석 궈모뤄,
부주석 마오둔, 저우양, 바진, 라오서, 쉬광핑, 톈한, 샤옌, 차이추성, 마쓰충, 푸중, 양한성 및 전국

위원회 위원과 각지 대표 등 380인이 본 확대회의에 참석하였다. 저우언라이 총리가 참석하여 중요 연설을 진행하였다. 그는 연설에서 '전국 문예공작자들에게 국내외의 계급투쟁에 적극적으로 참가해 혁명의 문예공작자가 될 것을 호소'하였다. 궈모뤄가 회의를 주관하였으며, 개회사에서 이번 회의에서 토론할 문제를 설명하였다. 저우양이 「문예전선을 강화하고, 수정주의에 반대하자加強文藝戰線, 反對修正主義」라는 제목의 보고를 진행하였다. 조별 토론 외에도 라오서, 천황메이, 마오둔, 자오수리, 빙신, 류카이취, 안보, 샤오원옌筱文艶, 마쓰충, 뤼지, 다이아이롄, 위안쉐펀, 천치퉁, 톈한 등 전국위원들이 주제 발언을 하였다.

23일, 『인민일보』에 쉬치의 산문 「비雨」가 발표되었다.

24일, 『문회보』에 탕커신의 산문 「진양화金揚花」가 발표되었다.

25일, 『대공보』에 라오서의 창작담 「사람과 말人與話」이 발표되었다.

26일, 『후베이일보』에 리베이구이李北桂의 산문 「등반攀登」이 발표되었다.

28일, 『인민일보』에 마톄딩의 잡문 「벌레는 독수리의 뜻을 안다蟲豸知雄鷹之志」가 발표되었다.

30일, 제2차 『대중전영』 '백화상' 시상식이 베이징에서 개최되었다. 저우언라이, 천이 등이 참석해 수상자들을 접견하였다.

『인민일보』에 톈한의 평론 「훌륭한 희극을 보다―푸젠 고갑희 「연달아 세 계급이 오르다」를 평하다看了一個好喜劇——評福建高甲戲<連升三級>」가 발표되었다.

31일, 『문회보』에 후완춘의 「루씨 집안의 윤곽魯家剪影」, 궈모뤄의 「아동시대의 정신을 오랫동안 유지하자長遠保持兒童時代的精神」 등의 산문이 발표되었다.

『문예보』 5월호에 빙신의 「이 땅을 계속해서 잘 가꾸자―『소년문예』 창간 10주년을 축하하며 繼續種好這一塊園地——祝賀<少年文藝>創刊十周年」가 발표되었다.

이달에 리준의 단편소설집 『차바퀴 자국車輪的印』이 인민문학출판사에서 출간되었다.

허징즈의 장시『레이펑의 노래』가 중국청년출판사에서 출간되었다.

바오위탕의 시집『우리 민족을 노래하다歌唱我的民族』가 상하이문예출판사에서 출간되었다.

장융메이의 시집『소라 나팔』이 작가출판사에서 출간되었다.

츠수창遲叔昌의 소년아동문학『큰고래 목장大鯨牧場』과 자오스제趙世傑가 편역한『아판티 이야기阿凡提的故事』가 소년아동출판사에서 출간되었다.

멍인孟寅이 편찬한 허베이 민간고사『시랑과 황고柴郎與皇姑』가 인민문학출판사에서 출간되었다.

중국과학원 문학연구소에서 편찬한『중국문학사中國文學史』(전3권)가 인민문학출판사에서 출간되었다.

6월

1일, 문화부 당조가 중공중앙에「특별(시)현 소속 국영 희곡 극단의 집단경영극단 변경에 관한 지시 요청 보고關於專(市)縣所屬國營戲曲劇團改爲集體經營劇團的請示報告」를 제출하고,「집단경영 희곡 극단에 관한 몇 가지 규정關於集體經營戲曲劇團的若幹規定」(초안)을 첨부하였다.

『광명일보』에 장즈싱의 산문「두 통의 편지兩封信」가 발표되었다.

『해방군문예』에 쨩커자의「사회주의의 기세를 빌리다ㅡ'난징루 위의 호 8중대'를 노래하다借社會主義的東風ㅡㅡ歌頌"南京路上好八連"」, 샤오화의「'난징루 위의 호 8중대'를 학습하고, 각고분투하는 혁명 전통을 발양하자ㅡ『중국청년』에 보내다學習"南京路上好八連"發揚艱苦奮鬥的革命傳統ㅡㅡ寫給＜中國靑年＞」등 '난징루 위의 호 8중대'를 학습한 글이 발표되었다. 같은 호에 커위안의「중대 쾌판連隊快板」(3편), 장융메이의「성문을 지키는 이國門守護人」(4편), 궁시의「하늘, 우리의 바다天空, 我們的海洋」, 선런캉의「남쪽으로 가는 구름南去的雲」, 리유룽의「타림강의 노래塔裏木河的歌」(외 1편) 등의 시, 양쉬의「생명의 샘生命泉」, 웨이강옌의「레닌의 항로列寧的航線」등의 산문이 발표되었다.

『쓰촨문학』6월호에 사설「농촌으로 가서, 농민 군중과 더 잘 결합하자到農村去, 更好地與農民群眾結合」, 가오잉의 소설「물수리가 돌아오다魚鷹歸來」, 아이우의「아이우 동지가 창작을 말하다ㅡ청두시 일부 문학작가 좌담회에서의 발언艾蕪同志談創作ㅡㅡ在成都市部分文學作者座談會上的發言」이 발표되었다. 아이우는 발언에서 "투쟁을 묘사할 때는 반드시 인물의 성격과 인물 사이의 성격 충돌을 묘사해야 한다", "반드시 투쟁하는 인물의 감정을 묘사해야 한다. 뜨거운 투쟁을 반영할 때는 반드시 뜨거운 감정을 표현해야 한다"라고 지적하면서, 창작을 하는 이는 "업무와 투쟁 과정에서 군중과 관계를 맺고 군중을 이해해야 할 뿐만 아니라 인물을 조사하고 연구해야 한다. 군중의 투쟁에 장기적으로 참가하고, 의식적으로 이들을 방문하고 조사하며, 연구와 생활을 결합해야 한다", 또한 "객관적인 세계를 인식하는 것은 작가에게 매우 중요한 준비 공작이다", "예술을 학습하고 예술의 규율을 파악하는 것 역시 문예공작자에게 빼놓을 수 없는 준비 작업이다"라고 보았다.

『후난문학』 6월호에 저우리보의 창작담 「수많은 농민을 위하여爲了廣大的農民」, 왕청등의 소설 「설련화雪蓮花」가 발표되었다.

『칭하이후』 제3호에 왕청등의 시 「고원 시초高原詩抄」가 발표되었다. 이번 호에 본 잡지의 폐간을 알리는 통지가 게재되었다.

『옌허』 6월호에 왕원스의 소설 「흑풍」(중편 연재)이 발표되어 10월호에 연재가 완료되었다.

『신항』 6월호에 량빈의 소설 『파화기』(장편소설 『홍기보』 제2부 연재), 쓰마원썬의 산문 「죽창전기竹槍的傳奇」, 청다이시의 평론 「시대정신 · 혁명의 진실 · 영웅 인물—고리키 문예창작사상 탐색時代精神 · 革命眞實 · 英雄人物——高爾基文藝創作思想初探」이 발표되었다.

『초원』 6월호에 궁류의 시 「수확의 계절收獲季」, 셰멘의 평론 「성위 초원 상공의 예술의 불꽃升於草原上空的藝術禮花」이 발표되었다. 그는 글에서 바 · 부린베이허의 시에 대해 "몽골족 전통문화의 영향을 깊이 받았으며, 특히 몽골족 민가의 영향이 크다", "서정성이 충분하다", "그의 시어는 잘 다듬어져 있으며, 연마의 기교가 드러나 보인다", "장시는 시어는 간결하나 뜻은 완벽하고, 행간이 역동적이며, 매우 정련되어 있다"라고 평하였다.

『창장문예』 제6호에 천보추이의 소설 「분수대 옆에서在噴水池邊」가 발표되었다.

『간쑤문예』 6월호에 궁류의 시 「강보繦褓」가 발표되었다.

2일, 부대문예공작자들이 베이징에 모여 티베트군구 문공단을 환영하였다. 저우언라이, 주더, 허룽 등 당과 국가의 지도자들이 환영 연회에 참석하였다.

『문회보』에 옌이의 시 「둥핑후의 돛東平湖裏的帆」, 자오수리의 문예수필 『하향집』과 함께 농촌 독자에게 보내다隨〈下鄕集〉寄給農村讀者」가 발표되었다.

3일, 상하이희극학원에서 4막 화극 「젊은 세대年靑的一代」를 공연하였다. 천원이 각본을 맡았으며 뤄썬羅森, 천원이 감독을 맡았다. 극본은 이후에 천원, 장리후이, 쉬징셴의 수정을 거쳐 『극본』 8월호에 발표되었으며 『수확』 1964년 3월호에도 발표되었다.

천치퉁은 "이 희극의 가장 큰 특징은 깊은 현실적 교육 의의이다", "극의 줄거리는 간결하나 사상은 깊이가 있다", "인물은 많지 않으나 각자 개성을 가지고 있다"라고 평하였다(「사회주의 청년 생활의 길－화극「젊은 세대」추천社會主義青年生活的道路——推薦話劇<年青的一代>」, 『인민일보』 10월 13일자).

탄페이성은 "화극「젊은 세대」가 표현한 사회 문제는 대단히 심각하며, 이 작품은 관중들에게 풍부한 사상적 깨달음을 준다. 이 작품은 확실히 세속적이고 무딘 세상에 대한 경종처럼, 우리가 혁명의 경각심을 제고하고 혁명의 투지를 강화하는 것을 도와준다"라고 보았다(「보는 이로 하여 금 깊이 생각하게 하는 과제－화극「젊은 세대」감상發人深思的課題——看話劇<年青的一代>雜感」, 『전선』 제20호).

야오원위안은 "「젊은 세대」는 청년들의 삶의 길을 비추는 거울이며, 사회주의 사회의 청년들이 혁명화를 향하는 거울이다", "이 작품이 심각하게 제기하고 정확한 답을 제시한 청년들의 삶의 길 문제는 계급투쟁의 문제이며, 공산주의의 미래에 관련된 문제이기도 하다. 이 문제 자체가 깊은 보편적 의미가 있기 때문에, 린젠林堅, 샤오지예蕭繼業, 린란林嵐, 그리고 린위성林育生, 리룽성李榮生 등의 인물들이 가진 서로 다른 두 가지의 행복관, 세계관, 그리고 두 가지 삶의 길이 선명한 대비를 보여주어, 이로써 수많은 이들의 마음을 뒤흔들고, 청년들이 무산계급의 세계관을 수립하고 자산 계급의 세계관을 버리도록 격려한다"라고 평하였다(「혁명의 청년 세대가 성장하고 있다 － 화극 「젊은 세대」에 관하여革命的青年一代在成長——談話劇<年青的一代>」, 『홍기』 1964년 제6호).

천원(1923~1999), 극작가로 푸젠성 융춘永春 출신이다. 상하이실험희극학교 공연과를 졸업하 였으며, 공화국 성립 후에는 주로 희극교육 및 창작에 종사하였다. 저서로 화극 극본「생산 라인에 서生產線上」, 「어린 팔로군 영웅英雄小八路」, 「젊은 세대」 등이 있다.

탄페이성(1933~), 학자로 허베이성 지현薊縣 출신이다. 1956년에 중국공산당에 가입하였으며 중 앙희극학원 교수를 맡고 있다. 저서로『희극성을 논하다論戲劇性』, 『희극예술의 특징戲劇藝術的特性 』, 『영화미학 기초電影美學基礎』, 『영화와 연극 예술을 논하다論影劇藝術』 등이 있다. 『탄페이성 문 집譚霈生文集』(6권)이 출간되었다.

4일, 『베이징문예』 6월호에 차오스의 「연해 지역 스케치海疆速寫」, 선런캉의 「베이룬허 잡기 北崙河散記」 등의 산문, 하오란의 「나무 위에서 새가 지저귄다樹上鳥兒叫」, 페이즈의 「하늘에 걸린 밝은 달明月當空」 등의 소설, 궈모뤄의 「난징루 위의 호 8중대 예찬贊南京路上好八連」, 자오수리의 「 레이펑을 학습하자學雷鋒」 등의 시, 본지 기자의 「이 시대의 공농병 영웅 인물 형상을 더 잘 연기하자進一步演好當代工農兵英雄人物」, 뤄빈지의 「산간지대 매입소 후기山區收購站後記」, 신화사의 「혁명 문예전선을 강화하고, 현대 수정주의에 반대하자加强革命文藝戰線, 反對現代修正主義」가 발표되었다.

『해방군보』에 난궁南弓의 산문 「풍속의 새로운 꽃風俗的新花兒」이 발표되었다.

5일, 『문회보』에 친무의 산문 「제방 순찰자의 정신巡堤者的精神」이 발표되었다.

『인민일보』에 톈류의 보고문학 「은 가지에 금 꽃銀樹金花」이 발표되었다.

『상하이문학』에 선런캉의 「광산장礦長」, 정칭이의 「섣달그믐날 밤除夕」, 루망의 「마오쩌둥 시대의 혁명전사毛澤東時代的革命戰士」 등의 시, 쩡화핑, 판쉬란의 평론 「보고문학과 시대정신─화산, 웨이웨이의 보고문학 작품을 읽고報告文學與時代精神──讀華山, 魏巍的報告文學作品」가 발표되었다. 이들은 글에서 화산과 웨이웨이가 창작한 전투를 반영한 보고문학이 오늘날까지도 사람의 마음을 감동시키는 힘을 가지고 있는 근본적인 이유는 "작가가 그려낸 다채로운 예술적 화면 속에 강렬한 시대정신의 광휘가 반짝여, 오늘날의 독자들이 이미 지나가 버린 불과 피가 난무하고, 고통과 즐거움이 교차하는 전투의 세월을 회상하거나 혹은 인식하도록 이끌고, 이로써 우리의 혁명이 걸어온 여정을 더욱 깊이 이해하게 하며, 또한 인민이 눈앞의 노동 투쟁에 힘쓰도록 격려하기 때문이다"라고 보았다.

『북방문학』 6월호에 쌍커자의 시 「시가, 일어섰다詩, 站起來了」, 중타오의 소설 「마음을 여는 열쇠開心鑰匙」(장편소설 『다뎬 풍운록大甸風雲錄』 부분)가 발표되었다.

6일, 『광명일보』에 리젠우의 평론 「인민의 낙관적 정신이 충만하다充滿人民的樂觀精神」가 발표되었다.

『해방군보』에 허우밍쉰의 산문 「이중장부兩本賬」가 발표되었다.

8일, 『광명일보』에 비예의 산문 「천주효청天柱曉晴」이 발표되었다.

9일, 『인민일보』에 리시판의 평론 「「사랑탐모」의 유래와 그 사상 경향<四郎探母>的由來及其思想傾向」이 발표되었다. 그는 글의 제1부분에서 역사의 변천이라는 시각에서 "양가장楊家將 회곡의 기조와 「사랑탐모」의 유래"에 관해 정리하고, 제2부분에서는 「사랑탐모」와 "양사랑楊四郎"의 "인정미"가 사실상 "인정미로 정치 문제를 애써 덮어 가리고, 역적의 영혼을 윤리적 사랑으로 미화한 것"이라고 지적하였다. 제3부분에서는 "「사랑탐모」는 양가장을 추악화하고, 나라를 배반하고 적에게 빌붙은 양사랑을 미화하였다", "「사랑탐모」에서 남편과 아들을 잃고 오랫동안 고초를 겪은 사태군余太君은 그녀의 영웅적 기개마저 잃고 모자간의 정에 완전히 빠져들어 버린다"라고 보았다. 리시판은 또한 「곡당哭堂」 대목에서 '양가장'의 영웅 인물들을 심각하게 추악화하였다고 지적하였다.

10일, 『산둥문학』 6월호에 취보의 소설 『차오룽뱌오』(장편소설 연재)가 발표되었다.

『압록강』 6월호에 덩유메이의 소설 「차오셰핑草鞋坪」, 펑무의 산문 「철쭉 예찬山杜鵑贊」이 발표되었다.

11일, 『문예보』 6월호에 사설 「국내외의 계급투쟁에 적극적으로 참가해, 철저한 혁명의 문예전사가 되자積極參加國內外階級鬥爭，做一個徹底革命的文藝戰士」 및 펑무의 「전사 작가 장친과 그의 창작戰士作家張勤和他的創作」, 빙신의 「이 땅을 계속해서 잘 가꾸자－『소년문예』 창간 10주년을 축하하며」, 가오스치의 「과학문예의 새로운 수확科學文藝的新收獲」, 마톄딩의 「깨달음－영화 「붉은 선전원」 감상啟示――看電影＜紅色宣傳員＞有感」, 쩌우디판의 「아프리카 인민의 투쟁의 노래非洲人民的戰歌」 등의 문예수필이 발표되었다.

『광명일보』에 가오스치의 산문 「은막 위의 과학지식科學知識在銀幕上」이 발표되었다.

12일, 『인민문학』 6월호에 저우리보의 「장룬성 부부張閏生夫婦」, 구쓰판의 「새끼돼지를 사는 이야기買小豬的故事」, 허수위賀抒玉의 「홍매紅梅」 등의 소설, 마오둔의 「하이난 잡기海南雜憶」, 펑무의 「마사족 사람의 고향摩梭人的家鄉」 등의 산문, 톈류의 보고문학 「불타는 충성심忠心耿耿」, 자오수리의 쩌저우澤州 앙가 「수로를 트다開渠」가 발표되었다.

『해방군문예』에 양숴의 산문 「생명의 샘」이 발표되었다.

『문회보』에 루망의 시 「우리의 우정은 창바이산의 푸른 소나무와 같다我們的友誼象長白山的青松」, 루옌저우의 산문 「고향 서간」(4)가 발표되었다.

『광명일보』에 후퉁룬胡同倫의 평론 「미술영화의 민족형식에 관하여談美術電影的民族形式」가 발표되었다.

13일, 『인민일보』에 한베이핑의 소설 「공교롭지 못한 기회不巧的巧遇」, 둥비우의 「선헝산 선생을 추모하며挽沈衡山先生」, 궈모뤄의 「선헝산 선생을 추모하며挽沈衡山先生」 등의 시가 발표되었다.

14일, 『해방군보』에 차오스의 소설 「행군로行軍路」가 발표되었다.

『문학평론』 제3호에 천모의 「무대와 은막 위에서 이 시대의 뜨거운 투쟁을 반영하자在舞台和銀幕上反映當代火熱鬥爭」가 발표되었다. 그는 글에서 "희극과 영화 창작의 현실성과 전투성을 더욱 강화해야 한다. 우리의 무대와 은막이 시대의 거울이라는 역할을 충분히 발휘하도록 하기 위해서는 반드시 이 시대의 뜨거운 투쟁을 더욱 강력히 반영해야 한다. 이것은 삶이 우리에게 제시하는 절실한 요구이며, 희극 및 영화예술가들이 거절할 수 없는 책임이다"라고 보았다.

이 외에도 옌자옌의 「량성바오 형상에 관하여關於梁生寶形象」가 발표되었다. 그는 글에서 량성바오 형상이 "비록 생생하게 묘사되어 존경하고 사랑할 만해 보이기는 하나, 독자에게 시종일관 의기소침하고 정신상태가 빈약하며 크게 보이려 하지만 오히려 평면적인 느낌을 준다"라고 보았다. 옌자옌의 의견에 대해 『문예보』, 『상하이문학』, 『베이징대학 학보北京大學學報』, 『문학평론』 등의 간행물에 여러 편의 글이 발표되어 그와 다른 견해를 제시하였다.

같은 호에 야오원위안의 「문예비평의 전투성 강화에 관하여關於加強文藝批評的戰鬥性」, 왕정王正의 「바진의 「집」에서 차오위의 「집」까지從巴金的<家>到曹禺的<家>」가 발표되었다. 왕정은 글에서 차오위가 바진의 「집」을 성공적으로 각색했다고 평하면서, 차오위가 "극적 충돌을 완전히 장악하고, 모든 노력을 다해 충돌 속에서 원작의 중요한 형상과 지도적 사상을 뚜렷이 드러내었다"라고 보았다.

15일, 『전영문학』에 바이런, 린눙이 동명의 화극을 각색한 영화문학 극본 「적군이 성 아래까지 쳐들어오다」가 발표되었다.

『신화월보』 6월호에 5월 5일에 진행된 '난징루 위의 호 8중대' 명명대회命名大會에서의 커칭스의 연설 「호 8중대를 학습하자向好八連學習」가 발표되었다.

『작품』 신2권 제6호에 선런킹의 소설 「세상이 바꿔었다換了人間」가 발표되었다.

『광명일보』에 장치張岐의 산문 「바다에서 사냥하는 사람―섬 기록獵海的人――漁島紀事」이 발표되었다.

16일, 『홍기』와 『인민일보』에 소련공산당 중앙위원회가 3월 20일에 보낸 서신에 대한 중공 중앙의 회신 「국제 공산주의 운동 총노선에 관한 건의關於國際共產主義運動總路線的建議」가 발표되었으며, 소련공산당 중앙위원회의 공개 서신을 평론한 '9차례의 반박문九評'이 발표되기 시작하였다.

『인민일보』에 마톄딩의 잡담 「시대의 봄―보고문학 작품집 『봄의 보고』 서문時代的春天──報告文學＜春天的報告＞一書序言」이 발표되었다.

18일, 『광명일보』에 쩌우디판의 장편소설 『마음은 파도를 따라心潮逐浪』 부분 「해당화 숲 아래에서의 수업海棠林下的一課」이 발표되었다.

19일, 『문회보』에 쭝푸의 산문 「과수원의 새로운 풍경果園新景」이 발표되었다.

『인민일보』에 마라친푸의 산문 「흰 준마 두 필―초원 기록 제1편兩匹白駿馬──草原紀事之一」이 발표되었다.

20일, 『극본』 6월호에 왕밍푸의 6장 화극 「모두가 기뻐하다皆大歡喜」가 발표되었다.

『해방군보』에 시훙의 「영웅 전우의 환호―조선 방문 일기(1960년 11월 8일)英雄戰友的歡呼──訪朝日記(1960年11月8日)」이 발표되었다.

21일, 『인민일보』에 궈샤오촨의 보고문학 「하늘은 가물지만 땅은 가물지 않다―민난의 가뭄 투쟁 기록旱天不旱地──記閩南抗旱鬥爭」이 발표되었다.

『베이징일보』에 신화사 기자 리펑李峰과 린쥔칭林俊卿의 기록문학 「주룽장 위의 항천가九龍江上的抗天歌」가 발표되었다.

22일, 『광명일보』에 린진란의 산문 「물음표와 마침표問號和句點」가 발표되었다.

『인민일보』에 천이의 시 「선헝산 선생을 추모하며追悼沈衡山先生」가 발표되었다.

23일, 『문회보』에 선런캉의 시 「다섯 가지(정치 사상, 임무 수행, 규율 준수, 일상 학습, 상부 상조 및 단결 등 다섯 가지를 뜻함-역자 주)가 뛰어난 사원 군상五好社員群象」이 발표되었다.

25일, 문화부에서 「회곡 예인의 무분별한 제자 수용을 통한 개인적 이익 발전 사상 통제에 관한 통지關於控制戲曲藝人亂收徒弟以免發展個人名利思想的通知」를 발포하였다.

『인민일보』에 궈모뤄의 시 「항미원조 13년을 기념하며紀念抗美援朝十三年」가 발표되었다.

26일, 『인민일보』에 주더의 「선형산 선생을 애도하며悼沈衡山先生」, 톈젠의 「재가행載歌行」 등의 시가 발표되었다.

27일, 『광명일보』에 후커, 후펑胡朋의 「베이징곡예단 곡극대에 보내는 편지給北京曲藝團曲劇隊的信」가 발표되었다.

『문회보』에 사예신의 평론 「심미의 코는 어떻게 드뷔시를 향하는가?—야오원위안 동지와의 논의審美的鼻子如何伸向德彪西?——與姚文元同志商榷」가 발표되었다. 사예신은 『문회보』에 발표된 야오원위안의 글 「'참신하고 독창적인' 견해를 보라」에 대해 "이 글은 드뷔시의 음악평론 저서 『크로스 선생』에 대한 글이다. 나는 이 글을 읽고 저자의 이론에 완전히 동의하였으며, 야오원위안 동지와 마찬가지로 저자가 비평하는 드뷔시에 대해 반감을 가지게 되었다. 그러나 드뷔시 저서의 원서를 읽은 후에는 음악과 삶, 음악과 인민군중 등의 문제에 관한 드뷔시의 관점이 야오원위안 동지가 비평한 것처럼 '가장 맹목적이고, 통속적이고, 우스꽝스럽고', 심지어 '반동적'이지 않으며, 문체 또한 그가 생각하는 것처럼 '난삽'하지는 않다고 느꼈다"라고 밝혔다.

28일, 『문회보』에 톈류의 보고문학 「사소한 일一件小事」이 발표되었다.

29일, 『광명일보』에 린샤의 「옛 중국의 하루舊中國的一天」, 한베이핑의 「고성·폐허·제왕의 묘古城·廢墟·帝王墳」 등의 산문이 발표되었다.

30일, 『인민일보』에 차오위의 산문 「혁명의 등뼈革命的脊梁骨」, 친리秦犁의 평론 「문예공작자는 공농군중 속에 뿌리를 내려야 한다文藝工作者要在工農群眾中紮根」가 발표되었다.

이달에 왕시옌의 장편소설 『봄볕이 땅을 데우다春暉地暖』, 쥔칭의 산문집 『추색부』, 옌이의 시집 『백양나무 송가白楊頌』가 작가출판사에서 출간되었다.

사팅의 단편소설집 『할아버지 이야기祖父的故事』, 리빙의 시집 『파도집波濤集』이 상하이문예출판사에서 출간되었다.

옌천의 시집 『산단집山丹集』이 북방문예출판사에서 출간되었다.

나·싸이인차오커투의 시집 『붉은 폭포紅色的瀑布』가 네이멍구인민출판사에서 출간되었다.

바진의 산문집 『다 쏟아낼 수 없는 감정』이 백화문예출판사에서 출간되었다.

웨이강옌의 산문집 『사공의 노래船夫曲』가 중국청년출판사에서 출간되었다.

이단차이랑伊丹才讓이 번역 및 정리한 티베트족 민간 장시 『혼례의 노래婚禮歌』가 상하이문예출판사에서 출간되었다.

이단차이랑(1933~2004), 티베트족 시인으로 칭하이青海성 핑안平安 출신이며 중공 당원이다. 간쑤성 문련 전문작가, 간쑤성 작가협회 부주석을 역임하였다. 1955년부터 작품을 발표하였다. 저서로 장편서사시 『생명 부침의 운율生命沉浮的韻律』, 연작시집 『산해 소나타山海奏鳴曲』, 시집 『금색의 준마金色的駿馬』(합동 창작), 『설산집雪山集』, 『설사집雪獅集』, 『설역집雪域集』, 『설운집雪韻集』, 『커와강충喀瓦岡瓊』(티베트어판), 민가집 『티베트족 혼례의 노래藏族婚禮歌』, 문집 『설산의 사자후雪山獅子吼』 등이 있다.

7월

1일, 상하이시 청년화극단이 7장 화극 「류후란」을 공연하였다. 롼뤄산阮若珊, 장치훙張奇虹, 저우라이周來가 각본을, 관얼자關爾佳가 감독을 맡았다.

롼뤄산(1921~2001), 여성 작가로 1939년에 중국공산당에 가입하였다. 「이멍산 속요沂蒙山小調」의 작사가로, 공화국 성립 후에 난징군구 전선화극단 단장을 맡았다. 1955년에 중령으로 진급하였으며 2급 독립자유훈장獨立自由勳章과 2급 해방훈장解放勳章을 받았다. 1958년 이후에 중앙희극원 교수, 부원장, 당위원회 부서기 등을 역임하였다.

『문회보』에 훙린洪林, 왕스전王世楨, 류징칭劉景淸의 평론 「피눈물이 어리고, 사나운 불길이 타오른다―「불티가 번져 들판을 태우다」의 전투성과 예술적 성취를 평하다血淚斑斑, 烈火熊熊――評<燎原>的戰鬥性和藝術成就」가 발표되었다.

『양청만보』에 친무의 산문 「양청신팔경·서문羊城新八景·序」이 발표되었다.

『해방군문예』 7월호에 항적화극단抗敵話劇團 창작조에서 합동 창작하고 자류賈六가 집필한 화극 극본 「레이펑雷鋒」이 발표되었다. 본 화극은 1977년에 다시 공연된 후 중국인민해방군 총정치부가 '1977년 중국인민해방군 전군 제4회 문예공연 연출상'을 수여하였으며, 극본은 『해방군문예』 1977년 5월호에 다시 발표되었다.

같은 호에 청즈밍曾志明의 「횃불 축제의 밤火把節之夜」, 허바오셴賀寶賢의 「잊을 수 없는 미소難忘

的微笑」등의 소설, 장진청薑金城의「병원 시초醫院詩草」, 루디路地의「열사는 떠나지 않았다烈士沒走
」, 옌청즈嚴成志의「검푸른 청산蒼翠的青山」, 왕레이王磊의「철리목 산가哲裏木散歌」등의 시, 런빈우
의「레이펑과 같은 전사-황충댜오雷鋒式的戰士——黃崇雕」, 양쉬楊旭의「바다 위에서在海洋上」등의
보고문학이 발표되었으며,「화극「레이펑」좌담회 요록話劇＜雷鋒＞座談紀要」이 게재되었다.

『쓰촨문학』7월호에 사설「농촌 독자의 의견을 진지하게 경청하자認真傾聽農村讀者的意見」, 랴오
다이첸의「당에 바치는 송가獻給黨的頌歌」, 천시陳犀의「시 2편詩二首」, 루치의「옌두행鹽都行」, 란장
藍疆의「량산 민요涼山謠」등의 시, 장잔張展, 바이루펑白路平의 6장 화극「고수감천苦水甘泉」, 청성曾
生의 산문「내천奶泉」, 허무何牧의 보고문학「어느 생산대에서在一個生產隊裏」가 발표되었다.

『후난문학』7월호에 펑중샤彭仲夏의「산촌의 격랑山村激浪」, 바이징가오白景高의「눈발 날리는
골짜기飄雪的峽穀」, 펑신리彭信理의「신미차오 옆新米橋旁」, 쯔지子薊, 야중亞中의「나의 전우我的戰友
」등의 소설, 팡커方克의「영모전詠毛田」, 위안부판袁步凡의「늙은 지부 서기가 마을로 돌아오다老支
書回村」, 쉬광徐廣의「노인봉老人峰」, 우밍런의「훙자관洪家關」, 양리앙楊裏昂의「진리의 대해真理的
大海」, 랴오다이첸의「천란 열사와『정진보』陳然烈士和＜挺進報＞」, 왕위王予의「류양허瀏陽河」, 스타
이루이石太瑞(묘족)의「벽牆」, 궈웨이눙郭味農의「치둥산에 오르다登上祁東山」, 샹중싱向中興의「높
은 산에게 길을 비키라고 명령하다命令高山讓開路」등의 시, 어우양정우歐陽正武의「나는 사오산을
사랑한다我愛韶山」, 천딩궈陳定國의「펑춘 동지逢春同志」등의 산문, 옌차오주鄢朝祝의 동화「녹색 옷
의 언니綠衣姐姐」가 발표되었다.

『창장문예』제7호에 지쉐페이의「이 일은 천자좡에서 발생했다這事發生在陳家莊」, 멍쩌孟澤의「
라오주샤 팀老朱下隊」, 훙양의「천리비린天涯若比鄰」, 신친辛勤의「일진일퇴 도중의 이야기拉鋸戰中的
故事」, 돤취안파段荃法의「숙박소驛馬店」등의 소설, 후셴옌胡先焱의「민요는 어디에서 오는가山歌哪
裏來」, 허훙何鴻의「3월의 장허三月漳河」, 쉬광신徐廣信의「기병騎兵」, 장류江柳의「차산소경茶山小景
」, 후하이보胡海波의「용접공 아가씨의 말電焊姑娘的話」, 루스路石의「맹인 예인의 노래盲藝人歌」, 청
차오판曾超凡의「배웅의 노래送行曲」등의 시, 궈징싱郭景星의「공사 시대의 사람公社時代的人」, 신레
이辛雷의「수석 석공사石總工程師」등의 보고문학, 멍치의 논문「계급투쟁의 전열에 서다站在階級鬥爭
的前列」가 발표되었다.

『옌허』7월호에 왕원스의 중편소설「헤이펑黑鳳」의 연재가 시작되었다. 같은 호에 란만藍曼의「
순찰巡邏」, 무리牧犁의「익숙한 정경熟悉的情景」, 캉핑康平의「길에서 변경의 전사와 마주치다路遇邊
防戰士」, 류원정劉文正의「열차가 비행하다列車在飛行」등의 시, 웨이강옌의「당의 딸 자오멍타오黨
的女兒趙夢桃」, 두펑청, 왕줘청王拙成의「영웅의 3년英雄的三年」, 샤오천광肖晨光의「영원히 퇴색하지

않는 전사永不退色的戰士」 등의 보고문학이 발표되었으며, 본지 기자의 「혁명 후계자를 양성하는 과정에서 문학작품이 역할을 더 잘 발휘하게 하자讓文學作品在培養革命接班人中發揮更好地作用」가 발표되었다.

『간쑤문예』 7월호에 셰창위謝昌餘의 논문 「오늘날의 영웅을 창작하고, 시대의 군가를 노래하자—영웅 형상 창조 문제 만담寫今日英雄 唱時代戰歌——漫談塑造英雄形象的問題」, 쉬사오우徐紹武의 「슈메이秀妹」, 장청즈張承智의 「훙샹紅香」 등의 소설, 장쥔타오江俊濤의 「피리소리笛聲」, 이단차이랑의 「붉은 여정紅色的征途」, 양원린楊文林의 「공업편工業篇」, 왕하오王浩의 「원림의 봄노래園林春謠」, 궈거郭歌의 「춘몽春夢」, 푸진청傅金城의 「수놓기繡花」 등의 시, 정중鄭重, 쑨자위孫家玉의 「젊은 친구年輕的朋友」, 위신톈於辛田의 「신거우의 봄날의 조수新溝春潮」 등의 보고문학, 양파구이楊發貴의 단막 화극 극본 「한반편韓半片」이 발표되었다.

『우화雨花』 제7호에 류전화劉振華의 「복숭아를 팔다賣桃記」, 자오페이趙沛의 「유유히 흐르는 물幽幽的流水」 등의 소설, 주싱朱星의 「어머니母親」, 간구甘穀의 「그물을 깁어라, 그물을 깁어!補網呀, 補網!」, 허칭보何晴波의 「난징루 위의 호 8중대南京路上好八連」, 쑨유톈의 「여자 선반공의 초상女車工肖像」, 량상취안의 「우쑹커우吳淞口」, 궁시의 「해석화海石花」, 한싱寒星의 「인민혁명열사묘전기비人民革命烈士墓奠基碑」, 황둥청黃東成의 「비雨」, 장디화張棣華의 「사람이 개를 물다人咬狗」, 쉬스전徐世珍의 「모심기 노래栽秧小唱」, 청샤오칭의 「위화타이에서 열사의 묘를 참배하다雨花台吊烈士墓」 등의 시, 차오스궁曹仕恭의 보고문학 「연쇄폭풍連環暴」, 양빙옌, 판보췬의 「농촌 아마추어 작가를 방문한 견문과 감상訪農村業餘作者的所見所聞所感」이 발표되었다. 사회주의의 새로운 인물 형상 창조 방법에 관한 토론 논문으로는 루원푸의 「편집부에 보내는 서신致編輯部的一封信」이 발표되었다.

허칭보(1913~1998), 장쑤성 루둥如東 출신이며 중공 당원이다. 17세 때부터 작품을 발표하였으며, 1930년에 금파시사琴波詩社를 설립해 오랫동안 신문, 교육, 문화공작에 종사하였다. 1977년에 시집 『창장 강가의 노래大江邊的歌』를 출간하였다.

『안후이문학』 제7호에 황위黃瑜의 「모자지간母子之間」, 왕지샤王繼俠의 「거리를 줄이다縮小隔距」, 가오산리高善禮의 「푸른 불빛碧綠的燈光」 등의 소설, 양롄팡楊聯芳의 「평범한 직책에서在平凡的崗位上」, 탕쑹루唐松如의 「장구이취안에 관한 두세 가지 일화章貴全二三事」 등의 보고문학, 옌전의 「쌍두이지 송가雙堆集頌」, 마진瑪金의 「시들지 않는 붉은 꽃不謝的紅花」, 류친셴劉欽賢의 「모래평원에 뿌리를 내리다沙原紮根」, 샹췬向群의 「화로爐」, 위안거펑袁戈風의 「심산초측深山初測」, 장치張奇의 「칼의 노래刀的歌」 등의 시가 발표되었다.

『신항』 7월호에 쉬선徐慎의 「나이 많은 친구老年兄」, 아펑阿鳳의 「별명 때문에 일어난外號引起的

」, 귀청칭의 「울타리 양쪽籬牆兩邊」, 량빈의 『파화기』(장편소설 『홍기보』 제2부 연재) 등의 소설,
추이춘판崔椿蕃의 「소금을 깨다卸鹽」, 청춘즈程存志의 「새 주임新主任」, 장쉐푸張學富의 「막후幕後」
등의 장편掌篇소설, 저우얼푸의 산문 「태양을 바라보는 전사面向太陽的戰士」, 리잉의 「베이징 2편北
京二首」. 왕핑판王平凡의 「마오 주석이 파종한 땅毛主席種過的地」, 위궁於工의 「증기 망치汽錘」, 웨이
마오린魏茂林의 「수향의 저녁나절水鄕傍晚」, 톈거田歌의 「오봉산 정상五峰山頂」 등의 시 및 총론 「혁
명문예전선을 강화하고, 현대 수정주의에 반대하자―전국문련 제3기 전국위원회 제2차 확대회의
에서 현재 문학예술의 전투 임무에 관해 토론하다加強革命文藝戰線, 反對現代修正主義——全國文聯三屆
全國委員會二次擴大會議討論當前文學藝術的戰鬥任務」가 발표되었다.

『창춘』 7월호에 둥쑤董速의 전문 논고 「형세의 요구에 적응해, 문예공작의 수준을 제고하자適應
形勢需要, 提高文藝工作水平」, 장톈민의 「과객過客」, 쑨치슈孫啟秀의 「보도수寶刀手」, 쑨사오지孫紹基
의 「류융칭 이야기劉永慶的故事」, 왕왕王汪의 「가풍家風」 등의 소설, 자오위샹의 단막극 「고개 위의
인가嶺上人家」, 런옌팡의 「황허의 옛 물길에서 노래하다黃河故道放歌」, 쉬한許漢의 「농촌의 새로운 풍
경農村新景」 등의 시, 마리馬犁의 「죽엽청竹葉青」, 푸위안富原의 「거울鏡子」 등의 산문이 발표되었다.

『불꽃』 7월호가 소설 특집호로 발간되어 쑨첸의 「입당 소개인入黨介紹人」, 류더화이劉德懷의 「대
로는 넓고도 길다大路寬又長」, 양룬선의 「공사 사원公社社員」, 한원저우韓文洲의 「두 며느리兩個媳婦
」, 리이민의 「마구간 안의 이야기馬號裏的故事」, 두수보杜曙波의 「쥐안쥐안 아주머니娟娟嫂子」, 루핑
魯萍의 「칠월 칠석七月七」, 마펑의 『류후란 전기』(장편 연재) 등의 소설과 딩야오량丁耀良 등의 「「
타이항 풍운」 만평漫評＜太行風雲＞」, 양루이楊銳의 「세부 줄거리 3편細節三題」 등의 평론이 발표되
었다.

『초원』 7월호에 부허布赫의 「문화는 반드시 농업과 목축업을 위해 더 잘 복무해야 한다文化必須
更好地爲農牧業服務」, 장즈퉁, 양샤오楊嘯의 「높디높은 다칭산맥高高的大青山」, 자오르거바투照日格巴
圖의 「둘째 숙모二嬸」 등의 소설, 왕서우칭王綬青의 「공사의 깃발이 휘날린다社旗飄飄」, 스잉의 「보
리밭의 콘도르麥田神鷹」, 거페이의 「징디화 마을井蒂花村」, 멍허孟河의 「낫 한 자루一把鐮」, 쉬밍양許
名揚의 「첫 수업第一課」 등의 시, 차오샹朝襄의 산문 「소년 커쓰가少年克斯嘎」, 멍허보옌의 「재산의
창조자에게 바치는 시獻給財富創造者的詩」, 쉬정쉐許征學의 「십 년 동안 나무를 심고 봄바람을 키우
다十年種樹育春風」 등의 보고문학, 마바이馬白의 평론 「장창궁의 단편소설 창작을 논하다試論張長弓
的短篇小說創作」가 발표되었다.

3일, 『문회보』에 왕이화王一華의 「톈산 아래에서 새 사업을 시작하다―멀리 고향의 청년 친구

들에게 보내다天山脚下創新業——遙寄故鄕的靑年朋友」, 장스민張士敏, 왕리궈王立國의 「두 승객과 한 삼륜차 공인兩個乘客和一個三輪車工人」 등의 글이 발표되었다.

4일, 『베이징문예』 7월호에 양모의 「세입자房客」, 류거핑劉葛平의 「업무를 인계하다交待工作」, 마잔쥔馬占俊의 「교대하다接班」, 장톈자張天嘉의 「두 동서姒娌倆」 등의 소설, 리잉의 「세기의 구름世紀的雲」, 상원젠商文健의 「베이징을 향해 송가를 부르다頌歌向著北京唱」, 저우허周鶴, 원민파溫民法의 「라싸의 정취拉薩風情」, 자창유賈長友의 「'라오타이항'"老太行"」 등의 시, 저우징의 「나는 말을 타고 초원을 지난다我騎著馬兒過草原」, 류허우밍의 「명절, 단비節日, 及時雨」, 위안창위안園牆의 「수선화가 필 때水仙花開的時候」 등의 산문, 타오쿤치의 「극목의 전체와 부분劇目的整體和局部」, 왕쿤룬의 「가씨 저택의 노복들賈府的奴仆們」, 자오쭝잉趙宗英, 장광전張廣楨의 「관화의 신작 「혼사」에 관하여談管樺的新作<婚事>」 등의 평론이 발표되었다.

5일, 『상하이문학』 7월호에 청위추의 「산 신선이 쥐제와 우연히 마주치다活神仙巧遇菊姐」, 허톈河田의 「피로 물든 붉은 실血染的紅線」, 옌시짜오言西早의 「세화年畵」 등의 소설, 저우강周綱의 「토지, 뜨거운 토지여!土地, 火熱的土地呀!」, 스잉의 「해변의 푸른 성海濱綠城」, 모시펀莫西芬의 「스프링클러를 보내 준 공인에게 감사한다感謝工人送噴水機」, 장지張及의 「오솔길小道」, 선쭈안沈祖安의 「혁명의 가보革命傳家寶」, 왕젠궈王建國의 「쇠송곳, 나의 동료여!鐵錐啊, 我的夥伴!」, 선궈량沈國梁의 「당의 광휘는 영원히 마음을 비추리黨的光輝永照心」, 천산陳山의 「양잠하는 처녀蠶姑娘」 등의 시, 장잉張英의 「'해룡왕'과 웨이 사부"海龍王"和衛師傅」, 허만何慢의 「즐거운 작은 도시歡樂的小城」, 왕훙전王洪珍의 「당, 나의 어머니黨, 我的母親」 등의 보고문학, 류바이위의 「우리 시대의 새로운 산문을 창작하자—상하이의 어느 창작좌담회에서의 연설創作我們時代的新散文——在上海一次創作座談會上的講話」, 광성의 「공업전선의 새로운 인물의 조각상을 위하여爲工業戰線上的新人塑象」, 쑨광쉬안, 우환장의 「위안수이파이의 국제 시사 풍자시를 평하다評袁水拍的國際時事諷刺詩」 등의 평론이 발표되었다.

『북방문학』 7월호에 사설 「문예가 농촌을 더 잘 향하게 하기 위해 투쟁하자爲文藝更好地面向農村而鬥爭」, 취싱치屈興岐의 「사과蘋果」, 왕징웨이王景維의 「위신威信」 등의 소설, 바보巴波의 「송가頌」(외 1편), 류창위안劉暢園의 「트랙터 정류장의 여명拖拉機站的黎明」(외 3편) 등의 시, 판롄바오範連寶의 「시험考試」, 왕수이신王水心의 「숲속에서의 노숙林間夜宿」, 셰수의 「화창한 날豔陽天」 등의 산문, 린사오林哨의 「농업전선의 문화 첨병農業戰線上的文化尖兵」, 천산의 「마이다오 정신螞蟻島精神」, 롼베이위안阮北垣의 「봄날의 타오산행桃山春日行」 등의 보고문학, 왕수화이王書懷의 「시가의 민족화, 군중화 감상詩歌民族化群衆化的一點感想」, 장산의 「보고문학이라는 무기를 들자拿起報告文學的武器」, 리안헝李安恒의 「무산계급의 감정과 이치無産階級的情和理」 등의 평론이 발표되었다.

『신장문학』 7월호에 왕위후王玉胡의 「낡은 신발 한 짝 이야기一只破靴子的故事」, 마하탄瑪哈坦(카자흐족)의 「벌 치는 젊은이養蜂的年輕人」, 왕라이시王來希의 「우승자冠軍」 등의 소설, 주딩의 「혁명의지의 불꽃革命意志的火花」, 우잉탕吳映堂의 「알타이산맥 아래阿爾太山下」 등의 보고문학, 후젠胡劍, 딩쯔런丁子人의 평론 「투쟁생활을 창작하다在鬥爭生活上落筆」가 발표되었다.

『열풍』 제4호에 야오딩신姚鼎新의 「대대장의 기록판大隊長的記事牌」, 황위黄予의 「우승자의 영예 앞에서在冠軍的榮譽面前」, 예광옌葉光炎의 「양羊」 등의 소설, 롄원슈練文修의 「민장 어귀 서정閩江口抒情」, 장둥류江東流의 「난창 8·1 봉기 기념관에서在南昌八一起義紀念館」 등의 시, 청위추의 「다한산 위의 어린 청송大韓山上的小青松」, 쉬밍신徐明新, 천루허陳文和, 옌젠페이顔劍飛, 췌펑링闕豐齡의 「방산 풍격榜山風格」, 장톄민張鐵民, 류윈즈劉耘之, 주원팅朱文庭의 「길을 갈수록 넓어진다路越走越寬」 등의 보고문학, 장촨싱張傳興의 「좋은 시는 입에도 익어야 한다好詩還要印在口上」, 리세이량李誰良의 「작은 것 속에서 큰 것을 보고, 소박한 것 속에서 수려한 것을 보다小中見大, 樸中見秀」, 천뤼바이陳侶白의 「불같은 석류꽃如火的榴花」 등의 평론이 발표되었다.

8일, 『문회보』에 쑨광쉬안의 「「귀가」에 대한 류진 동지의 평론을 평하다評劉金同志對<歸家>的評論」, 진젠의 「문예비평가의 편애 문제를 어떻게 볼 것인가如何看待文藝批評家的偏愛問題」 등의 평론이 발표되었다.

9일, 중국희곡학원에서 진행한 희곡 각본 강습회가 종료되었다. 강습회는 경험 교류, 문제 연구, 작품과 자료 독해 등의 방식에 보고, 강좌, 연출 관람 등을 더한 방식으로 진행되었으며, 전통 작품에 존재하는 봉건적 도덕관념을 어떻게 인식하고 비판할 것인가, 역사 소재 작품을 창작할 때 시대정신을 어떻게 표현할 것인가, 옛것을 어떻게 오늘의 현실에 맞게 이용할 것인가 등의 문제에 관해 중점적으로 토론하였다. 치오위, 리젠우, 양차오윈, 자오쥐인, 장겅, 라오서, 우한, 왕리, 아자 등이 보고를 진행하였다.

10일, 『문회보』에 쥔칭의 산문 「고향 사투리鄉音」가 발표되었다.

『산둥문학』 7월호에 량싱천梁興晨의 「양가집兩家集」, 자오멍팅趙夢霆의 「헤이 누나黑姐」, 춘허春禾의 「계산대에 서 있는 처녀站櫃台的姑娘」, 장치창張其昌의 「겨우살이가 기예를 배우다冬青學藝」 등의 소설, 옌위밍燕遇明의 「산을 지키는 용사守山勇士」, 장샹지張象吉의 「톈푸산에서 쓰다寫在天福山」, 빙푸의 「제대 군인의 초상화復員軍人畫像」, 궁시의 「공군시엽空軍詩頁」, 마화이중馬懷忠의 「5월, 둥궈에서五月天, 在東郭」, 리웨이민의 「단가 2편短歌兩首」, 페이쉐飛雪의 「다이구의 구름과 비岱崗雲雨」, 자오치룽趙啟龍의 「금조金鳥」 등의 시, 위안펑袁風의 보고문학 「류라오바오劉勞保」, 왕쳰王淺의 「「겨우살이가 기예를 배우다」를 읽고讀<冬青學藝>」, 이화藝華의 「창작 학습과 사상개조學習創作與思想改造」, 쑨광쉬안, 루지춘陸繼椿, 후촨胡川의 「허징즈의 「레이펑의 노래」를 읽고讀賀敬之的<雷鋒之歌>」, 궈원쥔郭文君, 왕리야王麗亞의 「깊은 깨달음深刻的啟示」 등의 평론이 발표되었다.

『광시문예』 7월호에 루디陸地의 장편소설 연재『비바람風雨』, 캉진亢進의 「마오 주석, 나의 가까운 이여毛主席啊, 我的親人」, 황칭윈黃慶雲의 「웃음笑」, 구디古笛의 「홍허의 노래紅河曲」 등의 시, 란쭝전藍宗鎮의 산문 「푸른 바다와 금빛 해綠海金陽」, 졘쉰劍熏 등의 「짙은 연기와 맹렬한 불길 속에서 전투하다戰鬥在濃煙烈火中」, 우졘칭武劍青, 량파위안梁發源의 「금색의 청춘金色的青春」 등의 보고문학, 뤄리빈羅立斌의 「생활에 침투하고, 현재의 복잡하고 첨예한 계급투쟁에 침투하자深入生活, 深入當前複雜尖銳的階級鬥爭」, 자오타오肇濤, 뤄리駱黎의 「문예의 보급과 제고에 관하여談談文藝的普及和提高」 등의 평론이 발표되었다.

『압록강』 7월호에 양쑤陽蘇의 「태양이 솟아오르다旭日升起」, 류차오룽劉朝榮의 「선물禮物」 등의 소설, 자류 등의 6장 화극 「레이펑雷鋒」, 류더쉬안劉德軒의 「시 4편詩四首」, 리다이성李代生의 「깊은 정深情」, 류잔추의 「혁명박물관 시초革命博物館詩抄」 등의 시가 발표되었다.

『시간』 7월호에 리지의 「검의 노래」, 리잉의 「우리 마음속의 노래我們心中的歌」 등의 시, 궈모뤄의 「시가의 민족화, 군중화 문제에 관하여ー『시간』에 보내는 서신關於詩歌的民族化群眾化問題——給< 詩刊 >的一封信」이 발표되었다. 궈모뤄는 글에서 "'5·4' 이후의 신체시新體詩와 우리나라 인민대중의 사이에는 여전히 거리감이 있다. 시가 혁명은 아직까지도 철저히 완성되지 못했다. 이 혁명을 완성하기 위해서는 반드시 신체시를 더욱 민족화, 군중화해야 한다. 이뿐만 아니라, 구체 시사詩詞를 창작하는 이들 또한 해방을 추구하여, 더 이상 고대의 운본韻本을 따르지 않고 베이징음北京音을 표준으로 하는 운본韻本을 따라야 한다"라고 보았다. 『시간』은 이번 호부터 월간으로 변경되었다.

11일, 『문예보』 7, 8월호 합본에 「중국을 방문한 아시아, 아프리카 작가들이 마오 주석의 성명을 지지하고, 3국의 핵 속임수를 규탄하다來華訪問的亞非作家支持毛主席的聲明, 並譴責三國核騙局」, 「아시아 아프리카 작가회의 집행위원회의 호소문亞非作家會議執行委員會呼籲書」, 「시가 문제에 관한 결의關於詩歌問題的決議」, 양쒀의 연설 「아시아 아프리카 작가운동의 정확한 노선은 곡해를 용납하지 않는다亞非作家運動的正確路線不容篡改」, 평무의 「농촌생활을 반영한 가오잉의 근작에 관하여談高纓反映農村生活的近作」, 황추원의 「농촌의 투쟁 생활을 반영한 작품 몇 편 만담漫談反映農村鬥爭生活的幾篇作品」, 린야광林亞光의 「『기러기는 북방으로 날아간다』를 읽고讀<雁飛塞北>」, 린샤의 「양스의 산문에 관하여談楊石的散文」, 세윈謝雲의 「특색 있는 공사사—「봉화춘추」를 통해 빈농과 중농, 하층 농민을 보다一部具有特色的公社史——從<烽火春秋>看貧農ʹ中下農」. 천야딩의 「혁명전사의 예술革命戰士的藝術」, 쑤친蘇琴의 「무대 위의 레이펑 형상舞台上的雷鋒形象」, 린한뱌오의 「경극「8·1 폭풍」감상看京劇<八一風暴>有感」, 쉬샤오보許孝伯, 천펑더陳奉德의 「「귀가」의 모순 충돌과 인물 형상<歸家>的矛盾沖突及人物形象」, 천옌陳言의 「진실과 가식—「고공 혼례」에 관하여真實的和造作的——談談<高空婚禮>」, 아이커언艾克恩의 「적아 간의 모순은 조화될 수 없다—「백학」을 평하다敵我矛盾不能調和——評<白鶴>」, 저우구청의 「왕쯔예의 예술논평을 평하다評王子野的藝術論評」 등의 평론이 발표되었다.

‘새로운 수확’란에는 왕윈만王雲縵의 「노도怒潮」, 장카이다張開達의 「설산의 아침해雪山朝陽」, 리샤오창李嘯倉의 「온 동산에 봄빛이 가득하다滿園春色」, 사쥔沙均의 「특별한 처녀特別的姑娘」, 잉후應胡의 「고취속집鼓吹續集」 등의 글이 발표되었다. 이 외에도 리환즈李煥之의 「혁명의 노랫소리가 더 높이, 더 잘 울리게 하자!讓革命的歌聲更高!更響!」, 류진의 「「고사회」로부터 이야기를 시작하다從<故事會>說起」, 후더페이胡德培의 「이틈왕의 수염 모양으로부터 이야기를 시작하다從李闖王的胡子樣式說起」, 왕얼링王爾齡의 「문맥이 통하지 않는 가사와 대사文理不通的唱詞和道白」, 타오쭝이陶宗義의 「좋은 일一件好事」, 신란欣然의 「두꺼운 것과 얇은 것厚與薄」 등의 문예필담이 발표되었다.

12일, 중국복리회 아동예술극원이 상하이에서 선모쥐, 뤄징의 영화문학 극본 「자연히 계승자가 있다」를 각색한 3막 8장 화극 「세 세대 사람三代人」을 공연하였다. 저우쥔周軍이 각본을, 뤄이즈羅毅之가 감독을 맡았다.

14일, 『문회보』에 우 롄쩡吳連增외 산문 「시후 사람西湖人」이 발표되었다.

15일, 『작품』 신2권 제7호에 장모칭張漠青의 「땔감을 보내다送柴」, 린샤의 「생사生死」, 루페이의 「소라海螺」 등의 소설, 장융메이의 「봉화 송가烽火頌」, 리예광李野光의 「청춘青春」, 시중양西中揚의 「연병장에 붙이다貼在練兵場上」 등의 시, 리경李耕의 산문 「깊은 산 속의 피리深山短笛」가 발표되었다.

16일, 『광명일보』에 비예의 산문 「물의 노래水之歌」가 발표되었다.

『해방군보』에 이사易莎의 산문 「녹색의 병영綠色的軍營」이 발표되었다.

16일~20일, 아시아 아프리카 작가회의 집행위원회 회의가 인도네시아 발리섬에서 진행되었다. 량쉬가 참석해 발언하였다.

19일, 『시간』 잡지사에서 주최한 마야코프스키 기념 시가 낭송회가 베이징에서 개최되었다. 『인민일보』 21일자와 『시간』 7월호에 짱커자 등의 관련 문장이 발표되었다.

20일, 『인민문학』 7, 8월호 합본에 런빈우의 「용감하게 악조건과 싸우는 역할」, 머우충광의 「대로 위에서」, 왕싱위안王杏元의 「'철필어사'"鐵筆禦史"」, 사팅의 「한 차례 풍파一場風波」, 리뤄빙의 「헤이펑링 풍치黑風嶺風情」, 페이리원의 「동력動力」, 천구이전陳桂珍의 「종소리鍾聲」, 마오잉毛英의 「돌파구 위突破口上」, 뤼빙履冰의 「회의 후會後」 등의 소설, 위안잉의 「화이안 기록 6편淮安六記」, 장칭톈의 「미루나무鑽天楊」, 왕리빈王利濱의 「어느 기름집의 탄생一座油榨房的誕生」 등의 보고문학, 스톈서우師田手의 「마란화馬蘭花」, 린샤의 「조림造林」, 루페이의 「야자숲의 축하의 노래椰林喜歌」 등의 산문, 톈젠의 「톈산 정상에서 노래하다天山頂上放歌」, 짱커자의 「철의 흐름鐵的洪流」(8편), 먀오더위苗得雨의 「이멍산 송가沂蒙山頌」(외 1편), 스지위侍繼餘의 「종군행從軍行」(5편), 저우위밍周雨明의 「모래평원의 독수리沙原雄鷹」(외 1편), 장융메이의 「국기國旗」(외 1편), 우카이吳凱의 「사막보리수나무를 심다栽沙棗」 등의 시, 허우진징의 평론 「신인의 신작 8편을 읽고讀新人新作八篇」가 발표되었다.

『베이징문예』 7월호에 양모의 소설 「세입자」가 발표되었다.

21일, 『문회보』에 루망의 시 「혁명의 산가는 불러도 불러도 끝이 없다革命山歌唱不完」가 발표되었다.

『광명일보』에 「양쉬가 아시아 아프리카 작가회의 집행위원회 회의에서 발언하고, 혁명노선을 고수해 반제국주의 투쟁을 끝까지 진행할 것을 표명하다楊朔在亞非作家會議執委會上發言, 堅持革命路線把反帝鬥爭進行到底」, 「혁명문학을 통해 군중이 반제국주의 투쟁에 투신하게 하고, 아시아 아프리카 작가회의 집행위원회에는 단결해 제국주의에 반대하는 열렬한 분위기가 충만하다以革命文學喚起群

眾投入反帝鬥爭, 亞非作家會議執行委員會充滿團結反帝的熱烈氣氛」 등의 글 및 지셴린의 산문 「마음이 조마조마했던 1년那提心吊膽的一年」이 발표되었다.

22일, 『해방군보』에 왕쭝런의 시 「장군전將軍田」이 발표되었다.

『문회보』에 안치의 평론 「민족화와 군중화의 길 위에서 탐색하다─궈샤오촨의 근작시를 평하다在民族化群眾化道路上探索──評郭小川詩歌近作」가 발표되었다. 안치는 글에서 "1962년 전후로 시인 궈샤오촨 동지는 「싼먼샤」, 「시골의 큰길」, 「샤먼 풍경」, 「간저린─푸른 장막」, 「가을 노래」 등의 시를 발표하였다. 이 시들은 예술 풍격 면에서 특징이 뚜렷하며, 시인이 사상 내용과 예술 형식 면에서 이뤄낸 귀중한 탐색과 창조를 보여준다"라고 평하였다. 그는 궈샤오촨의 근작에 대해 "독특한 예술적 구상을 통해 무산계급의 혁명정신과 우리의 시대정신을 표현해냈다", "궈샤오촨 동지는 예술 형식 면에서도 근면한 탐색자이다"라고 보았다. 궈샤오촨 시의 부족한 점에 대해 안치는 사상 내용과 형식 기교의 두 가지 면에서 "궈샤오촨의 몇몇 시들은 아직 심오한 내용을 쉽게 표현하는 경지에 이르지 못했다", "몇몇 시들은 지나치게 과장되고 꾸며져 있다"라고 평하였다.

23일, 『인민일보』에 황쭝잉, 장주룽張久榮의 특필 「특별한 처녀特別的姑娘」가 발표되었다.

『광명일보』에 자오푸추의 시 「경례하라, 너 '거리의 고수'여─마야코프스키 탄생 70주년을 기념하며敬禮, 你"街頭的鼓手"──紀念馬雅可夫斯基誕生70周年」, 린샤의 산문 「석별惜別」이 발표되었다.

24일, 『문회보』에 류허우성의 「조선 민족 예술 방문朝鮮民族藝術訪問」이 발표되었다.

25일, 『시간』 잡지사에서 주최한 흑인 투쟁 지지 시가 낭송회가 수도극장에서 개최되었다.

『성화』 제4호에 펑융후이彭永輝의 「'화염산'"火焰山"」, 주정핑朱正平의 「당직자의 하루值日員的一天」, 탄시량譚喜亮의 「아름다운 3월煙花三月」 등의 소설, 자오샹루趙相如의 산문 「제방 위에서 그림을 보다堤上看畫」, 주리성朱禮生의 「대장의 어머니隊長的母親」, 류옌가오劉延高의 「왕 삼촌과 함께 세방에 오르다和王叔叔上堤」 등의 장편掌篇소설, 뤼윈쑹呂雲松의 「주 군단장이 다시 징강산에 오르다朱軍長再上井岡山」, 정보취안鄭伯權의 「경작로 위에서在機耕路上」, 양촨싱楊傳興의 「귀향의 노래回鄉曲」, 쑤지리蘇輯黎의 「청산을 바라보다望蒼山」, 왕구이화王貴華의 「이 산은 그가 제일 잘 안다這座山, 他最熟」, 천량윈陳良運의 「홍성집紅星集」, 우유성吳有生의 「밤에 등수링을 바라보다夜眺桐樹嶺」, 샤오빈肖賓의 「

매山鷹」 등의 시, 딩웨이난丁慰南의 보고문학 「식량을 위해 싸우다爲糧而戰」, 장진즈張謹之의 「당을 향한 송가―영화 「불티가 번져 들판을 태우다」를 보고―曲黨的頌歌——電影<燎原>觀後感」, 궈위추의 「계급투쟁의 서사시―「불티가 번져 들판을 태우다」의 사상적 의의와 몇몇 긍정적 인물의 창조에 관하여階級鬪爭的史詩——試談<燎原>的思想意義和幾個正面人物的塑造」, 젠링劍翎의 「시의 시대, 시대의 시詩的時代, 時代的詩」, 쓰투진전司徒晉真의 「생활과 예술의 요약과 제련에 투신하자深入生活和藝術的槪括'提煉」가 발표되었다.

28일, 『해방군보』에 지평의 시 「일력 한 장의 부름―조선 정전 10주년에 부쳐一張日曆的召喚————爲朝鮮停戰十周年而作」가 발표되었다.

29일, 『문회보』에 청원위안曾文淵, 우리창, 다이허우잉의 평론 「「귀가」의 주요 인물 형상 분석―인물의 정신적 면모의 풍부성과 복잡성 문제에 관하여<歸家>主要人物形象評析——兼談人物精神面貌的豐富性複雜性問題」가 발표되었다. 이들은 글에서 류수더의 「귀가」(상부)의 중요 인물인 쥐잉菊英과 주옌朱彦의 형상 창조 및 인물의 정신적 면모의 풍부성과 복잡성 문제에 대해 독해하였다. 이들은 "작품을 통해 판단해 볼 때, 작가는 쥐잉과 주옌이라는 두 인물을 정교하게 설계하였다. 작가는 한편으로 애정 갈등을 통해 그들의 서로 다른 성격을 표현하였고, 다른 한편으로는 그들이 주위의 계급투쟁과 농촌의 과학실험에 참여하게 함으로써 그들의 정신적 면모를 비교적 완전히 드러내려고 노력하였다", 「귀가」의 "두 중요 인물인 쥐잉과 주옌은, 비록 작가가 그들을 선진적인 청년으로 묘사하고 있기는 하나 그들은 무산계급의 사상 감정이 결핍되어 있다"라고 보았다. 애정 문제에 관해서는 "작가는 인물들을 중대한 투쟁의 소용돌이 속에 휘말리게 해야만 인물의 풍부하고 복잡한 정신적 면모를 깊이 있게, 그리고 충분히 드러낼 수 있다"라고 보았다.

이달에 각 성의 당 기관지에서 각 성 문련이 전국문련 확대회의의 정신을 관철하며, 수많은 문예공작자들에게 적극적으로 계급투쟁에 참여할 것을 호소하였다는 기사를 게재하였다.

『신건설』 7월호에 기자의 총론 「역사극 문제 토론 근황歷史劇問題討論近況」이 게재되었다.

야오쉐인의 장편 역사소설 『이자성』 제1권이 중국청년출판사에서 출간되었다. 이 책의 제2권은 1977년에, 제3권은 1981년에 출간되었으며, 제4권과 제5권은 1999년에 출간되었다.

위안잉의 산문집 『돛風帆』, 옌전의 시집 『친취안琴泉』, 량상취안의 시집 『산천집山泉集』이 작가출판사에서 출간되었다.

야오원위안의 산문집 『국가가 떠오르다想起了國歌』, 하오란의 단편소설집 『행화우』가 상하이문예출판사에서 출간되었다.

『인민일보』 보고문학 선집『봄의 보고春天的報告』가 인민일보출판사人民日報出版社에서 출간되었다. 책에는 뤄빈지의 「봄의 보고」, 비예의 「황련 선반黃連架」, 마라친푸의 「다칭산맥 송가」, 루즈쥐안의 「그 동해 해안에서在那東海邊上」, 궈사오런의 「초원의 파종자草原播種者」 등 18편의 작품이 수록되었다.

8월

1일, 『광명일보』, 『해방군보』에 양청우楊成武의 혁명 회고록 「동쪽으로 황허를 건너 핑싱관 대전투까지從東渡黃河到平型關大戰」가 발표되었다.

『해방군문예』 8월호에 주칭竹青의 「깃발을 받다接旗」, 류쭈페이의 「적수 사이對手之間」, 저우리보의 「입대하는 날參軍這一天」, 리쥔룽李鈞龍의 「연지채胭脂寨」, 멍단孟丹의 「방울鈴」 등의 소설, 양싱휘楊星火의 「톈안먼 앞天安門前」, 사바이의 「젠 형劍哥」, 천중간陳忠幹의 「장군이 사수를 시험하다將軍考射手」, 주루朱鷺의 「수병의 시水兵的詩」 등의 시, 좡차오헝莊朝亨 등의 「장군이 경험을 전수하다將軍傳經記」, 장융메이의 「야자숲 깊은 곳椰林深處」, 주신諸辛, 양원밍楊文明, 주부싱朱步行의 「파도를 헤치고 급히 구원하러 가다破浪馳援記」 등의 보고문학, 뤄펑駱峰의 「고구마 밭두렁紅薯地頭」, 마룽馬融의 「교환대 옆의 처녀總機旁的姑娘」, 리시청李希曾의 「발이 빠른 사람飛毛腿」 등의 특필, 샤오취안肖泉의 「농노 해방투쟁의 개선가—화극 「설산의 아침해」에 관하여農奴解放鬥爭的凱歌——談話劇＜雪山朝陽＞」, 장리윈의 「부대의 현실생활을 반영한 장편소설 몇 편에 관하여談幾篇反映部隊現實生活的短篇小說」 등의 글이 발표되었다.

『쓰촨문학』 8월호에 라오제바쌍의 「고원 초소高原哨所」, 산메이山莓의 「노래를 듣다聽歌」, 닝쑹쉰寧松勳의 「아침나팔晨號」, 두청난杜承南의 「전사의 세숫대야戰士的臉盆」, 링싱정淩行正의 「땀汗」, 타오자산陶嘉善의 「행군 도중行軍途中」, 샤오쉐曉雪의 「산가山歌」(외 1편) 등의 시, 선런캉의 산문 「옌안의 시계延安的時鍾」, 밍랑明朗의 「뭇 나무가 앞다퉈 자라니, 반드시 거목이 하늘 높이 솟겠다眼看萬木競長, 必有大樹淩空」, 샤오무小木의 「잡담을 많이 하자—단편소설 독서 찰기多擺點龍門陣——讀短篇小說劄記」, 우예吳野의 「인민의 새로운 정신적 면모를 표현하기 위해 노력하자努力表現人民新的精神面貌」 등의 평론이 발표되었다.

타오자산(1934~), 장쑤성 푸닝阜寧 출신으로 중공 당원이다. 1952년에 화베이군구 군정간부학교軍政幹部學校 정치이론교육과를 졸업하였다. 베이징방공군北京防空軍 정치이론교원, 베이징군구 공군 정치부 창작조 창작원, 잡지『체육박람體育博覽』편집장, 잡지『화인세계華人世界』부편집장, 화성보華聲報사 부사장 겸 부편집장, 잡지『중국 개혁과 개방中國改革與開放』편집장을 역임하였다. 현재 중국옌안문예학회中國延安文藝學會 부회장 겸 비서장을 맡고 있다. 1954년부터 작품을 발표하였다. 저서로 장시『예포 예찬禮花贊』(합동 창작),『우리 마음속의 금자탑我們心中的豐碑』, 시집『영혼의 불꽃心靈的火花』, 보고문학집『왕관을 손에 넣은 사람摘取王冠的人』, 소설산문집『뜨거운 마음火熱的心』등이 있다.

『후난문학』8월호에 셰린허謝林鶴의「버드나무柳」, 바이성, 구전穀貞의「밤에 산전에 가다夜走山田」, 천뎬궈陳殿國의「우리 중대장我的連長」, 저우다하이周大海의「생활의 과제生活的課題」등의 소설, 지펑의「전차가 질주한다兵車奔馳」, 정보취안의「제야年夜」, 왕옌성王燕生의「내가 하루의 노정을 끝마칠 때마다每當我走完一天的路程」, 우밍런의「야간 보초 민병民兵夜哨」, 리화이쑨李懷孫의「주산竹山」등의 시, 가오거진高歌今, 양인楊因의 평론「위대한 전사, 빛나는 송가―허징즈의「레이펑의 노래」를 평하다偉大的戰士, 光輝的頌歌——評賀敬之的<雷鋒之歌>」, 평론가의 글「농민이 가장 관심 있는 문제에 답하고, 농민의 여러 가지 요구를 만족시키자回答農民最關心的問題 滿足農民多種需要」가 발표되었다.

『창장문예』제8호에 쑤췬蘇群의「목무당가의 희비극穆茂堂家的悲喜劇」, 왕청둥의「노도怒濤」, 장밍章明의「제15호 태풍第十五號台風」, 류쉐런劉學仁의「도도한 한강滔滔的漢江」(장편 부분) 등의 소설, 허다췬賀大群의「구위원회 서기區委書記」, 리성밍李聲明의「강철의 낭랑한 소리鋼鐵鏗鏘聲」, 위저우宇宙의「장군 제방將軍堤」, 왕웨이저우王維洲의「공사 현장의 배우演員在工地」, 딩하오丁皓의「뗏목의 노래放筏歌」, 쑤파주蘇發籌의「분배分配」등의 시, 마궈창馬國昌의「우리 중대장俺們連長」, 팡전이方振益의「독수리가 날개를 펼치다雄鷹展翅」등의 보고문학이 발표되었다.

『옌허』8월호에 탕뤄의「삼림의 노래森林曲」, 왕원스의 중편 연재「헤이펑」등의 소설, 커위안의「두 상위兩個上尉」, 차오스의「해안의 아침나팔海岸晨號」, 수퉁舒同의「산난행陝南行」, 리라이위李來予의「회계실을 수색하다勘探賬房」, 궈난郭南, 스화이촨石懷川의「뗏목을 띄우는 소년放筏少年」등의 시 및 류칭의「몇 가지 문제를 제시해 토론하다提出幾個問題來討論」가 발표되었다. 이 글은『창업사』의 등장인물 량성바오 형상에 관한 비평에 대해 류칭이 답변한 글로, 그는 글에서 옌자옌의 비평에 대해 다른 의견을 제시하였다. 류칭은『창업사』에 중대한 원칙 문제가 존재하지 않는다고 보면서, "『창업사』제1부에는 확실히 결점과 약점이 존재한다……옌자옌 동지는 생활과 예술의 어려움에 대한 나의 준비가 충분하지 못하다고 완곡하게 지적하였는데, 이는 정확하다……그는 특히 내가 생활에 충분히 침투하지 못했다고 비평하였는데, 나는 이를 기꺼이 수용한다"라고 밝혔다. 이 문제에 대한 독자의 탐구를 돕기 위해 같은 호에 옌자옌의 글 「량성바오 형상에 관하여」(『문학평론』 1963년 제3호)를 전재하였다.

『간쑤문예』 8월호에 본지 평론가의 글 「현실투쟁을 반영한 극본 창작을 위해 노력하자努力創作反映現實鬥爭的劇本」, 자오거趙戈의 「자위관 아래의 만가嘉峪關下的挽歌」, 가오핑의 「계급투쟁의 군가階級鬥爭的戰歌」 등의 시, 스저밍史哲明의 단막 화극 「나무를 증정하다贈樹」, 샤오차오苕草의 「감정 깊은 곳에 시대정신이 스며들다在情感深處滲透時代精神」, 샤오보曉波의 「생활의 발걸음을 뒤따르다跟上生活的腳步」, 우중제의 「적응과 제고適應與提高」, 저우이周易의 「도구의 신기한 효능道具的妙用」 등의 문예수필이 발표되었다.

『우화雨花』 제8호에 하이샤오의 「국가 표준에 도달하다達到國家標准」, 샹다向大의 「두 과장兩個科長」 등의 소설, 웨이웨이칭의 산문 「시대의 송가가 나의 머릿속에 울려퍼진다時代的頌歌在我腦海中激蕩」, 청촨쥐曾傳炬의 「북소리가 벼 향기를 재촉한다擊鼓聲聲催稻香」, 펑이핑鳳儀萍의 「홋카이도의 피눈물北海道的血淚」 등의 보고문학이 발표되었다.

『안후이문학』 8월호에 장칭톈의 「부자편父子篇」, 우수성의 「취사병 삼촌火頭軍大叔」, 딩위민丁育民의 「붉은 진달래紅杜鵑」, 허진쭝何金宗의 「첫 번째 삿대第一篙」 등의 소설, 리잉의 「전사 서간戰士書束」, 먀오더위의 「푸른 적삼의 노래綠衫歌」, 민치의 「해마다 창 앞에 배꽃이 핀다年年窗前梨花開」, 한루이팅의 「비석과 검碑與劍」, 쑨리전孫立真의 「방풍림防風林」, 첸치셴錢啟賢의 「자주개황기沙打旺」, 왕싱궈의 「평온한 창장平靜的大江」 등의 시가 발표되었다.

『신항』 8월호에 량빈의 『파화기』(장편소설 『홍기보』 제2부 연재), 한원저우의 「우처우가 대장이라서因爲五醜是隊長」, 장쥔의 「간집趕集」, 류옌린劉彥林의 「전진하는 도로 위에서在前進的道路上」 등의 소설, 왕리성王利生의 「아들을 '닮다'"相"兒子」, 리즈펑李鷙鵬의 「삽류기插柳記」, 장수장張樹江의 「학우 사이同學之間」 등의 장편掌篇소설, 궁시의 「공군시엽」, 커위안의 「보초막의 노래哨棚歌」, 라오제바쌍의 「어슴푸레한 달밤에 말을 타고 순시하다騎巡淡月夜」 등의 시, 톈류의 「버드나무 우거지고 백화가 만발하다柳暗花明」, 왕시옌의 「탑塔」 등의 산문, 황추원의 「『홍루몽』 잡담<紅樓夢>瑣談」, 원옌리文彥理의 「『홍루몽』의 사상과 예술 약론—조설근 서거 200주년을 기념하며略論<紅樓夢>的思想和藝術──紀念曹雪芹逝世200周年」 등의 글이 발표되었다.

『창춘』 8월호에 왕쭝한王宗漢의 「한 걸음씩 발전하다步步高」, 허우수화이侯樹槐의 「수레를 모는 이趕車人」 등의 소설, 류징린劉景林, 양윈첸楊允謙의 「연병장 시초練兵場詩草」, 궁시의 「조종사 이야기飛行員的故事」, 저우비중周必忠의 「새 며느리新媳婦」, 야오뤼예姚綠野의 「민요의 새 가사小調新詞」 등의 시, 구성穀生의 보고문학 「맹장闖將」, 평치융의 평론 「감정과 경치가 어우러지고, 경치 속에 감정이 있다―「악양루기」를 읽고情與景會, 情在景中――讀<嶽陽樓記>」가 발표되었다.

『불꽃』 8월호에 마펑의 장편소설 연재 『류후란 전기』, 왕페이민王培民의 「라오펑이 귀향하던 날老馮回鄉那天」, 리시산李喜善의 「추운 밤 내내 따뜻하다寒夜一路暖」, 류인쿠劉銀庫의 「전사의 칭호戰士的稱號」 등의 소설, 자오신정趙新正의 「전사가 산 위로 비료를 운반해 오다戰士運肥上山來」, 원야오聞耀의 「대추가 붉어졌다棗子紅了」, 자오융趙勇의 「이웃鄰居」, 차오옌峭岩의 「공군 보초병의 시空中哨兵的詩」, 왕둥만王東滿의 「다시 타이항산으로 돌아가다重回太行山」, 리푸후李福虎의 「기다리다等待」, 장룬張倫의 「라오류老劉」 등의 시, 주바오전朱寶真의 「생활, 소재, 시대정신生活, 題材, 時代精神」, 차이자오파蔡肇發의 「시대를 반영하고, 농촌을 향하자 ― 현대 희곡 작품 창작을 위해 노력하자反映時代, 面向農村――努力創作現代劇目」 등의 평론이 발표되었다.

『초원』 8월호에 왕전王陣의 「암석화岩石花」, 스메이土美의 「초원의 어린 매草原的小鷹」, 사헌沙痕의 「신밍 어르신辛明爺」, 류페이柳飛의 「5호 다리 아래 물이 거침없이 흐른다五號橋下水暢流」, 둥성東升의 「비 오는 밤의 종소리雨夜鍾聲」 등의 소설, 옌쑤閻素의 「간부의 여름철 김매기幹部夏鋤行」, 왕원다王文達의 「퉁랴오의 단비通遼喜雨」, 자만賈漫의 「기사와 여자 트랙터 운전수 이야기司機和女拖拉機手的故事」, 마부샤오馬不蕭의 「샤 서기의 일화夏書記軼事」, 우스구이武士貴의 「늙은 빈농의 마음씨老貧農的心腸」, 왕웨이장王維章의 「숙련된 작업반장 외전老工長外傳」, 가오페이의 「류다바劉大把」, 샤청다오夏承燾의 「후허하오터 여행시 6편呼和浩特紀遊六首」, 민치의 「베이징 감흥北京情懷」, 왕레이王磊의 「봄물 대기 2편春灌二題」, 저우위즈周玉之의 「항일 영웅 이야기抗日英雄的故事」, 옌밍 린閻明林의 「야영소기野營小記」, 리위타이李玉台의 「비雨」, 위원샹於文向의 「라오라이훙老來紅」 등의 시, 아오더쓰얼의 「영웅들 사이에서 쓰다寫在英雄們中間」, 바투바오인巴圖寶音의 「룬곤보倫坤保」, 자오옌장趙延章의 「중대의 '살림꾼'連隊的"好管家"」 등의 보고문학, 멍허보옌의 「생활 침투 감상深入生活有感」, 스완잉石萬英의 「희극은 농민을 위해 더 잘 복무해야 한다戲劇要更好地爲農民服務」 등의 평론이 발표되었다.

바투바오인(1933~), 다우르족으로 필명은 퉈·와·타이보托·瓦·泰波이며 헤이룽장성 치치하얼齊齊哈爾 출신이다. 중공 당원이다. 네이멍구대학 중문과를 졸업하였으며 『초원』, 『민족문학』 등의 잡지 편집자를 역임하였다. 1952년부터 작품을 발표하였다. 저서로 서사시집 『용감한 통신원勇敢的交通員』, 아동작품집 『산 위의 사람 만담漫話山上人』, 민간문학집 『오르죤족 민간고사집鄂倫春族民間故事集』, 전문 저서 『다우르족 풍속지達斡爾族風俗志』, 『중국 소수민족 당대문학사中國少數民

族當代文學史』(합동 창작), 드라마 극본 『상사초相思草』(합동 창작), 『바라건 창고巴拉根倉』(합동 창작) 등이 있다.

2일, 단장 톈한이 이끄는 중국희극가 대표단이 북한을 방문하였다. 방문 기간에 대표단은 조선 민주주의 인민공화국 성립 15주년 경축행사에 참여하였으며, 평양, 원산, 신천 등의 도시를 방문하였다.

4일, 『베이징문예』8월호에 린진란의 「기개志氣」, 마잔쥔馬占俊의 「늙은 소와 작은 고무공老牛和小皮球」, 롼보阮波의 「가을밤秋夜」, 루젠췬路建群의 「곡식 베기—일기 한 쪽割穀子——一頁日記」, 마전팡馬振方의 「재선거의 밤改選之夜」 등의 소설, 지핑의 「적 앞에서 훈련하다敵前練武」. 쉬쉬徐鎭의 「붉은 산길紅色的山路」, 스젠린石建林의 「산촌의 새로운 일山村新事」 등의 시, 쯔탕子儻, 진원錦雲, 샤오이曉毅의 단막 화극 「졸업 전야畢業前夕」, 양융칭楊永青의 「「준마가 나는 듯 달리다」를 읽고<駿馬飛馳>讀後」, 천촨차이陳傳才의 「소금밭 위의 일등병」과 「옌산 탐방」<鹽灘上的列兵>和<燕山采訪>」, 수전舒真의 「혁명의 노도는 가라앉지 않는다革命的怒潮澎湃不息」 등의 글이 발표되었다.

류진윈劉錦雲(1938~), 필명은 진윈으로 허베이성 슝현雄縣 출신이며 중공 당원이다. 1963년에 베이징대학 중문과를 졸업하였으며 이 해부터 작품을 발표하였다. 1982년에 베이징인민예술극원 각본가를 맡았으며 이후에는 베이징인민예술극원 원장, 중국극협 부주석 등을 맡았다. 저서로 화극 「강아지 영감이 열반에 들다狗兒爺涅槃」, 「비석을 등진 사람背碑人」, 「롼링위阮玲玉」, 「풍월무변風月無邊」, 희곡 「살비검殺妃劍」 등이 있으며, 중단편소설집 『바보 대왕 라오다笨人王老大』가 있다.

천촨차이(1936~), 학자로 광둥성 푸닝普寧 출신이며 중공 당원이다. 1961년에 중국인민대학 신방과를 졸업한 후 중국인민대학 중문과 교수를 맡았다. 저서로 『예술 본질 특징 신론藝術本質特徵新論』, 『문예창작 70강文藝創作70講』, 『문학이론신편文學理論新編』, 『문예학 100년文藝學百年』, 『당대 심미 실천문학론當代審美實踐文學論』 등이 있다.

『민간문학』 제4호에 몽골족 서사시 「장거얼 전기汀格爾傳」(뒤지多濟, 아오치奧其 번역)가 발표되었다.

5일, 『광명일보』에 루망의 시 「드높은 메아리—어느 흑인 시우에게高昂的回響——致一黑人詩友」가 발표되었다.

『문회보』에 예위안葉元의 평론 「「갑오 풍운」과 「갑오 해전」의 소재 처리에 관하여談<甲午風雲>和<甲午海戰>的題材處理」가 발표되었다. 그는 글에서 우선 '진실성' 문제에 관해 "비록 대량으로 존재하지 않아 수량적인 우위를 점하지는 못하지만, 생활의 주류와 역사가 전진하는 방향을 대표하고, 인민대중의 의지와 빛나는 미래를 대표하는 진실을 창작해야"한다고 보면서, 「갑오 풍운」과 「갑오 해전」이 바로 이와 같이 소재를 정확히 처리했다고 보았다. 예위안은 "사건의 취사선택"에 관해 "작가는 북양 함대北洋艦隊가 전멸한 역사적 사건을 모든 사건의 기초로 삼았다", "이러한 구상은 실로 훌륭하다", "전 함대가 이홍장의 유화 정책하에 전멸하는 정해진 사건으로부터 영웅들의 불후의 업적을 그려냈다"라고 평하였다.

같은 호에 이췬의 「아동문학 창작에 대한 몇 가지 의견─『소년문예』창간 10주년을 축하하며對兒童文學創作的一點意見──祝＜少年文藝＞創刊十周年」가 발표되었다. 이췬은 글에서 "소년아동을 위해 복무하는 문예 간행물도 반영하는 측면을 확대하고, 소재의 다양화를 제창해야 한다", 또한 "소년아동을 복무 대상으로 삼는 문예작품도 모든 가능성을 다하여 진실성을 강화하고, 예술성을 제고해야 한다"라고 건의하였다.

『상하이문학』 8월호에 첸정추錢正裘의 「백설단심白雪丹心」, 황즈이黃知義의 「푸른 하늘 위에 새 날개를 펴다藍天展新翅」, 쉬쥔제徐俊傑의 「길路」, 양궈화楊國華의 「희색이 만면하다喜上眉梢」 등의 소설, 궁시의 「하이난다오 시초海南島詩草」, 쑤이즈綏之의 「수향시정水鄕詩情」, 천옌陳晏의 「길 위에서在路上」, 궈루이녠郭瑞年의 「산중의 인가山裏人家」, 쭤잉左嬰의 「풍채야가風寨夜歌」, 류사오중劉少忠, 팡산화房善華의 「수병의 노래水兵之歌」 등의 시, 궈이저郭以哲의 「제비가 올 때燕子來時」, 후바오화胡寶華의 「붉은 꽃과 푸른 잎紅花綠葉」, 쉬바오캉徐寶康의 「휘장獎章」 등의 보고문학, 영화문학 극본 「녹색의 금고綠色金庫」, 뤄쑨의 「사회주의 문예가 농촌으로 가다社會主義文藝下農村」, 왕이강王一綱, 장뤼웨張履嶽의 「저우푸위안의 '깊은 정'周樸園的"深情繾綣"」, 관쿠이管窺, 이밍一鳴의 「「산을 나서다」에 대한 우리의 이해我們對＜出山＞的理解」 등의 글이 발표되었다.

『북방문학』 8월호에 왕자오王皎의 「대장을 뽑다選隊長」, 왕화신王化信, 허페이화何培華의 「길路」, 천구이전陳桂珍의 「혁명 참가 후의 첫 사건參加革命的第一件事」 등의 소설, 왕수화이의 「뜨거운 농촌火熱的鄕村」, 사전위沙振宇의 「중조부대의 철 깃대中朝部隊鐵旗杆」, 관서우중關守中의 「우리는 톈안먼 앞에 서 있다我們站在天安門前」 등의 시, 둥위전董玉振의 「견학팀이 왔다參觀團來了」, 왕윈샤오王雲笑의 「웅장하고 열렬한 노랫소리壯懷激烈的歌聲」 등의 산문이 발표되었다.

같은 호에 린위의 장편소설 『기러기는 북방으로 날아간다』(1962년 출판) 좌담회 요록 「대약진 시대의 송가大躍進時代的頌歌」가 게재되었다. 글은 린위의 『기러기는 북방으로 날아간다』에 대해 최초로 헤이룽장성의 현재 생활을 표현한 장편소설이자 최초로 중국인민해방군 제대 병사들의 황무지 개간 투쟁을 그린 장편소설로, 헤이룽장성 문학창작의 큰 수확이라고 평하였다.

같은 호에 무리牧犁의 평론「모방은 창작이 아니다模仿不是創作」가 발표되었다. 그는 글에서 창작을 처음 배우는 이들이 우수한 작품을 학습하고 참고로 삼는 것은 반드시 필요한 일이지만, 학습이란 타인의 소재, 주제, 인물, 이야기를 그대로 따라 쓰는 것이 아니라, 타인이 생활에 침투한 방법과 소재를 제련한 경험을 학습해 자신의 사유 능력을 제고하는 것이라고 보면서, 모방과 답습을 피하고 자신의 독창성을 발휘하는 것이 창작에서의 진보라고 보았다.

『신장문학』 8월호에 량한빙梁寒冰의「쟁탈爭奪」, 아부리미티 · 우쓰만阿不裏米提 · 烏斯滿의「치수 선녀治水仙女」, 주광화朱光華의「합생목과 아생목哈生木和牙生木」등의 소설, 텐젠의 시「피눈물 나무血淚樹」, 김병철金炳喆의「우리가 더 잘 웃게 하라讓我們笑得更好」및 본지 편집자의「「가을비」에 대한 서로 다른 평가를 어떻게 볼 것인가怎樣看待對<秋雨>的不同評價」등의 글이 발표되었다.

6일, 『해방군보』에 완방푸萬邦富의 시「남국의 군사 소식南國軍訊」이 발표되었다.

7일, 『광명일보』에 메이바오천梅葆琛의 산문「아버지를 회상하며回憶父親」가 발표되었다.

10일, 『광명일보』에 천차오훙陳朝紅의「모순 투쟁의 초점 위에서 인물을 창작하다─「물수리가 돌아오다」를 읽고在矛盾鬥爭的焦點上寫人物──讀<魚鷹歸來>」가 발표되었다. 그는 글에서 소설「물수리가 돌아오다」에 대해 "이 소설은 생산대의 일상생활 속에서 계급투쟁이 일으킨 파란을 표현했다", "이 소설은 간부의 계급적 입장, 계급적 관점 및 작풍이라는 중대한 현실적 의의를 가진 문제를 날카롭게 제기하였다"라고 보았다. 천차오훙은 "미혹에서 깨어나는" 인물 "왕쯔밍王自明"을 분석하고, 이 소설이 "표현형식과 묘사 수법 면에서도 독자에게 새로운 느낌을 준다"라고 평하였다.

『광시문예』 8월호에 평론「혁명문예전선을 강화하고, 현대 수정주의에 반대하자加強革命文藝戰線, 反對現代修正主義」, 친자오양의 장편소설 연재『두 세대 사람』, 황칭黃青의「난닝의 봉황목南寧的鳳凰樹」, 바오위탕의「가뭄 대처 2편抗旱二題」, 하이옌海雁의「남방 단가南疆短歌」, 스구石穀의「변경의 군가邊疆軍歌」등의 시가 발표되었다.

『압록강』 8월호에 류언잉劉恩英의 장편소설『소녀 공인女童工』부분「굶주림과 추위에 시달린 시대在饑寒交迫的年代」, 양다췬楊大群의「하늘의 불씨長天火種」, 사오화의「우화 3편寓言三則」등의 소설이 발표되었다.

『산둥문학』 8월호에 위량즈於良志의「조씨 집안 형제趙家兄弟」, 장양張揚의「전사戰士」, 한징하이韓景海의「큰 꽃신大花鞋」등의 소설, 리젠바오李健葆의「초소 서정哨所抒情」, 싱수디刑書第의「형제들 안녕하신가哥倆好」, 쑨커헝孫克恒의 「어느 기관장에게 보내는 노래唱給一位輪機長」 등의 시, 마즈량馬志良의 보고문학 「첫걸음第一步」, 원쓰文思의 「애증이 분명한 작품一篇愛憎分明的作品」, 왕안유의 「철저히 혁명하는 문예공작자가 되기 위해 노력하자努力做一個徹底革命的文藝工作者」, 멍하오의 「「푸른 물이 길게 흐르다」의 득과 실에 관하여談＜綠水長流＞的一些得失」, 샤오샤曉霞의 「「푸른 물이 길게 흐르다」의 인민 내부 모순에 대한 처리에 관하여談＜綠水長流＞關於人民內部矛盾的處理」가 발표되었다.

『시간』 8월호에 바·부린베이허의 「고향의 바람故鄉的風」이 발표되었다.

13일, 문화부에서 「극본 공연 보수 제도의 지속적인 시행에 관한 통지關於繼續執行劇本上演報酬制度的通知」가 발표되었다.

14일, 『문학평론』에 짱커자의 「푸펑의 시―『푸펑 시선』 서문蒲風的詩――＜蒲風詩選＞序言」, 판쥔, 우쯔민吳子敏의 「「귀가」의 사상 경향과 예술 경향＜歸家＞的思想傾向和藝術傾向」, 웨이나韋吶의 「전형 인물에 관한 몇 가지 문제 약론略述關於典型人物的幾個問題」, 거바오취안의 「루쉰의 최초의 번역문 두 편에 관하여―「애진哀塵」, 「조인술造人術」關於魯迅最早的兩篇譯文――＜哀塵＞, ＜造人術＞」 등의 글이 발표되었다.

15일, 『작품』 신2권 제8호에 위루鬱茹의 「두 자매姊妹倆」, 주바이란朱白蘭의 「당의 묘목黨的樹苗」, 허웨이의 「기념으로 남기다留念」 등의 소설, 장융메이의 「시대의 화환時代的花環」, 커위안의 「남국시초南國詩草」, 양선楊槮의 「청년 운하의 노래靑年運河之歌」, 탕치唐奇의 「폭포에게 불러 주는 노래唱給瀑布的歌」 등의 시, 장밍의 보고문학 「바닷속의 교룡海裏蛟龍」이 발표되었다.

16일, 저우언라이가 음악 무용 좌담회에서 연설하였다. 그는 문예공작 방침, 예술작품의 기준, 창작의 표현형식 등의 문제에 대해 언급하였다.

17일, 『광명일보』에 천쌍의 산문 「영장은 영이 아니다零將不等於零」가 발표되었다.

18일, 『문회보』에 쿤칭의 중편소설 「다왕링大王嶺」 부분 「피맺힌 원한血仇」이 발표되었다.

19일, 『네이멍구일보』에 둥비우의 시 「네이멍구에 처음 오다初到內蒙古」가 발표되었다.

『문회보』에 가오윈의 글 「『사계절 내내 향기롭다』 만평<香飄四季>漫評」이 발표되었다.

20일, 저우언라이가 정협 강당에서 장자커우경극단張家口京劇團이 공연한 경극 「8·1 폭풍」을 관람하였다. 공연이 끝난 후 그는 극단의 구성원들에게 "경극을 현대적으로 공연하기는 쉽지 않습니다. 여러분은 예술 면에서 창조를 이뤘고, 그 방향은 옳습니다. 현대극뿐만 아니라 전통극도 공연해야 합니다. 두 가지 모두 공연하면서 서로 참고로 삼아야 합니다"라고 말했다.

『인민일보』에 웨이쥔이의 보고문학 「가훈-어느 늙은 공인의 말家訓——一個老工人的談話」이 발표되었다.

22일, 『광명일보』에 옌전의 시 「선장 송가船長頌」가 발표되었다.

23일, 베이징인민예술극원에서 「관한경」을 다시 공연하였다. 톈한이 각본을, 자오쥐인이 감독을 맡았으며 위스즈, 디신, 추양 등이 주연을 맡았다.

『문회보』에 한베이핑의 「두 도시 이야기-모로코 여행 잡기 제1편雙城記——摩洛哥漫遊漫記之一」, 두쉬안의 「일본 방문 시편訪日詩簡」이 발표되었다.

24일, 베이징시 문화국이 베이징시 인민위원회에 「메이란팡경극단, 상샤오윈경극단, 쉰후이성경극단, 청년경극단 정돈에 관한 구체적인 준비 계획 지시 요청 보고整頓梅, 尚, 荀, 靑年京劇團具體計劃的請示報告」를 발송해 "메이란팡경극단, 상샤오윈경극단, 청년경극단 및 이미 체제를 개편한 쉰후이성경극단의 간판을 내리고", "네 극단을 하나로 합병하여" 명칭을 "베이징경극2단北京京劇二團"으로 변경할 것을 제안하였다. 9월 27일, 베이징시 인민위원회는 「메이란팡경극단, 상샤오윈경극단, 쉰후이성경극단, 청년경극단 문제에 관한 회신關於整頓梅, 尚, 荀, 靑年京劇團問題的批複」을 발송해 베이징시 문화국의 의견에 동의하고, "시급히 협조"할 것을 요청하였다.

『광명일보』에 장창궁의 산문 「'움막' 속으로 들어가다-공사 인물 소묘鑽"馬架子"——公社人物素描」가 발표되었다.

26일, 『문회보』에 총론 「『창업사』의 주인공 량성바오에 관한 토론關於<創業史>主人公梁生寶

的討論」이 발표되었다.

『광명일보』에 「국내외 시인이 한자리에 모여 흑인 형제의 반제국주의 투쟁을 노래하다-수도에서 흑인 지원 시가 낭송회를 거행하다中外詩人共聚一堂歌頌黑人兄弟的反帝鬪爭——首都擧行支援黑人詩歌朗誦會」가 발표되었다.

27일, 문화부에서 「각지 극단에 현재의 계급투쟁과 사회주의 교육운동에 적극 호응해 봉건적 미신 및 매매혼, 억혼抑婚에 반대하는 작품의 대대적인 공연을 요청하는 통지請各地劇團積極配合當前的階級鬪爭和社會主義敎育運動大力上演反封建迷信′ 反對買賣′ 包辦婚姻的劇目的通知」를 발포하고, 화극 극본 3개(진젠金劍의 「자오샤오란趙小蘭」, 차오위의 「집」, 웨이루후이魏如晦의 「채두봉釵頭鳳」, 희곡 극본 7개, 가극 극본 2개 등의 작품을 추천하였다. 웨이루후이는 아잉을 가리킨다.

『광명일보』에 마스투의 「화시 경승 관람-주마행 제1편花溪攬勝——走馬行之一」이 발표되었다.

28일, 『문회보』에 셰치구이의 시 「미국 흑인에게致美國黑人」가 발표되었다.

29일~9월 26일, 문화부, 중국극협, 베이징시 문화국이 합동으로 베이징 '희곡공작좌담회'를 개최해 '백화제방 및 옛것을 취사선택하여 새롭게 발전시키는 방침'을 더욱 강력히 집행하는 문제에 관해 토론하였다. 저우양과 린모한이 연설하였다. 린모한은 공연 작품을 풍부하게 하고 다양화해야 하며, 전통극과 신작 역사극, 그리고 현대극 등 세 가지가 모두 중요하다고 보았다. 좌담회에서는 '귀신극'에 관한 견해, 전통 희곡 작품 속의 봉건성과 인민성에 대한 이해, 희곡 무대예술의 혁신 등의 문제에 관해 토론하였다(『문예보』와 『희극보』 제9호에 사설이 발표되었으며, 『희극보』에서는 '옛것을 취사선택하여 새롭게 발전시키는 문제'에 대한 토론에 관해 상세히 보도하였다). 본 좌담회 이후에 희곡계에는 현대의 혁명 투쟁 생활을 소재로 한 현대 희극 작품이 점차 늘어나기 시작하였다.

30일, 『문회보』에 친무의 「비취로 온몸을 단장한 새로운 수향-주장 삼각주의 어느 '백만 마을'의 성장珠環翠繞新水鄕——珠江三角洲一個"百萬莊"的成長」이 발표되었다.

31일, 『광명일보』에 마스투의 「다스차오에서 다주까지-주마행 제2편從大石橋到大竹——走馬

行之二」이 발표되었다.

이달에 『산둥문학』, 『옌허』, 『광시문예』, 『간쑤문예』, 『신장문학』, 『신항』, 『불꽃』 등에 『문예보』의 사설 「국내외의 계급투쟁에 적극적으로 참가해, 철저한 혁명의 문예전사가 되자」가 전재되었다.

『문사철』 제4호의 '학술동태'란에 디치충狄其驄의 글 「전형 문제에 관한 토론 총론關於典型問題的討論綜述」이 발표되었다. 그는 글에서 최근 몇 년간 문예계에서 진행된 몇몇 문예이론 문제에 관한 탐구(현실주의 문제, 역사극 문제 등)는 모두 전형 문제에 대한 서로 다른 이해에 관련되어 있거나 혹은 이로 귀결된다고 보았다. 그는 전형과 공통성, 전형과 이상적 인물, 전형과 전형적 환경, 전형과 예술 방법 등 네 가지 관점에서 전형 문제에 대해 깊이 탐구하였다.

『중국부녀中國婦女』 8월호와 9월호에 덩푸鄧普의 소설 「군대의 딸軍隊的女兒」이 연재되었다.

중국인민해방군 총정치부 문공단 화극단이 7장 화극 「핑싱관의 첫 전투首戰平型關」를 공연하였다. 푸둬, 바이윈팅이 각본을, 루웨이魯威가 감독을 맡았다. 극본은 『해방군문예』 11월호에 발표되었다.

마오둔의 수필집 『독서 잡기讀書雜記』, 롼장징의 시집 『탐사자의 노래勘探者之歌』, 류전의 단편소설집 『기나긴 유수長長的流水』가 작가출판사에서 출간되었다.

두펑청의 단편소설집 『평범한 여인平常的女人』이 둥펑문예출판사에서 출간되었다.

리빙의 장편서사시 『우산의 여신』이 중국청년출판사에서 출간되었다.

네이멍구인민출판사에서 편찬한 『원역신천(산문, 여행기)遠域新天(散文, 遊記)』이 출간되었다.

커옌의 아동문학 『레이펑 삼촌에게 말할래요我對雷鋒叔叔說』가 중국소년아동출판사에서 출간되었다.

9월

1일, 『해방군문예』 9월호에 장즈張知의 「샤오라오류의 주판小老劉的算盤」, 장친張勤의 「군대 나팔소리軍號聲聲」, 가오잉의 「물수리가 돌아오다」 등의 소설, 리잉의 「때가 왔다, 이미 때가 되었다—투쟁하는 미국 흑인 형제에게 바치다到時候了, 已到時候——獻給鬥爭中的美國黑人弟兄」, 양훙싱羊洪興의 「변방의 전사邊防戰士」, 이사易莎의 「나무 사령관"樹司令"」 등의 시, 윈자오광雲照光의 「병영에 봄빛이 가득하다春滿軍營」, 청커曾克의 「양산을 다시 방문하다重訪羊山」, 장잉張英의 「피맺힌 원한血仇深恨」 등의 산문, 추이쭤푸崔左夫의 「'1호 교환원'"一號電話員"」, 장밍의 「바다 속의 교룡」 등의 보고문학이 발표되었다.

『쓰촨문학』 9월호에 아이우의 「야생 앵두—남행기 속편 제1편野櫻桃——南行記續篇之一」, 황웨이黃緯의 「보리 수확기麥收時節」 등의 소설, 푸처우의 「가난한 이를 방문하다訪貧記」, 후자胡笳의 「바산의 채석 노래巴山采石謠」 등의 시, 중싱重行, 거펑葛鵬의 「'소' 서기"牛"書記」, 팡허方赫의 「미헝칭과 그의 생산대米恒淸和他的生產隊」, 아파阿發, 자모家模, 웨이위爲煜의 「서훙에서 신두까지從射洪到新都」 등의 보고문학, 톈위안田原의 평론 「계급투쟁을 더 잘 반영하고, 시대정신을 더 잘 표현하자更好地反映階級鬥爭, 表現時代精神」가 발표되었다.

『후난문학』 9월호에 자오칭쉐趙淸學의 「우리 마을 이야기我們村裏的故事」, 량춘밍梁春明의 「푸른 죽림 속翠竹林中」, 류펑劉風의 「산간지대의 의사山區醫生」 등의 소설, 궈웨이눙郭味農의 전기문학傳記文學 「리딩궈 전기李定國傳」, 리쯔위안李子園의 「전투의 나팔소리가 더 잘 울리게 하자—계급투쟁을 반영한 단편소설 몇 편에 관하여把戰鬥的號角吹得更響——談談幾篇反映階級鬥爭的短篇小說」, 샹보湘波의 「새 시대의 영웅 인물을 힘껏 노래하자—레이펑을 노래한 시 몇 편에 관하여大力謳歌新時代的英雄人物——談幾首歌唱雷鋒的詩」 등의 글이 발표되었다.

『창장문예』 제9호에 지쉐페이의 「'귀신'을 붙잡다捉"鬼"記」, 리베이구이李北桂의 「출석하다報到」, 장칭허張慶和의 「낫鎌刀」, 비팡畢方의 「다음 세대第二代」, 얼중얼重의 「'꿈'"夢"」 등의 소설, 황성샤오의 「시링샤의 채석西陵峽采石」, 훙양의 「여자 운전수女駕駛員」, 리성밍李聲明의 「늙은 광부의 심정老礦工的情懷」, 리난李南의 「산봉우리를 평평하게 깎다削平山峰」, 위안딩袁丁의 「광산의 구름礦山的雲」 등의 시, 청윈程雲의 보고문학 「풍류인물風流人物」, 양핑楊平의 「눈을 비비고 신인의 신작을 보다新人新作拭目看」, 멍치孟起의 「새로운 민족형식을 창조하자創造新的民族形式」 등의 평론이 발표되었다.

『옌허』 9월호에 왕원스의 중편소설 연재 「헤이펑」, 리유룽의 「북쪽 변방으로 가다北疆行」, 톈치田奇의 「모랫길沙路」, 류페이썬劉培森의 「바산 시초巴山詩抄」, 장더화薑德華의 「작업 현장의 '작업열'車間"流水線"」 등의 시, 두펑청의 창작담 「집필을 시작하기 전—어느 보고문예 좌담회에서의 연설動筆之前——在一次報告文藝座談會上的講話」이 발표되었다. 그는 글에서 중국의 일부 현대 작가와 신문 공작자의 보고문학 창작 방법에 대해 비평하고, 자신이 생각하는 이상적인 보고문학에 대해 "반드시 명확한 사실을 표현해야 한다. 만약 고된 취재가 너무 번거롭고, 자세한 조사가 너무 지겹다는 이유로 '허구'와 '상상'을 주장한다면, 이는 논의해 보아야 할 일이다"라고 밝혔다.

『간쑤문예』 9월호에 위찬의 「란팡의 혼사蘭芳的婚事」, 완이萬一의 「마예 반장馬野班長」, 쑨즈차오孫

志超의「산촌 이야기山村裏的故事」, 황잉黃鶯의「조연配角」등의 소설, 런궈이任國一의「떨어진 봉황落鳳」, 장수선張書紳의「노래를 듣다聽歌」, 리윈펑李雲鵬의「다리橋」등의 시, 위난페이餘南飛의「단편소설의 줄거리에 관하여短篇小說的故事情節淺談」, 가오펑高風의「비상하라, 마음껏 상상하라飛翔吧 暢想」, 위밍禹明의「세부 장면 묘사 잡담細節描寫瑣談」등의 문예수필이 발표되었다.

『우화雨花』제9호에 쉬바오위안許保元의「봄 제비春燕」, 장쿵자오張孔昭의「일어나지 말았어야 할 이야기不該發生的故事」, 리춘광李春光의「책임責任」등의 소설, 바오밍루鮑明路의「뒤 부아 박사를 추모하며悼杜波伊斯博士」, 자오루이훙趙瑞葜의「흑인 형제들에게 경의를 표하다向黑人兄弟們致敬」, 청찬쥐曾傳炬의「흑인이 각성하고 있다黑人在覺醒」등의 시, 인즈양殷志揚의「대나무 송가竹頌」, 가오펑의「광활한 천지에서在廣闊的天地裏」등의 보고문학이 발표되었다. 사회주의의 새로운 인물 형상 창조 방법에 관한 토론문으로는 양뤼팡의「긍정적 인물 형상 창조 약론塑造正面人物形象淺談」, 청위안싼程元三의「그릇된 것과 올바른 것邪與正」등의 글이 발표되었다.

『안후이문학』제9호에 왕위주王餘九의「복숭아나무 스물네 그루二十四棵桃樹」, 셰징청謝竟成의 중편 연재「이상한 외삼촌奇怪的舅舅」, 스칭石青의「어느 공인의 이름一個工人的名字」등의 소설, 류란산의「높디높은 지룽산이여高高的雞籠山啊」, 가오링윈高淩雲의「여기 올리브나무 한 그루가 있다這裏有一株油橄欖」, 닝위寧宇의「배 만드는 노래造船謠」, 옌청즈嚴成志의「낫질의 노래開鐮歌」, 타오춘허우陶純厚의「수송선 위運輸線上」등의 시, 옌전의 산문「광명행光明行」이 발표되었다.

『신항』9월호에 위린의「산을 허물다劈山記」, 팡더황方德煌의「새로 온 국장新來的局長」, 돤취안파의「후손後代」, 량빈의『파화기』(장편소설『홍기보』제2부 연재) 등의 소설, 쑨훙푸孫洪福의「호춘연戽春燕」, 멍칭주孟慶祝의「참외 가게의 노인瓜鋪裏的老人」, 왕자빈王家斌의「손 위의 굳은살手上的繭子」등의 장편掌篇소설, 푸처우의 시「장막에 햇빛이 가득하다帳篷充滿陽光」, 류잔추의「어린 정원사小園丁集」, 바이위빙白於冰의「경솔한 사람二楞子」등의 산문, 지주장吉九章의「공장사 창작운동을 더욱 제고하자把工廠史寫作運動提高一步」, 왕리王力의「「축배의 노래」의 형식미＜祝酒歌＞的形式美」등의 글이 발표되었다.

『불꽃』9월호에 마펑의 장편소설 연재『류후란 전기』, 한원저우의「창춘링長春嶺」, 춘보春波의「이웃 사이鄰裏之間」, 류쓰치의「나와 샤오팡 형我和小方哥」, 지톈밍吉天明의「정월 초하루大年初一」, 바이펑白峰의「서로 바라보다相看」등의 소설, 리구이원李貴文의「우리 공사에 새 대장이 왔다俺社來了個新隊長」, 리샤오과이李小怪의「한없이 넓다無邊相」, 리시원李希文의「나와 그녀我和她」, 장완이張萬一의「돼지 치는 처녀養豬姑娘」등의 시, 야오광이姚光義 등의 평론「자오수리가 창조한 농민 형상趙樹理筆下的農民形象」이 발표되었다.

『창춘』 9월호에 딩런탕의 「일은 용왕당에서 일어났다故事出在龍王堂」, 류보잉劉伯英의 「시아버지에게 세 번 권하다三勸公公」 등의 소설, 퉁단佟丹의 「야생 과일山果」, 셰수의 「산중에서 피리소리를 듣다山中聽笛」 등의 산문, 스푸石璞의 「리전산 송가李鎮善頌」, 하이옌海燕의 「우정의 꽃友誼之花」, 스잉의 「윗세대 사람老一輩人」 등의 시가 발표되었다.

『초원』 9월호에 안커친푸의 보고문학 「영광스러운 노정光榮的裏程」, 한싱寒星의 「웃음의 파도가 맺혀 굳어진 먀오링笑浪凝成的苗嶺」, 멍허의 「시량 양수장에서 쓰다寫在西梁揚水站」, 펑쓰커朋斯克의 「목자의 집牧人之家」, 한잉산의 「보리 수확철麥收時節」, 란화이저우의 「마름꽃菱花」, 장싱張星의 「아침무」 등의 시가 발표되었다.

3일, 『광명일보』에 총론 「류수더의 소설 「귀가」가 열띤 토론을 불러일으키다劉澍德的小說＜歸家＞引起熱烈討論」가 발표되었다. 글은 "각지의 신문에 십여 편의 평론이 발표되었다. 그 중 앞서 발표된 몇 편은 작품을 긍정하였으나, 6월 이후부터 현재까지 발표된 대다수의 글은 이전의 글과는 다른 의견을 가지고 있어, 양자 사이의 의견 차이가 매우 뚜렷했다"라고 밝혔다.

이 가운데 류진의 「「귀가」-특색이 풍부한 신작」(『문예보』 1963년 제1호), 우궈주吳國柱의 「「귀가」 상편을 처음 읽고初讀＜歸家＞上篇」(『변강문예』 1963년 제7호), 장쉰의 「「귀가」 상편을 읽고讀＜歸家＞上部」(『대공보』 1963년 4월 28일자) 등의 글은 모두 이 작품을 매우 높이 평가하였다. 이상의 글은 이 작품이 "애정생활과 현실의 사회투쟁을 유기적으로 결합함으로써 깊은 사상적 의의와 사회적 의의를 가지고 있다", "농촌의 새로운 세대의 인물을 성공적으로 그려 냈다", "인물의 세밀하고 복잡한 내면생활의 묘사에 힘을 쏟았다", "읽는 이를 황홀케 하는 예술적 매력을 지니고 있다"라고 평하였다.

반면에 톈차이田彩의 「소설 「귀가」에 대한 몇 가지 의견對小說＜歸家＞的幾點意見」(『문예보』 1963년 제4호), 쑨광쉬안의 「「귀가」에 대한 류진 동지의 평론을 평하다」(『문회보』 1963년 7월 8일자, 진샹金鄉의 「쥐잉은 노래할 가치가 있는 인물인가?菊英值得歌頌嗎?」(『중국청년보』 1963년 7월 18일자), 왕잉玉英, 훙지鴻基의 「「귀가」를 어떻게 볼 것인가-세 독자의 좌담회 기록怎樣看＜歸家＞——記三個讀者座談會」(『베이징만보』 1963년 7월 28일자) 등의 글은 이 작품이 "현실의 사회 투쟁 생활에 대한 묘사가 빈약해 힘이 없"고, 중요 인물이 "짙은 소자산계급 지식분자의 사상 감정을 표현하고 있"으며, 인물의 심리 묘사에는 "계급분석"이 부족해, "인물 형상이 모순되고 분열되는 현상을 야기하였다"라고 보았다. 같은 호에 마스투의 「하늘에 의지하지 않는다!-주마행 제3편不靠天!———走馬行之三」이 발표되었다.

4일,『문회보』에 부린페이葡林扉의 평론「생활의 진실에 위배되어서는 안 된다―소설「귀가」창작의 한 가지 문제不能背離生活真實――小說＜歸家＞創作的一個問題」가 발표되었다.

『베이징문예』9월호에 페이즈의 소설「종자참種子站」, 민치의 시「공장장場長」이 발표되었다.

5일,『상하이문학』9월호에 아이우의 소설「남행기 속편南行記續編」가운데「판즈화攀枝花」, 차오스의「푸르른 죽림青翠的竹林」, 주루朱鷺의「흑인 메레디스가 공부를 하다黑人梅雷迪斯求學記」등의 시, 바진, 루즈쥐안, 장시탕張熙棠, 웨이진즈의 보고문학「손手」, 바진의「베트남 인민의 장엄한 회답越南人民莊嚴的答復」, 두쉬안의「반역의 회오리바람叛逆的旋風」, 쥔칭의「햇불 예찬火把贊」등의 산문, 루하오의「보고문학 잡담報告文學隨談」, 펑젠난의「다시 량성바오를 말하다再談梁生寶」, 루싱량陸行良의「인물 창조를 통해 응당 우리의 위대한 시대를 표현해야 한다人物創造應當表現我們偉大的時代」등의 평론이 발표되었다.

『신장문학』9월호에 리유룽의 시「여명黎明」, 싸이푸딩의 산문「첫 기차의 기적소리第一列火車的鳴叫聲」, 자오밍의 영화문학 극본「불티가 반짝이는 톈산의 밤星火閃閃天山夜」이 발표되었다.

『열풍』제5호에 야오딩성姚鼎生의 소설「토지의 주인土地的主人」(『토지 시편土地詩篇』제3장), 황허우러우黃後樓의 평론「소설의 민족화와 백화제방小說的民族化與百花齊放」이 발표되었다.

7일,『광명일보』에 마스투의「철학의 해방―주마행 제4편哲學的解放――走馬行之四」이 발표되었다.

8일,『문회보』에 천쌍의 산문「폭풍우가 올 때在暴風雨來臨的時刻」가 발표되었다.

9일,『광명일보』에 타오쥔치의「희곡에서 '옛것을 취사선택하여 새롭게 발전시키는' 문제에 관한 토론關於戲曲"推陳出新"問題的討論」(『희극보』1963년 제6호)이 전재되었으며 편집자의 말이 추가되었다. 다음날,『문회보』의 '희곡의 백화제방과 옛것을 취사선택하여 새롭게 발전시키는 방침을 더욱 철저히 집행하자'란에 이 글이 전재되었으며 편집자의 말이 추가되었다. 이후에『문회보』에 일련의 글이 발표되어 희곡유산의 평가, 전통 희곡 작품의 봉건성과 인민성에 대한 이해, 희곡 각색 공작자에 대한 의견 등의 문제에 관해 토론이 진행되었다. 타오쥔치는 글의 제1부분에서 "희곡유산을 어떻게 대하고 어떻게 평가해야 할 것인가"에 관해 토론하고, "전통 희곡 작품은 절대 다수가 인민성을 가지고 있는가"라는 문제에 대한 몇 가지 서로 다른 관점을 제시하였다. 또한 "희곡

유산을 대할 때 비판적인 태도를 취해야 하는가", "계급 제일주의에 반대하는 것이 곧 계급분석이 필요 없다는 뜻인가", "전통 희곡 작품을 각색할 때 주제 사상을 바꿀 수 있는가", "희곡개혁은 그저 먼지를 청소하거나 세수를 하는 것인가" 등의 문제에 대해 토론하였다. 제2부분에서는 "충효절의 등의 도덕관념에 인민적인 면이 있는가", "봉건적인 면과 인민적인 면이 공존한다", "애초부터 인민적인 면을 포함하고 있지 않다", "대립하는 계급의 도덕관념은 비록 서로 다르지만, 그럼에도 몇 가지 공통점이 존재한다" 등의 몇 가지 문제에 관해 토론하였다. 제3부분에서 그는 "전통 희곡은 사회주의 신문화인가", "전통 희곡은 봉건사회의 상부 구조인가", "전통 희곡에는 사회주의 사상이 있는가", "정리를 거친 전통 희곡 작품은 사회주의 신문화라 할 수 있는가" 등의 문제에 관해 토론하였다. 제4부분에서는 "몇몇 전통 희곡 작품에 관한 논쟁", 즉「참경당」,「사랑탐모」등 "황천패黃天霸를 묘사"한 희곡에 관해 분석하였다.

10일, 문화부 당조가 중공중앙 선전부에「현재 희곡공작의 몇 가지 구체적 안배에 관한 보고關於目前戲曲工作幾項具體安排的報告」를 제출하였다.

『광명일보』에 평론「'귀신극' 공연은 유해한가 무해한가에 관한 논쟁關於上演"鬼戲"有害還是無害的爭論」, 리시판의「대단히 유해한 '유귀무해'론」(『희극보』제9호에도 게재 예정), 리수쥔李淑君의「'귀신 아주머니'가 아니라 '훙샤 언니'를 공연해야 한다要演"紅霞姐", 不做"鬼阿姨"」, 뤄허若何의「'귀신극' 공연은 유해한가演"鬼戲"有害嗎」등 '귀신극'에 대한 비판의 글이 발표되었다. 이 가운데 리시판의 글은 "무대 위에 귀신이 출현하는 것은 인민에게 해롭기만 하고 이득은 없다", "전통적 종교 미신 사상 속의 습관적인 세력으로 보아도, 우리는 '유귀무해'론자들과는 의견의 일치를 이룰 수 없다! 아니, '유귀무해'가 아니라 유귀유해다", "지금은 '유귀무해'론을 철저히 청산해야 할 때이다!"라고 밝혔다.

『산둥문학』9월호에 옌이의「새로운 대오新的隊伍」, 먀오더위의「고향의 녹색 '창청'家鄉的綠色 "長城"」등의 시, 류진의「작가 노동의 출발점作家勞動的起點」, 원빙文兵의「계급 관점을 포기해서는 안 된다不能放棄階級觀點」등의 평론이 발표되었다.

『광시문예』9월호에 평론「계급투쟁에 적극적으로 참가해 혁명문예의 전투적 역할을 발휘하자積極參加階級鬥爭, 發揮革命文藝戰鬥作用」, 친자오양의 장편소설 연재『두 세대 사람』이 발표되었다.

『시간』9월호에 톈젠의 시「들감람나무꽃 한 다발沙棗花一束」이 발표되었다.

11일,『문회보』에 한베이핑의 산문「페스 인상─모로코 여행 잡기 제2편非斯印象──摩洛哥漫

遊漫記之二」이 발표되었다.

『문예보』 9월호에 사설 「반드시 희곡개혁의 진보파가 되어야 한다一定要做戱曲改革的促進派」가 게재되었다. 같은 호에 '희곡예술의 옛것을 취사선택하여 새롭게 발전시키는 방침을 고수하자'란 이 개설되어 리즈의 「'패배의 세대가 미국에만 있으랴!'"垮掉的一代, 何止美國有!"」, 천랴오의 「보고문학의 시대적 풍모報告文學中的時代風貌」가 발표되었다. 이 외에도 셰쉬안謝宣의 「희곡을 각색할 때 작품의 주제 사상을 바꿀 수 있는가?改戱能不能改變作品的主題思想?」, 지원季文의 「찌꺼기를 정수로 삼아서는 안 된다不要把糟粕當精華」, 펑셴즈馮先植의 「경극의 현대생활 표현은 전도가 광활하다京劇表現現代生活有廣闊的前途」, 류허우성의 「각색은 희곡의 새로운 극목을 풍부하게 하는 좋은 방법이다改編是豐富戱曲新劇目的一個好辦法」 등 희곡예술에 관한 글이 발표되었다.

12일, 『광명일보』에 커위안의 시 「물가의 사색岸邊遐想」이 발표되었다.

『인민문학』 9월호에 리준의 「마을에 들어서다進村」, 가오잉의 「참매가 날개를 펼치다黃鷹展翅」, 아이우의 「변방 요새 인가의 역사邊寨人家的曆史」, 푸겅福庚의 「북극성北極星」 등의 소설, 광웨이란의 「미국 흑인에게는 자유가 필요하다美國黑人要自由」, 쩌우디판의 「미국 흑인 투쟁의 사진 위에 쓰다寫在美國黑人鬥爭的照片上」(2편), 옌전의 「화이허댐 송가淮河閘頌」, 나 · 싸이인차오커투의 「나는 마오쩌둥 시대에 사는 것이 자랑스럽다我爲生活在毛澤東時代而自豪」, 라오제바쌍의 「산의 아들山之子」(외 1편) 등의 시, 바진의 산문 「셴량장 강가의 오성홍기賢良江畔的五星紅旗」가 발표되었다.

14일, 『광명일보』에 펑치융의 「찌꺼기를 정수로 삼아서는 안 된다不應把糟粕當作精華」, 구창커顧長珂의 「경극 「일봉설」은 어떤 사상을 선전하는가京劇<一捧雪>宣揚什麼思想」, 자오옌샤趙燕俠의 「경험을 쌓아 현대극을 점점 더 잘 공연하자積累經驗, 逐步演好現代戱」 등의 글이 발표되었다.

15일, 『문회보』에 궁시의 시 「펌프가 우르릉 울린다抽水機隆隆地響」가 발표되었다.

『작품』 신2권 제9호에 장융 메이의 「10일의 시위十月的示威」, 천쌍외 「제방 서정堤上抒情」, 루디蘆荻의 「자포의 새 어촌閘坡新漁村」 등의 시, 장밍의 소형 가극 「총을 든 이발사帶槍的理發師」가 발표되었다.

20일, 『희극보』에 사설 「희곡이 시대와 인민의 요구에 더 잘 부응하게 하자讓戱曲更好地適應時代和人民的需要」가 발표되었다. 사설은 희곡계에 "일찍이 잘못된 사상 경향이 발생해 아직까지도 존재하고 있다"라고 보면서, "무대에 좋지 않은 작품이 올라도 비판받지 않고 오히려 찬양을 받는다. 봉건적이고 뒤떨어진 것에 대해 단호히 버리는 태도를 취하지 않고, 갖가지 이유를 내세워 봉건사상과 미신사상, 그리고 저속한 취향과 낙후된 습관에 대해 변호하고 있다"라고 보았다.

『극본』 9월호에 왕졘청汪漸成의 「다싱안산맥 사람大興安嶺人」, 판나이중範乃仲의 「붉은 토란 모종紅芋秧」 등의 단막극 극본과 량상취안, 루치가 합동 창작한 대형 가극 「홍운애紅雲崖」가 발표되었다.

21일, 『인민일보』에 장더밍의 보고문학 「맑은 샘물은 천만 인가를 향해 흐른다淸泉流向千萬家」가 발표되었다.

22일, 『인민일보』에 중앙문화공작대中央文化工作隊가 농촌의 문화건설을 도운 상황에 대한 기사와 저우양의 농촌 문화공작에 관한 담화가 발표되었다. 저우양은 농촌 문화공작대가 "사회주의 신문화가 농촌에 뿌리내리게 하고, 문예공작자가 노동 군중과 영원히 멀어지지 않도록 보증"하는 역할을 했다고 설명하였다.

24일, 『광명일보』에 야오원위안의 「시대정신 문제 약론-저우구청 선생과의 논의略論時代精神問題——與周穀城先生商榷」가 발표되었다.

25일, 『성화』 제5호에 우원딩吳文鼎의 「눈 온 후雪後」, 옌잉彦膺의 「두 대장兩個隊長」, 탕위룽唐毓龍의 「성도로 가는 도중赴省途中」, 위푸餘圃의 「생활의 첫 수업生活的第一課」 등의 소설, 궈덩하오郭登昊의 「졸졸 수차 소리咿咿的車水聲」, 쉬썬徐森의 「송아지 한 마리一條小牛」 등의 장편掌篇소설, 커차이柯才의 보고문학 「변산變山」, 우지궈武繼國의 전문 논고 「생활에 침투하고, 시대를 반영하자深入生, 反映時代」가 발표되었다.

『문회보』에 웨이밍衛明의 「선전인가 아니면 폭로인가-충효절의 극목의 평가 문제에 관하여到底是宣揚還是揭露——談有關忠孝節義劇目的評價問題」, 자오쉰보趙循伯의 「전통 극목을 어떻게 평가할 것인가怎樣評價傳統劇目」, 쉬모徐沫의 「'망령의 복수' 문제에 관하여-징구쉐 동지에게 가르침을 구하다關於"鬼魂復仇"問題——向景孤血同志求教」 등 비판의 글이 발표되었다.

27일, 마오쩌둥에 중앙공작회의에서 연설하였다. 그는 "희곡은 옛것을 취사선택하여 새롭게 발전시켜야 한다. 사회주의라는 새로운 사상을 발전시켜야 하며, 왕후장상, 재자가인과 그들의 종복, 호위 등의 옛것을 발전시켜서는 안 된다"라고 지적하였다.

28일, 『인민일보』에 황강의 보고문학 「조선―맑은 아침 햇살의 나라!朝鮮――晨曦淸亮的國家!」가 발표되었다.

『광명일보』에 란만藍曼의 시 「조국의 지도祖國地圖」, 예췬젠의 산문 「스싼링댐 뒤에서在十三陵水庫後面」가 발표되었다.

30일, 『문회보』에 량빈의 「『홍기보』 연재 『파화기』 후기<紅旗譜>續篇<播火記>後記」가 발표되었다.

베이징인민예술극원이 화극 「리궈루이李國瑞」를 공연하였다. 두펑杜烽이 각본을, 어우양산쭌, 메이첸이 감독을 맡았으며 댜오광탄, 주쉬, 린롄쿤, 쑤민蘇民, 궈웨이빈 등이 주연을 맡았다.

이달에 『산화』 9월호에 아이우의 소설 「안개霧」가 발표되었다.

중아실험화극원에서 4막 화극 「삼인행三人行」을 공연하였다. 양한성이 각본을, 수창이 감독을 맡았으며 스위石羽, 경전耿震, 리딩李丁 등이 주연을 맡았다. 극본은 『극본』 1958년 7월호에 발표되었다.

캉성이 시안전영제편창西安電影制片廠에서 제작한 극영화 「훙허의 격랑紅河激浪」에 대해 반당 영화라고 비판하였다. 이로 인해 각본가와 관련 인물들이 모두 박해를 받았다.

라오서가 베이다이허에서 칠언절구 4편을 창작해 각각 리환즈, 리커란李可染, 차오위, 양한성에게 보냈다. 이 시들은 이후 『시간』 11월호에 발표되었다.

광지의 산문특필집 『손을 흔드는 사이揮手之間』(저자가 50년대 말에서 60년대 초 사이에 창작한 산문, 특필, 수필 등 18편을 수록), 리잉의 시집 『홍류집紅柳集』, 웨이웨이의 시집 『여명 풍경黎明風景』, 사오우리의 단편소실집 『하향집下鄕集』이 직가출판사에서 출간되었다.

비예의 산문집 『청산에 정이 가득하다』가 중국청년출판사에서 출간되었다.

중국작가협회 쓰촨분회에서 편찬한 『1959~1962 쓰촨 산문특필선1959－1962四川散文特寫選』이 쓰촨인민출판사에서 출간되었다. 책에는 루치의 「유동나무 꽃이 필 때」, 가오잉의 「시창의 달西昌月」, 즈광之光의 「높은 산에 우뚝 솟은 소나무高山勁松」가 수록되었다.

10월

1일, 『광명일보』에 궈모뤄의 시 「만강홍－국경 헌사滿江紅——國慶獻詞」, 자오푸추의 「1963년 국경 헌사－「개성주」의 곡조로一九六三國慶獻詞——調寄＜凱聲奏＞」, 지셴린의 「지식분자의 거울－화극 「삼인행」 감상知識分子的一面鏡子——看話劇＜三人行＞有感」, 짱커자의 「둥근 달이 구주를 비추다月亮圓圓照九州」, 쭝푸의 「밤낮으로朝朝暮暮」가 발표되었다.

『문회보』에 자오푸추의 시 「국경 송가國慶頌」가 발표되었다.

『해방군문예』 10월호에 리잉루의 장편 부분 「밤에 지나다夜渡」, 왕위안젠의 「재정 관리理財」, 치수이위안慕水源의 「종자種籽」, 펑쓰커의 「텅거리의 변두리 지대에서在騰格裏邊緣地帶」 등의 소설, 궁시의 「공군시엽」, 먀오더위의 「라오좡후"老莊戶"」, 리유룽의 「장군이 봉화대에 오르다將軍登烽火台」 등의 시, 런빈우, 딩싱丁星, 양원밍楊文明의 「싱푸다오 군가幸福島戰歌」, 예다이량葉代良의 「밥짓기를 배우다學炊記」, 거지의 「붉은 운전수紅色駕駛員」 등의 보고문학이 발표되었다.

『쓰촨문학』 10월호에 가오잉의 「단오端午」, 쿵판위孔繁禹의 「목아기牧鵝記」, 리셴칭李顯清의 「외사촌동생의 혼사表弟的婚事」 등의 소설, 랴오다이첸의 「미국 흑인에게는 자유가 필요하다美國黑人要自由」, 탕다퉁의 「풍작의 노래豐收調」, 옌이의 「족보家譜」 등의 시, 리레이李累, 즈광의 「이름 없는 소금 굽는 공인－어느 공인 가정의 해방 전의 처지沒有名字的燒鹽工人——一個工人家庭解放前的遭遇」, 충싱重行의 「훌륭한 서기老好書記」 등의 보고문학, 주훙궈朱洪國의 평론 「커페이 동지의 단편소설에 관하여談談克非同志的短篇小說」가 발표되었다.

『후난문학』 10월호에 셰푸의 소설 「이곳의 비바람這邊風雨」(중편 연재), 황치솨이의 「워싱턴을 향해 '자유 진군'하자向華盛頓"自由進軍"」, 런광춘任光椿의 「베트남에게致越南」, 리무싱黎牧星의 「마오 주석이 발표한 두 가지 성명을 향해 환호한다歡呼毛主席發表的兩個聲明」, 웨이양의 「공사 3편公社三首」 등의 시, 캉줘의 「공인창작을 위해 노래하다－『공인 단편소설선』 서문爲工人創作而歌——＜工人短篇小說選＞序」이 발표되었다.

『창장문예』 제10호에 장싱張行의 「동향의 전우同鄉戰友」, 단차오單超의 「설련화雪蓮花」 등의 소설, 왕이핑의 「영화를 본 후看電影以後」, 쑤잉蘇鷹의 「사허 위沙河上」 등의 산문, 리빙의 「흑인 형제는 진군한다黑人兄弟在進軍」, 쉬츠의 「흑인 형제에게致黑人兄弟」, 리잉의 「산의 주인山的主人」 등의

시, 판보천의 「허구를 논하다論虛構」, 리리의 「경원의 「전우」 등을 평하다評耕耘的＜戰友＞及其它」,
녜청聶成의 「「산 높고 구름 깊은 곳」을 읽고讀＜山高雲深處＞」 등의 평론이 발표되었다.

『옌허』 10월호에 무디牧笛의 「삼추三錘」, 왕원스의 중편 연재 「헤이핑」, 샤오원빈校文彬의 「자
좡의 밤買莊之夜」, 칭이淸漪의 「나와 융칭我和永淸」 등의 소설, 저우위밍의 「우리는 영원히 너희와
어깨를 나란히 하고 싸우리我們和你們永遠並肩戰鬥」, 톈치田奇의 「나는 미국 흑인이다我是一個美國黑人
」 등의 시, 왕위안王垣의 단막 화극 「베 한 척一尺布」, 차이쿠이蔡葵, 부린페이의 평론 「이러한 비평
은 실제에 부합하는가?這樣的批評符合實際嗎?」가 발표되었다. 이들은 글에서 옌자옌이 『창업사』의
비평에서 사용한 예시의 설명에 대해 그 대부분이 원작의 실제 상황에 부합하지 않으며, 때문에
신빙성이 없다고 지적하였다. 같은 호에 쑨광쉬안, 우환장의 평론 「전투의 격정과 웨이강옌의 시
에 관하여談戰鬥激情和魏鋼焰的詩」가 발표되었다. 이들은 글에서 웨이강옌의 시를 구체적인 예로 들
면서 혁명 시대의 시인들에게 무산계급의 전투 정신만을 갖추고, 수천만 혁명 인민의 마음의 소리
를 더욱 잘 표현하며, 시대의 호각이 되어야만 좋은 시를 쓸 수 있다고 절박한 요구를 하였다.

『간쑤문예』 10월호에 허웨何嶽의 「먼추추 신전悶杵杵新傳」, 정중鄭重의 「솥鍋」, 리허李禾의 「끝까
지 혁명하다革命到底」 등의 소설, 샤오보曉波의 「민족화, 군중화 약론民族化群眾化淺論」, 류광즈劉廣志
의 「격렬하고 웅장한 뜻이 무지개로 화하다─화극 「악비」 만평激烈壯懷化長虹──漫評話劇＜嶽飛＞」
등의 글이 발표되었다.

『우화雨花』 제10호에 스광신史光新의 「첫 업무일第一個工作日」, 왕훠王火의 「애국자愛國者」, 톈지
天驥의 「판씨 집안 이야기樊家故事」 등의 소설, 사바이의 「10월 단가十月短歌」, 쑨유톈의 「10월 예찬
十月禮贊」, 웨이위칭의 「난징의 등불南京燈火」 등의 시가 발표되었다.

『안후이문학』 제10호에 쑨샤오핑의 「합치다合攏」, 좡신루莊新儒의 「사랑愛」, 셰징청의 중편 연재
「이상한 외삼촌」 등의 소설, 나사那沙의 「미국은, 영원히 깊이 잠들어 있을 것인가美國 會永遠沉睡
麼」, 마진의 「희망의 노래希望之歌」, 지평의 「철마를 탄 어린 기사鐵馬小騎士」 제4장 부분 「옛날의
선혈往昔的鮮血」, 장완수張萬舒의 「행차 송가行車頌」 등의 시가 발표되었다.

『창춘』 10월호에 사설 「계급투쟁에 적극적으로 참가해 문예의 전투적 역할을 더 잘 발휘하자積
極參加階級鬥爭, 更好地發揮文藝的戰鬥作用」, 차이톈신의 장편 연재 『대지의 청춘大地的青春』 제1부 제24
장 「햇빛 아래의 가난한 농원陽光下的貧農院」, 치지광의 「불같은 강 노을江霞似火」, 루핑蘆萍의 「'아
프리카의 뿔'의 여명"非洲之角"的黎明」 등의 시, 평치융의 평론 「뜻이 언외에 있다─「취옹정기」를
읽고意在言外──讀＜醉翁亭記＞」가 발표되었다.

『신항』 10월호에 리더푸의 소설 「교훈을 받아들이다"接受教訓"」, 런옌광의 「너는 공사와 함께

탄생했다你和社一同誕生」, 리유룽의 「궈쯔거우 단가果子溝短歌」 등의 시, 비예의 산문 「산행 5일 기록山行五日記」, 량빈의 「『파화기』 후기<播火記>後記」, 리허린의 「『들풀』의 사상과 예술 약론略論<野草>的思想和藝術」 등의 글이 발표되었다.

『불꽃』 10월호에 쑨첸의 「·후산왕"後山王"」, 마펑의 장편 연재 『류후란 전기』, 류구이취안劉桂權의 「대들보와 기둥梁與柱」, 뤄쓰웨이羅四維의 「나의 남편我的丈夫」, 루커이魯克義의 「절기絕技」 등의 소설, 딩야오량丁耀良 등의 평론 「새로운 인물, 새로운 사건, 새로운 농촌－리이민의 소설 창작에 관하여新人新事新農村──試談李逸民的小說創作」가 발표되었다.

『초원』 10월호에 자라가후紮拉嘎胡의 「출발점에서在起點上」, 덩칭鄧青의 「사육원 안팎飼養院裏外」, 리양난李仰南의 「산속의 매화山裏梅」, 리뎬원李殿文의 「우물井」 등의 소설, 하오위펑郝玉峰의 「'101'호 조종사"101"號飛行員」, 장샹우張向午의 「봄 제비春燕」, 충페이더叢培德의 「톄 대장鐵隊長」 등의 산문, 안미安米의 연작시 「비취 세계의 주인翡翠世界的主人」, 저우위밍의 「기억하라, 이것은 계급 원한이다記住啊, 這是階級仇恨」, 왕원다王文達의 「목축 지역 기행牧區紀行」, 양샤오의 장편 부분 『초원의 아들草原的兒子』, 마부샤오馬不蕭의 「왕진出診」, 먀오춘헝苗春亨의 「공사 안의 노래公社裏的歌」, 리리李荔의 「첫 밭갈이 전야開犁前夜」 등의 시가 발표되었다.

2일, 『문회보』에 쉬츠의 시 「유쾌한 작은 마을歡樂的小村」, 빙신의 「남행일기 발췌南行日記摘抄」가 발표되었다.

『양청만보』에 화디華棣의 보고문학 「차는 선전에서 왔다車從深圳來」가 발표되었다.

3일, 『광명일보』에 샤오쉐의 시 「베이징 단가北京短歌」(외 1편)가 발표되었다.

4일, 『베이징문예』 10월호에 구리가오의 「삶의 길生活的道路」(중편 연재 1, 2, 3편), 헤이리黑黎의 「망아지小馬」, 안훙린安宏林의 「낮잠 검사查午睡」, 왕장王江의 「나팔수 약전號兵小傳」 등의 소설, 류허우밍의 3막 화극 「젠간허 강가箭杆河邊」, 자오딩신趙鼎新의 「혁명의 문예전통을 반드시 발양해야 한다革命的文藝傳統應該發揚」, 왕쑹성王松聲의 「문예는 농촌을 위해 더 잘 복무해야 한다文藝要更好地爲農村服務」, 장지춘의 「소설 「귀가」의 수수께끼를 밝히다揭開小說<歸家>的迷霧」가 발표되었다.

5일, 『문회보』에 예성타오의 글 「어문을 성실히 학습하자認真學習語文」가 발표되었다.

『상하이문학』10월호에 아이밍즈의 「높은 산 위高山上」, 예췬젠의 「모교母校」 등의 소설, 두쉬안의 「세월歲月」, 탕톄하이唐鐵海의 「잊을 수 없는 난징루의 밤難忘的南京路之夜」 등의 산문, 원제, 위안잉袁鷹의 「호흡 및 기타―파키스탄 방문 시초呼吸及其他――訪問巴基斯坦詩草」, 푸겅福庚의 「수향 인물 소묘水鄕人物素描」 등의 시, 이췬의 「루쉰이 적과 맞서 싸운 무기와 전술魯迅對敵鬪爭的武器和戰術」, 쑨광쉬안, 우환장의 「미국 흑인 투쟁을 지지한 시를 읽고讀支持美國黑人鬪爭的詩歌」, 우중제, 가오원의 「새로운 인물 형상의 전형화에 관하여關於新人形象的典型化」, 야오원위안의 「문예작품의 사회주의 혁명 시기 계급투쟁 반영에 관한 몇 가지 문제文藝作品反映社會主義革命時期階級鬪爭的一些問題」 등의 글이 발표되었다. 우중제와 가오원은 글에서 "작품이 반영하는 대상이 다르고, 작가의 풍격과 특징이 다르기 때문에, 예술창작은 어느 정도의 공통적인 기본 규율을 준수하는 동시에 그 구체적인 표현방법은 다양해지게 된다. 비평가는 특정한 시대적 특징에서 벗어나서는 안 된다. 문학작품의 소재와 내용, 그리고 풍격 특징을 어떠한 고정된 틀에 억지로 맞추려 해서는 통하지 않는다"라고 보았다. 야오원위안은 글에서 여러 작가들이 여러 가지 계급투쟁의 내용과 계급투쟁의 형식, 특히 정치 및 사상 투쟁에 대해 여전히 깊은 이해가 부족하다고 보면서, "계급투쟁의 반영에 대해 토론하고, 사회주의 혁명 시기의 영웅 인물을 창조하는 문제는 결국 문예공작자가 지속적으로 생활에 침투하고, 깊이 있고 전면적인 자아개조를 진행하는 문제, 그리고 우산계급의 감정을 강화하고 무산계급 세계관을 수립하는 문제로 귀결된다"라고 보았다.

『북방문학』10월호에 옌천의 「미국 흑인 형제 자매에게給美國黑人姊妹兄弟」, 쉬펑徐楓의 「투먼장이여, 고요한 물이여圖們江啊， 靜靜的流水」, 류창위안劉暢園의 「어느 지부서기의 노동수첩一個支部書記的勞動手冊」, 천궈핑의 「독수리의 노래雄鷹之歌」 등의 시가 발표되었다.

『신장문학』10월호에 하오쓰리한 · 후쯔바이郝斯力汗 · 胡孜拜의 「아우얼의 봄阿吾爾的春天」, 후중런胡仲任의 「교실 안팎課堂內外」 등의 소설, 톄이푸장 · 아이리예푸의 시 「강철 천리마鋼鐵千裏駒」, 왕잔王湛의 보고문학 「길을 어떻게 걸어나왔는가路是怎樣走出來的」가 발표되었다.

하오쓰리한 · 후쯔바이(1924~1979), 카자흐족 작가로 신장 타청塔城 출신이다. 신장가무단新疆歌舞團 감독, 『신장문예』 편집자, 중국작가협회 신장분회 전문작가를 역임하였다. 저서로 소설집 『아우얼의 봄』, 『출발점起點』, 『하오쓰리한 소설산문집郝斯力汗小說散文選』, 희극喜劇 극본 「부서진 침대砸破的床」, 단막극 극본 「커리커바이柯裏克巴依」 등이 있다.

8일, 『광명일보』에 린샤의 산문 「예술 생명藝術生命」이 발표되었다.

『문회보』에 원제, 위안잉의 「산간지대 및 기타―파키스탄 방문 시초山地及其他――訪問巴基斯坦詩草

」, 두쉬안의 「5월의 두견새-일본 방문 잡기五月鵑——訪日漫記」가 발표되었다.

10일, 『광명일보』에 원제, 위안잉의 시 「호흡 및 기타-파키스탄 방문 시초」, 비예의 「홍련기紅蓮記」가 발표되었다.

『산둥문학』 10, 11월호 합본에 옌이의 「고향의 야경故鄉夜景」, 궁시의 「동향인의 감정同鄉情思」, 왕서우칭의 「봄비 야화春雨夜話」 등의 시, 위안스쉬袁世碩의 「비판적으로 계승하고, 옛것을 오늘의 현실에 맞게 활용하자批判繼承, 古爲今用」, 인멍저우殷夢舟의 「「푸른 물이 길게 흐르다」의 문제는 어디에 있는가<綠水長流>的問題在哪裏」, 머우이항繆依杭의 「희극의 관점에서 「푸른 물이 길게 흐르다」를 말하다從喜劇角度談<綠水長流>」 등의 평론이 발표되었다.

『광시문예』 10월호에 리잉민李英敏의 「조국이여, 안녕祖國, 您好」, 친자오양의 장편 연재 『두 세대 사람』 등의 소설, 웨이치린의 「나는 노래한다我歌唱」, 바오위탕의 「찬가贊歌」, 장융메이의 「레닌 바위列寧岩」 등의 시, 친전우秦振武의 「전륜-움직이는 도시電輪——流動的城市」, 리구이팡黎貴芳의 「냇가의 노래溪邊的歌」, 리카이자李楷嘉의 「감미로운 피리소리清甜的笛聲」, 추옌秋雁의 「변방의 야간 보초병邊防夜哨」 등의 산문, 상관구이즈上官桂枝의 논문 「문예평론 강화에 관한 몇 가지 문제加強文藝評論的幾個問題」가 발표되었다.

『압록강』 10월호에 양다첸의 「겨울 국화冬菊」, 후칭허胡清和의 「소백매小白枚」 등의 소설, 류잔추의 「뜨거운 태양 아래 쓴 보고寫在烈日下的報告」, 쉬광푸徐光夫의 「관쥔줴와 마스밍關俊傑與馬士明」, 딩뤼수丁履樞의 「금빛의 바다金色的海洋」 등의 보고문학, 훠만성의 서사시 『트랙터 전기鐵牛傳』(제2부 제8~11장)가 발표되었다.

11일, 『문회보』에 양뤄팡의 「창작 잡담創作雜感」이 발표되었다. 그는 글에서 "선명하고, 생동감 있고, 정확한 인물 형상"을 창조하는 문제에 관해 분석하였다. 그는 창작 방법 면에서 "감성-이성-감성"의 길이 아니라, "실천-인식-실천"의 길을 따르며 유물변증법적 방법론과 마오쩌둥 주석의 실천론을 정확히 활용해야 한다고 보았다.

『문예보』 10월호에 야오원위안의 「사회주의 시대의 청춘의 노래-「젊은 세대」를 평하다社會主義時代的青春之歌——評<年輕的一代>」, 주광첸의 「표현주의와 반영론이라는 두 가지 예술관의 기본적인 차이-저우구청 선생의 '감정이 형체를 이루게 한다'라는 설에 관하여表現主義與反映論兩種藝術觀的基本分歧——評周穀城先生的"使情成體"說」, 본지 기자 팡마오方矛의 「늙은 전사가 「젊은 세대」를 말하다老戰士談<年輕的一代>」, 황모의 「혁명의 횃불을 내리물림하자-「도로 주행 시험」과 「가정 문제」에 관하여把革命的火把傳下去──談＜路考＞和＜家庭問題＞」, 톈한의 「아시아 예술의 두 우군을 노래하다歌頌兩只亞洲藝術友軍」 등의 글이 발표되었다.

12일, 『인민문학』 10월호에 마오둔의 「단편 창작 3제短篇創作三題」, 후완춘의 「시대年代」, 양룬선의 「동행기同行記」, 장톈민의 「사슴 치는 이養鹿人」, 허웨이의 「장가오첸張高謙」 등의 소설, 옌천의 「하이난 시초海南詩抄」, 커리무 · 훠자克裏木 · 霍加(위구르족)의 「4행시巴依」(10편), 바 · 부린베이허의 「마음과 화살心與箭」, 이단차이랑의 「구름 속의 목자雲中牧人」 등의 시, 리준의 「가축이 무럭무럭 자라다槽頭興旺」 등의 산문이 발표되었다.

13일, 『해방군보』에 「혁명정신을 다음 세대에 물려주자─화극「젊은 세대」 좌담 요록將革命精神傳給下一代──話劇＜年青的一代＞座談紀要」이 발표되었다. 글은 9월 28일 오전에 총정치부 문화부에서 화극 「젊은 세대」 좌담회를 개최하였으며, 천야딩, 천치퉁, 천페이친, 푸둬, 리인푸李吟譜, 웨이민魏敏, 린웨이林韋, 리리, 스렁싱 등이 참석했다고 밝혔다. 천야딩은 "공군 정치부 문공단은 정확한 시기를 재빨리 포착하였다. 좋은 작품은 모두가 공연해야 하며, 당파에 얽매여 편견을 가져서는 안 된다"라고 보았다. 리인푸는 "이 작품은 새 시대의 청년을 찬양함으로써 관중들이 우리의 청년이 혁명의 전통과 혁명사업을 계승할 수 있으며, 마오쩌둥 시대의 청년은 혁명의 훌륭한 계승자로, 생각이 깊고 큰 포부와 이상을 가지고 있음을 알 수 있게 해 준다"라고 보았다. 리리는 "이 작품은 두 부류의 인물을 중점적으로 표현하였다. 하나는 열정적이고, 쾌활하고, 이상을 가지고 있는 쑤지예蕭繼業와 같은 인물이며, 다른 하나는 이기적이고 자신만 아는 린위성林育生과 같은 인물이다. 그들은 서로 다른 두 가지 사상을 가지고 있다. 한쪽은 집단을 위하며, 다른 한쪽은 자신만을 지나치게 사랑하고 집단을 사랑하지 않는다"라고 보았다. 천페이친은 "우리의 젊은 세대는 혁명의 사업을 계승할 것인가, 아니면 방탕아가 될 것인가? 제국주의와 반동파의 망상은 청년 세대 속에서 반혁명 부활의 희망을 찾고 있다", "작가는 우선 시대적 감각, 그리고 정치적인 적극성과 예술적인 적극성을 가져야만 좋은 작품을 창작할 수 있다"라고 보았다.

14일, 『시간』 잡지사가 베이징에서 '낭송예술 좌담회'를 개최하였다.

『문학평론』에 저우위周宇의 「긍정적 인물의 창조와 평가 문제關於正面人物的塑造和評價問題」, 부린페이의 「루쉰 소설의 인물 창조─루쉰 단편소설 학습 찰기魯迅小說的人物創造──學習魯迅短篇小說劄記」 등의 글이 발표되었다.

15일, 『인민일보』에 「일본의 수많은 독자가 우리나라 소설『붉은 바위』를 환영한다日本廣大讀者歡迎我國小說<紅岩>」가 발표되었다.

『작품』 신2권 제10호에 쓰마원썬의 「주디의 집에 큰일이 났다茱地家出了事」, 친무의 「죽실竹米」, 린샤의 「정착하다安家」 등의 소설, 옌천의 「먼 곳의 친척遠方親人」, 천쌍의 「핏빛의 물음표血紅的問號」, 커위안의 「창문·정류장·이름窗口·車站·名字」, 샤오예蕭野의 「전투의 우정戰鬥的友誼」 등의 시가 발표되었다.

16일, 『문회보』에 루옌저우의 「고향 서간」(5)가 발표되었다.

『신후난보新湖南報』에 라오서의 「문학창작에 관하여談談文學創作」가 발표되었다.

19일, 『광명일보』에 류허우밍의 「하향 소기下鄕小記」, 황추윈의 「루쉰은 계급투쟁을 어떻게 대했는가—루쉰 선생 서거 27주년 감상魯迅怎樣對待階級鬥爭——魯迅先生逝世27周年有感」이 발표되었다.

『문회보』에 진웨이민金爲民, 리윈추李雲初의 「「귀가」에 대한 평가를 보고 생각한 몇 가지 문제從<歸家>評價想到的幾個問題」가 발표되었다.

20일, 『희극보』 제10호에 총론 「역사극 문제에 관한 토론」이 발표되었으며, '희곡의 백화제방과 옛것을 취사선택하여 새롭게 발전시키는 방침을 더욱 잘 관철하고 집행하자'란이 개설되었다.

22일, 『광명일보』에 짱커자의 「「낙인」 새 후기<烙印>新記」, 쓰마원썬의 「알제 이야기—북아프리카 여행기阿爾及爾的故事——北非旅行記」가 발표되었다.

26일, 중국과학원 철학사회과학부 위원회에서 제4차 확대회의를 개최하였다. 저우양이 「철학 사회과학 공작자의 전투 임무哲學社會科學工作者的戰鬥任務」라는 제목으로 연설하였다(전문은 12월 27일자 『인민일보』에 게재).

『인민일보』에 선런캉의 보고문학 「태풍 부는 밤台風之夜」이 발표되었다.

『광명일보』에 둥비우의 「북방행 연작시朔方行詩組」가 발표되었다.

29일, 베이징인민예술극원이 후정의 동명의 소설을 각색한 화극 「펀수이가 길게 흐른다」를 공연하였다. 메이첸, 허투禾土, 런바오셴任寶賢이 각본을, 메이첸이 감독을 맡았으며 정룽, 퉁차오, 린자오화 등이 주연을 맡았다. 극본은 『베이징문예』 12월호에 발표되었다.

『광명일보』에 천차오훙陳朝紅의 시 「전진하라, 알제리여!前進!阿爾及利亞!」가 발표되었다.

30일, 『해방군보』에 장융메이의 시 「야자림 깊은 곳의 호4중대椰林深處好四連」가 발표되었다.

31일, 『문회보』에 우중제의 「새로운 인물 형상 창조와 소재 처리新人形象塑造和題材處理」가 발표되었다. 그는 글에서 "공농병 형상을 어떻게 창조해야 할 것인가, 어떤 소재를 선택해야 할 것인가, 어떠한 모순 충돌을 통해 그들을 표현할 것인가" 등의 문제에 관해 중점적으로 토론하였다. 그는 "자료의 선택과 처리의 관건은 시대정신에 대한 이해와 인물의 사상적 특징과 생활적 특징의 파악에 있다", "작가는 마오쩌둥 주석의 지시에 따라 공농병 군중 속에 침투하고 뜨거운 투쟁 속에 침투해, 계급투쟁의 관점을 활용하고 자신이 가진 풍격의 장점을 발휘하여 새로운 세계와 새로운 인물을 묘사해야 한다"라고 보았다. 같은 호에 천지더의 글 「새로운 영웅 형상 창조에 관한 몇 가지 문제를 제기한다提出幾個關於塑造新英雄形象的問題」가 발표되었다.

이달에 월간 잡지 『아동문학兒童文學』이 베이징에서 정식으로 창간되었다. 본 잡지는 공산주의 청년단 중앙위원회와 중국작가협회가 합동으로 간행하는 잡지로, 소학교의 중, 고학년 및 중학생을 독자로 삼아 소설, 시, 동화, 산문, 보고문학 등의 문학작품과 번역한 외국 아동문학 작품을 게재하였다.

궈샤오촨의 시집 『간저린―푸른 장막』이 작가출판사에서 출간되었다. 시집에는 시인이 1959년에서 1963년 사이에 창작한 시 22편이 수록되었다. 시집은 상, 하 2부로 구성되어 상부에는 14편, 하부에는 8편이 수록되었다. 수록 작품 가운데 대표작으로는 「베이다황의 땅 위에 새기다」, 「간저린―푸른 장막」, 「푸른 장막―간저린」 등이 있다.

아이밍즈의 장편소설 『불씨火種』가 작가출판사에서 출간되었다. 이 소설은 '화염 3부작火焰三部曲'의 제1부로, 제2부인 『불타라, 상하이여燃燒吧, 上海』는 1989년에 상하이문예출판사에서 출간되었다.

지린성 공회 선전부와 중국작가협회 지린분회에서 편찬한 보고문학집 『무한한 충성심赤膽忠心』이 지린인민출판사에서 출간되었다. 책에는 차이싱위안蔡行遠의 「무한한 충성심赤膽忠心」, 푸판즈傅凡之의 「등산登山」 등의 작품이 수록되었다.

저우리보가 편찬하고 서문을 쓴 『1959~1961 산문특필선1959―1961散文特寫選』이 인민문학출판사에서 출간되었다.

『1959~1961 아동문학선1959—1961兒童文學選』이 인민문학출판사에서 출간되었다.

11월

1일, 『후난문학』11월호에 펑룬후彭倫乎의 「건조실에 날리는 향기烘房飄香」, 셰푸의 「이곳의 비바람」(중편 연재) 등의 소설, 라오서의 시 「시 3편詩三首」과 「문학창작과 언어文學創作和語言」, 캉쥐의 「'5·4' 창작은 전도가 유망하다寫"五史"大有可爲」 등의 글이 발표되었다. 캉쥐는 글에서 '5·4' 창작은 "현재 우리나라에서 나날이 폭넓게, 그리고 심도 있게 전개되고 있는 사회주의 교육운동에서 온 것이며, 이전의 몇 년간에 비해 더욱 광범위하고도 깊이 있어진 계급교육의 내용에서 온 것이다"라고 지적하면서, 그 의의는 "무산계급의 투쟁 역사로써 수많은 군중과 젊은 세대를 교육하여 인민이 계급투쟁을 알도록 하고, 과거와 현재, 그리고 앞으로의 기나긴 역사적 시기 내내 계속해서 계급투쟁이 존재할 것임을 이해하도록 하는 것"이라고 보았다. 그는 "우리 문예공작자들이 현재의 운동 속에서 인민과 함께 '5·4'를 창작하는 것은 우리의 고유한 본성을 표현한 것으로, 우리가 기꺼이 무산계급과 노동인민의 종이와 펜이 되고, 공농군중의 역사를 기록하고 후세를 교육하는 대변자가 되는 것을 의미한다"라고 밝혔다. 그는 '5·4'를 창작함에 있어 "반드시 사회주의 교육운동에 투신하고, 공농 군중과 함께 먹고, 자고, 일하고, 토론하면서 기층基層의 공작과 투쟁에 성실히 참가해야 한다"라고 보았다. 또한, 그는 현재 '5·4' 창작에 존재하는 주된 문제는 "내용 면에서 신중국 성립 이전과 민주혁명 시기의 계급투쟁에 관한 내용이 적고, 가정사에 관한 내용은 많은 반면 공사사, 향촌사, 공장사, 도시사는 적으며, 가정사에서도 일반적인 하소연이 대부분이고 대표성과 전형성을 가진 내용이 적다"는 것이라고 지적하면서, 앞으로의 창작에서는 "광범위한 접촉을 통해 내용을 점차 깊이 발굴하고, 이러한 과정 속에서 대표성과 전형성을 가진 소재를 선택해야 한다"고 보았다. 그는 결론에서 "'5·4' 창작은 그 의미가 깊고 발전할 영역이 넓으므로, '5·4' 창작의 전도가 유망하다!"라고 밝혔다. 1963년 10월 1일에 발간된 『후난문학』 10월호가 공사사, 향촌사, 가정사, 공장사, 도시사를 발표하는 '5·4 특집호'로 간행되어 이를 계기로 문예계에 '5·4' 창작 붐이 일어났다.

『해방군문예』11월호에 린진란의 소설 「3일 내에限三天」, 류징柳靜의 「칭짱루 위靑藏路上」, 스잉의 「모루 위의 불꽃砧上火花」, 커위안의 「출발점起點」 등의 시, 위안잉의 「11월 1일의 총성과 햇불－알제리 견문록 제1편十一月一日的槍聲和火炬——阿爾及利亞見聞錄之一」 등의 산문, 푸둬, 바이원팅의 7장 화극 「핑싱관의 첫 전투」가 발표되었다.

『쓰촨문학』 11월호에 마스투의 「새로 온 공사 현장 주임新來的工地主任」, 저우커친周克勤의 「우물둔덕 위井台上」, 류훙榴紅의 「레이다충雷打冲」 등의 소설, 루치의 「'지주 장원' 안에서在"地主莊園"裏」, 량상취안의 「창장과 황허의 노래江河之歌」 등의 시, 팡허의 「탕후이우 동지唐會武同志」, 위안궁元工의 「서두르는 사람趕忙的人」 등의 보고문학, 「서정시는 계급투쟁을 반영할 수 있는가?抒情詩能反映階級鬥爭嗎?」, 샤오판曉梵의 「수확 찰기－공농병 단편창작 잡담收獲劄記——工農兵短篇創作雜談」, 탄싱궈譚興國, 천차오훙陳朝紅의 「청년들이여! 투쟁 속에서 성장하라－화극 「젊은 세대」 감상青年們!要在鬥爭中成長——看話劇＜年青的一代＞有感」 등의 글이 발표되었다.

『창장문예』 제11호에 쑨젠중孫健忠의 「우타이산 전기五台山傳奇」, 왕중핑王仲平의 「류웨추劉悅秋」 등의 소설, 류부차오劉不朽의 「늙은 사냥꾼老獵手」, 관용허管用和의 「농민의 말農民的話」 등의 시, 쉬츠의 「가정사 몇 편을 읽고讀了幾束家史之後」, 가오핑의 「시대정신의 높이時代精神的高度」, 천차오훙의 「'단비'의 연상"及時雨"的聯想」 등의 글이 발표되었다.

『옌허』 11월호에 허웨何嶽의 「늙은 말老馬」, 허난禾南의 「성장成長」 등의 소설, 저우징의 「드넓은 대로 위에서在寬廣的大道上」, 황췌黃雚의 「반짝이는 도로閃光的道路」 등의 보고문학, 커위안의 「병사가, 보초 지점에 있다士兵, 在崗位上」, 이사의 「노래를 듣다聽歌」, 왕언위王恩宇의 「사진照像」, 왕핑판의 「야행夜行」 등의 시, 리스원李士文의 평론 「량성바오의 성격 특징에 관하여關於梁生寶的性格特徵」가 발표되었다.

『간쑤문예』 11월호에 스룽푸史榮福의 「바둑을 두다下棋」, 왕웨이신의 「시 어르신과 첸 노파戲大爺和鐵老婆」, 장청즈의 「왕라오류王老六」, 루저우陸舟의 「여종 진주女奴金珠」 등의 소설, 이단차이랑의 「금색의 보전金色的寶殿」, 저우위밍의 「사막보리수나무桂香柳」, 차오스의 「주가酒歌」, 리유룽의 「밭두렁의 토론회地頭討論會」 등의 시, 가오핑의 「신시의 언어에 관하여談談新詩的語言」, 자청이賈承誼의 「민족화 대중화 문제에 관하여關於民族化大眾化問題」, 창수훙常書鴻의 「뜨거운 투쟁 속에서 전진하자在火熱的鬥爭中前進」 등의 글이 발표되었다.

『우화雨花』 제11호에 왕리신의 「노 위의 철학船槳上的哲學」, 런첸任千의 「잘못을 깨달았다면 반드시 고쳐야 한다知過必改」, 장스첸章士謙의 「질주奔馳」 등의 소설, 쑨유톈의 「은빛 조개껍질銀色的貝殼」, 궁시의 「정박하다泊」 등의 시, 루주루陸九如의 「또 한 번의 아침又是一個早晨」, 위안페이袁飛의 「고난의 유년苦難的童年」 등의 보고문학이 발표되었다.

『신항』11월호에 장창궁의 「사기司旗」, 장칭톈의 「봉황의 노래鳳凰之歌」 등의 소설, 옌이의 「희상봉喜相逢」, 스잉의 「윗세대 사람老一輩人」, 천궈핑의 「차오한 황무지 개간팀朝漢墾荒隊」 등의 시, 리루지林如稷, 인짜이친尹在勤의 글 「계급투쟁을 깊이 있게 반영하다─사팅 동지의 「한 차례 풍파」를 읽고深刻地反映階級鬥爭──讀沙汀同志的＜一場風波＞」가 발표되었다. 이들은 글에서 "「한 차례 풍파」는 지도권을 놓고 다투는 중대한 계급투쟁을 묘사하면서도 읽는 이에게 전혀 무거운 느낌을 주지 않는다……이 소설을 작가가 2년 전에 「쫓고 쫓기다」와 「휴일」에서 보여준 특징의 새로운 모습이라 볼 수 있다. 이러한 새로운 모습은 사팅 동지가 지닌 정치적인 격정과 날카로운 관찰력과 불가분의 관계에 있다"라고 보았다.

『불꽃』11월호에 마펑의 『류후란 전기』(장편 연재), 루치의 「류라오건 이야기劉老根的故事」, 자오쭈야오焦祖堯의 「샘泉」, 지멍장紀孟璋의 「999개의 나사못999個螺絲釘」, 주하이九孩의 「이 성실한 사람這個老實人」, 위지탕餘繼唐의 「훙니紅妮」 등의 소설, 궁류의 시 「인링즈尹靈芝」, 리쥔黎軍의 산문 「어느 젊은이의 발걸음一個年輕人的腳步」이 발표되었다.

『창춘』11월호에 장톈민의 소설 「청색모반藍痣」이 발표되었다.

『초원』11, 12월호 합본에 안커친푸의 보고문학 「부지런한 정원사辛勤的園丁」, 바‧부린베이허의 「우란하다烏蘭哈達」, 리유룽의 「꽃의 초원花的草原」 등의 시, 리펑거李鳳閣의 단막 화극 「족보全家譜」, 쿠이청奎曾의 평론 「혁명문예는 계급 모순과 계급투쟁을 표현해야 한다革命文藝要表現階級矛盾和階級鬥爭」가 발표되었다.

3일, 『해방군보』에 뤼사오탕呂紹堂의 시 「변방의 전사는 위성류를 좋아한다邊防戰士愛紅柳」가 발표되었다.

4일, 『베이징문예』11월호에 왕수王澍의 「북鼓」, 구리가오의 「삶의 길」(4, 5편) 등의 소설, 황강의 보고문학 「리신쯔 아가씨李信子姑娘」, 스잉의 「문 앞의 석판 길門前石板路」, 민치의 「과일을 보내다送果兒」 등의 시, 문대회 좌담회 요록 「당대의 공농병 영웅 인물을 더 잘 연기하자進一步演好當代工農兵英雄人物」가 발표되었다.

5일, 『상하이문학』11, 12월호 합본에 후완춘의 「내부 문제內部問題」, 자오쯔趙自의 「엄마는 아직 집에 돌아오지 않았다媽媽還沒回家」, 왕저청의 「의사 쑤린蘇林大夫」 등의 소설, 샤오강肖崗의 「수확의 나날 속에서收獲的日子裏」, 바이더이의 「공사 소경公社小景」, 천궈핑의 「린하이의 새로운 풍경림海新景」, 정청이鄭成義의 「빛나는 시대發光的年代」, 셰전귀謝振國의 「철로 순찰 공인巡道工」 등의 시, 천랴오의 「시대가 변하고 인물이 변했으니, 작가의 필치도 변하지 않을 수 없다時代變了, 人物變了, 作家的筆墨也不能不變」, 친더린秦德林의 「예술의 가치를 이렇게 말하는 것이 합당한가?這樣的談藝術價値是恰當的嗎?」 등의 평론이 발표되었다.

『북방문학』 11월호에 왕위치王玉琦의 「농민莊稼人」(장편소설 부분), 차이톈신의 「봄이 다리 어귀까지 왔다春到橋頭」(장편소설 『대지의 청춘』 제1~6장), 쑨쉐런孫學仁의 「두 어르신爺倆」 등의 소설이 발표되었다.

『신장문학』 11월호에 아부두라볘커阿不都拉別克(카자흐족)의 소설 「정착落戶」, 자오밍趙明의 영화문학 극본 「옛 나루터의 새 다리古渡新橋」, 톄이푸장 · 아이리예푸의 시 「동방 여행 연작시東遊組詩」가 발표되었다.

『열풍』 제6호에 허쩌페이何澤沛의 소설 「겨울 파종 시기冬種時節」, 샤오링肖玲의 「차산부茶山賦」, 왕윈팅王芸亭의 「산길 위山路上」 등의 소설이 발표되었다.

『변강문예』 11월호에 리차오의 소설 「진달래꽃 필 때杜鵑花開的時候」가 발표되었다.

6일, 『해방군보』에 이사의 시 「높이 난다 말하지 마라莫道飛得高」가 발표되었다.

8일, 국무원에서 문화부의 「중국희곡학원을 중국희곡연구원으로 개편하는 데 관한 보고關於將中國戲曲學院改爲中國戲曲研究院的報告」를 비준해 1964년 1월 1일부터 시행하기로 결정하였다. 연구원의 주된 임무는 1. 극본의 창작과 각색을 조직하고, 우수한 희곡 작품을 선정해 편집하고 추천하는 것. 2. 실험극단을 통해 무대 예술의 혁신적 실험을 진행하는 것. 3. 옛것을 취사선택하여 새롭게 발전시킨 경험을 연구 및 정리하고, 평론공작을 계획적으로 조직하고 희곡예술 발전사를 집필하여 희곡 업무 관련 간부들을 양성하고 훈련시키는 것 등이다. 19일, 문화부는 중국희곡학원을 중국희곡연구원으로 개편해 예술국의 관리하에 두며, 중국희곡학교 실험경극단을 중국희곡연구원 소속으로 둘 것을 결정하였다.

9일, 『광명일보』에 거친舸勤의 「좋은 작품이 더 많이 하향하기를 바란다—자오수리의 『하향집』을 읽고願更多的好作品下鄕——讀趙樹理的〈下鄕集〉」가 발표되었다.

10일, 『문회보』에 루페이의 산문「바다는, 이 얼마나 아름답고 푸른가!海，藍得好靚啊!」가 발표되었다.

『전영극작電影劇作』에 샤옌의 글「각색 문제에 대한 객의 질문에 답하다對改編問題答客問」 및 딩훙 등의 「레이펑雷鋒」, 양한성의 「북국강남北國江南」 등의 극본이 발표되었다.

『광시문예』 11월호에 친자오양의 장편소설 연재『두 세대 사람』이 발표되었다.

『압록강』 11월호에 왕융즈王永志의 「나와 뉴 아가씨我和牛姑娘」, 장쿤중張坤仲의 「새것과 낡은 것 사이新老之間」 등의 소설, 셰수의 산문 「뭇별繁星」, 훠만성의 서사시『트랙터 전기』(제2부 제12~14장), 장수선張書紳의 「가자, 당과 함께 가자!走，跟黨走!」 등의 시, 마자의 「족보를 쓰다敍家譜」, 사오화의 「가을 경치 기록秋色紀事」, 장리옌張立硯의 「미완성의 일기未完成的日記」 등의 보고문학, 선줘옌申卓言의 글「문학의 경기병이 더 큰 위력을 발휘하게 하자讓文學輕騎兵發揮更大威力」가 발표되었다.

11일, 『문예보』 11월호에 장광녠의「현대 수정주의의 예술적 표본을 평하다—그리고리 추크레이의 영화와 그의 발언評現代修正主義的藝術標本——格·丘赫萊依的影片及其言論」, 화푸華夫의 「거울 한 개, 세 부류의 인물, 두 개의 길—화극「삼인행」만담一面鏡子，三種人物，兩條道路——漫談話劇<三人行>」, 웨이쥔이의 「신인의 신작「위취안이 푸른 물을 뿜다」 소개介紹新人新作<玉泉噴綠>」, 허원쉬안何文軒의 「「귀가」의 애정 묘사를 평하다評<歸家>的愛情描寫」, 창샹위常香玉의 평론「새로운 내용을 공연하고, 새로운 형식을 창조하자演新內容，創新形式」가 발표되었다. '새로운 수확'란에는 셰윈謝雲의 「돛風帆」, 간탕후이甘棠慧의 「양류춘에 다시 돌아가다」, 쑹레이의 「트랙터 전기鐵牛傳」(제1부)가 발표되었다.

12일, 『문회보』에 쩡커자의 시「인민이 거대한 손을 뻗다—U—2호 격추를 환호하며人民伸出巨手——歡呼U—2被打掉」가 발표되었다.

『인민문학』 11월호에 천덩커의 「화이베이 풍운淮北風雲」, 궈청칭의 「공사 서기公社書記」, 류궈화의 「여섯 통의 편지六封信」 등의 소설, 리잉의 「산의 주인山的主人」, 옌이의 「잊을 수 없는 그림자難忘的身影」, 탕다통의 「노래해라, 소리쳐라唱起來呀喊起來」, 장즈민의 「미국의 고무보트美國橡皮艇」 등의 시, 쉬치의 보고문학「민요 수집 기록采風記」, 원제의 「이터라산 위伊特拉山上」, 천바이천의 「잊힌 기념忘卻了的記念」 등의 산문, 빙신의 「『홍루몽』 창작 기교 일부<紅樓夢>寫作技巧一斑」 등의 글이 발표되었다.

13일, 『인민일보』에 궈샤오촨의 산문 「이리의 가을 경치伊犁秋色」가 발표되었다.

15일, 『작품』 신2권 제11, 12호 합본에 평론 「문예는 우리 시대를 더 잘 반영해야 한다文藝要更好地反映我們的時代」, 「무산계급을 일으키고 자산계급을 타도하는 문학의 기치를 높이 들자高擧文學的興無滅資的旗幟」, 선런캉의 시 「주장의 가을 풍경珠江秋色」, 위펑於逢의 「영원히 총을 들다永遠帶著槍」, 친무의 「불타는 십자가焚燒的十字架」, 황구류의 「채운루彩雲樓」 등의 단막극 극본이 발표되었다.

『문회보』에 「『맹아』가 내년 1월에 복간되며, 『상하이문학』은 『수확』으로 명칭이 변경된다＜萌芽＞明年一月複刊 ＜上海文學＞更名＜收獲＞」라는 소식이 게재되었다.

17일, 『해방군보』에 차오스의 시 「전사의 노래戰士的歌」가 발표되었다.

20일, 『극본』 10, 11월호 합본에 란광의 8장 화극 극본 「펀수이가 길게 흐른다汾水長流」, 천번陳奔, 관웨關越, 왕건王互의 6장 아동극 「선생과 학생 사이師生之間」, 충선叢深의 화극 「절대로 잊어서는 안 된다千萬不要忘記」(「당신이 건강하기를祝你健康」 이라고도 함)가 발표되었다. 같은 호에 리시판의 「'옛것을 취사선택하여 새롭게 발전'시키려면 우선 사상의 '새로운' 것을 '발전'시켜야 한다 — 몇몇 전통 작품의 각색에 관하여"推陳出新"首先是"出"思想之"新"———談幾個傳統劇目的改編」가 발표되었다. 그는 글에서 곤곡 「십오관」, 예극 「양문여장」, 푸젠 보선희福建莆仙戲 「한데 모인 후團圓之後」, 천극 「억지로 혼인하다拉郎配」 등 각색을 거친 전통 희곡 작품을 예로 들면서 전통 희극은 반드시 백화제방하고 옛것을 취사선택하여 새롭게 발전시켜야 한다고 보았다.

충선(1928~2007), 본명은 충펑쉬안叢鳳軒으로 헤이룽장성 옌서우延壽 출신이다. 1958년에 하얼빈전영제편창哈爾濱電影制片廠 각본가를, 1960년에는 하얼빈화극원哈爾濱話劇院의 각본가를 맡았으며, 1983년 이후로 하얼빈시 문련 부주석, 주석 겸 당조서기, 1급 각본가, 중국극협 상무이사 등을 역임하였다. 대표작으로 화극 「백년대계百年大計」, 「절대로 잊어서는 안 된다」, 「선봉 전사先鋒戰士」, 「틈새와 첩자間隙和奸細」(합동 창작), 「깨달음悟」, 「일엽지춘一葉知春」 등이 있으며, 단독 혹은 합동으로 창작한 영화문학 극본 가운데 「쉬추징 사건徐秋影案件」, 「웃음꽃이 활짝 피다笑逐顏開」, 「마곡예단의 새 레퍼토리馬戲團的新節目」,「절대로 잊어서는 안 된다」,「첩자奸細」,「운 좋은 사람幸運的人」 등 6편은 극영화로 제작되었다.

『세계문학』 11월호에 「괴테와 에커만의 대화록歌德和愛克曼的談話錄」(장위성張玉生 번역)이 발표되었다.

21일, 베이징인민예술극원이 화극 「초소의 깃발崗旗」과 「젠간허 강가」를 공연하였다. 「초소의 깃발」은 리훙린李宏林이 각본을, 톈충이 감독을 맡았으며 자오바오차이趙寶才, 디신 등이 주연을 맡았다. 극본은 『극본』 1964년 1월호에 발표되었다. 「젠간허 강가」는 류허우밍이 각본을, 샤춘, 바이썬이 감독을 맡았으며 퉁차오, 주쉬, 쑨안탕 등이 주연을 맡았다. 극본은 『베이징문예』 10월호에 발표되었다.

25일, 『성화』 제6호에 우칭푸吳慶福의 「영감老伴」, 리밍잉李名英의 「동풍이 사람의 마음을 이해하다東風解人意」, 쉬정서우徐正壽의 「작업복 두 벌兩套工作服」 등의 소설, 위린의 산문 「징강산을 방문하다訪井岡山」, 양페이진의 「생활의 주인이 되자做生活的主人」, 옌잉彥膺의 「반드시 군중과 일치하는 사상 감정을 수립해야 한다必須建立與群眾相一致的思想感情」가 발표되었다.

26일, 『광명일보』에 린샤의 산문 「열정熱情」이 발표되었다.

29일, 마오쩌둥 등이 난징부대 전선화극단이 공연한 「네온사인 아래의 보초병」을 관람한 후 극작가와 배우들을 만났다.

30일, 『광명일보』에 창샹위의 「한 명의 배우, 이중의 신세一個演員 兩重身世」가 발표되었다.

이달에 마오쩌둥이 『희극보』와 문화부에 대해 비평하였다. 그는 "한동안 『희극보』에서는 온갖 잡배와 악인만을 선전했다. 문화부는 문화에 관여하지 않는다. 봉건적인 것, 왕후장상과 재자가인에 관한 것이 아주 많으나 문화부는 이에 관여하지 않는다. 꼼꼼히 검사해 성실하게 개선해야 한다. 만약 바뀌지 않는다면 '왕후장상부', '재자가인부', 아니면 '외국사인부外國死人部'로 이름을 바꾸는 것이 낫다"라고 밝혔다.

중국희극가협회 창작위원회와 『극본』 잡지사가 합동으로 단막극 창작좌담회를 개최하였다. 천바이천, 리젠우, 천치퉁 등이 참석하였다.

안치의 시론집 『신시의 민족화, 군중화 문제의 초보적 탐색新詩民族化群眾化問題初探』이 쓰촨인민출판사에서 출간되었다.

귀모뤄의 시집 『촉도기蜀道奇』가 충칭인민출판사에서 출간되었다.

원제와 위안잉의 합동시집 『화환 – 파키스탄 방문 시초花環——訪問巴基斯坦詩草』, 귀모뤄의 시집 『동풍집東風集』, 중국작가농촌도서공작위원회中國作家農村讀物工作委員會에서 편찬한 『단편소설短篇小說』(1~3집), 시룽의 단편소설집 『풍작집豐產集』, 바이웨이의 장편소설 『황무지 개간의 노래墾荒曲』가 작가출판사에서 출간되었다.

류수더의 단편소설집 『배를 팔다』가 상하이문예출판사에서 출간되었다.

하오란의 산문특필집 『베이징의 거리北京街頭』가 베이징출판사에서 출간되었다.

12월

1일, 『문회보』에 저우자룬의 산문 「수향의 은기병水鄉銀騎兵」이 발표되었다.

『후난문학』12월호의 회극 특집란에 라오서의 「회극 만담戲劇漫談」, 장런위張人宇의 「새 시대의 혁명행진곡−화극 「젊은 세대」를 평하다新時代的革命進行曲——評話劇<年青的一代>」 등의 글과 셰푸의 중편 연재 「이곳의 비바람這邊風雨」이 발표되었다.

『해방군문예』12월호에 쑨징루이의 「변경 초소의 낙타 방울邊卡駝鈴」, 샤오윈싱肖雲星, 가오샤오셴高效先의 「은화가 반짝인다銀花閃閃」 등의 소설, 웨이촨퉁魏傳統의 「무형의 창청이 무한히 길다無形長城無限長」, 랴오다이첸의 「쿤룬산 위에서 승전보를 듣다昆侖山上聽捷報」, 저우강周綱의 「하늘색의 용광로 불꽃淡藍色的爐火」, 양싱훠楊星火의 「고원의 버드나무高原的柳」, 지펑의 「잠수함 모음곡潛艇組歌」, 란보藍波의 「탕구라산맥 아래唐古拉山下」, 장치張歧의 「섬의 민병漁島民兵」 등의 시, 청징신程景山 등의 단막 3장 화극 「수기 이야기手旗的故事」가 발표되었다.

『쓰촨문학』12월호에 장광녠의 「현대 수정주의의 예술적 표본을 평하다−그리고리 추크레이의 영화와 그의 발언」이 전재되었다. 같은 호에 웨이한韋翰의 「맞선을 보다相親」, 훠디火笛의 「심상치 않은 회견不尋常的會見」 등의 소설, 천차오훙陳朝紅의 「경계하라, 백 배로 경계하라警惕，百倍的警惕」, 탕다퉁의 「빨리! 빨리 네 그물을 펼쳐라快!快撒下你的漁網」와 「풍작의 곡조豐收調」 등의 시가 발표되었다.

『창장문예』 제12호에 추치楚奇의 「소牛」, 리쑤李蘇의 「감이 햇살에 익어갈 때當柿子曬成的時候」 등의 소설, 커위안의 시 「남국시초南國詩抄」, 야오쉐인의 산문 「중양절에 높은 곳에 오르다重陽登高漫記」, 훙양의 보고문학 「장 구장薑區長」, 후이샤오胡憶肖의 아동문학 작품 「오리를 낚다釣鴨」가 발표되었다.

『옌허』 12월호에 자오옌이趙燕翼의 「붉은 꽃紅花」, 리윈力耘의 「웨이허 기슭 위渭河岸上」, 우하오吳昊의 「길路」 등의 소설, 류전의 「전사의 고향戰士的家鄉」, 저중哲中의 「금색 목걸이一條金色的項鏈」 등의 산문, 리빈李彬의 「지주의 말地主的鬥」, 리창화李強華의 「착취자의 확증剝削者的鐵證」, 쑤진싼의 「쌀을 찧다碾米」, 장더화薑德華의 「수탑 송가水塔頌」 등의 시가 발표되었다.

『간쑤문예』 12월호에 왕자다王家大의 「과수원에서果園裏」, 왕부톈王不天의 「트랙터가 봄을 재촉하다鐵牛催春」, 천전샹陳振祥의 「동료夥伴」 등의 소설, 란만의 「설산의 선로 보수반雪山道班」, 샤양夏羊의 「농촌 기록農村記事」, 리윈펑의 「모녀母女」 등의 시가 발표되었다.

『우화雨花』 제12호에 바이더이의 「강해음江海吟」, 바오밍루鮑明路의 「또다시 10월又是個十月」, 장디화張棣華의 「어느 흑인 병사 이야기一個黑人士兵的故事」, 선옌沈彥의 「또다시 석류꽃이 눈부신 5월이 왔다又是榴花照眼的五月了」, 런훙쥐의 「늙은 전사의 그리움老戰士的懷念」 등의 시가 발표되었다.

『안후이문학』 제12호에 천덩커의 장편소설 부분 『폭풍우風雷』, 장칭톈의 「부녀편父女篇」, 우수성吳樹聲의 「신부와 신랑新娘和新郎」 등의 소설, 판순潘順의 「망치鄕頭」, 류밍샹劉明香의 「바이트 예찬車刀贊」, 리난李南의 「톄산 시간鐵山詩簡」, 허셴취안賀羨泉의 「정양관正陽關」, 마진瑪金의 「훙소紅沼」, 뉴광진牛廣進의 「야영 산곡野營散曲」, 장완수張萬舒의 「전사의 귀戰士的耳朵」, 류쭈츠劉祖慈의 「문턱門檻」 등의 시가 발표되었다.

『신항』 11월호에 왕린의 장편 연재 『'12·9' 행진곡"一二·九"進行曲』, 장즈싱의 「할아버지爺爺」, 장톄산張鐵珊의 「세 친구三個朋友」 등의 소설, 천바이천의 산문 「쯔징산 속紫荊山中」, 란만의 「아치형 다리拱橋」, 왕청둥의 「반란을 평정하다平叛」(장시 『파조찬단波鳥贊丹』 부분) 등의 시, 장허썬의 「『홍루몽』 인물 예찬<紅樓夢>人物贊」, 첸모샹錢模祥의 「「우처우가 대장이라서」에 관하여小談<因爲五醜是隊長>」, 류민劉民의 「「산을 허물다」를 읽고讀<劈山記>」 등의 글이 발표되었다.

『불꽃』 12월호에 사설 「사회주의 문예의 전투적 역할을 더 잘 발휘하자進一步發揮社會主義文藝的戰鬥作用」, 런빙유任秉友의 「나의 반년간我這半年」, 웨이펀蔚汾의 「첫날第一天」, 황수팡黃樹芳의 「왕린린王林林」, 마펑의 『류후란 전기』(장편 연재) 등의 소설, 팡옌方彥의 단막 화극 「금 대들보와 옥 기둥金梁玉柱」이 발표되었다.

『창춘』 12월호에 런옌광의 「어느 공사 전기 기술자의 실루엣一個公社電工的剪影」, 지펑의 「초원

야영草原野營」 등의 시, 구펑穀風의 보고문학 「여섯 명의 젊은이六個年輕人」, 후이춘惠存의 단론 「극본을 많이 창작하자多創作一些劇本」가 발표되었다.

2일~3일, 『문회보』에 정이鄭儀, 쥔룽俊隆의 글 「영화예술의 새로운 창조 등을 논하다論電影藝術的創新及其他」가 전재되었다.

3일, 문화부에서 각지에 양극揚劇 「도장을 빼앗다」, 예극 「리솽솽」 등 우수한 희곡 작품을 추천하였다.

4일, 『문회보』에 자오푸추의 시 「남향자－일본 와라비 가무단에 보내다南鄉子——贈日本蕨座歌舞團」가 발표되었다.

『베이징문예』 제12호에 구리가오의 소설 「삶의 길」(6, 7편), 메이첸, 허투禾土, 런바오셴의 희극 「펀수이가 길게 흐른다」가 발표되었다. 같은 호에 문대회에 관련해 「농촌 소재 단편소설 좌담회 요록農村題材短篇小說座談會紀要」이 발표되었다. 글은 관화, 린진란, 하오란 등이 쓴 작품을 분석하고 연구하며 작품의 전투성을 강화하고 민족화와 대중화를 강화할 방법에 관해 탐구하였다.

5일, 『북방문학』 12월호에 왕원샤오의 「경례하라! 총을 든 동지敬禮!拿槍的同志」, 천궈핑의 「노산둔老山屯」 등의 시, 타오얼푸陶爾夫의 평론 「『왕구이와 리샹샹』에 관하여談＜王貴與李香香＞」가 발표되었다.

『신장문학』 12월호에 「문예공작의 전투성을 강화하기 위해, 자치구 문련에서 문예창작좌담회를 개최하다加強文藝工作的戰鬥性, 自治區文聯召開文藝創作座談會」, 본지 편집부의 단평 「문예창작은 계급투쟁을 위해 더 잘 복무해야 한다文藝創作要更好地爲階級鬥爭服務」 및 왕위후王玉胡의 「여정 3편旅途三章」, 장펀江焚의 「고비 사막 서정戈壁抒情」 등의 산문이 발표되었다.

7일, 베이징시 문련에서 현대 소재 희극 작품 공연 관람 주간을 진행하였다. 라오서가 축하의 글 「좋은 소식好消息」을 집필하였다. 『베이징일보』에 관련 사설 「현대의 꽃을 활짝 피우자讓現代之花盛開」가 발표되었다. 『희극보』 12월호에 본 공연의 관람 찰기 「생활 속의 모순을 더욱 깊이 있게 표현하자更深刻地揭示生活中的矛盾」가 전재되었다.

8일, 『인민문학』 12월호에 류칭의 「하마탄의 희극蛤蟆灘的喜劇」, 쑨첸의 「대장의 집안 형편隊長的家事」, 먀오옌슈(동족侗族)의 「귀국 교포 샤오펑歸僑小鳳」, 탕더페이唐德佩의 「비 내리는 밤의 손님雨夜來客」 등의 소설, 량상취안의 「동상銅像」, 천량원의 「노도怒濤」 등의 시, 바이예의 보고문학 「대대의 여자 지부 서기大隊女支書」, 두쉬안의 「시의 섬詩之島」, 위딩於丁, 주량이朱良儀의 「장군과 수병將軍和水兵」 등의 산문, 자오위샹의 「고개 위의 인가」, 후단페이의 「또 한 번의 담판又一個回合」 등의 단막극 극본이 발표되었다.

10일, 『광명일보』에 천쌍의 「새마을 야화─하이링다오 자포위강 기록夜話新村──海陵島閘坡漁港紀事」이 발표되었다.

『산둥문학』 12월호에 장수이江水, 멍하오의 「단막극의 전투적 역할을 더 잘 발휘하자進一步發揮獨幕劇的戰鬥作用」, 리광예李廣野의 「시대의 요구에 어떻게 답할 것인가─화극 「젊은 세대」를 평하다怎樣回答時代的要求──評話劇<年青的一代>」, 쉬수쉬안許淑軒의 「군중은 현대극을 좋아하지 않는가?群眾不喜歡現代戲嗎?」 등의 글이 발표되었다.

『광시문예』 8월호에 장광녠의 「현대 수정주의의 예술적 표본을 평하다─그리고리 추크레이의 영화와 그의 발언」, 웨이거신韋革新의 「노예의 딸奴隸的女兒」, 사홍莎紅의 「요족 마을 산가瑤寨散歌」 등의 시, 쭤추左丘의 단막 화극 「9월 9일 중양절九九重陽」이 발표되었다.

『압록강』 12월호에 장리옌의 「슈칭 아주머니秀青嫂子」, 리푸원李普文의 「집주인 형제房東兄弟」, 쉬밍徐明의 「스 서기와 푸 조수石書記與符助理」 등의 소설, 샤오판曉凡의 「산간지대의 식량 운송팀山區送糧隊」, 장스빈薑士彬의 「말鬥」, 쑨빈孫濱의 「베트남越南」, 장충첸張崇謙의 「오래된 방풍림老護林」 등의 시, 추이쉬안崔璿의 산문 「이곳은 가을 경치가 유독 좋다這裏秋光獨好」가 발표되었다.

『시간』 12월호에 리잉의 「10월 혁명의 포성에 바치다獻給十月革命的炮聲」, 루치의 「양류수에 다시 돌아가다重返楊柳樹」 등의 시가 발표되었다.

11일, 『문예보』 11월호의 '새로운 수확'란에 쉬이徐逸의 「손手」, 후더페이胡德培의 「재정 관리理財」 등의 작품이 발표되었다. 이 외에도 중웨이진鍾偉今의 「'나는 항상 나의 청중이 공인과 농민임을 생각한다'"我總想到我的聽眾是工人和農民"」, 탕짜이싱唐再興, 정나이짱鄭乃臧의 「제창할 만한 시도值得提倡的嘗試」 등의 문예필담이 발표되었다.

12일, 마오쩌둥이 중공중앙 선전부에서 1963년 12월 9일에 편집 및 인쇄한 「문예 상황 보고 文藝情況彙報」 제116호에 게재된 「커칭스 동지가 곡예 공작을 붙잡다柯慶施同志抓曲藝工作」라는 글을 비준하고 중공 베이징시위원회의 평전, 류런劉仁에게 전달하였다. 그는 또한 분예계에 "각종 예술 형식－희극, 곡예, 음악, 미술, 무용, 영화, 시와 문학 등등에 적지 않은 문제가 존재한다. 여러 부문 이 아직도 '죽은 사람'의 통치를 받고 있다. 영화, 신시, 민가, 미술, 소설의 성적을 과소평가할 수는 없으나, 이 가운데에도 문제가 적지 않다. 희극 등의 부문에는 문제가 더욱 많다", "수많은 공산당 인들이 봉건주의와 자본주의를 제창하는 데 열심이면서 사회주의 예술은 열심히 제창하지 않으 니, 이 어찌 괴이한 일이 아니겠는가"라고 서면으로 의견을 표명하였다.

13일, 『문회보』에 롼귀화阮國華, 톈번샹田本相의 글 「새로운 영웅 인물 창조는 사회주의 문학 의 영광스러운 임무이다塑造新英雄人物是社會主義文學的光榮任務」가 발표되었다. 이들은 글에서 새로 운 영웅 인물 형상을 창조하는 방법에 관해 "새로운 영웅 인물 창조"는 "사회주의 문학의 영광스 러운 임무이다"라고 보면서, "작품 속의 새로운 영웅 형상은 생활 속의 새로운 영웅 인물에 비해 더욱 이상적이고 완벽해야 한다", "새로운 영웅 인물 성격의 풍부성"은 "무산계급의 도덕적 품성 을 다방면으로 충분히 표현한 것"이어야 한다고 보았다.

톈번샹(1932~2019), 톈진 출신으로 1949년에 군에 입대하였다. 1961년에 난카이대학 중문과 를 졸업하였다. 중앙희극학원 교수, 중국예술연구원 화극연구소 소장, 중국화극문학연구회 회장 을 역임하였다. 저서로 『차오위 극작론曹禺劇作論』, 『궈모뤄 역사극론郭沫若史劇論』(합동 창작), 『차 오위 전기曹禺傳』, 『톈한 평전田漢評傳』, 『중국화극연구개술中國話劇研究概述』(합동 창작), 『TV문화 학電視文化學』이 있으며 『중국화극백년도사中國話劇百年圖史』 등을 편찬하였다.

14일, 『문학평론』에 '조설근 서거 200주년 기념' 특집으로 허치팡의 「조설근의 공헌曹雪芹的貢 獻」, 장허썬의 「『홍루몽』 애정 묘사의 시대적 의의와 그 한계<紅樓夢>愛情描寫的時代意義及其局限」, 류스더劉世德, 덩사오지의 「『홍루몽』의 주제<紅樓夢>的主題」 등의 글이 발표되었다. 같은 호에 주자 이의 「시대 혁명정신의 광휘－『붉은 바위』를 읽고時代革命精神的光輝——讀<紅岩>」가 발표되었다. 주자이는 글에서 "『붉은 바위』는 시대 투쟁을 다루었을 뿐만 아니라, 시대의 혁명정신도 지니고 있 다", "가장 눈에 띄는 공헌은 일련의 혁명 영웅 형상을 성공적으로 창조했다는 점이다"라고 보았다.

덩사오지(1933~), 고전문학 학자로 장쑤성 창수常熟 출신이다. 1955년에 푸단대학을 졸업한 후

문학연구소에서 근무하였다. 고대문학연구실 주임, 『문학평론』 편집부 책임자 및 부소장, 학술위원회 주임을 역임하였다. 현재 중국사회과학원 문학연구소 연구원 및 학술고문, 중국사회과학원 대학원 교수 및 문학부 주임을 맡고 있다. 『중화문학통사中華文學通史』, 『원대문학사元代文學史』, 『중국대백과사전中國大百科全書』(문학 부분) 등의 대형 저서의 편찬에 참여하였으며, 대표 논저로는 『두시별해杜詩別解』, 『5・4문학혁명과 문학 전통五四文學革命與文學傳統』 등이 있다.

『광명일보』에 스잉의 시 「북방의 첫눈北國初雪」이 발표되었다.

15일, 『전영문학』 12월호에 마오펑, 우자오디가 바진의 동명의 소설을 각색한 영화문학 극본 「한데 모이다團圓」가 발표되었다.

16일, 『문회보』에 장중의 글 「영웅 이상화의 예술 표현英雄理想化的藝術表現」이 발표되었다.

17일, 『광명일보』에 비예의 산문 「징저우 만보荊州漫步」가 발표되었다.

18일, 『인민일보』에 천이의 시 「쿤밍 잡영昆明雜詠」이 발표되었다.

19일, 『인민일보』에 예젠잉의 시 「뤄룽환 동지를 추모하며悼念羅榮桓同志」가 발표되었다.
『광명일보』에 가오스치의 시 「나는 베트남 남방을 바라본다我望著越南南方」가 발표되었다.

19일~27일, 중국극협이 베이징에서 제4기 상무이사회 확대회의를 개최하였다. 회의를 통해 톈한이 제1서기로 선출되었으며, 톈한, 리즈화, 리차오, 우쉐, 마옌샹, 장경, 장잉, 위안스하이, 허징즈, 위지, 자오쉰으로 서기처를 구성하였다.

20일, 『인민일보』에 주더의 시 「뤄룽환 동지를 추모하며悼羅榮桓同志」가 발표되었다.
『극본』 12월호에 진젠金劍의 6장 화극 「춘광곡春光曲」이 발표되었다.

21일, 『광명일보』에 궈모뤄의 시 「광시기행시사초(상)廣西紀行詩詞抄(上)」, 쭝푸의 산문 「길路」이 발표되었다.

22일, 『문회보』에 샤오잉曉鷹의 산문 「갈망 속에서 쓰다寫在渴望中」가 발표되었다.

23일, 왕멍이 신장 우루무치로 이주해 신장위구르족자치구 문련에서 근무하면서 『신장문학』 편집자를 맡았다.

『인민일보』에 둥비우의 시 「뤄룽환 동지를 추모하며悼羅榮桓同志」가 발표되었다.

『문회보』에 판쉬란, 쩡화펑의 글 「원제의 장편서사시 『복수의 화염』을 평하다評聞捷長篇敍事詩 <複仇的火焰>」가 발표되었다.

24일, 『광명일보』에 궈모뤄의 시 「광시기행시사초(하)」가 발표되었다.

25일, 『해방일보』에 사설 「현대극을 대대적으로 제창하자―화둥구 화극관람공연의 개막을 축하하며大力提倡現代劇――祝華東區話劇觀摩演出開幕」가 발표되었다. 사설은 "사회주의 상부 구조의 중요한 부분으로서의 사회주의 문예는 반드시 기초에 대한 자신의 반작용을 충분히 발휘하고, 사회주의 경제 기초를 공고히 하고 발전시키기 위해 적극적으로 복무해야 한다"라고 밝혔다. 사설은 희극계에서 희극의 소재에 대한 선택 문제를 사상 영역에서의 계급투쟁의 표현이라고 보아야 한다고 명확히 밝혔다.

『문회보』에 쓰마원썬의 산문 「알제리로 가는 여정에서―북아프리카 여행기到阿爾及利亞旅途中―――北非旅行記」가 발표되었다.

25일~1964년 1월 22일, 화둥구 화극관람공연이 상하이에서 진행되었다. 커칭스가 「사회주의 희극을 대대적으로 발전 및 번영시켜, 사회주의 경제 기초를 위해 더 잘 복무하자大力發展和繁榮社會主義戱劇, 更好地爲社會主義經濟基礎服務」라는 제목으로 보고를 진행하였다. 본 공연에는 화둥의 각 성, 시와 부대에서 참가한 16개 단체가 13편의 장막극과 7편의 단막극을 공연하였다.

26일, 『광명일보』에 톈젠의 시 「대나무 이야기竹子的故事」, 위안잉의 「작은 도시의 낮잠 시간 ―알제리 견문록小城午歌――阿爾及利亞見聞錄」이 발표되었다.

28일, 단장 장둥촨이 이끄는 중국경극원 일본 방문단이 공연을 위해 일본을 방문하였다. 방문단의 주요 구성원은 양추링楊秋玲, 류창위劉長瑜, 리창춘李長春, 허우정런侯正仁, 위다루俞大陸, 왕징화王晶華 등이다. 방문단은 도쿄, 오사카, 나고야, 후쿠오카, 교토, 히로시마, 고베, 요코하마 등지에서「양문여장」,「야저림野猪林」,「뇨천궁鬧天宮」,「홍교증주虹橋贈珠」 등의 작품을 공연하였다.

『문회보』에 '화등구 화극관람공연 작품 평가' 특집란이 개설되어 본 행사에서 공연된 작품에 관한 평론이 발표되었다. 같은 호에 '문예는 반드시 무산계급 정치와 사회주의 경제 기초를 위해 복무해야 한다' 특집란이 개설되어 희극이론에 관한 글과 관람공연에 참가한 단체 소속 배우의 수필과 감상 등이 발표되었다.

이달에 하얼빈화극원이「절대로 잊어서는 안 된다」(극본은「당신이 건강하기를」이라는 제목으로 발표)를 공연하였다. 충선이 각본을, 왕즈차오王志超가 감독을 맡았다. 극본은『극본』10, 11월호 합본에 발표되었다. 이후에 중국청년예술극원과 베이징인민예술극원에서도 본 작품을 공연하였다. 중극극협에서는 1964년 1월 14일에 본 작품에 관한 좌담회를 개최하였다.

중국작가협회 농촌도서공작위원회에서 편찬한 농촌문학도서 총서『보고문학報告文學』제1집이 작가출판사에서 출간되었다. 책에는「수옥에서 살아 돌아온 사람들從水牢裏活出來的人們」,「리피중의 집안 내력李丕忠家史」,「가훈家訓」 등 역사 상황 조사 보고 및 가정사에 속하는 작품 16편이 수록되었다.

샤오싼의 시집『복력집伏櫪集』, 웨이웨이의 시집『부단집不斷集』이 작가출판사에서 출간되었다.

팡즈의 단편소설집『산을 나서다』가 장쑤인민출판사에서 출간되었다.

중화전국총공회에서 편찬한『공인 단편소설선工人短篇小說選』이 공인출판사에서 출간되었다.

류허우민의 아동문학집『유년의 피눈물童年血淚』이 소년아동출판사에서 출간되었다.

1963년 정리

중궁 상하이시위원회 제1서기이자 상하이시 시장 커칭스가 여러 차례 제창한 '13년 창작'이라는 구호가 문예계에서 큰 반향을 불러일으켰다. 그는 상하이시 문예회당文藝會堂에서 개최된 원단 축하 모임에서 처음으로 이에 관한 연설을 진행하였다. 그는 연설에서 "해방 13년간의 거대한 변화는 미증유의 것이다. 이런 위대한 시대와 풍부한 생활 속에서 문예공작자는 응당 위대한 시대를 반영한 문학, 희극, 영화, 음악, 회화 및 기타 각종 형식의 더 훌륭한 문예작품을 더 많이 창작해야 한다", "앞으로 창작에서 지도 사상으로서 반드시 '지금 것을 중시하고 옛것을 경시하는' 사상을 고수해야 한다. 해방 13년간의 내용을 창작할 것을 제창하고, 옛사람이나 죽은 사람이 아니라 살아 있는 사람에 대해 창작할 것을 제창해야 한다. 우리는 13년간의 내용을 창작할 것을 대대적으로 제창해야 한다(大寫十三年)!"라고 밝혔다. 그는 이후에 상하이의 민간고사 창작 및 낭독 행사와 화둥구 화극관람공연 등의 행사에서 이상의 관점을 반복해 강조하고, 신중국 성립 후에 사회주의 문예가 이룩해 온 거대한 성취를 부정하였다. 그의 주장은 장춘차오, 야오원위안의 지지를 얻어 이들과 함께 「13년 창작의 10대 장점大寫十三年的十大好處」이라는 글을 집필해 본 관점을 강조하였다. 그러나 이 주장은 한편으로 저우양, 린모한, 사오취안린 등의 반대와 비평을 받았다.

선충원이 구체시 「욱림시초鬱林詩草」를 창작해 리장 여행을 추억하였다.

구이양시 첸링후 공원黔靈湖公園 부근에 예술을 사랑하는 한 무리의 청년들이 있었는데, 이들은 대부분 평민 지식분자와 '흑오류黑五類(비판이나 숙청의 대상이 되는 지주·부농·반혁명 분자·악질 분자·우파 분자를 뜻함-역자 주)'의 자녀들로, 한데 모여 문학, 음악, 미술 등 예술의 여러 분야에 관해 토론하였다. 이러한 모임은 문화대혁명 시기에 구이양지구의 지하 문예활동으로 발전하였다. 황상黃翔, 리자화李家華, 팡자화方家華 등으로 구성된 '물오리 살롱野鴨沙龍'이 지하 시 창작에 종사하였다.

오래전의 지식청년들의 노래인 「싱옌쯔의 노래邢燕子之歌」가 사회적으로 널리 불리게 되었다.

『세계지식世界知識』 제16호에 쓰마원썬의 「재난 후의 아궁 화산 구역劫後的阿貢火山區」이 발표되었다.

『문사철』 제3호에 톈중지田仲濟의 「특필과 보고 발전의 윤곽─특필 보고집 편집 감상特寫報告發展的一個輪廓──特寫報告集編輯的一點感受」이 발표되었다. 『신문업무新聞業務』 제5, 6호 합본에 위안잉, 주바오첸朱寶蒝, 우페이화吳培華의 「보고문학 좌담회 요록報告文學座談會紀要」이, 제8호에는 루하이如海의 「보고문학의 특징 및 기타報告文學的特色及其他」가, 제12호에는 웨이강옌의 「보고문학 감상報告

文學感想」이 발표되었다.

『쓰촨 이족 민간고사집四川彝族民間故事集』, 『강족 민간가곡선羌族民間歌曲選』이 쓰촨인민출판사에서 출간되었다.

중국민간문예연구회 지린분회에서 편찬한 공작 교류의 성격을 띤 내부 간행물 『지린민간문학총간吉林民間文學叢刊』이 창간되었다. 본 잡지는 제8호까지 간행된 후 문화대혁명이 시작되면서 폐간되었다.

올해 말까지 설립된 방송국, 실험대, 중계국은 36곳에 이른다. 중앙광파사업국은 베이징 방송국에 대해 '베이징에 발을 딛고, 세계를 바라보라'라는 선전방침을 결정하였다. 베이징 방송국에서는 「맞선을 보다相親記」, 「장제」, 「손님을 기다리다待客」, 「뤄건위안을 사로잡다活捉羅根元」, 「불씨火種」, 「고개 위의 인가」, 「명절 만찬회에서在節日的晚會上」, 「이사搬家」 및 아동극 「농민莊稼人」, 「시간은 흘러간다時間走啊走」, 「안목을 길러야 한다要多長個心眼」 등 11편의 드라마를 방영하였다.

청지화程季華가 편찬한 『중국영화발전사中國電影發展史』, 위안원수의 『영화 모색록電影求索錄』, 루융盧永 등이 번역한 소련 과학예술사연구소科學藝術史研究所의 『영화예술문제 논문집電影藝術問題論文集』이 중국전영출판사에서 출간되었다.

올해 관중으로부터 가장 큰 환영을 받은 영화는 「빙산 위의 손님」, 「졸병 장가」, 「이른 봄 2월早春二月」, 「야화춘풍두고성」 등이다.

올해 상영된 중요 영화는 다음과 같다.

「북국강남」(양한성 각본, 선푸 감독, 하이옌전영제편창 제작)

「빙산 위의 손님」(바이신 각본, 자오신수이趙心水 감독, 창춘전영제편창 제작. 1964년 창춘전영제편창 '소백화상小百花獎' 최우수 감독상 수상)

「붉은 해」(취바이인 각본, 탕샤오단湯曉丹 감독, 톈마전영제편창 제작)

「진사장 강변」(천칭陳清, 리바이黎白, 푸차오우傅超武, 무훙穆宏 각본, 푸차오우 감독, 톈마전영제편창 제작)

「만족합니까滿意不滿意」(페이커費克, 장유얼張幼爾, 옌궁嚴恭 각본, 옌궁 감독, 창춘전영제편창 제작)

「농노農奴」(황쭝장黃宗江 각본, 리쥔李俊 감독, 8·1전영제편창 제작. 1981년 필리핀 마닐라 국제영화제 금매상金鷹獎 수상)

「노도怒潮」(우쯔리吳自立, 웨이양未央, 정훙 각본, 스원츠史文熾 감독, 8·1전영제편창 제작)

「졸병 장가」(쉬광야오 각본, 추이웨이, 어우양훙잉歐陽紅纓 감독, 베이징전영제편창 제작)

「야화춘풍두고성」(리잉루, 리톈李天, 옌지저우 각본, 옌지저우 감독, 8·1전영제편창 제작)

「장정을 징집하다」(천거, 우쉐 각본, 천거, 선옌沈剡 감독, 8·1전영제편창 제작)

「우리 마을의 젊은이(하)」(마펑 각본, 쑤리蘇裏, 인이칭尹一青 감독, 창춘전영제편창 제작)

「자연히 계승자가 있다」(선모쥔, 뤄징 각본, 위옌푸於彦夫 감독, 창춘전영제편창 제작)

「초봄 2월」(셰톄리謝鐵驪 감독, 베이징전영제편창 제작)

1964年

1월

1일, 류사오치, 덩샤오핑, 펑전이 당중앙의 명의로 문예계 좌담회를 개최하였다. 저우양이 보고와 발언을 진행하였다.

마오쩌둥, 류사오치, 주더, 덩샤오핑, 펑전, 캉성, 보이보薄一波, 녜룽전 등이 베이징에서 허난성 예극원 3단河南省豫劇院三團이 공연한 예극「조양구朝陽溝」를 관람하였다. 2일자『인민일보』에 관련 기사가 게재되었다.

『해방군문예』1월호에 뤄룽환 동지 추모 특집란이 개설되어「뤄룽환 동지 추모제에서의 덩샤오핑 동지의 추도사在公祭羅榮桓同志的儀式上鄧小平同志的悼詞」, 주더의「뤄룽환 동지를 추모하며悼羅榮桓同志」, 린뱌오의「룽환 동지를 애도하며挽榮桓同志」, 둥비우의「룽환 동지를 추모하며悼榮桓同志」, 궈모뤄의「뤄룽환 원수를 애도하며挽羅榮桓元帥」, 쉬샹첸徐向前의「뤄룽환 동지를 추모하며悼羅榮桓同志」, 예젠잉의「뤄룽환 동지를 추모하며悼羅榮桓同志」, 샤오화의「뤄 원수의 우수한 품성과 혁명 정신을 학습하자學習羅帥的優秀品質和革命精神」가 발표되었다.

『옌허』와『허베이문학』1월호에 장광녠의 평론「현대 수정주의의 예술적 표본을 평하다－그리고리 추크레이의 영화와 그의 발언」이 발표되었다.

4일,『인민일보』에 마오쩌둥의 7언 율시「인민해방군이 난징을 점령하다人民解放軍占領南京」등의 시사詩詞 작품이 발표되었다.

5일, 『광시문예』1월호에 친자오양의 장편소설 연재『두 세대 사람』이 발표되어 제6호에 연재가 완료되었다.

『신장문학』1월호에 아이칭의 시「젊은 도시年輕的城」가 발표되었다.

10일, 『시간』1월호에 마오쩌둥의「시사 10편詩詞十首」, 짱커자의「시대의 폭풍우가 새로운 장을 열다─마오 주석 시사 10편을 읽고時代風雷起新篇──讀毛主席詩詞十首」가 발표되었다.

『전영창작』제1호에 린구林穀 등의 영화문학 극본「무대 자매舞台姐妹」가 발표되었다.

11일, 『문예보』제1호에 사설「위대한 사회주의 시대를 반영하기 위해 노력하자努力反映偉大的社會主義時代」가 발표되었다. 사설은 현재 창작 및 공연되고 있는 현대 소재 희극의 새로운 작품을 크게 칭찬하였다. 같은 호에 아이커언의 평론「내부 문제內部問題」, 웨이강옌의 평론『파화기』, 펑젠난의 평론「자오수리 창작의 민족 풍격─『하향집』으로부터 이야기를 시작하다趙樹理創作的民族風格──從下鄉集說起」가 발표되었다. 아이커언은 글에서 "『파화기』는 반동 통치계급을 향한 중국 농민계급의 용맹한 돌격과 격렬한 전투를 그려 낸 비장한 송가이다"라고 보았다. 펑젠난은 글에서 "자오수리의 문학적 풍격과 문체는 진정한 민족화와 군중화의 새로운 창조이다", "자오수리의 문학 언어는 연마를 거친 한족 인민대중의 구어口語로, 그의 작품의 민족성과 군중성은 우선 그의 언어 표현을 통해 드러난다", "창작 방법 혹은 형식 면에서도 자오수리는 군중을 배려하는 '습관'에서 출발해 민간문예의 전통을 계승하고, 이를 창조적으로 융화하고 혁신하며 발전시켰다"라고 보았다.

12일, 『인민일보』에 허우진징의「단편소설이 농촌에 뿌리를 내리고 정착하게 하자─농촌도서총서 단편소설집 소개 및 감상讓短篇小說在農村紮根落戶──農村讀物叢書短篇小說集介紹和雜感」, 머우쥔졔繆俊傑의「장편소설『사계절 내내 향기롭다讀長篇小說＜香飄四季＞』를 읽고」등의 평론이 발표되었다. 허우진징은 글에서 "이 몇 권의 작품집을 엮은 것은 농촌에 멀리 퍼지기를 바라는 것이 그 목적 중 하나이다. 또 다른 바람은 이 책들의 출판을 통해 농촌에 단편소설을 읽는 풍조를 촉진해, 단편소설이 농촌에 빠르게 뿌리를 내리고 더 많은 독자들을 정복하도록 하는 것이다"라고 밝혔다. 머우쥔졔는 평론에서 "이 작품은 비교적 짙은 생활의 향기와 지방 색채를 지니고 있다. 런우任務의 미소와 목소리, 행동과 기호는 모두 화난 지역 농촌의 생활의 향기를 띠고 있다. 과수, 고기잡이배,

수로 등등의 경물에 대한 묘사 역시 주장珠江 수향의 독특한 분위기를 보여준다.『사계절 내내 향기롭다』는 마치 한 권의 풍경화 혹은 풍속화처럼 독자의 눈앞에 펼쳐진다"라고 평하였다. 같은 호에 한쯔의 산문「수향의 가을 산채ー장난 소묘 제1편水鄕秋寨——江南白描之一」이 발표되었다.

『광명일보』에 양자楊嘉, 허즈何芷, 쩡민즈曾敏之, 루디盧荻의 평론「약진하여 사계절의 꽃을 감상하다ー장편소설『사계절 내내 향기롭다』를 읽고躍進欣看四季花——讀長篇小說＜香飄四季＞」가 발표되었다. 이들은 글에서 "천찬윈 동지의『사계절 내내 향기롭다』는 대약진 시대의 풍모를 반영한 장편소설이다. 이 작품은 인민공사라는 홍기를 노래하고, 자력갱생하고 부강을 도모하는 인민 군중의 혁명정신과 열정을 묘사하였으며, 계급투쟁의 복잡성을 반영하였다. 이 작품은 대약진 시기 농촌을 그린 한 폭의 그림이다"라고 평하였다.

『인민문학』1월호에 자오수리의 중편소설「잎담배를 팔다賣煙葉」(속편은 3월호에 발표), 쉐커, 아펑阿鳳, 아이원艾文, 완궈루萬國儒의 보고문학「전홍편戰洪篇」, 비예의 보고문학「천 길 언덕千丈坡」이 발표되었다.

완궈루(1931~1990), 필명은 팡강方剛, 둥류東流로 톈진시 닝허寧河 출신이다. 공화국 성립 후에 톈진염직공장天津染織廠 노동자, 『신항』편집자로 근무하였으며 중국작가협회 톈진분회 전문작가를 역임하였다. 1956년부터 작품을 발표하였다. 저서로 단편소설집『눈보라 치는 밤風雪之夜』, 『용이 날고 봉황이 춤춘다龍飛鳳舞』, 『즐거운 이별歡樂的離別』 등이 있다.

14일~31일, 문화부에서 농촌도서 출판공작 좌담회를 진행해 앞으로 농촌도서 출판공작 강화에 관한 11개 조치를 시행할 것을 제안하였다.

15일, 『해방일보』에 사설「사회주의의 새로운 것을 발전시키자ー다시 혁명 현대극의 대대적인 제창을 논하다出社會主義之新——再論大力提倡革命的現代劇」(『문회보』에 전재)가 발표되었다.

『맹아』제1호에 마오둔의 논문「한 가지 예시擧一個例子」, 두쉬안의「후지산의 눈ー일본 방문 잡기富士雪——訪日慢憶」가 발표되었다. 마오둔은「아침놀을 맞이하다迎接朝霞」의 작가 추이쉬안을 예로 들어 이 작가의 소재 선택, 인물 형상 창조, 환경 묘사 등 세 가지 면의 성취가 뛰어나다고 평가하였다. 마오둔은 "이 소설(「아침놀을 맞이하다」)의 이야기는 보편성을 가지고 있다", "이 소설은 사실상 1인칭의 표현방법을 사용하고 있으나, 형식상으로는 3인칭이다", "「아침놀을 맞이하다」를 읽으면 젊은 친구들이 환경 묘사의 기교를 제고하는 데 도움이 될 것이다"라고 보았다.

『신화월보』1월호에 중국과학원 철학사회과학부 위원회 제4차 확대회의에서의 저우양의 연설

「철학 사회과학 공작자의 전투 임무哲學社會科學工作者的戰鬥任務」가 발표되었다.

16일, 수도극장에서 『시간』 잡지사가 주최한 파나마 인민 반미 애국투쟁 지지 시가 낭송회가 개최되었다.

20일, 『극본』 1월호에 탕링唐莑의 2막 3장 화극 「철새候鳥」('격류 속의 물보라激流中的浪花' 제1편)가 발표되었다. 같은 호에 문화부와 중국극협이 합동으로 진행한 제2기 극작가 학습, 창작 연구회에서의 천황메이의 발언 「사회주의 시대를 더 깊이 있게 반영하자更深刻地反映社會主義時代」가 발표되었다.

20일~2월 11일, 문화부가 난징에서 극영화제편창 창장, 당위원회 서기 확대회의를 개최해 마오쩌둥과 류사오치 등의 지시를 전달하였다. 회의에서는 앞으로 극영화의 소재에 대해 현대 소재(공화국 성립 후) 60%, 혁명 역사 소재 30%, 기타 소재 10%의 비율을 유지할 것을 제안하였다.

22일, 『인민일보』에 허징즈의 장시 『서쪽으로 가는 열차의 창문西去列車的窗口』이 발표되었다.

23일, 류사오치, 리셴녠李先念, 보이보, 장딩청張鼎丞 등이 베이징에서 상하이호극단이 공연한 호극 「갈대숲의 불씨」를 관람하였다.

25일, 『수확』 제1호에 류칭의 장편소설 『창업사』 제2부 상권 부분 「량성바오와 쉬가이샤梁生寶與徐改霞」, 하오란의 장편소설 『화창한 날艷陽天』(제1권) 등의 소설, 허치팡의 논문 「「아Q를 논하다」에 관하여－『문학예술의 봄』 서문 일부關於＜論阿Q＞──＜文學藝術的春天＞序文的一部分」가 발표되었다. 『화창한 날』 제1권 단행본은 9월에 작가출판사에서 출간되었다. 『베이징문예』 1965년 11월호에 『화창한 날』 제2, 3권 일부가 발표되었으며, 제2권의 단행본은 1966년 3월에 작가출판사에서 출간되었다. 『수확』 1966년 제2호에 『화창한 날』 제3권이 발표되었으며, 단행본은 5월에 작가출판사에서 출간되었다.

추란初瀾은 "소설 『화창한 날』은 둥산우東山塢 농업사에서 1957년 추수 즈음의 열흘 남짓 동안 발생한 사건만을 다루고 있지만, 이를 통해 심금을 울리는 우리나라 농촌 계급투쟁의 역사적 장면을 표현하였다. 샤오창춘蕭長春이 바로 '전형적 환경 속의 전형적 인물'이다. 샤오창춘으로 대표되는 수많은 빈농들은 사회주의의 길 위에서 복잡하고 첨예하며 격렬한 모순과 충돌을 마주한다. 여기에는 정체를 숨긴 반혁명분자이자 농업사 부주임인 마즈웨馬之悅의 갈등, 공개적인 반동 지주 마샤오볜馬小辮의 갈등, 부유한 중농인 완완라오彎彎繞 등의 갈등, 당 내의 우경 기회주의 분자인 리스단李世丹의 갈등, 적에게 끌려가 남을 공격하는 무기로 이용당하는 빈농 마롄푸馬連福의 갈등 등이 존재한다. 소설 속의 갈등과 충돌은 농업사의 분배 문제를 둘러싸고 전개된다. 샤오창춘을 비롯한 수많은 빈농들은 집단 경제를 공고히 하기 위해 노동에 따른 분배라는 사회주의 원칙을 고수한다. 그러나 지주, 숨어 있는 반혁명분자, 당 내의 우경 기회주의 분자, 그리고 일부 부유한 중농들은 '토지에 따른 이익 분배'를 주장한다. 농촌에서 생산 자료 소유제로서의 사회주의 개조가 기본적으로 완성된 이후에도 이러한 갈등의 본질은 여전히 두 노선 사이의 투쟁으로서 존재하고 있다. 이는 당시의 역사적 조건하에서 진보를 고수하고 후퇴에 반대하며, 혁명을 고수하고 구체제 부활에 반대하는 투쟁이다. 이 투쟁 속에는 적아의 모순과 인민 내부의 모순이 존재한다. 이러한 갈등들은 복잡하게 뒤엉키고 서로 관련되어 사회주의 역사적 단계의 계급투쟁의 복잡함과 첨예함을 깊이 있게 반영한다. 작가는 이러한 갈등을 표현함에 있어 샤오창춘이 시종일관 이 모순의 중심에 위치하게 하고, 또한 갈등 속에서 주도적인 위치에 있게 된다. 마즈웨와 마샤오볜이 소란을 일으키며 복권을 꾀하든, 완완라오와 마다파오馬大炮가 집안을 부유하게 만드는 자본주의의 길을 가려하든, 리스단이 우경 기회주의 노선을 시행하려 하든, 그들의 대립 면은 항상 샤오창춘이 된다. 이러한 처리는 생활의 현실에 기초한 것이다. 샤오창춘은 빈농의 구심점이며, 사회주의 노선을 앞에서 이끄는 인물이기 때문이다. 작품은 샤오창춘과 마즈웨, 마샤오볜 사이의 모순과 투쟁을 주된 줄거리로 삼으면서 그 외의 갈등들을 엮어내어 갖가지 갈등이 샤오창춘을 둘러싸고 전개되게 해, 영웅 인물이 계급투쟁과 노선 투쟁의 중심에서 여러 가지 시련을 겪게 만든다. 이러한 안배는 대단히 중요하다. 영웅 인물을 갈등과 투쟁의 중심에 위치하게 해야만 영웅 인물을 창작하기 위해 계급투쟁이라는 전형적인 환경을 제공하고, 이 인물이 충분히 활약할 곳을 제공해 줄 수 있기 때문이다. 장편소설『화창한 날』은 바로 이렇게 우리에게 웅장하고도 파란만장한 투쟁의 장면을 보여주었다"라고 평하였다(『인민일보』 1974년 5월 5일자).

귀즈강, 천메이란陳美蘭 등이 편찬한 『중국당대문학사초고中國當代文學史初稿』(상)은 "『화창한 날』에 존재하는 주된 문제는 첫째로 사상 측면에서 농촌의 계급투쟁의 형식에 대한 인식과 반영에 있어 60년대 초기의 '좌'편향적인 사조의 영향을 받아, 작품 속의 생활의 모순에 대한 파악과 당시 농촌의 몇몇 인물과 사건에 대한 판단에 모종의 편향성이 존재한다는 점이다. 둘째로 예술 측면에서 비대하고 침체되어 있다는 점이다. 소설은 총 3권으로 구성되어 있는데, 제2권과 제3권에서 중요 인물의 성격은 크게 발전하지 않는다. 또한 몇몇 사건과 장면의 진실성이 충분하지 못하다. 그렇게나 많은 사건들이 불과 십수 일 동안 일어나는 것은 가능한 일이기는 하지만, 몇몇 부분에서는 그 처리가 그리 합리적이지 못하다. 가령 샤오창춘이 공사 현장에서 둥산우로 돌아와 다음날 집으로 돌아오는 부분에서 실제로는 그 사이에 한나절의 시간밖에 지나지 않았으나 소설에서는 이 부분을 십만 자 넘는 분량으로 서술하고 있는데, 이 내용 가운데 상당 부분은 인물의 대화이다. 이러한 처리는 시간과 사건 사이의 모순을 일으켜 신빙성을 약화시킨다"라고 평하였다.[1]

26일, 『광명일보』에 마치馬奇의 평론 「「사학과 미학」에 관하여 ─ 저우구청 선생의 미학사상을 평하다關於＜史學與美學＞──評周穀城先生的美學思想」가 발표되었다. 그는 글에서 "저우 선생의 사회 역사적 관점은 추상적이고 형식주의적이며 형이상학적이고 유심주의적이다. 예술 문제에 대한 저우 선생의 논술은 바로 상술한 사회 역사적 관점의 기초 위에 수립되어 있다", "예술에서 감정은 중요하지만 예술 속의 주된 요소는 예술의 원천이 아니다. 가령, 전형은 예술창작에서 중요한 요소이지만 결코 예술의 원천은 아니다", "진정한 예술, 우수한 예술의 중점은 추상적인 의론이 아니라 실제 생활의 사실에 대한 구체적이고 생생한 형상과 전형의 묘사이다. 그러나 이는 예술가의 감상만을 표현하는 것을 뜻하지 않는다. 이와 동시에 반드시 예술가의 사상, 관점, 의견을 표현해야 하며 그럴 수밖에 없다. 어떠한 사건이 예술가의 감정을 자극했는가는 예술가의 세계관, 입장, 사상 및 생활 경험, 예술적 소양과 무관할 수 없다", "예술의 사회적 역할 문제에 대해서는 구체적인 계급 분석을 진행해야 한다"라고 보았다.

『해방일보』에 사설 「사회주의 사상이 집진의 문화 진지를 점령하게 하자讓社會主義思想占領集鎮的文化陣地」가 발표되었다.

30일, 『문회보』에 사설 「혁명 이야기 낭독을 대대적으로 제창하자大力提倡講革命故事」가 발표되었다. 사설은 "혁명 이야기 낭독 활동은 현재 농촌공작에 있어……최소한 다음과 같은 다섯 가지 역할을 할 수 있다. 첫째, 사상 진지를 점령하는 역할을 한다", "둘째, 농촌에 대한 당의 각종 정치 임무와 생산투쟁에 강력히 호응하여, 정책을 선천하고 군중을 동원해 집단 생산의 발전을 촉진하고 문예 경기병의 역할을 발휘할 수 있다", "셋째, 농민의 여가 문화생활을 풍부하게 한다", "넷째, 기타 측면의 농촌 문화공작의 전개를 추진할 수 있다", "다섯째, 낭독자는 사회주의 사상을 선

---

1) 귀즈강 등 엮음, 『중국당대문학사초고』(상) 제197쪽, 인민문학출판사 1980년.

전하고 농민에게 계급교육을 진행하게 되며, 그 자신 역시 단련하고 제고하게 된다"라고 보았다. 이후에 본지에는 「「잎담배를 팔다」 감상－혁명 이야기 낭독을 대대적으로 제창하자(2)讀<賣煙葉>有感――再論大力提倡講革命故事」(2월 11일자), 「두 가지 효과론－혁명 이야기 낭독을 대대적으로 제창하자(3)兩種效果論――三論大力提倡講革命故事」(3월 9일자), 「낭독가 풍격 예찬－혁명 이야기 낭독을 대대적으로 제창하자(4)故事員風格贊――四論大力提倡講革命故事」(3월 29일자), 「낭독가 대오를 확대하고 공고히 하며 제고해야 한다－혁명 이야기 낭독을 대대적으로 제창하자(5)故事員隊伍要擴大也要鞏固提高――五論大力提倡講革命故事」(4월 27일자), 「더 좋은 혁명 이야기가 더 많이 필요하다－혁명 이야기 낭독을 대대적으로 제창하자(6)需要更多更好的革命故事――六論大力提倡講革命故事」(5월 6일자), 「문예공작자는 혁명의 군중문화활동에 적극적으로 참가해야 한다－혁명 이야기 낭독을 대대적으로 제창하자(7)文藝工作者要積極參加革命的群眾文化運動――七論大力提倡講革命故事」(8월 20일자) 등 이에 관한 글이 여러 편 발표되었다.

이와 동시에 여타 간행물에도 본 운동에 관한 기사와 평론이 게재되었다. 『해방일보』5월 21일자에는 「더 좋은 혁명 이야기를 더 많이 창작하자－상하이작가협회에서 관련 인원을 초청해 혁명 이야기 창작 문제에 관해 좌담하다創作更多更好的革命故事, 上海作家協會邀請有關人員座談革命故事創作問題」라는 기사가 게재되었다. 난징에서는 1965년 8월 22일에 혁명 이야기 창작 교류회가 개최되었으며, 『신화일보』에는 본지 평론가의 관련 문장 「군중적 성격의 혁명 이야기 낭독 활동을 전개하자開展群眾性的講革命故事活動」 및 기사 「혁명 이야기 형식을 활용해 정치와 생산을 위해 복무하자運用革命故事形式, 爲政治和生產服務」가 게재되었다. 『해방일보』1965년 12월 2일자에는 가오원의 「창작의 화원에서 생명이 새로운 꽃을 피우다 － 혁명 이야기의 창작 특징에 관하여創作園地中生命正旺的新花――談革命故事的創作特色」가, 『인민일보』1966년 4월 25일자에는 딩쉐레이丁學雷의 평론 「혁명 이야기는 마오쩌둥 사상을 선전하는 강력한 무기이다－상하이 근교 농촌 혁명활동 논평革命故事是宣傳毛澤東思想的有力武器――上海郊區農村革命活動述評」이 발표되었다. 이로써 군중과 작가들 사이에 '혁명 이야기 낭독' 운동이 시작되어 점차 고조를 맞게 되었다.

이달에 전국 각 성, 시, 자치구 문련에서 희곡공작에 관한 좌담회를 개최해 현대극을 대대적으로 제창하고, 혹은 현대극에 관한 각종 공연을 진행하였다.

『마오 주석 시사毛主席詩詞』가 인민문학출판사와 문물출판사文物出版社에서 동시에 출간되었다.

취보의 장편소설 『임해설원』의 신판이 인민문학출판사에서 출간되었다. 이 책의 초판은 1957년에 작가출판사에서 출간되었다.

톈젠의 시집 『아프리카 여행기』, 류바이위의 산문집 『신광집晨光集』이 작가출판사에서 출간되었다.

린경, 펑위안쥔이 편찬한 『중국 역대 시가선中國歷代詩歌選』(상, 하)이 인민문학출판사에서 출간되었다.

양저우한楊周翰, 우다위안吳達元, 자오잉옌趙鶯燕이 편찬한 『유럽문학사歐洲文學史』(상, 하)가 인민문학출판사에서 출간되었다.

2월

1일, 『인민일보』에 사설 「전국이 해방군을 보고 배우려 한다全國都要學習解放軍」가 발표되었다. 사설은 "해방군을 보고 배우려는 풍조가 전국적으로 일어나고 있다. 앞서가는 이와 비교하고, 앞서가는 이를 배우고, 따라잡고, 뒤쳐진 이를 돕는 공산주의 경쟁 속에서 '해방군을 보고 배우자'는 이미 새로운 전투 구호가 되었다"라고 밝혔다.

중국복리회 아동예술극원이 5막 7장 아동극 「수정 동굴水晶洞」을 공연하였다. 뤄잉羅英, 커옌이 각본을, 멍위안孟遠이 감독을 맡았다.

『작품』 2월호에 토론문 「시대정신 등에 관하여關於時代精神及其他」가 발표되었다. 여러 비평가가 "시대정신 문제"에 대해 자신의 견해를 제시하였다. 두아이는 "계급투쟁을 강령으로 삼아 사회주의의 새로운 인물과 새로운 사건을 반영하고, 우리의 새로운 인물이 옛 인물 및 옛 사상과 갈라서고 이와 싸워 이기며 투쟁 속에서 자신의 성장을 이루는 과정을 묘사하고, 이를 통해 우리의 위대한 시대정신을 반영하는 것이 작가의 창작 속에서 가장 중요한 과제가 되어야 한다"라고 보았다. 샤오인은 "시대정신 반영의 관건은 시대의 주된 모순과 투쟁을 파악하는 것이다"라고 보았다. 위평은 "시대정신은 곧 계급투쟁이다"라고 보았다. 린샤는 창작경험과 창작의 재능을 가진 작가라면 두 가지 문제, 즉 "하나는 생활에의 침투 문제", "다른 하나는 사상성 문제"에 주의해야 한다고 보았다. 저우민周敏은 "우선 행동해야 한다. 생활 속에, 투쟁 속에 침투해 수많은 공농병 군중과 함께 실천하고, 느끼고, 이해해야 한다"라고 보았다. 장모칭張漠青은 "소위 시대정신이란 곧 공산주의적, 사회주의적 혁명정신이다"라고 보았다. 글은 이 외에도 "농촌을 향하는 문제"에 관해서도 토론을 진행하였다.

『옌허』 2월호에 리뤄빙의 논문 「역사 집필 약론略談寫史」이 발표되었다.

『신항』 2월호에 왕창딩의 소설 「전가보傳家寶」, 웨이진즈의 논문 「다시 장편掌篇소설을 말하다

再談小小說」가 발표되었다.

『허베이문학』2월호에 량빈의 소설 「전구도戰寇圖」(장편소설 『홍기보』제3부 연재), 허우진징의 평론 「단편소설이 농촌에 뿌리를 내리고 정착하게 하자」가 발표되었다.

『창장문예』가 복간되었다. 2월호에 마지싱馬吉星의 화극 「뱌오쯔완 전투豹子灣戰鬥」(『극본』5월호에 전재)가 발표되었다. 5월 31일, 저우언라이는 중국청년예술극원이 공연한 화극 「뱌오쯔완 전투」를 관람한 후에 연설에서 "선진적인 인물은 주된 면에서는 선진적이기 때문에 사랑스럽다. 모든 사물에는 이분법적인 면이 있으며 선진 인물에 대해서도 마찬가지다", "딩융丁勇은 전형적 인물이고, 선진적 인물이며 사랑스러운 인물이다. 딩융의 주된 측면은 적극적인 점이다. 적극적인 요소는 소극적인 요소를 부단히 극복한다. 수많은 작품들에서 선진 인물을 묘사할 때 종종 이들을 신성화하곤 한다. 선진적인 인물을 신성화하면, 부정적 인물이 간혹 옳은 말을 하더라도 이것이 현실적으로 느껴지지 않는다. 이는 입장이 그 인물을 결정했기 때문이다. 현실 속의 선진적 인물은 가장 평범한 사람이다. 현실 속에는 신성화된 인물이 없다. 선진적 인물을 신성화하면 이들은 발전할 수 없게 되고, 때문에 무대 위에 '매사에 올바른' 선진적 인물이 종종 출현하게 된다. 이렇게 되면 인물은 개념화되어 갈등이 사라지게 된다. 갈등이 사라지면 볼 만한 내용도 사라지고, 배우들도 연기하기 힘들게 된다. 선진적 인물을 창작할 때는 그의 발전과 성장을 묘사해야 한다. 선진적 인물이 선진적인 이유는 그가 부단히 실천하고 경험을 정리하기 때문이다. 선진적 인물은 다양하므로 특수하고 개별적인 면을 통해 일반적인 면을 반영해야 한다. 작품 속의 선진적 인물이 모두 똑같다면 천편일률적이 될 것이다"라고 밝혔다.[2]

2일, 『문회보』, 『광명일보』, 『남방일보』, 『톈진일보』에 『인민일보』 사설 「전국이 해방군을 보고 배우려 한다」가 전재되었다.

『해방일보』에 가오쓰궈高思國의 단막극 「계산대櫃台」가 발표되었다.

4일, 『베이징문예』2월호에 라오서가 허베이성 방쯔극원梆子劇院 약진극단躍進劇團의 청탁에 응해 각색한 희곡 「왕보천王寶釧」이 발표되었다.

5일, 『후난문학』2월호에 캉줘의 「대리인代理人」, 커란의 「징을 세 번 치다三打銅鑼」등의 소

---

2) (『저우언라이가 문예를 논하다周恩來論文藝』제191~192쪽, 인민문학출판사 1979년.

설이 발표되었다.

『광시문예』 2월호에 친자오양의 장편소설 연재『두 세대 사람』이 발표되었다.

6일, 『양청만보』에 류바오돤劉保端의 평론「시대정신 문제에 관하여關於時代精神問題」가 발표되었다. 그는 글에서 "영웅 인물의 정신적 면모를 묘사한다면 물론 특정한 역사적 시기의 정신적 상태를 표현할 수 있다. 그러나 평범하고 일반적인 인물을 묘사한다 해도 시대적 풍모를 표현할 수 없는 것은 아니다", "문예작품의 시대정신은 문예작품의 사상성과 같은 것이 아니다"라고 보았다.

『남방일보』에 진징마이金敬邁 등의 보고문학「공산주의 전사 어우양하이共產主義戰士歐陽海」가 발표되었다.

진징마이(1930~2020), 장쑤성 난징 출신으로 1949년에 해방군에 참가하였으며 1957년에 중국 공산당에 가입하였다. 중난군구 병기학교軍械學校 문공단 단원, 광저우군구 전사화극단 배우 및 창작원, 광저우군구 정치부 창작조 창작원을 역임하였다. 1967년에 중앙문혁소조中央文革小組 문예부 책임자를 맡았다가 1968년에 박해를 받아 투옥되어 1975년에 농장으로 가서 노동에 임했다. 1978년에 복권된 후 광저우군구 정치부 문화부 창작조 전문작가를 맡았다. 1958년부터 작품을 발표하였다. 저서로 장편소설『어우양하이의 노래歐陽海之歌』, 화극 극본「쌍교회雙橋會」(합동 창작), 영화문학 극본「철갑 008鐵甲008」 등이 있다.

8일, 문화부에서「인민문학출판사와 상하이문예출판사 합병 통지人民文學出版社和上海文藝出版社合並的通知」를 발표해 1964년 3월 1일부터 상하이문예출판사를 인민문학출판사 상하이 지사로 개편하고 상하이문예출판사라는 명칭을 폐지하였으며, 기구와 지도자, 인사, 재무, 소재 선택, 조직, 원고 심사, 출판사 명의 등 구체적인 사항을 일일이 규정하였다.

9일, 『인민일보』 기사는 중국 국내외 작가들이 춘절 환영회를 가지고 라오서, 샤옌 등 문예공작자와 인도네시아, 일본 등 14개국에서 온 30여 명의 작가, 시인, 극작가들이 서로 춘절을 축하했다고 전했다.

10일, 『인민일보』에 사인莎蔭, 판인화이範銀懷의「다자이의 길大寨之路」이 발표되었다.

『산둥문학』 2월호에 취보의『차오룽뱌오』(장편소설 연재)가 발표되었다.

『시간』 2월호에 뤄샤오촨의 「변경 요새의 새 노래邊塞新歌」, 톈젠의 「멀리 파나마에 보내다遙寄巴拿馬」, 베이징대학 5·4문학사五四文學社에서 합동 창작한 낭송시 「청춘이 반짝이게 하자讓靑春閃光」 등의 시가 발표되었다.

11일, 『문예보』 제2호에 사설 「사회주의 신문에 보급공작을 대대적으로 전개하자大力開展社會主義新文藝的普及工作」, 웨이진즈의 「독특한 풍격을 지닌 단편집─『산간지대 매입소』를 읽고別具一格的一個短篇集──讀<山區收購站>」가 발표되었다. 그는 글에서 뤄빈지의 단편집 『산간지대 매입소』에 대해 "독자로 하여금 작가가 확실히 그 농촌에서 성실히 생활했음을 느끼게 한다. 그렇지 않으면 그처럼 짙은 생활의 향기를 지닌 작품을 쓸 수 없다"라고 보았다.

『문회보』에 사설 「「잎담배를 팔다」 감상─혁명 이야기 낭독을 대대적으로 제창하자(2)」가 발표되었다. 사설은 "이 작품은 현재 농촌에서 널리 전개되는 이야기 낭독 활동에 도움을 주며, 또한 사회주의 문학사업의 발전에도 금상첨화인 작품이다"라고 보았다.

『인민일보』에 바진의 「내 마음은 줄곧 영웅적인 베트남 인민들 가운데에 남아 있다我的心一直留在英雄的越南人民中間」가 발표되었다.

12일, 『인민문학』 2월호에 저우리보의 단편소설 「새 손님新客」 및 양숴의 「자운영紅花草」, 아이우의 「고난의 유년苦難的童年」, 천바이천의 「날라리를 부는 사람吹嗩吶的人」 등의 가정사 작품이 발표되었다.

13일, 『인민일보』에 리지의 장시 『석유 공인에게 보내는 경례致以石油工人的敬禮』, 궈샤오촨의 시 「봄의 노래春歌」가 발표되었다.

14일, 베이징시 문화국이 문화부에 「북방곤곡극원 정돈에 관한 지시 요청 보고關於整頓北方昆曲劇院的請示報告」를 제출하였다. 보고는 "북방곤곡극원은 1957년 7월에 설립된 이래 인원수가 매년 증가하였다", "공연 상황이 매우 좋지 않으며, 극원의 지도 역량이 빈약하다", "사실상 유지하기 힘들다"고 보면서, "이에 다음과 같은 정돈 방법을 취하고자 한다. 본 극원의 조직을 폐지하고, 정치적, 업무적 수준이 비교적 높아 전도유망한 청년 배우들을 베이징경극단에 편입하여 베이징경극단 내에 80인 내외의 인원으로 구성된 공연대를 조직해 곤곡과 경극을 모두 공연하게 한다"라고 밝혔다. 12월 30일, 문화부는 베이징시 문화국의 보고에 근거해 저우언라이에게 「북방곤곡극원 정돈에 관한 지시 요청關於整頓北方昆曲劇院的請示」 보고를 제출하고, 1965년 1월 21일에 베이징시 문화국의 보고에 회답해 북방곤곡극원의 조직을 폐지하고 공연대를 조직하는 데 동의하였다.

15일, 『전영문학』 2월호에 1963년 10월 26일에 개최된 중국과학원 철학사회과학부 위원회 제4차 확대회의에서의 저우우양의 연설 「철학 사회과학 공작자의 전투 임무」가 게재되었다.

18일, 『인민일보』에 저우리보의 소설 「옛날이야기를 하다翻古」가 발표되었다.

20일, 중국인민해방군 광저우부대 정치부 전사화극단이 5장 화극 「난하이 창청南海長城」(원 제는 「타는 듯 붉은 바다火紅的海洋」)을 공연하였다. 자오환趙寰이 각본을, 푸빙傅冰이 감독을 맡았 다. 극본은 『극본』 4월호와 『해방군문예』 5월호에 발표되었다.

24일, 『톈진일보』에 총론 「저우우양 동지가 톈진에서 문예공작자와 아마추어 작가를 초청해 문 예창작 문제에 관해 좌담을 가지다周揚同志在津邀文藝工作者和業餘作者座談文藝創作問題」가 발표되었다.

25일, 『광명일보』에 양양의 평론 「사회주의의 맹장이 성장하고 있다-후완춘의 중편소설 「 내부 문제」를 읽고社會主義闖將在成長——讀胡萬春的中篇小說＜內部問題＞」가 발표되었다. 그는 글에서 이 소설의 "눈에 띄는 성취는 생생하고 복잡한 갈등 관계 속에서 빛나는 인물, 즉 왕강王剛의 형상 을 창조했다는 데 있다"라고 평하였다.

푸젠성화극단이 베이징에서 5장 화극 「룽장 송가龍江頌」를 공연하였다. 극본은 장원江文, 천수陳 曙, 딩예丁葉, 샹런蒴人이 창작하고 장원, 천수가 집필하였으며 왕쿤성王琨生, 샹쩡向增, 예훙웨이葉洪 威가 감독을 맡았다. 극본은 『극본』 3월호에 발표되었다. 중국극협과 극협 베이징분회 준비위원회 가 합동으로 본 작품에 관한 좌담회를 개최해 극본의 사상 및 예술 측면의 성취에 관해 탐구하였 다. 톈한, 차오위, 쉬핑위徐平羽, 궈샤오촨, 어우양산쮠, 쩌우디판, 펑치융, 천모 등이 참석해 발언하 였다.

26일, 『홍기』 제2, 3호 합본에 타오주의 「인민공사는 전진한다-광둥 농촌 인민공사가 5년

간 경험한 기본 경험 정리人民公社在前進――廣東農村人民公社五年經驗的基本經驗總結」가 발표되었다(28
일자『인민일보』, 29일자『양청만보』, 『남방일보』에 전재).

이달에 예쥔젠의 장편소설『개간자의 운명開墾者的命運』이 중국청년출판사에서 출간되었다.

량빈의 장편소설『파화기』(『홍기보』제2부)가 작가출판사에서 출간되었다.

자오훙보趙洪波의 장편소설『끝나지 않은 전투未結束的戰鬪』가 장시인민출판사에서 출간되었다.

루원푸의 단편소설집『주태와 두 번 마주치다兩遇周泰』가 상하이문예출판사에서 출간되었다.

롼장징의 시집『4월의 하바나四月的哈瓦那』, 라오서의 문예이론집『말이 그대로 문장이 되다－
문학 언어 등을 논하다出口成章――論文學語言及其他』가 작가출판사에서 출간되었다.

타오주의 문예이론집『사상·감정·문학적 재능思想·感情·文采』이 광둥인민출판사에서 출간
되었다.

리시판의 문예이론집『소재·사상·예술題材·思想·藝術』이 백화문예출판사에서 출간되었다.

『혁명가곡집革命歌曲集』이 백화문예출판사에서 출간되었다.

조설근, 고악高鶚의 소설『홍루몽』(전4권)이 인민문학출판사에서 출간되었다.

유궈언 등이 편찬한『중국문학사中國文學史』(전4권)가 인민문학출판사에서 출간되었다.

싼롄서점에서 편찬한『플레하노프 기회주의 선집普列漢諾夫機會主義文選』이 출간되었다.

3월

1일, 『신항』 3월호에『문회보』사설「위대한 사회주의 시대를 반영하기 위해 노력하자」, 옌강
의 평론「뼈에 사무치는 원한, 강인한 전투刻骨的仇恨, 韌性的戰鬪」가 발표되었다. 이 글은『파화기』
에 대한 평론으로, "『파화기』에서도 역시 심각한 농민 문제를 제기하고 있다"라고 보았다.

『옌허』 3월호에 무후이의 평론「「헤이펑」 탐구<黑鳳>淺探」가 발표되었다. 그는 글에서 헤이
펑에 대해 "새로운 정치적 품성과 새로운 사상 의식, 그리고 새로운 도덕적 면모를 가진 사회주의
의 새로운 인물"이라고 평하였다.

『산화』 3월호에『문예보』사설「위대한 사회주의 시대를 반영하기 위해 노력하자」가 전재되었
으며, 사설「우리의 위대한 시대를 더 잘 반영하고, 사회주의 혁명과 건설을 위해 복무하자更好地反
映我們偉大的時代, 爲社會主義革命和建設服務」가 발표되었다.

『우화雨花』 3월호에 친더린秦德林의 평론 「헤이펑을 읽고 연상한 것─시대정신 표현과 새로운 인물의 성격 묘사에 관하여讀黑鳳産生的聯想──談表現時代精神和寫新人性格」가 발표되었다. 그는 글에서 "왕윈스 동지는 생활의 정취와 즐거움을 통해 시대정신을 표현하는 데 능하다"라고 보았다.

『불꽃』 제1호에 쑨쳰의 보고문학 「다자이 영웅의 계보─천융구이가 재해와 싸우다大寨英雄譜──陳永貴抗災記」가 발표되었다. 이 작품의 단행본은 1964년에 산시인민출판사에서 출간되었다.

4일, 중국문련 및 각 협회에서 정풍 및 검열공작을 개시하였다.

5일, 『광시문예』 3월호에 친자오양의 장편소설 연재 『두 세대 사람』이 발표되었다.

9일, 『문회보』에 사설 「두 가지 효과론─혁명 이야기 낭독을 대대적으로 제창하자(3)」이 발표되었다.

『양청만보』에 어우양산의 장편소설 『일대 풍류』 제3권 『버드나무 우거지고 백화가 만발하다柳暗花明』의 제81~85장이 비정기적으로 연재되기 시작해 4월 18일자에 완료되었다.

10일, 『북방문학』 3월호에 양모의 소설 「붉디붉은 산나리꽃紅紅的山丹花」, 리자싱李家興의 「양즈저우와 그의 학생楊治周和他的學生」이 발표되었다.

리자싱(1930~), 여성 작가로 본적은 후베이이며 상하이에서 출생하였다. 1950년부터 작품을 발표하였으며 1980년에 중국작가협회에 가입하였다. 『인민일보』, 『광명일보』, 『대중전영』 등의 간행물에 산문, 보고문학, 문예평론 등을 발표하였으며, 「비서편飛絮篇」이라는 제목으로 연작수필 십여 편을 발표하였다.

『시간』 3월호에 허치팡의 「시 4편詩四首」, 셰몐의 평론 「『서쪽으로 가는 열차의 창문』을 평하다<西去列車的窗口>小評」가 발표되었다.

11일, 『문예보』 제3호에 마오쩌둥의 7언 율시 「사오산에 가다到韶山」, 원제뤄文潔若의 글 「일본에서의 『붉은 바위』<紅岩>在日本」, 탄페이성의 평론 「진공하는 성격─중편소설 「헤이펑」을 읽고進攻的性格──讀中篇小說<黑鳳>」, 천옌陳言의 글 「린진란의 창작과 관련 평론 만평漫評林斤瀾的創作及有關評論」이 발표되었다. 탄페이성은 글에서 "헤이펑이라는 성장 과정에 있는 새로운 인물의 성격과 몇몇 혁명 청년의 영웅 형상을 통해 대약진 초기의 사회생활 속의 적극적 요소를 반영했다는 점이 이 중편소설의 가장 눈에 띄는 성취이다"라고 보았다. 천옌은 글에서 "린진란 동지는 재능이 있으며 이미 여러 편의 훌륭한 작품을 발표하였다. 그는 얼마 전에 농촌으로 가서 실제 투쟁생활 속에 침투하였다. 나는 작가가 자신의 장점을 의식하고 더 잘 발휘하여, 일부 작품에 존재하는 형식을 과도하게 추구하고 내용과 사상을 경시하는 단점을 벗어나 공농병을 위해 복무하는 건강하고 광활한 길을 따라 단호히 전진하게 된다면, 그가 더욱 새롭고 우수한 작품을 창작할 수 있으리라 믿는다"라고 밝혔다.

12일, 『맹아』 제3호에 이췬의 논문 「주제를 찾기 전에找到主題之前」가 발표되었다. 그는 글에서 "문학작품의 주제는 작품 전체를 관통하는 주제 사상이다. 이는 작가가 생활 속에서 발굴하는 깨달음이어야 하며, 남의 책에서 베껴온 도리여서는 안 된다", "현실생활 속에서 주제를 찾거나 포착하는 방법에 대해 나는 더욱 깊이, 더욱 투철하게 생활을 인식하고 이해하는 것이 가장 중요하다고 본다. 그리고 젊은 아마추어 문예공작자들에게 있어 첫째로 가장 중요한 것은 사상의 수준을 제고하고 인식 능력을 강화하는 것이다. 이 외에 다른 비결은 없다"라고 보았다.

『인민문학』 3월호에 샤오위쉬안蕭育軒의 소설 「영빙곡迎冰曲」, 저우서우쥐안의 산문 「차나무 덤불 속茶樹叢中」, 장융메이의 시 「양작화가 피다陽雀花開」, 란청藍澄의 5막 화극 「풍작 후豊收之後」가 발표되었다.

『신화월보』 제3호에 타오주의 「인민공사는 전진한다─광둥 농촌 인민공사가 5년간 경험한 기본 경험 정리」가 발표되었다. 또한 『문예보』 사설 「혁명 이야기 낭독을 대대적으로 제창하자」 및 『학술월간學術月刊』 1964년 제2호의 「『홍루몽』 사상 경향에 관한 토론關於<紅樓夢>思想傾向的討論」이 전재되었다.

『양청만보』에 야오쉐인의 「내가 이해하는 이자성我所理解的李自成」이 발표되었다.

16일, 『문회보』에 덩뉴둔, 우리창, 허스숭의 「량성바오 형상 평가에 존재하는 몇 가지 문제梁生寶形象評價中的幾個問題」가 발표되었다. 이들은 글에서 "작품 속의 영웅 인물에 대한 이해는 우리에게 그 인물의 시대 및 계급적 특징을 정확히 파악하고, 정지가 아니라 발전이라는 관점에서 생활 속에서 인물에게 발생하는 변화를 인식하여, 영웅 인물의 성격 형성을 촉발하는 사회 및 역사적 조건을 세밀하게 분석할 것을 요구한다", "우리의 문예작품은 우리 시대의 영웅 형상을 창조할 때 사회의 복잡한 모순 충돌을 통해야만 영웅의 성격 특징을 잘 드러낼 수 있다"라고 보았다.

20일, 『문회보』에 쉬카이레이, 저우자쥔의 보고문학 「열한 개의 인가十一戶人家」가 발표되었다.

『극본』3월호에 차오위의 「훌륭한 화극 두 편-「룽장 송가」와 「격류가 전진하다」 추천兩出好話劇——推薦<龍江頌>和<激流勇進>」이 발표되었다. 그는 글에서 이 두 편의 화극에 대해 "극본이 훌륭하다. 주된 사상과 인물을 깊이 있게 표현해 관객을 감동시키고 고양시킨다", "이 두 편의 화극은 감독과 연기가 훌륭해 공연에 흡입력이 있다"라고 보았다. 같은 호에 후완춘, 황쥐린, 퉁뤄소洛가 창작하고 퉁뤄가 집필한 3막 화극 「격류가 전진하다激流勇進」가 발표되었다.

21일, 『양청만보』에 타오주의 「위대한 혁명적 품성-'어우양하이 반' 명명대회에서의 연설偉大的革命品質——在"歐陽海班"命名大會上的講話」이 발표되었다(26일자 『광명일보』, 27일자 『해방군보』에 전재).

25일, 『수확』제2호에 아이우의 소설 「뭇 산속群山中」(2월 20일에 창작), 쩌우디판의 장편소설 연재 『대풍가大風歌』, 후완춘, 천궁민, 페이리원, 홍바오洪寶의 6장 화극 「한 집안 식구一家人」, 마오둔의 논문 「『불씨』에 대한 약간의 감상讀了<火種>以後的點滴感想」(2월 17일에 집필)이 발표되었다. 마오둔은 "아이밍즈의 『불씨』는 「화염 3부작火焰三部曲」의 제1부로, 1963년 10월에 초판이 출간되었다. 이 책은 상, 하편으로 구성되었으며 상편은 12장, 하편은 8장으로 구성되었다. 책의 전체 분량은 약 60만 자이다……『불씨』를 제1부로 하는 「화염 3부작」은 중국 공인운동의 역사를 문예의 형식으로 전체적으로 반영하려 한다(이 3부작은 아마도 상하이 해방을 그 결말로 삼는지 모른다). 이는 웅장한 계획으로, 지금껏 다른 이가 시도해 본 적이 없는 듯하다"라고 보았다.

같은 호에 야오원위안의 「가장 새롭고 아름다운 생활을 반영하고, 가장 새롭고 아름다운 그림을 창조하자反映最新最美的生活，創造最新最美的圖畫」가 발표되었다. 그는 글에서 다음과 같은 문제에 대해 중점적으로 논술하였다. 1. "혁명 현대극의 근본적인 특징과 희극관 문제", 2. "사회주의 시대의 영웅 인물 창조의 심각한 의의와 영웅 인물의 묘사 방법", 3. "몇몇 영웅 인물의 성격에 대한 분석과 비교", 4. "결점을 가진 훌륭한 인물을 정확히 묘사하고, 인물의 사상의 발전을 표현하는 문제", 5. "더욱더 연마하고, 사회주의의 방향을 향해 부단히 제고할 것".

29일, 『문회보』에 사설 「낭독자 풍격 예찬-혁명 이야기 낭독을 대대적으로 제창하자(4)」가 발표되었다.

31일, 문화부가 베이징에서 1963년 이후의 우수 화극창작 시상식을 진행하였다. 장막극 16편, 단막극 6편을 창작한 극작가 31명과 공연단체 24곳이 각각 창작상과 연출상을 수상하였다. 이날 밤에 저우언라이와 천이가 상을 받은 극작가, 각본가와 공연단체의 대표들을 접견하였으며 마오둔, 샤옌, 린모한, 쉬핑위, 라오서, 차오위 등도 자리에 참석하였다. 4월 2, 3일에 중국극협에서는 톈한의 주관하에 상을 받은 극작가와 공연단체의 창작경험 교류회를 개최하였다.

수상작은 장막극 「두 번째 봄」(루촨 각본), 「네온사인 아래의 보초병」(선시밍, 모옌, 뤼싱천 각본), 「레이펑」(자류, 왕더잉王德瑛, 진훙靳洪 각본, 자류 집필), 「젊은 세대」(천윈, 장리후이, 쉬징셴 각본), 「삼인행」(양한성 각본), 「리솽솽」(리준의 동명의 소설을 사오리邵力가 각색), 「먼 곳의 청년遠方青年」(우위샤오 각본), 「절대로 잊어서는 안 된다」(충선 각본, 「당신이 건강하기를」이라고도 함), 「젠간허 강가」(류허우밍 각본), 「격류가 전진하다」(후완춘, 황쥐린, 퉁뤄 각본), 「룽장 송가」(장원, 천수, 딩예, 샹런 각본, 장원, 천수 집필), 「풍작 후」(란청 각본), 「한 집안 식구」(후완춘, 천궁민, 페이리원, 훙바오 각본), 「작은 축구팀小足球隊」(런더야오 각본), 「난하이 창청」(자오환 각본), 단막극 「청매青梅」(천치퉁 각본), 「좋은 본보기好榜樣」(롼윈구이欒雲桂 각본), 「양류춘풍楊柳春風」(무성木生, 치터齊特 각본), 「모자회母子會」(자오자지趙家驥 각본), 「제1과 제2第一與第二」(저우이밍周一鳴, 우빈吳彬 각본), 「계산대」(가오쓰궈 각본) 등이다.

연출상을 받은 단체는 랴오닝인민예술극원, 중국인민해방군 전선화극단, 항적화극단, 상하이인민예술극원, 상하이희극학원, 중앙실험화극원, 중국청년예술극원, 간쑤성화극단, 하얼빈화극원, 베이징시농촌문예공작대北京市農村文藝工作隊, 푸젠성화극단, 산둥성화극단, 중국복리회 아동예술극원, 베이징인민예술극원, 중국인민해방군 총정치부 문공단, 전봉문공단前鋒文工團, 전사화극단, 전국총공회 공인문공단全國總工會工人文工團, 산둥성칭다오시화극단山東省青島市話劇團 등이다.

이달에 화둥구 화극관람공연대회의 공연 작품들은 베이징에서 갈라 공연을 했다. 중국극협과 극협 베이징분회 준비위원회에서 이 작품들 가운데 우수 작품들에 관한 좌담회를 개최하였다.

상하이 경극계에서 현대극을 대량으로 공연하기 시작하였다. 새롭게 창작한 현대극 외에도 상하이경곤극단上海京昆劇團에서는 화둥구 화극관람공연대회에서 공연되었던 단막극 「모자회」, 「송비기送肥記」 등 여러 편의 화극 작품을 각색하였다.

베이징경극단에서 현대극 「갈대숲의 불씨」를 공연하였다. 왕청치, 양위민楊毓瑉, 샤오자蕭甲, 쉬언허우 등이 동명의 호극을 각색하였으며, 샤오자, 츠진성遲金聲이 감독을 맡았다. 자오옌샤趙燕俠, 마창리馬長禮 등이 주연을 맡았다.

중화전국총공회 공인문공단 화극단이 단막극 「양류춘풍」과 「좋은 본보기」를 공연하였다. 「양류춘풍」은 무성, 치터가 각본을, 리스민李世敏이 감독을 맡았으며 극본은 『극본』 4월호에 발표되었다. 「좋은 본보기」는 롼원구이가 각본을, 장한룽張涵隆이 감독을 맡았으며 극본은 『극본』 4월호에 발표되었다.

문화부 출판국이 베이징중국미술관北京中國美術館에서 1963년 신간 서적 전시회를 개최하였으며 이후에 상하이에서도 진행하였다.

중공중앙 선전부에서 전국문련 및 각 협회의 전체 간부들을 대상으로 정풍을 진행할 것을 결정하였다.

전국 각 성, 시에서 아마추어 문예 좌담회를 개최하였으며, 아마추어 문예 공연이 전국 각지에서 진행되었다. 상하이, 톈진, 후난, 푸젠, 충칭 등지에서 아마추어 문예 희곡 작품 공연대회를 개최해 각 성, 시의 관련 책임자들이 참석하였다. 각지의 당 기관지에 관련 사설이 발표되었으며 공연 상황에 대한 기사 혹은 요록이 게재되었다.

빙신의 산문집 『이삭줍기 찰기拾穗小劄』, 쩌우디판의 장편소설 『대풍가』가 작가출판사에서 출간되었다.

리지의 장시 『검의 노래』, 가오잉의 단편소설집 『갈 길이 아득하다』가 백화문예출판사에서 출간되었다.

차오뎬원의 중편소설 『빈농 대표貧農代表』가 허난인민출판사에서 출간되었다.

쑨팡산孫方山이 각색한 경극 극본 『서문표西門豹』가 베이징출판사에서 출간되었다.

충선의 화극 『절대로 잊어서는 안 된다』(『당신이 건강하기를』이라고도 함)가 중국희극출판사에서 출간되었다. 인쇄 부수는 1~50,000권이다. 부록으로 하얼빈화극원의 1963년 공연 당시의 무대 설계 및 공연 실황 사진 14장이 수록되었다. 본 작품은 1963년에 우수화극창작상을 받았다.

4월

1일, 『광명일보』에 후완춘의 평론 「공인계급의 투쟁생활을 반영하기 위해 노력하자努力反映工人階級的鬥爭生活」가 발표되었다. 그는 글에서 "공인계급 영웅 형상의 창조에 관한 문제"를 제기하면서, "공인계급의 영웅 인물은 공인계급의 가장 우수한 품성을 지니고 있어야 한다. 이 인물은 고도의 적극성과 규율성을 가지고 있어야 하며, 집단주의 사상을 바탕으로 공평무사해야 한다", "공인계급 내부의 결점을 어떻게 대하는가 하는 것은 입장 문제이며 사상 감정의 문제이다", "반드시 자신의 가족을 대하는 것처럼, 그들을 비평한 후에는 그들이 결점을 고칠 수 있도록 관심을 가지고 도와야 한다. 또한 그들의 노동인민으로서의 본질을 파악하고 그들의 주류로서의 일면을 포착해, 창작 과정에서 정도를 지키도록 주의해야 한다"라고 보았다.

『창춘』 4월호에 「군중 아마추어 문예활동에 대한 지도를 강화하고, 사회주의 문화의 진지를 확대하고 공고히 하자加强對群眾業餘文藝活動領導, 擴大和鞏固社會主義文化陣地」가 발표되었다.

『작품』 4월호에 이준易准의 평론 「문학은 사회주의 시대를 반영해야 한다文學要反映社會主義時代」가 발표되었다. 그는 글에서 "진정으로 사회주의 시대를 향하고 사회주의 시대를 대대적으로 반영해야만 문학이 정치와 경제의 발전에 호응해야 한다는 요구에 응해 사회주의 사업을 위해 더 잘 복무할 수 있을 것이다"라고 보았다.

『해방군문예』에 바이란白嵐, 쑨지톈孫輯天, 랴오융밍廖永銘, 왕웨이王偉, 천페이셰陳培斜, 돤위성段雨生이 합동 창작한 보고문학 「어우양하이歐陽海」가 발표되었다.

바이란(1930~), 만주족 작가로 랴오닝성 진현錦縣 출신이다. 1960년에 해방군 정치학원에 입학해 마르크스레닌 이론을 공부했으며, 졸업 후에 광저우군구 전문 창작원을 맡았다. 1962년에 장편소설 『범이 가을 봉우리를 차지하다虎踞秋峰』를 발표하였다. 1964년에 전우들과 합동 창작한 장편 보고문학 『어우양하이』를 발표해 전군 원고 공모 1등상을 받았다.

3일~21일, 중앙광파사업국 제8차 전국광파공작회의가 베이징에서 진행되었다.

4일, 『베이징문예』 4월호에 라오서의 「문예 첨병의 전투적 역할을 적극적으로 발휘하자積極發揮文藝尖兵的戰鬥作用」, 허우진징의 「문예창작은 수천만 군중이 관심을 가지고 있는 문제에 답변해야 한다文藝創作要回答千百萬群眾所關心的問題」, 후완춘의 「공인계급의 투쟁생활을 반영하기 위해 노력하자」 등의 글이 발표되었다.

5일, 『신장문학』 4월호에 사설 「사회주의의 새로운 문예를 대대적으로 창조하자大力創造社會主義的新文藝」가 발표되었다.

『광시문예』 4월호에 친자오양의 장편소설 연재 『두 세대 사람』이 발표되었다.

6일~5월 10일, 중국인민해방군 제3기 문예대회가 진행되었다. 전군 18개 전문 공연대에서 최근 몇 년간 발표된 300여 편의 작품을 공연하였다. 총 165편의 작품과 736명의 인원이 상을 받았다. 린뱌오가 본 대회에서 창작이 '세 가지의 결합三結合'과 '세 가지 시련 극복三過硬'을 이루어야 한다고 주장하였다. '세 가지의 결합'이란 "지도자, 전문가, 군중 3자의 결합"을 뜻하며, '세 가지 시련 극복'은 "마오 주석의 저작 학습, 생활에의 침투, 기본기 연마"의 시련을 말한다.

9일, 『해방군보』에 천치퉁의 글 「마오쩌둥 문예사상의 새로운 승리를 환호한다歡呼毛澤東文藝思想的新勝利」가 발표되었다.

『산둥문학』 4월호에 취보의 소설 연재 『차오룽뱌오』가 발표되었다.

『시간』 4월호에 자오수리의 「죽지사竹枝詞」와 「지질공작을 읊다吟地質工作」가 발표되었다.

11일, 『문예보』 제4호에 전문 논고 「보고문학 창작을 더욱 발전시키자進一步發展報告文學創作」, 펑즈의 「비판적인 흡수인가, 아니면 맹목적인 숭배인가?是批判地吸取呢, 還是盲目地崇拜?」, 리싱천李醒塵의 「저우구청 미학의 정신 순환권周穀城美學的精神循環圈」, 저우구청의 「주광첸의 예술 논평을 평하다評朱光潛的藝術論評」가 발표되었다. 펑즈는 글에서 "역사유물주의를 통해 역사 현상을 해석하고, 마르크스레닌주의의 비판정신으로써 국내외의 고전 유산을 대하는 것, 이것이 문학연구공작자의 우선적이고 절박한 임무이다"라고 보았다. 저우구청의 글은 주광첸의 「표현주의와 반영론이라는 두 가지 예술관의 기본적인 차이 — 저우구청 선생의 '감정이 형체를 이루게 하다'설에 관하여」(『문예보』 1963년 10월호)에 답하는 글로, 저우구청은 "마르크스주의 이론에 대한 진지한 학습", "「모순론」을 왜곡하지 않을 것", "예술 무충돌藝術無沖突 표현주의에 대한 반대", "'생활은 예술의 원천이다'라는 말의 의미에 대한 정확한 이해", "마음과 사물의 이원론적 예술론이 아니라 반영론을 제창할 것" 등의 관점에서 "주 선생은 「모순론」을 고의로 왜곡하고 있다", "주 선생은 자신의 예술 무충돌설, 표현주의, 마음과 사물의 이원론적 예술이론 등을 관철하기 위해 구조와 심리학의 망론을 지지해 이를 자신의 이론적 기초로 삼고 있다"라고 보았다.

같은 호에 저우리보가 신작 소설 「영빙곡」을 추천한 글이 발표되었다. 저우리보는 글에서 "「영빙곡」에는 물론 필치가 거친 부분과 과도하게 과장된 장면이 존재해 사실과 부합하지 않는 부분이 있으며, 과학기술에 관한 부분은 아주 정확하지는 않다. 그러나 이는 큰 문제가 아니다……이 짧은 소설은 최근 발표된 소설들 가운데 공인생활을 반영한 흔치 않은 좋은 작품이라 할 수 있다"라고 평하였다.

12일, 『인민문학』 4월호에 예쥔젠의 소설 「편지信」, 쑨첸의 보고문학 「다자이 영웅의 계보」, 쉬카이레이의 보고문학 「불러도 끝이 없는 새 노래唱不完的新歌」, 옌천의 시 2편 「기름 냄새가 천 리에 달하다油香千里」(「부장部長」, 「철인鐵人」), 라오제바쌍의 시 3편 「응령집鷹翎集」(「아침早晨」, 「봄의 길春之路」, 「꽃花」), 허우진징의 평론 「「다자이 영웅의 계보」 예찬贊＜大寨英雄譜＞」이 발표되었다.

14일, 『문학평론』 제2호에 차이쿠이의 「저우빙 형상 및 기타─『삼가항』과 『고투』의 평가 문제에 관하여周炳形象及其它——關於＜三家巷＞和＜苦鬥＞的評價問題」, 차오원朝耘의 「「량성바오 형상에 관하여」에 대한 의견對＜關於梁生寶形象＞一文的意見」이 발표되었다. 차오원은 글에서 "1. '이념 활동'과 성별 묘사에 관한 문제", "2. 모순 충돌에 관한 문제", "3. '서정적 의론'에 관한 문제" 등 세 가지 측면에서 옌자옌의 「량성바오 형상에 관하여」에 대해 다른 견해를 피력하였다. 같은 호에 허치팡, 천나이陳鼐의 「조설근의 민주주의 사상 문제에 관하여關於曹雪芹的民主主義思想問題」 및 덩사오지, 류스더 등이 '청렴한 관리'와 '의협심' 문제에 관해 토론한 글이 발표되었다.

15일, 『맹아』 제4호에 쥔칭의 논문 「창작 2제創作二題」(1963년 3월 22일에 진행된 상하이시 아마추어 청년문학작가 좌담회에서의 발언)가 발표되었다. 그는 글에서 두 가지 문제, 즉 "주제의 선택과 표현 문제", "인물, 줄거리, 구조의 문제"에 대해 논술하였다. 쥔칭은 "창작 과정에서 기교의 역할이 없다고 할 수는 없으나, 중요한 문제는 역시 주제 사상이다. 그리고 주제 사상은 작가의 계급적 깨달음, 사상적 수준과 불가분의 관계에 있다. 따라서 주제 사상을 정련하는 과정은 곧 우리의 정치사상의 수준을 검증하는 과정이다", "인물 창작에 있어 우리의 눈앞에 놓인 중요한 과제는 바로 우리가 반드시 우리 시대의 특징을 가진 영웅 인물을 창조하기 위해 노력해야 한다는 것이다", "인물의 묘사에 있어 중요한 문제는 인물의 공통성과 개성 문제이다. 공통성은 개성 속에 존재하며, 개성이 없으면 공통성도 없다", "나는 줄거리가 인물 형상과의 조화와 뗄 수 없는 관계에 있다고 본다. 창작 과정에서 인물 형상을 성숙하게 그려낸다면 줄거리도 자연히 따라오게 된다"라고 보았다.

16일, 『톈진일보』에 쑨리의 「아마추어 창작 3제業餘創作三題」가 발표되었다. 그는 글에서 "현실 소재", "아마추어 창작", "짧은 형식" 등 세 가지 문제에 관해 논술하였다.

20일, 중국작가협회 장시분회와 장시성 문련, 난창시 문련이 합동으로 난창시 장시예술극원 江西藝術劇院에서 1964년도 '곡우 시회穀雨詩會'를 개최하였다. 장시성과 난창시의 지도자, 시인, 가수, 배우 등 시 애호가 1,000여 명이 참석하였다. 장시성 '곡우 시회'는 1961년에 시작된 이래 장시성의 시 창작과 문학이 경제 기초를 위해 복무하도록 하는 행사가 되었다.

『희극보』 4월호에 후완춘의 「화극을 처음 창작한 감상初寫話劇的感想」, 충선의 「「절대로 잊어서는 안 된다」 주제의 형성＜千萬不要忘記＞主題的形成」, 런더야오의 「「작은 축구팀」 창작경험創作＜小足球隊＞的體會」 등 화극 창작경험에 관한 글이 발표되었다. 같은 호에 빙신의 평론 「다음 세대를 얻기 위해 다투는 축구 경기一場爭奪下一代人的足球比賽」가 발표되었다.

『인민일보』에 위안무袁木, 판룽캉範榮康의 「다칭 정신과 다칭 사람大慶精神大慶人」이 발표되었다.

판룽캉(1930~2001), 본명은 량다梁達로 장쑤성 난퉁南通 출신이다. 공화국 성립 후에 충칭 『신화일보』 기자 및 공업조 조장, 『인민일보』 기자 및 편집자, 평론부 주임, 부편집장, 중국사회과학원 대학원 겸임교수를 역임하였다. 저서로 『신문평론학新聞評論學』 등이 있다.

25일, 『인민일보』에 마톄딩의 글 「삶의 위대함, 죽음의 영광―『청년 영웅 이야기』 서문生的偉大, 死的光榮――＜青年英雄的故事＞代序」이 발표되었다.

26일, 『인민일보』에 우한의 「주원장의 대오와 정권의 성격朱元璋的隊伍和政權的性質」이 발표되었다.

27일, 『문회보』에 사설 「낭독가 대오를 확대하고 공고히 하며 제고해야 한다―혁명 이야기 낭독을 대대적으로 제창하자(5)」가 발표되었다.

29일, 『인민일보』에 우한의 「명나라 초기 통치계급 내부의 투쟁明初統治階級內部的鬥爭」이 발표되었다.

『광명일보』에 빙신의 「한자 정리와 식자 교육에 관하여關於漢字整理和識字教育」가 발표되었다.

30일, 『양청만보』에 좡리莊犁, 완룬婉倫의 「시대정신, 영웅 형상 및 기타―류바오돤 동지와의 논의時代精神‘ 英雄形象及其它――與劉保端同志商榷」가 발표되었다. 이들은 글에서 "모든 작가들은 어느 정도의 계급적 이익을 위해 전투를 하고 있다. 그리고 이 전투의 주된 내용 종 하나는 바로 그

작가가 속한 계급의 영웅 형상을 창조하는 것이다. 계급투쟁이 첨예해질수록 그 계급의 영웅 형상을 창조해 그 계급의 투쟁에 이롭게 해야 한다", "역사 소재의 작품은 역사적 사건과 역사 인물의 이야기를 통해 우리가 역사를 정확히 인식하고, 그 속에서 유익한 깨달음과 교훈을 얻게 해 오늘날의 생활과 투쟁에 참고로 삼게 하는 역할을 한다. 이러한 깨달음과 교훈이 오늘날의 시대정신에 표현될 때는 작품 속의 생활과 인물에 표현되는 것이 아니라, 작가가 오늘날의 생활과 투쟁의 필요에 의해 역사 소재를 선택할 때 굴절을 거쳐 표현된다. 만약 역사 소재를 만병통치약으로 삼아 현재 사회생활의 절실한 문제를 해결할 수 있다고 여긴다면 이는 매우 해로운 생각이다"라고 보았다.

이달에 장칭江靑이 상하이예술극장上海藝術劇場에서 경극 「지취위호산」을 관람하고, 공연이 끝난 후에 이 작품을 집중적으로 수정할 것을 요구하였다.

쑹칭링이 화극 「작은 축구팀」의 작가 런더야오와 중국복리회 아동예술극원에 서신을 보내 1963년 이후의 우수화극 창작상과 공연상의 수상을 축하하였다.

중국인민해방군 해군 정치부 문공단 화극단이 7장 화극 「해안 방어선 위海防線上」를 공연하였다. 린인우林蔭梧, 주쭈이, 단원單文이 창작하고 주쭈이가 집필하였으며 장펑이가 감독을 맡았다. 극본은 『해방군문예』 7월호에 발표되었다.

하얼빈시경극단哈爾濱市京劇團이 현대 경극 「혁명에는 자연히 계승자가 있다革命自有後來人」를 공연하였다. 왕훙시王洪熙, 위사오톈於紹田, 스위량史玉良이 각본을, 스위량이 감독을 맡았으며 량이밍梁一鳴, 윈옌밍雲燕銘, 자오밍화趙明華 등이 주연을 맡았다.

선시밍, 모옌, 뤼싱천의 9장 화극 『네온사인 아래의 보초병』이 중국희극출판사에서 출간되었다. 인쇄 부수는 1~17,000권이다.

인민일보출판사에서 인민일보 보고문학 선집 『적도의 눈』을 출간하였다. 책에는 류바이위의 「햇빛이 찬란하다陽光燦爛」, 황강의 「조선―아침 햇살이 맑은 나라」 등의 작품이 수록되었다.

저우리보의 단편소설집 『복춘수蔔春秀』가 후난인민출판사에서 출간되었다.

쑨리의 시집 『바이양뎬의 노래白洋澱之曲』가 백화문예출판사에서 출간되었다.

친무의 산문집 『조석과 배潮汐和船』, 허치팡의 논문집 『문학예술의 봄文學藝術的春天』이 작가출판사에서 출간되었다.

5월

1일, 베이징인민예술극원이 5막 화극 「풍작 후」를 공연하였다. 란칭이 각본을, 메이첸이 감독을 맡았으며 바이산白山, 옌화이리, 린자오화林兆華 등이 주연을 맡았다. 극본은 『극본』 2월호에 발표되었다.

『해방군문예』 5월호에 자오수리의 「'조업 작가'에 관하여—비거페이 동지를 기념하며談"助業作家"——紀念畢革飛同志」가 발표되었다. 이 글은 자오수리가 인민문학출판사에서 출간될 예정인 『비거페이 쾌판시선畢革飛快板詩選』을 위해 쓴 서문이다.

『창장문예』 5월호에 지쉐페이의 소설 「'레이 형님'과 '스 누님' 이야기"雷大哥"和"石大姐"的故事」가 발표되었다.

3일, 『인민일보』에 궈모뤄의 「일본의 한자 정책과 문자 기계화日本的漢字政策和文字機械化」가 발표되었다.

5일, 『후난문학』 5월호에 샤오위쉬안의 소설 「영빙곡」(『인민문학』 3월호에 최초 발표)이 전재되었다. 같은 호에 캉줘의 평론 「마치 절벽 위 백 길 얼음과 같다俏對懸崖百丈冰」, 한한밍韓罕明의 「「영빙곡」 예찬贊<迎冰曲>」, 리무싱黎牧星의 「공산주의 풍격의 찬가共產主義風格的贊歌」 등 소설 「영빙곡」에 대한 평론이 발표되었다. 캉줘는 글에서 "이 소설은 우수한 작품이다. 마음을 감동시키는 노래이며, 공산주의 사상의 빛을 흩뿌리는 그림이다"라고 보았다. 한한밍은 글에서 "이 작품은 예술적인 감화력이 풍부하고 깊은 사상 의의로 가득 찬 혁명의 시편이다"라고 평하였다. 리무싱은 "작품의 처음부터 끝까지, 작가는 강렬한 감정과 낭만주의적 색채로써 인물을 노래하고 있어, 읽는 이의 감정을 불러일으켜 큰 감동을 준다"라고 보았다.

『광시문예』 5월호에 친자오양의 장편소설 연재 『두 세대 사람』이 발표되었다.

6일, 중공중앙에서 문화부 당조의 「극본 공연 보수 취소에 관한 지시 요청 보고關於取消劇本上演報酬的請示報告」를 비준하고 각지에서 이에 따라 집행할 것을 요구하였다.

『문회보』에 사설 「더 좋은 혁명 이야기가 더 많이 필요하다─혁명 이야기 낭독을 대대적으로 제창하자(6)」이 발표되었다.

10일, 『광명일보』에 야오원위안의 평론 「저우구청 선생의 모순관을 평하다評周穀城先生的矛盾觀」가 발표되었다. 그는 글에서 "차이의 본질에서 도피하거나 이를 덮어 가려서는 안 된다", "저우 선생의 창작에서 '모여들어' '통일된 전체'가 된 것은 어찌된 일인가", "소위 '무차별의 경지'는 완전히 주관적인 억지다", "'무차별의 경지'에 대한 저우 선생의 각종 운용" 등의 측면에서 논술하였다.

11일, 상하이시경극원에서 현대 경극 「지취위호산」을 공연하였다. 극본은 본 경극원에서 소설 『임해설원』과 화극 극본 「지취위호산」을 각색한 것으로, 잉원웨이, 타오슝, 리퉁썬李桐森이 감독을 맡았으며 리중린李仲林, 지위량紀玉良, 허융화賀永華, 리추썬李秋森, 궈중친郭仲欽 등이 주연을 맡았다.

『문예보』 제5호에 주광첸의 글 「저우구청의 「주광첸의 예술 논평을 평하다」를 읽고讀周穀城 <評朱光潛的藝術論評>」, 왕쯔예의 「예술에서의 감정과 이치의 관계─저우구청 선생에게 답하다藝術中的情與理的關系──答周穀城先生」가 발표되었다. 주광첸은 글에서 저우구청이 "자신의 계급조화론階級調和論에 대해 변명하고 있다"고 보았으며, 왕쯔예는 글에서 "저우구청의 예술론은 유심주의적인 인성론이다"라고 보았다.

12일, 『인민일보』에 사설 「농촌도서 출판공작을 대대적으로 강화하자大力加強農村讀物出版工作」(13일자 『문회보』에 전재), 리지의 장시 『굴착대 대장 이야기鑽井隊長的故事』가 발표되었다.

『인민문학』 5월호에 '신화집新花集'란이 다시 개설되었다. 본 특별란은 "재작년 12월과 작년 7, 8월호 합본에 '신화집'란을 개설해 독자의 열렬한 지지를 얻었다. 이번 호에 세 번째로 개설한다. 앞의 두 차례 때는 각지 문학 간행물에 발표된 우수한 신작을 선정해 실었으며, 이번에는 본지에 투고된 원고 가운데 선정해 싣는다"라고 밝혔다. '신화집'란에 왕스거王世閣의 「두 명의 반장兩個班長」, 커화可華의 「생선가게의 희극漁店裏的喜劇」, 장셴화張賢華의 「정착하다落戶」, 천중쉬안陳仲宣의 「어려움을 극복하다過硬」, 샤오위쉬안의 「풍화록風火錄」이 발표되었다. 같은 호에 궈샤오촨의 시 「그들은 산을 내려갔다他們下山去了」가 발표되었다.

14일, 중국인민해방군 총정치부에서 시상식을 개최해 화극 「난하이 창청」의 작가 자오환, 「해안 방어선 위」의 작가 린인우, 주쭈이, 단원, 「청매」의 작가 천치퉁, 「모자회」의 작가 자오자지, 「제1과 제2」의 작가 저우이밍, 우빈 등에게 우수창작상을 수여하였다.

15일, 『신화월보』 제5호에 「「량성바오 형상에 관하여」에 관한 토론關於<關於梁生寶形象>一文的討論」(『문학평론』 1964년 제2호)이 전재되었다.

16일, 『인민일보』에 야오원위안의 글 「빙산의 눈 덮인 봉우리가 새로운 노래를 연주한다ㅡ단편소설 「영빙곡」 추천冰山雪嶺奏新歌——推薦短篇小說<迎冰曲>」이 발표되었다. 그는 글에서 "「영빙곡」의 주제는 참신하며 현실적 의의가 풍부하다. 이 주제는 생산투쟁 속에서 혁명 전통과 혁명 작풍을 계승하는 문제와 연관되어 있다. 이것은 혁명 대오 내부의 사상, 작풍, 경험의 모순이다. 이 모순을 해결함에 있어 작품은 무산계급 선진 인물 형상을 선명하고 풍부하게 수립하였다. 인민이 앞서가는 것을 학습하도록 강력히 인도한 점은 발양할 만하다"라고 보았다.

린뱌오가 중국인민해방군 총정치부에서 편찬한 『마오 주석 어록毛主席語錄』의 출판에 대한 의견을 제시하였다. 이 책은 마오쩌둥이 각 시기에 발표했던 글, 연설, 전보 가운데서 400여 개의 문장을 발췌한 것이다. 이 책은 처음에는 군대 내부에서 발행되었다가 1966년에 문화대혁명이 시작된 후에 공개적으로 발행되었다. 마오쩌둥의 생일인 1966년 12월 26일에 린뱌오는 『마오 주석 어록』의 '재판 서문'을 집필해, 전국의 인민이 마오쩌둥 주석의 어록을 학습하여 기본적인 관점과 문장을 외우도록 해 마오쩌둥 사상이 가장 큰 위력을 가진 정신의 원자 폭탄이 되게 할 것을 호소하였다.

19일, 『인민일보』에 마라친푸의 「가장 선연한 꽃송이ㅡ초원의 영웅 자매 룽메이와 위룽을 기억하며最鮮豔的花朵——記草原英雄小姊妹龍梅和玉榮」가 발표되었다.

20일, 문화부에서 「희곡 극목 건설 강화에 관한 통지關於加強戲曲劇目建設的通知」를 발포해 계획을 결정하여 우수한 레퍼토리를 축적할 것을 요구하였다. 통지는 우선 현대극의 극목 건설에 서둘러 3~5년 내에 전국적으로 우수한 레퍼토리를 축적하고, 각 성, 시, 자치구 문화국과 중요 희곡 극단에서 역량을 집중시켜 이를 도와 현대 극목을 창작하며, 이와 동시에 신작 역사극의 창작과 우수한 전통 희극의 정리 및 각색 공작 역시 소홀히 하지 말 것을 요구하였다.

『인민일보』에 마오둔의 「『아동문학』을 읽고讀<兒童文學>」가 발표되었다.

『희극보』제5호에 런구이린의 「앞사람의 일을 계승해 발전시켜 새로운 국면을 개척하자繼往開來, 開辟新局面」, 쉐언허우의 「반드시 질의 제고를 위해 노력해야 한다必須努力提高質量」, 장멍경의 「현대극 같으면서도 경극 같아야 한다要像現代戲, 還要像京劇」, 리쯔구이의 「우선 생활 문제를 해결해야 한다首先要解決生活問題」, 정이추鄭亦秋의 「예술 형식 문제를 세심하게 대해야 한다要仔細對待藝術形式問題」, 팡훙方弘의 「경극 현대극의 번창을 위해 환호한다爲京劇現代戲的興旺而歡呼」, 탄웨이중談微中의 「귀중한 혁명적 책임감可貴的革命責任感」 등 경극 현대극에 대한 글이 여러 편 발표되었다. 또한 총론「경극의 현대극 공연에 관한 토론關於京劇演現代戲的討論」이 발표되었다.

글은 1963년 하반기 이래 각지 간행물에서 진행되어 온 희곡이 현대극을 공연하는 문제에 관한 토론 상황을 소개하였다. 글은 아래와 같은 세 가지 주된 문제에 관해 토론하였다. 1. 경극은 현대극을 공연해야 하는가? 한 가지 의견은 미학에서의 '거리설距離說'에 근거해 '분업론'을 제기하며 경극은 역사극만을 공연해야 하고, 현대 소재를 표현하는 데 적합한 극종이 현대극을 공연해야 한다는 것이다. 다른 한 가지 의견은 경극이 현대극을 적극적으로 공연해 이 시대와 '함께 호흡'할 것을 주장하였다. 2. 경극이 현대극을 공연한다면 경극의 형식을 유지해야 하는가? 혹자는 군중의 감상 습관을 존중해 경극의 특색을 유지해야 한다고 보았으며, 혹자는 형식의 틀을 타파해도 무방하며, "화극에 가창을 더하면 된다"고 보았다. 3. 어떻게 해야 현대극을 잘 공연할 수 있는가? 이 주제에 관해서는 생활에서 출발해 경극 예술 전통의 기초 위에서 예술창작을 진행하고 기존의 전통 양식을 이용해 새로운 양식을 창조하는 방법, 그리고 경극 현대극의 가창과 대사 등을 처리하는 방법 등의 문제에 관해 토론하였다.

20일~6월 8일, 문화부에서 전국 농촌도서 발행공작회의를 진행하였다. 회의를 통해 농촌도서 발행공작을 강화하고 개선하기 위한 여러 가지 조치를 제출하였다.

21일, 『해방일보』에 기사 「더 좋은 혁명 이야기를 더 많이 창작하자-상하이작가협회에서 관련 인원을 초청해 혁명 이야기 창작 문제에 관해 좌담하다」가 게재되었다.

23일, 『인민일보』에 「뜨거운 투쟁 속에서 단련하고 제고하자(제2차 중앙농촌문화공작대 좌담회 요록)在火熱的鬪爭中鍛煉和提高(第二批中央農村文化工作隊座談會紀要)」가 발표되었다.

24일, 『광명일보』에 『문예보』에 발표된 주광첸의 「저우구청의 「주광첸의 예술 논평을 평하다」를 읽고」와 왕쯔예의 「예술에서의 감정과 이치의 관계」를 소개하는 글이 발표되었다.

25일, 『수확』 제3호에 저우리보의 「상강 전후霜降前後」(1964년 4월에 창작), 탕커신의 「어느 나사의 위치一只螺絲的部位」 등의 소설, 류바이위의 「봄春」, 장빈의 「보도춘추寶島春秋」 등의 산문이 발표되었다.

30일, 『인민일보』에 두아이, 이준易准의 평론 「젊은 세대의 농민 형상－왕원스의 소설 「헤이펑」 소개年青一代的農民形象——介紹王汶石小說＜黑風＞」가 발표되었다. 이들은 글에서 「헤이펑」이 "청년 농민 집단의 군상을 통해 농경지 수리 사업, 사회주의를 건설하는 농업, 그리고 산 위로 올라가 강철을 지원하는 이야기를 주된 줄거리로 삼아 공사화 이후에 들끓는 농촌 생활의 장면을 전개하였으며, 농민들의 사상에 일어난 거대한 변화를 표현하였다", "작가는 이 소설에서 젊은 세대 농민의 정신적 면모를 생생히 표현하였다. 이는 우리 사회주의 문학창작에 있어 크게 긍정할 만한 좋은 일이다"라고 보았다.

『광명일보』에 천치퉁의 글 「웅장하고 아름다운 시편壯麗的詩篇」(『남방에서 온 편지南方來信』 독후감)이 발표되었다.

이달에 마오쩌둥 시사詩詞 10편이 연초에 발표된 이후로 전국의 간행물에 이를 학습하고 연구한 글이 여러 편 발표되었다. 궈모뤄, 짱커자, 톈젠 등이 이에 관한 글을 발표하였다.

중국전영가협회 내에서 문예정풍운동이 진행되어 제3회 『대중전영』 '백화상'이 중지되었다.

산둥성경극단이 지난에서 경극 현대극 「기습백호단奇襲白虎團」을 공연하였다. 리스빈李師斌, 리구이화李貴華, 팡룽샹方榮翔, 쑨추차오孫秋潮가 각본을, 인바오중殷寶忠, 상즈쓰尙之四가 감독을 맡았다. 쑹위칭宋玉慶, 싱위민邢玉民, 팡룽샹 등이 주연을 맡았다. 극본은 『극본』 9월호에 발표되었다.

천덩커의 장편소설 『폭풍우』(제1부 상, 중, 하)가 중국청년출판사에서 출간되었다. 인쇄 부수는 1~90,000권이다. 1956년에 양장본과 일반판 두 가지로 재판이 출간되었다. 일반판은 상, 하권으로 구성되었으며 양장본은 단권으로 삽화가 추가되었다. 1978년 11월에 재8쇄가 출간되어 인쇄 부수가 539,000권에 달했다. 이 소설은 본래 100장으로 계획되었으며, 제1부는 60장 분량이다. 제2부는 『장화이문학』 1980년 제1호부터 8호까지 연재되었으며 출판되지 않았다.

비예의 산문집 『웨량후月亮湖』가 백화문예출판사에서 출간되었다.

차오잉草嬰이 번역한 톨스토이의 『캅카스 이야기高加索的故事』가 인민문학출판사 상하이지사에서 출간되었다.

6월

1일, 『인민일보』에 제2차 중앙농촌문화공작대가 임무를 성공적으로 완성하고 베이징으로 돌아오고 있다는 기사가 게재되었다.

『광명일보』에 사설 「농촌으로 가자, 뜨거운 투쟁 속으로 가자!到農村去, 到火熱的鬪爭中去!」가 발표되었다.

『초원』 6월호에 쿠이청奎曾의 「초원 위의 격렬하고 복잡한 계급투쟁-『아득한 초원』(상)을 평하다草原上一場激烈複雜的階級鬪爭──評<茫茫的草原>(上部)」, 딩정빈丁正彬의 「아득한 초원 위의 혁명의 폭풍茫茫草原上的革命風暴」, 리이빙李亦冰의 「한 단계 더 올라가다-『아득한 초원 위에서』에서 『아득한 초원』까지更上一層樓──從<在茫茫的草原上>到<茫茫的草原>」 등의 글이 발표되었다.

『신항』, 『허베이문학』 6월호에 쑨리의 「아마추어 창작 3제業餘創作三題」가 발표되었다.

『쓰촨문학』 6월호에 사팅의 소설 「장벽隔閡」이 발표되었다.

『압록강』 6월호에 바이랑의 소설 「온천溫泉」이 발표되었다.

『창장문예』 6월호에 쉬원핑의 「첨예한 대립針鋒相對」, 저우궁성周貢生의 「이정표路標」 등의 화극이 발표되었다.

2일, 『광명일보』에 편집부의 글 「사회주의의 새로운 것을 발전시키는 것이 희곡공작이 노력해야 할 방향이다出社會主義之新是戲曲工作的努力方向」가 발표되었다. 글은 "현대극을 창작하고 공연하는 것이 현재의 최우선 임무이다"라고 보았다.

3일, 『인민일보』에 하오란의 단편소설 「참깨芝麻」가 발표되었다.

4일, 샤옌이 경극의 현대극 공연 문제에 대한 홍콩 『문회보』 기자의 질문에 대해 "우리는 시종일관 '두 다리로 걷는 것'을 주장해 왔다. 이는 즉 현대극을 대대적으로 제창하는 한편으로 전통

극을 정리하고 신작 역사극을 가공해야 한다는 것이다"라고 밝혔다.

『베이징문예』6월호에 베이징시 직공 아마추어 문예창작 공연대회 개막식에서의 덩퉈의 연설 「무산계급 혁명문예의 큰 깃발을 높이 들자高擧無産階級革命文藝的大旗」가 게재되었다. 그는 글에서 "혁명화, 현대화, 민족화, 군중화"가 "직공 아마추어 문예가 성숙한 정도를 판단하는 지표"라고 보면서, "우리는 이 방향을 향해 부단히 노력해야 한다"라고 밝혔다.

5일~7월 31일, 전국 경극 현대극 관람공연대회가 베이징에서 개최되어 19개 성, 시, 자치구의 28개 경극단이 35개 작품을 공연하였다. 저우언라이가 직접 본 대회를 주관하고 연설을 진행하였다. 그는 연설에서 당의 문예방침을 설명하고, 대립 통일(보급과 제고, 사상성과 예술성, 생활실천과 예술 실천), "희극의 혁명", "사람의 혁명" 및 당의 지도 강화 등의 문제에 관해 언급하였다. 마오쩌둥은 「지취위호산」, 「갈대숲의 불씨」 등의 작품을 관람한 후 전체 참석 인원을 접견하였다.

대회의 개막식은 인민대회당에서 진행되었으며 루딩이, 캉성, 궈모뤄, 장지춘張際春, 저우양, 류즈젠劉志堅, 장칭, 샤옌, 린모한, 쉬마이진徐邁進, 천황메이, 톈한, 양한성 등 문예공작자와 장경張庚, 저우신팡, 샤오창화, 가이자오톈, 장먀오샹, 마롄량, 상샤오윈, 쉰후이성, 쉬란위안, 위전페이, 훙셴뉘 등 희곡계의 저명인사가 개막식에 참석하였다. 루딩이가 개막식에서, 펑전이 폐막식에서 연설하였으며(연설문은『희극보』제6호와『인민일보』8월 1일자에 게재), 저우양이 폐막식에서 결산 보고를 진행하였다.

대회 기간 동안 베이징경극단이 「두견산」을, 베이징 경극 2단이 「홍후 적위대」를, 중국경극원 4단이 「홍색낭자군」을, 신장 위구르족자치구 우루무치시경극단이 「붉은 바위」를, 하얼빈시경극단이 「혁명에는 자연히 계승자가 있다」를, 탕산시화극단唐山市話劇團이 「제전귀節振國」를, 톈진시경극단이 「6호 문六號門」을, 중국희곡연구원 실험경극단이 「조양구」를, 중국경극원 1단이 「홍등기紅燈記」를, 상하이연출단上海演出團이 「지취위호산」을, 중국경극원 2단이 「홍수와 싸우다戰洪峰」를, 산둥성경극단이 「기습백호단」을 공연하였다.

대회 기간 동안 지방희곡공작자 좌담회, 청년 배우 좌담회 등 여러 좌담회가 진행되었으며, 저우언라이, 펑전, 저우양, 장칭 등이 중요한 연설을 진행하였다.『인민일보』에 「경극예술 발전의 새로운 단계京劇藝術發展的新階段」,『홍기』제12호에 「문화전선 위의 대혁명文化戰線上的一個大革命」,『광명일보』에 「우수한 경극예술이 시대의 광휘를 발하다優秀的京劇藝術發出時代的光輝」,『문예보』제6호에 「경극예술의 혁명적 시도京劇藝術的革命創擧」,『베이징일보』6일자에 「경극혁명의 이정표京劇革命的裏程碑」 등의 사설이 발표되었다.『인민일보』8월 1일자에 사설 「문예전선 위에서의 사회주의 혁명을 끝까지 진행하자把文藝戰線上的社會主義革命進行到底」가 발표되었다.

장칭이 대회에 끼어들어 중국희곡연구원 실험경극단이 창작 및 공연한 「홍기보」와 본 극단에서 각색한 「조양구」를 비판하였다. 7월의 경극 공연 인원 좌담회에서 장칭은 「경극 혁명에 관하여 談京劇革命」라는 제목으로 연설하였다. 연설문은 1967년이 되어서야 『홍기』 제6호에 공개적으로 발표되었으며 『인민일보』, 『해방일보』에도 동시에 발표되었다. 장칭은 "무대 위에 출현하는 형상은 전부 왕후장상, 재자가인, 그리고 사회의 잡배들이다. 90여 개의 화극단도 모두 공농병을 표현하는 것이 아니라, 여전히 실제적인 문제를 해결하지 못하고, 외국 것을 추앙하며, 케케묵은 생각에 얽매여 있어, 화극 무대 역시 국내외의 옛사람이 차지하고 있다고 할 수 있다. 극장은 본래 인민을 교육하는 장소지만 오늘날의 무대 위는 왕후장상과 재자가인으로 가득 차 봉건주의와 자산계급의 사상이 가득하다. 이러한 상황은 우리의 경제 기초를 보호해 주지 못하고 오히려 이를 파괴할 것이다", "우리는 혁명의 현대극을 제창하고, 건국 15년간의 현실생활을 반영해, 우리의 희곡 무대 위에서 당대의 혁명 영웅 형상을 창조해야 한다. 이것이 최우선 임무이다. 우리에게는 물론 역사극도 필요하다. 이번 관람 공연에서도 혁명 역사극의 비중은 작지 않았다. 우리 당이 설립되기 전의 인민의 생활과 투쟁을 묘사하는 역사극은 물론 필요하지만, 모범을 수립하여 진정으로 역사유물주의적 관점을 통해 옛것을 오늘의 현실에 맞게 활용하는 역사극을 창작해야 한다. 물론, 중요 인물(현대생활을 표현하고 공농병 형상을 창조하는)을 방해하지 않는다는 전제하에서 역사극을 창작해야 한다. 전통극도 전부 버릴 필요는 없다. 귀신극과 투항과 변절을 노래한 작품을 제외한 훌륭한 전통극은 모두 공연할 수 있다"라고 보았다.

결산 회의에서 캉성과 장칭은 영화 「이른 봄 2월」, 「무대 자매」, 「북국강남」, 「역풍천리逆風千裏」, 경극 「사요배」, 곤곡 「이혜낭」을 정면으로 비판하며 이 작품들을 '독초'라고 매도하였다. 캉성은 특히 「이혜낭」을 '나쁜 극'의 전형이라고 보면서 모두에게 비판할 것을 호소하고, 멍차오와 랴오모사 등이 '악귀'를 빌려 무산계급 독재 정치를 뒤엎으려 한다고 주장하였다.

5일, 『인민일보』에 타오슝의 「「지취위호산」의 수정과 가공 <智取威虎山>的修改和加工」이 발표되었다. 그는 글에서 "사상성과 예술성", "긍정적 인물과 부정적 인물", "생활의 진실과 예술의 진실", "옛 양식의 이용과 돌파" 등의 문제를 정확히 처리하는 방법이라는 측면에서 이 극본의 창작 과정과 수정 경험을 소개하였다. 그는 글의 마지막에서 "우리는 이번 수정과 가공을 통해 정확하고 엄숙하며 진지한 태도를 수립하기만 한다면 경극의 현대극 공연을 인민의 근본적 이익과 경극의 앞날에 관계된 혁명 투쟁으로 볼 수 있으며, 경극공작자가 더욱 혁명화하고, 경극이라는 극종

자체가 사회주의 개조를 진행하는 고된 투쟁으로 볼 수 있다고 믿는다. 원대한 방향에 눈을 두고 구체적인 작품에 착수해 당과 군중에 의지하여 오랫동안 쉬지 않고 성실히 해 나간다면, 우리는 분명히 크고 넓은 길을 닦을 수 있을 것이다"라고 보았다.

『광시문예』6월호에 친자오양의 장편소설 연재『두 세대 사람』, 천보추이의 동화「새해 할아버지와 산타 할아버지新年老人和聖誕老人」가 발표되었다.

『문회보』에 바진의「귀중한 선물(『남방에서 온 편지』)─베트남 시인 롼춘성 동지에게珍貴的禮物（《南方來信》）——致越南詩人阮春生同志」, 가오스치의「아이들의 과학적 흥미를 길러 주자培養孩子們對科學的興趣」등의 글이 발표되었다.

6일, 『인민일보』기사는 제5회 '상하이의 봄' 음악회가 4일 밤에 상하이음악청上海音樂廳에서 최초로 마오쩌둥 주석 시사 공연 특집으로 진행되었다고 밝혔다. 100여 명의 가수와 연주자 및 청년음악공작자들이 마오쩌둥 주석의 시사 20여 편을 노래하였다. 공연에 사용된 대부분의 곡들은 작곡가들이 최근에 작곡한 신작 혹은 최근에 다시 수정 가공한 작품으로, 공연 형식은 독창, 합창, 대합창, 평탄評彈 등 다양했다. 마오쩌둥 주석의 시사 공연은 본래 두 차례로 예정되어 있었으나 청중들의 뜨거운 환호에 화답하여 '상하이의 봄' 음악회는 8일에 한 차례 더 공연하기로 결정하였다.

『문회보』에 경극 현대극에 관하여 '사회주의의 새로운 것을 발전시켜 경극이 공농병을 위해 더 잘 복무하게 하자' 특집란이 개설되어 펑치융의「경극의 현대생활 표현의 새로운 성취─베이징경극단의「갈대숲의 불씨」공연을 보고京劇表現現代生活的新成就——看北京京劇團演出的＜蘆蕩火種＞」가 발표되었다.

7일, 『홍기』제11호에 황추원의「계급투쟁의 생생한 교재─「붉은 보루」를 읽고階級鬥爭的生動教材——讀＜紅色堡壘＞」가 발표되었다.。

8일, 『인민일보』기사는『붉은 바위』가 일본에서 점자로 번역되었다고 전했다.

10일, 『산둥문학』6월호에 리신톈李心田의 소설「오빠는 양을 치고 나는 땔감을 줍는다哥哥放羊我拾柴」가 발표되었다.

11일, 『문예보』 제6호에 샤옌의 「『남방에서 온 편지』를 읽고<南方來信>讀後」, 짱커자의 「승리의 보증서勝利的保證書」, 장광녠의 「심금을 울리는 좋은 책一本驚心動魄的好書」, 황쫑잉의 「나는 「붉은 꽃송이」를 사랑한다我愛<紅色花朵>」, 마오둔의 「루원푸의 작품을 읽고讀陸文夫的作品」 및 루원푸의 「『문예보』 편집부에 보내는 서신給<文藝報>編輯部的一封信」 등의 글이 발표되었다. 마오둔은 글에서 "작가(즉 루원푸)는 작은 동작을 통해 인물의 성격을 묘사하는 데 능하며, 앞뒤가 호응하게 하는 방법으로 순서를 잘 구성하는 데 능하다", "그의 문학적 수양은 기초가 탄탄하며, 그는 소재를 취사선택하는 방법과 생활의 경험을 종합해 예술적으로 가공하는 방법을 알고 있다. 그는 줄거리를 안배하고 분위기를 조성하는 데 능하며, 인물을 창조하는 방법을 잘 알고 있다. 그는 이미 이러한 창작의 기본기를 익혔으며, 부족한 것은 더 넓고 깊은 생활의 경험, 즉 계급투쟁과 생산투쟁의 경험뿐이다"라고 보았다.

『해방군보』에 바진의 「환영한다, 친애하는 베트남 전우들이여!歡迎你, 親愛的越南戰友們!」(베트남 인민군 총정치국 가무단의 공연을 보고 집필한 글)가 발표되었다.

12일, 『인민문학』 6월호에 아이우의 소설 「크리스마스트리 아래采油樹下」(4월 14일에 창작), 완궈루의 소설 「플랫폼 위鑽台上」, 황쫑잉의 「여자아이가 큰 깃발을 어깨에 메다小丫扛大旗」, 빙신의 「우리의 다섯 아이咱們的五個孩子」, 루주궈의 「행복의 여정幸福的旅程」, 탕커신의 「햇빛과 비와 이슬陽光雨露」 등의 보고문학, 위안잉의 산문 「남방, 노도와 열화 같은 남방이여!南方, 怒潮烈火一般的南方啊!」, 짱커자의 시 「베트남 남방 영웅 예찬南越英雄贊」(5월 29일 창작. 「내일을 바라보다望明天」, 「할머니老大娘」 등 9편 수록)이 발표되었다.

『인민일보』에 라오서의 「『베이징말 어휘』 서문<北京話語彙>小序」이 발표되었다.

13일, 상하이청년화극단이 6장 화극 「청춘의 노래青春謠」를 공연하였다. 왕쑤장王蘇江, 톈자가 각본을, 톈자가 감독을 맡았다.

『시간』 편집부와 중앙인민방송국 문예부에서 주최한 '인민공사여 안녕' 시가 낭송 가창 공연이 베이징 근교의 황투강黃土崗 인민공사에서 진행되었다.

14일, 『문학평론』 제3호에 우스제, 가오원의 「량성바오 형상의 창조에 관하여談梁生寶形象的創造」, 장중張鍾의 「량성바오 형상의 성격 내용과 예술 표현─옌자옌 동지와의 논의梁生寶形象的性格

內容與藝術表現——與嚴家炎同志商榷」, 양장楊絳의 「돈키호테와 『돈키호테』堂吉訶德和<堂吉訶德>」 등의 글이 발표되었다.

『문회보』에 이췬이 독자에게 답한 글 「새로운 이야기에 관하여淺談新故事」가 발표되었다. 그는 글에서 새로운 이야기의 특징은 "첫째로 그 이야기가 새롭다는 것"이라고 보면서, 새로운 이야기와 새로운 소설의 차이는 "전파 방식, 군중을 위해 복무하는 방식, 그리고 군중에게 받아들여지는 방식에 따라 다르다"라고 보았다.

15일, 『맹아』 제6호에 웨이진즈의 「열 편의 장편掌篇소설에 대한 몇 가지 견해對於十篇小小說的一些看法」, 쑨리의 「아마추어 창작에 관하여關於業餘創作」가 발표되었다. 쑨리는 글에서 "현실 소재", "아마추어 창작", "짧은 형식" 등 세 가지 문제에 관해 논술하였다. 그는 "우리는 현실 소재를 중시하고, 투쟁 속에서 생활하고 공작에 임하는 작가를 중시해야 한다", "나는 아마추어 창작이 몇 가지 문제에 주의해야 한다고 본다. 1. 군중과의 관계를 잘 수립할 것. 2. 창작이 아주 특수한 것이라고 여기지 말 것. 남이 이렇게 느끼게 해서도 안 되고, 특히 자기 자신은 더더욱 그렇게 여기지 말 것. 3. 지름길을 찾지 말 것", "우리는 민간 형식을 학습하고 활용해야 한다", "단편소설을 쓸 때는 큰 힘을 들여 충분히 성숙시켜야 한다"라고 밝혔다.

16일, 『광명일보』에 바진의 「베트남 남방 시인 장난 동지에게 답하다答越南南方詩人江南同志」가 발표되었다.

17일, 『광명일보』에 우한의 평론 「「봉건사회의 '청렴한 관리'와 '훌륭한 관리'를 논하다」를 읽고<試論封建社會的"淸官" "好官">讀後」가 발표되었다.

『문회보』에 러우스이의 평론 「사람의 마음을 감동시키는 책−『남방에서 온 편지』一本激動人心的書——<南方來信>」가 발표되었다. 그는 글에서 "이 편지들을 읽으면 세상에서 가장 흉악한 미국 강도의 낯짝을 더없이 분명하게 보게 되고, 그들의 본질을 뼈에 사무치게 깨닫게 된다", "모든 이가 책임이 있음을 누구나 알게 되어, 자신의 실제 행동으로 고난 속에서 용감하게 투쟁하는 인민을 지원하고, 그들이 하루빨리 승리의 봄을 맞이하도록 돕게 만든다!"라고 보았다.

20일, 『신건설』 5, 6월호 합본에 '사회주의 화극에 관한 토론' 특집란이 개설되어 사회주화극운동을 촉진하는 방법과 이론 문제에 관한 토론이 전개되었다. 본 특집란에는 라오서, 리보자오 등 작가 9인의 글이 발표되었다.

『극본』 6월호에 춘루村路, 수후이舒慧의 5막 화극 「훙스의 종소리紅石鍾聲」 및 리웨이망李未芒, 무성木生의 「위대한 전사偉大的戰士」, 쉬싱徐行, 자뎬빈賈殿彬의 「섣달 그믐날大年三十」, 정스첸鄭士謙의 「맑은 물이 길게 흐르다淸水長流」 등의 단막극이 발표되었다.

22일, 『문회보』 기사는 "베이징대학 중문과에서 랑성바오 형상의 창조 문제에 관해 토론하였다"라고 전하며, "본 토론은 베이징대학 중문과 교수 옌자옌이 『문학평론』 1963년 제3호에 발표한 글 「랑성바오 형상에 관하여」의 논점을 둘러싸고 진행되었다"라고 밝혔다.

23일, 저우언라이가 전국 경극 현대극 관람공연대회에 참가한 각 공연단과 관람단의 책임자와 중요 배우, 창작자들을 초청해 인민대회당에서 현대극 좌담회를 진행하였다. 저우언라이, 캉성, 장칭 등과 배우 대표들이 발언하였다. 저우언라이는 연설에서 1. 마오쩌둥 주석의 문예방침, 2. 대립 통일에 관하여, 3. 희극의 혁명, 4. 사람의 혁명, 5. 당의 지도 강화 등의 문제에 관해 이야기하였다. 캉성은 연설에서 "사회주의 사회의 경극 작품을 보면 대부분이 왕후장상, 재자가인, 봉건적인 충효 절의를 그린 작품들로, 진정으로 사회주의 사회의 훌륭한 점을 반영한 작품은 매우 적거나 아예 없다시피 하다. 이는 매우 심각한 문제이다"라고 밝혔다. 장칭은 일련의 수치를 예로 들면서 희곡 무대가 "왕후장상과 재자가인으로 가득하고, 최근 몇 년 동안에는 사회의 잡배들까지 더해졌다"라고 비난하였다. 이 외에도 중공 상하이시위원회 선전부 부장 장춘차오, 경극공작자 쑹위칭, 자오옌샤趙燕俠, 쉬란위안, 리중린, 가오위첸高玉倩, 샤오자蕭甲, 리위루李玉茹 등이 발언하였다. 좌담회에는 장지춘, 저우양, 마오둔, 치옌밍, 덩퉈 및 관련 부문의 책임자들도 참석하였다.

24일, 『인민일보』에 기사 「경극공작자들이 적극적으로 사상을 개조하고 예술을 혁신해 새로운 시대의 **공농병** 영웅 형상 창조를 위해 노력하고, 생활에 침투해 현대극을 창작 및 공연해 기쁜 수확을 거두다京劇工作者積極改造思想革新藝術, 努力塑造新時代的工農兵英雄形象, 從深入生活著手編演現代戲有了可喜的收獲」가 게재되었다. 기사는 "전국의 경극공작자들이 경극예술이 반드시 혁신하고 현대 생활을 표현하기 위해 노력해 사회주의 혁명과 사회주의 건설을 위해 더 잘 복무해야 한다는 시대적 요구에 호응하여, 최근 몇 년 사이 적극적인 행동에 나서 생활에 침투하고 공농병 군중 속에 침투해, 사상개조와 예술 혁신이라는 면에서 기쁜 수확을 거두었다"라고 전했다. 1963년에 희극계에서는 옛것을 취사선택하여 새롭게 발전시키는 문제에 관한 열띤 토론이 진행되었는데, 이는 1958년의 현대극 공연 이후에 다시 일어난 현대극 붐이다. 이 전에도 몇몇 경극단은 상산, 하향, 공장행, 부대행, 찾아가는 공연, 공농병을 위한 공연 등을 통해 공농병 군중과의 사이에 비교적 긴밀한 관계를 수립하였으며, 최근에 진행된 1964년 경극 현대극 관람공연대회에서 그 성과를 보여주었다.

25일, 문화부에서 전국 인쇄공작회의를 소집해 1965년 및 제3차 5개년 계획 기간의 도서 및 간행물 인쇄사업 발전 계획에 관해 중점적으로 토론하였다.

26일, 『인민일보』에 북한 인민의 남한에서의 미국 침략군 철수 및 조국통일 요구에 대한 베이징 각계 인민의 지원 투쟁 대회에서의 마오둔의 연설이 게재되었다.

27일, 마오쩌둥은 「전국문련 및 소속 각 협회 정풍 상황에 관한 중앙선전부의 보고中央宣傳部關於全國文聯和所屬各協會整風情況報告」 초고에서 다음과 같이 밝혔다. "이 협회들과 이들이 장악하고 있는 간행물의 대다수는(좋은 간행물도 소수 있다고는 하지만), 15년 동안 기본적으로(모두가 그런 것은 아니지만) 당의 정책을 집행하지 않고, 권위를 내세우며 군중에게서 멀어져 공농병에게 가까이 다가가지 않고, 사회주의의 혁명과 건설을 반영하지 않았다. 최근 몇 년간은 수정주의의 경계선에까지 접근했다. 이를 성실히 개조하지 않으면 언젠가 분명히 헝가리의 페퇴피 클럽 같은 단체로 변할 것이다." 「전국문련 및 소속 각 협회 정풍 상황에 관한 중앙선전부의 보고」 초고 (1964년 5월 8일)의 내용은 "올해 2월 3일에 중국희극가협회는 정협 강당에서 봄맞이 연회를 개최하였다. 연회에서 공연된 일부 프로그램이 통속적이고 저속하여 군중의 불만을 불러일으켰다. 루딩이는 이에 대해 엄중히 비평하였다.

이후에 전국문련, 작가협회, 극협, 음협, 미협, 영협, 곡협, 무협, 민간문예연구회, 촬영협회 등 10개 기관의 전 간부들이 20여 일 동안 정풍을 진행하였다. 이번 정풍은 문예가 공농병과 사회주의를 위해 복무해야 한다는 당의 방침을 관철 및 집행하는 문제, 그리고 기관의 혁명화 문제 등 두 가지 문제를 집중적으로 반성하였다……이러한 상황을 개선하기 위해 문련과 각 협회는 반성과 토론을 통해 다음과 같은 조치를 취하기로 하였다. 1. 문예 방향을 더욱 명확히 하여 당의 문예방침을 관철 및 집행하고 사회주의 문예를 대대적으로 발전시킬 것. 2. 문예 간행물을 개선하고 간행물의 전투성을 강화하여, 간행물이 진정으로 사회주의 문예를 발전시키고 당의 문예방침과 정책 및 마오쩌둥 문예사상을 선전하고, 청년 창작 대오를 양성하는 견고한 진지가 되도록 할 것. 또한 평론 대오를 강화할 것. 3. 문련과 각 협회의 당조 구성원과 핵심 인원 및 모든 간부들은 조를 나누어 분기별로 하방하여 노동과 기층공작에 참여하고, 농촌 사회주의 교육운동 혹은 농촌문화공작대에 참여하여 사상을 개조하고 군중과의 관계를 강화하며, 군중의 문화생활을 조사 및 연구할 것. 4. 간부들을 조직해 마르크스레닌주의와 마오쩌둥 사상을 학습할 것. 5. 당조를 강화하고 당조 구성원을 조정하여 지도의 핵심을 건전하게 할 것."[3]

본 지시는 7월 11일에 정식 문건으로서 하달되었다. 본 지시는 1963년 12월 12일에 발표된 커칭스의 보고에 대한 지시와 함께 문예에 대한 '두 가지 지시兩個批示'라고 불린다.

28일, 『인민일보』에 궈샤오촨의 시 「쿤룬행昆侖行」이 발표되었다.

30일, 『홍기』 제12호에 경극 현대극 관람공연대회에 관한 사설 「문화전선 위의 대혁명」이 발표되었다. 사설은 "경극 개혁은 중대한 일이다. 이는 문화혁명일 뿐만 아니라 사회혁명이기도 하다. 이번에 베이징에서 진행된 경극 현대극 관람공연대회를 시작으로 한 경극 개혁과 이에 뒤따르는 희극, 곡예, 영화, 문학, 음악, 무용, 미술 등 문학예술의 각 분야의 혁명화는 우리나라 문화사상 영역에서의 사회주의 혁명의 중요한 구성 부분이다. 이번 관람공연대회에서는 여러 편의 혁명적인 현대극이 공연되었다. 이 작품들의 사상 내용은 대체로 양호하고, 이 가운데 일부는 매우 훌륭하다. 이 작품들은 여러 빛나는 영웅 인물 형상을 창조하였으며, 표현예술 면에서도 새로운 창조를 이루어 경극 예술의 장점을 발휘하였다. 혁명적인 현대극을 더 잘 공연하기 위해 일부 배우들은 공농병 군중 속에 침투해 큰 노력을 기울였다. 이 모든 것은 마오쩌둥 문예사상의 광휘가 비추는 아래 혁명적인 경극 현대극이 사회주의, 공산주의 사상으로써 관중을 교육하고 관중에게 영향을 끼치는 일에 이미 첫발을 내딛었음을 보여준다. 우리는 응당 경극계와 이들이 거둔 성취에 축하를 보내야 한다"라고 밝혔다.

또한 "사회주의 사회에서 문예가 어떤 계급의 사상적 진지가 되고 어떠한 사상을 선전하는가 하는 것은 문예 자체가 혁명성을 지니고 있는가 하는 문제뿐만 아니라 문예 발전의 전망이 있는가 없는가 하는 문제와도 관련이 있으며, 더 중요하게는 사회주의의 정치제도와 경제 기초가 공고해질 수 있는가, 발전할 수 있는가, 변질될 것인가 말 것인가 하는 문제와도 관련이 있다", "문학예술의 혁명화를 위해 가장 중요하고 결정적인 문제는 문학예술공작자 자신의 혁명화이다"라고 밝혔

3) 『건국 이후 마오쩌둥 문고』 제11권 제91~93쪽, 중앙문헌출판사 1996년.

다. 사설은 마지막으로 "사회주의 문화혁명은 고되고 장기적이며 위대한 임무이다. 각지의 당조직과 문예 지도부문은 반드시 이 공작을 중시하고 성실히 지도해 이 혁명운동이 건강하게 앞을 향해 발전하도록 하여, 사상 의식 영역에서 자본주의 세력과 봉건 세력을 계획적으로 철저히 타파해 소멸시키고, 계급투쟁, 생산투쟁, 과학 실험 등 3대 혁명운동에서의 사회주의 문예의 거대한 역할을 더욱 잘 발휘해야 한다"라고 요구하였다.

이달에 중국경극원 1단이 경극「홍등기」를 공연하였다. 웡어우훙翁偶虹, 아자阿甲가 동명의 호극 극본을 각색하였으며 아자가 감독을 맡았다. 쳰하오량錢浩梁, 가오위쳰, 류창위劉長瑜 등이 주연을 맡았다.

『마오쩌둥 저작 선독 갑종본毛澤東著作選讀甲種本』(상, 하)이 인민출판사에서 출간되었다.

비거페이의『비거페이 쾌판시선』, 류바이위의 단편소설집『신광집晨光集』, 양쉬의 산문집『생명선生命泉』이 작가출판사에서 출간되었다.

허치팡의 문학비평집『문학예술의 봄文學藝術的春天』, 아이밍즈의 소설집『햇빛 아래陽光下』, 베트남 보고문학집『남방에서 온 편지』가 작가출판사에서 출간되었다.

쑨쳰의『다자이 영웅의 계보大寨英雄譜』, 거지의『영웅의 노래英雄之歌』등의 보고문학이 산시인민출판사에서 출간되었다.

상하이인민출판사에서 편찬한 보고문학『일대신풍一代新風』이 출간되었다.

인민일보출판사에서 편찬한『적도의 눈－인민일보 보고문학선집赤道雪——人民日報報告文學選集』이 출간되었다.

리옌 등이 각색한 화극 극본『붉은 바위』, 왕청치 등이 각색한 경극 극본『갈대숲의 불씨』, 윌리엄 아처의『극작법劇作法』이 중국희극출판사에서 출간되었다.

7월

1일, 중공중앙 서기처 서기 펑전이 인민대회당에서 전국 경극 현대극 관람공연대회에 참가한 전체 인원에게 연설하였다. 그는 연설에서 경극이 현대생활을 표현하는 의의와 경극 개혁이 나아가야 할 방향을 설명하였다. 연설문은『홍기』제14호에 발표되었다.

『인민일보』,『양청만보』,『쓰촨문학』등의 간행물에『홍기』제12호 사설「문화전선 위의 대혁명」이 전재되었다.

『광명일보』, 『문회보』, 『해방군보』, 『해방일보』 등의 간행물에 『홍기』 제12호 사설 「문화전선 위의 대혁명」의 중요 내용을 소개하는 글이 게재되었다.

『초원』 7월호에 마라친푸의 평론 「네이멍구를 더 전면적으로 반영하자更全面地反映內蒙古」가 발표되었다. 그는 글에서 문예공작자들이 "작품에서 네이멍구 인민의 생활과 투쟁을 더욱 전면적으로 반영해야 한다. 농촌과 공장, 공산을 모두 반영해야 한다. 물론 초원과 농장 역시 계속해서 반영해야 한다. 이렇게 해야만 우리의 문예창작이 우리 지역 사회주의 혁명과 사회주의 건설사업의 발전 형세에 적응할 수 있다"라고 밝혔다.

『작품』 7월호에 마오둔의 「「얼음이 녹고 봄이 오다」를 읽고讀<冰消春暖>」가 발표되었다. 그는 글에서 "이 작품은 실제 인물과 사건에 근거하고 있으면서도 실제 인물과 사건의 속박을 받지 않는다. 문학의 형식을 사용했으나 '역사'이다", "'다섯 가지 역사五史'(공사사, 향촌사, 가정사, 공장사, 도시사를 가리킴－역자 주)는 크게 두 가지로 분류할 수 있다. 하나는 실록實錄 형식이며 하나는 이야기 형식이다. 전자에는 역사적 요소가 많으며 후자에는 문학적 요소가 많다. 「얼음이 녹고 봄이 오다」는 후자 가운데서도 가장 문학성이 풍부하다. 교육적 역할을 고려하면 「얼음이 녹고 봄이 오다」의 형식을 취할 만하다고 본다"라고 밝혔다.

『신항』 7월호에 양모의 소설 「우리 의사 선생님我的醫生」이 발표되었다.

『불꽃』 7월호에 마펑의 산문 「옌먼관 밖의 깃발雁門關外一杆旗」, 시룽의 보고문학 「영예 앞에서在榮譽面前」가 발표되었다.

2일, 중앙선전부에서 중국문련 및 각 협회와 문화부 책임자 회의를 소집해 마오쩌둥이 6월 27일에 발표한 문예공작에 관한 두 번째 지시를 관철할 것을 결정하였다. 이에 이어 중국문련의 각 협회에서 다시 정풍운동을 시작하였다. 일부 문예공작자들이 창작활동을 중지하고, 비판을 받아 사상 반성을 진행하였다.

마오쩌둥이 중국인민해방군 총정치부 문공단이 공연한 화극 「만수천산」을 관람하고 배우들과 함께 기념사진을 촬영하였다.

『남방일보』에 『홍기』 제12호 사설 「문화전선 위의 대혁명」이 전재되었다.

4일, 『베이징문예』 7월호에 아이우의 소설 「먼지灰塵」가 발표되었다.

『문회보』 기사는 "상하이시 농촌문화공작대의 일부 대원들이 하향 경험을 이야기하였다. 이들은 공농병 군중 투쟁 속에 침투해 단련해야만 문예라는 무기를 이용해 사회주의를 위해 복무할 수 있다고 보았다"라고 전했다.

7일, 『광명일보』에 진웨이민, 리원추의 글 「시대정신에 관한 몇 가지 의문—야오원위안 동지와의 논의關於時代精神的幾點疑問——與姚文元同志商權」가 발표되었다. 이들은 글에서 저우구청에 대한 야오원위안의 비평에 동의하지 않는다고 밝혔다.

9일, 『양청만보』에 차이쿠이의 논문 「저우빙 형상 및 기타—『삼가항』과 『고투』의 평가 문제에 관하여」가 발표되었다. 그는 글에서 저우빙에 대한 작가의 묘사에 대해 "그의 애정생활에 관한 묘사에서는 인물의 건강하지 못한 사상 감정이 새어 나온다"라고 보면서, 저우빙의 "혁명에 대한 인식과 투쟁 과정에서의 몇몇 행동, 그리고 그가 애정생활 속에서 보여주는 사상 감정은 모두 저우빙 성격에 존재하는 소자산계급적인 특징을 두드러지게 보여준다", "혁명의 역사는 우리 작가들에게 선명한 계급적 입장과 충만한 정치적 열정으로 폭풍처럼 거센 혁명 투쟁을 묘사하고, 찬란히 빛나는 영웅들을 표현하여, 발전을 위해 나아가는 시대정신을 반영할 것을 요구한다. 작가의 창작은 혁명의 현실을 깊이 있고 광범위하게 개괄하고 풍부하고 다채로운 인물을 창조해야만 인민을 더 잘 교육하고 깨달음을 줄 수 있고, 인민의 투쟁을 더 강력히 촉진할 수 있다. 이러한 관점에서 『삼가항』과 『고투』를 평가해 보면 이 작품들의 부족한 점을 분명히 발견할 수 있고, 작가가 그가 반영하고자 하는 역사 생활의 본질을 진정으로 파악하지 못했음을 알 수 있으며, 작가 자신이 과거에 익숙해 있던 소자산계급 지식분자에 대한 강력한 비판이 부족함을 알 수 있다. 이는 결과적으로 작품이 독자들에 대해 정확한 사상교육을 할 수 없게 하였다"라고 보았다.

10일, 『마오쩌둥 저작 선독』 갑종본, 을종본 두 권이 전국에 발행되었다. 갑종본은 상, 하권으로 구성되어 인민출판사에서 출간되었다. 이 책의 주된 독자는 중급 간부, 대학생, 교사 및 교양 수준이 비교적 높은 농촌 간부 등이다. 을종본은 중국청년출판사에서 출간되었으며, 주된 독자는 수많은 공농 군중과 농촌 지식청년, 중학생, 고등학생 등이다. 『중국청년』 제14호에 이 책에 관한 사설 「마오쩌둥 사상을 잘 배우기 위해 노력하자努力把毛澤東思想學到手」가 발표되었다.

12일, 『인민문학』 7월호에 리준의 단편소설 「청명절의 비清明雨」, 웨이쥔이의 소설 「상품獎品

」(4월에 창작), 지셴린의 산문 「코나크리의 팥科納克裏的紅豆」, 후커의 단막극 「남의 경험을 배우다取經」가 발표되었다.

『인민일보』에 후완춘의 단편소설 「선배前輩」가 발표되었다.

15일, 『인민일보』에 차오위의 글 「한 차례의 문화대혁명一場文化大革命」이 발표되었다. 그는 글에서 '경극 혁명'이 세계적인 의의를 가진 대사건이자 사회주의 문화대혁명의 시작이라고 보았다.

『상하이희극』이 폐간되었다.

저우쭤런이 『지당 연보 개요知堂年譜大要』를 집필하였다.

『신화월보』제7호에 『홍기』제12호 사설 「문화전선 위의 대혁명」이 전재되었다.

17일, 마오쩌둥, 류사오치, 저우언라이 및 펑전, 허룽, 리셴녠, 루딩이, 캉성 등이 인민대회당에서 전국 경극 현대극 관람공연대회에 참가한 모든 인원을 접견하였다. 대학 및 중, 고등학교의 정치이론과목 공작회의의 모든 대표들과 중앙희극학원 신장민족반의 모든 졸업생이 참석하여 기념사진을 촬영하였다. 이날 저녁에 마오쩌둥을 비롯한 국가 지도자들이 상하이공연단이 공연한 경극 「지취위호산」을 관람하고 무대에 올라 기념사진을 촬영하였다.

『광명일보』에 「문예작품은 시대정신을 어떻게 표현해야 하는가—최근에 간행물에서 진행된 이 문제에 대한 토론 상황 소개文藝作品如何表現時代精神──最近報刊對於這個問題討論的情況簡介」가 발표되었다. 이 글에서 소개한 토론의 중점은 "시대정신이란 무엇인가", "문예작품은 시대정신을 어떻게 표현해야 하는가", "역사 소재 작품은 시대정신을 어떻게 표현해야 하는가" 등이다. 같은 호에 장춰의 글 「시대정신과 긍정적 인물 형상 창조 문제—진웨이민, 리윈추와의 논의時代精神和正面人物形象塑造問題──與金爲民′李雲初商榷」가 발표되었다.

18일, 『인민일보』에 「예술창작 문제 토론에 관한 개술關於藝術創作問題討論的槪述」이 발표되었다. 글은 "최근 1년간 우리나라 문학예술계에서는 상당히 뜨거운 학술토론이 진행되었다. 이 토론은 『신건설』 1962년 제12호에 저우구청의 글 「예술창작의 역사적 지위藝術創作的歷史地位」가 발표된 후 시작되었다. 저우구청은 이 글에서 예술창작에 관한 일련의 중대한 문제에 대해 자신의 견해를 제시하였다. 이 글의 관점은 예술이론, 미학 및 철학 연구자의 주의를 불러일으켜 많은 이들이 저우구청이 이 글에서 제기한 관점에 반대하고, 저우구청이 최근 몇 년 동안 발표한 관련 문장에 제기된 일부 견해에 대해 토론을 전개하였다"라고 밝혔다. 이 토론에서 논의된 주된 문제는

"1. '무차별의 경지' 문제", "2. 예술의 원천", "3. 예술창작 과정의 특징", "4. 예술에서의 감정과 이치", "5. 시대정신", "6. 예술의 사회적 역할" 등이다. 같은 호에 저우구청의 「통일된 전체와 분리된 반영統一整體與分別反映」(『광명일보』 1963년 11월 7일자)이 전재되었다.

20일, 『희극보』 제7호에 사설 「혁명가가 되고, 혁명극을 공연하고, 경극 혁명을 끝까지 진행하자做革命人，演革命戲，把京劇革命進行到底」가 발표되었다. 같은 호에 '혁명 영웅 형상 창조 문제에 관한 토론' 특집란이 개설되었다.

『극본』 7월호에 허베이성 탕산시경극단이 합동 각색한 경극 극본 「제전궈」와 산둥성 쯔보시경극단淄博市京劇團이 합동 각색한 경극 극본 「홍 아주머니紅嫂」가 발표되었다.

22일, 『인민일보』에 야오원위안의 「저우구청 선생의 모순관을 평하다」(『광명일보』 5월 10일자)가 전재되었다.

23일, 마오쩌둥 등 국가 지도자들이 베이징경극단이 공연한 경극 현대극 「갈대숲의 불씨」를 관람하고 무대에 올라 배우들과 함께 기념사진을 촬영하였다.

24일, 『남방일보』에 천찬윈의 산문 「차산의 기쁜 소식茶山喜訊」이 발표되었다.

25일, 『수확』 제4호에 리스원李士文의 「『창업사』는 농촌 계급투쟁을 어떻게 묘사했는가＜創業史＞怎樣描寫農村階級鬥爭」가 발표되었다. 그는 글에서 작가의 "갈등에 대한 선택과 안배가 호조합작운동互助合作運動이라는 사회주의 혁명이 해결해야 할 문제, 그리고 이 운동 과정에서의 농촌의 계급 관계를 정확하게 반영하였다"라고 보았다.

26일, 『문회보』에 친무의 소설 「화염꽃 – 장편소설 『분노하는 바다』 부분火焰花——長篇小說＜憤怒的海＞的一章」이 발표되었다.

27일, 『남방일보』에 친무의 소설 「먼 곳의 이웃나라 – 장편소설 『분노하는 바다』 부분遠方的鄰國——長篇小說＜憤怒的海＞的一章」이 발표되었다.

28일, 『해방일보』에 「예술창작 문제 토론에 관한 개술」(『인민일보』 7월 18일자)이 전재되었다.

29일, 캉성이 전국 경극 현대극 관람공연대회 결산회의에서 영화 「이른 봄 2월」, 「무대 자매」, 「북국강남」, 「역풍천리」 등을 공개적으로 비판하였다. 이후에 여러 간행물에 이 영화들에 대한 비판의 글이 여러 편 발표되었다.

30일, 『홍기』 제14호에 평전의 「경극 현대극 관람공연대회에서의 연설在京劇現代戲觀摩演出大會上的講話」이 발표되었다.

『해방일보』에 야오원위안의 「저우구청 선생의 모순관을 평하다」가 전재되었다.

『인민일보』에 왕쑤이한汪歲寒, 황스셴黃式憲의 글 「영화 「북국강남」을 엄격하고 진지하게 평론해야 한다應當嚴肅認真地來評論影片＜北國江南＞」가 발표되었다. '편집자의 말'은 다분히 선동적인 어조로 영화의 창작자와 '자산계급' 및 '수정주의' 사이의 관계를 지적하였다.

이달에 베이징경극단에서 현대 경극 「두견산」을 공연하였다. 쉐언허우, 장아이딩張艾丁, 왕청치, 샤오자肖甲가 동명의 화극을 각색하였으며, 추성룽, 자오옌샤, 마롄량 등이 주연을 맡았다.

『아동문학』과 『중국소년보』가 합동으로 제1기 아동문학 강습회를 진행하였다.

롼장징의 장시 『바이윈어보 교향시』, 옌천의 시집 『하늘가에 봄이 가득하다春滿天涯』가 작가출판사에서 출간되었다.

8월

1일, 『인민일보』에 사설 「문예전선에서의 사회주의 혁명을 끝까지 진행하자—경극 현대극 관람공연대회의 성공적인 폐막을 축하하며把文藝戰線上的社會主義革命進行到底——祝京劇現代戲觀摩演出大會勝利閉幕」가 발표되었다. 사설은 "경극 현대극 관람공연대회는 경극예술의 대혁명이다. 이 대회는 우리나라 희극사에 빛나는 한 페이지를 남겼다. 이 대혁명은 경극을 공농병을 위해 복무하고, 사회주의를 위해 복무하는 새로운 단계로 끌어올렸다. 이번 대회의 성공은 우리나라 문학예술 전선에서의 사회주의 혁명의 위대한 성과이기도 하다. 이러한 성과는 우리나라 문학예술의 혁명화를 더욱 촉진하여 문예전선에서의 사회주의 혁명을 끝까지 진행하도록 할 것이다", "이번 대회에서 혁명적인 사상 내용과 심오한 예술적 표현을 겸비한 경극 혁명 현대극이 수많은 관중의 열렬한 환영을 받았다. 이 작품들은 진심에서 우러나오는 칭찬을 받았으며, '상상 이상의 큰 수확'이라는 평을 얻었다. 경극도 개혁이 가능하다는 것을 믿지 못했던 많은 이들은 의심을 버렸으며, 경극 개혁에 찬성하고 이를 옹호하던 이들은 더욱 큰 자신감을 가지게 되었다. 경극 혁명 현대극이 거둔 성취는 제국주의자와 현대 수정주의자의 후안무치한 비방을 반박하고 그들의 뺨을 시원하게 날려주었다"라고 밝혔다. 사설은 이번 대회가 경극공작자들을 비롯한 모든 문학공작자들로 하여금 몇 가지 "근본적인 문제", 즉 "첫째, 경극은 누구를 위해 복무하는가 하는 문제", "둘째, 경극 예술 형식의 개혁 문제", "셋째, 경극공작자의 개조 문제" 등을 명확히 인식하게 했다고 보았다.

『해방일보』에 후시타오의 글 「「시대정신에 관한 몇 가지 의문」을 평하다評＜關於時代精神的幾點疑問＞」가 발표되었으며, 진웨이민, 리원추의 「시대정신에 관한 몇 가지 의문―야오원위안 동지와의 논의」(『광명일보』 7월 7일자)가 전재되었다.

『홍기』 제15호에 커칭스의 「사회주의 희극을 대대적으로 발전 및 번영시켜, 사회주의 경제 기초를 위해 더 잘 복무하자」가 발표되었다. 이 글은 1963년 말에서 1964년 초에 걸쳐 진행된 화둥지구 화극관람공연대회에서의 커칭스의 연설문으로, 커칭스는 연설에서 희극계의 공작에 대해 "15년간의 성취는 미미해 도대체 무슨 일을 했는지 알 수가 없다. 이들은 자산계급과 봉건계급의 희극에 열중하고 서양의 것과 오래된 것을 제창하는 데 열중해 '죽은 사람'과 귀신극을 공연하고, 사회주의 희극을 질책하고 비방했으며, 사회주의 현대극이 신속히 발전하지 못하도록 방해하였다"라고 모함하면서, "이 모든 행동이 우리 희극계와 문예계에 존재하는 두 가지 노선, 그리고 두 가지 방향의 투쟁에 깊이 반영되었다. 이 두 가지 노선, 두 가지 방향의 투쟁의 본질은 희극과 문예가 어느 계급을 위해 복무하는가에 대한 투쟁이다. 계급과 계급투쟁이 여전히 존재하는 한 문예전선에서의 이 투쟁은 언제나 존재할 것이며, 이 투쟁은 끝까지 견지될 것이다"라고 밝혔다.

같은 호에 루신汝信의 글 「저우구청의 예술관의 철학적 기초를 평하다評周穀城藝術觀的哲學基礎」가 발표되었다. 그는 글에서 "저우구청 선생의 예술론은 그의 잘못된 철학적 세계관과 관련이 있다. 그의 철학적 세계관의 두드러진 특징 중 하나는 모순을 말살하고, 회피하고, 조정하는 것으로, 그는 모순 조화론과 모순 소멸론을 선전하고 있다"라고 보았다.

『산화』 8월호에 『홍기』 제12호 사설 「문화전선 위의 대혁명」이 전재되었다. 같은 호에 장청위蔣成瑀의 평론 「이야기를 구성하는 예술 ― 자오수리 소설 독서 찰기組織故事的藝術――讀趙樹理小說劄記」가 발표되었다. 그는 글에서 "장기적인 예술 실천 속에서 자오수리 동지는 이야기를 구성하는 자신만의 독특한 예술을 형성하였다", "첫째는 순조로움이다", "이야기를 구성할 때 짧은 이야기를 한데 엮고 쾌판과 순구류를 삽입하며 '매듭'이라는 방법을 사용하는데, 이러한 점이 자오수리 동지가 구성한 이야기가 다양하고 풍부해지게 해 준다. 이것이 자오수리 창작에서 이야기를 구성하는 두 번째 예술적 특징이다", "셋째는 정취이다"라고 보았다.

『해방군문예』 8월호에 위지虞棘의 연작 「마오쩌둥 사상이 우리를 무장시킨다毛澤東思想把我們武裝起來」가 발표되었다.

『창장문예』 8월호에 친무의 소설 「60년의 세월－장편소설 『분노하는 바다』 부분六十年的歲月——長篇小說＜憤怒的海＞的一章」, 녠화念華의 시 「베트남 전우에게寄越南戰友」가 발표되었다.

『신항』 8월호에 『홍기』 제12호 사설 「문화전선 위의 대혁명」이 전재되었으며, 쑨리의 「양성을 논하다論培養」, 지주장吉九章의 「관심과 애호 － 쑨리의 「문학 단론」을 읽고關心和愛護——讀孫犁的＜文學短論＞」 등의 글이 발표되었다.

『옌허』 7, 8월호 합본에 우훙다吳鴻達의 단막 화극 「두 운전사兩個司機」가 발표되었다.

『압록강』에 리훙비李鴻壁의 소설 「특별 호외特殊號外」, 리화란李華嵐의 산문 「석류꽃石榴花」이 발표되었다.

2일, 『인민일보』에 류강지劉綱紀의 「시대정신은 혁명계급의 정신일 수밖에 없다時代精神只能是革命階級的精神」가 발표되었다. 그는 글에서 "시대정신은 특정한 역사 시대 발전의 객관적인 추세와 노정이 사람들의 의식 속에 반영된 것이며, 달리 말하면 사람들이 자각적 혹은 비자각적으로 인식한 특정 역사 시대 발전의 객관적인 추세 혹은 노정이다. 시대정신은 첫째로는 특정 역사 시대 사람들의 사상 감정 상태와 정신적 면모 속에, 그리고 특정 역사 시대 사람들이 추구하는 목표 혹은 이상 속에 표현되며, 둘째로는 사회의 이데올로기로서 특정 역사 시대의 문예, 철학, 정치, 도덕 속에 집중적으로 표현된다", "계급사회 사람들의 시대정신에 대한 이해는 필연적으로 계급성을 띤다"라고 밝혔다. 같은 호에 진웨이민, 리윈추의 「시대정신에 관한 몇 가지 의문 － 야오원위안 동지와의 논의」(『광명일보』 7월 7일자)가 전재되었다.

3일, 『문회보』에 탕다민湯大民, 싱칭샹邢慶祥의 글 「시대정신이란 무엇인가?－진웨이민, 리윈추의 「시대정신에 관한 몇 가지 의문」 해부什麽是時代精神?——金爲民' 李雲初＜關於時代精神的幾點疑問＞解剖」가 발표되었다. 이들은 글에서 시대정신에 대한 진웨이민과 리윈추의 "말이 안 되는 이러한 정의는 완전히 저우구청의 '합류론'을 모방한 것이다. 저우구청은 절충주의적인 태도로 시대정신에 대해 '혁명정신 외에도 대단히 혁명적이거나, 비혁명적이거나, 혹은 반혁명적인' 정신들의

'혼합'이라고 보았다. 진웨이민과 리윈추는 이 관점을 '쌍방(그들이 말하는 소위 혁명적인, 그리고 반동적이고 낙후된 두 가지 '시대정신'을 말한다—인용자 주)이 서로 대립하면서 균형을 이루는 국면의 시대'라고 말을 바꾸었다. 표현만 다를 뿐 그 본질은 같다"라고 보았다. 같은 호에 진웨이민, 리윈추의 「시대정신에 관한 몇 가지 의문 — 야오원위안 동지와의 논의」(『광명일보』 7월 7일자)가 전재되었다.

4일, 『광명일보』에 천퉁의 글 「'시대정신'에 대한 나의 견해—진웨이민, 리윈추와의 논의我對 "時代精神"的看法——與金爲民' 李雲初商榷」가 발표되었다. 그는 글에서 "'시대정신'에 대한 이해에 있어 나는 야오원위안 동지의 견해가 틀리지 않다고 본다"라고 밝혔다. 같은 호에 류바오돤의 「긍정적 인물과 영웅 인물正面人物和英雄人物」이 발표되었다. 그는 글에서 "사회주의 사회의 주체를 결정하는 '인민 군중'은 확실히 몇 가지 서로 다른 계급과 계층을 포함하고 있다. 가령 공인, 그리고 농민 가운데에도 빈농, 중농, 사회주의 건설에 참여한 지식분자……등등이 포함되어 있다. 그러나 이들 계급과 계층으로 구성된 '인민' 대오에는 한 가지 기본적인 전제가 있다. 그것은 바로 사회주의 건설사업을 찬양하고 옹호하며 이에 참가한다는 것이다", "영웅은 인민 군중 속에서 태어나며, 서로 다른 계급과 계층의 인민 군중 속에서 태어난다. 영웅은 인민과 계급을 떠나 존재할 수 없다", "문학예술 작품은 결코 영웅 인물을 창조하는 데에만 국한되지 않는다", "모든 영웅 인물은 긍정적 인물이지만, 모든 긍정적 인물이 영웅 인물인 것은 아니다", "문학예술이 묘사하는 대상을 시대의 영웅 인물에만 국한시키는 견해는 사실상 문학예술 활동의 범위를 축소시키며, 또한 문학창작의 실제에도 부합하지 않는다"라고 보았다.

『베이징문예』 8월호에 『전선』 제12호의 사설 「경극 현대극의 더 높은 질을 위해 분투하자爲京劇現代戲的更高質量而奮鬥」가 전재되었다. 사설은 "1964년 경극 현대극 관람공연대회는 우리나라 희극계의 대사건이다. 이 대회는 경극예술 발전사상의 질적인 도약을 상징하며, 깊은 혁명적 의의를 가지고 있다"라고 밝혔다.

5일, 『해방일보』에 리쯔윈李子雲의 글 「시대정신과 전형 문제—「시대정신에 관한 몇 가지 의문」을 평하다時代精神與典型問題——評<關於時代精神的幾點疑問>」가 발표되었다. 그는 글에서 "시대정신은 역사 발전을 추진하는 계급의 정신일 수밖에 없다", "선진 계급의 정신만이 시대정신이 될 수 있다. 따라서, 역사의 전진을 보여주는 계급의 사상과 의지가 희망하고 요구하는 선진 인물만이 가장 직접적이고 충분하며 강렬하고 집중적으로 시대정신을 드러낼 수 있다. 반동 계급의 전형적 형상을 통해 드러나는 것은 몰락 계급의 '부패하고 반동적인' 정신이므로, 이는 시대정신과 적대하는 정신일 수밖에 없다. 그러므로, 반동 계급의 전형은 결코 시대정신을 표현할 수 없다"라고 보면서, "이 계급도 저 계급도 아닌 인물은 결코 존재할 수 없다"라고 보았다.

『광시문예』 7, 8월호 합본에 쑤스구이蘇詩桂, 추스秋實의 단막 화극 「성공 후成功以後」가 발표되었다.

『문회보』에 우리창, 다이허우잉, 가오윈의 글 「차이의 본질은 무엇인가? —「시대정신에 관한 몇 가지 의문」을 평하다分歧的實質是什麼?——評＜關於時代精神的幾點疑問＞」가 발표되었다. 이들은 글에서 "시대정신에 대한 서로 다른 두 가지 견해", "시대정신이란 무엇인가", "누가 혁명의 변증법을 위반했는가", "시대정신의 역사적 구체성을 어떻게 인식할 것인가", "우리 시대를 왜곡해서는 안 되며, 혁명의 문예를 비방해서는 안 된다" 등의 몇 가지 관점에서 저우구청, 진웨이민, 리윈추의 관점을 반박하였다.

6일, 『베이징일보』에 마진거馬金戈의 「당과 혁명 인민에 대한 심각한 왜곡 —「북국강남」계급 투쟁의 정치 노선은 어디에 있는가?對黨和革命人民的嚴重歪曲——＜北國江南＞階級鬥爭的紅線在哪裏?」, 구멍핑顧孟平의 「계급투쟁을 선양하는 것인가, 아니면 제거하려는 것인가?是宣揚階級鬥爭?還是取消階級鬥爭?」 등의 글이 발표되었다.

7일, 『해방일보』에 왕사오시王紹璽의 글 「당대 영웅 인물 형상 창조에 관한 몇 가지 문제 약론 —저우구청, 진웨이민, 리윈추와의 논의略論塑造當代英雄人物形象的幾個問題——與周穀城〞金爲民〞李雲初商榷」가 발표되었다. 그는 글에서 "저우구청의 '합류론'은 이론적으로 오류가 있을 뿐만 아니라 문예공작의 실천에도 대단히 유해하다", "시대정신에 대한 저우구청과 진웨이민, 리윈추의 잘못된 논단은 필연적으로 새로운 영웅 인물 형상 창조 문제에 대한 잘못된 견해를 야기할 것이다", "이상적인 영웅 인물 형상을 잘 창조해야만 우리의 시대를 진정으로 표현하고, 진정한 역사주의를 이룰 수 있다. 이상적인 새로운 영웅 인물 형상 창조에 반대하는 진웨이민, 리윈추의 논단이야말로 명백한 반역사주의이다"라고 보았다.

8일, 『인민일보』에 후쓰성胡思升의 「「북국강남」의 모순관과 문예관＜北國江南＞的矛盾觀和文藝觀」이 발표되었다.

9일, 『톈진일보』에 자오칸趙侃의 글 「예술은 '무차별의 경지'를 추구하는 수단인가?ー저우구청 선생과의 논의藝術是追求'無差別的境界'的手段嗎?——與周穀城先生商榷」가 발표되었다. 그는 글에서 저우구청이 "예술을 '무차별의 경지'를 추구하는 수단으로 보고 있는데, 이러한 관점은 필히 예술을 개인주의의 진창에 빠뜨릴 것이다"라고 밝혔다. 같은 호에 『인민일보』 7월 8일자의 「예술창작 문제 토론에 관한 개술」이 전재되었다.

10일, 마오쩌둥, 덩샤오핑, 리푸춘, 커칭스, 캉성, 우란푸烏蘭夫, 후차오무, 양상쿤楊尚昆 등이 산둥성화극단이 공연한 「기습백호단」을 관람하고 배우들과 함께 기념사진을 촬영하였다.

『산둥문학』 8월호에 취빙위屈秉餘의 소설 「신발鞋」, 쿵린孔林의 산문 「너는 우람한 팔뚝을 흔든다你揮著雄健的手臂」가 발표되었다.

『문회보』 기사는 "상하이 문예계가 베트남 인민과 함께 공동의 적에 대항해 문예라는 무기를 출동시켜 미국 승냥이를 호되게 공격하고, 저명한 문예공작자들이 좌담회를 소집해 미 제국주의의 침략 만행을 강력히 질책하다"라고 전했다.

11일, 『문회보』에 우중제의 글 「시대정신과 영웅 형상 창조時代精神與英雄形象的塑造」가 발표되었다. 그는 글에서 "진웨이민, 리윈추는 잘못된 시대정신의 기초 위에서 그들의 그릇된 전형론을 제기하였다"라고 보았다. 같은 호의 기사는 "중국인민대학 어문학부에서 시대정신 문제에 관한 토론회를 개최하였다"라고 전했다.

12일, 마오쩌둥, 주더, 캉성, 보이보, 우란푸, 양상쿤 등이 산둥성 쯔보시경극단과 칭다오시경극단이 합동으로 공연한 경극 현대극 「홍 아주머니」를 관람하고 배우들과 함께 기념사진을 촬영하였다.

『인민문학』 8월호에 수웨이束爲의 보고문학 「한 단계 발전하다更上一層樓」, 라오제바쌍의 시 「어느 전사의 말一個戰士的話」이 발표되었다.

『해방일보』에 장야오후이張耀輝, 후룽건胡榮根의 글 「혁명문예를 부패하게 하는 '합류론'ー저우구청 선생과의 논의腐蝕革命文藝的"彙合論"——與周穀城等先生商榷」가 발표되었다. 이들은 글에서 시대정신 합류론의 "현재 문예창작과 문예비평 실천에 대한 위해성", "계급 모순을 조정하고, 혁명문예를 제거하는 전투적 역할", "혁명문예가 반드시 강대하고 완벽한 영웅 형상을 창조해야 함을 부정하는 점", "문화유산 속의 정수와 찌꺼기를 뒤섞는 점" 등에 대해 논술하였다.

13일, 『인민일보』에 첸중원錢中文의 「저우구청의 시대정신관을 평하다評周穀城的時代精神觀」가 발표되었다. 그는 글에서 저우구청이 「예술창작의 역사적 지위」에서 제기한 관점에 대해 반박하면서 "각 계급의 사상이 '합류'할 수 있는가", "문학예술은 시대정신을 어떻게 반영해야 하는가", "사람들을 잘못된 길로 인도하는 처방" 등 세 가지 문제에 관해 중점적으로 논술하였다.

첸중원은 "계급사회 속에서 서로 다른 계급의 적대적인 사상은 계급투쟁의 형세가 발전함에 따라 격렬히 서로 싸우면서 각기 상대방을 소멸시키려 해 왔다"고 보면서, 서로 다른 계급의 사상은 '합류'할 수 없다고 보았다. 그는 "문학예술 속의 시대정신은 사회의 시대정신이 반영된 것이다. 문학예술은 생활을 반영하는 동시에 생활 발전의 동향을 드러내며, 사회의 진보적 역량의 희망을 표현한다", "시대정신을 표현하는 기본적인 방법은 바로 긍정적 인물을 창조해 이 인물이 선진적인 사상을 전파하는 역할을 맡게 하고, 이 인물을 그가 속한 계급의 구성원들을 정신적으로 교육하는 도구로 삼는 것이다. 따라서 선진적인 사회사상이 시대정신의 표현이 될 수 있다면, 선진적인 인물은 더욱 생생하게 이를 표현할 수 있다", "저우구청의 이론은 작가들에게 각 계급의 사상의 공통점을 찾아내 이들을 '합류'하게 하고 또한 이를 반영해, 작가와 예술가가 사상의 계급적 경계를 뒤섞어 적아를 구분하지 말 것을 요구하며, 이로써 작가와 예술가가 무산계급의 대변인이 아니라 각 계급의 대변인이 될 것을 종용한다"라고 보았다.

같은 호에 리수첸李樹謙의 글 「영웅 인물은 반드시 사회주의의 시대정신을 표현해야 한다英雄人物必須體現社會主義的時代精神」가 발표되었다. 이 글은 "1. 누가 반역사주의 경향을 위해 길을 개척하는가", "진웨이민, 리윈추는 '혁명적 억측'과 '이상화'에 반대한다는 명목으로 공인계급의 혁명 이상에 부합하는 영웅 형상을 창조하는 데 반대하고, 영웅 인물이 사회주의와 공산주의 정신을 표현하는 것에 반대하고 있다. 이들은 영웅 인물의 정신적 면모를 왜곡하고, 영웅 인물을 억지로 현실보다 못하게 깎아내려, 영웅 인물을 혁명적이지도 않고 그렇다고 비혁명적이지도, 반혁명적이지도 않은 소극적인 인물로 묘사할 것을 주장한다", "2. 진웨이민, 리윈추가 생각하는 '이상'적인 '영웅 인물'", "진웨이민, 리윈추가 제기한 '인지상정'설은 자산계급의 초계급적인 인성론으로, 이러한 관점을 선전하는 의도는 계급 모순을 조정하고 계급의 경계를 모호하게 하려는 것이다", "3. 어떠한 사상으로써 인민 군중을 교육하고 이들에게 영향을 끼칠 것인가", "우리는 사회주의 문학이 사회주의와 공산주의의 시대정신을 표현하고, 이러한 시대정신을 가장 잘 표현할 수 있는 영웅 인물을 창조하기를 요구한다. 이는 결코 '혁명적 억측'이 아니라, 사회주의 발전의 객관적인 요구를 반영하고, 공인계급과 수많은 인민 군중의 절박한 정신적인 요구를 반영한 것이다" 등 세 부분으로 구성되었다.

『톈진일보』에 옌리彦理의 글「결코 이런 식으로 새로운 영웅 인물을 창조해서는 안 된다!-진웨이민, 리윈추의 잘못된 관점을 비판한다決不能這樣來塑造新英雄人物!——批判金爲民'李雲初的錯誤觀點」가 발표되었다. 그는 글에서 "'시대정신을 충분히 표현'하는 것이 '역사상 및 당대의 영웅 형상을 치켜세우는' 것인가 하는 문제", "진웨이민 등이 묘사하기를 요구하는 '광범위하게 존재하는', '보편적이며 평범한 인지상정'이 추상적인 인성론을 뜻하는 것인가", "소위 '혁명적이고 선진적이지 않으면서도 비혁명적이고 반혁명적이지 않은 정신적 요소'는 도대체 무엇을 가리키는가 하는 문제" 등 세 가지 문제를 중점적으로 논술하였다. 같은 호에 진웨이민, 리윈추의「시대정신에 관한 몇 가지 의문 - 야오원위안 동지와의 논의」(『광명일보』 7월 7일자)가 전재되었다.

14일, 『문학평론』에 옌자옌의 평론「량성바오 형상과 새로운 영웅 인물 창조 문제梁生寶形象和新英雄人物創造問題」, 머우퀀제, 루쭈핀, 저우슈창周修強의「저우빙 형상의 평가 문제에 관하여-차이쿠이 동지와의 논의關於周炳形象的評價問題——與蔡葵同志權」가 발표되었다. 옌자옌은 글에서 새로운 영웅 인물 창조는 응당 "개괄하고, 집중하고, 제련하고, 제고할 것", "제고하면서도 기초에서 멀어지지 않을 것", "인물의 깨달음과 이상을 표현할 것", "예술적 충돌과 생활의 충돌", "'눈을 그려넣는 것'과 '영혼을 묘사하는 것' 등을 주의해야 한다"고 보았다. 머우퀀제 등은 글에서 "『삼가항』과『고투』에 등장하는 저우빙은 여전히 약점을 가진 채 성장하고 있는 무산계급 혁명가 형상이다"라고 보았다.

같은 호에 볜즈린의「셰익스피어 희극창작의 발전莎士比亞戲劇創作的發展」, 천샹허의 신작 평론『갈 길이 아득하다』가 발표되었다. 그는 글에서 "『갈 길이 아득하다』는 최근에 백화문예출판사에서 출판된 쓰촨 청년 작가 가오잉 동지의 단편소설집으로, 단편소설 12편이 수록되어 있다"라고 소개하면서, 이 소설이 "인물과 이야기를 통해 우리나라 농촌의 현 단계의 계급적 면모와 계급투쟁, 다시 말해 농민이 어느 노선의 계급투쟁을 택해야 하는가를 표현하였다"라고 보았다.

15일, 『광명일보』에 샤리夏裏의 글「인민 군중과 영웅 인물-류바오돤 동지와의 논의人民群眾和英雄人物——與劉保端同志商權」가 발표되었다. 그는 글에서 "시대정신은 누구를 통해 표현되는가", "영웅 인물이란 무엇인가", "비무산계급 속에서 사회주의 시대의 영웅이 출현할 수 있는가" 등 세 가지 문제에 관해 논술하였다.

『신화월보』 8월호에 「예술창작 문제 토론에 관한 개술」(『인민일보』 7월 18일자), 「문예작품은 시대정신을 어떻게 표현해야 하는가 하는 문제에 관한 토론 상황 소개關於文藝作品如何表現時代精神問題討論的情況簡介」(『광명일보』 7월 17일자)가 발표되었다.

『전영예술』 제4호에 영화 「이른 봄 2월」과 「북국강남」 비판 특집란이 개설되어 「공농병은 「이른 봄 2월」을 어떻게 보는가工農兵怎樣看<早春二月>」, 선수申述 등의 「방황자, 위선자, 이기주의자─샤오젠추의 형상을 통해 「이른 봄 2월」의 사상적 본질을 보다彷徨者' 僞善者' 利己者——從蕭潤秋的形象看<早春二月>的思想實質」, 위진於今의 「입장은 어디에 있는가!─「북국강남」을 통해 작가의 세계관을 보다立場何在!——從<北國江南>看作者的世界觀」, 왕윈만王雲縵의 「「북국강남」은 우리나라 농촌의 무산계급 독재 정치를 왜곡했다<北國江南>歪曲了我國農村無産階級專政」 등의 글이 발표되었다.

17일, 『문회보』에 왕융성의 글 「부정적인 전형 · 시대정신 · '시대의 전형'反面典型 · 時代精神 · "時代典型"」이 발표되었다. 그는 글에서 "무산계급 혁명 작가는 예술창작 실천에서의 부정적 전형 형상 창조 의의를 얼마든지 긍정할 수 있지만, 이것을 긍정적 인물, 특히 영웅 형상의 창조와 같은 위치에 놓아서는 안 된다", "긍정적 전형만이 특정 시대의 시대정신을 표현할 수 있으며, 또한 긍정적 전형 가운데 영웅 형상만이 특정 시대의 시대정신을 충분히 표현할 수 있다"라고 보았다. 그는 린웨이민, 리원추의 관점에 대해 "그들은 시대정신 문제에 관한 견해에 있어 저우구청의 '합류론'을 지지하고 있다"라고 보았다.

18일, 중앙선전부가 중공중앙에 「영화 「북국강남」과 「이른 봄 2월」의 공개 상영 및 비판에 관한 중앙선전부의 지시 요청 보고中央宣傳部關於公開放映和批判影片<北國江南>和<早春二月>的請示報告」를 제출하였다. 보고는 「북국강남」과 「2월」이 그 사상 내용에 중대한 오류가 존재하는 영화라고 밝혔다. 두 영화의 공통적인 특징은 자산계급의 인성론과 인도주의, 온정주의를 선전하고, 계급투쟁을 말살하고 왜곡하며, 중간 상태의 인물을 중점적으로 묘사하면서 이러한 인물을 시대의 영웅으로 간주한다는 점이다. 영화계와 문예계에 존재하는 잘못된 관점을 제거하고 문예공작자와 수많은 관중의 사상 인식과 판별 능력을 제고하기 위해 베이징, 상하이 등 8개 대도시에서 이 두 편의 영화를 공개적으로 상영하고 간행물에서 토론과 비판을 전개할 계획을 제안하였다. 마오쩌둥은 이 보고에 대해 "몇몇 대도시뿐만 아니라 수십 곳 내지는 백여 곳의 중등 도시에서도 상영해 수정주의에 관한 이 자료를 대중 앞에 공개해야 한다. 이 두 편의 영화뿐만 아니라 다른 작품들이 있을 수 있으므로 모두 비판해야 한다"라고 서면으로 의견을 남겼다. 「2월」은 상영 당시 「이른 봄

2월」로 제목이 변경되었다. 중국공산당 제11기 중앙위원회 제3차 전체회의 이후에 이 비판은 부인되었다.4)

　20일, 『인민일보』에 리쩌허우의 「두 가지 우주관의 차이—저우구청과 그 지지자의 '통일된 전체'론을 반박한다兩種宇宙觀的分歧——駁周穀城及其支持者的"統一整體"論」가 발표되었다. 그는 글에서 "형이상학적인 '통일된 전체'", "소위 '분리된 반영'의 본질", "과정은 달라도 결과는 같다", "시대정신이란 무엇인가" 등의 관점에서 토론을 전개하였다. 그는 "'통일된 전체'는 표면적으로는 투쟁을 포용하면서 실제로는 투쟁을 초월하고 투쟁 위에 군림하는, 고정되어 영원불변하는 추상적 실체이다", "우리는 소위 시대정신이란 역사 발전의 본질적 규율을 반영하고, 사회가 전진하는 객관적인 방향에 부합하며, 이로써 사회와 시대가 앞을 향해 발전하도록 촉진하는 선진적이고 혁명적인 정신이라고 본다. 이러한 정신은 오늘날의 무산계급 혁명정신 혹은 역사상의 선진 계급이 통치자의 지위를 차지해 쇠락하지 않은 시기처럼 사회의 통치자의 지위를 차지하거나 혹은 차지하기 시작한다. 혹은 아주 작은 불티임에도 시대 발전의 필연적인 규율과 전진의 동향에 부합하고 이를 반영했기에, 이 불씨는 반드시 들판을 태우고, 반동 통치계급의 '통일된 강산', 즉 형이상학자들이 유지하고자 하는 '통일된 전체'를 타파할 것이다"라고 보았다.

　『문회보』에 사설 문예공작자는 혁명의 군중문화 활동에 적극적으로 참가해야 한다—혁명 이야기 낭독을 대대적으로 제창하자(7)」이 발표되었다.

　『희극보』 제8호에 리시판의 글 「혁명 영웅 형상 창조는 시대정신을 표현하는 초점이다創造革命英雄形象是體現時代精神的焦點」가 발표되었다. 그는 글에서 "사회주의 문학예술의 중대한 역사적 임무는 우리의 위대한 시대의 주인공, 즉 공농병 영웅 형상을 창조하고, 그들의 굳센 성격과 숭고한 이상을 표현해 그들을 모방할 만한 본보기로서 수립하고, 이를 통해 인민이 그들이 공산주의라는 원대한 목표를 향해 용감히 전진하도록 교육하고 고무하는 것이다", "사회주의 문예작품 속에서는 혁명 무산계급 영웅 형상만이 시대정신을 정면으로, 또한 직접적으로 반영할 수 있다"라고 보았다.

　『극본』 8월호에 류사劉沙, 마카이팡馬開方이 리준 원작의 영화 극본 「건전한 정신龍馬精神」을 각색한 7장 화극 극본 「야윈 말 이야기瘦馬記」, 후커의 「현장 회의(「중대는 행진한다」 제3편)現場會(＜連隊在行進＞之三)」, 쑤스구이, 추스의 「성공 후」, 런모任莫, 징펀井頻, 왕쥔저우王俊周의 「훙류가紅柳歌」 등의 단막극이 발표되었다.

---

4)『건국 이후 마오쩌둥 문고』 제11권 제135쪽, 중앙문헌출판사 1996년.

21일, 중공중앙에서 「희곡 배우의 높은 급여 처리 문제에 관한 문화부 당조의 지시 요청 보고 文化部黨組關於處理戲曲演員高工資問題的請示報告」를 비준하고 각지에 이에 따라 집행할 것을 요구하였다. 문화부는 보고에서 "일부 희곡 배우(주로 경극 배우)의 급여 수입이 국가에서 규정한 급여의 기준을 초과한다", "반드시 정치사상교육과 물질적 장려의 결합을 정확히 관철 및 집행하고, 진지한 사상교육을 위주로 한다는 원칙에 따라 희곡 배우의 높은 급여를 적절히 조정해야 한다"라고 밝히고, 처리 방법을 결정하였다.

25일, 『광명일보』에 쫭리莊犁의 글 「시대정신과 영웅 인물－류바오돤과의 논의時代精神與英雄人物──與劉保端商榷」가 발표되었다. 그는 글에서 "문예작품은 시대정신을 반영해야 하며, 응당 우리 시대의 영웅 인물을 반영해야 한다. 만약 계급 내용을 빼 버리고 '일반적이고 평범한 사람'을 내세우거나, 혹은 각각의 계급 및 계층의 사상, 감정, 요구, 희망을 반영하는 것이 시대정신을 표현하는 것이라고 뭉뚱그려 말한다면, 이 말은 틀린 것이다"라고 보았다. 같은 호에 잉화이쭈應懷祖, 샹첸向潛의 글 「전형 형상은 시대정신을 어떻게 반영하는가典型形象如何反映時代精神」가 발표되었다. 이들은 글에서 "사회주의 시대에는 작가가 무산계급의 세계관을 장악해야만 작가가 창조한 전형 형상 속에서 시대정신을 표현할 수 있다. 무산계급의 문학예술가는 그의 사상, 관점, 감정, 이상이 시대정신과 일치하기 때문에 자신이 창조한 긍정적 인물을 통해 시대정신을 직접적으로 표현하고, 또한 작가의 평가가 응집된 부정적 형상을 통해 시대정신을 간접적으로 표현할 수 있다"라고 보았다.

26일, 『톈진일보』에 즈청志誠의 글 「시대정신과 영웅 인물에 관하여－류바오돤 동지와의 논의也談時代精神和英雄人物──與劉保端同志商榷」가 발표되었다. 글은 "시대정신이란 무엇인가", "영웅 인물이란 무엇인가", "영웅·계급·인민" 등 세 가지 측면에서 류바오돤의 글에 대해 이견을 제시하였다. 같은 호에 「예술창작 문제 토론에 관한 문장 색인(1964년 8월 20일까지)有關藝術創作問題討論的文章索引(截止1964年8月20日)」이 발표되었다.

27일, 『인민일보』에 마치의 글 「주관유심주의적이며 개인주의적인 예술창작론－저우구청 선생의 미학사상을 평하다主觀唯心主義'個人主義的藝術創作論──評周穀城先生的美學思想」가 발표되었다. 그는 글에서 저우구청이 "자산계급의 주관유심주의적이며 개인주의적인 미학사상"을 선전하고 있다고 보았다.

『문회보』에 진웨이민, 리원추의 글 「새로운 인물 및 영웅 형상 창조에 관한 여러 문제에 대한 질의－롼궈화, 톈번샹 동지와의 논의關於新人'英雄形象塑造諸問題的質疑——與阮國華'田本相同志商榷」(『문회보』 28, 29일자에 연재)가 발표되었다. 이들은 글에서 "문학에서의 새로운 영웅 인물의 '지위' 문제에 관하여", "인물의 교육적 의의 문제에 관하여", "새로운 인물, 영웅 인물의 개성과 계급성 문제에 관하여", "새로운 인물과 영웅 인물의 '비무산계급 의식'과 결점의 묘사에 관하여", "새로운 인물, 영웅 인물의 '인정미' 문제에 관하여", "새로운 인물, 영웅 인물의 '결말 처리' 문제에 관하여", "새로운 인물, 영웅 형상의 창조에 관한 여러 문제에 대한 질의 보충" 등의 문제에 대해 중점적으로 논의하였다.

29일, 중앙선전부에서 「「북국강남」과 「이른 봄 2월」의 공개 상영 및 비판에 관한 통지關於公開放映和批判＜北國江南＞和＜早春二月＞的通知」가 발표되었다.

30일, 『해방일보』에 다이허우잉의 공개 서신 「'고서'를 즐겨 읽는 것이 좋은가 나쁜가?喜歡看"苦書"好不好?」가 발표되었다.

31일, 『문회보』에 장중의 논문 「어떠한 당대 영웅 형상을 창조해야 하는가?－'진실' 옹호자의 진면목 해부에 관하여要塑造怎樣的當代英雄形象?——關於"真實"維護者的真實面目剖析」가 발표되었다. 그는 글에서 "초계급적인 '인정'과 '개성'은 존재하는가", "반역사주의자는 도대체 누구인가", "하나가 나뉘어 둘이 된 것인가, 아니면 둘이 합쳐 하나가 된 것인가", "어떠한 예술 교육적 역할이 있는가", "'진실' 옹호자의 진면목" 등 여러 측면에서 진웨이민, 리원추의 세 편의 글(「「귀가」의 평가를 보고 생각한 몇 가지 문제從＜歸家＞評價想到的幾個問題」, 「시대정신에 관한 몇 가지 의문」, 「새로운 인물 및 영웅 형상 창조에 관한 여러 문제에 대한 질의」)의 주된 관점을 반박하였다.

『양청만보』에 「어째서 혹자는 『삼가항』과 『고투』가 '새로운 홍루몽'이라고 생각하는가?－학교로부터의 평론爲什麼有人認爲＜三家巷＞＜苦鬥＞是·新紅樓夢?——來自學校的評論」이 발표되었다. 글은 "혁명에 대해 쓰는가, 아니면 사랑에 대해 쓰는가", "어떠한 혁명인가, 어떠한 사랑인가", "필치·재미·감정", "소위 '풍속화'", "청년 세대를 교육해야 한다는 임무를 매 순간 기억해야 한다", "일부 평론의 악영향" 등 몇 가지 측면에 대해 논술하였다.

이달에 『산화』, 『해방군문예』, 『창장문예』, 『신항』, 『옌허』, 『압록강』, 『칭하이후』, 『산둥문학』,

『광시문예』등의 간행물에『홍기』제12호 사설「문화전선 위의 대혁명」이 전재되었다.

라오서가 황산에서 휴양하는 기간에 황산에 관한 시 8편을 창작했으며, 베이징으로 돌아오는 길에 청년 문학 애호가들에게 "많이 읽고, 많이 보고, 많이 생각하고, 많이 토론하고, 많이 쓰는 것"이라는 다섯 가지 비결을 전수하였다.

리잉의 시집『불의 시대에 바치다獻給火的年代』, 쑨첸의 단편소설집『난산의 등불南山的燈』, 쓰마원썬의 장편소설『비바람 부는 퉁장風雨桐江』등이 작가출판사에서 출간되었다.

원제, 위안잉이 합동 창작한 산문집『아프리카의 횃불非洲的火炬』이 백화문예출판사에서 출간되었다.

인민출판사에서 편찬한『문화전선 위의 대혁명』이 출간되었다.

9월

1일,『중국청년보』에 차이쿠이가 어우양산의 장편소설『삼가항』과『고투』를 비판한 글「계급 조화 사상을 이용해 청년에게 해를 끼치는 소설用階級調和思想毒害靑年的小說」이 발표되었다. 이후에『문학평론』제4, 5, 6호에 이에 관한 비판의 글이 발표되었다.

『우화雨花』9월호에 샤오펑蕭風의 글「루원푸의 명예 회복과 자기 자랑─루원푸의「『문예보』편집부에 보내는 서신」을 읽고陸文夫的翻案和自我吹噓──讀陸文夫＜給＜文藝報＞編輯部的一封信＞」가 발표되었다. 그는 글에서 루원푸가『문예보』편집부에 보낸 서신이 "거짓말과 자기 자랑으로 가득 찬 서신"이라고 보았다(루원푸의 단편소설「평원의 송가平原的頌歌」는『우화雨花』1957년 1월호에 발표된 후 문예계의 호된 비판을 받았다. 루원푸는 1964년에 출간한 단편소설집『주태를 두 번 마주치다』에「평원의 송가」를 수록하였다).

『압록강』9월호에「예술창작 문제 토론에 관한 개술關於藝術創作問題討論的槪述」이 발표되었다. 편집자의 말은 "이 토론은『신긴설』1962년 12일호에 발표된 저우구청의「예술창작의 역사적 지위」로부터 시작되었다……독자들이 이 토론의 내용을 더 잘 이해하도록 돕기 위해 이번 호에『인민일보』7월 18일자의「학술 연구」란에 발표된「예술창작 문제 토론에 관한 개술」을 전재한다"라고 밝혔다. 같은 호에 리야오李堯의 글「저우구청의 감정 원천론을 평하다評周穀城的情感源泉論」가 발표되었다.

『신항』9월호에 친무의 소설 「카마구에이 격전-장편소설『분노하는 바다』부분卡馬圭激戰——長篇小說＜憤怒的海＞的一章」이 발표되었다.

『초원』9월호에 마라친푸의 평론「『맹아』편집부의 질문에 답하다答＜萌芽＞編輯部問」가 발표되었다.

『쓰촨문학』9월호에 웨이웨이의 「집전철어集前綴語」가 발표되었다.

『창장문예』9월호에 지쉐페이의 중편소설 「네 명의 지식인四個讀書人」이 발표되었다.

『허베이문학』9월호에 친무의 소설 「초가집 야화-장편소설『분노하는 바다』부분茅屋夜話——長篇小說《憤怒的海》的一章」, 류류劉流의 신평서新評書 연재 「붉은 싹紅芽」이 발표되었다.

3일, 『인민일보』에 리싱李星, 웨이구維穀, 다오쉰道勳의 글 「저우구청의 반동적 역사관과 '시대정신 합류론'周穀城的反動歷史觀和"時代精神彙合論"」이 발표되었다(『해방일보』에 동시 발표). 이들은 글에서 "우리는 이러한 초계급의 껍질을 쓰고, 서로 다른 계급의 서로 다른 사상이 '합류'하고 통일해 이루어진 시대정신이라는 것은 사회생활 속에 애초에 존재하지 않는다고 본다", "'초계급'이라는 가짜 간판을 달고 '합류'론에 가려진 채 한편으로는 혁명계급의 혁명정신이 곧 시대정신임을 부정하고, 한편으로는 역사 속에서 통치계급을 차지하고 있던 반동사상과 반동정신을 선전하는 것, 이것이 바로 저우구청이 아무리 궤변으로 둘러대려 해도 덮어 가릴 수 없는 '시대정신 합류론'의 본질이다"라고 보았다.

『광명일보』에 차오원쥔曹文俊, 장창張昶의 글 「영웅 인물을 어떻게 평가해야 하는가-류바오돤 동지와의 논의應該如何評價英雄人物——與劉保端同志商榷」가 발표되었다. 이들은 글에서 영웅 인물을 평가하는 기준은 "영웅 인물이 공산주의 사상의 각오와 철저한 무산계급 혁명 정신을 가지고 있는가, 고상한 공산주의 풍격과 숭고한 도덕적 품성을 가지고 있는가, 그리고 진심으로 인민을 위해 복무하려는 마음을 가지고 있는가"에 두어야 한다고 보았다.

『문회보』에 장하이江海의 글 「영웅 형상의 교육적 역할을 논하다論英雄形象的教育作用」가 발표되었다. 그는 글에서 진웨이민, 리원추가 몇 편의 글(「「귀가」의 평가를 보고 생각한 몇 가지 문제」, 「시대정신에 관한 몇 가지 의문」, 「새로운 인물 및 영웅 형상 창조에 관한 여러 문제에 대한 질의」)에서 제기한 영웅 형상의 교육적 역할에 관한 관점을 반박하고, 이들이 "사상성과 예술성을 첨예하게 대립시켜 예술성이라는 간판 뒤에서 영웅 인물의 의의를 부정하고 있다"라고 보았다.

『양청만보』에 「저우빙 형상에 대해 계급분석을 진행해 보다-공장으로부터의 평론試爲周炳這個形象作一階級分析——來自工廠的評論」이 발표되었다. 글은 "저우 씨 집안-공인계급 가정 같지 않다",

"저우빙 본인 — 역시 그다지 공인 같지 않다"는 점을 근거로 저우빙의 형상이 계급조화론을 선전하고 있다고 보았다.

『남방일보』에 「『삼가항』과 『고투』는 어떠한 사상 감정을 선전하는가?<三家巷><苦鬥>宣揚了什麽思想感情?」가 발표되었다. 글은 중국 공산주의청년단 광둥성위원회에서 광저우 각계의 청년들을 초청해 진행한 토론의 개요로, "'고투苦鬪'인가 '첨투甛鬥'인가", "계급조화론을 선전했다", "저우빙은 영웅이 아니다", "생동감 없는 당원 형상", "애정인가 색정인가", "작품의 사회적 효과" 등의 문제에 관해 중점적으로 토론하였다.

6일, 『광명일보』에 원즈진文之今의 글 「'평범한 인물'로 영웅 인물을 대체해서는 안 된다 — 류바오돤 동지와의 논의不能用"普通人"去代替英雄人物──同劉保端同志商榷」가 발표되었다. 글은 "류바오돤은 두 편의 글에서 우선 영웅 인물을 묘사하는 것을 전력으로 반대하면서, 영웅 인물이 생활과 문학 속의 주류가 아니라고 보았다. 둘째로, 영웅 인물에 대한 정의를 곡해하고, 영웅 인물이 가진 무산계급 혁명사상이라는 특징을 부정하였다. 마지막으로 그는 '긍정적 인물'을 묘사할 것을 강력히 고취하면서도 '긍정적 인물'을 '각각의 계급, 계층'의 사상 감정을 반영한 '평범한 인물'이라고 해석함으로써 긍정적 인물을 부정하였다", "'평범한 인물'로써 영웅 인물을 대체하자는 류바오돤의 망론은 사회주의 문학사업에 대단히 불리하다"라고 보았다. 같은 호에 창징위常敬宇의 「진웨이민, 리윈추의 초계급적인 인정미를 반박한다駁金爲民‘李雲初的超階級的人情味」, 지차오紀超의 「류바오돤과 진웨이민, 리윈추는 또 무슨 말을 했는가?劉保端和金爲民‘李雲初等又談了些什麽?」가 발표되었다.

7일, 『문회보』에 다이허우잉의 「소위 '인정미'라는 비장의 카드를 내놓다揭出所謂"人情味"的底牌」가 발표되었다. 그는 글에서 "진웨이민, 리윈추가 제창하는 '인정미'는 무산계급 혁명의 '인정미'가 아니라, 무산계급을 부패시키고 와해시키는 봉건적이고 자본주의적인 '인정미'이다"라고 보았다.

8일, 『광명일보』에 쑨광잉孫光瑩, 류둔원劉鈍文의 글 「우리 시대의 영웅 인물을 대대적으로 창조하자大力塑造我們時代的英雄人物」가 발표되었다. 이들은 글에서 류바오돤이 「긍정적 인물과 영웅 인물」에서 "'긍정적 인물'을 제창하기 위해 영웅 인물 형상의 창조를 제창하는 이론마저 곡해했다"라고 보았다.

9일, 『양청만보』에 「『삼가항』, 『고투』는 인민의 투지를 고무할 수 있는가?─부대로부터의 평론<三家巷><苦鬪>能不能鼓舞人們的鬪志?──來自部隊的評論」이 발표되었다.

『안후이일보』에 『장화이학간江淮學刊』에 발표된 소설 「환혼초還魂草」에 대한 비평이 전재되었다.

10일, 『인민일보』에 톈딩田丁의 글 「시대와 시대정신─저우구청의 반동적 관점을 반박한다時代和時代精神──駁周穀城的反動觀點」가 발표되었다. 그는 글에서 "시대는 혁명의 과정이며, 시대정신은 이 혁명의 과정에 상응하는 혁명정신이다", "당대의 시대정신은 무산계급의 혁명정신이며, 공산주의 정신이다", "이러한 '합류'의 본질은 무산계급사상의 계급성을 제거하고, 무산계급 혁명의 계급 내용을 제거하여, 이렇게 해서 이미 무산계급사상이 아니게 된 '무산계급사상'이 자산계급을 대신해 타는 불에 장작을 더하도록 하는 것이다"라고 보았다.

『광명일보』에 「『삼가항』과 『고투』는 좋은 작품인가, 아니면 나쁜 작품인가?<三家巷><苦鬪>是好作品還是壞作品?」가 발표되었다. 글은 이 두 편의 소설에 대한 몇몇 평론을 정리하고, 이 평론들이 "저우빙은 혁명자의 형상이 아니다", "저우빙을 변호하는 논조", "수많은 독자의 비평", "궁극적으로 청년들에게 무엇을 줄 것인가" 등의 문제에 대해 중점적으로 토론했다고 밝혔다.

『산둥문학』에 『인민일보』 7월 18일자에 발표된 「예술창작 문제 토론에 관한 개술」이 전재되었으며, 야오원위안의 「저우구청 선생의 모순관을 평하다」가 게재되었다.

11일, 『광명일보』, 『해방군보』에 웨이웨이의 「시대정신과 전형 문제─저우구청 등의 잘못된 관점을 반박한다時代精神與典型問題──駁周穀城等的錯誤觀點」가 게재되었다. 그는 글에서 "시대정신의 대표가 될 자격은 누구에게 있는가", "대립하는 각각의 계급의 사상은 '합류'할 수 있는가", "시대정신과 '역사적 구체성'", "새로운 영웅 인물 창조는 시대정신 표현의 핵심 문제이다", "선진 계급의 세계관을 장악하는 것이 시대정신 표현의 관건이다" 등의 관점에서 저우구청의 잘못된 관점을 비판하였다. 그는 "문예창작에서의 시대정신 문제는 결코 특정한 함의가 없으며 초시간적이고 초계급적인 개념이 아니다. 통상적으로 어떤 작품에 시대정신이 있는가 없는가를 판단하려면 그 작품이 특정 역사 시기의 선진 계급의 사상, 감정 및 역사적 요구를 표현했는가를 본다. 이러한 사상, 감정과 역사적 요구를 반영해야만 시대가 전진하는 방향과 일치하며, 이러한 작품이 바로 시대정신을 지닌 작품이다"라고 보았다.

『양청만보』에 「『삼가항』과 『고투』가 반영한 농촌의 모습은 실제와 부합하는가?─농촌으로부터의 평론 <三家巷> <苦鬪> 反映的農村面貌符合實際嗎?——來自農村的評論」이 발표되었다.

12일, 『해방일보』에 류빙푸劉炳福의 글 「저우구청의 공자 존경 사상을 평하다評周穀城的尊孔思想」가 발표되었다. 그는 글에서 "공자를 존경하는 것은 봉건사상을 구가하는 반동적 이론이다", "공자를 존경하는 것은 혁명 사조에 저항하는 반동적 이론이다", "공자를 존경하는 것은 반동 세력을 위해 복무하는 반동적 이론이다"라고 보았다.

『남방일보』에 「『삼가항』, 『고투』에 대한 농촌 독자의 의견農村讀者對<三家巷><苦鬪>的意見」이 발표되었다. 글은 『삼가항』과 『고투』가 "옛 중국의 농촌을 미화"한 "혁명 의지를 부식시키는 작품"이라고 보았다.

『인민문학』 9월호에 가오잉의 「노래歌」, 궈차오런郭超人의 「무한한 경치無限風光」가 발표되었다.

14일, 『문회보』에 류수청劉叔成의 글 「'순수하게 개인적인 특징'을 표현할 것을 제창하는 것은 무엇을 위해서인가?提倡表現"純粹個人的特征"爲了什麼?」가 발표되었다. 그는 글에서 "진웨이민은 '순수하게 개인적인 특징'을 표현할 것을 누차 제창하며, 자신의 '비계급적인 개성설'에 대한 이론적 근거와 이를 창작한 예를 찾으려 애쓰고 있다. 그의 목적은 자산계급 인성론이 무산계급론을 대신해 문예창작과 문예비평의 지도 사상이 되도록 하고, 자산계급의 개성이 무산계급의 개성을 대신해 문예 표현의 중심적 내용이 되도록 하여, 이로써 사회주의가 자본주의 문예로 변하게 하려는 것이다"라고 보았다.

15일, 『허베이문학』에 소설 『용감하게 앞으로 나아가다勇往直前』를 비평한 글이 발표되었다.

『맹아』 9월호에 탕커신의 논문 「청년 습작가의 물음에 답하다答靑年習作者問」가 발표되었다. 그는 글에서 "창작의 준비와 제고 문제에 관하여", "사람을 관찰하고 연구하는 것에 관하여" 등 두 가지 문제에 관해 논술하였다. 같은 호에 전문 논고 「우리 시대의 영웅을 노래하자歌贊我們時代的英雄」가 발표되었다.

『신화월보』 제9호에 커칭스의 「사회주의 희극을 대대적으로 발전 및 번영시켜 사회주의 경제 기초를 위해 더욱 잘 복무하자」가 발표되었다.

『톈진일보』에 샹훙項紅의 글 「소설 『용감하게 앞으로 나아가다』는 무엇을 선전하는가?小說<勇往直前>宣揚了些什麼?」가 발표되었다. 그는 글에서 "『용감하게 앞으로 나아가다』는 심각한 사상적 독소를 가진 나쁜 책이다! 이 책은 청년에게 해를 끼치는 나쁜 책이다! 반드시 철저히 비판해야 할 나쁜 책이다!"라고 밝혔다. 같은 호에 「소설 『용감하게 앞으로 나아가다』에 대한 독자들의 서신 총론讀者對小說＜勇往直前＞的來信綜述」이 발표되었다. 글은 "절대다수의 서신이 이 책이 '대단히 나쁜 책'이라고 보았다", "'사회주의 대학생 생활의 진실한 모습을 왜곡'하고, '자산계급 인생관을 대대적으로 선전'하였다", "또한 자산계급의 인성론과 계급조화론을 선전하였다", "이 작품은 당의 지도를 왜곡하고, 또한 당원의 모습을 왜곡하였다", "계급의 적인 장런제張人傑의 역량을 과장하였다", "개조를 거치지 않은 구시대의 전문가를 극도로 추앙하였다", "상술한 견해와는 반대로, 일부 독자들은 이 소설이 '사회주의 조국의 문예의 꽃밭에 새롭게 피어난 선연하고 아름다운 꽃'이라고 보았다"라고 밝혔다.

『인민일보』와 『광명일보』에 「이른 봄 2월」을 비판한 글 「「이른 봄 2월」은 인민을 어디로 이끄는가?＜早春二月＞要把人們引到哪兒去?」가 동시에 발표되었으며 '편집자의 말'이 첨부되었다. 『인민일보』의 편집자의 말은 「이른 봄 2월」이 제기한 문제가 "작가와 예술가의 세계관과 입장의 근본적인 문제에 관련되어" 있으며, 이는 문예 영역에서의 "근본적인 시비"에 관한 문제라고 보았다.

『광명일보』의 편집자의 말은 "20년대와 30년대의 문예창작과 문예사상을 어떻게 대할 것인가" 하는 문제는 "원칙성을 가진 중요한 문제이다"라고 보았다. 「「이른 봄 2월」은 인민을 어디로 이끄는가?」는 영화 「이른 봄 2월」에 대해 "각본가가 주인공에게 씌워 놓은 금빛이 찬란해 사람을 미혹시키는 가면을 벗겨 보면, 이 영화가 퍼뜨리고 있는 자산계급 개인주의와 인도주의 및 계급조화론 등의 반동적인 사상이 백일하에 드러나게 된다", "샤오젠추와 타오란陶嵐 같은 청년들은 20년대에 존재했으며, 물론 이들에 대해 창작할 수 있다. 문제는 이러한 인물에 대해 어떤 태도를 취해야 하는가이다. 「이른 봄 2월」의 오류는 이 작품이 샤오잔추와 타오란이라는 두 인물을 통해 투쟁에서 도피하는 소극적인 은둔사상, 그리고 자산계급의 개인주의와 인도주의를 비판하는 것이 아니라 찬양하고 있다는 데 있다", "「이른 봄 2월」은 결코 향기로운 꽃이 아니라 독초이다"라고 보았다. 이 글의 결론은 "이 영화는 우리나라의 오늘날의 관중들을 도대체 어디로 이끌려 하는가? 문제는 아주 명확하다. 이 영화는 완전히 자산계급의 입장에 서 있으며, 자산계급 문예사상의 지도하에 이루어진 창작 실천이다. 이 영화의 결론은 관중, 특히 청년 관중을 자산계급의 방향으로 이끌어 자본주의의 부활을 위한 사상적 조건을 준비하는 것과 다름없다"라고 보았다. 영화 「이른 봄 2월」에 대한 토론은 1965년 3월까지 지속되었다.

16일, 『지린일보吉林日報』에 「소설 「이웃」에 관한 재토론關於小說＜鄰居＞的再討論」이 게재되었으며 편집자의 말이 첨부되었다.

『문회보』에 우중제의 글 「'인정미'를 논하다論"人情味"」가 발표되었다. 그는 글에서 "계급사회에는 초계급적인 '인정미'라는 관점이 존재하지 않는다"라고 보았다.

17일, 『문회보』에 탕다민의 글 「'속설을 면하기 어렵다는 논리'에 반박한다駁"難能免俗論"」, 천쥔타오陳駿濤의 글 「단장취의와 왜곡된 확대斷章取義和歪曲的引申」가 발표되었다. 탕다민은 글에서 무산계급의 계급적 본질은 "무산계급의 철저한 혁명정신"이라고 보았다. 천쥔타오는 글에서 "진웨이민은 고전 저작에 대한 단장취의와 왜곡된 확대를 통해 가짜를 진짜로 속여 자신의 관점을 변호하고 있는데, 이는 불가능한 일이다. 이렇게 하면 이러한 관점의 배후에 숨겨져 있는 진짜 의도가 더욱 폭로될 뿐이다"라고 보았다.

18일, 『남방일보』에 기사 「『삼가항』과 『고투』에 대한 공농병 독자의 논의―『양청만보』에 공장, 농촌, 부대 독자의 평론 개요가 게재되다工農兵讀者對＜三家巷＞＜苦鬥＞的議論――＜羊城晚報＞刊載的工廠' 農村和部隊讀者評論摘要」가 게재되었다.

20일, 베이징인민예술극원이 4막 화극 「결혼 전結婚之前」을 공연하였다. 뤼빈지가 각본을, 샤춘, 란톈예가 감독을 맡았으며 디신, 주쉬, 류징룽劉靜榮 등이 주연을 맡았다. 극본은 『극본』 11월호에 발표되었다.

『해방일보』에 천유창陳有鏘, 둥자쥔董家駿, 예수쭝葉書宗, 우청핑吳成平의 글 「저우구청의 '끊어지면서도 이어진다'는 논리에 반박한다駁周穀城的"斷而相續"論」가 발표되었다. 이들은 글에서 "저우구청의 '끊어지면서도 이어진다'는 논리는 모순의 보편성을 근본적으로 부정하는 완전히 형이상학적인 '이론'이다", "저우구청의 '끊어지면서도 이어진다'는 논리는 역사 발전의 규율성을 부정하고, 역사를 고립적이고 서로 관련이 없는 단편으로 와해시켜 역사유물주의의 기본 원리, 특히 계급투쟁의 이론을 철두철미하게 위반하였다"고 보았다.

『극본』 9월호에 사써莎色, 푸둬, 마룽馬融, 리치황李其煌의 6장 화극 「남방에서 온 편지」(『해방군문예』 10월호에도 발표됨), 어우린歐琳이 영화 극본 「톈산의 붉은 꽃天山的紅花」을 각색한 대형 화극 「아오이구리奧依古麗」, 리스빈李師斌, 리구이화李貴華, 팡룽샹方榮翔, 쑨추차오孫秋潮의 화극 「기습백호단」이 발표되었다.

23일, 『양청만보』에 마오쥔毛軍의 글 「계급분석을 잊지 말고, 작품의 실제에서 벗어나지 말자 —『삼가항』과 『고투』에 대한 후이성의 평론을 읽고不要忘記階級分析，不要脫離作品實際——讀胡一聲 關於<三家巷><苦鬥>的評論」가 발표되었다. 그는 글에서 "저우빙 형상이 전형이라 한다면, 그는 소자산계급의 전형 인물일 뿐, 무산계급의 혁명 영웅 형상이 아니다"라고 보았다. 그는 또한 『삼 가항』과 『고투』가 "겉보기에는 혁명에 대해 창작한 듯하지만 사실상 사랑에 대해 창작한 소설이 며, 겉보기에는 계급 모순에 대한 이야기지만 사실상 계급 조화를 표현하고 있다"라고 보았다.

『광명일보』에 진잉시金應熙의 글 「저우구청은 어떻게 진회를 두둔하고, 투항에 찬성하고, 주전파 를 비방했는가周穀城是怎樣祖護秦檜 '贊成投降' 詆毀主戰派的」(『홍기』 제17, 18호 합본)가 전재되었다.

25일, 『수확』 제5호에 하오란의 소설 「늙은 지부 서기의 뜬소문老支書的傳聞」, 가오잉의 소설 「좁쌀小米」(1964년 7월에 창작), 천밍수陳鳴樹, 팡성, 쑨쉐인孫雪吟의 글 「시대정신과 문학 전형— 저우구청, 진웨이민, 리윈추와의 논의時代精神與文學典型——與周穀城 '金爲民' 李雲初論辯」가 발표되 었다. 이들은 글에서 "시대정신은 시대의 중심이 되고, 시대의 주된 내용과 시대의 발전 방향을 결 정하는 선진 계급의 정신이 사회 실천과 이데올로기 속에 집중적으로 표현된 것이어야 한다", "각 시대의 문학 전형은 모두 계급의 전형이며, 특정한 역사 조건하에서의 특정 계급(혹은 계층)의 계 급 본질의 예술적 개괄이다"라는 관점을 제기하면서 "시대정신과 문학 전형 문제는 강렬한 계급 성과 경향성을 가지고 있다. 그러나 저우구청과 진웨이민, 리윈추는 이 문제에 대한 논술 속에서 계급에 관한 내용을 빼 버리고, 초계급적인 시대정신과 문학 전형론으로 표현하였다. 이것이 바로 우리와 그들 사이의 차이의 본질이다"라고 보았다.

26일, 중앙가극무극원中央歌劇舞劇院 발레단이 톈차오 극장에서 현대 발레 작품 「홍색낭자군」 을 초연하였다.

27일, 마오쩌둥이 중앙음악학원의 어느 학생이 보낸 서신에 대해 "옛것을 오늘의 현실에 맞 게 활용하고, 서양의 것을 중국에 맞게 활용해야 한다"라고 서면으로 의견을 표시하였다. 또한 "이 서신은 한쪽 무리의 견해를 표현하고 있다. 아마도 많은 이들은 이에 찬성하지 않을 것이다", "이 편지는 잘 쓴 글이며, 문제는 응당 해결해야 한다. 그러나 군중의 의견을 구하는 방법을 취해야 한 다. 우선 교사와 학생들 사이에서 토론을 진행해 의견을 수집해야 한다"라고 밝혔다. 중앙음악학원의 어느 학생은 마오쩌둥에게 보낸 서신에서 "서구 자산계급의 음악 문화를 오랫동안 무비판적으로 대량으로 학습한 탓에 자산계급사상이 우리 학원의 교사와 학생에게 깊은 영향을 끼쳤습니다. 일부 사람들은 공농병을 위해 공연하지 않으려 합니다. 그들이 음악을 이해하지 못하므로 공연을 해 봐야 시간낭비라고 여기기 때문입니다. 일부 사람들은 서양음악에 빠져 민족음악을 경시하며, 음악의 혁명화, 민족화, 군중화에 대해 저항감을 가지고 있습니다. 우리는 지도자들이 이 문제를 더욱 중시해 단호한 조치를 취해 자산계급사상이 계속해서 범람하는 것을 근본적으로 제지해 주기를 절실히 바랍니다. 이런 문제가 발생한 원인은 여러 가지이나, 직접적인 역할을 한 요소 중 하나는 학교의 교육공작 과정에서 계승만을 가르치고 비판을 가르치지 않기 때문입니다. 달리 말하면 '추상적인 비판과 구체적인 계승'만을 가르치며, 기술지상주의를 가지고 중요 과목을 개별적으로 교육해 교육에 대해 세밀한 검열과 감독이 불가능합니다. 학교의 업무에 대한 저의 가장 큰 의견은 학교가 계급 노선을 단호히 관철할 수 없다는 점입니다. 학교에 소속된 교사와 학생들의 계급성분은 대단히 복잡하며, 공농병의 자제는 극소수입니다. 학교에서는 중앙이 우리에게 부여한 임무는 서양의 도구와 기술을 빌려 사회주의와 공농병을 위해 복무하는 것이라고 말합니다. 저는 이를 이루기 위해서는 우선 반드시 교사와 학생들 사이에 퍼져 있는 심각한 서양 숭배 사상을 철저히 제거해야 한다고 생각합니다"라고 밝혔다. 학생은 서신의 말미에서 "학교의 운영 방침은 학교는 도대체 어떤 인물을 양성하려 하는가, 교육과정에서의 중국과 서양 문화의 비율은 어떻게 결정하는가, 우리의 교재와 무대 위에서 왕후장상, 공작, 아가씨, 부인을 철저히 몰아내고 우리의 공농병으로 바꿔야 하는가 등의 문제를 더욱 명확히 해야 합니다. 우리는 이에 대해 중앙에서 더욱 명확한 지시를 내려 주기를 바랍니다"라고 밝혔다.[5]

30일, 『문예보』 제8, 9호 합본에 편집부의 글 「'중간 인물 창작'은 자산계급의 문학 주장이다 "寫中間人物"是資産階級的文學主張」가 발표되었다. 글은 "1962년 8월에 중국작가협회는 다롄에서 농촌 소재 단편소설 창작좌담회를 개최하였다. 좌담회의 진행자 중 하나인 사오취안린 동지는 '중간 인물 창작'이라는 주장을 정식으로 제기하였다. 그는 문예의 현실 반영, 문예의 교육적 역할, 문예 창작의 현상황 등의 측면에서 갖가지 이유를 들어 '중간 인물 창작'의 중요성을 반복해서 강조하면서 영웅 인물 창작의 중요성을 폄하하고, 작가들에게 소위 '중간 인물'을 대대적으로 묘사할 것을 요구하였다"라고 밝혔다. 글은 "'중간 인물'이란 무엇인가?", "어떤 인물이 시대의 주류를 대표하는가?", "소위 '모순은 종종 중간 인물에게 집중되어 있다'는 견해", "'중간 인물'을 이용해 '중간 인

5) 『건국 이후 마오쩌둥 문고』 제11권 제172~173쪽, 중앙문헌출판사 1996년.

물'을 교육한다는 견해", "가장 넓은 길은 어떤 길인가?", "엥겔스와 마오쩌둥 주석의 본래 의도를 왜곡하는 것을 반대한다", "'현실주의의 심화'란 무엇인가?", "거울에 비춰 보아야 한다", "이것은 문예 영역에서의 근본적인 시비의 논쟁이다" 등의 측면에서 사오취안린의 관점을 비판하였다.

같은 호에 「중간 인물 창작'에 관한 자료關於"寫中間人物"的材料」(자료 모음)가 공개되었다. 본 자료는 "사오취안린 동지는 『문예보』 편집부에 '중간 인물 창작'이라는 주장을 반복하여 강조하였다", "다롄 창작회의에서 사오취안린 동지는 작가들에게 정식으로 '중간 인물 창작'이라는 주장과 '현실주의의 심화'라는 이론을 제시하였다", "다롄 창작회의 이후에 『문예보』 등의 간행물에서는 '중간 인물 창작'이라는 주장을 공개 선전하였다" 등을 포함하였다.

『문예보』 같은 호에 왕춘위안王春元의 글 「우리 시대의 주인은 도대체 누구인가?究竟誰是我們時代的主人?」가 발표되었다. 그는 글에서 시대정신과 영웅 인물 창조 문제에 관한 저우구청, 진웨이민, 리원추의 관점에 대해 다른 견해를 제기하면서, "시대정신과 영웅의 전형적 형상 창조 문제에 관한 우리와 저우구청, 진웨이민, 리원추의 견해의 근본적인 차이는 결국 문학예술 영역에서 문예가 공농병을 위해 복무하는 방향을 지지하는가 아니면 반대하는가 하는 두 가지 노선의 투쟁, 정치사상 영역에서의 자본주의와 사회주의의 두 가지 노선의 투쟁, 그리고 무산계급과 자산계급이 당대 역사주의의 지위를 다투는 투쟁으로 귀결된다"라고 보았다. 이 외에도 「「북국강남」 토론에 관한 종합 보도<北國江南>討論綜合報道」, 「자산계급의 부패한 사상으로 가득 찬 「이른 봄 2월」浸透了資産階級腐朽思想的<早春二月>」 등의 글이 발표되었다.

이달에 각지에서 '미국의 베트남 침략 반대 시가 낭송회'가 개최되었다.

건국 15주년을 경축하기 위해 저우언라이의 지도하에 베이징, 상하이 및 각 부대의 총 70개 기관의 문예공작자와 공인, 학생, 아마추어 합창단 총 3,000여 명이 대형 음악 무용 서사시 『동방홍』을 창작 및 공연하였다. 1965년에 컬러 와이드스크린 무대공연 영화 『동방홍』이 제작되었다. 본 영화는 문화대혁명 기간에 '사인방'에 의해 냉대받았다.

작가출판사에서 하오란의 장편소설 『화창한 날』 제1권(인쇄 부수는 1~52,000권, 양장본 2,000권이 출간되었다. 제2권과 제3권은 1966년 3월에 인민문학출판사에서 출간되었다. 본 소설은 총 120만여 자로 이후에 영화로 각색되었다), 옌천의 시집 『죽창竹矛』(인쇄 부수 1~38,000권으로 반양장본 12,500권이 출간되었다. 책에는 시인이 1962년에서 1963년 사이에 창작한 시 15편이 수록되었다), 바진의 산문집 『셴량차오 근처賢良橋畔』, 보고문학 제2집 『여자아이가 큰 깃발을 어깨에 메다』(장밍의 「여신 궁수女神箭手」 등 7편의 작품 수록), 보고문학 제3집 『난류의 봄 경치南柳春光』(마라친푸의 「가장 선연한 꽃송이−초원의 영웅 소녀 룽메이와 위룽을 기억하며」 등 6편의 작품

수록, 야오원위안의 『문예사상 논쟁집文藝思想論爭集』, 아이우의 단편소설집 『남행기 속편南行記續編』이 출간되었다.

마라친푸의 『어린 영웅 자매英雄小姐妹』가 중국소년아동문학출판사에서 출간되었다.

10월

1일, 『해방군문예』 10월호에 웨이웨이의 평론 「시대정신과 전형 문제─저우구청 등의 잘못된 관점을 반박한다」(7월 19일에 집필), 위보於波의 글 「원칙적인 성격을 띤 토론─영웅 형상 창조 문제에 관해 진웨이민의 견해에 반박한다一場原則性的爭論──就塑造英雄形象問題駁金爲民」가 발표되었다. 위보는 글에서 영웅 인물의 창조에 관한 진웨이민의 관점을 반박하면서 진웨이민이 "영웅과 '비영웅'을 판단하는 도덕적인 기준을 완전히 뒤바꿔 진정한 혁명 영웅 인물을 '비영웅'으로 간주하고, 틀림없는 '비영웅'을 혁명 영웅으로 간주하였다", "그는 혁명 영웅 인물이 문학예술작품 속에서 응당 가져야 할 주인공의 지위를 제거하고, 혁명 영웅 형상을 창조하는 사회주의 문학예술의 중요한 사명을 배제하였다", "그는 중간 인물, 낙후된 인물, 그리고 자산계급과 소자산계급의 부패한 사상으로 가득 찬 '비영웅' 인물로서 문학예술작품 속의 혁명 영웅 인물을 대체하였다"라고 보았다. 그는 또한 "'생활의 진실' 문제", "'공식화와 개념화' 문제", "교육적 역할 문제" 등에 대해 진웨이민과 다른 견해를 제시하였다.

『신항』 10월호에 스바이성施百勝의 글 「공농 군중 속에 침투해 계급투쟁에 적극적으로 참여하자深入到工農群眾中去, 積極參加階級鬥爭」, 쉬수잉徐淑瑩의 글 「청년을 어디로 이끄는가?─소설 『용감하게 앞으로 나아가다』의 자산계급사상 경향을 평하다把青年引向哪裏去?──評小說勇往直前的資産階級思想傾向」가 발표되었다. 스바이성은 글에서 시대정신이란 무엇인가, 영웅 인물을 어떻게 창조해야 하는가 등의 문제에 대한 저우구청과 진웨이민 등의 토론에 관해 "모든 혁명 문예공작자는 반드시 사회주의 혁명의 격류 속에, 그리고 농촌과 도시의 위대한 사회주의 교육운동에 투신해 공인과 빈농, 중농과 함께 전쟁에 참여해야 한다"라고 보았다.

쉬수잉은 글에서 한수이의 장편소설 『용감하게 앞으로 나아가다』에 대해 "소설 속에는 비교적 선명한 성격을 가진 인물 형상이 존재하지 않으며, 완전한 이야기 구조도 결핍되어 있다", "작품의 구체적인 줄거리와 장면 및 인물의 정신 상태에 대한 묘사와 과장 속에서 우리는 계급 모순과 계급투쟁을 적극적으로 말살하고, 당 조직의 역할과 당원 간부의 모습을 심각하게 왜곡하며, 부패한 자산계급의 사상 감정과 취미 및 생활방식을 마구 선전한다는 인상을 받게 된다"라고 보았다.

『옌허』 10월호에 류즈링의 소설 「간호사의 노래護士之歌」, 제쥔解軍의 보고문학 「또 하나의 개선가又一支凱歌」가 발표되었으며 기사 「중국작가협회 시안분회에서 좌담회를 개최해 영화 「북국강남」, 「이른 봄 2월」 및 저우구청의 자산계급 미학관점을 비판하다中國作家協會西安分會召開座談會批判影片＜北國江南＞'＜早春二月＞及周穀城的資產階級美學觀點」가 게재되었다.

『압록강』 10월호에 윈티韻體의 소설 「전우戰友」, 마자의 산문 「장산유수長山流水」, 사설 「혁명의 시대, 혁명의 문학, 혁명의 사람革命的時代, 革命的文學, 革命的人」이 발표되었다. 같은 호에 리야오李堯의 글 「저우구청의 감정유일론을 평하다評周穀城的感情唯一論」가 발표되었다. 그는 글에서 "저우구청은 문예작품이 반영하는 대상을 감정에 귀결시켜 작품의 현실성을 말살하고, 예술에서의 감정과 이치를 대립시켜 문예의 사상성을 부정하였으며, 이로써 추상적인 '진실한 감정'을 선전하고 감정의 계급성을 부정하였다. 이러한 자산계급의 주관유심주의적인 감정유일론은 철저한 반마르크스레닌주의 미학관이다"라고 보았다.

『허베이문학』 10월호에 류류의 신평서 연재 「붉은 싹」, 펑젠난의 「시대정신·계급투쟁·영웅형상時代精神·階級鬥爭·英雄形象」, 리옌스厲硯石의 「『용감하게 앞으로 나아가다』는 무엇을 선전하는가?＜勇往直前＞宣揚了什麼?」가 발표되었다. 펑젠난은 글에서 "시대정신의 개념과 계급투쟁의 개념은 밀접한 관계가 있다", "시대정신은 대체로 영웅 형상을 통해 표현된다", "영웅 형상을 창조하는 이는 반드시 왕성한 시대정신을 지녀야 하며, 뜨거운 투쟁에 투신해야 한다" 등의 문제에 관해 논술하였다. 리옌스는 글에서 이 소설이 "자산계급의 연애관과 행복관 및 생활의 취향을 선전"하였으며, "계급조화론과 인성론을 선전"하였다고 보았다.

『칭하이후』 10월호에 왕하오의 소설 「살구꽃이 눈처럼 날리다杏花雪飄」가 발표되었으며, 「예술 창작 문제 토론에 관한 개술」(『인민일보』 7월 18일자)이 전재되었다.

『홍기』 제19호에 차오위의 산문 「혁명의 폭풍우革命風雷」, 류바이위의 「전투하는 사회주의 문학戰鬥的社會主義文學」이 발표되었다.

『작품』 10월호에 위펑 등이 합동 창작한 화극 극본 「주장의 폭풍우珠江風雷」가 발표되었다.

2일, 건국 15주년을 경축하기 위해 문화부와 중앙선전부가 합동으로 베이징 인민대회당에서 대형 음악 무용 서사시 『동방홍』을 공연하였다. 본 작품의 공연에는 총 3,000여 명이 참여하였으며, 9편의 대형 무용극과 18편의 가무 공연, 6편의 대합창을 모집해 채택하였다.

3일, 베이징인민예술극원이 「산촌의 자매山村姐妹」를 공연하였다. 류허우밍이 각본을, 어우양 산쥔, 바이썬이 감독을 맡았으며 퉁차오, 궈웨이빈, 왕즈훙王志鴻 등이 주연을 맡았다.

4일, 『베이징문예』 10월호에 사설 「문예전선의 철저한 혁명파가 되자作文藝戰線上的徹底革命派」, 저우리보의 소설 「린지성林冀生」, 란인하이, 런바오셴의 화극 극본 「영원히 녹슬지 않는다永不生 鏽」가 발표되었다.

베이징인민예술극원이 화극 「생활의 오색 띠生活的彩練」와 「영원히 녹슬지 않는다」를 공연하였 다. 「생활의 오색 띠」는 스롄싱, 댜오광탄이 감독을 맡았으며 진자오金昭, 셰옌닝謝延寧, 친짜이핑 등이 주연을 맡았다. 「영원히 녹슬지 않는다」는 쑤민蘇民이 감독을 맡았으며 류쥔劉駿, 쑹펑이宋鳳 儀 등이 주연을 맡았다.

5일, 『신장문학』 10월호에 『홍기』 제12호 사설 「문화전선 위의 대혁명」이 전재되었으며, 「 저우구청의 미학사상과 영화 「북국강남」에 관한 토론關於周穀城美學思想和影片＜北國江南＞的討論」(본 토론에 관한 『인민일보』, 『해방일보』에 소개 및 개설되었다)이 발표되었다.

10일, 『광명일보』에 자원자오賈文昭의 글 「영웅 인물의 이상성과 진실성을 논하다論英雄人物 的理想性與眞實性」가 발표되었다. 그는 글에서 "진웨이민, 리원추는 진실성을 구실 삼아 새로운 영웅 인물의 숭고함과 이상성을 약화시키고 반대하고 있다. 이는 작은 문제가 아니라 원칙 문제이다"라 고 보았다.

『시간』 10월호에 리쉐아오의 「시바이포를 처음 방문하다初訪西柏坡」, 리유룽의 「톈산 행진곡天 山進行曲」, 바오위탕의 「높은 산의 요족 마을은 늘 봄이다高山瑤寨春常駐」, 커리무·휘자의 「4행시柔 巴依」(2편) 등의 시와 셰몐의 글 「계급투쟁의 돌격 나팔－정치 서정시 창작 약론階級鬪爭的沖鋒號－ －略談政治抒情詩創作」이 발표되었다.

『북방문학』에 전문 논고 「문예대오의 철저한 혁명화를 위해 투쟁하자爲文藝隊伍的徹底革命化而鬪 爭」가 발표되었다.

11일, 『톈진일보』에 바이이쭈白依祖의 「이것은 어느 계급의 행복관인가?這是什麼階級的幸福觀? 」, 자오푸링趙福齡, 류수성劉樹升의 「이것은 당의를 씌운 폭탄이다這是一顆糖衣炮彈」가 발표되었다.

바이이쭈는 글에서 『용감하게 앞으로 나아가다』가 "자산계급의 생활방식을 미화하고, 자산계급의 행복관을 선전한 작품"이라고 보았다. 자오푸린과 류수성은 글에서 『용감하게 앞으로 나아가다』의 행복관이 "'평화 변천' 대합창의 부분"이라고 보았다.

12일, 『광명일보』에 천순쉬안陳順宣, 장웨이윈張微雲, 장러추張樂初의 글「어떻게 해야 시대정신을 표현할 수 있는가怎樣才能體現時代精神」가 발표되었다. 이들은 글에서 "부정적 인물은 시대정신을 표현할 수 없으며, 긍정적 인물의 전형을 창조하는 것이 근본적인 방법이다", "관건은 작가가 반드시 선진적인 세계관을 장악해야 한다는 데 있다"라고 보았다.

『인민문학』 10월호에 마라친푸의 소설「텅거리의 일출騰戈裏的日出」, 톈젠의 시「조국 송가祖國頌」가 발표되었다.

14일, 『문학평론』 제5호에 장위張羽, 리후이판李輝凡의「'중간 인물 창작'이라는 자산계급의 문학 주장을 반드시 비판해야 한다"寫中間人物"的資產階級文學主張必須批判」, 루이판陸一帆의「『삼가항』과『고투』의 잘못된 사상 경향 – 머우쥔제, 루쭈핀, 저우슈창 세 동지와의 논의<三家巷>和<苦鬥>的錯誤思想傾向——兼與繆俊傑'盧祖品'周修強三同志商榷」, 판쉬란의「리준의 소설에 관하여談李准的小說」가 발표되었다.

장위와 리후이판은 글에서 "'중간 인물 창작'이라는 이론의 제기는 무산계급 문예에 대한 자산계급의 새로운 공격일 뿐만 아니라, 문예계의 일부 인물들이 사상개조를 배척하고 공농병과의 결합을 반대하는 현실이 반영된 것이다"라고 보았다.

루이판은 글에서 "어우양산 동지의 『삼가항』과 『고투』는 사상 감정과 입장 관점에 모두 심각한 오류가 존재하는 작품이다", "우선, 작품은 저우빙의 형상을 통해 소자산계급의 사상 감정을 선전하고 또한 노래하고 있다", "『삼가항』과 『고투』에는 또 한 가지의 심각한 문제가 있는데, 바로 친척관계와 초계급적인 사랑을 통해 계급조화론 사상을 퍼뜨리고 있다는 것이다"라고 보았다.

판쉬란은 글에서 리준의 소설에 대해 "현실생활의 발전 방향을 날카롭게 관찰하고, 중대한 의의를 가진 모순 충돌을 포착했으며, 현실생활 속의 새로운 문제를 적시에 반영하고 제기해 예술 형상을 통해 명확한 답을 제시하였다"라고 보았다.

같은 호에 자즈賈芝의「해방 후의 소수민족 구두문학 수집 기록 공작에 관하여談解放後采錄少數民族口頭文學的工作」, 펑위안쥔의「「일봉설」을 어떻게 볼 것인가怎樣看待<一捧雪>」이 발표되었다.

『광명일보』에 루룽춘陸榮椿의 글「예술의 원천은 감정인가? – 저우구청 선생의 미학관을 평하다藝術的源泉是情感嗎?——評周穀城先生的美學觀」가 발표되었다. 그는 글에서 저우구청이 제기한 "예술의 원천은 감정이다"라는 견해를 비판하면서 "마르크스주의의 반영론과 첨예하게 대립하는 예술의 원천은 감정이라는 망론"은 "생활, 그리고 생활과 예술의 관계에 대한 왜곡이며 혼동이자 궤변이다"라고 보았다.

『문회보』에 원빙聞兵의 글「소위 '인물 자체에 모순이 내재되어 있다'는 설을 반박한다駁所謂"人物自身內在矛盾"說」가 발표되었다. 그는 글에서 진웨이민이 제기한 "인물 자체에 모순이 내재되어 있다"는 설에 대해 "사실상 무산계급의 영웅 형상 창조에 반대하고, 이상화된 영웅 형상의 창조를 통해 수천만 인민을 교육하고 고무하는 것에 반대하며, '비무산계급 의식'과 결점과 모순으로 가득 차 있으며 '비무산계급의 '풍부하고 복잡'한 마음'을 가진 자산계급과 소자산계급의 '영웅' 형상을 창조해 인민 군중을 부패시킬 것을 전력으로 주장한다"라고 비판하였다.

『톈진일보』에 왕한王漢의 「사회주의 시대의 영웅 인물을 어떻게 이해할 것인가ー류바오돤 동지와의 논의怎樣理解社會主義時代的英雄人物——與劉保端同志商榷」, 왕진취안王錦泉의 「저우구청의 '합류론'에서 류바오돤의 '합류론'까지從周穀城的"彙合論"到劉保端的"彙合論"」가 발표되었다. 왕한은 글에서 "사회주의 시대의 영웅 인물을 어떻게 이해할 것인가? 우리는 사회주의 시대의 영웅을 판단하기 위해서는 그의 행동과 공헌뿐만 아니라 그의 사상적인 품성도 보아야 하며, 심지어 후자가 더욱 중요하다고 생각한다"라고 보았다. 왕진취안은 글에서 "류바오돤의 '합류론'은 '후퇴'라는 연막 뒤에서 실제로는 오히려 앞으로 한 발 나아간, 사실상 저우구청의 '합류론'의 무시할 수 없는 발전이다"라고 보았다.

15일, 『신화월보』 제10호에 『광명일보』 9월 10일자의 「『삼가항』과 『고투』는 좋은 작품인가, 아니면 나쁜 작품인가?」가 전재되었다.

『맹아』 제10호에 장웨이張惟의 「장정의 전사ー베이다황 개척자 이야기長征的戰士——北大荒開拓者的故事」, 쉬광푸徐光夫의 「15년간의 용광로의 열기高爐熱浪十五年」가 발표되었다.

16일, 『해방일보』에 샹리링項立嶺, 왕춘위王春瑜, 페이루청裴汝誠의 글「저우구청은 어떻게 진회와 장방창에 대한 판단을 뒤집었는가ー저우구청의 『중국통사』가 선전하는 민족투항주의의 반동적 관점을 평하다周穀城是怎樣爲秦檜'張邦昌翻案的——評周著〈中國通史〉宣傳民族投降主義的反動觀點」가 발표되었다. 이들은 글에서 저우구청의 『중국통사』에 대해 "매국주의 노선을 선전한다", "흑백을 전도해 매국노 철학을 선전한다", "송나라 때의 '내부의 안정을 위해 우선 외부 문제를 해결해

야 한다'는 논리의 탈을 쓰고 있다", "송나라의 '왕징웨이'의 본모습을 숨겨 주고 있다", "민족투항
주의 — 책 전체를 관통하는 반동사상"이라고 비판하였다.

20일, 커중핑이 시안에서 향년 62세로 병사하였다. 중징원은 "중핑은 시인이다. 20년대 초부
터 사망할 때까지, 그는 시를 자신이 전투에서 사용할 주된 무기로 삼았다. 중일전쟁 이후에 그는
신시의 민족화와 대중화의 단호한 실천자가 되었다", "인민대중의 고유의 문예(주로 운문)에 대한
중핑의 시 예술의 학습과 활용은 비교적 전면적이며 깊이가 있다", "중핑의 시 창작에는 대중화 경
향이 시종일관 지속되었다"라고 말했다.[6]

텐젠은 "때때로 거센 비난을 받기는 했지만, 그는 늘 같은 것을 추구했다. 그리고 그는 시를 위
해 시에만 머물러 있지 않고 진정으로 뜨거운 투쟁생활 속에 투신하였다"라고 말했다.[7]

탕쥔샹唐俊祥은 "커중핑은 생전에 당에 무한히 충성했고, 책임감을 가지고 진지하게 공작에 임
했으며, 생활은 고되고 검소했다. 그는 특히 '3농'(농업, 농촌 농민을 뜻함 — 역자 주)에 큰 애정을
가졌고, 노동과 노동 인민을 사랑했으며, 언제나 노동 인민에 대해 깊은 감정을 가지고 그들과 밀
접하게 연결되어 있었다"라고 말했다.[8]

『광명일보』에 샹리링, 왕춘위, 페이루청의 글 「저우구청은 어떻게 진회와 장방창에 대한 판단
을 뒤집었는가 — 저우구청의 『중국통사』가 선전하는 민족투항주의의 반동적 관점을 평하다」(『해
방일보』 10월 16일자)가 전재되었다.

24일, 『인민일보』에 「문학평론공작에서의 혁명적인 조치文學評論工作中的一項革命性的措施」라
는 제목으로 후난의 간행물에서 공농병을 초청해 현대극 평가 활동을 진행했다고 보도하였으며,
이에 관한 단편 「공농병을 초청해 인가를 받다請工農兵打收條」가 발표되었다.

26일, 『해방일보』 기사는 "독자들의 열띤 요구에 호응해 『십만 개의 '왜'十萬個爲什麼』의 내용
을 더욱 정련해 수정본이 출간되었다. 수정본은 그 구성이 더욱 체계적이며 생산의 실제에 관한
내용을 담고 있다. 약 1,000개의 제목을 새롭게 추가해 총 14권으로 늘어났다"라고 전했다.

6) 「우리가 잊을 수 없는 사람 — 대중시인 커중핑 동지를 추억하며我們不能忘記的人──追懷大眾詩人柯仲平同志」,
   『사상전선思想戰線』1985년 제1호
7) 「대중에게 부끄럽지 않다 — 커중핑 동지를 그리워하며無愧於大眾──懷念柯仲平同志」, 『시간』1984년 제11호.
8) 「커중핑의 '3농'에 대한 진정 — 커중핑 동지를 추억하며柯老的"三農"情愫──回憶柯仲平同志」, 『옌허문학월간延
   河文學月刊』2004년 제10호.

『문회보』 기사는 "『십만 개의 '왜'』는 편집공작 혁명화의 성과이다"라고 전했다. 같은 호에 평론가의 글 「도서 편찬은 혁명화가 필요하다編書要革命化」가 발표되었다.

27일, 문화부에서 「인세 지급 임시 중지에 관한 통지關於暫行停付印數稿酬的通知」를 발포하였다.

『광명일보』에 구청顧誠, 쑨궁쉰孫恭恂, 양펑거楊鳳閣의 글 「저우구청은 『중국통사』에서 농민 봉기를 어떻게 모독했는가周穀城在<中國通史>中是怎樣汙蔑農民起義的」가 발표되었다. 이들은 글에서 저우구청이 『중국통사』에서 "농민 봉기를 농민과 지주가 벌인 '생존 경쟁'이라고 모독했다", "농민 봉기가 '사도'로써 대중을 현혹한 것이라고 모독했다", "소위 '사료'를 통해 농민 봉기를 왜곡하고 모독했다"라고 보았다.

28일, 『홍기』 제20호에 원원쉬안文文宣의 글 「문예이론의 진지에서의 혁명정신과 반동정신의 투쟁－저우구청의 시대정신 '합류론'을 반박한다文藝理論陣地上的革命精神和反動精神的鬥爭——駁周穀城的時代精神"彙合論"」가 발표되었다. 그는 글에서 "혁명정신과 혁명의 사회의식만이 사회 발전을 추진하는 시대정신이 될 수 있다", "반동계급의 이데올로기가 시대에 끼치는 방해를 고의로 혁명계급의 이데올로기가 시대에 미치는 추진의 역할과 뒤섞어 언급해 이들 모두에 시대정신이라는 이름을 붙이는 것은 저우구청이 역사유물주의에 반대하는 교활하고도 어리석은 음모이다", "역사의 발전 과정 속에서 어느 계급의 의식이 시대정신이 되는가 하는 것은 사회 발전의 필연적인 추세와 역사가 전진하는 규율에 따라 규정된다"라고 보았다.

29일, 『대공보』에 장톄셴張鐵弦의 글 「세계 각지에서 영웅의 사를 찬양한다五湖四海贊雄詞」가 발표되었다. 그는 글에서 마오쩌둥의 시사가 외국인들의 주목과 사랑을 받고 있는 상황을 소개하였다.

『양청만보』에 훠한지霍漢姬의 글 「『삼가항』과 『고투』의 근본적인 문제는 무엇인가?<三家巷>與<苦鬥>的根本問題是什麼?」가 발표되었다. 그는 글에서 "『삼가항』과 『고투』의 이야기와 환경은 역사를 왜곡하고, 계급조화론과 홍등가를 선전하였다", "긍정적 인물을 왜곡하고, 공산당원 형상을 추악화하였다"고 보면서, 이 작품이 "수정주의 미학사상과 반현실주의 창작방법"의 산물이라고 비판하였다.

30일, 『문회보』에 후시타오의 글 「「네온사인 아래의 보초병」의 창작으로부터 이야기를 시작하다―문예의 시대정신 반영에 관한 몇 가지 문제從＜霓虹燈下的哨兵＞的創作談起――關於文藝反映時代精神的幾個問題」가 발표되었다.

『인민일보』에 원원쉬안의 글 「문예이론의 진지에서의 혁명정신과 반동정신의 투쟁―저우구청의 시대정신 '합류론'을 반박한다」가 전재되었다.

31일, 『인민일보』에 『문예보』 제8, 9호 합본에 발표된 편집부의 글 「'중간 인물 창작'은 자산계급의 문학 주장이다」와 「'중간 인물 창작'에 관한 자료」가 전재되었다.

이달에 전국 경극 현대극 관람공연대회 지도소조에서 「지취위호산」, 「제전귀」, 「믿음직한 관리자紅管家」 등의 작품을 컬러 영화로 제작하기로 결정하였다.

상하이시 문화국과 상하이시 세무국에서 「혁명 현대극 작품 공연시 문화오락세 면제에 관한 조치關於演出革命現代戲節目免征文化娛樂稅的辦法」를 발포하였다.

싸이스리賽時禮의 장편소설 『산간도시에 세 번 들어가다三進山城』가 산동인민출판사에서 출간되었다.

상하이인민호극단에서 합동 창작한 호극 『갈대숲의 불씨』가 상하이문예출판사에서 출간되었다.

11월

1일, 『광명일보』, 『해방일보』, 『문회보』, 『텐진일보』, 『간쑤문예』 등의 간행물에 『문예보』 편집부의 글 「'중간 인물 창작'은 자산계급의 문학 주장이다」와 「'중간 인물 창작'에 관한 자료」(『문예보』 제8, 9호 합본)가 전재되었다.

『옌허』 11월호에 리페이쿤李培坤의 글 「저우구청의 시대정신론의 본질周穀城的時代精神論的實質」, 리제李子의 보고문학 「멜대의 노래扁擔的歌」가 발표되었다. 리페이쿤은 글에서 "시대정신을 연구하려면 반드시 계급분석을 고수해야 한다", "'합류'론은 서로 다른 계급의 사상 의식의 모순을 조화시켰다", "'통일된 전체'는 변증법을 위반하며, 반동계급 정신이 혁명계급 정신을 융화하고 병탄하는 것을 가리는 엄호물이다", "'특별한 반영'은 반동사상의 실마리이다"라고 보았다.

『허베이문학』 11월호에 류류의 신평서 연재 「붉은 싹」이 발표되었다. 같은 호에 화다이華岱의 「『용감하게 앞으로 나아가다』는 당의 지도를 어떻게 왜곡했는가?勇往直前是怎樣歪曲黨的領導的?」, 허중원何中文의 「'우정 감화론'이 어떤 물건인지 보라!—『용감하게 앞으로 나아가다』의 정리팡의 '전향'으로부터 이야기를 시작하다且看"友誼感化論"是什麽貨色!——從<勇往直前>中鄭麗芳的"轉變"談起」가 발표되었다. 화다이는 글에서 "소설 속의 당의 지도에 관한 묘사에는 '다섯 가지가 없다'고 할 수 있다. 1. 진정한 당의 지도의 핵심이 없다. 2. 당의 정책 역량을 표현하지 않았다. 3. 제내로 된 공산당원 형상이 없다. 4. 당의 정치사상공작이 없다. 5. 당과 군중의 끈끈한 관계가 없다"라고 보았다. 허중원은 글에서 "정리팡의 '전향'은 '우정' 감화가 결코 청년의 전진을 촉진하는 역량이 아니라 청년을 자본주의의 길로 끌어들이고, 청년을 기만하고 그들에게 해를 끼치는 수단임을 보여준다"라고 보았다.

『작품』 11월호에 쑨이孫藝의 글 「『삼가항』, 『고투』는 중국 혁명의 맥락을 잘못 반영하였다<三家巷><苦鬪>錯誤地反映了中國革命的來龍去脈」가 발표되었다. 그는 글에서 『삼가항』과 『고투』에 대해 "두 작품은 혁명 투쟁과 당의 지도를 정확히 반영하지 못했고, 심지어 이를 왜곡시켜 묘사했다", "두 작품은 민주혁명 시기의 거대한 무산계급 혁명 역량과 그 발전 노선을 정확히 반영하지 못했으며, 또한 혁명적 영웅주의를 표현하지도 못했다. 반대로 부정적인 역량이 시종일관 정신적인 면에서 주동적인 지위를 점하게 함으로써 실패주의 정서를 대대적으로 퍼뜨렸다", "작품은 혁명이라는 소재를 빌려 남녀의 사랑을 표현하였고, 사실상 남녀의 사랑으로써 혁명 투쟁을 대체하고 이를 왜곡하였다"라고 보았다. 같은 호에 본지 자료실의 「『삼가항』, 『고투』에 관한 토론 상황 소개關於<三家巷><苦鬪>的討論情況簡介」가 발표되었다.

『해방군문예』 11월호에 융정勇征, 덩시창鄧錫昌, 팡롄제龐連傑의 보고문학 「붉은 빛이 산촌을 비춘다紅光照耀山村」가 발표되었다.

4일, 『베이징문예』 11월호에 하오란의 「부녀父女」, 리잉루의 「백 리를 추격하다百裏追擊」 등의 소설, 캉스자오康式昭의 글 「옛일을 빌려 현대를 풍자하는 독초—역사소설 「두자미가 집으로 돌아가다」를 평하다一株借古諷今的毒草——評歷史小說<杜子美還家>」가 발표되었다. 캉스자오는 글에서 "『베이징문예』 4월호에 발표된 역사소설 「두자미가 집으로 돌아가다」(작가 황추원)는 역사 소재라는 겉껍질을 쓰고서 당을 향해 쏜 독화살이다. 이 작품은 옛일을 빌려 현대를 비판하고, 현실을 공격하는 나쁜 작품이며 독초이다"라고 보았다.

5일, 『광명일보』에 왕쓰즈王思治, 린둔쿠이林敦奎, 류메이전劉美珍의 글 「저우구청의 '계급합작론'이라는 반동적 역사관周穀城的"階級合作論"反動歷史觀」이 발표되었다. 이들은 글에서 "저우구청 선생은 '계급합작론'을 선전하면서 동시에 지식분자에 대해 '천하의 안위가 그 일신에 달려 있다'라고 치켜세우고, 지식분자의 책임이 계급 모순을 '조화'시키는 데 있다고 규정하며, 지식분자가 '정부를 대신해 그 뜻을 널리 알려 공농병과 상인을 지도하고 사회질서를 유지할 수 있다'라고 말하고 있다"면서, 이는 "반동"적인 것이라고 보았다.

6일, 마오쩌둥, 류사오치, 덩샤오핑 등이 중국경극원에서 공연한 경극 현대극 「홍등기」를 관람하고 배우들과 함께 기념사진을 촬영하였다.

8일, 『톈진일보』에 아이원후이艾文會, 왕수런王樹人의 「『용감하게 앞으로 나아가다』의 적아 모순을 평하다 評＜勇往直前＞中的敵我矛盾」, 우빙吳兵의 「왕핑은 청년을 어디로 이끄는가?王蘋把青年引向何方?」가 발표되었다. 아이원후이와 왕수런은 글에서 『용감하게 앞으로 나아가다』에서 표현한 적아 모순에 대해 "계급의 적의 반동적인 본성을 덮어 가리고, 혁명군중과 간부를 왜곡하고, 이 투쟁의 본질을 곡해하였다. 이는 당이 지도하는 반혁명분자 숙청 운동 및 이 운동 과정에서의 당의 군중노선과 계급노선에 대한 모독이라 하지 않을 수 없다"라고 보았다. 우빙은 글에서 왕핑이 청년들을 "전문기술은 뛰어나지만 사상적으로는 투철하지 못하고, 유희를 향유하는 자산계급의 막다른 길로 이끌고, 자본주의의 방향으로 용감하게 전진하게 만든다"고 보았다. 같은 호에 난카이대학 중문과 602 문예평론조의 「'백지'와 '물'로부터 이야기를 시작하다—『용감하게 앞으로 나아가다』의 정리팡, 쉬자바오를 평하다從"白紙"和"水"談起——評＜勇往直前＞中的鄭麗芳′ 徐家寶」가 발표되었다.

9일, 『광명일보』에 허치광의 「소설 「2월」과 영화 「이른 봄 2월」의 평가 문제小說＜二月＞和電影＜早春二月＞的評價問題」가 발표되었다.

12일, 『양청만보』에 이준의 글 「『삼가항』과 『고투』는 어떻게 계급 모순을 조화시켰는가?＜三家巷＞＜苦鬥＞是怎樣調和階級矛盾的?」가 발표되었다. 그는 글에서 "이들 작품은 혁명 역사 사건과 농촌투쟁을 묘사하고 있기는 하나, 그중 일부는 전형적이지 않고 진실하지 않으며, 일부에 대해서는 왜곡해서 묘사하고 있다. 작품은 저우周씨, 천陳씨, 허何씨 세 집안 사이의 계급 모순을 폭로해 계급투쟁을 묘사하기는 했으나, 이러한 갈등과 투쟁 중 일부는 표면적일 뿐이고, 대립하는 양측의 투쟁을 통해 계급 모순의 본질을 깊이 있게 드러내지 못했다. 일부는 사상과 언론 측면에서의 의견 충돌과 논쟁에만 머물러 있어 행동 면에서의 첨예한 충돌과 서로 간의 결렬에까지는 거의 이어지지 않았다. 일부 갈등은 첨예한 대항이라는 형식을 취해 계급투쟁의 중요한 내용을 표현하기는 했으나 이를 격화시키지는 못했다. 몇몇 갈등과 투쟁은 격화된 상태에 있기는 하나, 중요한 대목에서 갈등을 감춰 버려 이 갈등이 계급관계가 더욱 분화되도록 자극하지 못하게 하거나, 혹은 모순을 이동시켜 계급의 적이 가진 '내부'적인 모순을 통해 적아 간의 모순을 조화시키거나, 혹은 친척관계나 애정관계 또는 본질적이지 않은 우연한 요소를 통해 모순 투쟁이 대항에서 조화로 향하도록 하였다"라고 보았다.

『인민문학』11월호에 루광魯光의 「생기가 넘치다朝氣蓬勃」, 쉬광야오의 보고문학 「십 년에 걸쳐 사람을 키우다十年樹人」가 발표되었다.

루광(1937~), 본명은 쉬스청徐世成으로 저장성 융캉永康 출신이다. 1960년에 화둥사범대학 중문과를 졸업한 후 『체육보體育報』 기자 및 편집자, 국가체육운동위원회國家體育運動委員會 처장, 중국체육보中國體育報사 사장 겸 편집장, 인민체육출판사人民體育出版社 사장을 역임하였다. 1961년부터 작품을 발표하였다. 저서로 보고문학집 『동방의 사랑東方的愛』, 『중국 처녀中國姑娘』, 『중국 사나이中國男子漢』, 산문집 『사화인생寫畫人生』, 『수연필기隨緣筆記』, 『중도에 직업을 바꾸다半路出家』, 『세기의 전쟁世紀之戰』, 『생명 사진生命寫真』, 전기문학 『동방의 반 고흐東方的凡·高』, 『내 필명은 루광이다我的筆名叫魯光』, 여행기 『세계의 지붕을 여행하다在世界屋脊旅行』 등이 있다.

13일, 『남방일보』에 류짜이밍劉再明의 글 「신중국 대학생 생활에 대한 왜곡—소설 『용감하게 앞으로 나아가다』를 평하다對新中國大學生生活的歪曲——評小說＜勇往直前＞」가 전재되었다. 그는 글에서 "『용감하게 앞으로 나아가다』의 작가는 행복한 생활을 묘사한다는 간판을 내걸고 자산계급의 물건을 몰래 팔고 있다! 이 소설이 반영한 대학생의 소위 '행복한 생활'이란 전부 작가가 자산계급 세계관과 사상 입장을 통해 개조한 것들이다. 이는 결코 신중국 대학생의 행복한 생활을 정확하게 반영한 것이 아니라, 작가가 다른 의도를 가지고 왜곡한 것이다"라고 보았다.

15일, 베이징인민예술극원이 6막 화극 「광산 형제礦山兄弟」를 공연하였다. 자오치양趙起揚, 위스즈, 추양邱揚, 허투禾土가 각본을, 메이첸이 감독을 맡았으며 댜오광탄, 핑위안平原, 두청푸杜澄夫 등이 주연을 맡았다. 극본은 『극본』 1965년 2월호에 발표되었다.

『광명일보』에 이서우청易壽成의 글 「저우구청은 어떻게 '생존경쟁'론을 이용해 계급 관점에 반대했는가?周穀城是怎樣用"生存競爭"論來反對階級觀點的?」가 발표되었다. 그는 글에서 저우구청이 『중국통사』에서 "농민 봉기를 '잉여 인구'의 '생존경쟁'이라고 비방"하였으며, "'생존경쟁'론으로 모든 전쟁의 계급성을 말살하였다"라고 보았다.

『해방일보』에 뤄쓰딩羅思鼎의 글 「저우구청 역사관에 대한 다방면적 관찰周穀城曆史觀的面面觀」이 발표되었다. 그는 글에서 저우구청의 역사관에 대해 비판하면서, "'생존경쟁'은 저우구청이 역사 현상을 해석하는 출발점이다", "저우구청 역사관의 핵심은 계급조화론이다", "계급조화론에서 출발해 국제적으로 제국주의와 '합작'하도록 부추기고 있다", "지식분자 중심론을 선전하고, 지식분자가 계급관계를 조절하는 '사회의 중견'이라고 보고 있다"라고 보면서, 저우구청이 추구하는 "절대적 경지"는 "바로 자산계급의 민주정치이며, 자본주의식의 사회이다"라고 보았다.

『전영문학』11월호에 리준이 각색한 영화문학 극본 「건전한 정신」이 발표되었다.

18일, 문화부와 중국문자개혁위원회가 합동으로 「인쇄시 통용할 한자 자형표印刷通用漢字字形表」를 발포해 표준 인쇄체를 규정하였다.

중앙에서 문화부 당조가 제출한 「원고료 제도 개혁에 관한 지시 요청 보고關於改革稿酬制度的請示報告」를 비준하였다. 보고는 인세 제도를 폐지하고 글자 수에 따라 일시적으로 원고료를 지급하며, 재판을 출간할 때는 재지급하지 않을 것을 제안하였다. 12월 21일에 문화부는 「원고료 제도 개혁에 관한 통지關於改革稿酬制度的通知」를 발포해 인세 제도를 폐지하고, 원고료의 금액과 폭은 원고료 지급 방법이 규정한 기본적인 원고료 기준을 유지하도록 하며, 작가가 작품을 수정해 재판을 출판할 경우 수정된 부분을 계산해 수정 비용을 지급하도록 하였다.

『양청만보』에 러우치의 글 「『삼가항』, 『고투』의 사상예술의 본질<三家巷><苦鬥>的思想藝術實質」이 발표되었다. 그는 작품에 대해 "역사의 진실과 시대정신을 반영했는가", "계급투쟁인가 계급 조화인가", "저우빙은 공인계급 영웅 형상인가 아니면 소자산계급 지식분자인가" 등 세 가지 측면에서 문제를 제기한 후, 이들 작품이 역사의 진실과 시대정신을 반영하지 못했으며 "계급 조화"를 선전하고 있다고 보면서, 저우빙은 "소자산계급 지식분자"라고 보았다.

『광명일보』에 펑주쑹彭久松의 글 「「권학편」을 추켜세우는 저우구청의 행동을 통해 그의 '시대정신 합류론'의 반동적 본질을 보다從周穀城對<勸學篇>的吹捧看他的"時代精神彙合論"的反動實質」가 발표되었다. 그는 글에서 "「권학편」은 결코 무술변법 시기의 시대정신의 대표가 아니다. 오히려 반대로 그 역사 시기 시대정신의 반동이다", "저우구청은 「권학편」을 추켜세움으로써 사람들로 하여금 계급사회 속에 정말로 대립하는 문화를 '조화'시키고, 사회 소유 계급이 공통적으로 승인하는, '사회 전체에 광범위하게 유행하는 시대정신'이 존재한다고 믿게 만든다. 이것이 바로 저우구 청이 「권학편」을 대대적으로 추켜세우는 의도이다"라고 보았다.

19일, 중앙희극학원 공연과 신장민족반 학생들이 졸업 공연을 진행하였다. 이들은 「초원 위의 청년草原上的青年人」(즉 「먼 곳의 청년遠方青年」), 「풍작 후」 등의 작품을 공연하였다. 저우언랑, 주더 등이 공연을 관람하였다.

『광명일보』에 뤄쓰딩의 글 「저우구청 역사관에 대한 다방면적 관찰」이 전재되었다(『해방일보』 11월 15일자).

『문회보』에 뤄쓰딩의 글 「「이수성의 죽음」 등의 극본은 어떤 사상을 선전하는가＜李秀成之死＞ 等劇本宣揚了什麼思想」가 발표되었다. 그는 글에서 양한성, 어우양위첸 등의 역사극 극본을 비판하면 서, 이들 극본이 "군중 위에 군림하는 '구세주'"를 창조했으며, 이는 "자산계급 세계관의 표현"이라 고 보았다.

20일, 『극본』 11월호에 윙어우훙, 아자가 영화문학 극본 「혁명에는 자연히 계승자가 있다」 를 각색한 11장 경극 「홍등기」와 뤄빈지의 4막 화극 「결혼 전」이 발표되었다.

21일, 『문회보』에 양콴의 논문 「저우구청 선생의 '생존경쟁' 역사관을 평하다評周穀城先生的 "生存競爭"歷史觀」가 발표되었다. 그는 글에서 저우구청의 "이러한 학설은 반동적인 자산계급의 본 성을 반영한 것으로, 침략자와 압박자의 요구에 부합하는 것이다", "이러한 학설은 또한 혁명의 반 역자와 수정주의자의 요구에도 부합한다"라고 보았다. 같은 호에 스딩史丁의 글 「저우구청의 '끊 어지면서도 이어진다는 논리'의 유래周穀城"斷而相續論"的由來」가 발표되었다.

22일, 『광명일보』에 구청, 왕더이王德一, 쑨궁쉰의 글 「저우구청은 중국 근대사를 어떻게 왜 곡했는가?周穀城是怎樣歪曲中國近代史的?」가 발표되었다. 이들은 글에서 저우구청의 『중국통사』가 "제국주의의 침략이라는 범죄 행위를 변호하였다", "근대사에서의 중국인민의 반제국주의 투쟁을 말살하였다", "제국주의의 주구, 즉 봉건주의 매국노 세력을 미화하였다", "「권학편」, 『신민총보新 民叢報』 및 후스의 실용주의 철학은 이러한 반동적인 조류의 최선봉이다. 이들은 결코 중국 근대 시대정신의 대표가 아니라, 중국 근대 시대정신의 반동이다"라고 보았다.

『톈진일보』에 난카이대학 중문과 601 문예평론조의 글 「오로지 파멸의 길―소설 『용감하게 앞으로 나아가다』의 딩윈성의 길에 관하여死路一條――談小說＜勇往直前＞中丁雲生的道路」가 발표되었다. 글은 "딩윈성이 추구하는 것이 바로 그를 매장시키는 것이다"라고 보았다.

23일, 『문회보』에 스원師文의 글 「진웨이민의 '중간인물론'을 평하다評金爲民的"中間人物論"」가 발표되었다. 그는 글에서 "진웨이민의 '중간인물론'은 무산자를 속이려 하는 자산계급의 문예 주장이다. 이러한 주장을 실현시킨다면 사회주의 문예는 소자산계급과 자산계급의 문예로 타락하고, 문예가 공농병을 위해 복무하는 방향은 자본주의의 '평화적인 변화'를 위해 복무하는 방향으로 바뀔 것이다"라고 보았다.

『양청만보』에 라이스이賴詩逸의 글 「청년들은 『삼가항』과 『고투』를 어떻게 대해야 하는가靑年人應當怎樣看待＜三家巷＞＜苦鬥＞」가 발표되었다. 그는 글에서 『삼가항』과 『고투』가 "혁명 투쟁을 왜곡"하며 "색정을 선전"하는 "비판의 대상"이라고 보았다.

25일, 『수확』 제6호에 하오란의 소설 「후계자 이야기接班人的故事」가 발표되었다. 같은 호에 팡성의 글 「문학작품의 시대정신 반영 문제를 논하다論文學作品反映時代精神的問題」가 발표되었다. 그는 글에서 "문학작품이 시대정신을 표현하는 문제에 관한 저우구청과 그 추종자들의 주장은 사실상 무산계급 문학의 혁명성과 전투성을 제거하고, 서로 다른 계급의 문학의 계급적 차이를 말살해 자본주의 문학을 위한 길을 열어 주려 하는 것이다"라고 보았다. 그는 글에서 "문학작품의 주제 사상은 시대정신을 표현하는 기본적인 부분 중 하나이다", "시대의 영웅의 전형은 시대정신을 가장 강렬하게 표현한다", "문학작품 속의 부정적 전형은 시대정신을 표현할 수 있는가", "사회주의 문학의 전투성은 시대정신을 반영하는 강도에 의해 결정된다" 등 네 가지 측면에서 저우구청과 그 추종자들의 관점을 비판하였다.

26일~12월 29일, 전국 소수민족 군중 아마추어 예술 관람공연대회가 베이징에서 진행되었다. 전국 18개 성, 시, 자치구의 53개 소수민족 대표 700여 명이 200여 편의 음악, 무용, 곡예, 희극 작품을 공연하였다. 마오쩌둥, 저우언라이 등 중앙 지도자들이 대표들을 접견하였다.

27일, 『인민일보』에 사설 「노동과 문예활동에 모두 종사할 수 있는 이가 가장 훌륭한 문예공작자이다會勞動又會從事文藝活動的人是最好的文藝工作者」가 발표되었다.

28일, 『문회보』 제10호에 평론가의 글 「공농병의 영웅 형상이 빛나다－10월 수도 무대 은막 순례工農兵的英雄形象大放光芒——十月首都舞台銀幕巡禮」, 쭤핑佐平의 「소자산계급의 자아 표현－『삼가 항』, 『고투』에 관한 토론 총론小資産階級的自我表現——關於＜三家巷＞'＜苦鬪＞的討論綜述」, 첸광페이 錢光培의 「'현실주의 심화'는 자산계급 현실주의의 부활이다"現實主義深化"是資産階級現實主義的復活」, 샤팡夏放의 「저우구청 선생께 한 말씀 올린다向周穀城先生進一言」, 자오더강趙德剛의 「토론인가 아니 면 잡담인가是討論，還是胡扯」가 발표되었다. 첸광페이는 글에서 "소위 '현실주의 심화'는 새로운 물건이 아니라 자산계급의 현실주의이다"라고 보았다. 샤팡은 글에서 "저우 선생은 남을 반박할 때 대단히 엄숙하지 못한 태도를 취하고 있다", "저우구청은 매번 짧은 말 한두 마디를 붙잡아 형 식 논리와 개념 부분에서 큰 공을 들여 크게 떠들어대고 있다", "저우구청은 엥겔스와 마오쩌둥 주 석의 말을 자신의 방패로 삼고 있다"라고 보았다. 자오더강은 글에서 "저우구청이 쟁명하는 태도 는 완전히 틀렸다. 그의 태도는 당이 제창하는 백화제방, 백가쟁명의 정신에는 전혀 맞지 않는다" 라고 보았다.

이달에 루치의 당대 시집 『양류춘에 다시 돌아가다』가 작가출판사 상하이편집소에서 출간되었 다. 인쇄 부수는 34,000권으로 양장본 10,500권이 출판되었다. 시집에는 시인이 1961년에서 1964 년 사이에 창작한 서정시 35편이 수록되었으며 총 4집으로 구성되었다.

란청蘭澄의 화극 극본 『풍작 후』(『인민문학』 3월호에 발표, 1963년 이후 우수화극창작상 수상) 가 산둥인민출판사에서 출간되었다. 인쇄 부수는 1~12,000권이다.

왕훙시王洪熙 등의 경극 극본 『혁명에는 자연히 계승자가 있다』가 중국희극출판사에서 출간되 었다.

중화서국에서 『중국철학사 자료선집中國哲學史資料選輯』의 출판을 완료하였다.

12월

1일, 『해방군문예』 12월호에 장수쿠이張書魁의 「노예에서 전사로從奴隷到戰士」, 허쭤원의 글 「 영웅 인물을 묘사하는 것이 가장 넓은 창작의 길이다－사오취안린 동지의 '중간 인물 창작' 이론을 비판한다描寫英雄人物是最寬廣的創作道路——批判邵荃麟同志"寫中間人物"的理論」가 발표되었다. 그는 글에서 "영웅 인물을 묘사해야 시대정신을 반영할 수 있다", "영웅 인물을 묘사해야 군중의 요구를 만족시킬 수 있다", "영웅 인물을 묘사해야 수많은 군중을 교육할 수 있다"라고 보았다.

『신항』11, 12월호 합본에 완궈루의 소설 「지나온 길走過來的道路」, 원옌리文彦理의 평론 「문예작품은 반드시 사회주의 시대정신을 반영해야 한다文藝作品必須反映社會主義時代精神」, 왕창딩의 평론 「영혼 깊은 곳─『용감하게 앞으로 나아가다』를 평하다靈魂深處──評＜勇往直前＞」가 발표되었다. 원옌리는 글에서 저우구청, 진웨이민, 리원추가 글에서 제기한 관점을 반박하면서 "사회주의 시대정신은 바로 무산계급사상이며 무산계급의 철저한 혁명정신이다. 우리는 반드시 현재의 뜨거운 투쟁과 계급투쟁에 대한 반영, 특히 새로운 영웅 인물에 대한 창조를 통해 사회주의 시대정신을 표현해야 한다"라고 보았다. 왕창딩은 글에서 "백화문예출판사에서 출판된 장편소설 『용감하게 앞으로 나아가다』는 엄숙한 비판을 받아야 할 나쁜 책이다"라고 보았다.

『옌허』12월호에 바오샹鮑箱의 산문 「쿤룬 잡기昆侖散記」, 랴오다이첸의 시 「도로 보선공과 눈보라養路工和風雪」가 발표되었으며 기사 「중국작가협회 시안분회에서 좌담회를 개최해 '중간 인물 창작'이라는 자산계급 문학주장을 비판하다中國作家協會西安分會召開座談會批判'寫中間人物'的資産階級文學主張」가 게재되었다.

『허베이문학』12월호에 류류의 신평서 연재 「붉은 싹」, 천밍수의 글 「『삼가항』, 『고투』의 사상 및 예술 경향＜三家巷＞＜苦鬥＞的思想和藝術傾向」이 발표되었다. 그는 글에서 사상 경향 측면에서 『삼가항』과 『고투』에 대해 "첫째, 시대정신을 왜곡했다", "둘째, 계급 모순을 조화시켰다", "셋째, 개조되지 않은 소자산계급 지식분자를 영웅 인물로 속였다", "넷째, 자산계급의 사상 감정을 선전했다"라고 보았으며, 예술 경향 측면에서는 "첫째, 전형적 환경 속에서의 전형적 성격을 왜곡했다", "둘째, '새로운 '재자가인'식의 연애소설'이다", "셋째, 자연주의적인 색정 묘사로 가득 차 있다", "넷째, 자산계급과 소자산계급사상 감정의 풍속화이다"라고 보았다.

『창춘』11, 12월호 합본에 마자오馬昭의 보고문학 「염원心願」과 편집부의 글 「소설 「이웃」과 그 토론에 대한 재인식關於小說＜鄰居＞及其討論的再認」이 발표되었다.

마자오(1940~2007), 지린 출신이다. 1960년부터 공작에 참가해 장청일보江城日報사 기자, 롄윈강連雲港시 문련 전문 창작원, 지린시 문련 전문작가를 역임하였다. 1960년부터 작품을 발표하였으며 1986년에 중국작가협회에 가입하였다. 저서로 장편 역사소설 『술에 취해 장안에 눕다醉臥長安』, 『초당춘추草堂春秋』, 『방탕아浪蕩子』, 중편소설 「풍우초당風雨草堂」, 보고문학 「염원」 등이 있다.

『쓰촨문학』11, 12월호 합본에 양위신楊宇心의 소설 「부중대장副連長」, 허팡何方의 산문 「마음속이 햇빛으로 가득하다心裏充滿陽光」가 발표되었으며『문예보』 자료실의「자산계급은 15년간 공농병 영웅 인물 창조를 어떻게 반대하였는가?十五年來資産階級是怎樣反對創造工農兵英雄人物的?」와 루딩이의「전국 소수민족 군중 아마추어 예술 관람공연대회에서의 연설在全國少數民族群衆業餘藝術觀摩演出會上的講話」이 게재되었다.

『남방일보』와『작품』 12월호에 셰즈란謝芝蘭의 논문「『삼가항』과『고투』는 자산계급사상 감정을 선전하는 부패한 작품이다<三家巷><苦鬪>是宣揚資産階級思想感情的腐蝕性的作品」가 동시에 발표되었다. 셰즈란은 글에서 "『삼가항』과『고투』는 '중국 혁명의 맥락'을 반영한 작품이 아니며, '혁명 서사시'도 아니다. 이 작품들은 사실상 연애사이다", "저우빙이라는 인물은 무산계급 혁명가의 형상이 아니라 자산계급 세계관이 통치계급을 점령하고 있는 사회의 소자산계급 지식분자 형상이다", "작가는 작품 속에서 자산계급 개인주의와 계급조화론 및 인성론을 대대적으로 선전하고 있으며, 몰락 계급의 연애관과 퇴폐적인 독소가 수많은 독자, 특히 청년에게 끼치는 심각한 부패 작용을 선전하고 있다"라고 보았다.

『청하이후』 12월호(1964년 제6호)에 롼진다오卵金刀의 소설「새로 온 청소부新來的淸掃工」와 펑위주馮育柱의 글「시대정신 '합류론'은 누구를 위해 복무하는가?─시대정신에 관한 저우구청의 망론을 반박한다時代精神"彙合論"是爲誰服務的?──駁周穀城關於時代精神的謬論」가 발표되었다. 그는 글에서 "저우구청의 이러한 시대정신 '합류'론(즉 소위 통일된 전체)은 철두철미한 날조로, 이는 사회 역사의 실제에 부합하지 않고, 마르크스레닌주의를 왜곡하고 있으며, 사실상 착취계급이 이미 잃어버렸으나 회복하려는 망상을 가지고 있는 '천당'이 이데올로기에 반영된 것이다"라고 보았다.

『열풍』 11, 12월호 합본에 왕부정王步征, 청위추의 보고문학「다난산에서 전투하다戰鬪在大南山」, 린시林西의 소설「섣달그믐 날除夕」이 발표되었으며, 편집부의 글「사회주의의 신문예를 발전 및 번영시키고, 농촌의 문화 진지를 확고히 점령하자發展繁榮社會主義新文藝， 鞏固地占領農村文化陣地」가 발표되었다.

3일,『광명일보』에 장즈롄張芝聯의 글「저우구청은 철두철미한 '유럽중심론'자이다─저우구청의『세계통사』 제3권(세계 범위의 확대)을 평하다周穀城是徹頭徹尾的"歐洲中心論"者──評周著<世界通史>第三冊(世界範圍之擴大)」, 웨이치원魏杞文의 글「저우구청은 고대 로마의 계급투쟁을 왜곡했다周穀城歪曲了古羅馬的階級鬪爭」가 발표되었다.

4일,『베이징문예』 12월호에 하이렁海棱의 시「투쟁의 거대한 파도가 고조되고 있다鬪爭的巨

浪正在高漲」, 사오쑹少松의 글 「문예창작 문제에 관한 논쟁關於文藝創作問題的爭論」이 발표되었다. 그는 글에서 저우구청, 진웨이민, 리원추 등의 관점을 비판하면서 "저우구청, 진웨이민 등이 반대하는 것은 마르크스주의 문예이론과 마오쩌둥 문예사상의 몇 가지 근본적인 문제이다. 그들은 문예가 위대한 사회주의 시대를 반영하는 것을 반대하고, 문예가 무산계급의 정치를 위해 복무하는 것을 반대하며, 문예공작자가 생활에 침투해 사상을 개조하고 무산계급의 세계관을 수립하는 것을 반대하고, 혁명적 현실주의와 혁명적 낭만주의의 결합이라는 창작방법을 통해 영웅 인물을 창조하는 것을 반대한다. 사실상 이들은 계급조화론과 자산계급의 '인성론'을 선전하고, 수정주의의 '사실 창조'를 다시 언급하며, 반동적인 자연주의 등등을 제창하여, 예술의 원천, 시대정신, 영웅 인물의 창조 등 몇 가지 측면에서 시작해 우리 무산계급의 문예 진지를 탈취해 혁명문예의 색을 바꾸고, 이로써 사상 영역 내부에서 우리의 혁명 군중을 부패시키고, 자산계급의 부활을 위한 사상적 기초를 준비하려 하고 있다"라고 보았다.

『양청만보』에 중이밍鍾一鳴의 「『고투』가 표현한 계급투쟁에 관하여且看＜苦鬥＞所寫的階級鬥爭」, 유즈양遊志揚의 「누가 '시대의 오류'를 범했는가'―추리 동지의 「『삼가항』과『고투』를 위한 변론」을 반박한다誰"犯了時代的錯誤"――駁初立同志＜爲三家巷苦鬥一辨＞」, 한즈유韓之友의 「『고투』는 당의 지도를 왜곡했다＜苦鬥＞歪曲了黨的領導」가 발표되었다. 중이밍은 글에서 "『고투』가 반영한 1928~1931년의 역사 시기에 중국 사회에는 자발적인 혁명 투쟁이 존재했는가? 존재했다. 그러나 시대의 본질을 진정으로 표현할 수 있는 것은 오로지 당의 정확한 지도를 받은 후 자각적인 투쟁으로 발전한 투쟁이다. 문학작품이 이러한 투쟁 과정을 정확히 반영할 수 있다면 혁명의 현실적 의의를 가진 작품이라 할 것이다. 그러나 『고투』는 이러한 발전 과정을 진실하게 반영하지 못했을 뿐 아니라, 자발적인 투쟁을 부당하게 노래하여 자발적인 투쟁의 역량을 혁명의 주된 역량으로써 표현하고 있다"라고 보았다. 유즈양은 글에서 "추리 동지는 이처럼 시비를 전도시켜 『삼가항』과 『고투』에 관해 독자들이 제기한 비평을 이유 없이 비난하고, 작품이 조성한 나쁜 영향을 변호하고 있다. 그가 따르고 있는 문예비평의 원칙은 무산계급의 문예비평 원칙과는 전혀 맞지 않고 완전히 반대되는 것이다"라고 보았다. 한즈유는 글에서 "『고투』는 당의 지도를 왜곡하고, 당의 지도하에 진행되는 농민의 혁명 투쟁을 말살하였다"라고 보았다.

5일, 『후난문학』11, 12월호 합본에 샹슈칭向秀清의 소설 「구위원회 서기區委書記」가 발표되었으며, 원저文哲의 글 「인민의 생활은 예술의 유일한 원천이다―저우구청의 '감정은 예술의 원천이다'라는 망론을 비판한다人民的生活是藝術的唯一源泉――批判周穀城的"感情是藝術的源泉"的謬論」가 전재되었다. 그는 글에서 "저우구청의 '감정이 형체를 이루게 하다'라는 창작론은 완전히 자산계급의 퇴폐적인 예술과 형식주의 예술을 위해 복무하는 것이다"라고 보았다. 같은 호에 소식「성 문예계에서 「'중간 인물 창작'은 자산계급의 문학주장이다」라는 문제에 관한 토론을 전개하다省文藝界開展<"寫中間人物"是資産階級的文學主張>問題的討論」가 게재되었다.

8일, 『문회보』에 린즈하오의 글「당대 영웅 인물의 빛나는 형상을 창조하기 위해 노력하자努力塑造當代英雄人物的光輝形象」가 발표되었다. 그는 글에서 "실제생활보다 더욱 고상하며, 무산계급의 이상을 표현하는 공농병 영웅 형상의 창조를 제창하는 것은 문예창작의 규율을 따르는 것으로 생활의 진실성 및 군중이 수용할 수 있는 수준에서 벗어나지 않을 뿐만 아니라, 역사 발전의 요구를 반영하고 공인계급과 인민 군중의 정신적인 요구를 반영하는 일이기도 하다"라고 밝혔다.

『인민일보』에 루신의 글「저우구청의 '진실한 감정'론을 반박한다駁周穀城的"真實情感"論」가 발표되었다. 그는 글에서 "계급사회의 모든 사회 역사 현상을 연구하는 데 있어 마르크스주의적인 계급분석법이 보편적으로 활용되는 유일한 과학적인 방법이며, 인성론은 자산계급이 보편성이라는 형식으로써 해당 계급의 이익을 덮어 가리려 하는 보기 좋은 술수로, 이것이 본질적으로 반과학적이고 확고하지 못한 이론임은 사실로써 이미 증명된 바 있다. 저우구청은 아직까지도 인성론을 부활시켜 이를 통해 마르크스주의적인 계급분석법을 반박하려는 망상에 빠져 분수를 모르는 이러한 행동이 결과를 얻기를 바라니, 우스운 일일 뿐이다"라고 보았다.

9일, 『대중일보』에 장카이민薑開民의 「『문담시화』의 악영향을 반드시 제거해야 한다必須淸除<文談詩話>的流毒」 등의 글이 발표되어 먀오더위의 『문담시화文談詩話』를 비판하였다.

『톈진일보』에 린셴비藺羨璧의 「'중간 인물 창작'은 누구를 위해 충성하는가"寫中間人物"爲誰效勞」, 차이궈蔡國의 「인민 군중을 모욕해서는 안 된다不許侮辱人民群衆」가 발표되었다. 린셴비는 글에서 "샤오취안린 동지의 '중간 인물 창작'이라는 주장은 분명히 자산계급의 정치적 요구를 반영한, 자산계급을 위해 충성하는 문학 주장이다"라고 보았다. 차이궈는 글에서 "영웅 인물이 아니라 '중간 인물'로써 인민 군중을 교육한다면 인민 군중이 전진하도록 격려할 수 없으며, 오히려 인민 군중이 후퇴하게 만들어 결국 자본주의의 부활을 실현시키게 된다"라고 보았다.

10일, 『톈진일보』에 토론문「『삼가항』과 『고투』는 나쁜 소설이다<三家巷>和<苦鬪>是兩部壞小說」가 발표되었다. 이 글의 주된 관점은 이 두 편의 소설이 "계급 조화의 '대관원大觀園'이다",

"당의 지도와 공농 혁명 역량, 그리고 혁명의 역사적 사건을 왜곡했다", "'대립되는 두 가지의 합일'과 '시대정신 합류론'이라는 주장이 문학창작에 반영된 표본이다", "저우빙은 혁명가 형상이 아니다" 등으로 정리할 수 있다.

『해방군보』에 구궁의 단편소설 「방문探望」이 발표되었다.

12일, 『인민문학』 12월호에 류허우민의 화극 「산촌의 자매山村姐妹」, 류류의 「묘족 마을의 밤苗寨之夜」이 발표되었다.

14일, 『문학평론』 제6호에 리싱천의 「시대는 어디를 향해 가는가?―저우구청의 반동적인 시대정신관을 평하다時代向哪裏去?――評周穀城反動的時代精神觀」, 지싱季星의 「저우구청의 시대정신 '합류론'과 그의 반사회주의적 문예 노선을 평하다評周穀城的時代精神"彙合論"和他的反社會主義的文藝路線」, 주자이의 「량싼 노인에 대한 평가를 통해 '중간 인물 창작' 주장의 본질을 보다從對梁三老漢的評價看"寫中間人物"主張的實質」가 발표되었다. 리싱천은 글에서 저우구청의 이론이 "자본주의를 부활시키려는 반동계급의 희망과 요구를 반영했다"라고 보았다. 지싱은 글에서 "저우 선생의 시대정신 '합류론'은 문예에 지극히 유해한 이론이다"라고 보았다. 주자이는 글에서 "'중간 인물 창작' 주장이 제기된 것은 우리나라 농촌의 두 갈래 길의 투쟁이 문학에 반영된 것이다"라고 보았다. 같은 호에 편집부의 글 「『삼가항』, 『고투』의 평가 문제에 관하여關於＜三家巷＞＜苦鬥＞的評價問題」가 발표되었다. 이 글은 "1. 저우빙은 철두철미한 소자산계급 인물이다", "2. 저우빙의 '정신세계의 복잡성'과 '각오의 제고'", "3. 비판인가 아니면 송가인가", "4. 혁명의 역사와 계급투쟁을 왜곡했다", "5. 자산계급의 미학관" 등의 문제에 관해 중점적으로 토론하였다.

『해방일보』에 야오원위안의 글 「사회주의를 타락시키고 변질시키는 이론―'중간 인물 창작' 제창의 반동적 본질使社會主義蛻化變質的理論――提倡"寫中間人物"的反動實質」이 발표되었다. 그는 글에서 "'중간 인물 창작'은 사회주의 문예가 노래할 대상을 말살하고 부인했다", "'중간 인물 창작'은 자산계급의 지위를 옹호하고 치켜세웠다", "'중간 인물 창작'은 유심주의적이고 형이상학적인 이론이다", "사회주의 문예의 혁명 기치를 수호하자" 등의 관점에서 논술을 진행하였다.

『문회보』에 원쉐聞學의 글 「'중간 인물 창작'론과 루원푸의 창작 경향"寫中間人物"論和陸文夫的創作傾向」이 발표되었다. 그는 글에서 "작가로서의 루원푸의 생활 경험과 창작의 길은 보고 배울 만한 모범이 아니다. 반대로 이는 엄중히 비판해야 할 문제이며, 우리 문예공작자들이 경계로 삼아야 할 교훈이다"라고 보았다.

『양청만보』에 판추이징潘翠菁의 글 「저우빙 형상의 '성장과정'에 관하여談周炳形象的"成長過程"」
가 발표되었다. 그는 글에서 "『삼가항』에서 저우빙은 '철강 공인'에서 소자산계급 지식분자로 '성
장'하는 과정을 겪는다―이는 사실상 소자산계급 지식분자의 발전과정이다. 『고투』와 현재까지
발표된 『버드나무 우거지고 백화가 만발하다』의 일부는 이 소자산계급 인물이 반복해서 자아를
표현하는 과정에 지나지 않는다"라고 보았다.

15일, 『인민일보』에 텐위청의 글 「저우구청의 저서 『중국통사』의 반동적 역사관周穀城著＜中
國通史＞中的反動曆史觀」이 발표되었다. 그는 글에서 저우구청의 『중국통사』의 문제는 "생존경쟁설
로써 마르크스주의 계급투쟁 학설에 대항한 것", "농민전쟁을 모욕하고, 계급조화론을 선언한 것",
"지주 계급과 지주 계급의 지식분자를 노래한 것", "중국 봉건사회의 성질을 왜곡하고, '상업 본질
주의'라는 망론을 주장한 것"에 있다고 보았다.

『맹아』 제12호에 신웨이추辛未秋의 글 「어떤 문예 노선을 관철할 것인가?貫徹什麼樣的文藝路線?」
가 발표되었다. 그는 글에서 "중간 인물 창작"은 "자산계급의 문예 노선"이라고 비판하였다.

16일, 『남방일보』에 황융잔黃永湛의 글 「『삼가항』, 『고투』는 청년의 혁명화와 상반된 주장을
하고 있다＜三家巷＞＜苦鬥＞同青年革命化大唱反調」가 발표되었다. 그는 『삼가항』, 『고투』에 대해 "이
들 작품은 청년의 혁명화를 촉진하지 않는다, 반대로 청년들을 부패시키라는 자산계급의 요구에
호응해, 공산주의 정신으로써 청년을 교육하려는 당의 의도와 반대되며, 청년의 혁명화와는 상반
된 주장을 하고 있다"라고 보았다.

17일, 아시아 아프리카 작가회의 상설국 아시아 대표단이 중국을 방문하였다. 대표단은 13일
간의 방문 기간 동안 중국작가협회, 아시아 아프리카 작가회의 중국연락위원회와 좌담회를 가졌
다. 방문 기간이 끝나기 전에 양측은 합동 성명을 발표하였으며, 성명문은 『문예보』 1965년 제1호
에 게재되었다.

『인민일보』에 궈즈강의 글 「이것은 농민에 대한 터무니없는 견해이다―사오취안린 동지의 '중
간 인물 창작' 이론을 평하다這是對農民的荒謬看法――評邵荃麟同志"寫中間人物"的理論」가 발표되었다.
그는 글에서 "만약 사오취안린 동지의 주장을 수용해 현실을 왜곡하고 인물 형상을 손상시키는
'발전과정'을 창작한다면, 분명히 영웅 인물의 계급적 품성을 손상시키게 된다. 그러면 그가 만들
어낸 '한 계급당 한 가지 전형'이라는 제한을 극복할 수 없을 뿐만 아니라, 분명히 '한 가지'의 무산

계급 전형조차 출현하지 못하고, 각종 계급의 사상이 한데 '합류'된 '복잡'하고 '모순'적인 '전형', 즉 '어두운 심리'로 가득 차 있으며 원대한 이상을 가지지 못해 사회주의와 자본주의라는 두 길이 교차한 십자로에서 어디로 가야 할지 모르는 '전형'만이 출현할 것이다"라고 보았다.

18일, 『광명일보』에 후징즈胡經之의 글 「어떤 인물을 문예의 주인 자리에 올릴 것인가?―'중간 인물 창작' 주장의 반동적 본질要把什麼人推上文藝主位?──"寫中間人物"主張的反動實質」이 발표되었다. 그는 글에서 "1. 사오취안린 동지는 고의로 정치 측면과 사상 측면의 서로 다른 '중간 상태'를 뒤섞어 이야기함으로써 '중간 인물'의 기세를 부풀려 문예창작에서 기반을 빼앗게 하려 한다", "2. 수많은 인민 군중을 사회주의와 자본주의라는 두 가지 길 사이에서 흔들리는 '중간 인물'로 간주하고 있다. 이는 인민 군중에 대한 크나큰 모욕일 뿐만 아니라, 사회주의 혁명과 건설에서의 군중이라는 기초를 부정하는 것이다", "3. 공농 연맹을 어떻게 보는가 하는 문제는 무산계급이 농민을 지도해 사회주의를 건설할 수 있는가와 관련된 근본적인 문제이다. '중간 인물 창작'이라는 주장은 사실상 자산계급이 중국을 자본주의 노선으로 이끌려는 정치적 요구를 반영한 것이다"라고 보았다. 같은 호에 한치샹의 「영웅에 대한 송가로써 '중간 인물 창작' 주장에 반대하자用英雄的頌歌反對 "寫中間人物"的主張」가 발표되었다.

20일, 『광명일보』에 야오원위안의 「사회주의를 타락시키고 변질시키는 이론―'중간 인물 창작' 제창의 반동적 본질」이 발표되었다. 그는 글에서 "'중간 인물 창작'은 사회주의 문예가 노래할 대상을 말살하고 부인했다", "'중간 인물 창작'은 자산계급의 지위를 옹호하고 치켜세웠다"라고 보았다.

『압록강』11, 12월호 합본에 마자, 쓰지思基, 커푸柯夫, 사오화의 글 「징옌둔 동지를 추모하며悼念井岩盾同志」가 발표되었다.

『희극보』제11, 12월호 합본에 평론가의 글 「노동과 문예활동에 모두 종사할 수 있는 방향으로 전진하자向又會勞動又會從事文藝活動的方向前進」가 발표되었다.

『극본』12월호에 상하이경극원이 취보의 장편소설 『임해설원』을 각색한 12장 경극 「지취위호산」(1970년 8월에 인민문학출판사에서 출간), 시안시화극원西安市話劇院에서 공동 창작하고 황티, 완이萬一가 집필한 대형 화극 「야생화가 만발하다山花爛漫」가 발표되었다.

24일, 『광명일보』에 쩌우디판의 글 「새로운 인물과 새로운 생활에 익숙해지자熟悉新人物和新

生活」가 발표되었다. 그는 글에서 생활에 익숙해지는 것이 "작가가 계급투쟁에 깊이 침투해 객관적인 사회에 대해 진지하게 관찰하고 체험하고 연구하고 분석해 넓게 보고, 깊게 느낀 후에야 창작 과정에 진입하는 것"이라고 보면서, "작가는 반드시 군중과 긴밀히 연결되고, 사상개조를 진행해야 한다"라고 보았다.

25일~1965년 1월 23일, 중앙 화둥국 선전부에서 화극창작회의를 열어 지난해의 창작 및 공연 상황을 조사하고, 10편의 장막극과 10편의 단막극 극본에 관해 토론하였다.

26일, 『광명일보』에 톈잉天鷹의 글「'중간 인물 창작' 주장의 본질을 논하다論"寫中間人物"主張的實質」가 발표되었다. 이 글의 주된 관점은 "'중간 인물 창작'론은 영웅 인물 창조론에 어떻게 맞서는가", "'중간 인물 창작'론자들은 영웅 인물이 가진 '오래된 부분'과 '어두운 심리'를 묘사할 것을 요구해 이를 통해 영웅 인물을 부정한다", "이들은 자산계급과 소자산계급의 '영웅'에 대한 창작으로써 무산계급 영웅을 대체하고, 이로써 무산계급 영웅 인물의 창조를 근본적으로 배척하고 있다", "'중간 인물 창작'론은 철학의 '대립되는 두 가지의 합일'론과 미학의 '합류론'과 일맥상통하며, 이는 모두 특정 시기의 자산계급 사회의 사조에 속한다"는 것 등이다.

27일, 『인민일보』에 레이홍성雷宏聲의 글「이것은 문예의 공농병 방향과 상반된 주장을 하고 있다─사오취안린 동지의 '중간 인물 창작' 문학 주장을 평하다這是與文藝的工農兵方向唱反調──評邵荃麟同志"寫中間人物"的文學主張」가 발표되었다. 그는 글에서 "본질적인 면에서 보아 '중간 인물 창작' 이론은 문예의 공농병 방향에 대항하고, 마오쩌둥 문예사상에 대항하는 반동적인 이론 주장이다", "사오취안린 등 '중간 인물 창작' 이론을 제창한 이들은 마르크스주의 고전 작가의 저작을 왜곡해 이로써 이론의 근거를 삼으려 하고 있다. 우리는 이것이 헛수고라고 본다", "사오취안린 동지의 '중간 인물'론의 '현실적 근거'는 자산계급의 관점에 따라 현실생활을 왜곡해 이해하는 것으로, 이는 완전한 날조이다", "사오취안린 동지의 소위 '중간 인물'로써 '중간 인물'을 교육하자는 논리는 근거가 부족하며 대단히 해롭다"라고 보았다.

30일, 『문예보』제11, 12호 합본에 본지 자료실에서 편찬한 종합 자료「자산계급은 15년간 공농병 영웅 인물의 창조를 어떻게 반대하였는가?」가 게재되었다. 같은 호에 루구이산陸貴山의「

'중간 인물 창작' 이론은 '대립되는 두 가지의 합일'론과 시대정신 '합류'론이 문학이론에 표현된 것이다"寫中間人物"的理論是"合二而一"論和時代精神"彙合"論在文學理論上的表現」, 왕셴페이王先霈의 「'모순적인 인물'과 '인물의 모순'에 관하여關於"矛盾的人物"和"人物的矛盾"」가 발표되었다. 그는 글에서 "'모순적인 인물'을 창작하려면 자산계급 문학 속의 '하찮은 사람'을 모방해야 하고, '인물의 모순'을 창작하려면 자산계급의 음침한 심리를 미화해야 한다"라고 보았다. 같은 호에 쯔시紫兮의 「'중간 인물 창작'의 표본―단편소설 「라이 아주머니」 분석"寫中間人物"的一個標本――短篇小說＜賴大嫂＞剖析」, 아이커언의 「「부자」는 어떠한 사상 감정을 선전하는가＜父子＞宣揚的是什麼思想感情」, 판쯔바오範子保의 「'가장 진보적이고 앞서가는 사람은 교육할 필요가 없다'는 논리의 배후在"最進步最先進的人, 用不著你教育"的背後」 등의 글이 발표되었다.

『광명일보』에 위페이밍俞沛銘의 글 「광학회는 '중국의 풍조를 개화하는 역할'을 했는가?―제국주의의 문화 침략에 대한 저우구청의 미화를 반드시 비판해야 한다廣學會有"開通中國風氣之作用"嗎?――對周穀城美化帝國主義文化侵略必須批判」가 발표되었다. 그는 글에서 "저우구청 선생의 저서 『중국통사』는 반동적인 관점으로 가득 찬 역사 저작이다. 그는 이 책의 근대 부분에서 중국 인민의 반제국주의 투쟁을 제멋대로 모욕하고 민족 투항주의를 선전해, 중국에 대한 제국주의의 침략을 백방으로 변호하고 있다"라고 보았다.

이달에 장칭이 「린씨네 가게」, 「불야성不夜城」, 「붉은 해」, 「혁명 가정」, 「축구 팬球迷」, 「두 집안 사람兩家人」, 「적군이 성 아래까지 쳐들어오다」, 「녜얼聶耳」 등의 영화를 '독소'로 규정하고 이에 대해 비판할 것을 명령하였다.

『해방군문예』, 『신항』, 『옌허』, 『창장문예』 등의 간행물에 『문예보』 편집부의 글 「'중간 인물 창작'은 자산계급의 문학 주장이다」 및 「'중간 인물 창작'에 관한 자료」(『문예보』 1964년 제8, 9월호 합본에 최초 게재)가 전재되었다.

푸처우의 시집 『벌목하는 소리伐木聲聲』, 량상취안의 시집 『긴 강은 밤낮으로 흐른다長河日夜流』가 작가출판사에서 출간되었다.

란청의 화극 극본 『풍작 후』의 단행본이 상하이문예출판사에서 출간되었다. 인쇄 부수는 1~33,000권으로 양장본 4,300권이 출판되었다.

1964년 정리

저우구청의 '시대정신 합류론'에 대한 비판이 고조에 달했다.

'시대정신' 문제에 대한 저우구청의 기본적인 관점은 각 시대의 시대정신은 특정 시대에 존재하는 서로 다른 각종 사상과 의식이 합류하여 이루어진다는 것이다. 계급사회에서는 압박 계급과 피압박 계급, 착취계급과 피착취계급 등 서로 다른 각종 계급의 각종 사상 의식이 합류하여 당시의 시대정신을 형성한다. 이러한 시대정신은 통일된 전체로, 사회 전체에 광범위하게 유행한다. 이러한 시대정신은 서로 다른 계급 내지는 개인을 통해 반영되며 또한 문학창작에 표현되어, 창작의 독창성과 문예작품의 구체성 및 특수성을 형성한다(「예술창작의 역사적 지위」, 『신건설』 1962년 제12호). 저우구청의 관점은 이후에 '시대정신 합류론'이라고 일컬어졌다. 수많은 이들이 저우구청의 관점에 동의하지 않아 문예이론계, 미학계, 철학계에서 급속도로 이에 관한 토론이 전개되었다. 당시 왕쯔예, 주광첸, 루신, 류강지 등이 글을 발표하였는데, 이들의 토론은 대체로 학술적인 관점에서 이론을 내세우며 전개되었다.

1963년 9월 24일, 야오원위안은 『광명일보』에 「시대정신 문제 약론─저우구청 선생과의 논의」를 발표하였다. 그는 글에서 "시대정신 합류론"이 "계급분석에서 동떨어진 역사 유심론"이며, 이는 "계급조화론"을 선전하고 있다고 보면서, 객관적으로 보았을 때 부패한 옛 사물이 멸망하지 않도록 지키는 데 적합하다고 보았다. 야오원위안은 문예창작의 시대정신은 "혁명계급이 세계를 개조하는 정신적인 역량이다. 이는 역사의 변혁 속에서 시대의 전진을 대표하는 새로운 혁명계급과 계층의 사상, 감정, 이상이 문예작품 속에 집중적으로 표현된 것이다"라고 보았다.

야오원위안은 이후에 발표한 「저우구청 선생의 모순관을 평하다」(『광명일보』 1964년 5월 10일자, 『인민일보』 7월 22일자, 『해방일보』 7월 30일자에 전재)에서 자신의 관점을 거듭 표명하면서 저우구청이 "갈등하는 양측의 서로 다른 성질을 말살하고, 투쟁을 거쳐 탄생한 혁명의 전환을 부인하고 있다"고 보면서, 이는 "저우구청이 '비혁명', '반혁명' 사상까지도 시대정신에 '합류'한다고 보고 있다는 철학적인 근거"라고 보고, 저우구청이 "'무차별의 경지'를 통해 예술창조를 분석하면서, 저우 선생은 예술작품을 모순을 완화시키고, 투쟁을 없애고, 유희를 위해 제공되는 오락거리로 간주하고 있다"라고 보았다. 야오원위안은 "시대정신은 역사의 전진을 추진하는 정신이어야 하며, 역사의 전진을 방해하거나 역사를 후퇴시키는 정신이어서는 안 된다. 시대정신을 표현하는 것은 언제나 대립적인 통일 속에서 혁명의 새로운 사물을 대표하는 면이어야 하며, 부패한 반동적 사물을 대표하는 면이어서는 안 된다"라고 보았다.

『광명일보』1964년 7월 7일자에 진웨이민, 리원추의 「시대정신에 관한 몇 가지 의문 — 야오원위안 동지와의 논의」(『해방일보』8월 1일자, 『인민일보』8월 2일자에 전재)가 발표되어 야오원위안과는 다른 관점을 제시하였다. 이들은 "시대정신이란 특정 시대의 주된 계급 모순의 통일체 속에서 주도적인 역할을 하고 지배적인 위치를 점하고 있는 계급의 생활방식과 정신상태의 표현이다. 이는 사실상 해당 시대에 대량으로 존재하고 이 시대를 통치하는 생활방식과 정신상태이며, 해당 시대에서 가장 풍부한 특징을 지닌 생활 및 사상 양식이다", "그러나 야오원위안 동지가 제시한 시대정신은 사실상 이러한 시간적, 공간적인 상대성과 서로 모순되는 양측의 불균형성이 없이, 어느 때 어느 곳에든, 서로 모순되는 양측의 역량의 대비를 불문하고, 또한 그 수적 및 질적인 구성의 구체적인 연결 형태를 불문하고, 언제나 선진적이고 새로운 시대정신이 존재한다고 보는 듯하다"라고 보면서, 시대정신에 관한 야오원위안의 이론이 "사실상 역사적 구체성과 혁명적 변증법 정신이 부족한, 그저 추상적이고 고정되어 변하지 않는 공식"이라고 보았다.

마오쩌둥은 이 토론을 줄곧 주시하고 있었다. 그는 야오원위안의 「저우구청 선생의 모순관을 평하다」와 아직 신문에 게재되지 않은 진웨이민, 리원추의 「시대정신에 관한 몇 가지 의문—야오원위안 동지와의 논의」를 읽은 후에 이 두 편의 글을 한데 묶어 「문예이론에 관한 두 편의 글關於文藝理論的兩篇文章」이라는 소책자로 인쇄할 것을 중앙선전부에 요구했으며, 1964년 7월 6일에 소책자의 서문을 집필하였다. 그는 "이 두 편의 글은 일독할 만하다. 한 편은 야오원위안이 저우구청을 반박하는 글이며, 다른 한 편은 저우구청을 지지하고 야오원위안을 반박하는 글이다. 두 편 모두 문예이론 문제를 언급하고 있다. 문예공작자는 문예이론을 이해해야 한다. 그렇지 않으면 방향을 잃게 된다. 이 두 편의 비판 문장은 그리 어렵지 않다. 어느 쪽의 관점이 비교적 정확한가는 독자들이 스스로 생각해 보기 바란다"라고 밝혔다.[9] 이후에 곧바로 저우구청의 '시대정신 합류론'에 대한 비판이 고조에 달해 1965년 초까지 이어졌다. 1966년 초에 린뱌오가 장칭에게 위탁해 진행한 「부대문예공작 좌담회 요록」에서 저우구청의 '시대정신 합류론'은 '문예 반동 노선'의 '흑8론' 가운데 하나로 규정되었다.

본 토론에서 비교적 중요한 글은 야오원위안의 「시대정신 약론—저우구청 선생과의 논의略論時代精神———與周穀城先生商榷」(『광명일보』1963년 9월 24일자), 「저우구청 선생의 모순관을 평하다」(『광명일보』1964년 5월 10일자), 주광쳰의 「표현주의와 반영론이라는 두 가지 예술관의 기본적

---

9) 무신穆欣, 『『광명일보』간행 10년 자술辦<光明日報>十年自述』제215쪽, 중앙당사출판사中共黨史出版社 1994년.

인 차이 ─ 저우구청 선생의 '감정이 형체를 이루게 하다'설에 관하여(『문예보』1963년 제10호), 루신의 「저우구청의 예술관의 철학적 기초를 평하다」(『홍기』1964년 제15호), 진웨이민, 리윈추의 「시대정신에 관한 몇 가지 의문 ─ 야오원위안 동지와의 논의」(『광명일보』1964년 7월 7일자), 왕사오시의 「당대 영웅 인물 형상 창조에 관한 몇 가지 문제 약론 ─ 저우구청, 진웨이민, 리윈추와의 논의略論塑造當代英雄人物形象的幾個問題──與周穀城´金爲民´李雲初商榷」(『해방일보』1964년 8월 7일자), 장야오후이, 후룽건의 글「혁명문예를 부패하게 하는 '합류론' ─ 저우구청 선생과의 논의」(『해방일보』964년 8월 12일자), 첸중원의 「저우구청의 시대정신관을 평하다」(『인민일보』1964년 8월 13일자), 리쩌허우의 「두 가지 우주관의 차이 ─ 저우구청과 그 지지자의 '통일된 전체'론을 반박한다」(『인민일보』964년 8월 20일자), 리싱, 웨이구, 다오쉰의 「저우구청의 반동적 역사관과 '시대정신 합류론'」(『인민일보』,『해방일보』1964년 9월 3일자), 천밍수, 광성, 쑨쉐인의 「시대정신과 문학 전형 ─ 저우구청, 진웨이민, 리윈추와의 논의」(『수확』964년 제5호), 왕춘위안의 「우리 시대의 주인은 도대체 누구인가?」(『문예보』1964년 제8, 9호 합본), 원원쉬안의 「문예이론의 진지에서의 혁명정신과 반동정신의 투쟁 ─ 저우구청의 시대정신 '합류론'을 반박한다」(『홍기』1964년 제20호) 등이 있다.

사오취안린의 '중간 인물 창작'론에 대한 비판이 전국적으로 고조에 달했다.

'중간 인물 창작'이라는 주장은 사오취안린이 1962년 6월에 『문예보』에서 개최한 중요 주제 선택 회의에서 명확히 제기한 주장이다. 그는 "현재 작가들은 인민 내부의 모순을 감히 다루지 못한다. 현실주의의 기초가 충분하지 못하면 낭만주의는 붕 뜨게 될 뿐이다. 영웅 인물 창조 문제에 관해서도 작가들은 속박을 느낀다. 천치샤가 긍정적 인물과 부정적 인물을 구분하면 안 된다고 말했던 것은 물론 잘못된 것이다. 그러나 이 관점을 비판하는 과정에서 긍정적 인물과 부정적 인물로만 양분해 중간 인물을 소홀히 하는 결과를 낳았다. 그러나 사실 모순은 중간 인물에 집중된 경우가 많다"라고 밝혔다. 그는 『문예보』에 이러한 속박을 타파하는 요지의 글을 발표해 '중간 인물 창작'을 중요 주제 선택 계획에 포함시켜 줄 것을 요구하였다(『문예보』편집부,「'중간 인물 창작'에 관한 자료」,『문예보』1964년 제8, 9호 합본).

같은 해 8월에 개최된 '다롄 회의'에서 사오취안린은 '중간 인물 창작' 및 '현실주의 심화'에 관한 주장을 재차 제기하였다. 그는 "가장 광범위한 계층은 중간이다. 이들을 묘사하는 것은 매우 중요하다. 모순점은 종종 이러한 인물들에 집중되어 있다", "문예가 중점적으로 교육해야 할 대상은 중간 인물이다. 영웅 인물을 창조하는 것은 본보기를 세우는 것이지만, 중간 상태의 인물을 창조하는 데에도 주의를 기울여야 한다"[10] 이후에 간행물에서 토론이 전개되었으나 대체로 학술적인 측면에서의 토론이었다.

1964년 9월 30일, 『문예보』 제8, 9월호 합본에 '문예보 편집부'의 글 「'중간 인물 창작'은 자산계급의 문학 주장이다」가 발표되어 이 토론이 "문예이론 영역에서의 일반적인 논쟁이 아니라, 문예 영역에서의 사회주의 노선과 자본주의 노선의 싸움이자, 사회주의와 반사회주의의 문예노선의 싸움이며, 근본적인 투쟁이다"라고 지적하면서, 「'중간 인물 창작'에 관한 자료」를 공포해 '다롄 회의'에서의 사오취안린의 연설을 비판하기 시작하였고, 이로써 이후에 이어질 비판의 기조를 형성하였다. 뒤이어 『인민일보』, 『광명일보』, 『해방일보』, 『문회보』, 『양청만보』 등 전국의 수십 개의 중요 간행물에 『문예보』 편집부의 글 「'중간 인물 창작'은 자산계급의 문학 주장이다」와 「'중간 인물 창작'에 관한 자료」가 전재되어 사오취안린의 '중간 인물 창작' 주장에 대한 비판이 고조에 달해 1965년 6월까지 지속되었다.

1964년에 발표된 중요한 글은 장위, 리후이판의 「'중간 인물 창작'이라는 자산계급의 문학 주장을 반드시 비판해야 한다」(『문학평론』 1964년 제5호), 허쮜원의 「영웅 인물을 묘사하는 것이 가장 넓은 창작의 길이다-사오취안린 동지의 '중간 인물 창작' 이론을 비판한다」(『해방군문예』 1964년 12월호), 주자이의 「량싼 노인에 대한 평가를 통해 '중간 인물 창작' 주장의 본질을 보다」(『문학평론』 1964년 제6호), 야오원위안의 「사회주의를 타락시키고 변질시키는 이론-'중간 인물 창작' 제창의 반동적 본질」(『해방일보』 1964년 12월 24일자), 궈즈강의 「이것은 농민에 대한 터무니없는 견해이다-사오취안린 동지의 '중간 인물 창작' 이론을 평하다」(『인민일보』 1964년 12월 17일자), 후징즈의 「어떤 인물을 문예의 주인 자리에 올릴 것인가?-'중간 인물 창작' 주장의 반동적 본질」(『광명일보』 1964년 12월 18일자), 레이훙성의 「이것은 문예의 공농병 방향과 상반된 주장을 하고 있다-사오취안린 동지의 '중간 인물 창작' 문학 주장을 평하다」(『인민일보』 1964년 12월 27일자) 등이 있다. 『문예보』 1964년 제11, 12호 합본에 본지 자료실이 편찬한 종합자료 「자산계급은 15년간 공농병 영웅 인물의 창조를 어떻게 반대하였는가?」가 게재되었다.

1965년에 발표된 비교적 중요한 글로는 부린페이의 「『창업사』에 대한 평론을 통해 사오취안린 동지의 '중간 인물 창작' 이론을 비판한다從對創業史的評論批判邵荃麟同志"寫中間人物"的理論」(『광명일보』 1965년 1월 8일자), 리잉루의 「반드시 혁명 영웅 형상을 창조해야 한다-'중간 인물 창작' 비판 좌담회에서의 발언必須創造革命英雄形象──在批判"中間人物"座談會上的發言」(『해방군문예』 1965년 2월호), 자오진량趙錦良의 「사오취안린 동지는 어째서 이상적인 영웅 인물을 창작하는 것을 반대

10) 「다롄 '농촌 소재 단편소설 창작좌담회'에서의 연설」, 펑무 엮음, 『중국신문학대계·문예이론 제1권』, 제 514~526쪽, 상하이문예출판사 1997년.

하는가邵荃麟同志爲什麼反對寫理想的英雄人物」(『문예보』 1965년 제2호), 뤼더선呂德申의 「'중간 인물'
과 전형 문제－사오취안린 동지의 '중간 인물 창작' 문학 주장을 반박한다"中間人物"和典型問題——
駁邵荃麟同志"寫中間人物"的文學主張」(『인민일보』 1965년 2월 21일자), 류강지의 「인민 군중에 대한
'중간 인물 창작' 선동자의 견해를 반박한다駁"寫中間人物"的鼓吹者對人民群眾的看法」(『광명일보』
1965년 2월 21일자), 야오원위안의 「'평범한 인물 창작'에 반박한다－'중간 인물 창작'의 어떤 논
점에 대한 비판駁"寫普通人"——對於一種"寫中間人物"論點的批判」(『맹아』 1965년 4월호), 리지카이李基
凱의 「중간 상태 인물 창작 방법 문제에 관하여－「그 길을 갈 수 없다」, 「젊은 세대」, 「절대로 잊
어서는 안 된다」의 성공 경험을 통해 '중간 인물 창작'론을 반박한다關於怎樣寫中間狀態人物問題——
用<不能走那條路><年青的一代><千萬不能忘記>的成功經驗駁"寫中間人物"論」(『문예보』 1954년 제4호),
자원자오의 「찬란히 빛나는 새로운 영웅 형상을 창작하자 － 사오취안린 동지의 '중간 인물 창작'
이론을 반박한다創作光輝燦爛的新英雄形象——駁荃麟同志的"中間人物"理論」(『문학평론』 1965년 제2호)
등이 있다.

『삼가항』, 『고투』에 대한 비판이 고조에 달했다.

『삼가항』에 대한 평가는 초반에는 비교적 긍정적이었다. 자오옌(황추원)은 「혁명춘추의 서곡－
『삼가항』을 기쁘게 읽다」(『문예보』 1959년 제2호)에서 "『삼가항』은 대혁명 전후의 남중국 혁명
형세의 전후 상황, 계급 역량의 흥망성쇠와 모순 투쟁, 정치 무대의 급격한 변화에 대해", "비교적
정확하게 묘사해", "광활하고 다채로운 시대생활의 화폭을 성공적으로 그려내었다", "작품은 노동
자로서의 저우빙의 사상 감정을 충분히 표현하지 못했다. 이는 자연히 결점이라 볼 수 있다. 그럼
에도 작가가 이처럼 선명한 예술 형상을 창조해 그에게 어느 정도의 계급적 특징과 선명한 개성을
부여했다는 점은 비록 완전한 정도에 이르지 못했다 해도 긍정하고 환영할 만한 일이다"라고 보았
다. 『삼가항』을 긍정적으로 평가한 글은 이 외에도 진친췬 등의 「영웅은 청사에 이름을 남기고, 이
름난 도시는 좋은 작품을 남긴다」(『양청만보』 1959년 11월 27일자), 왕치의 「우리는 문학에 취타
오, 저우빙과 같은 영웅 인물 형상이 출현한 것이 자랑스럽다」(『작품』 1959년 11월호), 천샹의 「
대혁명을 그려낸 한 폭의 그림－장편소설 『삼가항』 소개」(『해방일보』 1960년 3월 29일자), 장춰
의 「『삼가항』에 관하여」(『광명일보』 1960년 7월 20일자) 능이 있다.

『삼가항』의 부족한 점을 비판한 글로는 장리 등의 「훌륭한 가운데 아쉬운 옥의 티」(『작품』
1960년 1월호), 장다張大의 「『삼가항』에 관하여也談<三家巷>」(『광명일보』 1960년 11월 2일자 등
이 있다. 비평은 『삼가항』의 인물 형상 창조, 특히 주인공 저우빙의 형상에 집중되었다.

1964년 4월, 『문학평론』 제2호에 차이쿠이의 「저우빙 형상 및 기타－『삼가항』과 『고투』의 평

가 문제에 관하여」와 머우쿼졔, 루쭈핀, 저우슈창의 「저우빙 형상의 평가 문제에 관하여―차이쿠이 동지와의 논의」가 발표되었다. 차이쿠이는 글에서 『삼가항』과 『고투』에서의 저우빙의 외모에 대한 묘사가 구소설에서의 재자가인에 대한 묘사와 유사해, 외형의 아름다움이 내재적인 묘사와 결합되지 않았으며, 이러한 부분에 대한 작가의 묘사가 계급의 경계와 계급 사이의 갈등을 모호하게 했다고 보았으며, 또한 저우빙이 "적지 않은 약점을 가진 소자산계급 인물일 뿐이다"라고 보았다. 머우쿼졔 등은 글에서 "저우빙은 이런저런 약점을 가지고 있으나, 이러한 약점들은 무산계급의 혁명가로서의 그의 기본적인 품성을 근본적으로 부정하지는 못한다", "저우빙을 소자산계급 인물이라 할 수는 없다. 그는 여전히 약점을 가진 채 성장하고 있는 무산계급 혁명가 형상이다"라고 보았다.

1964년 9월 1일, 『중국청년보』에 차이쿠이가 『삼가항』과 『고투』를 비판한 글 「계급 조화 사상을 이용해 청년에게 해를 끼치는 소설」이 발표되었다. 이후에 『문학평론』 제4, 5, 6호에 이에 관한 비판의 글이 연달아 발표되었으며, 제6호에는 편집부의 글 「『삼가항』, 『고투』에 관한 평가 문제」가 발표되었다. 이 글은 "1. 저우빙은 철두철미한 소자산계급 인물이다", "2. 저우빙의 '정신세계의 복잡성'과 '각오의 제고'", "3. 비판인가 아니면 송가인가", "4. 혁명의 역사와 계급투쟁을 왜곡했다", "5. 자산계급의 미학관" 등의 문제에 관해 중점적으로 토론하였다. 뒤이어 『광명일보』, 『남방일보』, 『양청만보』, 『문예보』 등 대형 간행물에서 『삼가항』과 『고투』에 대한 비판이 시작되어 고조에 달해 1965년까지 지속되었다. 이들 작품에 대한 비판적인 관점은 대체로 『문학평론』 제6호에 발표된 편집부의 글에서 제기된 관점과 유사했다.

그 외의 중요한 비판의 글로는 마오쿤의 「계급분석을 잊지 말고, 작품의 실제에서 벗어나지 말자―『삼가항』과 『고투』에 대한 후이성의 평론을 읽고」(『양청만보』 1964년 9월 23일자), 루이판의 「『삼가항』과 『고투』의 잘못된 사상 경향―머우쿼졔, 루쭈핀, 저우슈창 세 동지와의 논의」(『문학평론』 1964년 제5호), 훠한지의 「『삼가항』과 『고투』의 근본적인 문제는 무엇인가?」(『양청만보』 1964년 9월 29일자), 이준의 「『삼가항』과 『고투』는 어떻게 계급 모순을 조화시켰는가?」(『양청만보』 1964년 11월 12일자), 러우치의 「『삼가항』, 『고투』의 사상예술의 본질」(『양청만보』 1964년 11월 18일자), 셰즈란의 「『삼가항』과 『고투』는 자산계급사상 감정을 선전하는 부패한 작품이다」(『남방일보』 1964년 11월 23일자, 『작품』 1964년 12월호), 한즈유의 「『고투』는 당의 지도를 왜곡했다」(『양청만보』 1964년 12월 4일자), 황용잔의 「『삼가항』, 『고투』는 청년의 혁명화와는 상반된 주장을 하고 있다」(『남방일보』 1964년 12월 16일자) 등이 있다.

여러 간행물에서 「이른 봄 2월」, 「북국강남」 등의 영화에 대한 비판이 전개되었다.

영화 「이른 봄 2월」과 「북국강남」은 모두 관중들로부터 환영받은 작품이다. 1964년 7월 29일, 캉성은 전국 경극 현대극 관람공연대회의 결산회의에서 이 두 편의 영화를 공개적으로 비판하였다. 이후에 1964년 8월 18일, 중앙선전부는 중공중앙에 「영화 「북국강남」과 「이른 봄 2월」의 공개 상영 및 비판에 관한 중앙선전부의 지시 요청 보고」를 제출하였다. 보고는 이 두 편의 영화에 대해 그 사상 내용에 중대한 오류가 존재하는 영화라고 밝혔다. 두 영화의 공통적인 특징은 자산계급의 인성론과 인도주의, 온정주의를 선전하고, 계급투쟁을 말살하고 왜곡하며, 중간 상태의 인물을 중점적으로 묘사하면서 이러한 인물을 시대의 영웅으로 간주한다는 점이다. 보고는 또한 베이징, 상하이 등 8개 대도시에서 이 두 편의 영화를 공개적으로 상영하고 간행물에서 토론과 비판을 전개할 계획을 제안하였다. 마오쩌둥은 이 보고에 대해 "몇몇 대도시뿐만 아니라 수십 곳 내지는 백여 곳의 중등 도시에서도 상영해 수정주의에 관한 이 자료를 대중 앞에 공개해야 한다. 이 두 편의 영화뿐만 아니라 다른 작품들이 있을 수 있으므로 모두 비판해야 한다"라고 서면으로 의견을 남겼다.[11] 1964년 8월 29일, 중앙선전부는 「「북국강남」과 「이른 봄 2월」의 공개 상영 및 비판에 관한 통지」를 발포하였다.

1964년 9월 15일, 『인민일보』와 『광명일보』에 징원스景文師의 글 「「이른 봄 2월」은 인민을 어디로 이끄는가?＜早春二月＞要把人們引到哪兒去？」가 동시에 발표되었다. 글은 "각본가가 주인공에게 씌워 놓은 금빛이 찬란해 사람을 미혹시키는 가면을 벗겨 보면, 이 영화가 퍼뜨리고 있는 자산계급 개인주의와 인도주의 및 계급조화론 등의 반동적인 사상이 백일하에 드러나게 된다", "「이른 봄 2월」은 결코 향기로운 꽃이 아니라 독초이다", "이 영화의 결론은 관중, 특히 청년 관중을 자산계급의 방향으로 이끌어 자본주의의 부활을 위한 사상적 조건을 준비하는 것과 다름없다"라고 보았다.

이췬은 「샤오룬추의 세계관과 그 위해성을 논하다論蕭潤秋的世界觀及其危害性」에서 "「이른 봄 2월」의 주인공 샤오룬추의 세계관은 자산계급 유심주의의 역사관과 사회관 및 개인주의를 그 주요 내용으로 하고 있다. 영화는 이러한 역사관, 사회관 및 인생관이 이끄는 아래 '나'를 우선시하고 '나'에서 출발하는 위선적인 인도주의를 선전하며, 개인의 '동정'과 '구제'로써 인민 군중의 자각적인 반항을 대체하고, 인민 군중의 혁명 투쟁에의 의지를 와해시키며, 무산계급이 지도하는 군중석인 사회혁명과 계급투쟁을 반대한다"라고 보면서, 영화가 대대적으로 선전하는 이러한 세계관이 "사회주의 혁명 및 사회주의 건설이라는 역사적 시기에 사회주의 혁명을 끝까지 진행하는 데 불리하고, 지식분자의 사상개조에 불리하며, 특히 무산계급 혁명사업의 후계자를 양성하는 데 불리하

---

11) 『건국 이후 마오쩌둥 문고』 제11권 제135쪽, 중앙문헌출판사 1996년.

다"라고 보았다(『광명일보』 1965년 1월 29일자).

이 외에 비교적 중요한 비판의 글로는 「자산계급의 부패한 사상으로 가득 찬 「이른 봄 2월」」(『문예보』 1964년 제8, 9호 합본), 린즈하오의 「「이른 봄 2월」의 사상 경향＜早春二月＞的思想傾向」(『광명일보』 1964년 9월 15일자), 위지, 자린家林의 「자산계급사상의 독소를 퍼뜨리는 나쁜 영화一部散播資産階級思想毒素的壞影片」(『광명일보』 1964년 9월 15일자), 장리원의 「「이른 봄 2월」은 어떤 영화인가＜早春二月＞是一部什麼影片」(『공인일보』 1964년 9월 22일자), 「중국작가협회 시안분회에서 좌담회를 개최해 영화「북국강남」, 「이른 봄 2월」 및 저우구청의 자산계급 미학관점을 비판하다」(『옌허』 1964년 10월호), 허치팡의 「소설 「2월」과 영화 「이른 봄 2월」의 평가 문제」(『광명일보』 1964년 11월 9일), 이췬의 「샤오룬추의 '진보성'을 논하다－「이른 봄 2월」과 시대정신 약론論蕭潤秋的"進步性"——淺論＜早春二月＞與時代精神」(『수확』 1965년 제1호) 등이 있다.

1964년 7월 30일, 『인민일보』에 왕쑤이한, 황스셴의 글 「영화「북국강남」을 엄격하고 진지하게 평론해야 한다」가 발표되었다. 이들은 글에서 영화의 거의 모든 분량에서 묘사한 것이 "자본주의의 자발적인 세력의 오만방자한 활동과 계급의 적의 난폭한 공격뿐이며, 이들에 대한 혁명 인민의 투쟁을 볼 수 없다"라고 보면서, "영화에서 묘사한 이 모순 충돌 속에서 혁명계급이 승리할 수 있었던 것은 적과 아군의 힘의 대비 때문도, 우리의 투쟁과 강대한 사상적 역량 때문도 아니고, 소위 '양심'과 '인성', 추상적인 감정 등에 의해 결정되었다. 이러한 작품이 어떻게 '계급투쟁'의 올바른 노선을 구성할 수 있겠는가?"라고 지적하였다. 그는 영화에 등장하는 우다청吳大成이라는 인물이 "계급투쟁의 관념이 매우 부족"할 뿐만 아니라, "군중에게서 동떨어져 있고, 일처리가 무모하며 단순하다", "순전히 작가의 주관적인 날조이며, 농촌 간부의 실제 형상을 완전히 왜곡하였다"라고 보면서, "긍정적인 역할을 맡은 인물을 포함해 영화에 출현하는 대부분의 인물은 사실상 좋지도 나쁘지도 않은 '중간 인물'"로, 작가가 "이들을 그저 화를 내며 싸우고, 훌쩍거리며 울고, 혼란하고 난잡한 '어중이떠중이'로 묘사하였다"라고 보았다.

차이쿠이는 「자산계급 인성론을 미화한 영화一部美化資産階級人性論的影片」에서 이 영화가 "자산계급 인성론을 미화하고, '인류애'의 감정적인 힘을 찬양"하는 "자산계급 인성론 관점과 부패한 인정미를 내뿜는 영화"라고 보았다(『베이징일보』 1964년 8월 11일자).

이러한 글들로 인해 「북국강남」은 '독초'로 여겨지게 되었다. 「「북국강남」 토론 종합 보도＜北國江南＞討論綜合報道」(『문예보』 9월 30일자), 「저우구청의 미학사상과 영화「북국강남」에 관한 토론關於周穀城美學思想和影片＜北國江南＞的討論」(『신장문학』 1964년 10월호) 등의 글은 『인민일보』, 『해방일보』 등의 간행물에서 진행된 「북국강남」에 대한 토론 및 비판 상황을 요약해 소개하였다.

중국인민대학 도서관에서는 1964년과 1966년에 영화 「북국강남」에 대한 토론 및 비판 문장의 색인을 출판하였다.

영화 「이른 봄 2월」과 「북국강남」에 대한 비판은 1965년까지 지속되었다. 중국공산당 제11기 중앙위원회 제3차 전체회의 때에 와서야 이 두 편의 영화에 대한 비판이 완전히 부정되었다.

선충원이 저우언라이 총리에게 중국 고대 복식에 관해 연구하라는 지시를 받고, 1965년 말에 『중국 고대 복식 연구中國古代服飾研究』시험본을 완성해 저우언라이 총리에게 제출하였다. 그러나 선충원은 문화대혁명 기간에 비판을 받아 그가 정리한 중국 고대 복식에 관한 연구 원고가 독초로 규정되었으며, 선충원은 여덟 차례나 가산을 몰수당해 『중국 고대 복식 연구』의 원고도 이때 유실되었다. 1969년 겨울에 선충원은 후베이성 셴닝鹹寧의 '오칠 간부 학교五七幹校'로 하방되어 돼지를 치고 농사를 짓는 일을 하게 되었으나, 그는 놀라운 의지와 초인적인 기억력으로 참고자료가 전혀 없는 상황에서도 기억에 의지해 원고에서 부족하거나 쓸모없는 부분을 일일이 기록해 『중국 고대 복식 연구』를 다시 완성하였다. 새로 쓴 이 원고는 1979년에 와서야 출판되었다.

마오쩌둥이 「하신랑 · 독사賀新郎 · 讀史」를 창작하였다.

초기 지식청년들의 노래인 「후계자의 노래接班人之歌」가 널리 불리게 되었다.

구청顧城이 불과 8세의 나이로 「솔방울松塔」과 「백양나무楊樹」 등 두 편의 시를 창작하였다. 이 두 편의 시는 현존하는 구청의 작품 가운데 최초의 작품이다.

류사허가 「방문尋訪」과 「못의 자탄壁釘自歎」 두 편의 시를 창작하였다.

『시간』이 연말에 폐간되었다.

『열풍』은 1월호부터 9월호까지는 격월간으로 홀수 달의 5일에 간행되었으며, 10월호부터 월간으로 변경되어 매달 1일에 간행되었다.

공청단 신장위구르자치구위원회에서 편찬한 월간 『새 아침新晨』이 창간되었다.

『신장문학』 11, 12월호 합본(1965년 1월 30일에 간행)에 루딩이의 「노동과 문예활동에 모두 종사할 수 있는 이가 가장 훌륭한 문예공작자이다─전국 소수민족 군중 아마추어 예술 관람공연대회에서의 연설會勞動又會從事文藝活動的人是最好的文藝工作者──在全國少數民族群眾業餘藝術觀摩演出會上的講話」이 발표되었으며, 『인민일보』 1964년 10월 31일사에 발표된 『문예보』 편집부의 글 「'중간 인물 창작'은 자산계급의 문학 주장이다」와 「'중간 인물 창작'에 관한 자료」가 전재되었다. 같은 호에 싱쉬환邢煦寰의 「'평범한 인물론' 분석─사오취안린의 '중간 인물 창작' 주장을 반박한다"普通人物論"剖視──兼駁邵荃麟"寫中間人物"的主張」, 장윈張雲의 「'현실주의 심화'론을 반박한다駁"現實主義深化"論」가 발표되었다. 장윈은 글에서 사오취안린이 제기한 '현실주의 심화'론에 대해 "이것은 현실을 왜곡하는 현실주의이다", "이것은 혁명을 거부하는 현실주의이다", "이것은 '중간 인물'만을 창작하는 현실주의이다", "이것은 출로가 없는 '현실주의'이다"라고 보았다.

중국민간문예연구회, 중국작가협회 신장분회, 중공 커쯔러쑤커얼커쯔자치주위원회 선전부가 「마나쓰」 공작조를 조직하고 중앙민족학원 어문과를 초빙해 보충 조사를 진행해 추가로 294,200행을 더 수집하였다. 새로 수집한 부분과 보충한 부분을 더해 저명한 '마나쓰치瑪納斯奇'인 주쑤푸·마마이가 부른 마나쓰 6부를 전부 기록했으며 이를 중국어로 번역하였다. 중국민간문예연구회 자료실에 보관되어 있던 「마나쓰」의 원고는 문화대혁명 시기에 각지로 운반되던 도중에 유실되었다. 문화대혁명 이후에 중국문련 자료실에 보관되어 있던 자료 속에서 원고의 대부분을 회복하였다.

중국민간문예연구회에서 편찬한 『민간문학民間文學』(1964년 제5호)에 「아름답고 다채로운 백화원-건국 15년간의 민간문학 작품 순례絢麗多彩的百花園——建國十五年來民間文學作品巡禮」, 란훙언藍鴻恩, 눙이톈農易天의 「15년간의 광시 민간문학 공작十五年來的廣西民間文學工作」이 발표되었다.

베이징경극단의 왕청치, 양위민, 샤오쯔肖甲, 비언허우薛恩厚가 호극 「갈대숲의 불씨」를 각색한 당대 경극 「사자방」이 중국희극출판사에서 출간되었다. 인쇄 부수는 1~3,500권이다.

수웨이束爲의 『난류의 봄 경치南柳春光』, 옌링燕凌의 『다자이의 고상한 품격大寨高風』, 톈류의 『불타는 충성심』, 샤오츠肖馳 등이 정리한 『민병 영웅 이야기民兵英雄故事』 등의 보고문학 작품이 산시인민출판사에서 출간되었다.

롄윈산連雲山 등의 『강골한 송가硬骨頭頌歌』, 진웨이화金爲華 등의 『삼'전'삼첩三"戰"三捷』 등의 보고문학 작품이 해방군문예출판사에서 출간되었다.

푸순 광산지대撫順礦區 공장사 편찬위원회에서 편찬한 『고난을 두루 경험하고 햇빛을 보다-광부 가정사曆盡苦難見陽光——礦工家史』, 랴오닝일보 편집부에서 편찬한 『밤부터 날이 밝을 때까지從黑夜到天明』 등의 '쓰라린 과거를 회상하며 오늘의 행복을 생각하는憶苦思甜' 보고문학선 및 중국작가협회 선양분회에서 편찬한 랴오닝 보고문학선 『뜨거운 대가정火熱的大家庭』이 춘풍문예출판사에서 출간되었다.

올해 말까지 중국 대륙에 설립된 출판사는 모두 84곳으로, 그 가운데 중앙급 출판사는 36곳, 지방 출판사는 48곳이다. 출판한 서적은 18,005종으로 그 가운데 신판 도서는 9,338종이며, 총 인쇄 수량은 17억 700만 권이다. 잡지는 856종이 출간되었다.

정쥔리가 감독 예술 문집 『화면 외 음향畫外音』을 탈고하였다. 이 책은 문화대혁명 등 정치적인 이유로 인해 1979년에야 중국전영출판사中國電影出版社에서 출간되었다.

베이징방송국에서 「어린 마커가 지갑을 줍다小馬克撿了個錢包」, 「징이 또 울렸다鑼又響了」, 「가정 문제家庭問題」,「긍지를 느끼다自豪」,「'작은 금붕어'가 되지 않는다不當"小金魚"」,「딩톈링에서 전투하다戰鬥在頂天嶺上」 등 6편의 드라마를 방영하였다.

올해 상영된 중요 영화는 다음과 같다.

「역풍천리」(저우완청周萬誠, 팡황方徨 각본, 팡황 감독, 주장전영제편창珠江電影制片廠 제작)

「견우직녀牛郎織女」(루훙페이陸洪非, 진즈金芝, 완이저우完藝舟, 천판 각본, 천판 감독, 하이옌전영제편창 제작, 홍콩 대붕영업공사大鵬影業公司, 안후이성 황메이희극단黃梅戲劇團 악대, 상영악단上影樂團 민족악대, 안후이성 황메이희극단 참여)

「아스마」(거옌, 류충 각본, 류충 감독, 하이옌전영제편창 제작. 1982년 제3회 스페인 산탄데르 국제음악무용영화제 최우수 무용영화상, 1994년 문화대상文華大獎 수상, '20세기 경전' 칭호 획득)

「의사 베쑨」(장쥔샹 각본, 가오정高正, 리수톈李舒田, 장쥔샹 감독, 하이옌전영제편창, 8·1전영제편창 제작)

「적군이 성 아래까지 쳐들어오다」(바이런, 린눙 극본, 린눙 감독, 창춘전영제편창 제작)

「독립 대대獨立大隊」(루주궈, 왕옌王炎, 자오후이헝趙惠恒 각본, 왕옌 감독, 창춘전영제편창 제작)

「레이펑」(딩훙, 루주궈, 추이자쥔崔家駿, 펑이푸馮毅夫 각본, 둥자오치董兆琪 감독, 8·1전영제편창 제작)

「네온사인 아래의 보초병」(선시멍 각본, 왕핑, 거신葛鑫 감독, 톈마전영제편창 제작)

「청년 노반青年魯班」(스다첸史大千 감독, 베이징전영제편창 제작)

「톈산의 붉은 꽃」(어우린 각본, 추이웨이, 천화이아이, 류바오더劉保德 감독, 베이징전영제편창, 시안전영제편창 제작)

「샤오얼헤이의 결혼」(간쉐웨이幹學偉, 스이푸石一夫 각본, 간쉐웨이, 스이푸 감독, 베이징전영제편창 제작)

「영웅 자녀英雄兒女」(마오펑毛烽, 우자오디 각본, 우자오디 감독, 창춘전영제편창 제작)

「대뇨천궁(하)」(리커뤄李克弱, 완라이밍萬籟鳴 각본, 완라이밍, 탕청唐澄 감독, 상하이미술전영제편창上海美術電影制片廠 제작. 제13회 카를로비바리 국제영화제 단편 특별상, 제22회 런던국제영화제 최우수 영화상, 에콰도르 제5회 키토 국제아동영화제 3등상, 포르투갈 제12회 피구에라 다포즈 국제영화제 심사위원상, 중국 제2회 영화 백화상 수상)

1월

1일, 『인민일보』에 후차오무의 「사 16편詞十六首」이 게재되었다(『광명일보』 3일자에 전재).

『중국청년보』에 리잉의 낭송시 「환송곡－새로운 한 해를 향해 용감히 진군하는 청년 친구들에게 바친다壯行曲——獻給向新的一年勝利進軍的靑年朋友們」가 발표되었다.

『해방군문예』 제1호에 린위林雨의 단편소설 「칼날刀尖」, 후커의 단막 화극 「계승하다接班」, 소수민족 민가 「마오쩌둥을 노래하고, 공산당을 노래하자歌頌毛主席,　歌頌共産黨」(3월호에 연재 완료)가 발표되었다. 같은 호에 전국 소수민족 군중 아마추어 예술 관람공연대회에서의 루딩이의 연설 「노동할 수 있으면서 문예활동에도 종사할 수 있는 이가 가장 훌륭한 문예공작자이다」가 게재되었다.

『옌허』 1월호에 옌이의 시 6편 「밭두렁 산가田坎散歌」, 리잉의 시 「대장隊長」이 발표되었다. 같은 호에 "'중간 인물 창작' 문학주장 비판'이라는 제목으로 장자오칭張兆淸의 「노동인민의 의견을 듣다聽聽勞動人民的意見」, 양다파楊大發의 「혁명을 하려면 혁명의 영웅을 창작해야 한다要革命,　就要寫革命的英雄」, 리마오린李茂林의 「우리는 새로운 영웅 인물을 사랑한다我們熱愛新英雄人物」, 자오성화周聲華의 「'우리는 이런 '가객'은 필요 없다'"我們不需要這樣的'歌者'"」, 뉴즈차이牛志才의 「사회주의와 공산주의의 새로운 인물을 창작해야 한다要寫社會主義'共産主義的新人」가 발표되었다. 뉴즈차이는 글에서 "샤오취안린 동지 등이 '중간 인물' 창작을 제창하는 목적은 우리 가운데의 부유한 중농들의 목적과 같다. 그들은 문예 작품 속에 이기적인 사상과 자본주의를 간절히 바라는 인물을 등장시켜야만 '이치에 맞고', '생동감이 있다'고 생각한다. 그들은 사회주의의 새로운 영웅을 전혀 이해하지 못하고, 암암리에 문학에서의 사회주의의 새로운 인물의 지위를 제거하고 '중간 인물'을 이용해 우리 공농병 영웅을 배척하려 한다. 사오취안린이 제창하는 이러한 비뚤어진 이론은 사실상 자산계급의 문학론으로써 마오쩌둥 주석이 제창한 무산계급 문예 방향을 반대하고 있다……따라서 나는 사오취안린 동지의 '중간 인물 창작'이라는 자산계급 문학 주장은 대단히 악독하며, 반드시 비판해야 하는 주장이라고 본다. 사오취안린은 '중간 인물'이 대다수를 차지한다고도 말한 바 있다. 이 말은 우리 노동 인민에 대한 모욕이다"라고 보았다.

『창장문예』 1월호에 리잉의 시 2편 「푸르디푸른 쿠바綠油油的古巴」(「이런 나라這樣的國家」, 「어느 쿠바 전사의 죽음一個古巴戰士的死」)가 발표되었다.

『허베이문학』 1월호에 리잉의 시 「자오린춘집棗林村集」(4편)이 발표되었다.

『광명일보』에 자오푸추의 사詞 「개성주一956년을 맞이하며凱聲奏——迎一九六五年」가 발표되었다.

1일~4월 3일, 화둥 6성 현대 희곡 우수작품 갈라 공연이 상하이에서 진행되어 총 15개 극종의 23개 현대 혁명 희곡 작품을 공연하였다. 공연된 작품으로는 장시성의 「어린 보관 상인小保管商人」, 「왜 의견이 다른가怎麼談不攏」, 「가을秋」, 「강철 어깨와 붉은 마음鐵肩紅心」, 저장성의 「야생화가 만발하다」, 「쌍홍련雙紅蓮」, 「야외 시찰野考」, 「붉은 스카프紅領巾」, 「걱정거리心事」, 장쑤성의 「홍화곡紅花曲」, 「나귀를 빌리다借驢」, 「자매행姐妹行」, 「농가의 보물農家寶」, 「섣달 그믐밤大年夜」, 안후이성의 「중요한 수업重要一課」, 「봄이 오니 꽃이 핀다」, 푸젠성의 「푸른 물 예찬碧水贊」, 「붉은 소년紅色少年」, 산둥성의 「경쟁競賽」, 「이허의 봄 우레沂河春雷」 등으로 감극贛劇, 화고희花鼓戲, 채다희采茶戲, 월극, 려극呂劇, 안후이 방쯔安徽梆子, 황매희黃梅戲 등 15개 극종이 포함되었다.

4일, 『인민일보』에 지난 부대의 왕이수王宜樹, 쉬성퉁徐聲桐이 창작한 단막 화극 「표적지 한 장一張靶紙」, 예자린葉加林의 평론 「혁명 영웅주의의 찬가一영화 「영웅 자녀」를 보고革命英雄主義的贊歌——影片＜英雄兒女＞觀後」가 발표되었다.

『민간문학』 제1호에 본지 평론가의 글 「각 민족 신민가의 대대적인 번영과 발전一전국 소수민족 군중 아마추어 예술 관람공연대회에서의 신민가의 성취를 환호한다各族新民歌的大繁榮大發展——歡呼全國少數民族群眾業餘藝術觀摩演出會新民歌的成就」가 발표되었다.

『중국청년보』에 톈젠의 시 「붉은 후계자에게 一 마오 주석이 『중국청년보』에 보낸 글을 읽고給紅色接班人——寫在看到毛主席給＜中國青年報＞的題字後」가 발표되었다.

『베이징문예』 1월호에 왕주위王主玉의 「장편소설 『화창한 날』을 평하다評長篇小說 《豔陽天》」가 발표되었다. 그는 글에서 『화창한 날』이 거둔 성취와 부족한 점을 평가하였다. 그는 『화창한 날』에 대해 크게 호평하면서 "이 작품은 혁명의 기치가 선명하고, 예술적인 특징을 가진 작품이다. 작품의 기조는 경쾌하고 드높으며, 구상은 독특하고 참신하다. 작품이 묘사한 생활과 투쟁은 사회주의의 송가이자 계급투쟁의 한 장면이라 할 수 있다"라고 보았다.

왕주위는 『화창한 날』이 거둔 성취에 대해 "사회주의 혁명과 사회주의 건설 시기의 농촌에서의 첨예하고 복잡한 계급투쟁을 비교적 깊이 있게 반영했으며, 농촌 집단화 과정에서의 두 가지 길 사이의 쟁탈전을 예술적으로 재현하였다"라고 보았다. 그는 또한 작가가 계급분석의 관점을 이용해 여러 가지 유형의 중농 형상을 창조해 이 계층의 농민을 생생하게 그려내었다고 평하였다. 그는 "이들의 생활과 투쟁을 통해 두 가지 길 사이의 격렬한 쟁탈전을 반영하고, 우리 당의 계급노선과 정책의 위대한 승리를 표현하였다"라고 보았다. 작품의 부족한 부분에 대해 그는 "작품의 중요한 사건들은 사흘 밤낮 동안 전개된다. 시간이 짧은 탓에 몇몇 부분은 상대적으로 보았을 때 질질 끄는 느낌이 있다. 또한 이처럼 방대한 내용과 많은 인물들을 불과 며칠의 시간 내에 반영하려 한 것이……작품의 깊이에 어느 정도 영향을 끼쳤다"라고 보았다.

5일, 『칭하이후』 제1호에 「마오쩌둥 문예사상의 홍기를 높이 들고, 자산계급 문예사상을 철저히 비판하자─시닝지구 문예공작자의 '중간 인물 창작' 비판 좌담회 요록高擧毛澤東文藝思想紅旗, 徹底批判資産階級文藝思想──西寧地區文藝工作者批判"寫中間人物"座談會紀要」이 게재되었다. 기사는 시닝지구 문예공작자의 '중간 인물 창작' 비판 좌담회에서의 발언들을 다음의 세 가지로 정리하였다. 1. 문예평론가의 공작의 기치가 선명하지 않다. 2. 일부 평론이 정치 기준이 첫째라는 원칙을 무시하고 '예술성'을 단편적으로 강조하였다. 3. 일부 평론은 잘못된 문예이론을 선전하였다. 혹자는 인물의 복잡한 성격을 표현해야 한다는 간판을 내걸고 실제로는 인물 마음속의 어두운 면을 묘사할 것을 제창하였다. 같은 호에 류카이劉凱의 글 「'중간 인물 창작' 비판 감상 3제批判"寫中間人物"有感三題」가 발표되었다. '3제'는 다음과 같다. 1. 이는 계급투쟁이 문예영역에 반영된 것이다. 2. 어째서 '선진 인물'을 '중간 인물'로 표현하는가? 3. 관건은 중간 인물을 어떻게 보고 어떻게 표현할 것인가에 있다.

7일, 『광명일보』에 장쑤사범학원江蘇師範學院 학생 쑨쉰孫遜, 왕즈허王志和 등의 글 「현혹되었다가 정신을 차리다─「이른 봄 2월」이 우리에게 끼친 해독을 제거하자從迷惑到淸醒──淸除<早春二月>對我們的毒害」가 발표되었다.

8일, 『인민일보』의 '학술 연구' 특별란에 쉬차오즈許喬之의 「예술창작은 사상을 배제할 수 없다
─저우구청의 주정주의를 반박한다藝術創作不能排除思想──駁周穀城的唯情論」가 발표되었다. 그는
글에서 "저우 선생은 감정을 일방적으로 강조하고 예술창작에서 사상을 배제하려 한다. 그는 감정
과 이치를 대립시켜 문예는 감정만을 표현하고 사상을 표현하지 않으며, '감정으로 사람을 감화'시
키기만 하고 '이치로 사람을 설복'시키지는 않는다고 본다. 이러한 관점은 생활의 실제와 창작의
실제에 위배되는 것이다", "사상을 배제하자는 저우구청의 주장은 혁명문예의 사상성을 제거하
고, 군중을 교육하는 혁명문예의 효용을 약화시키려 한다. 이것이 바로 우리가 저우구청의 주정주
의를 반드시 비판해야 하는 이유이다"라고 보았다.

『광명일보』에 부린페이의 「『창업사』에 대한 평론을 통해 사오취안린 동지의 '중간 인물 창작'
이론을 비판한다」가 발표되었다. 그는 글에서 1. "사오취안린은 '중간 인물 창작'을 고취하고 영웅
인물 창작을 배척하기 위해 량싼 노인 형상을 치켜세우고 량성바오 형상을 폄하하고 배척한다", 2.
"사오취안린은 량싼 노인을 '중간 인물'의 '본보기'로 삼아 소위 '정신적인 짐'과 '어두운 심리'를 선
전하는데, 이는 사실상 자산계급의 부활을 위해 길을 열고자 하는 것이다", 3. "사오취안린의 '중간
인물 창작' 이론의 핵심은 소위 '현실주의 심화'로, 이는 사회주의 문학을 자산계급 문학의 죽음의
길로 이끌려 하는 것이다" 등 세 가지 견해를 제시하였다.

9일, 『인민일보』에 후완춘의 글 「구세계와 단호히 결별하자堅決同舊世界決裂」가 발표되었다.
그는 글에서 "우리 작가들은 자신의 작품이 객관적인 세계를 개조하는 역할을 하기를 바란다. 이
를 위해서는 우선 자기의 주관적 세계를 개조해야 하고, 자신의 세계관과 미학관을 개조해야 한다.
이를 위한 가장 근본적인 방법은 마르크스레닌주의와 마오쩌둥의 저작을 학습하고, 공농 군중의
뜨거운 투쟁 생활에 침투해 학습하는 것, 국내외 고전문학의 경험을 비판적으로 흡수하고 이들에
게 발목을 잡히지 않도록 주의할 것, 그리고 이미 습득한 예술의 기교를 개조해 무산계급을 일으
키고 자산계급을 타도할 것 등이다. 이렇게 할 수 있다면 우리는 진정으로 구세계와 결별할 수 있
을 것이다"라고 보았다.

『중국청년보』에 사설 「혁명 현대극이 농촌 무대를 점령하게 하자─농촌 아마추어 극단의 청년
들에게讓革命現代戲占領農村舞台──致農村業餘劇團的青年們」가 발표되었다.

10일, 『북방문학』 1월호에 취칭의 보고문학 「링산에서 묵다夜宿靈山」가 발표되었다.

『광명일보』에 이수이一水의 글「이것은 고전문학 작품을 연구하는 위험한 길이다─저우구청의 '우선 감화되고, 그 다음에 분석하라'라는 망론을 반박한다這是研究古典文學作品的危險道路──駁周穀城的"先受感染, 然後分析"的謬論」가 발표되었다. 그는 글에서 "어떤 태도로 고전 작품을 감상해야 하는가", "고전 작품의 예술적 감화 문제를 어떻게 대해야 하는가"라는 관점에서 저우구청의 관점을 비판하였다. 같은 호에 쑤저충蘇者聰의 글「고대 서정시사의 소극적 요소에 관하여略談古代抒情詩詞中的消極因素」가 발표되었다.

11일, 『문예보』 제1호에 쑹한원宋漢文, 다이쯔중戴自忠, 왕원제王文傑, 천리모陳麗沒, 톈위하이田雨海, 리옌화李衍華의「자산계급의 어두운 심리의 자발적인 폭로─수췬의 단편소설「공장사 외에」를 비판한다資產階級陰暗心理的自我暴露──批判舒群的短篇小說＜在廠史以外＞」가 발표되었다. 이 글에 첨부된 편집자의 말은 "「공장사 외에」는 반사회주의적인 독초이다. 이 소설이 비록 교묘하여 보는 눈이 날카롭지 못한 일부 독자들을 속였지만, 그럼에도 공인 독자의 맑은 눈을 속이지는 못했다. 이번 호에 게재한 쑹한원 등 여섯 동지의 이 작품에 대한 분석은 요점을 선명히 찌르는 글이므로 독자들이 모두 읽어 볼 만하다"라고 밝혔다. 쑹한원 등은 수췬의 소설에 대해 "이 소설은 겉보기에는 어느 모범 공청단원의 선진적인 사적을 묘사한 듯하지만, 그 이면에서는 신사회에서 선진 인물은 희생양으로, 그는 다른 이들에게 광명을 가져다주지만 본인은 좋은 결말을 맞지 못한다는 매우 어두운 사상을 선전하고 있다. 작가는 이러한 어두운 심리에서 출발해 공인 군중을 마치 오합지졸처럼 표현하고, 혁명적인 군중운동을 대단히 어둡게 표현했다. 이 소설에서는 당의 지도와 혁명사상의 광휘를 전혀 찾아볼 수 없다. 이는 완전히 우리 공인계급에 대한 모독이며, 오늘날의 사회주의 현실생활에 대한 심각한 왜곡이다……「공장사 외에」라는 제목도 아주 이상하다……작가는 혁명적인 공장사 외에 한 단락을 더 서술했는데, 이 단락은 혁명적인 공장사에 대한 강력한 보충도, 혁명의 선진 인물과 사회주의의 새로운 생활에 대한 열정적인 송가도 아니고, 갖은 애를 써서 어두운 구석을 찾아내 선진 인물의 '비극'을 대서특필한 내용이다. 작가는 이렇게 해서 우리 공인계급의 빛나는 역사에 먹칠을 했다. 이는 수많은 독자들에게 대단히 해롭다. 따라서 우리는 이 작품의 독소를 단호히 파내어 이를 제거하고 비판해야 한다!"라고 보았다.

12일, 『인민문학』 1월호에 후차오무의「사 16편」이 게재되었으며, 우보샤오의 보고문학「톈안먼의 보초병天安門的哨兵」이 발표되었다.

『인민일보』의 '학술 연구' 특별란에 왕차오원의「예술의 사회적 역할을 어떻게 볼 것인가?─저우구의 망론을 반박한다怎樣看待藝術的社會作用?——駁周穀城的謬論」가 발표되었다. 그는 글에서 "문예의 사회적 역할에 관한 문제는 계급의 이익에 관계되는 중대한 문제이다. 이는 문예가 어느 계급을 위해 복무하게 할 것인가, 또한 어떤 방식을 통해 역할을 하게 할 것인가와 관련된 문제이다. 저우구청의 관점은 마르크스주의 관점과는 완전히 상반된다. 이러한 차이는 무산계급과 자산계급의 미학관점의 차이이며, 서로 용납할 수 없는 두 가지 세계관의 첨예한 대립이다. 혁명 예술이 세계를 인식하고 개조하는 위대한 혁명적인 역할을 할 수 있게 하기 위해 우리는 반드시 저우구청의 반동적인 관점을 상대로 단호히 투쟁해야 한다"라고 보았다.

14일, 중공중앙에서 「농촌 사회주의 교육운동 과정에서 현재까지 제기된 몇 가지 문제農村社會主義教育運動中目前提出的一些問題」(즉 '23조')를 발포하였다. 이후에 '네 가지 정돈四淸'(정치, 조직, 경제, 사상에 대한 정돈을 말함－역자 주) 운동이 전국의 도시와 농촌에서 진행되기 시작해 문화대혁명 초기까지 지속되었다.

16일, 『해방군보』에 팡팡方放의 문화 단평 「소화극－새로운 전투 예술의 꽃小話劇——新的戰鬥的藝術之花」이 발표되었다. 그는 글에서 소화극小話劇이 부대의 요구에 부합할 뿐만 아니라 아마 추어적인 특징을 가진 화극예술의 정확한 발전 노선이라고 보았다.

17일, 『광명일보』에 샹훙項紅의 「소설 『용감하게 앞으로 나아가다』는 무엇을 선전하는가?小說＜勇往直前＞宣揚了些什麼?」가 발표되었다. 그는 글에서 "『용감하게 앞으로 나아가다』는 소위 '사상투쟁'을 묘사할 때 사회주의 대학에서의 사상투쟁의 진실을 심각하게 왜곡하고 당의 사상 정치 공작을 추악화했을 뿐만 아니라, 사실상 고등교육전선에서의 투쟁과 사상개조를 부정하고 말살하였다. 이 소설은 당의 정치적 지도와 공농군중과의 결합을 필요로 하지 않는 자발적인 '사상개조'를 선전하고 있다. 이는 즉 계급 조화를 주장해 자산계급사상이 무산계급사상을 '융화'하게 하려는 것이다. 바로 이러한 면에서 『용감하게 앞으로 나아가다』의 사상 경향의 오류는 가장 심각하다. 사상개조 문제에 있어 『용감하게 앞으로 나아가다』가 제창하는 것은 자산계급의 세계관을 통해 무산계급 세계관을 '개조'하려는 잘못된 노선으로, 이는 당의 교육 방침과 지식분자 개조 정책과는 완전히 대립하는 것이다"라고 보았다.

19일, 『해방군보』에 「자산계급은 15년간 공농병 영웅 인물의 창조를 어떻게 반대하였는가?」가 게재되었다.

20일, 『희극보』제1호에 치샹췬齊向群의 평론 「멍차오의 신작 「이혜낭」을 다시 평하다重評孟超新編＜李慧娘＞」가 발표되었다. 이 글은 곤곡 「이혜낭」에 대한 비판이 학술적인 비평에서 정치적인 비판으로 전환되었음을 보여주는 글이다. 치샹췬은 분석을 통해 「이혜낭」이 "봉건적인 미신 사상을 선전하였으며, 또한 귀신이 사람보다 강하며, 사람은 죽은 후에야 힘이 생긴다는 반동적인 철학을 제창하고 있다. 이 작품은 어둡고 소극적인 정서를 과장해 우리의 투지를 와해하였으며, 기분에 따라 제멋대로 행동하는 극단적인 개인주의 사상을 제창해 자산계급사상을 가진 사람이 새로운 사회에 대한 불만을 터뜨리도록 부추기고 있다. 이 작품은 작가 개인의 반동적인 관점을 표현했을 뿐만 아니라 이로써 오늘날의 인민을 '교육'해, 전복된 착취계급이 복수의 투쟁을 할 것을 호소하고 있다. 이러한 몇 가지 면에서 보아 「이혜낭」은 분명히 반당적이고 반사회주의적인 독초이다"라고 보았다.

21일, 『중국청년보』에 샤오인의 「정제된 자산계급의 부식제－『삼가항』과 『고투』를 평하다一服精制的資産階級的腐蝕劑——評＜三家巷＞＜苦鬥＞」가 발표되었다. 글의 주된 관점은 다음과 같다. 1. "저우빙 형상의 본질은 사랑을 가지면 모든 것을 가졌다고 생각한다는 것이다. 사랑이 혁명을 지배하고, 혁명의 지렛대가 되며, 사랑을 잃으면 혁명의 의지도 연기처럼 흩어진다", 2. "친척관계로 계급관계를 덮어 가리고, 애정관계로 계급 모순을 조화시키고, 자산계급의 인성론을 모순을 해결하는 동력으로 삼는다", 3. "모든 문제는 작가의 세계관, 즉 작가의 자산계급 인성론과 통속적인 미학적 취향에서 발원한다".

『광명일보』에 신예辛冶의 평론 「우리 군대의 4호중대(四好連隊: 중국인민해방군이 정치사상, 행동 준칙, 군사 훈련, 생산 관리 등 네 가지 항목이 모두 훌륭한 것을 기준으로 선정한 선진 중대를 말함－역자 주) 창조 운동의 뜨거운 생활을 표현하다－화극 「군대를 인솔하는 사람」을 보고表現我軍創造四好連隊運動的沸騰生活——話劇＜帶兵的人＞觀後」가 발표되었다.

22일, 『광명일보』에 멍웨이짜이孟偉哉의 「「이수성의 죽음」은 반동적인 작품이다＜李秀成之死＞是一部反動作品」가 발표되었다. 그는 글에서 이 작품이 "역적을 미화"하고, "개인이 역사를 창조한다는 자산계급 유심관을 선전"하며, "'민족의 이익'이라는 간판을 내걸고 계급 투항을 선전"한다고 보았다.

23일, 『광명일보』에 마치의 「자산계급 예술을 위해 변호하는 창작론－저우구청의 「미의 존재와 진화」를 평하다爲資産階級藝術辯護的創作論——評周穀城＜美的存在與進化＞」가 발표되었다. 그는 글에서 예술창작 및 예술창작과 감상의 관계 문제라는 관점에서 저우구청을 비판하였다.

24일, 『인민일보』에 탄페이성의 「혁명성은 사회주의 문예의 영혼이다－문예창작에서의 혁명성과 현실성의 관계 문제에 관해 사오취안린 동지와 토론하다革命性是社會主義文藝的靈魂——就文藝創作中革命性與現實性的關係問題與邵荃麟同志辯論」가 발표되었다. 그는 글에서 응당 "현재의 문예창작을 통해 혁명성과 현실성의 관계 문제를 보아야 한다", "혁명성을 영혼으로 삼고, 혁명성과 현실성을 통일시키는 것이 사회주의 문예의 근본적인 문제이다"라고 보면서, "문예의 혁명성을 고수하느냐 포기하느냐 하는 것이 두 가지 문예 노선 투쟁의 쟁점이다"라고 보았다. 같은 호에 바이수이白水의 평론 「거울을 보라. 자신은 누구를 닮았는가？－화극「군대를 인솔하는 사람」을 보고照照鏡子，看看自己象誰？——話劇＜帶兵的人＞觀後感」가 발표되었다.

25일, 『수확』제1호에 하오란의 「늙은 지부 서기의 뜬소문」(속편), 사팅의 「훙웨이위안洪唯元」, 우란바간의 장편소설 하권 『요원의 불길燎原烈火』등의 소설, 바진의 산문 「다자이행大寨行」, 이췬의 평론 「샤오잔추의 '진보성'을 논하다－「이른 봄 2월」과 시대정신 약론論蕭澗秋的"進步性"——淺論＜早春二月＞與時代精神」이 발표되었다.

영화 「이른 봄 2월」이 상영된 후, 혹자는 영화의 주인공 샤오잔추를 긍정하는 태도를 취했다. "샤오잔추는 20년대의 지식분자이다. 우리는 60년대의 관점을 가지고 그에게 요구할 수 없고, 공산당원의 기준으로 그를 판단할 수도 없다. 또한 샤오잔추가 진보적인 지식청년의 전형임을 인정해야 한다. 그는 배회하고 먼 길을 돌아왔지만 결국 교훈을 받아들여 혁명에 투신했다. 이는 응당 찬양하고 노래해야 할 일이다. 비판할 것이 어디에 있는가？" 한 청년은 심지어 "우리의 위대한 혁명가 루쉰 역시 혁명의 길에 오르기 전에는 샤오잔추와 마찬가지로 배회하지 않았는가？"라고 말했다.

이췬은 「샤오잔추의 '진보성'을 논하다」에서 앞의 두 가지 관점에 대해 중점적으로 비판하였다. 그는 "루쉰은 그의 전투하는 일생 속에서 확실히 '방황'한 시기가 있기는 했다……그리고 공교롭게도 「이른 봄 2월」에서 반영한 시대가 바로 루쉰이 배회한 시기이다. 그러나 방황을 하든 배회를 하든, 모두 똑같이 예찬할 수도, 똑같이 비판할 수도 없다……그(샤오잔추)가 소위 방황한 것은 사실상 방향을 잃고 뒷걸음질 친 것이다……루쉰의 방황은 그저 전투의 길 위에서의 곡절일 뿐, 그는 시종일관 전투에서 멀어지지 않았으며 전투의 무기를 놓은 적도 없다. 그는 한편으로 전투하면서 한편으로 전진했고, 또 한편으로는 새로운 전우를 찾고, 새로운 전투의 길을 탐색했다", "루쉰은 적대 세력에 대해 단호하고도 철저한 전투 정신을 가지고 있었다. 그러나 샤오잔추와 같이 인도주의적인 동정과 희사로써 피압박자의 반항 의지를 와해시키고 자신이 명성을 얻기를 꾀하는 지식분자는 결코 위대한 루쉰과 함께 논할 수 없으며, 루쉰이 토벌하려 했던 다른 범주에 속하는 인물이다"라고 보았다.

이췬이 샤오잔추와 루쉰의 비교를 통해 내린 결론은 "영화 「이른 봄 2월」의 샤오잔추가 푸룽전芙蓉鎮에서 한 행동 중 도대체 어느 것을 진보 청년 혹은 혁명가와 연관 지을 수 있는가?", "만약 샤오잔추라는 인물도 예술적 전형이라고 할 수 있다면, 그는 그저 루쉰이 폭로한 '총명한 사람' 부류의 전형, 혹은 뒤떨어지고 반동적인 지식분자의 전형이라 할 것이다"라는 것이다.

이췬은 마지막으로 태도를 표명하며 "무산계급과 자산계급, 그리고 사회주의의 길과 자본주의의 길 사이의 투쟁이 나날이 격화되는 시대에 무산계급이자 사회주의자인 문예공작자로서 우리는 이러한 지식분자에 대해 폭로하고, 비판하고, 공격할 의무가 있을 뿐, 결코 이들을 동정하고, 찬양하고, 미화할 권리는 없다. 만약 무산계급이 이들과 타협하고, 동정하고, 이들을 따른다면 사실상 대지주와 자산계급을 따르는 것이며, 제국주의의 모든 반동파를 따르는 것이기 때문이다. 이는 곧 무산계급 혁명과 사회주의, 공산주의의 길을 배반하는 것이다"라고 밝혔다.

『수확』 같은 호에 우성시吳聖昔의 평론 「이것은 반사회주의적인 문학주장이다－'중간 인물 창작'이라는 잘못된 이론과 그 본질을 비판한다這是反社會主義的文學主張——批判"寫中間人物"的錯誤理論及其實質」가 발표되었다. 그는 글에서 사오취안린 등이 제기한 '중간 인물 창작' 이론을 비판하면서 "'중간 인물'이라는 개념은 혼란스럽고 반민민적이다"라고 보았다. 그는 '중간 인물'의 의미를 1. '중간 인물'은 사회주의와 자본주의 사이에서 흔들리는 '중생'이다, 2. 이처럼 사회주의와 자본주의 사이에서 흔들리는 인물은 노동인민, 특히 농민 군중 가운데 존재한다, 3. 이러한 인물들은 현실생활에서 가장 많은 수를 차지한다, 4. 이러한 인물들은 "좋지도 나쁘지도 않고, 좋기도 하고 나쁘기도 한 중간적"으로 굳어진 상태에 처해 있다고 정리하면서, 이러한 견해는 형이상학적이며 완전히 역사유심주의적인 관점이라고 보았다. 우성시는 이상의 관점에 대해 "우리의 사회주의 속에는 물론 잠시 동안 중간 상태에 처한 인물이 존재하지만, 결코 소위 '중간 인물'이라는 개념으로 사회주의 사회의 평범한 노동자를 뭉뚱그려 지칭해서는 안 되며, 더욱이 사회주의와 자본주의 사이에서 흔들리는 이들이 노동인민 가운데 '대량으로 존재'하며 '대다수를 차지한다'라고 말할 수도 없다" 라고 보았다. 그는 마지막으로 중간 인물 창작이라는 주장이 그 창끝을 사회주의 문예의 근본적인 문제에 향하고 있다고 보았다. 그는 "'중간 인물 창작'이라는 주장은 현실생활을 왜곡하고 인민 군 중을 모독하는 입장 위에서 수립된 반사회주의적인 자산계급의 문학주장이다. 이들은 흔들리는 인물의 형상에 대한 묘사를 제창함으로써 창끝을 사회주의 문예의 일련의 근본적인 문제로 향하 고 있다. 첫째로, 사회주의와 자본주의 사이에서 흔들리는 '중간 인물'에 대한 묘사를 제창하는 것 은 바로 사회주의 문예가 혁명 영웅 인물 형상이라는 근본적 인물을 창조하는 것을 제압하고 반대 하는 것이다. 둘째로, 사회주의와 자본주의 사이에서 흔들리는 '중간 인물'에 대한 묘사를 제창하 는 것은 사회주의 문예가 사회주의 사상과 공산주의 사상으로써 인민을 교육하는 것을 반대하기 위함이다"라고 보았다.

『광명일보』에 양양의 「이것은 어떤 길인가?—'중간 인물 창작'이라는 '길'의 반동적 본질을 평 하다這是什麼樣的路?——評"寫中間人物""路子"的反動實質」가 발표되었다. 그는 글에서 1. "어떻게 정확 하게 모순을 표현하고 시대를 반영할 것인가? 어느 계급이 필요로 하는 주인공이며, 누구에게 유 리한 '넓음'인가?", 2. "혁명문예는 무엇으로 군중을 교육하는가? 군중의 혁명화를 돕고 그들이 전 진하도록 격려하는가, 아니면 군중에게 해를 끼치고 그들이 후퇴하게 하는가?", 3. "'두 가지 노선 사이의 투쟁과 새로운 인물' 외에 어떤 '길'을 향해 '심화'해야 하는가? '중간 인물 창작'을 제창하는 것은 어떤 인물에게 유리한가? '중간'의 길은 어떠한 '넓은' 길인가?" 등 세 가지 문제에 대해 중점 적으로 토론하였다.

26일, 『인민일보』의 '학술 연구'란에 톈딩의 「예술의 '역사적 지위'에 관한 저우구청의 황당 한 이론을 반박한다駁周穀城關於藝術"曆史地位"的奇談怪論」가 발표되었다. 그는 글에서 저우구청의 관 점이 "역사유심주의적인 예술 창세론"이며, "계급투쟁의 예술초정치론藝術超政治論을 부정"하고, "'초정치'라는 연막 아래 가려진 정치"로, "역사가 후퇴하게 만든다"라고 보았다.

28일, 베이징인민예술극원이 「링쉐메이淩雪梅」(셰옌닝謝延寧 등 합동 창작, 팡관더方琯德 감 독, 셰옌닝, 쉬시판徐洗繁 등 주연, 극본은 『베이징문예』 3월호에 발표), 「승객 사이乘客之間」(런바 오셴 등 합동 창작, 런바오셴 집필, 옌화이리, 런바오셴 등 주연), 「선배前輩」(후완춘의 동명 소설을 각색해 집단 창작, 저우정周正, 뉴싱리牛星麗 등 주연), 「앞사람의 실패를 교훈으로 삼다前車之鑒」(런바오셴 등 합동 창작, 런바오셴, 레이페이雷飛 등 주연) 등의 화극 작품을 공연하였다.

29일, 『광명일보』에 이춴의 「샤오잔추의 세계관과 그 위해성論蕭澗秋的世界觀及其危害性」이 발표되었다. 그는 글에서 "「이른 봄 2월」의 주인공 샤오잔추의 세계관은 자산계급 유심주의적 역사관과 사회관 및 개인주의가 주된 내용이다. 이러한 역사관과 사회관 및 인생관의 지도하에 '나'를 위주로 하고 '나'에서 출발하는 위선적인 인도주의를 선전하고, 개인의 '동정'과 '구제'를 선전하고 이로써 인민 군중의 자각적인 반항을 대신해 인민 군중의 혁명 투쟁 의지를 와해하고 무산계급이 인도하는 군중적인 사회혁명과 계급투쟁을 반대한다. 따라서 「이른 봄 2월」이 대대적으로 선전하는 샤오잔추의 세계관은 사회주의 혁명과 사회주의 건설이라는 역사적 시기에 사회주의 혁명을 끝까지 진행하는 데 불리하고, 지식분자의 사상개조에 불리하며, 특히 무산계급 혁명사업의 후계자를 양성하는 데 불리하다"라고 보았다.

30일, 문화부와 중국문자개혁위원회가 「한자 활자 자형 통일에 관한 합동 통지關於統一漢字鉛字字形的聯合通知」를 발포하고, 「인쇄 통용 한자 자형표印刷通用漢字字形表」를 첨부해 인쇄에 통용되는 명조체(宋體) 한자 6,196개를 각지에서 사용하도록 하였다.

『문예보』 제1호에 샹훙의 「우리와 캉쥐 통지의 근본적인 차이-「최근 몇 년간의 단편소설을 논하다」를 평하다我們和康濯同志的根本分歧──評＜試論近年間的短篇小說＞一文」, 쑹한원 등의 「자산계급의 어두운 심리의 자발적인 폭로-수춴의 단편소설 「공장사 외에」를 비판한다」 등 캉쥐, 어우양산, 수춴을 비판하는 글이 발표되었다. 같은 호에 전문 논고 「문학의 무대에 등장한 여러 새로운 전사들을 환영한다歡迎大批新戰士登上文學舞台」가 발표되었다.

『해방군보』에 발레극 「홍색낭자군」에 대한 신예의 '문화 단평' 「혁명화, 민족화, 군중화된 발레극革命化'民族化'群眾化的芭蕾舞劇」이 발표되었다.

이달에 문화부에서 『마오쩌둥 저작 선독毛澤東著作選讀』 발행 공작 회의를 소집해 『선독』의 대량 발행을 계획하였다.

『레이펑반 기록雷鋒班紀事』이 해방군문예출판사에서 출간되었다. 이 책은 '4호중대, 5호전사(열심히 학습하고, 무기 및 장비와 모든 공공 기물을 아끼고, 사고를 없애고, 생산 절약에 힘쓰고, 신체 단련에 힘쓰는 등 다섯 가지 면에서 뛰어난 전사를 말함-역자 주), 새로운 인물과 새로운 사건'을 주제로 공모한 보고문학 및 산문 선집 제1호이다. 책에는 톈청런田成仁, 자오즈화趙志華의 「레이펑반 기록」, 주전성朱振聲의 「삼림 속의 보고森林裏的報告」 등의 작품이 수록되었다.

신장인민출판사에서 편찬한 신장위구르자치구 각 자치주 현 성립 10주년 문집『붉은 해가 톈산을 비춘다紅日照天山』가 출간되었다.

전국 소수민족 군중 아마추어 예술관람공연대회 등에서 편찬한『전국 소수민족 군중 아마추어 예술 관람공연 곡예 희극선全國少數民族群眾業餘藝術觀摩演出曲藝戲劇選』이 중국희극출판사에서 출간되었다.

상하이경극원에 합동 각색한 경극『지취위호산』이 상하이문예출판사에서 출간되었다.

란청의 화극 극본『풍작 후』가 중국희극출판사에서 출간되었다. 인쇄 부수는 1~21,900권이다.

2월

1일,『인민일보』에 자오푸추의 산문「아무개가 세 번 울다某公三哭」가 발표되었다. 그는 글에서 소련 브레즈네프 집단이 흐루쇼프의 '수정주의' 노선을 계속해서 시행하고 있다고 비판하였다 (7일자『광명일보』에 전재).

『광명일보』에 마오쩌둥의 친필 원고「청평악·장구이 전쟁清平樂·蔣桂戰爭」, 궈모뤄의 글「'홍기가 팅장을 뛰어넘다'"紅旗躍過汀江"」(『해방군보』에 동시 발표)가 발표되었다.

『해방군문예』2월호에 구궁의 시「어촌의 여자 민병漁家女民兵」, 장춘시張春熙, 리치李琦의「홍기가 온 하늘에 펄럭인다紅旗漫卷長空」, 왕젠펑王建朋, 황신즈黃馨之의 화극「일대홍(一對紅: 두 사람이 짝을 지어 사상의 혁명화를 꾀하는 것－역자 주) 이야기一對紅的故事」, 쉬쿤徐坤, 리즈샤오李志霄, 선푸칭沈福慶의「지금 현재의 사상의 날카로운 무기를 쥐자－아마추어 소화극 활동 전개 체험抓活思想的銳利武器——開展業餘小話劇活動的體會」이 발표되었다.

쉬쿤 등은 글에서 "최근 2년간 우리 부대의 전사 아마추어 공연에서는「석탄을 때는 문제燒煤問題」,「마음을 푹 놓다一百個放心」,「일대홍 이야기」 등 전사들이 직접 창작해 공연하는 소화극이 점차 늘어났다. 이러한 소화극들은 비록 막 시작했을 때는 여러 면에서 성숙하지 못했으나, 사상 내용 면에서 부대의 중심 임무와 긴밀히 연관되어 있기 때문에 부대의 현재 사상을 포착하였다. 형식은 짧고 간단해 군중들이 파악하기 쉬우며, 화극예술이 무대의 한계에서 벗어나게 해 더 많은 관중들과 만날 수 있어, 예술 풍격 면에서 민족화, 다양화 등의 특징을 가지고 있다"라고 밝히면서, 자신들의 경험을 "반드시 임무와 긴밀히 결합하고, 지금 현재의 사상을 포착해야 한다", "새로운 인물과 새로운 사건, 새로운 사상을 대대적으로 선전해야 한다", "짧고 간단해 군중이 파악하기 쉬위야 한다", "창의성을 발휘하고, 형식이 내용을 위해 복무하게 해야 한다", "창작을 잘하기 위해서는 반드시 혁명 대중, 혁명 간부, 혁명 군인이 결합해야 한다" 등으로 정리하였다.

같은 호에 리잉루의 「반드시 혁명 영웅 형상을 창조해야 한다－'중간 인물 창작' 비판 좌담회에서의 발언必須創造革命英雄形象——在批判"寫中間人物"座談會上的發言」이 발표되었다. 그는 글에서 "현대의 혁명 소재와 생생히 살아 있는 영웅 인물을 통해 인민을 교육하고, 인민의 투지를 격려해 삼면홍기를 더 높이 들고 우리의 사회주의 혁명과 사회주의 건설사업이 하루빨리 완성되도록 하는 것이 바로 당이 문예공작자에게 부여한 영광스럽고도 막중한 임무이다. 그런데 혹자는 이단적인 사상을 내세워 영웅 인물에 대한 창작이 너무 많아 천편일률적이라고 말하면서 '중간 인물 창작'을 주장한다. 이러한 주장을 하는 이들은 긍정적인 영웅 인물은 소수이고, 중간 인물이야말로 다수를 차지한다고 말하며, 모순은 대체로 중간 인물에게 집중된다고 말한다", "심지어 중간 인물을 '좋지도 나쁘지도 않고, 좋기도 나쁘기도 한 중간 상태의 중생'이라고 정의한다", "작가가 무엇을 선택하고 무엇을 포기하며, 무엇을 찬양하고 무엇을 비판하는가는 당과 인민의 현재의 이익과 장기적인 이익에 근거해야 한다. 만약 '몇 천 년간의 농민 개개인의 정신적인 짐'을 따라 '심화'해 나간다면 혁명의 문예사업을 어두운 죽음의 길로 인도하게 될 뿐이다. 문예작품에서 중간 인물을 창작해서는 안 된다는 말이 아니다. 현실생활에 중간 상태의 사상을 가진 인물이 존재한다는 것을 인정하지 않는 것도 아니다", "만약 현실생활 속의 영웅 인물을 보려 하지도, 찬양하려 하지도 않고, 중간 상태 인물의 적극적인 변화를 보려 하지도, 묘사하려 하지도 않고 그저 수많은 공농병 군중을 모두 '좋지도 나쁘지도 않고, 좋기도 나쁘기도 한' 소위 '중간 인물'로서 묘사해 이들에게서 '몇 천 년간의 정신적인 짐'을 찾아내려 한다면, 이는 곧 인민을 추악화하고 현실을 왜곡하는 것이며, 무산계급의 혁명문예를 매장하고 자산계급의 문예를 위해 길을 여는 것밖에 되지 않는다", "가장 분노스러운 것은 그들이 '중간 인물'에 대해 내린 정의이다. 그들이 보기에 인민 군중 가운데 대다수는 '좋지도 나쁘지도 않고, 좋기도 나쁘기도 한 중간 상태의 중생'인 것이다. 그들은 군중을 욕하고, 깨달음을 얻은 인민을 헐뜯은 것이다"라고 보았다.

장춘시(1938~), 베이징 출신이다. 베이징출판사 편집실 부주임, 중국소비자보사中國消費者報社 부사장 및 부편집장 등을 역임하였다. 1959년부터 작품을 발표하였으며 1993년에 중국작가협회에 가입하였다. 저서로 중편소설 『쑹마오링 아래松毛嶺下』, 영화문학 극본 『육친骨肉親』, 장편 보고문학 『카나리아金絲鳥』, 기록문학 선집 『꿈속에서 그녀를 천 번이나 찾다夢裏尋她千百度』, 『소비만화消費漫畫』, 단편소설 「고산준령高山峻嶺」 등이 있다.

『옌허』 2월호에 원빈聞濱의 평론 「영웅 인물 창작의 길은 좁은가?寫英雄人物路子窄了嗎?」가 발표되었다. 그는 글에서 사오취안린의 '중간 인물 창작'이라는 주장이 "사회주의의 새로운 사물을 부정하고, 영웅 인물의 광범위한 현실 기초를 부정하며, 영웅 성격의 다양성과 풍부성을 부정하였다"라고 보았다. 그는 "사오취안린 등 '중간 인물 창작'론자들은 귀족 어르신 같은 태도로 새로운 사물을 경시하고 헐뜯으며 새로운 사물의 싹을 말살하려 하고 있다. 그들이 보기에 이미 몰락하고 죽어 버린 사물만이 진실하며 대서특필할 만한 것이다", "영웅 인물 창작에 반대하고 '중간 인물' 창작을 제창하는 것은 문예가 사회주의의 길을 가는 것을 반대하고, 정신세계에 '중간 인물'의 왕국을 건립해 문예를 자본주의의 길로 이끄는 것이다"라고 보면서, 따라서 "이는 문예 영역에서의 자산계급의 무산계급에 대한 심각한 도전이며, 중대한 계급투쟁이다. 우리는 반드시 이 도전에 강력한 반격을 가해 이 투쟁을 끝까지 지속해야 한다!"라고 보았다.

『허베이문학』 2월호에 리잉루의 소설 「여장부女將」, 경창쉬耿長鎖의 「이것은 인민 군중에 대한 모욕이다這是對人民群眾的誣蔑」, 차오퉁이曹同義의 「우리는 '흰 얼굴'이나 '어릿광대 얼굴'이 아닌 붉은 얼굴을 보고 싶다我們愛看紅臉的, 不要"白臉"和"三花臉"」, 「사오취안린 동지는 내려와서 좀 보십시오!─톈진시 화물 운송 3수송대 2사 일부 공인의 '중간 인물 창작' 비판 좌담회 요록邵荃麟同志還是下來看看吧!──天津市貨運三輪二社部分工人批判"寫中間人物"座談會紀要」, 창젠常儉의 「'치켜세우기'와 '심화'"拔高"和"深化"」 등의 평론이 발표되었다.

이 가운데 마지막 세 편의 글은 사오취안린 등의 '중간 인물 창작'론에 대한 비판이다. 경창쉬는 글에서 "사오취안린 동지는 '양 끝은 작고 중간은 크다. 영웅 인물과 낙후된 인물은 양 끝이며, 중간 상태의 인물이 대다수이다……문예가 중점적으로 교육해야 할 대상은 중간 인물이다. 가장 진보하고 선진적인 인물은 교육할 필요가 없다'라고 말했다. 이 말은 날조다! 이는 당의 문예방침에 대한 심각한 왜곡이다. 이는 빈농과 하층 농민에 대한 모독이다……사오취안린 동지가 '중간 인물'을 대대적으로 창작할 것을 제창하는 목적은 다른 것이 아니라, 사회주의가 혁명적인 무산계급의 영웅 형상을 창조하는 데 반대하고, 낙후된 '하찮은 사람'으로써 영웅 인물을 대체하는 것이다……사람들은 모두 혁명적인 문예작품을 통해 교육과 격려의 효과를 얻기를 원한다. 기치가 선명하고 전투성이 강한 훌륭한 작품만이 '인민을 단결하고, 인민을 교육하고, 적을 공격하고, 적을 소멸시키는' 전투적인 효과를 발휘할 수 있다. 사오취안린 동지의 '중간 인물 창작'과 '현실주의 심화'라는 자산계급의 문학주장은 농촌 인구의 60~70%를 차지하는 빈농과 하층 농민에게는 통하지 않는다! 단호히 사회주의의 길을 가는 모든 공사의 사원들에게도 통하지 않는다"라고 보았다.

사오취안린의 "우리 작품 속의 인물들은 '서로 직무는 다르지만 성격은 비슷해 전부 붉은 얼굴을 가지고 있어, 사람들이 즐겨 읽지 않는다'"라는 발언에 대해 차오퉁이는 "우리가 보고 싶은 것은 '붉은 얼굴'이다. 붉은 얼굴은 우리 시대의 영웅이며, 우리가 보고 배워야 할 본보기이다. 우리가 가장 싫어하는 것은 '흰 얼굴'과 '어릿광대 얼굴'이다"라고 밝혔다.

창젠은 글에서 사오취안린이 '중간 인물 창작' 주장에서 제기한 '치켜세우기'와 '심화'에 대해 "치켜세우기의 본질은 우리 시대의 영웅 인물을 반대하고, 우리 문학이 창조한 완전한 무산계급 영웅 형상을 반대하고, 혁명적 현실주의와 혁명적 낭만주의의 결합이라는 창작방법을 부인하고, 우리 혁명 영웅의 당성과 계급성을 없애고, 우리 사회주의 문학의 혁명성과 전투성을 제거하고, 우리 혁명문예의 사회주의와 공산주의 정신의 교육적 역량을 폄하해 자산계급과 소자산계급을 치켜세우고, 자산계급과 소자산계급사상을 이용해 인민 군중을 부패시키려는 것이다. 우리는 반드시 이에 반대해야 한다"라고 보았다.

『창춘』 제1호에 리잉의 시 「짜오린춘집」, 류수밍의 「영웅 인물은 사람들이 학습할 본보기이다英雄人物是人們學習的榜樣」 및 「성, 시 문예계가 '중간 인물 창작'이라는 잘못된 주장을 비판한다省市文藝界批判"寫中間人物"的錯誤主張」가 발표되었다. 이 글은 1월 14, 15일에 진행된 편집 및 문예이론 공작자 좌담회의 결산이다. 몇 차례의 좌담회의 참석자들은 사오취안린이 제창한 '중간 인물 창작' 이론이 마오쩌둥 주석의 문예사상을 근본적으로 위배했으며, 문예가 공농병과 사회주의를 위해 복무한다는 큰 방향을 위배했다고 보았다. 이는 일반적인 문예이론 논쟁이 아니라 사회주의의 계급투쟁과 두 노선 사이의 투쟁이 문학예술 영역에 구체적으로 반영된 것으로, 문예의 방향, 성질, 노선에 관련된 근본적인 시비를 가리는 논쟁이라고 보았다.

2일, 『문회보』에 「봄맞이 시회迎春詩會」가 발표되었다.

3일, 『해방일보』에 기사 「중공중앙 화둥국 선전부에서 화극창작회의를 소집해, 더 훌륭한 공농병의 빛나는 형상을 더 많이 창조해 화극무대에서 영웅의 업적을 충분히 반영하도록 하였다中共中央華東局宣傳部召開話劇創作會議, 創造更多更好的工農兵光輝形象, 讓話劇舞台充分反映英雄業績」가 게재되었다. 샤정눙이 본 회의에서 결산 발언을 하였다.

5일, 『후난문학』 제1호에 해방군 모 부대의 어우양하이반歐陽海班 전사들의 「전사는 영웅을 사랑하고, '중간 인물'은 원하지 않는다戰士愛英雄, 不要"中間人物"」, 창사 자동차 전기 공장 공인 류샤오안劉孝安의 「'중간 인물 창작' 문학주장에 반대한다反對"寫中間人物"的文學主張」, 중공 창사현 푸린福臨구위원회 부서기 슝웨이熊偉의 「모순점은 종종 중간 인물에 집중되어 있다'는 말을 반박한다駁"矛盾往往集中在中間人物身上", 샤오칭小青의 「'중간 인물 창작' 주장은 청년 혁명화와 상반되는 주장을 하고 있다"寫中間人物"的主張同青年革命化唱反調」 등 '중간 인물 창작'이라는 자산계급 문학주장을 비판하는 글이 발표되었다.

7일, 『인민일보』의 '학술 연구'란에 징위안景元의 「'감정으로 사람을 감화'시키는 것과 '이치로 사람을 설복'시키는 것 – 저우구청의 주정주의를 반박한다"以情感人"和"以理服人"——駁周穀城的唯情論」가 발표되었다. 그는 글에서 1. "예술의 '감정으로 사람을 감화'시키는 면과 '이치로 사람을 설복'시키는 면을 분리해 사상을 예술의 외부로 배척하는 것은 자산계급이 무산계급 문예의 사상성과 전투성에 반대하는 이론적인 표현이다", 2. "예술에서의 감정과 이치는 둘 중 어느 하나라도 없어서는 안 된다. 이치는 곧 사상이며, 이는 예술작품의 영혼이다. 예술은 형상을 통해 '감정으로 사람을 감화'시키고, 더욱이 '이치로 사람을 설복'시켜야 한다", 3. "예술 감상에 있어 감정과 이성, 사상과 감정은 변증법적으로 서로 연결되어 서로 작용한다. 그러나 사상과 이성의 활동이 예술 감상의 기초이다", 4. "반드시 마르크스주의의 예술창작 지도와 작가의 사상개조를 고수해야 한다. 저우구청의 주정주의는 작가가 자산계급의 문예방향을 향해 가게 하므로 반드시 비판해야 한다" 등 네 가지 관점을 제기하였다.

8일, 『광명일보』에 자원자오의 「새로운 영웅 인물의 빛나는 본보기로 군중을 교육하자用新英雄人物的光輝榜樣教育群眾」가 발표되었다.

9일, 『해방군보』에 자오푸추의 산문 「아무개가 세 번 울다」가 게재되었으며 주석이 추가되었다.

10일, 『해방군보』에 구궁의 시 「승리의 송가勝利的頌歌」가 발표되었다.

『산둥문학』 2월호에 징리민荊立民의 평론 「『삼가항』과 『고투』는 '계급조화론'의 본보기이다 <三家巷>和<苦鬥>是"階級調和論"的標本」가 발표되었다.

11일, 『문예보』 제2호에 하오란의 「열정적인 격려, 강력한 편달 – 『화창한 날』 농민 독자 좌담회에서의 발언熱情的鼓勵 有力的鞭策——在<艷陽天>農民讀者座談會上的發言」, 자오진량의 「사오취안린 동지는 어째서 이상적인 영웅 인물을 창작하는 것을 반대하는가」가 발표되었다.

자오진량은 글에서 "이상적인 영웅 인물을 창작하는 것이 '현실에서 동떨어진' 것인가? 이상적인 영웅 인물을 창작하는 것이 '한 계급당 한 가지 전형'인가? 소위 '발전 과정' 창작의 의미는 무엇인가?" 등 세 가지 문제에 관해 토론을 전개하였다. 그는 "무산계급의 문예는 혁명의 현실생활을 반영하고, 현실에 대한 묘사를 통해 위대한 혁명의 이상을 표현해야 한다. 혁명의 작가는 혁명의 영웅 인물을 노래하고, 영웅 인물에 대한 찬양을 통해 우리의 시대정신을 반영해야 한다. 현실생활 속에 우리 시대의 이상에 부합하거나 혹은 이에 근접한 영웅 인물이 존재하는데, 어째서 작가가 이들에 대해 창작하면 안 되는가?……이들을 노래하는 것은 곧 우리의 위대한 시대를 노래하는 것이고, 사회주의와 공산주의를 노래하는 것이며, 무산계급과 노동군중을 노래하는 것이다. 이들은 오늘은 소수를 차지하지만 내일이면 다수가 될 것이다……맹아萌芽를 부인하는 것은 발전을 부인한다는 것이며, 이는 곧 방향을 포기한다는 것이다. 사오취안린 동지는 '맹아만을 창작하면 길이 좁아진다'는 핑계 아래 영웅 인물 창작을 반대하는데, 이는 바로 그가 생활의 변증법을 부정하고 혁명의 방향을 포기했음을 설명하는 것이 아닌가?"라고 보았다.

그는 사오취안린의 '한 계급당 한 가지 전형'론에 대해 "사오취안린 동지는 '한 계급당 한 가지 전형'이라는 구실 아래 이상적인 영웅 인물을 창작하는 것을 반대하는데, 그 본질은 무산계급 영웅 인물의 공통성에 반대하고, 공통성에서 벗어난 소위 개성에 대한 묘사를 제창해 그의 '중간 인물 창작' 주장을 위해 길을 개척하려는 것이다. 이는 사오취안린 동지가 우리 문학의 전투성에 반대하고, 우리 문학의 혁명의 영혼을 제거하려 한다는 것을 보여준다. 이는 시대의 요구에 완전히 위배되며, 무산계급의 문예 방향과 대립하고, 인민의 바람과도 반대되는 것이다"라고 보았다.

마지막으로 사오취안린의 '발전 과정'의 본질에 관해 자오진량은 "그가 말한 '발전 과정'은 우리가 말하는 영웅 인물의 성장, 단련, 성숙이라는 혁명화 과정이 아니라, 영웅 인물의 결함과 결점을 가리킨다. 소위 '영웅 인물 창작'을 위해서는 반드시 '그 발전 과정을 창작해야 한다'는 주장은 반드시 영웅 인물의 결점에 대해 창작해야 한다는 것이다"라고 분석하였다.

그는 사오취안린에 대해 "그 본질은 자산계급이 자신들의 모습에 따라 무산계급의 영웅 인물을 개조하고, 당과 세계를 개조하려는 것이다. 이는 사회주의의 새로운 제도, 새로운 인물, 새로운 분예에 대한 자산계급의 악의적인 왜곡이며, 그들이 무산계급 문학에 반대하는 일종의 수단이다. 그들의 목적은 새로운 영웅 인물의 얼굴에 먹칠을 해 영웅 인물을 '좋지도 나쁘지도 않고, 좋기도 나쁘기도 한' '중간 인물'로 끌어내려 영웅 인물을 '비영웅화'하는 것이다. 이는 문학의 혁명 영혼을 없애고, 문학이 사회주의와 공산주의 정신으로써 인민을 교육하는 위대한 전투적 역할을 제거하며, 끝내 무산계급의 사회주의 문학을 자산계급의 문학으로 바꾸려는 것이다. 이것이 바로 '반드시 결점을 창작해야 한다'라는 주장의 반동적인 본질이다"라고 밝혔다.

12일, 『인민문학』 2월호에 광웨이란의 시 「봄빛을 빼앗아 무장하는 데 쓰다奪取春光用武裝」가 발표되었다.

13일, 『인민일보』에 궈모뤄의 「미국 강도를 통렬히 질책한다痛斥美國強盜」, 구궁의 「승리의 송가」 등의 시, 시훙의 산문 「적의 입을 닫아 버리자―베트남의 어느 전투하는 어촌을 방문하다把敵人的嘴巴封起來――訪問越南一個戰鬥的漁村」가 발표되었다.

14일, 『문학평론』 제1호에 위관잉의 평론 「해로운 소설―「도연명이 「만가」를 쓰다」(천샹허 작)一篇有害的小說――＜陶淵明寫挽歌＞(陳翔鶴作)」가 발표되었다. 그는 글에서 이 소설에 대해 "내용이 어둡고 소극적인 사상과 정서로 가득해 음울한 인생관을 선전하고 있다", "이러한 소설은 의심할 여지 없이 몰락 계급의 마음의 소리를 퍼뜨리는 기계로, 사회주의에 불만을 가진 분자들의 공감밖에는 없을 수 없다", "이 소설의 영향은 해롭다"라고 보았다. 같은 호에 장리원의 「전사 희극의 사상과 예술戰士戲劇的思想和藝術」, 샤오취안肖泉의 「은막 위의 레이펑 형상銀幕上的雷鋒形象」 등의 글이 발표되었다.

15일, 『전영문학』 제1, 2호 합본에 지예紀葉의 「향기로운 꽃인가, 아니면 독초인가?是香花, 還是毒草?」, 왕야뱌오王亞彪의 「「육친」이 선전하는 것은 도대체 어떤 사상 감정인가?＜親人＞宣揚的究竟是什麼樣的思想感情?」, 후창胡昶의 「자산계급과 평화 사상의 독소를 퍼뜨리는 작품一部散發著資産階級和平思想毒素的作品」 등 영화문학 극본 「육친」(왕위안젠의 동명의 소설을 각색)에 대해 비판한 글이 여러 편 발표되었다.

『인민일보』에 바진의 글 「영웅적인 베트남 인민은 반드시 승리하리英雄的越南人民必勝」가 발표되었다.

16일, 『문예보』 제2호에 옌모顏默의 「누구를 위해 만가를 쓰는가?爲誰寫挽歌?」가 발표되었다. 그는 글에서 천샹허의 역사소설 「광릉산廣陵散」과 「도연명이 만가를 쓰다」에 대해 비판하였다. 같은 호에 전문 논고「공농병의 평론은 훌륭하다工農兵的評論好得很」, 평론가의 글「영화「레이펑」의 탄생을 환영한다歡迎電影＜雷鋒＞出世」,「빈농과 하층 농민이『화창한 날』을 즐겨 읽다貧下中農喜讀 ＜豔陽天＞」,「『문예보』에 대한 몇 가지 비평과 건의對＜文藝報＞的幾點批評和建議」(독자 서신)가 발표 되었다.

17일, 상하이인민예술극원 화극 1단이 저우정싱周正行, 거나이칭葛乃慶, 위안이링袁一靈의 원 작을 합동 각색한 4막 희극喜劇「1001일一千零一天」을 공연하였다. 황쭤린이 감독을 맡았다. 극본 은『극본』제2호에 발표되었다.

『베이징만보』에 판싱의 글「나의「유귀무해론」은 잘못되었다我的＜有鬼無害論＞是錯誤的」가 발 표되었다(18일자『인민일보』,『광명일보』및『베이징문학』3월호에 전재). 판싱은 글에서 자신이 "문학유산에 대한 잘못된 관점" 탓에 "반동적인 귀신극(멍차오가 각색한「이혜낭」)을 높이 평가했 다"라고 반성하면서, 앞으로 "전통 관념과 철저히 결별하겠다"고 밝혔다.

『광명일보』에 부린페이의 글「반사회주의적인 사상과 예술─멍차오 동지의 곤곡「이혜낭」비 판 발문反社會主義的思想和藝術──批判孟超同志的昆劇＜李慧娘＞代跋」이 발표되었다.

18일, 『인민일보』에 기사「경극공작자들이 경극예술의 고조에 오른 또 한 번의 혁명적 행동 ─「갈대숲의 불씨」를 수정해「사자방」으로 제목을 변경하다京劇工作者攀登京劇藝術高峰的又一革命行 動, ＜蘆蕩火種＞修改重排改名＜沙家濱＞」가 게재되었다.

19일, 『광명일보』에 마치의 글「반동적인 예술 감상 이론─저우구청의「미의 존재와 진화」 를 평하다反動的藝術欣賞理論──評周穀城＜美的存在與進化＞」가 발표되었다. 그는 글에서 저우구청이 제기한 예술 감상 과정에서의 "주관의 변동"과 "객관의 불변"이라는 관점에 대해 비판하였다.

20일, 『희극보』제2호에 독자 투고문「『희극보』의 사설 몇 편을 통해 잡지의 편집사상을 보 다從＜戲劇報＞的幾篇社論看它的編輯思想」가 발표되었다.

『인민일보』에 장리원, 예자린葉加林의 평론「위대한 공산주의 전사의 빛나는 형상─영화「레이 펑」의 예술적 처리에 관하여偉大的共産主義戰士的光輝形象──談電影＜雷鋒＞的藝術處理」가 발표되었다.

21일, 『인민일보』에 뤼더선의 글 「중간 인물'과 전형 문제—사오취안린 동지의 '중간 인물 창작' 문학 주장을 반박한다」가 발표되었다. 그는 글에서 "공농병 영웅 인물의 전형 형상을 창작하는 것은 역사가 부여한 사명이다", "혁명과 새로운 사물을 구가하는 것은 마르크스주의 전형 이론의 중요한 내용이다", "영웅 인물을 배척한 후의 다양화는 우리의 문예를 수정주의의 막다른 길로 인도할 뿐이다"라고 보았다.

『광명일보』에 류강지의 「인민 군중에 대한 '중간 인물 창작' 선동자의 견해를 반박한다」가 발표되었다. 그는 글에서 "사오취안린이 보기에 우리 시대의 인민군중은 이러하다. 정치 면에서는 사회주의와 자본주의의 길 사이에서 흔들리는 인물이며, 정신적인 면모 혹은 심리 상태 면에서는 전통적인 구사상과 옛 의식의 무거운 짐을 지고, 혁명 정신이 거의 없거나 혹은 아예 없는 음울한 인물이다"라고 보면서, 이러한 "수많은 인민군중을 '중간 인물'로 보는 것은 자산계급의 반인민적인 관점이다"라고 보았다.

23일, 저우양이 중국문련 각 협회와 중요 간행물의 책임자들을 소집해 회의를 개최해 '23조'를 관철할 것을 요구하였다. 그는 비판의 글을 쓸 때 "신빙성 없는 말"을 하거나, "함부로 추측"하거나, "함부로 누명을 씌우지" 않고, "단편성과 절대화"를 방지하고, "교조주의"를 삼가야 한다고 지적하면서, 샤옌과 톈한 등에게 "역사 관점을 가져야 한다", "대립한 것을 분리해야 한다", "정치와 학술을 분리해야 한다"라고 강조하였다.

『인민일보』에 리잉의 시 「짜오린춘집」(3편)이 발표되었다.

25일, 저우언라이 등 국가 지도자들이 중국인민해방군 해군 정치부 문공단 화극단이 공연한 화극 「적도의 전고赤道戰鼓」(해군 정치부 문공단 화극단 합동 창작, 리황, 장펑이, 린인우, 주쭈이 집필, 장펑이 감독. 극본은 『인민문학』 4월호에 발표)를 관람하였다. 궈모뤄는 이 작품이 "성공한 이유는 혁명적인 내용뿐만 아니라 고도의 예술성 또한 갖췄기 때문이다"라고 보면서, "작품의 음악과 무용이 모두 빠른 리듬을 가지고 있으며, 무대 전체가 찬란한 색채로 가득하다"라고 평하였다. 그는 또한 "이 작품은 혁명적 현실주의와 혁명적 낭만주의의 성공적인 결합이다", "희극의 현대화와 혁명화에 있어 높은 지표를 제시하였다"라고 칭찬하였다(「적도의 전고」를 보고看了 <赤道戰鼓>」, 『인민일보』 3월 6일자). 천페이친陳斐琴은 "「적도의 전고」의 언어는 근본적인 특징과 요구에 근거해 아프리카 인민의 독특한 언어를 흡수하였다. 이 작품의 언어는 웅장하고 아름답기도 하고, 세밀하고 정교하기도 하고, 날카롭고 신랄하기도 하며, 함축적이고 중의적이기도 하다. 이는 생활의 언어이자 예술의 언어이다. 이러한 성공적인 언어는 인물의 서로 다른 성격을 생동감 있게 표현하였다. 또한 전투의 격정적이고 논쟁적인 언어는 극 전체의 기조이다. 이는 혁명적인 내용을 더욱 선명하게 하고, 극의 전투적인 격정을 강화했을 뿐만 아니라 그 감화력이 더욱 깊어지게 했다"라고 보았다(「적도의 전고」의 창작에 관하여談＜赤道戰鼓＞的創作」, 『문학평론』 제1호).

『인민일보』 '학술 연구'란에 루쉰의 「어디에서 온 물건인가? 누구와의 경계를 분명히 하는가? ─저우구청의 반동적 관점의 몇 가지 이론적 근원을 평하다貨色從何而來？同誰劃淸界限?──評周穀城反動觀點的幾個理論來源」가 발표되었다. 그는 글에서 저우구청의 반동적 관점의 이론적 근원이 미국 학자 듀이의 실용주의 철학과 베르그송의 유심주의 철학, 그리고 신헤겔주의의 반동적 관점이라고 보았다.

25일~4월 8일, 화베이지구 화극 가극 관람공연대회가 진행되었다. 대회에서는 「퇴근 전후下班前後」(산시성 타이위안시화극단太原市話劇團), 「전홍도戰洪圖」(허베이성화극원河北省話劇院), 「바오강 사람包鋼人」(네이멍구자치구 공연단 화극단), 「눈바람이 봄을 맞이하다飛雪迎春」(톈진인민예술극원天津人民藝術劇院), 「산촌에 꽃이 한창 붉다山村花正紅」(베이징부대전우문공단화극단北京部隊戰友文工團話劇團), 「생활의 오색 띠」, 「광산 형제礦山兄弟」(베이징인민예술극원), 「류후란」(산시인민화극단山西人民話劇團), 「타이항산맥의 고상한 기풍太行高風」(산시인민화극원山西人民話劇院, 진난문공단晉南文工團) 등의 작품이 상연되었다.

27일, 중국인민해방군 공군 정치부 문공단 화극단이 베이징에서 5막 6장 화극 「여자 조종사女飛行員」를 공연하였다. 극본은 펑더잉, 리징黎靜, 딩이싼이 창작하고 펑더잉이 집필하였으며 둥쥐董琚, 왕런王仁이 감독을 맡았다. 극본은 『인민일보』 3월 7일자에서 12일자까지 연재되었다.

28일, 『인민일보』에 화극 「대대로 붉다代代紅」 관한 바이수이의 평론 「대대로 마오쩌둥 사상을 계승하자一輩一輩地把毛澤東思想接過來」가 발표되었다.

이달에 자오수리 가족 전체가 베이징을 떠나 산시山西성 타이위안으로 이주하였다. 그는 이후에 중공 진청晉城현위원회 부서기를 맡아 문화공작을 관장하였다. 그는 이 시기에 장편소설 『집戶』의 구상을 시작했으나 생전에 창작하지 못했다.

리지의 『석유시石油詩』, 궈샤오촨의 『쿤룬행昆侖行』, 『시간』 잡지사에서 편찬한 『낭송시선朗誦

詩選』등의 시집과 양샤오의 『불꽃火苗』, 루양례陸揚烈의 『하녀 진주女奴金珠』등의 단편소설집이 작가출판사에서 출간되었다. 이 가운데 리지의 시집『석유시』의 인쇄 부수는 1~21,000권이며 2집으로 구성되었다. 제1집에는 시인이 1953년에서 1964년 사이에 석유공업을 소재로 창작한 단시 40편이 수록되었으며, 제2집에는 석유공업전선을 반영한 장시 2편이 수록되었다.

옌쑤閻肅가 각색한 가극『장제』가 중국희극출판사에서 출간되었다.

3월

1일, 『인민일보』에 치샹천의 「멍차오의 신작 「이혜낭」을 다시 평하다」(2일자『광명일보』에 전재)가 발표되었으며 '편집자의 말'이 추가되었다.

『해방군문예』제3호에 뤄쓰웨이羅思維의 「「육친」은 나쁜 소설이다<親人>是一篇不好的小說」가 발표되었으며 편집자의 말이 추가되었다. 뤄쓰웨이는 글에서 "작가가 이 소설을 쓴 것은, 창작할 당시에는 어쩌면 공산당인들이 소위 '친척을 모른 체'하고 '인지상정에 어긋난다'는 모욕에 대한 일종의 대답이었을지도 모른다. 그러나 작품이 집단주의와 혁명영웅주의 및 낙관주의라는 입장에 서서 개인의 득실, 행복과 불행, 슬픔과 기쁨을 묘사하지 못하고, 혁명의 선배들과 혁명 열사 유족들의 사상 감정에 대해 진실하게 묘사하지 못했기 때문에 정확한 대답을 하지 못했다"라고 보았다.

같은 호에 역시「육친」을 비판한 제이위안節亦源의 「「육친」은 반드시 비판해야 한다<親人>必須批判」가 발표되었다. 그는 글에서 "이 소설은 사상 경향 면에서 오류가 존재하는 작품이며, 사상 감정이 매우 해로운 작품이다", "우선, 나는 이 소설의 근본적인 사상이 틀렸다고 본다", "둘째로, 나는 작가가 열정적으로 노래하는 소설의 주인공 쩡쩡 사령관이 사상 감정이 통속적이고 저속한 인물이며, 현실적이지 못한 인물이라고 본다"라고 밝혔다.

『창장문예』3월호에 리더푸의 소설「온갖 꽃이 만발해야 비로소 봄이다萬紫千紅才是春」가 발표되었다.

『허베이문학』3월호에 완마오이萬卯義의 「위대한 사회주의 시대를 왜곡해서는 안 된다不許歪曲偉大的社會主義時代」, 딩다화丁大華의 「어째서 그렇게 '중간 인물'을 좋아하는가爲什麼那麼愛"中間人物"」, 샤오퉁성肖同生의 「영웅적인 모범 인물을 통해서만 인민군중을 교육해야 한다只有用英雄模範人物來教育人民群衆」, 마시천馬喜臣의 「나에게 본보기를 수립해 준 것은 영웅 인물이다是英雄人物給我樹立

了榜樣」, 장머우허우張謀厚의 「영웅은 아무리 창작해도 끝이 없다英雄寫不完」, 장춘차오의 「우리는 반드시 혁명 인민의 공과 덕을 노래해야 한다我們一定要歌革命人民之功，頌革命人民之德」 등 전사들이 '중간 인물 창작'이라는 자산계급 문학 주장을 반대한 글이 여러 편 발표되었다.

4일, 문화부에서 「1965년의 『마오쩌둥 저작 선독』 출판공작 수행에 관한 통지關於一九六五年做好＜毛澤東著作選讀＞出版工作的通知」를 발포해, 전국의 출판 부문에 인쇄용지와 인쇄 역량의 안배에 있어 학생들이 사용할 교과서 외에는 『마오쩌둥 저작 선독』의 인쇄를 우선시하여, 올해 일반도서 용으로 분배된 용지의 40~50% 혹은 그 이상의 용지를 『마오쩌둥 저작 선독』의 인쇄에 사용할 것을 요구하였다.

『베이징문예』 3월호에 2월 25일에 진행된 화베이지구 화극 가극 관람공연대회 개막식에서의 덩퉈의 연설 「마오쩌둥 사상의 홍기를 높이 들고, 희극 혁명화를 더욱 잘 실현하자高擧毛澤東思想紅旗，進一步實現戲劇革命化」가 발표되었다.

『인민일보』에 마치의 「미학 논쟁에서의 저우구청의 태도와 방법을 평하다評周穀城在美學論戰中的態度和方法」가 발표되었다. 그는 글에서 저우구청이 논쟁에서 "위장으로 자산계급사상을 가리고 있다", "문제의 진상을 궤변으로 왜곡하고 있다", "억지를 써서 비평을 막고 있다"라고 보았다.

『해방군보』에 궁시의 시 「고원의 운전병高原汽車兵」과 궈모뭐가 화극 「적도의 전고」를 감상한 후 해군 정치부 문공단에 보낸 글이 발표되었다. 글의 내용은 다음과 같다. "적도의 전고는 아프리카의 심장을 울리고, 압박받는 인민의 심장을 두드려, 제국주의를 불길 속에 밀어 넣는 열화다!"

5일, 『광명일보』에 탄페이성의 평론 「광산에서의 사상투쟁―화극 「광산 형제」를 보고礦山上的思想鬥爭――話劇＜礦山兄弟＞觀後」가 발표되었다.

6일, 『인민일보』에 궈모뭐의 「「적도의 전고」를 보고看了＜赤道戰鼓＞」가 발표되었다.

7일~12일, 『인민일보』에 펑더잉이 집필한 화극 「여자 조종사」가 연재되었다. 이 기간에 이 작품에 관한 평론이 여러 편 발표되었다.

8일, 베이징인민예술극원이 27극장二七劇場에서 리다쳰李大千 등이 합동 창작한 소화극小話劇

「배양培養」을 공연하였다. 팡관더가 감독을 맡았으며 저우정周正, 쑨펑친孫鳳琴 등이 주연을 맡았다. 극본은『베이징문예』3월호에 발표되었다.

10일,『산둥문학』3월호에 사오취안린을 비판한 글「마오쩌둥 문예사상의 홍기를 높이 들고, 자산계급의 문학주장을 엄중히 비판하자ー성 문련에서 개최한 '중간 인물 창작' 비판 좌담회 요록高昂毛澤東文藝思想紅旗，嚴肅批判資産階級文學主張——省文聯召開的批判"寫中間人物"座談會紀要」이 발표되었다. 글은 "'수많은 여러 계층은 중간 상태의 인물이다'라는 견해는 우리의 위대한 현실에 대한 비방이며, 공농병 군중에 대한 심각한 모독이다. 공농병 영웅 형상은 사회주의 시대의 시대정신을 표현했으므로 강렬한 교육 및 격려의 효과가 있다. '중간 인물'로써 '중간 인물'을 교육한다면 인민에게 해를 끼치고, 인민의 생활이 전진하는 것을 방해하게 될 뿐이다. '현실주의 심화'의 본질은 혁명적 현실주의와 혁명적 낭만주의의 결합이라는 창작방법에 반대하고, 창끝을 우리 사회주의의 현실을 '비판'하도록 돌리는 것이다. 반드시 전투를 계속해 문예 영역에서의 자산계급의 난폭한 공격을 단호히 분쇄해야 한다"라고 밝혔다. 같은 호에 가오앙高昂의「우리에게는 빛나는 영웅 형상이 필요하다我們需要光輝的英雄形象」등의 글이 발표되었다.

11일,『문예보』제3호에 판쯔바오, 자오진량, 왕셴페이의「량싼 노인, 팅멘후, 옌즈허를 어떻게 평론할 것인가怎樣評論梁三老漢＇亭面糊＇嚴志和」가 발표되었다. 이들은 글에서 "어째서 이 세 명의 인물이 비교적 잘 표현되었는가? 이 세 인물의 창조에 나타난 득과 실은 우리의 문학창작에 어떠한 보편적 의의를 가진 경험을 제공하는가? 이들의 사상적 의의를 어떻게 평가할 것인가? 이들이 혁명문학의 발전 속에서 가지는 지위와 영향을 어떻게 평가할 것인가?" 등의 문제에 관해 사오취안린과 논쟁을 진행하였다. 사오취안린은 자신의 '중간 인물 창작' 논점을 설명하기 위해『창업사』의 량싼 노인,『산촌의 대격변』의 팅멘후,『홍기보』의 옌즈허 등 세 인물을 예로 든 바 있다. 이 글은 이상의 세 인물에 대한 분석을 통해 사오취안린의 관점에 반박하였다. 이들은 글에서 "사오취안린 동지는 자신의 '중간 인물 창작' 이론을 선전하기 위해 량싼 노인 등의 형상을 곡해해 문학창작이 계급투쟁과 두 노선 사이의 투쟁을 회피하고 말살하게 하고, 영웅 인물의 중요한 의의를 폄하해 혁명 영웅 인물을 배척하려 했다. 그러나 량싼 노인 등 세 인물 형상 창작의 득과 실은 사오취안린 동지와는 상반되는 결론을 제공한다. 이는 즉 시대를 강력하고 깊이 있게 반영하기 위해서는 반드시 시대의 주된 모순, 그리고 모순의 주도적인 방향을 반영해야 하며, 오늘날에는 반드시 두 가지 노선 사이의 투쟁을 반영하고, 혁명 인물을 창작해 사회주의의 긍정적인 역량을 표현해야 한다는 것이다. 사오취안린 동지는 량싼바오 형상이 가진 혁명적 의의와 전형적 의의를 멋대로 폄하하고, '전형 인물로서는 수많은 작품 속에서 찾아볼 수 있다', '가장 성공적인 형상은 아니다'라는 등 경멸조의 발언을 한 바 있다. 이는 일부러 혼란을 조성해 자신의 '중간 인물 창작'이라는 반동적인 주장을 선전하기 위함이 아니겠는가?"라고 밝혔다.

『광명일보』에 양양의 평론 「류후란의 영웅적인 모습이 우리를 고무한다─화극 「류후란」을 보고劉胡蘭的英雄形象鼓舞著我們──話劇<劉胡蘭>觀後」가 발표되었다.

12일, 『인민문학』 3월호에 마오루茅廬의 「추이진화崔金花」, 쉬싱룽許星槳의 「모종 기르는 사람育苗人」 등의 소설이 발표되었다. 같은 호에 '민병의 노래民兵之歌'라는 제목으로 리루칭의 「괴국영웅찬慣國英雄贊」, 런훙쥐의 「군인과 인민이 모두 무에 능하다軍民會武」, 장수선張書紳의 「총槍」, 류장劉章의 「공사의 여자 민병公社女民兵」 등의 시가 발표되었다.

13일, 경극 「홍등기」가 상하이에서 공연되었다. 『문회보』에 '경극 「홍등기」를 학습하자'란이 개설되어 4월호까지 지속되었으며, 쉬징셴, 웨이밍衛明, 류창위劉長瑜, 첸하오량 등의 글 20여 편이 발표되었다.

『해방군보』에 구궁의 보고문학 「강한 자 위에 더 강한 자가 있다强中更有強中手」가 발표되었다.

『인민일보』에 본지 편집자와 천지민陳濟民이 서신으로 '고전문학 작품을 구별해서 대해야 한다'라는 문제에 관해 토론한 내용이 게재되었다.

15일, 『전영문학』 3월호에 딩훙 등이 창작한 영화문학 극본 「레이펑」이 발표되었다.

16일, 『해방군보』에 샤궈夏果의 「전투의 노래, 영웅의 노래─화극 「전홍도」를 보고戰鬪的歌, 英雄的歌──話劇<戰洪圖>觀後」가 발표되었다.

17일, 『해방군보』에 화극 「적도의 전고」와 「여자 조종사」의 인물지人物志가 발표되었다. 첨부된 '편집자의 말'은 "이 이야기들을 통해 이 훌륭한 화극 두 편을 연대의 동지들과 수많은 독자에게 소개한다"라고 밝혔다.

18일~20일, 베이징경극단이 호극 「갈대숲의 불씨」를 바탕으로 합동 각색한 「사자방」이 『인민일보』에 연재되었다. 추가된 '편집자의 말'은 「사자방」이 "무장투쟁의 역할을 강조하여 이 극이 역사의 진실에 더욱 부합하게 하였다"라고 밝혔다. 같은 호에 궈한청의 평론 「경극 「사자방」의 각색을 평하다試評京劇＜沙家濱＞的改編」가 발표되었다.

19일, 문화부에서 「정기 간행물 원고료 하향 및 정기 간행물, 총간, 총서의 편집비 취소에 관한 통지關於降低期刊稿費及取消期刊'叢刊'叢書編輯費的通知」를 발포해 정기 간행물의 원고료를 동류의 서적의 원고료보다 높게 책정하지 않도록 하고, 각종 정기 간행물, 총간, 총서 편집기관의 편집비를 취소할 것을 규정하였다.

21일, 『인민일보』 기사는 저우언라이가 양웨이楊威, 궈젠郭健이 집필한 화극 「류후란」을 관람했다고 전했다.

23일~27일, 『광명일보』에 '경극 「홍등기」 무대 아래에서'라는 제목으로 「홍등기」에 관한 글이 여러 편 발표되었다.

24일~4월 28일, 라오서가 중국작가대표단을 인솔해 일본을 방문하였다.

25일, 『수확』 제2호에 양밍楊明의 장편소설 『강과 바다가 용솟음치다江海奔騰』(제1부), 쥔칭의 산문 「큰 파도가 끝없이 밀려오다不盡巨濤滾滾來」, 상하이인민예술극원이 합동 창작한 6막 화극 「남방에서 온 편지」, 딩촨丁川의 평론 「'모순은 중간 인물에 집중되어 있는 경우가 많다'는 설의 본질을 꿰뚫어 보다透視"矛盾往往集中在中間人物身上"一說的實質」가 발표되었다. 딩촨은 글에서 사오취안린 등이 제기한 '중간 인물 창작' 주장에 대해 "다음의 몇 가지 문제에 대해 명확히 밝힌다. 혁명의 문예작품은 어떠한 모순을 어떻게 반영해야 하는가? 이러한 모순은 정말로 '중간 인물'에 '집중'되어 있는가? 소위 '중간 인물'을 통해 현실생활 속의 각종 모순을 진실하게 반영할 수 있는가?" 등의 의문을 제기하고 하나하나 답변하였다. 그는 "오늘날, 우리는 사회주의 사회에 살고 있다……사회의 주된 모순이란 무산계급과 자산계급 사이의 계급 모순이며, 사회주의와 자본주의라는 두 노선, 두 사상 사이의 투쟁이다……사회주의 문예는 응당 이러한 사회 모순을 반영해야 한다……사회주의 문학이 반영하는 모순은 사실상 무산계급을 일으키고 자산계급을 타도하는 투쟁의 과정이다……무산계급과 자산계급의 계급투쟁 속에서, 사회주의와 자본주의라는 두 노선의 투쟁 속에서, 무산계급과 무산계급이 지도하는 혁명군중은 시종일관 폭풍의 중심에 서서 모순의 주도적인 방향을 차지하고, 모순을 적극적으로 해결하고 역사의 전진을 추진해 왔다. 작가는 가장 큰 힘을 들여 무산계급과 혁명군중 속의 영웅 인물을 창조해야만 현대의 사회적 모순을 정확하게 반영하고, 시대정신을 표현할 수 있다"라고 보았다. 그는 마지막으로 사오취안린 등이 제기한 '중간 인물 창작' 주장의 사상적 근원에 관해 한층 더 분석 및 비판하면서 "사오취안린이 '모순은 중간 인물에 집중된 경우가 많다'고 한 것은 사실상 자산계급 문학의 기준에 따라 사회주의 사회 속의 인물의 내면적인 갈등을 묘사하도록 요구하고, 무산계급 문학이 새 시대의 노동인민과 영웅 인물의 풍부하고 건강한 정신세계를 18, 19세기 자산계급의 비판적 현실주의 작품 속의 '하찮은 인물', '잉여 인간'과 자산계급 개인주의자와 같이 마음속에 고민과 비관과 절망의 정서가 가득한 것처럼 묘사하도록 요구하는 것이다……오늘날, 사오취안린 동지가 '모순은 중간 인물에 집중되어 있는 경우가 많다'는 주장을 통해 비판적 현실주의라는 낡은 방식으로 새로운 사회와 새로운 인물을 창작할 것을 제창하는 것은 자산계급 문예관을 선전하는 것뿐만이 아니라 자산계급 세계관이 폭로된 것이기도 하다. 그의 근본적인 문제는 수많은 인민군중과 그 가운데의 영웅 인물을 모두 '중간 인물'이라고 모독하고, 또한 이들이 사회주의를 의심하고 동요하는 내면의 갈등을 묘사하라고 강조한 것이다. 이러한 논조는 사실상 당대 자산계급과 현대 수정주의의 논조와 유사하다"라고 밝혔다.

『중국청년보』에 「희극무대 위의 청년 영웅 인물 계보戲劇舞台上的青年英雄人物譜」가 게재되었으며, '편집자의 말'과 함께 여러 편의 희극 평론이 발표되었다.

28일, 『인민일보』에 팡옌方彦의 「류후란이라는 영웅 형상을 세심하게 창조하다－화극「류후란」 창작 과정精心塑造劉胡蘭的英雄形象——話劇<劉胡蘭>寫作經過」이 발표되었다.

30일, 『해방군보』에 구궁의 시 「어수신가(외 1편)魚水新歌(外一首)」가 발표되었다.

이달에 황톈밍黃天明의 장편소설 『변경의 새벽 노래邊疆曉歌』, 펑장鳳章의 단편소설집 『만 리의 노을彩霞萬裏』, 왕즈위안王致遠의 장편서사시 『호두 언덕胡桃坡』, 왕췬성王群生의 장시 『신병의 노래新兵之歌』, 농민가수 시초 『공사가 구름을 깔면 내가 비를 내린다公社鋪雲我下雨』 등이 작가출판사에서 출간되었다. 이 가운데 장편서사시 『호두 언덕』은 총 18장으로 구성되었으며, 인쇄 부수는 1~32,200권이다.

왕후이친王慧芹의 단편소설집『준마가 질주하다駿馬飛馳』가 베이징출판사에서 출간되었다.

저우자쥔의 단편소설집『첫 항해初航』, 위안수이파이의 『정치풍자시政治諷刺詩』(화쥔우 삽화), 톈젠의 『태양과 꽃太陽和花』 등의 시집이 작가출판사 상하이지사에서 출간되었다.

궈모뤄의 시집『영리행營離行』이 광시인민출판사에서 출간되었다.

4막 희극喜劇『1001일』(저우정싱, 거나이칭, 위안이링 원작)이 상하이문화출판사에서 출간되었다.

봄에 '노동과 문예를 동시에' 활동이 전국적으로 전개되어 아마추어 화극, 희곡 창작활동을 대대적으로 격려하였다.

4월

1일, 『해방군문예』 제4호에 리잉의 시 「짜오린춘집」(2편), 웨이민魏敏, 양유성楊有聲, 린랑林朗이 합동 창작한 화극 「대대로 붉다」, 장리원의 평론 「마오쩌둥 사상이 있어야만 대대로 붉을 수 있다－화극 「대대로 붉다」를 보고有毛澤東思想， 才能代代紅──話劇＜代代紅＞觀後」가 발표되었다.

웨이민(1925~), 극작가, 배우, 감독. 허베이성 딩현定縣 출신이다. 1938년에 팔로군에 참가하였으며 전우화극단戰友話劇團 단장, 『극본』 편집장을 역임하였다. 저서로 화극 극본 「당의 포탄을 부수는 공격粉碎糖衣炮彈的進攻」, 「봄맞이 노래迎春曲」, 「별천지가 있다別有洞天」, 「길흉사紅白喜事」(합동 창작) 등이 있다.

『창춘』 제2호에 '혁명문예는 응당 영웅 형상을 대대적으로 창조해야 한다'라는 제목으로 후더밍胡德明의 「영웅 인물은 영원히 우리의 전진을 격려한다英雄人物永遠鼓舞我們向前進」, 둥쥔치董俊啟의 「혁명 영웅 형상의 광휘가 비추는 아래在革命英雄形象的光輝照耀下」, 쿵샹밍孔祥明의 「영웅 중대는 영웅을 사랑한다英雄連隊愛英雄」, 주칭장朱清江의 「영웅은 영원히 우리 마음속에 살아 있다英雄永遠活在我們心中」, 후스쭝胡世宗의 「도대체 누가 '붉은 얼굴'을 보기 싫어하는가到底誰不愛看"紅臉"」가 발표되었다.

2일, 류사오치 등 국가 지도자들이 화베이지구 화극 가극 관람공연대회에 참가한 허베이성화극단이 공연한 화극 「전홍도」를 관람하였다.

3일, 쉬즈모의 부인 루샤오만陸小曼이 상하이화둥병원上海華東醫院에서 향년 62세로 병사하였다.

『해방군보』에 사설 「문예창작에 전력투구해 훌륭한 작품을 많이 창작하자狠抓文藝創作, 多出好作品」가 발표되었다. 같은 호에 총정치부 문화부에서 회의를 소집해 희극창작경험을 교류하였다는 내용의 기사 「공농병을 위해 복무하는 좋은 작품을 더 많이 창작하자創作更多更好的爲工農兵服務的作品」가 게재되었다. 기사는 "여섯 가지 새로운 희곡의 창작경험은 지도자, 전문가, 군중 3자의 결합이 더 많이, 빨리, 잘, 절약하는 창작방법이며, 사상, 생활, 기교 세 가지에 숙련되어야만 창작의 질을 더욱 제고할 수 있음을 증명하였다"라고 밝혔다.

4일, 『베이징문예』 4월호에 차오밍의 평론 「견실한 첫걸음－왕후이친의 단편소설집 『준마가 질주하다』를 평하다堅實的第一步——評王慧芹的短篇小說集＜駿馬飛馳＞」가 발표되었다. 그는 글에서 이 단편집에 대해 "(첫째,) 작가가 생활 속의 현상을 꿰뚫어 보고, 생활의 본질적인 것을 발굴하는 데 능하다는 것을 알 수 있다. 둘째, 작가가 묘사한 새로운 인물과 새로운 사건은 모두 계급 감정이 넘쳐흐른다. 셋째, 모든 작품에서 작가의 착안점은 사회주의 철로 건설과 투쟁이라는 중요한 과제를 둘러싸고 있다"라고 보았다.

5일, 『맹아』 4월호에 야오원위안의 「'평범한 인물 창작'을 반박한다－'중간 인물 창작'의 한 가지 논점에 대한 비판駁"寫普通人"——對於一種"寫中間人物"論點的批判」이 발표되었다. 그는 글에서 '중간 인물 창작'론 가운데 '평범한 인물' 창작이라는 논점에 대해 반박하였다. 야오원위안은 우선 '평범한 인물 창작'이 무엇인지에 대해 논술하였다. 그는 사오취안린 등이 창작한 평범한 인물은 "'쌀 한 톨'만 보고 공산주의의 이상을 잃어버리는 인물, 혁명의 각오가 부족하며 혁명정신을 잃어버린 인물이며, '비교적 심각한 결점'을 가진, 즉 머릿속에 착취계급의 사상이 짙게 남아 있는 인물이다. '평범'이라는 말은 여기서 무산계급의 각오와 이상에 반대되는 대립 면으로 쓰여, 그 창끝은 혁명과 혁명화를 향하고 있다……'평범한 인물 창작'을 제창하는 이들은 절대다수의 혁명적인 인민을 '좋시도 나쁘지도 않'고, 혁명의 기상이 없으며, 자기 눈앞의 이익만 생각하는 인물로 왜곡하였다. 이들은 평범한 자산계급 인물의 시각으로 군중의 정신적 면모를 곡해하고, 소극적이고 비혁명적이며 개인주의적인 사상을 군중의 일반적이고 보편적이며 기본적인 정신적 특징으로 간주하였다……소위 '중간 인물' 창작은 사실상 '중간 인물 창작'론자들이 강조하는 소위 '중간 인물'이다. 이는 즉 자산계급, 소자산계급 및 마음속으로 이미 자본주의화되었거나 혹은 자본주의화가 진행

중인 인물이다"라고 보면서, 창작에서의 이러한 방식의 단점을 제시하였다. "첫째, 이러한 방식은 자산계급, 소생산 노동자, 혁명 의지가 약한 사람, 각양각색의 개인주의자 등 자본주의의 부패한 사상이 스며들어 있는 '하찮은 인물'을 미화하고, 자본주의 세력을 포장하도록 유도한다……둘째, 이러한 방식은 영웅 인물의 혁명적 각오를 저하시키고, 영웅 인물의 날카로운 칼끝을 닳게 해, 사실상 영웅 인물을 평범한 소시민으로 표현하게 한다." 그는 결론에서 "'평범한 인물 창작'의 본질은 자산계급의 인성을 제창하는 것이다. 이 노선을 따른다면 사회주의 문예는 혁명의 영혼을 잃고, '하찮은 인물을 창작'하는, 즉 자본주의의 몰락한 인물과 타락한 인물을 노래하는 수정주의 문예로 변하게 될 것이다. 이 노선을 따라서는 안 된다"라고 밝혔다. 같은 호에 펑롄팡馮連芳, 바오융타오包永濤의 「우리는 중간 인물이 아니라 영웅 인물이 필요하다我們要英雄人物，不要中間人物」가 발표되었다. 이들은 글에서 '중간 인물 창작'이라는 논점에 대해 "혁명의 문예공작자는 무산계급 혁명 대오의 나팔수와 같으며, 이들이 창작한 작품은 나팔수가 연주하는 악보와 같다. 우리 전사들은 전투의 나팔소리를 듣기 좋아하는 것과 마찬가지로 영웅 인물을 노래한 작품을 읽기를 좋아한다. 이러한 작품이 우리의 투지를 북돋우고, 우리의 자신감을 고무하고, 우리가 어떻게 혁명의 후계자가 되어야 할지 교육해 주기 때문이다……그러나 사오취안린 동지는 문예작품이 '중간 인물'을 창작해야 한다고 주장한다……이는 우리의 위대한 시대에 대한 모욕이다"라고 보았다.

『후난문학』 제2호에 지이季夷의 평론 「어째서 '중간 인물 창작'론을 철저히 비판해야 하는가"寫中間人物"論爲什麼應當徹底批判」가 발표되었다. 그는 글에서 변증법적 유물주의와 역사유물주의의 관점에서 사오취안린을 비판하였다. 그는 사오취안린이 형이상학적인 관점을 택했기에 사회의 변화를 보지 못했다고 지적하면서, "비판적 현실주의와 자연주의의 몇 가지 특징을 사오취안린 동지의 '중간 인물 창작' 이론과 대조해 보면, 사오취안린 동지의 '중간 인물 창작' 이론이 사실상 자산계급의 비판적 현실주의를 부활시키려 한다는 것을 알 수 있다"라고 보았다.

『인민일보』에 궁둔公盾의 「마음을 흥분시키는 전고-화극 「적도의 전고」를 보고激動人心的戰鼓——看話劇<赤道戰鼓>」가 발표되었다.

6일~8일, 『광명일보』에 리스빈李師斌 등이 각색한 경극 현대극 극본 「기습백호단」이 연재되었으며, 8일자에 산둥성경극단 창작소조의 창작담 「열심히 학습하고, 더욱 갈고 닦자認真學習, 精益求精」가 발표되었다.

7일, 중공중앙에서 「문화부 지도 조정 문제에 관한 회답關於調整文化部領導問題的批複」을 발표해 치엔밍, 샤옌, 천황메이 등의 문화부 지도 직책을 해임하기로 결정하였다.

8일, 『인민일보』에 『해방일보』 사설 「혁명 현대 희곡의 더 큰 발전을 촉진하자促進革命現代戲曲的更大發展」의 개요가 전재되었다.

9일, 『인민일보』에 사설 「희극 무대 위의 아주 좋은 형세戲劇舞台上的大好形勢」가 발표되었다. 사설은 "혁명 현대극이 새로운 모습으로 경극 무대를 점령했다", "이 희극들은 새로운 사회주의 시대정신을 진실하게 표현했다"라고 밝혔다.

11일, 『문예보』 제4호에 리지의 「한결같이 베트남을 향하다心心向越南」, 바진의 「3천만 베트남 인민이 큰 걸음으로 전진한다三千萬越南人民大踏步前進」, 리지카이의 「중간 상태 인물 창작 방법 문제에 관하여—「그 길을 갈 수 없다」, 「젊은 세대」, 「절대로 잊어서는 안 된다」의 성공 경험을 통해 '중간 인물 창작'론을 반박한다」가 발표되었다.

리지카이는 이 글을 집필한 이유에 관해 "반년여 간의 격렬한 논쟁을 거쳐 수많은 독자들은 이 논쟁의 성격과 중대한 의의에 대해 이미 확실히 알게 되었을 것이다. 그러나 소수의 동지들은 여전히 의문과 오해가 있다. 소설 「그 길을 갈 수 없다」과 화극 「젊은 세대」, 「절대로 잊어서는 안 된다」는 모두 중간 상태의 인물을 성공적으로 묘사하였다. 이 작품들은 어떠한 경험을 가지고 있는가? 이러한 경험은 무엇을 설명해 주는가? '중간 인물'론을 따른다면 이처럼 성공적인 작품과 중간 상태의 인물을 창작할 수 있는가? 나는 이 세 편의 작품에 대한 분석을 통해 한편으로 일부 동지들의 의문과 오해에 대답하고, 다른 한편으로는 '중간 인물 창작'론의 반동적인 본질을 진일보 폭로하고자 한다"라고 밝혔다.

그는 혁명 작가가 창작한 작품은 반드시 "계급투쟁을 정확히 반영하고, 중대하고 의미 있는 사회 문제를 제기하고 또한 해답을 제시해야 한다"라고 보면서, "이 점에 대해 '중간 인물 창작'론자들은 다른 관점을 가지고 있다. 우선, 이들은 항상 작가와 평론가로 하여금 계급투쟁의 관점에서 동떨어져 중간 상태의 인물을 창작하고 평가하도록 유도하려 한다……둘째로, '중간 인물 창작'론자들은 계급투쟁을 강조하지 않을 뿐만 아니라, 오히려 계급 조화를 부추긴다……셋째로, 우리는 중간 상태의 인물을 묘사하는 작품은 문제를 제기하는 것뿐만 아니라 정확한 관점에 따라 문제를 해결하고, 사회주의 사상이 자본주의 사상을 상대로 필연적으로 승리를 거두는 것을 선명하게 표현해야 한다고 본다. 반면에 '중간 인물 창작'론자들은 작가가 라이 아주머니와 같은 인물을 묘사함에 있어 문제를 제기하기만 하고 해결하지 않아도 되며, 분명한 태도를 표하지 않아도 된다고 본다", "중간 상태의 인물을 창작하는 것은 가능하다. 그러나 창작이 가능하다는 것과 이를 대대적으로 묘사해도 되는가 하는 것은 다른 문제이다. '중간 인물 창작'론의 오류는 이 논점이 선진적 인물과 영웅 인물 창작에 반대하고 소위 '중간 인물'의 대대적인 창작을 제창해, '중간 인물'이 문예 무대의 주도적인 위치를 점하게 만들려 한다는 데 있다. 이는 방향과 노선의 오류로, 우리는 반드시 이를 단호히 반대해야 한다. 우리의 주장은 우선 선진적인 인물을 대대적으로 묘사해 이들이 문예 작품에서 주도적인 위치를 점하게 하고, 이들을 통해 무산계급이 현실을 개조하는 위대한 역량과 혁명 이상의 광휘를 표현해야 한다는 것이다. 이러한 전제하에 중간 상태의 인물을 비롯해 여타 각양각색의 인물을 정확히 묘사하는 것은 가능하며 또한 필요한 일이다"라고 보았다.

12일, 『인민문학』 4월호에 중국인민해방군 해군 정치부 문공단 화극단이 합동 창작한 7장 화극 「적도의 전고」가 발표되었다.

13일, 『인민일보』에 장즈민의 시 「난하이의 여자 민병南海女民兵」이 발표되었다.

『중국청년보』에 사설 「공청단 조직은 지식청년의 상산하향 공작을 철저히 진행해야 한다!共青團組織要把知識青年下鄉上山工作抓起來, 抓到底!」가 발표되었다.

14일, 『문학평론』 제2호에 부린페이의 「「전홍도」의 창작에 관하여談＜戰洪圖＞的創作」, 류허우성의 「「대대로 붉다」 찰기＜代代紅＞劄記」, 자원자오의 「찬란히 빛나는 새로운 영웅 형상을 창작하자—사오취안린 동지의 '중간 인물 창작' 이론을 반박한다」가 발표되었다. 자원자오는 글에서 문예가 반드시 "새로운 시대와 노동 인민을 노래해야 한다", "영웅 인물의 빛나는 형상을 통해 군중을 교육하고, 사회주의 정치와 경제의 기초를 위해 복무해야 한다", "새로운 영웅 인물을 창조하는 것이 넓은 길이다"라고 보면서, 반면에 "사오취안린 동지가 이끄는 옛 현실주의의, '중간 인물' 창조의 길은 현실을 반영하는 정도가 아니라 현실을 왜곡하는 잘못된 길이며, 사회주의 문예의 길이 아니라 수정주의 문예의 길이다. 이 길은 죽음의 길이며, 막다른 길이다", "사오취안린 동지는 '중간 인물 창작'을 제창하면서 '어두운 심리'와 '오래된 것', '몇 천 년간의 농민 개개인의 정신적인 짐'을 창작할 것을 크게 강조하였다……그가 만들어낸 '중간 인물'이라는 지극히 비과학적인 개념은 사실상 낙후된 인물을 가리킨다……만약 그의 주장을 따라 이런 낙후된 인물이 문예 영역에서 주도적이고 우세한 위치를 점하게 한다면, 우리 문예의 현실을 이끄는 역할을 없애고, 우리 문예의 사회주의적이고 공산주의적인 사상 내용을 제거하며, 우리 문예가 사회주의와 공산주의 사상으로써 인민을 교육하는 임무를 취소하게 된다. 이렇게 되면 우리의 문예는 혁명성을 상실하고 자본주의 문예로 타락하게 되어, 이를 사회주의의 상부 구조라 할 수 없게 된다. 이러한 문예는 무산계급을 일으키고 자산계급을 타도할 수 없으며 반대로 자산계급을 일으키고 무산계급을 타도해, 혁명 전투의 나팔이 되어 시대의 선봉에서 시대의 전진을 이끌 수 없을 뿐만 아니라, 반대로 시대의 맨 뒤로 쳐져 시대를 후퇴시키게 될 것이다"라고 보았다.

15일, 『인민일보』에 궈모뤄의 시「영웅 민족은 귀신을 두려워하지 않는다英雄民族不怕鬼」, 우옌吳晗의 평론「혁명 영웅주의의 책-『남방의 폭풍』과『영웅의 하늘과 바다』소개革命英雄主義的書──介紹<南方風暴>和<英雄的天空和海洋>」가 발표되었다.

17일, 『해방군보』에 구궁의 시「혁명의 개선가가 선회한다-베트남 남방의 불후의 영웅 롼원주이 예찬革命凱歌在飛旋──贊南越的不朽英雄阮文追」이 발표되었다.

20일, 『극본』제2호에 저우정싱 등의 원작을 상하이인민예술극원 화극 1단이 각색한 4막 현대 희극喜劇「1001일」이 발표되었다.

21일, 『인민일보』에 인민일보 기자 궈샤오촨의 통신「어린 용사들이 도전한다-중국 탁구팀을 기억하며小將們在挑戰──記中國乒乓球隊」가 발표되었다. 이 글은 『해방군보』, 『중국청년보』등 여러 신문에 전재되었다.

22일, 중앙선전부에서「영화「린씨네 가게」와「불야성」의 공개 상영 및 비판에 관한 통지關於公開放映和批判影片<林家鋪子>和<不夜城>的通知」를 발포하였다.
　『인민일보』에 자오위의 글「일본 화극계의 전우들을 환영한다歡迎日本話劇界的戰友」가 발표되었다

24일, 예술국이 문화부 당조에 1964년의 경극 현대극 관람공연대회 이후에 전통극을 공연할 수 있는가 하는 문제에 관한 상황을 보고하고, 지금 즉시 전통극의 공연을 추천하기에는 적합하지 않다고 보았다.

『광명일보』에 구궁의 시 「철도병이 왔다鐵道兵來了」가 발표되었다.

25일, 『인민일보』에 음악 무용 서사시 『동방홍』 각색조에서 각색한 「야자숲의 불길椰林怒火」이 발표되었다.

26일, 저우쭤런이 유서를 남겼다. "나는 올해로 이미 나이가 80세가 되어, 죽어도 여한이 없다. 한마디 말을 남겨 내가 죽은 후에 일을 처리할 지침으로 삼고자 한다. 내가 죽으면 즉시 화장하고, 유골이 남는다면 알아서 매장해라. 사람이 죽으면 사라지는 것이 가장 이상적이다. 나는 평생 칭찬을 들을 만한 글을 쓴 일이 없으나, 다만 만년에 번역한 『그리스 신화』는 50년간 염원한 일이었으니, 식자라면 응당 자신이 한 일을 스스로 알 것이다." 그는 2년 후에 사망하였다.

27일, 『신장문학』 제2호에 투얼쉰吐爾遜의 「공사 사원이 '중간 인물 창작'의 오류를 비판한다 公社社員批判"寫中間人物"的謬誤」, 궁징춘龔景春의 「'평범한 인물 창조'는 '중간 인물 창작'의 복제품이다—소설 「운전사의 아내」 및 그 토론 비판"塑造普通人物"是"寫中間人物"的翻版——批判小說＜司機的妻子＞及其討論」이 발표되었다. 그는 글에서 소설 「운전사의 아내司機的妻子」에 대한 비판을 통해 '평범한 인물 창조'와 '중간 인물 창작' 관점을 비판하였다. 궁징춘은 「운전사의 아내」의 등장인물 춘란春蘭을 비판의 대상으로 삼아, 이 인물을 분석해 다음과 같은 결론을 내렸다. "장톈江天 동지의 '평범한 인물 창조'론은 사오취안린 동지의 '중간 인물 창작'론과 완전히 같다. '중간 인물 창작'은 자산계급의 문학주장이고, '평범한 인물 창조'도 마찬가지로 자산계급의 물건이며, 그저 내걸고 있는 간판이 다를 뿐이다."

29일, 베이징에서 베트남 인민의 반미 투쟁 지지 시가 낭송회가 개최되었다.

이달에 왕멍이 이리하싸커자치주伊犁哈薩克自治州로 하방되어 '노동 단련'에 임하게 되었다. 그는 이닝伊寧현 바옌다이홍기공사巴彦岱紅旗公社 2대대大隊에 배정되어 위구르족 농민 아부두러허만阿蔔都熱合曼 가족과 함께 1971년까지 '3동三同'(함께同 먹고, 함께 살고, 함께 노동하는 것) 생활을 지속하였다.

후톈페이胡天培와 후톈량胡天亮이 합동 창작한 『산촌의 새로운 인물山村新人』, 리차오李喬의 『울부짖는 산바람呼嘯的山風』(『즐겁게 웃는 진사장』 제3부) 등의 장편소설과 귀청칭의 단편소설집 『

공사의 사람들公社的人們』이 작가출판사에서 출간되었다.

왕카이王愷가 창작하고 뤼언이呂恩誼가 삽화를 그린 중편소설『수면 아래의 햇빛水下陽光』이 중국청년출판사에서 출간되었다.

작가출판사에서 편찬한 베트남 항미투쟁 지원 문예 '낭송시'『베트남이여, 우리는 너와 함께 있다越南,我們和你在一起』가 출간되었다.

군중출판사에서 편찬한 보고문학집『모두 섬멸하다全部殲滅』가 출간되었다.

류허우밍의 5막 화극『젠간허 강가』, 웡어우훙, 아자가 각색한『홍등기』, 산둥성 쯔보시경극단이 각색한『홍 아주머니』 등의 경극, 중국청년예술극원이 각색한『갈매기海鷗』, 자오진왕趙金旺, 뤼샹呂翔이 각색한『가둬 둘 수 없는 새끼호랑이關不住的小老虎』 등의 단막극 극본이 중국희극출판사에서 출간되었다.

허난인민출판사에서 편찬한『허난 현대극본선河南現代劇本選』(1964)이 출간되었다.

고전문예이론역총古典文藝理論譯叢 편집위원회에서 편찬한『고전문예이론역총古典文藝理論譯叢』(제10권)이 인민문학출판사에서 출간되었다.

『허베이문학 · 희극증간河北文學 · 戲劇增刊』 제1호에 허베이성화극단이 합동 창작하고 장중밍張仲明이 집필한 5장 화극『청송령靑松嶺』이 발표되었다.

5월

1일, 베이징인민예술극원이 화극「동틀 무렵天亮前後」(천셴우陳憲武 각본, 쑤민蘇民 감독, 왕쉐란王學然, 주쉬 등 주연), 「초목개병」(합동 창작, 샤춘 감독, 황쭝뤄黃宗洛 등 주연), 「노각老覺」(런바오셴 각본, 탄중談重 감독, 런바오셴 등 주연)을 공연하였다.

『해방군문예』5월호에 리잉의 시「승리의 길勝利的路」, 국방화극단國防話劇團이 합동 창작한 화극「승리가 눈앞에 있다勝利在望」, 펑더잉의「「여자 조종사」창작경험＜女飛行員＞創作體會」이 발표되었다.

『옌허』5월호에 옌이의「유자나무 숲 속柚子林裏」(3편), 구궁의「봄의 숨결春天的氣息」 등의 시가 발표되었다.

『해방군보』에 구궁의 시「새로 건설한 유탑에 오르다登上新建的油塔」, 시훙의 산문「쇳물이 붉은 강처럼 세차게 흐르다鐵水象紅河一樣奔流」가 발표되었다.

3일, 『인민일보』에 위안수이파이의 시 「말뚝과 존슨尖椿和約翰遜」이 발표되었다.

4일, 『베이징문예』 5월호에 돤무홍량의 「전 세계 인민이 행동을 시작하다全世界人民行動起來」, 하오란의 「주먹 위에 시를 쓰다把詩寫在拳頭上」 등의 시가 발표되었다.

6일, 『광명일보』에 궈모뤄의 「시 6편詩六首」이 발표되었다.

8일, 베이징인민예술극원이 합동 창작한 화극 「원한의 불꽃仇恨的火焰」을 공연하였다. 어우양 산쥔, 란톈예가 감독을 맡았으며 란톈예, 주쉬, 주린 등이 주연을 맡았다.

10일, 『문예보』 제5호에 본지 평론가의 글 「영웅의 시대, 영웅의 희극-화베이지구 화극 가 극 관람공연대회의 성취를 축하하며英雄的時代, 英雄的戲劇──祝賀華北區話劇歌劇觀摩演出會的成就」가 발표되었다. 글은 "사회주의 혁명과 사회주의 건설의 현실생활"이 "혁명의 희극공작자들에게 과 거 시대의 희극가들이 마주한 적 없는 새로운 과제, 즉 구시대의 모든 전통 관념과 결별한 영웅의 희극을 창조해야 한다는 과제를 제시하였다"라고 밝혔다.

11일, 미국의 여성 작가 스메들리 서거 15주년을 기념해 베이징 문예계와 베이징에 거주 중 인 외국 문인들이 기념 모임을 가졌다.

12일, 『인민문학』 5월호에 짱커자의 「베트남이여, 아, 영웅의 베트남이여越南, 呵, 英雄的越 南」, 장즈민의 「포위 사냥圍獵」, 리잉의 연작시 「짜오린춘집」(「짜오린춘에 처음 들어서다初進棗林 村」, 「눈 오는 밤雪夜」, 「마을 어귀의 야화村頭夜話」, 「현성으로 가는 대로에서去縣城的大路上」) 등의 시와 차오위의 글 「베트남 인민은 반드시 승리하리越南人民必勝」가 발표되었다.

13일, 『광명일보』에 궈모뤄의 시 「미국놈아, 꺼져라!美國佬, 滾回去!」, 라오서의 「시 3편詩三首 」이 발표되었다.

14일, 문화부에서 회의를 소집해 일부 전통극의 공연 금지 취소에 대해 토론하고, 예술국에서 초안을 작성한 문건을 중앙에 제출하기로 결정하였다.

『광명일보』에 하오란의 시 「카리브해의 폭풍加勒比海的風暴」이 발표되었다.

15일, 『희극보』 제4호에 사설 「'세 가지 결합'을 잘 진행하고, '세 가지 난관 극복'을 고수해 훌륭한 작품을 더 많이 창작하자搞好"三結合", 堅持"三過硬", 創作更多的好作品」가 발표되었다. 이와 동시에 『전영예술』 제2호에도 사설 「'세 가지 결합'은 창작을 번영시키는 좋은 방법이다"三結合"是繁榮創作的好方法」가 발표되었다. 이 외의 일부 간행물에도 '세 가지 결합' 방법을 활용해 문예창작에 임할 것을 제창하는 글이 여러 편 발표되었다.

『전영문학』 5월호에 전문 논고 「마오쩌둥 문예사상을 열심히 학습하자-「옌안문예좌담회에서의 강화」 발표 23주년을 기념하며認真學習毛澤東文藝思想──紀念＜在延安文藝座談會上的講話＞發表23周年」가 발표되었다.

16일, 『인민일보』에 리잉의 시 「카리브해의 파도소리加勒比海的濤聲」가 발표되었다.

18일, 『광명일보』에 리잉의 시 「전화에 휩싸인 베트남에 보내다寄戰火中的越南」가 발표되었다.

20일, 『광명일보』에 린즈하오의 평론 「새로운 인물과 새로운 사상의 송가-『새로운 인물 소설선』을 읽고新人物新思想的頌歌──讀＜新人小說選＞」가 발표되었다.

22일, 『문회보』의 '경극 「사자방」을 학습하자'란에 「혁명 현대 경극 「사자방」 극본 수정 비평 및 주석革命現代京劇＜沙家浜＞劇本修改評注」이 발표되었으며 편집자의 말이 첨부되었다.

22일~20일, 마오쩌둥이 다시 징강산에 올라 「수조가두 · 다시 싱상산에 오르나小調歌頭 · 重上井岡山」를 창작하였다.

24일, 『인민일보』에 리지의 연작시 「분노의 불꽃憤怒的火花」이 발표되었다.

25일, 『수확』 제3호에 위안수이파이의 「남방 송가南方頌」, 주더의 「커칭스 동지는 영원하리 柯慶施同志千古」, 둥비우의 「커칭스 동지를 애도하며哭柯慶施同志」, 타오주의 「커칭스 동지를 애도하 며哭柯慶施同志」 등의 시, 후차이胡采의 평론 「'중간 인물 창작'을 반박한다駁"寫中間人物"」가 발표되 었다. 후차이는 글에서 '중간 인물 창작'이라는 주장을 반박하면서 "사오취안린 동지를 위시해 여 러 동지들이 '중간 인물 창작'이라는 주장을 제기하였다. 사실상 이들이 다룬 것은 단순히 인물의 문제가 아니라 사회주의 문예방향과 관련된 일련의 중대한 원칙 문제이다. 이러한 일련의 중대한 원칙 문제에 대한 이들의 의견이 모두 틀렸음은 사실로써 증명된 바 있다……'중간 인물 창작'론자 들은 공농병 영웅 인물의 창작을 반대하면서 문예공작자들에게 그들이 말하는 소위 '중간 인물'을 창작할 것을 부추기고 있다. 이로 미루어 보아, 그들은 사회주의 문예 방향의 요구를 직접적으로 위배하였을 뿐만 아니라 마르크스레닌주의의 문학 이상을 근본적으로 부정했다는 것을 알 수 있 다. 우리와 이들 사이의 논쟁은 사회주의 문예방향과 마르크스레닌주의 미학 원칙에 관한 것이며, 문예전선에서의 두 노선 사이의 투쟁에 관한 것이다"라고 보았다. 그는 마지막으로 "자산계급 혹 은 소자산계급의 지식분자로서 혁명에 참여하는 것이 빠르든 늦든 간에 반드시 진지하게 사상개 조를 진행하고, 자신의 계급 입장과 세계관을 개조해야 한다"라고 밝혔다.

26일, 『해방군보』에 마오쩌둥의 친필 원고 「수조가두·수영水調歌頭·遊泳」이 발표되었다.

26일~6월 25일, 1965년 화둥지구 경극 현대극 관람공연대회가 상하이에서 개최되어 15 개 공연 단체가 총 24개의 작품을 공연하였다. 대형 작품으로는 상하이대표단의 「남방의 군가南方 戰歌」, 「난하이 창청南海長城」, 「룽장 송가龍江頌」, 산둥대표단의 「최전방의 인가前沿人家」, 「여명의 강가黎明的河邊」, 장쑤대표단의 「장제」, 「엎드린 호랑이伏虎」, 푸젠대표단의 「붉은 소년」, 안후이 대표단의 「단풍령丹楓嶺」, 장시대표단의 「다두허大渡河」, 저장대표단의 「화밍산花明山」 등이 공연 되었다. 중공중앙 화둥국 서기 웨이원보魏文伯가 「희극의 사회주의 혁명을 반드시 끝까지 진행해 야 한다一定要把戲劇的社會主義革命進行到底」라는 제목으로 연설하였다(연설문의 전문은 『희극보』 제 7호, 『문회보』 6월 19일자에 게재).

27일, 『해방군보』에 시훙의 '베트남 통신' 「어느 참호 속의 전우一條戰壕裏的戰友」가 발표되었다.

28일, 『인민일보』에 리쉐아오의 시「3월 보리밭의 밤三月麥田夜」이 발표되었다.

29일, 『인민일보』에 궁시의 시「병참의 밥 짓는 연기兵站炊煙」, 쑤난위안蘇南沅의 글「「린씨네 가게」는 자산계급을 미화한 영화이다＜林家鋪子＞是一部美化資產階級的影片」가 발표되었다. 그는 글에서 이 영화가 "계급 착취를 덮어 감추고, 계급 모순을 말살"하고 "사회주의 혁명과는 상반되는 주장을 하는" 영화이며, "두 노선 사이의 투쟁이 문예전선에 반영된 것"이라고 보았다.

『광명일보』, 『해방군보』에 중원鍾聞의「영화「린씨네 가게」를 반드시 비판해야 한다影片＜林家鋪子＞必須批判」가 동시에 발표되었다. 그는 글에서「린씨네 가게」가 "자산계급을 동정하고 미화하고 있다", "점원 형상을 추악화하고, 계급 합작을 선전하고 있다", "시대의 모습을 왜곡했다", "사회주의 혁명의 요구를 위반했다"라고 보았다. 『광명일보』같은 호에 관산關山, 바위巴雨의「자본가를 미화하고 공인계급을 추악화하다－영화「린씨네 가게」비판美化資本家，醜化工人階級——批判影片＜林家鋪子＞」이 발표되었다.

『중국청년보』에 셰펑쑹의「영화「린씨네 가게」는 자산계급을 미화하는 독초이다電影＜林家鋪子＞是一株美化資產階級的毒草」가 발표되었다. 그는 글에서 이 영화가 "이익만을 꾀하고 다른 것에는 관심 없는 간악한 상인의 모습을 숨기고 있다", "계급조화론을 선전하고, 노동자와 자본가의 합작을 선전하며, 공인계급을 추악화했다", "자산계급의 죽음을 위한 만가를 부르고 있다"라고 보았다.

『문예보』제5호에 라오서의「훌륭한 희극－일본화극단이 공연한「구조 농민 봉기」를 보고好戲——看日本話劇團演出的＜郡上農民起義＞」, 린위林雨의「실천 속에서 학습하고, 투쟁 속에서 제고하자在實踐中學習，在鬥爭中提高」, 왕쉐성王雪生, 왕궈칭王果清의「방향이 올바르며, 창작할수록 훌륭해진다－위린의 단편소설 창작에 관하여方向對頭越寫越好——談林雨的短篇小說創作」등의 글이 발표되었다.

31일, 『광명일보』에 뤼치샹呂啟祥의「노예 철학을 선전하고, 계급 합작을 부추긴다－영화「린씨네 가게」의 서우성 분석宣揚奴才哲學，鼓吹階級合作——剖析影片＜林家鋪子＞中的壽生」이 발표되었다. 그는 글에서 서우성壽生이라는 인물 형상이 "노동자와 자본가의 합작의 본보기"라고 보면서 "영화에서의 서우성에 관한 모든 묘사는 노예 철학에 대한 찬가이다", 따라서「린씨네 가게」는 "계급투쟁의 부식제"라고 지적하였다.

이달에 문화부 당조의 지도자 구성원이 변경되어 샤오왕둥肖望東이 서기를 맡았으며 스시민石西民, 옌진성顏金生이 부서기를 맡았다.

천덩커가 창작하고 주수정朱曙征 등이 삽화를 그린 장편소설 『폭풍우』(제1부)가 중국청년출판사에서 출간되었다.

쑤췬蘇群 등의 단편소설집 『뿌리가 이어진 나무連根樹』(공농통속문고工農通俗文庫)가 인민문학출판사 상하이지사에서 출간되었다.

작가출판사 상하이편집소에서 편찬한 단편소설집 『붉은 첨병紅色尖兵』이 출간되었다.

란만藍曼의 장시 『탱크가 질주한다坦克奔馳』가 작가출판사에서 출간되었다.

양즈린의 시집 『양지집兩地集』이 칭하이인민출판사青海人民出版社에서 출간되었다.

인민체육출판사에서 편찬한 쩌우디판 등의 체육산문집 『청춘만세青春萬歲』가 출간되었다.

군중출판사에서 편찬한 보고문학집 『새로운 인물의 풍격新人風』이 출간되었다.

천원의 화극 극본 『젊은 세대』의 재판이 상하이문화출판사에서 출간되었다. 이 책은 '희극소총서戲劇小叢書'에 포함되었으며 인쇄 부수는 1~13,000권이다. 본 극본은 『극본』 1963년 8월호에 발표된 후 1963년에 문화부에서 시상한 극본창작상을 수상하였다.

사써 등의 화극 『남방에서 온 편지』, 중국인민해방군 해군 정치부 문공단 화극단이 합동 창작한 7장 화극 『적도의 전고』(리황 등 집필)가 중국희극출판사에서 출간되었다.

베이징인민예술극원이 합동 창작한 12장 화극 『복수의 화염仇恨的火焰』이 베이징출판사에서 출간되었다.

샤정눙의 논저 『사회주의 희극의 창작 문제에 관하여關於社會主義戲劇的創作問題』가 상하이문화출판사에서 출간되었다.

허이賀宜의 아동문학집 『류원쉐劉文學』가 소년아동출판사에서 출간되었다.

소년아동출판사에서 편찬한 『아동단 이야기兒童團的故事』가 출간되었다.

6월

1일, 『해방군문예』 6월호에 장춘시의 단편소설 「고산준령高山峻嶺」, 진징마이의 장편소설 『어우양하이의 노래歐陽海之歌』(부분), 장즈민의 시 「우리는 준비가 다 됐다我們准備好了」가 발표되었다. 『어우양하이의 노래』는 실제 사건을 소재로 하여 어우양하이라는 해방군 전사를 노래한 작품이다. 1963년 11월 18일 새벽, 어우양하이가 소속된 부대는 야영 훈련을 가는 길에 징광선京廣線을 타고 북상하는 288호 여객 열차와 마주쳤는데, 깜짝 놀란 노새 한 마리가 포가炮架를 짊어진 채 철로 위로 뛰어들었다. 열차 탈선 사고가 일어나려는 순간 어우양하이는 몸을 던져 포가와 노새를 철로 아래로 밀어 떨어뜨리고, 본인은 열차와 충돌해 중상을 입고 사망하였다. 소설 『어우양하이의 노래』는 예술적 가공이라는 형식을 통해 어우양하이라는 실제 인물을 재창조해 전 군대와 인민이 학습할 본보기가 되게 하였다. 작가는 소설 속에 『마오쩌둥 선집』과 류사오치의 『공산당원의 수양을 논하다論共産黨員修養』에 제기된 관점과 어록을 대량으로 차용하였다. 또한 "융통성 있게 배우고 활용하면, 바로 효과를 볼 수 있다活學活用,　一用就靈", "가장 위대하고 가장 정확한……最偉大,　最正確……", "관건의 관건은……關鍵的關鍵是……" 등 이후에 널리 유행한 문화대혁명 어록을 여럿 창조하였다.

3일, 『인민일보』에 장둥촨의 「경극 「홍등기」 각색 및 창작 초보적 소감京劇＜紅燈記＞改編和創作的初步體會」과 '간행물 문예평론 개요' 「상하이의 간행물이 경극 「홍등기」를 열정적으로 평론하다上海報刊熱情評論京劇＜紅燈記＞」가 발표되었다.

『광명일보』에 구궁의 시 「물 위에서 경공을 수련하다水上練硬功」가 발표되었다.

4일, 『베이징문예』 6월호에 하오란의 시 「도미니카공화국에 보내다寄給多米尼加」가 발표되었다.

5일, 『후난문학』 제3호에 황치솨이 등의 글 「「대리인」은 무엇을 선전하는가?－캉줘 동지의 단편소설 「대리인」을 평하다＜代理人＞宣揚了什麼?——評康濯同志的短篇小說＜代理人＞」가 발표되었다. 이들은 글에서 "1962년 10월, 캉줘 동지는 『허베이문학』에 「최근 몇 년간의 단편소설 창작을 논하다」라는 글을 발표해 사오취안린 동지가 제기한 '중간 인물 창작'과 '현실주의 심화' 등 자산계급의 문학주장을 선전하였다. 캉줘 동지가 이러한 주장에 이론적으로만 호응하는 데 만족하지 않고 창작에서도 실천을 했다는 것은 사실로 증명된 바 있다. 그가 창작한 「대리인」이 바로 그 예이다"리고 보면서, "사회주의의 옛 농촌 지역을 '안개가 자욱하다'라고 표현하고, 빈농과 하층 농민의 혁명 역량을 '작은 불티'라고 표현한 점", "혁명 간부와 빈농 및 하층 농민을 혼란스럽고 서로 반목하는 사이로 표현하고, 인민 내부의 모순을 당의 지도자와 농민 군중 사이의 대립으로 표현한 점", "계급투쟁을 두 '대리인' 사이의 경쟁으로 표현하고, '익명의 편지'를 계급 모순을 해결하는 열쇠로 표현한 점" 등의 관점에서 소설을 분석해 이 소설이 "'현실주의 심화' 이론의 새로운 실천이며, '폭로성 문학'이라는 주장의 재'실험'이다"라는 결론을 내렸다.

6일, 『공인일보』에 정추화鄭楚華의 「자본가를 노래하는 독초一棵歌頌資本家的毒草」 등 커링이 각본을 맡은 영화 「불야성」을 비판한 글 5편이 발표되었다.

9일, 『인민일보』에 저우산周山의 「영화 「린씨네 가게」의 몇 가지 문제에 관하여談影片<林家鋪子>的幾個問題」가 발표되었다. 그는 글에서 이 소설이 표현한 30년대의 중국 혁명에 대해 "이는 '작은 불티가 번져 들판을 태우는' 것인가? 아니면 '한 통의 더러운 물'인가?", 린 사장과 노동인민에 대해 "이는 계급 압박과 착취인가, 아니면 각 계급의 공동 운명인가?", 영화가 노래하는 것에 대해서는 "항일의 통일 전선인가, 아니면 투항주의인가?" 등의 문제들에 관하여 각색가인 샤옌을 비판하였다.

『광명일보』에 정쩌쿠이鄭擇魁, 장서우첸蔣守謙의 「「린씨네 가게」를 각색한 진정한 의도는 무엇인가?改編<林家鋪子>的真正意圖何在?」가 발표되었다. 이들은 글에서 "샤옌이 「린씨네 가게」를 각색한 진정한 의도는 자산계급을 포장하고, 무산계급이 계급투쟁을 통해 자산계급을 소멸시키는 것을 반대하며, 소멸하고 있는 자산계급을 대신해 억울함을 호소하고, 더욱 심화되고 있는 사회주의 혁명에 저항하는 것이다. 이는 사실상 자산계급을 위해 사상의 진지를 쟁취하고, 중국에서의 자본주의의 부활을 위해 길을 열려 하는 것이다. 우리는 이에 대해 반드시 냉정히 폭로하고 철저히 비판해야 한다!"라고 보았다.

10일, 『산둥문학』 6월호에 류샤오윈文小耘의 「자산계급을 미화하는 영화一部美化資產階級的電影」, 팡융야오方永耀의 「서우성은 어떠한 인물인가壽生是個什麼樣的人」 등 영화 「린씨네 가게」를 비판한 평론이 발표되었다.

11일, 『인민일보』에 쩌우디판의 시 「아름다운 화이난錦繡淮南」이 발표되었다.

『문예보』 제6호와 『광명일보』에 후커의 「영화 「린씨네 가게」는 무엇을 선전하는가電影<林家鋪子>宣傳了什麼」, 장톈이의 「「린씨네 가게」의 각색을 평하다評<林家鋪子>的改編」 등 샤옌이 각색한 영화 「린씨네 가게」를 비판한 글이 발표되었다. 장톈이는 글에서 샤옌이 "자본가의 '고난'과 '가련함'을 표현했다", "린 사장이라는 소자산계급의 편에 서 있다"라고 보았다.

12일, 『인민일보』 6월호에 쥔칭의 「봄 우레春雷」, 린웨이룬林微潤의 「전투의 활시위戰鬪的弓弦」

등의 소설, 딩이싼의 「영웅의 베트남에서在英雄的越南」, 한베이핑의 「전투의 풍모戰鬪的風采」, 루즈쥐안의 「장엄한 후지산莊嚴的富士山」 등의 산문이 발표되었다.

『희극보』 제5호에 사설 「뜨거운 투쟁에 깊이 침투해 사상 감정을 개조하자深入火熱鬥爭, 改造思想感情」, 궈샤오촨의 「「홍등기」와 문화혁명<紅燈記>與文化革命」이 발표되었다.

13일, 상하이무용학교에서 동명의 가극을 합동 각색한 대형 발레극 「백모녀」가 제6회 「상하이의 봄上海之春」 음악회 기간에 초연되었다.

『인민일보』에 후커의 「영화 「린씨네 가게」는 무엇을 선전하는가」가 발표되었다. 그는 글에서 "영화는 착취자와 노동인민 사이의 대립을 고의로 숨겼다", "관중들로 하여금 다음과 같은 사실을 믿게 만들려 애쓰고 있다. 린 사장과 같은 자산계급 인물이 대단히 동정할 만한 인물이며, 이들 역시 자막에서 언급한 노동인민과 마찬가지로 '모진 고난'에 빠져 있는, '고난이 가장 심한' 인물이다. 제국주의, 봉건주의, 관료 자본주의의 중압감을 이들이 맨 먼저 받고 있다. 이들이 받는 압박과 착취는 무산계급과 노동인민이 받는 압박과 착취에 비해 더하면 덜했지 못하지 않다. 이들 역시 노동인민과 거의 다르지 않으며, '큰 가난'과 '작은 가난'의 차이 정도밖에 없다. 이처럼 고통과 고난으로 괴로워하는, 동정해 마땅한 계급이 오늘날에 와서는 사회주의 혁명의 대상이 되어 착취한 것을 누리지도 못하고 역사의 무대에서 퇴장하게 되었으니, 너무나 억울한 일이 아니겠는가? 영화 「린씨네 가게」는 바로 이러한 사상 내용을 선전하고 있다"라고 보았다.

14일, 『문학평론』 제3호에 양야오민楊耀民의 「자산계급 미화와 계급조화론에 반대한다─영화 「린씨네 가게」를 평하다反對美化資産階級, 反對階級調和論──評影片<林家鋪子>」, 쥐루의 「「상하이의 처마 아래」는 시대정신에 반대하는 작품이다<上海屋簷下>是反對時代精神的作品」, 리후이판李輝凡의 「'현실주의 심화론' 비판"現實主義深化論"的批判」 등의 글이 발표되었다.

양야오민은 글에서 영화 「린씨네 가게」에 대해 "나쁜 영화이다. 이 영화는 자산계급을 미화하고, 계급조화론 사상을 선전하고 있다. 최근에 이 영화를 재상영해 비판을 전개하는 것은 매우 옳고도 필요한 일이다"라고 보면서, "사회주의 문예는 「린씨네 가게」와 같은 잘못된 작품과의 투쟁 속에서 나날이 발전하고 번창하고 있다"라고 보았다.

쥐루는 글에서 "샤옌 동지가 「상하이의 처마 아래」에서 반영한 생활과 사상은 당시 혁명 과정에서의 일부 소극적인 현실이다. 이는 사회의 낙후된 계층에 대한 것이며, 자산계급의 인성론과 수치스러운 노예 철학이다"라고 보았다.

　　리후이관은 글에서 사오취안린의 '중간 인물 창작'과 '현실주의 심화'론이 "서로를 보완하는 이론"으로, "후자는 전자의 이론적인 지주이며, 전자는 후자가 추구하는 목표이다. 혹은, 전자가 목적이고 후자가 수단이라고 볼 수도 있다. 그 목적은 모두 문예가 공농병과 사회주의를 위해 복무하는 데 반대하는 것이다"라고 보면서, "사오취안린 동지는 이미 쇠락하고 사망한 것에 대해 '애착'을 가지고 이를 현실의 것으로 보고 있으며, '옛날의 것'에 대해 그저 창작하고 비판하지 않아도 되며, '문제를 제기하기만 하고 해결하지 않고, 이에 대해 선명한 태도를 표현하지 않아도 된다'고 보고 있다……이는 사오취안린 동지가 혁명 인민과는 완전히 상반된 입장에 서서 현실성 문제를 대하고 있음을 폭로한다"라고 보았다. 리후이관은 마지막으로 "사오취안린 동지가 우리 문예의 혁명성과 혁명적 낭만주의를 반대하는 것은 결코 우연한 일이 아니다. 이는 그가 가진 뿌리 깊은 자산계급 세계관과 문예관으로 인해 결정된 것이다", "사오취안린 동지는 사실상 옛 자산계급 현실주의자이다"라고 지적하였다.

　　『중국청년보』에 양자오밍楊姣明의 「「불야성」은 자산계급의 '공적'과 '은덕'을 찬양한다<不夜城>爲資産階級歌"功"頌"德"」가 발표되었다.

　　15일, 『전영문학』 6월호에 쑤난위안의 「「린씨네 가게」는 자산계급을 미화한 영화이다<林家鋪子>是一部美化資産階級的影片」(『칭하이후』 7월호에 전재), 왕류望流의 「사회주의 혁명과 상반되는 주장을 하는 영화一部與社會主義革命唱反調的影片」, 원옌聞岩의 「영화 「린씨네 가게」의 각색 사상 비판批判電影<林家鋪子>的改編思想」 등 「린씨네 가게」에 대한 토론의 글이 여러 편 발표되었다.

　　16일, 『광명일보』에 양웨이楊威의 「혁명 열사의 숭고한 형상을 창조하다ー화극 「류후란」 창작 소감塑造革命烈士的崇高形象――話劇<劉胡蘭>創作體會」이 발표되었다.

　　『중국청년』 제12호에 쉬다오성徐道生, 천원차이陳文彩가 합동 창작한 혁명 이야기 「벼 이삭 두 개兩個稻穗頭」가 발표되었다. 『문회보』 9월 10일자에 이들의 「혁명 이야기 「벼 이삭 두 개」의 창작 소감革命故事<兩個稻穗頭>的創作體會」이 발표되었다.

　　17일, 『광명일보』에 차오밍의 「「불야성」은 누구를 위해 제작되었는가?<不夜城>是爲誰拍攝的?」가 발표되었다.

18일, 『인민일보』에 스잉의 소설 「문명지옥文明地獄」 부분이 발표되었다.

20일, 『극본』 제2호에 중국인민해방군 국방화극단 샤허우원夏侯溫의 「북방을 향하여向北方」, 중국인민해방군 국방화극단이 합동 창작하고 왕치王奇가 집필한 「승리가 눈앞에 있다」, 베이징 부대 어느 부문의 간사 가오친셴高欽賢, 천전잉陳振英의 「높은 봉우리를 향해 전진하다向高峰前進」, 타이위안시 완바이린萬柏林 직공 아마추어 창작조가 합동 창작한 「두 사제倆師徒」, 허베이성 황화黃驊현 난다강南大港 농업 아마추어 문공단이 합동 창작하고 양바오장梁寶章이 집필한 「방을 양보하다讓房」, 타이위안시 식품공사클럽食品公司俱樂部이 합동 창작한 「우리는 모두 동지다我們都是同志」 등의 단막극 극본이 발표되었다.

26일, 『인민일보』에 '각지 간행물 평론 총론' 「「불야성」은 계급과 계급투쟁을 왜곡했다＜不夜城＞歪曲了階級和階級鬥爭」가 발표되었다. 글은 전국의 각 간행물에 발표된 평론의 관점을 종합하고, 영화 「불야성」이 "자본가를 미화했다", "공인의 얼굴에 먹칠을 했다", "평화개조정책과 오반투쟁을 왜곡했다"고 보면서, 현재 진행 중인 토론에 대해 단계적으로 정리하였다.

27일, 베이징인민예술극원이 화극 「콩고의 폭풍우剛果風雷」를 공연하였다. 잉뤄청, 허투, 쑤민蘇民이 각본을, 자오쥐인, 샤춘, 팡관더가 감독을 맡았으며 잉뤄청, 셰팅위, 옌화이리 등이 주연을 맡았다.

30일, 『인민일보』에 리천黎晨의 「「불야성」은 어떤 '보배'를 발굴했는가＜不夜城＞挖的什麼"寶貝"」, 이쥔藝軍의 「「불야성」은 자산계급의 생활방식을 선전한다＜不夜城＞宣傳資産階級生活方式」, 옌쯔치嚴子其의 「장원정의 진보를 어떻게 볼 것인가如何看待張文錚進步」 등 영화 「불야성」을 비판한 글이 여러 편 발표되었다.

이달에 스잉의 중편소설 『문명지옥』이 삭가출판사에서 출간되었디.

둰취안파의 단편소설집 『눈길雪路』이 백화문예출판사에서 출간되었다.

백화문예출판사에서 편찬한 산문집 『남방에서 온 편지의 수신인南方來信的收信人』이 출간되었다.

중국청년출판사에서 편찬한 보고문학 『위대한 국제주의 전사 베쑨偉大的國際主義戰士白求恩』이 출간되었다.

작가출판사에서 편찬한 보고문학집 『소를 멀리 보내다萬裏送牛』, 베트남 항미투쟁 지원 문예 '낭송시' 『반미의 철옹성反美銅牆』이 출간되었다.

윈난인민출판사에서 편찬한 베트남 방문 기록 『전투하는 베트남戰鬥的越南』이 출간되었다.

해방군문예총서 편집부에서 편찬한 항미투쟁 지원 문예 단막극집 『승리가 눈앞에 있다』가 중국희극출판사에서 출간되었다.

산둥문학예술계연합회에서 편찬한 『희극평론집戲劇評論集』이 산둥인민출판사에서 출간되었다.

중국희극출판사에서 편찬한 『경극 「홍등기」 평론집京劇《紅燈記》評論集』이 중국희극출판사에서 출간되었다.

7월

1일, 『해방군문예』 7월호에 진징마이의 장편소설 『어우양하이의 노래』(부분), 류야러우劉亞樓의 「칠백 리를 휩쓸다橫掃七百裏」(『불티가 번져 들판을 태우다星火燎原』 부분) 등의 소설, 샤오화蕭華의 시 「홍군은 원정이 고된 것을 두려워하지 않는다 ─ 홍군 장정 30년을 기념하며紅軍不怕遠征難──爲紅軍長征三十年而作」가 발표되었다. 같은 호에 영화 「린씨네 가게」에 관한 토론의 총론 「자산계급을 미화한 나쁜 영화一部美化資產階級的壞影片」가 발표되었다.

『중국청년』 제13호에 왕시룽王錫榮, 리자루李家祿가 합동 집필한 공장사 「피로 물든 연석 세 개血染三條石」(제4회 부분)가 발표되었다.

『창장문예』 7월호에 리더푸의 소설 「홍심 1호紅心一號」, 쑹원쉬안宋文軒의 「영화 「린씨네 가게」를 반드시 비판해야 한다影片＜林家鋪子＞必須批判」, 우뤄원武珞文의 「영화 「린씨네 가게」의 반사회주의적 사상 경향電影＜林家鋪子＞的反社會主義思想傾向」 등의 평론, 장밍章明의 수래보數來寶 「'사기 문제'"士氣問題"」가 발표되었다.

『허베이문학』 7월호에 차오스의 시 「때려라! 호되게 때려라!打!狠狠地打!」, 왕쉐자오王學昭의 산문 「야생화가 아름답다山花爛漫」, 류융녠劉永年, 쑤칭창蘇慶昌의 「빛나는 영웅 형상─화극 「전홍도」의 딩전훙 형상의 창조를 평하다光輝的英雄形象──評話劇＜戰洪圖＞丁震洪形象的塑造」, 허중원何中文의 「영화 「린씨네 가게」의 잘못된 경향電影＜林家鋪子＞的錯誤傾向」 등의 평론이 발표되었다.

『옌허』 7월호에 리잉의 시 「비석을 새기다刻碑」가 발표되었다.

1일~21일, 화베이지구 경극 혁명 현대극 관람공연대회가 타이위안에서 개최되었다. 허베이, 산시山西, 베이징시, 네이멍구자치구의 12개 공연단체의 경극공작자 1,000여 명이 본 대회에 참가해 총 35개의 경극 및 화극 작품을 공연하였다. 본 대회에서 공연된 작품은 그 소재의 범위가 상당히 넓을 뿐만 아니라, 여러 작품이 중대한 소재를 다뤘으며 큰 주제 사상을 반영하였다. 개막식에서 황즈강黃志剛이, 폐막식에서는 리쉐펑李雪峰이 연설하였으며 황즈강이 결산 보고를 진행하였다. 베이징경극단이 「두견산」(추성룽, 자오옌샤, 마롄량 주연)과 「남방에서 온 편지」(리스지李世濟 주연)를, 베이징경극2단北京京劇二團이 「바다를 건너 깃발을 꽂다越海揷旗」(리위안춘李元春 주연)를 공연하였으며, 베이징시 실험경극단이 「하이탕위海棠峪」(리위푸李玉芙, 웨후이링嶽惠玲, 리충산李崇善 주연)를 공연하였다.

1일~8월 15일, 광저우에서 중난지구 희극관람공연대회가 개최되어 44개 공연단체가 가극, 화극, 경극 등 19개 극종의 현대극 51개 작품을 공연하였으며, 총 3,000여 명의 인원이 참가하였다. 공연된 작품들 가운데 14편의 소형 희극은 10월에 베이징에서 하향 작품 갈라 공연을 진행하였다. 타오주가 폐막식에서 「혁명 현대극이 신속히 무대 전체를 점령해야 한다革命現代戲要迅速地全部地占領舞台」라는 제목의 결산 보고를 진행하였다(보고문의 개요는 『인민일보』 8월 28일자, 『창장문예』 10월호에 게재).

2일, 『해방일보』에 뤄쑨의 「심금을 울리는 혁명의 전고-화극 「적도의 전고」를 보고震撼心魄的革命戰鼓——看話劇＜赤道戰鼓＞」가 발표되었다.

3일, 타오주가 1965년 2월 20일에 경극 「홍등기」를 관람 및 학습한 중난지구 희극계 대표들을 대상으로 진행한 연설문 「반드시 혁명 현대극을 잘 공연해야 한다一定要演好革命現代戲」가 『양청만보』에 발표되었다(『희극보』 제6호에 최초 발표, 『인민일보』 7월 29일자에 전재).
『베이징일보』에 리팡李方의 「상하이의 어느 사영 면방적공장의 '오반' 투쟁을 회고하며-'오반' 운동에 대한 영화 「불야성」의 왜곡을 반박한다回憶上海一家私營棉紡廠的"五反"鬥爭——駁電影＜不夜城＞對"五反"運動的歪曲」가 발표되었다.

4일, 『베이징일보』에 허중신何鍾辛의 「미 제국주의의 가면을 벗기다—화극 「콩고의 폭풍우」를 보고剝開美帝國主義的畫皮──看話劇＜剛果風雷＞」가 발표되었다.

『베이징문예』 7월호에 취쭈겅瞿祖賡의 「'만일' 사부"萬一"師傅」, 레이자의 「'강철팀'이 오는 중이다"鋼鐵隊"在途中」(중편소설 부분) 등의 소설, 류허우밍의 특필 「농사일을 하면서 초등학교에 다니는 선생님耕讀小學的老師」 및 본지 기자의 기사 「자산계급을 미화해서는 안 된다—상업 직공들이 영화 「린씨네 가게」, 「불야성」에 관해 좌담하다不許美化資産階級──商業職工座談電影＜林家鋪子＞' ＜不夜城＞」가 게재되었다.

5일, 중국극협 상하이분회에서 상하이시 희극계, 문예계 인사 50여 명을 초청해 중국인민해방군 해군 정치부 문공단 화극단 책임자, 각본가 및 주요 배우들과 함께 화극 「적도의 전고」에 관한 좌담회를 진행하였다.

『해방일보』에 탕커신의 「계급조화론과 계급투항주의를 선전하는 「불야성」宣揚階級調和論和階級投降主義的＜不夜城＞」이 발표되었다.

『칭하이후』 제7호에 쑤난위안의 「「린씨네 가게」는 자산계급을 미화한 영화이다＜林家鋪子＞是一部美化資産階級的影片」가 발표되었다.

7일, 『인민일보』에 영화 「불야성」을 비판한 '각지 간행물 평론 총론' 「자본가가 '검소하게 집안을 일으켰다'는 거짓말을 폭로한다揭穿資本家"勤儉起家"的謊言」가 발표되었다.

『광명일보』에 황치솨이, 저우젠밍周健明 등의 「「대리인」은 무엇을 선전하는가?—캉줘 동지의 단편소설 「대리인」을 평하다」(『후난문학』 제3호)가 전재되었다.

9일, 『해방일보』에 본지 평론가의 글 「희극공작자는 세계혁명의 진보파가 되어야 한다 화극 「적도의 전고」를 학습하자戲劇工作者要做世界革命的促進派──向話劇＜赤道戰鼓＞學習」가 발표되었다. 글은 "이 작품은 콩고 인민이 미 제국주의의 침략에 무장을 통해 반항하여 민족해방을 쟁취한 용감한 투쟁을 열정적으로 노래하고, 미 제국주의가 UN의 깃발을 내걸고 콩고를 침략한 죄악을 날카롭게 폭로하였다. 이 작품은 우리나라의 수많은 관중에게는 생생하고 깊이 있는 국제주의 수업이 되었으며, 콩고 인민의 혁명 투쟁에는 강력한 지지가 되었다. 이 작품은 화극 혁명화의 본보기이다"라고 밝혔다.

『해방군보』에 사설 「대단히 무산계급화되고 대단히 전투화된 문예대오를 건설하자建設一支非常無産階級化非常戰鬪化的文藝隊伍」가 발표되었다.

10일, 『인민일보』에 쉬지촨許姬傳의 「한땀한땀 모두 고되다－「홍등기」의 예술 처리에 관하여針針線線皆辛苦——談＜紅燈記＞的藝術處理」가 발표되었다. 그는 글에서 "경극 「홍등기」는 경극 혁명화의 본보기라고 칭찬받는데, 이러한 평가는 확실히 적절하다"라고 보면서, "혁명적 행동을 통해 영웅 형상을 수립한 점", "부정적 인물을 묘사함으로써 영웅 인물을 돋보이게 한 점", "모든 동지들이 열심히 노동한 결과" 등 몇 가지 측면에서 이 작품을 분석하였다.

『해방군보』에 구궁의 장편掌篇소설 「순풍順風」이 발표되었다.

『베이징일보』에 류융녠의 「공인 형상을 왜곡하고, 계급 투항을 선전하다－공인에 대한 「불야성」의 묘사를 평하다歪曲工人形象, 宣揚階級投降——評＜不夜城＞對工人的描寫」가 발표되었다.

『산둥문학』 7월호에 위잔더於占德의 「이 독초를 제거하자－「불야성」이 퍼뜨리는 계급조화론과 '인성론'을 비판한다除掉這株毒草——批判＜不夜城＞所散布的階級調和論和"人性論"」, 쉬자쑹許家松의 「장원－형상의 사기성張文——形象的欺騙性」, 장궈푸張果夫의 「미화된 자본가－「린씨네 가게」의 린 사장을 평하다一個被美化了的資本家——評＜林家鋪子＞中的林老板」 등의 평론이 발표되었다.

『북방문학』 7월호에 전문 논고 「경극 혁명화의 세 가지 방법京劇革命化的三件大事」이 발표되었다. 글은 "경극 혁명을 어떻게 전진하게 하고 끝까지 진행해야 하는가? 현재로서 가장 기본적인 공작은 크게 세 가지가 있다", 첫째는 "공농병 군중의 아마추어 문예창작을 광범위하게 전개해 혁명 현대극 극본을 대대적으로 창작하는 것", 둘째는 "예술의 혁신적인 창조", 셋째는 "문예 대오의 혁명화"라고 지적하면서, "가장 근본적인 것"은 "사람의 혁명화, 문예공작자의 혁명화" 문제라고 밝혔다. 같은 호에 헤이룽장성 문련에서 개최한 하얼빈시 공장 아마추어 문학창작소조 좌담회에서의 옌쩌민延澤民의 발언 「사상적으로도 건전하고 기술적으로도 우수한 젊은 문예창작 대오를 양성하기 위해 노력하자爲培養一支又紅又專的年青文藝創作隊伍而努力」, 중국작가협회 헤이룽장분회의 「이 공장에 발을 디디고 서서 생산을 위해 복무하고, 아마추어 창작을 고수하자－하얼빈 제1공구공장 맹아문학창작소조의 아마추어 문학활동 경험立足本廠, 爲生産服務, 堅持業餘創作——哈爾濱第一工具廠萌芽文學創作小組業餘文學活動的經驗」 등의 글이 발표되었다.

『성화』가 폐간된 지 8개월만에 복간되어 7월호에 「복간사復刊詞」가 게재되었다.

12일, 예술국에서 문화부 당조와 중앙선전부에 서면으로 「1965년 경극 현대극 공연 준비 상황에 관한 몇 가지 의견1965年京劇現代戲會演籌備情況的幾點意見」을 제출해, 대표로 내세울 중요 작품들이 아직 확실치 않아 공연 날짜를 확정하기 힘들다고 보고하였다.

『인민일보』에 차오스의 보고문학 「전사본색戰士本色」이 발표되었다.

『광명일보』에 「영화 「불야성」의 오류를 반드시 철저히 비판해야 한다影片<不夜城>的錯誤應該徹底批判」라는 제목의 총론이 발표되었다. 이후에 『광명일보』에 '영화 「불야성」에 대한 관중의 반응觀衆對影片《不夜城》的反應'이라는 제목으로 일련의 비평이 게재되었다.

『인민일보』 7월호에 류허우밍의 「가을밤秋夜」, 류잔추의 「열기가 굽이쳐 흐른다熱浪滾滾」, 취쭈경의 「'만일' 사부」(『베이징문예』 7월호에 최초 발표), 장헝張恒의 「'아동단장'"兒童團長"」(『불꽃』 1964년 9월호에 최초 발표) 등의 단편소설, 왕수화이의 「불같은 농촌如火的農村」, 옌천의 「기름 냄새가 천 리까지 퍼지다油香千裏」 등의 시, 위안잉의 「전우편戰友篇」, 리츠李赤의 「눈보라 치는 밤暴風雪之夜」, 린칭林青의 「후마허의 물이여呼瑪河水喲」 등의 산문이 발표되었다.

13일, 『광명일보』에 리잉의 시 「헤엄쳐 건너다泅渡」가 발표되었다.

『해방군보』에 시훙의 '베트남 통신' 「연기와 먼지가 날리다煙塵飛揚」가 발표되었다.

14일, 『해방일보』에 잉한광應漢光의 「「린씨네 가게」를 통해 샤옌 동지의 창작사상을 보다從<林家鋪子>看夏衍同志的創作思想」, 푸이빙浦一冰의 「'흑백, 좋고 나쁨, 진실과 거짓' 분별ー영화 「린씨네 가게」 토론 과정에서의 몇 가지 문제에 관하여略辨"黑白' 好歹' 真僞"──談影片<林家鋪子>討論中的幾個問題」 등의 글이 발표되었다.

15일, 『인민일보』에 가오량高粱의 시 「우간다 서정烏幹達抒情」, 왕스메이王士美의 산문 「여름의 목장에서在夏天的牧場上」가 발표되었다.

『광명일보』에 자오쯔의 「자본가의 나쁜 점은 감싸고 '좋은' 점을 치켜세우는 「불야성」給資本家隱惡揚"善"的<不夜城>」, 원위리聞於理의 「「불야성」은 무산계급과 자산계급의 모순을 왜곡했다<不夜城>歪曲了無産階級和資産階級的矛盾」 등의 글이 발표되었다.

『전영문학』 7월호에 장중밍의 영화문학 극본 「청송령」이 발표되었다. 같은 호에 가오훙후高鴻鵠의 「「불야성」은 사회주의 혁명에 반대하는 영화이다<不夜城>是一部反對社會主義革命的電影」, 저우저우周舟 등의 「「불야성」의 반동사상을 반드시 엄중히 비판해야 한다對<不夜城>的反動思想必須嚴肅批判」 등 영화 「불야성」에 관한 토론의 글이 발표되었다.

16일, 『중국청년』 제14호에 왕시룽, 리자루가 합동 집필한 공장사 「피로 물든 연석 세 개」 (제8회 부분)가 발표되었다.

16일~8월 16일, 시베이지구 화극, 가극, 경극 현대극 관람공연대회가 란저우에서 개최되었다. 본 대회는 시베이지구 최초로 전 지역을 망라하는 현대극 관람공연대회로, 신장, 산시陝西, 칭하이, 닝샤, 간쑤 등 5개 성 및 란저우부대의 22개 공연단체의 9개 민족 1,400여 명의 희극공작자가 참석해 37개 극종과 일부 가무극 및 설창 작품을 공연하였다. 이 작품들은 대부분 사회주의 혁명과 사회주의 건설 투쟁생활을 반영한 작품으로, 농후한 민족적 색채와 지방적 색채를 가지고 있다는 것이 본 대회의 눈에 띄는 특징이다. 『옌허』 9월호에 「문예공작의 중심을 농촌을 향하는 궤도 위로 철저히 이동시키자—시베이지구 현대극 관람공연대회가 성공적으로 폐막하다徹底把文藝工作重心轉移到面向農村的軌道上來———西北地區現代戲觀摩演出大會勝利閉幕」가 발표되었다.

17일, 『인민일보』에 왕인밍王寅明의 시 「광주리의 노래背簍歌」가 발표되었다.
『광명일보』에 부린페이의 「싸워라, 아프리카여!—화극 「콩고의 폭풍우」를 평하다戰鬥吧, 非洲!———評話劇＜剛果風雷＞」가 발표되었다.

18일, 마오쩌둥이 미술교육에서 모델을 활용하는 문제에 대해 다음과 같이 의견을 표하였다. "남녀노소의 나체 모델은 회화와 조소의 기본기를 위해 반드시 필요하므로 쓰지 않을 수 없다. 봉건사상으로 인해 이를 금지하는 것은 타당하지 않다. 간혹 좋지 않은 일이 일어난다 해도 괜찮다. 예술과 과학을 위해서라면 작은 희생을 아끼지 않아야 한다……."
『인민일보』에 구궁의 단편소설 「기세가 맹렬한 사람翻江倒海的人」이 발표되었다.
『해방일보』에 싱얼빈邢爾賓의 「다른 종류의 전투의 승리—영화 「네온사인 아래의 보초병」을 보고另一種戰鬥的勝利———影片＜霓虹燈下的哨兵＞觀後」가 발표되었다.

19일, 『인민일보』에 장춘시의 단편소설 「고산준령」이 발표되었다.

21일, 마오쩌둥은 천이에게 보낸 서신에서 "시는 형상적인 사유가 필요하고, 산문처럼 직설적으로 표현하면 안 됩니다. 비比와 흥興의 두 가지 방법을 사용하지 않을 수 없습니다. 부賦도 사용해도 됩니다. 두보의 「북정北征」처럼 '그 일을 상세하게 서술하되 사실대로 말한다'는 것인데, 그 안에 비와 흥이 있습니다……오늘날의 시를 쓰려면 형상적인 사유라는 방법을 통해 계급투쟁과 생산투쟁을 반영해야 하는데, 고전은 절대로 불가능합니다. 그러나 백화시는 몇 십 년 동안 성공한 작품이 없습니다. 민가 중에는 오히려 좋은 작품이 더러 있습니다. 앞으로의 추세는 민가에서 양분과 형식을 취해 수많은 독자를 매료시키는 새로운 형식의 시가를 형성할 가능성이 큽니다……"라고 밝혔다.[1]

『인민일보』에 펑무의 평론 「웅장한 파도, 세찬 폭풍우─화극 「콩고의 폭풍우」를 보고壯闊的波濤, 滾滾的風雷──看話劇<剛果風雷>」가 발표되었다.

『문예보』 제7호에 '『해방군문예』 편집부'라는 이름으로 「우리는 어떻게 아마추어 핵심 작가 대오를 조직했는가我們是怎樣組織業餘骨幹作者隊伍的」가 발표되었다. 글은 『해방군문예』 편집부가 청년 아마추어 작가를 조직하고 양성한 경험을 상세히 설명하고, 단평 「해방군이 아마추어 작가를 양성한 경험을 학습하자學習解放軍培養業餘作者的經驗」를 첨부하였다.

같은 호에 기자 쭤차左查의 기사 「왕성하게 전개되는 상하이 농촌의 새 이야기 운동蓬勃開展的上海農村新故事運動」이 게재되었다. '새 이야기 운동新故事運動'은 형식이 새롭고, 혁명적이며 군중적인 아마추어 문학활동이다. '편집자의 말'은 "이 운동은 시작하자마자 사회주의 사상전선에서 무산계급을 일으키고 자산계급을 타도하고, 계급 교육을 생생하게 진행하는 날카로운 무기가 되어, 3대 혁명 운동을 강력히 촉진하는 역할을 하였다……사회주의 시대의 구두문학으로서 이 형식은 군중이 가장 선호하고, 군중들이 장악하기에 가장 용이하며, 군중의 창조성을 발휘하기에 가장 용이한 문학의 새로운 품종 중 하나이다"라고 밝혔다.

같은 호에 영화 「불야성」을 비판한 글이 여러 편 발표되었다(「불야성」은 1957년에 제작되어 최근에 상영된 영화로, 중국 자본주의 공상업의 사회주의 개조를 소재로 한 영화이다). 관다퉁은 「어째서 영화 「불야성」을 반드시 비판해야 하는가爲什麼必須批判電影<不夜城>」에서 "영화 「불야성」의 작가는 자산계급의 입장에 서서 자산계급의 계급조화론 관점을 통해 자산계급을 미화하고 계급조화론을 선전해 우리나라 계급투쟁의 역사적 진실을 심각하게 왜곡하고, 당과 국가가 자본주의 공상업에 대해 진행한 사회주의 개조 정책을 왜곡하였다. 이 작품은 통일전선 방면의 투항주의가 문학예술에 표현된 예이다", "영화 「불야성」은 자본주의의 복권에 유리하고 사회주의에는 불리하므로, 우리는 반드시 이 작품을 엄중히 비판해야 한다"라고 보았다.

이췬은 「계급투항주의를 선전하는 영화 「불야성」宣傳階級投降主義的影片<不夜城>」에서 영화 「

---

1) 『마오쩌둥 서신 선집毛澤東書信選集』 제571∼572쪽, 중앙문헌출판사 2003년.

불야성」의 "모든 묘사와 과장은 예술 형상의 힘을 빌려 사람들에게 자산계급의 마음속 깊은 곳에는 애초부터 아름다운 무언가가 있어, 이것을 발굴하기만 한다면 그들이 자각적으로 자신을 개조해 순조롭게 사회주의로 진입하게 할 수 있으므로, 인민정권은 이들에게 제한을 가하거나 개조를 요구할 필요가 없고, 자연히 그들을 상대로 계급투쟁을 진행할 필요도 없으며, 공사 합영公私合營이 실현되고 생산자료소유제의 사회주의 개조가 완성되기만 하면 자산계급은 존재하지 않게 되므로 무산계급과 자산계급 사이의 계급투쟁이 필요하지 않게 될 것이라고 믿게 만들려 하고 있다. 이는 사실상 자산계급이 오랫동안 존재하도록 하고, 무산계급과 자산계급의 '평화 공존'을 요구하며, 자산계급에 대한 투항주의를 선전하는 것이다. 이는 자산계급에 대한 마르크스레닌주의자의 입장, 관점, 태도 및 정책과 완전히 대립하는 것이다"라고 보았다.

사오위번邵裕本, 우후이셴吳惠賢은 「「불야성」은 누구를 위해 제작되었는가<不夜城>是爲誰拍的」에서 "영화 「불야성」의 해로운 점은 이 영화가 자본가의 '공적'과 '은덕'을 찬양하고, 우리 공인계급을 마비시켜 우리가 계급모순과 계급투쟁을 잊게 만든다는 것이다. 우리는 반드시 장보한張伯韓(영화 속의 자본가 인물)의 가면을 철저히 깨 버리고, 이 영화를 철저히 폭로하고 비판해 사회주의 혁명을 끝까지 진행해야 한다!"라고 보았다.

같은 호에 쩌우디판의 평론 「백전백승—기록영화 「생산의 고조 속에서」 찰기戰無不勝——紀錄片<在生産高潮中>劄記」가 발표되었다.

22일, 문화부에서 「『마오쩌둥 저작 선독』 및 마오 주석 저작 단행본 출판공작의 진일보 강화에 관한 통지關於進一步加强<毛澤東著作選讀>和毛主席著作單篇本出版工作的通知」를 발포해 올해 『마오쩌둥 저작 선독』을 5천만 부 출판한 계획이라고 밝혔다.

23일, 『해방일보』에 이췬의 「누구에게 유리한가?對誰有利?」가 발표되었다. 그는 글에서 영화 「불야성」이 "온갖 방법을 써서 자산계급의 착취적인 본질을 덮어 가리고, 생생한 계급투쟁의 현실을 회피하고, 자산계급을 위해 직지 않은 아름다운 '품성'을 만들어냈다", "이 영화는 엄중히 비판해야 할 독초이며, 결코 '교육적인 의의'를 가진 향기로운 꽃이 아니다"라고 보았다. 같은 호에 슝전빈熊振斌의 「역사는 거울이다—「불야성」은 '오반' 투쟁을 어떻게 왜곡했는가歷史是一面鏡子——<不夜城>怎樣歪曲了"五反"鬥爭」, 루스陸石의 「영화 「린씨네 가게」의 소위 예술적 수법에 관하여談影片<林家鋪子>的所謂藝術手法」 등의 글이 발표되었다.

24일, 『인민일보』에 리더푸의 소설 「온갖 꽃이 만발해야 비로소 봄이다」가 발표되었다(『창장문예』 3월호에 최초 발표).

25일, 『수확』 제4호에 진징마이의 장편소설 『어우양하이의 노래』, 마리馬力의 「총을 전해 주다傳檜記」, 류안치劉安琪의 「친덩가오秦登高」, 류전화劉振華의 「들국화野菊花」, 먼하이췬門海群의 「위성류紅柳」, 탄탄譚談의 「채석장에서采石場上」, 장수슈張書修의 「그들 세 사람他仨」 등의 단편소설, 두쉬안의 산문 「조선 일기朝鮮日記」, 쉬징셴의 보고문학 「난니완 사람의 후손南泥灣人的後代」이 발표되었다. 같은 호에 본지 평론가의 전문 논고 「공농병 문예평론을 환영한다歡迎工農兵文藝評論」, 천밍수의 「혁명 후계자 양성이라는 주제를 더 많이, 더 잘 표현하자更多更好地表現培養革命接班人的主題」 등의 글이 발표되었다.

26일, 『광명일보』에 후징즈의 「계급조화론의 예술적 표본—「불야성」階級調和論的藝術標本——<不夜城>」이 발표되었다. 그는 글에서 영화 「불야성」이 자본계급과 제국주의, 봉건주의, 관료자본주의 사이의 모순을 과장하고, 무산계급과 자산계급 사이의 계급 모순을 덮어 가렸으며, 자산계급과 사회주의 사이의 모순을 말살하고, 무산계급과 자산계급 사이의 투쟁을 배제했다고 보았다.

『해방일보』에 주쭈이의 「「적도의 전고」는 '세 가지 결합'의 산물이다<赤道戰鼓>是"三結合"的產物」가 발표되었다.

26일~8월 11일, 문화부에서 영화 소재 계획 회의를 소집하였다. 저우언라이 총리가 참석해 문예방침과 영화창작 문제에 관해 연설하고, 예술적인 기록영화를 제작해 사회주의 시대를 신속하게 반영할 것과 창작자들이 생활에 깊이 침투하고 세계관을 개조할 것을 재차 강조하였다.

27일, 『인민일보』의 '간행물 문예평론 개요'란에 「부단히 혁신하는 경극 「사자방」不斷革新的京劇<沙家濱>」이 발표되었다. 글은 "베이징경극단의 각본가, 감독, 배우들은 「갈대숲의 불씨」의 성공에서 멈추지 않고, 경극 혁명화라는 높은 기준을 고수하면서 부단한 혁명 정신으로 수정을 거듭해 작품을 더욱 훌륭하게 다듬었다. 이번 공연 전에 제목을 「사자방」으로 변경해 새롭게 공연한 이 작품은 '역사의 진실에서 출발해 마오쩌둥 동지의 전략 사상에 근거해 극본의 사상 내용을 제고하고, 여러 가지 생활의 소재에 근거해 가장 적절한 예술 표현의 수단을 찾아 혁명적인 정치 내용과 가능한 한 완전한 예술적 형식의 통일을 이루었다'"라고 밝혔다. 같은 호에 톈젠의 '항미원월(베트남) 시 3편'-「열혈 송가熱血頌」가 발표되었다.

『광명일보』에 구궁의 단편소설 「추적追蹤」이 발표되었다.

『해방군보』에 천이의 「간난 유격사贛南遊擊詞」(1936년에 창작)가 발표되었다.

28일, 『광명일보』에 뤄룽환의 혁명 회고록 「추수 봉기와 우리 군의 초창기秋收起義與我軍初創時期」가 발표되었다(7월 30일자 『인민일보』에 전재).

30일, 『광명일보』에 류밍주의 「「불야성」은 자산계급의 생활방식을 선전한다＜不夜城＞宣揚資産階級生活方式」가 발표되었다.

『베이징일보』의 "'광주리 정신' 예찬'란에 린진란의 「칭찬의 편지 두 통-'광주리 정신' 학습 이야기 제1편兩封表揚信——學習"背簍精神"的故事之一」이 발표되었다.

『신장문학』 7월호에 리유룽의 시 「칸얼징坎兒井」, 상주찬尙久驂, 우윈룽吳雲龍의 6장 화극 「유전을 두고 싸우다戰油田」(8월호에 연재 완료)가 발표되었다.

31일, 『인민일보』에 장춘시의 단편소설 「관제탑이 북쪽으로 이동하다塔台北移」, 천밍저陳明哲, 가오중우高中午의 보고문학 「청산을 밟고 지나다踏遍青山」가 발표되었다.

『광명일보』에 궈모뤄의 「홍군은 원정이 고된 것을 두려워하지 않는다"紅軍不怕遠征難"」, 리잉의 시 「위대한 가르침을 마음속에 기억하다偉大的教誨記心中」가 발표되었다.

『홍기』 제8호에 궈모뤄의 「시사 10편詩詞十首」(「루이진을 방문하다訪瑞金」, 「징강산을 방문하다訪井岡山」, 「난창을 방문하다訪南昌」 등)이 발표되었다.

이달에 전국 방송국 대외선전회의全國電視台對外宣傳會議가 다시 소집되어 타이위안방송국, 우한방송국이 추가되었다. 본래부터 기본이 튼튼했던 '샤마下馬' 방송국은 여러 번의 시험을 거쳐 정식으로 방송을 시작하였다.

펑쓰커 등의 단편소설집 『한 차례의 전투一場戰鬥』가 군중출판사에서 출간되었다.

장즈민의 시집 『홍기 송가紅旗頌』가 백화문예출판사에서 출간되었다.

한이핑韓憶萍의 시집 『주요인의 노래走窯人的歌』가 베이징출판사에서 출간되었다.

저우멍뎨周夢蝶의 시집 『환혼초還魂草』가 문성서점文星書店에서 출간되었다.

중국 탁구팀이 제28회 세계 탁구 선수권대회에서 거둔 승리를 축하하기 위해 인민체육출판사에서 시가선『훌륭히 교육한 공은 당에 있다化雨春風功在黨』가 발표되었다.

백화문예출판사에서 편찬한 베트남 항미투쟁 지원 시가집『네게 바친다, 전투하는 베트남이여 獻給你, 戰鬥的越南』,『우리는 늘 준비되어 있다我們時刻准備著』가 출간되었다.

중국 베트남 우호 인민공사中越友好人民公社에서 합동 창작한 산문집『우리와 베트남 인민의 전투의 우정我們和越南人民的戰鬥友誼』이 작가출판사에서 출간되었다.

중국청년출판사에서 편찬한『베트남 남방 전투 이야기越南南方戰鬥故事』가 출간되었다.

펑더잉 등의 5막 6장 화극『여자 조종사』가 중국희극출판사에서 출간되었다.

8월

1일,『인민일보』에 저우강周綱의 시 2편「홍기를 건네받고 앞을 향해 간다接過紅旗向前走」가 발표되었다.

『해방군문예』8월호에 양청우楊成武의「루딩차오를 날쌔게 탈환하다飛奪瀘定橋」, 황융성黃永勝의「징강산으로 진군하다向井岡山進軍」(『불티가 번져 들판을 태우다』부분) 등의 혁명 회고록, 장밍의 시「야영 2편野營二首」, 샤오위肖玉, 장다중畺大中이 창작하고 샤오위가 집필한 5장 화극「군대를 인솔하는 사람帶兵的人」이 발표되었다.

『허베이문학』8월호에 차오스친曹世欽의「열정이 가득한 새로운 생활을 노래하다—왕스샹의 단시집『병사의 노래』를 평하다歌頌充滿熱情的新生活——評王石祥的短詩集<兵之歌>」, 리옌스李硯石의「자산계급을 미화한 영화—영화「불야성」에 관하여一部美化資產階級的影片——談影片<不夜城>」등의 글이 발표되었다.

『창장문예』8월호에 타오주가 2월 20일에 경극「홍등기」를 관람 및 학습한 중난지구 희극계 대표들을 대상으로 진행한 연설문「반드시 혁명 현대극을 잘 공연해야 한다」가 발표되었다. 같은 호에 푸샤蒲霞의「중대를 떠난 첫날離開連隊的前一天」, 저우궁성周貢生의「철탑의 노래鐵塔歌」, 주원추朱運初의「봄비 내리는 밤春雨夜」등의 소설, 황무黃牧, 허링何齡의 보고문학「군대의 민병軍隊裏的民兵」, 장쿤화張昆華의 시「고원의 눈보라高原風雪」, 주짜오디朱早弟의「공인계급 형상을 왜곡하는 것을 허용할 수 없다不容許歪曲工人階級形象」, 우뤄원의「영화「불야성」은 민족자산계급에 대한 사회주의 개조를 왜곡했다電影<不夜城>歪曲了對民族資產階級的社會主義改造」등의 글이 발표되었다.

『창춘』제4호에 중즈청仲志成의 7장 경극 극본「나날이 발전하다天天向上」, 창춘시경극단長春市京劇團이 각색한 소형 경극「가시는 길 평안하시길一路平安」, 창춘시경극단 창작조가 합동 창작한 소형 경극「반을 이끌다帶班」등이 발표되었다.

『옌허』8월호의 '4호중대, 5호전사, 새로운 인물과 새로운 사건' 공모 원고 발표란에 지샤오청紀小城 등의 단막극「총검에 피를 묻히다刺刀見紅」, 장위민張裕民, 후위룽胡裕隆의 단막극「초병반의 풍격標兵班的風格」, 란저우부대 어느 부서의 전사 아마추어 공연대 9인 화극조九人話劇組가 합동 창작한 단막극「누가 정확히 보는가誰看得准」등의 작품이 발표되었다.

『초원』제4호에 네이멍구자치구 문화국의「우란무치는 마오쩌둥 사상이 비추는 아래 전진한다烏蘭牧騎在毛澤東思想照耀下前進」가 발표되어 우란무치를 학습할 것을 강력히 호소하였다.

2일, 『인민일보』에 궁시의 시 2편「총을 수여하다授槍」가 발표되었다.

『광명일보』에 쥐루의「「상하이의 처마 아래」는 시대정신에 반대하는 작품이다」가 발표되었다.

3일, 『희극보』제7호에 1965년 화둥지구 경극 현대극 관람공연대회 개막식에서의 웨이원보魏文伯의 연설「희극의 사회주의 혁명을 반드시 끝까지 진행해야 한다一定要把戲劇的社會主義革命進行到底」, 베이징경극단의「「사자방」수정 과정에서의 몇 가지 소감〈沙家浜〉修改過程中的一些體會」이 발표되었다. 이 글은「사자방」수정 과정에서 마주친 문제를 크게 두 가지로 정리해 "하나는 정치와 예술의 관계, 다른 하나는 생활과 전통의 관계이다"라고 보면서, "「갈대숲의 불씨」를「사자방」으로 수정하면서 가장 크게 바뀐 점은 무장투쟁의 역할을 두드러지게 한 점이다", "경극「갈대숲의 불씨」의 무대예술 측면에서의 주된 결점은 '진부함', 즉 옛 표현형식과 혁명의 생활이라는 내용 사이에 모순이 존재한다는 점이었다……전통예술의 표현방식을 비판적으로 계승하고 새로운 창조에 힘써 형식과 내용이 가능한 한 완전히 통일되게 하는 것이「사자방」수정의 중요한 목표가 되었다"라고 밝혔다.

같은 호에 리시판의「마오쩌둥 사상이 혁명 현대극의 창작을 밝게 비춘다─경극「사자방」재창조의 성취를 평하다毛澤東思想照亮了革命現代戲的創作——評京劇〈沙家浜〉再創造的成就」가 발표되었다. 그는 글에서 수많은 관중들이 이 우수한 혁명 현대극이 수정을 거쳐 나날이 완벽해지는 것을 환영할 뿐만 아니라, 베이징경극단 동지들의 부단한 혁명정신 또한 환영하고 있다고 보았다. 그는 "이러한 혁명정신은 극본의 반복된 수정과 공연에 대한 부단한 단련에 잘 드러나 있으며, 또한 이들이 성공 앞에서도 답보하거나 정체하지 않고 두 측면을 모두 고려하는 태도로 이 작품의 사상성과 예술성을 부단히 제고한 점에도 나타나 있다", "「사자방」은 '수차례의 원고 수정, 수차례의 재연습' 과정에서 당의 지도자 동지들의 창작 측면에서의 구체적인 도움을 받고, 각 방면에서 군중의 의견을 겸허히 수용하였다. 따라서, 「사자방」의 성공은 우선 창작에서의 '세 가지 결합'의 성공이라 해야 할 것이다"라고 보았다.

4일, 『베이징문예』 8월호에 차오스의 「맥박脈搏」, 쑹잉宋英의 「운전 연습練車」 등의 소설, 시홍의 보고문학 「'왕톄런'을 크게 축하하다大慶"王鐵人"」가 발표되었다.

5일, 『후난문학』 제4호에 웨이양의 보고문학 「햇빛이 돌보는 아래 자라다在陽光撫育下成長」, 웨이링韋綾의 「폭풍과 열화 속에서 군가를 짓다－대형 무용극「폭풍우 송가」 만평風雷烈火譜戰歌——漫評大型舞劇<風雷頌>」이 발표되었다.

『광시문예』 8월호에 친자오양의 보고문학 「길路」, 야오정캉姚正康의 평론 「강렬한 독성을 자난 독초－「불야성」一株具有濃烈毒性的毒草——<不夜城>」이 발표되었다.

『칭하이후』 8월호에 세원제謝文傑의 평론 「영화「린씨네 가게」는 자산계급을 어떻게 미화했는가?影片<林家鋪子>是怎樣美化資產階級的?」가 발표되었다.

6일, 『해방군보』에 양청우의 혁명 회고록 「루딩차오를 날쌔게 탈환하다」가 발표되었다.

『베이징일보』에 린진란의 「'타르 노파'를 가져오다－'광주리 정신' 학습 이야기 제2편拿"黑油婆"——學習"背簍精神"的故事之二」이 발표되었다.

7일, 『광명일보』에 궈모뤄의 「루이진을 노래하다頌瑞金」, 「간저우를 방문하다訪贛州」 등 '시사 19편'이 발표되었다.

8일, 『베이징일보』에 린진란의 「지렁이를 꿰다－'광주리 정신' 학습 이야기 제3편串地龍——學習"背簍精神"的故事之三」이 발표되었다.

10일, 『북방문학』 8월호에 톈스산田師善의 「영화「린씨네 가게」는 무엇을 선전하는가?影片<林家鋪子>宣揚了什麼?」, 펑딩난彭定南의 「계급투쟁을 왜곡하고 자산계급을 미화한 영화－영화「

불야성」을 평하다—部歪曲階級鬥爭, 美化資產階級的影片——評電影＜不夜城＞」등의 글이 발표되었다.

12일, 『인민문학』 8월호에 장춘시의 「고산준령」(『해방군문예』 6월호에 최초 발표), 천지광陳繼光의 「목표目標」(『맹아』 5월호에 최초 발표), 쩌우중핑鄒仲平의 「앞지르다提前量」(『해방군문예』 6월호에 최초 발표) 등의 단편소설, 간거幹戈의 「형제연兄弟連」, 리신의 「중대 생활 단가連隊生活短歌」 등의 시와 차오스의 산문 「머리 위에 붉은 별을 달고 있다—顆紅星頭上戴」 등이 발표되었다.

13일, 『인민일보』에 저우허周鶴, 원민파溫民法의 시 3편 「공군시정空軍詩情」이 발표되었다.

15일, 『인민일보』에 옌둥빈閻東賓의 「계급조화를 선전하는 영화 「불야성」宣傳階級調和的影片＜不夜城＞」이 발표되었다(8월 16일자 『광명일보』, 『해방일보』에 전재). 그는 글에서 이 영화가 "계급조화를 선전하고, 계급투쟁을 부인"하고, "자본가의 가정사를 미화하고, 자산계급의 생활방식을 선전"했으며, "무산계급을 추악화하고, 공산당원 형상을 왜곡하고, 무산계급의 지도적인 역할을 말살했다"라고 보았다. 또한 "「불야성」의 출현은 우연이 아니다. 이 영화는 무산계급과 자산계급, 사회주의와 자본주의 두 노선의 투쟁이 반영된 것이며, 국제적인 현대수정주의 사조와 국내의 통일전선 측면의 계급투항주의가 반영된 것이다", "어째서 일부 사람들이 이 영화를 마음에 들어 하고 자꾸 언급하려 하는가? 그것은 이 영화가 그들의 취향에 부합하고, 영화의 사상 내용이 그들의 계급투항주의 사상과 일치하기 때문이다"라고 보았다.
『전영문학』 8월호에 싸이스리의 영화문학 극본 「산간도시에 세 번 들어가다」가 발표되었다.

16일, 『양청만보』에 사설 「색채가 아름답고 눈부시며 광채가 화려하다—중난지구 희극관람 공연대회의 풍작을 경축하며鮮豔奪目, 光彩照人——爲中南區戲劇觀摩演出大會歡慶豐收」가 발표되었다.

20일, 『베이징일보』에 관화가 중일전쟁 승리 20주년을 기념해 창작한 단편소설 「샤쥔메이夏俊梅」가 발표되었다.
『극본』 제4호에 완찬萬川, 둥샤오화董曉華가 창작하고 완찬이 집필한 6장 화극 「붉은 공병紅色工兵」, 후수어胡書鍔, 샹빈런向彬人 등의 5막 화극 「천둥번개가 치다電閃雷鳴」가 발표되었다.

20일~9월 14일, 신장위구르족자치구에서 가무 현대극 관람공연대회가 개최되었다.

22일, 난징에서 혁명 이야기 창작 교류회가 개최되었다. 『신화일보』에 평론가의 글「군중적인 성격의 혁명 이야기 낭독 활동을 전개하자開展群衆性的講革命故事活動」 및 기사「혁명 이야기 형식을 활용해 정치와 생산을 위해 복무하자運用革命故事形式，爲政治和生産服務」가 발표되었다.

24일, 『인민일보』에 장푸의 단편소설「우리의 지도자我們的向導」, 톈젠의 시「무기를 들어라!—항일전쟁 승리 20주년 기념 연작시拿起武器來!——紀念抗日戰爭勝利20周年詩箋一束」가 발표되었다. 『광명일보』에 비예의 특필「깃발의 빛이 번쩍이다旗光閃閃」가 발표되었다.

25일, 상하이인민예술극원 화극2단에서 7장 화극「핑싱관의 첫 전투」를 공연하였다. 푸둬, 바이원팅이 각본을 맡았으며 황쭤린, 우페이위안吳培遠, 리서우룽李守榮이 감독을 맡았다.

27일, 『베이징일보』에 양모가 '중일전쟁 승리 20주년을 기념해 창작'한 산문「생면부지의 아주머니素不相識的大娘」가 발표되었다.

『문예보』 제8호에「새로운 인물이 성장한다—『신인 신작선』 서문一代新人在成長——＜新人新作選＞序言」, '쿤밍부대 정치부 문화부昆明部隊政治部文化部'의「마오쩌둥 사상이 양성한 문학 신인毛澤東思想哺育的文學新人」, 후베이성 황링黃陵현 문화관의「농민을 위해 좋은 간행물을 편찬하자—우리는 어떻게 『황피문예』를 편찬했는가爲農民辦好刊物——我們是怎樣辦＜黃陂文藝＞的」, 황치솨이 등의「대리인」은 무엇을 선전하는가?—캉쥐 동지의 단편소설「대리인」을 평하다」(『후난문학』 제3호에 최초 발표)가 발표되었다.

같은 호에 '본지 평론가'의 글「나날이 발전하는 희극 무대日新月異的戲劇舞台」가 발표되어 혁명 현대극 창작 및 공연 상황을 정리하였다. 글은 "우리나라 희극 무대에 대단히 좋은 형세가 나타났다. 올해 봄의 화베이지구 화극 가극 관람공연대회 이후로 최근 몇 달 사이에 둥베이지구 경극 현대극 관람공연대회, 화둥지구 경극 현대극 관람공연대회, 중난지구 희극관람공연대회 및 시베이지구 화극 가극 경극 현대극 관람공연대회가 개최되었다. 단 몇 달 사이에 5개 지역에서 여섯 차례의 대규모 관람공연대회가 개최되어 200여 편에 달하는 작품이 공연되었다. 희극 무대가 이처럼 번영한 것은 우리나라 역사상 공전의 일이다", "이들 관람공연대회의 성취는 우리나라의 희극 무대에 이미 거대한 변화가 일어났으며, 미증유의 새로운 국면과 새로운 모습이 출현했음을 보여준 다. 혁명 현대극은 화극, 가극 무대뿐만 아니라 희곡, 특히 경극 무대까지 점령했다. 공농병 영웅 인물이 무대의 주인이 되었으며, 무대는 이미 무산계급을 일으키고 자산계급을 타도하는 투쟁 과 정에서 인민에게 사회주의 교육을 진행하는 진지가 되었다"라고 보았다. 글은 혁명 현대극의 창작 은 "그 대부분이 지도자, 전문가, 군중 3자가 결합하는 방식을 통해 창작"되었으며, 이 작품들이 모 두 "사회주의의 시대정신과 뜨거운 혁명 투쟁을 표현하고, 희극예술이 공농병과 사회주의를 위해 복무하는 방향을 표현했다. 이 가운데 사회주의 혁명과 사회주의 건설을 반영한 작품이 대다수를 차지하며, 오늘날의 계급투쟁과 생산투쟁 및 과학실험에 투신한 선진 인물이 대거 무대에 출현하 여 혁명 현대극 영웅의 대열에 포함되었다"라고 보았다.

'현대극' 문제가 제기된 것은 1960년 4월 13일부터 29일까지 문화부가 베이징에서 개최한 현대 소재 희곡 관람공연대회 때이다. 대회에서 문화부 부부장 치옌밍이 "현대극, 전통극, 신작 역사극 세 가지의 동시 발전"을 제시하였다. 1963년 8월 29일부터 9월 26일까지 문화부, 중국극협, 베이 징시 문화국이 합동으로 베이징 '희곡공작좌담회'를 개최해 '백화제방 및 옛것을 취사선택하여 새 롭게 발전시키는 방침'을 더욱 강력히 집행하는 문제에 관해 토론하였다. 좌담회에서 저우양과 린 모한이 연설하였는데, 린모한은 공연 작품을 풍부하게 하고 다양화해야 하며, 전통극과 신작 역사 극, 그리고 현대극 등 세 가지가 모두 중요하다고 보았다.

이 회의 이후에 희곡계에는 현대 혁명 투쟁 생활을 소재로 한 현대극 작품이 점차 늘어나기 시 작했다. 1963년 12월 25일부터 1964년 1월 22일까지 화둥지구 화극관람공연대회가 상하이에서 개최되었다. 1964년 3월에는 화둥지구 화극관람공연대회 공연 작품의 베이징 갈라 공연이 개최되 었으며, 동시에 상하이 경극계에서 현대극을 대량으로 준비하기 시작하였다. 1964년 6월 5일부터 7월 31일까지, 전국 경극 현대극 관람공연대회가 베이징에서 개최되어 19개 성, 시, 자치구의 28 개 경극단이 35개 작품을 공연하였다.

장칭은 7월의 경극 공연 인원 좌담회에서 「경극 혁명에 관하여談京劇革命」라는 제목으로 연설하 였다. 장칭은 연설에서 "우리는 혁명의 현대극을 제창하고, 건국 15년간의 현실생활을 반영해, 우 리의 희곡 무대 위에서 당대의 혁명 영웅 형상을 창조해야 한다"라고 지적하였다.

『홍기』 1964년 제12호에 경극 현대극 관람공연대회에 관한 사설 「문화전선 위의 대혁명」이 발 표되었다. 사설은 "경극 개혁은 중대한 일이다. 이는 문화혁명일 뿐만 아니라 사회혁명이기도 하 다. 이번에 베이징에서 진행된 경극 현대극 관람공연대회를 시작으로 한 경극 개혁과 이에 뒤따르 는 희극, 곡예, 영화, 문학, 음악, 무용, 미술 등 문학예술의 각 분야의 혁명화는 우리나라 문화사상

영역에서의 사회주의 혁명의 중요한 구성 부분이다"라고 밝혔다.

1964년부터 1965년까지 현대극의 창작과 공연이 고조에 올랐다. 현대극에 이어 출현한 것이 문화대혁명 기간의 혁명 모범극이다.

28일, 『인민일보』에 8월 15일의 중난지구 희극관람공연대회 폐막식에서의 타오주의 결산 보고 개요 「혁명 현대극이 신속히 무대를 전부 점령해야 한다」가 발표되었다. 그는 보고에서 이번 공연이 다음과 같은 두 가지 큰 문제를 해결했다고 보았다. "첫째, 공연을 통해 각본, 감독, 배우, 음악공작자, 무대미술공작자를 모두 포함한, 상당한 전투력을 가진 혁명 현대극 공연 대오가 조직되었다.", "둘째, 이번 공연을 통해 우리는 우리가 스스로 창작한 혁명 현대극 작품을 보유하게 되었다." 그는 또한 "혁명 현대극이 무대를 점령"하기 위해서는 "정치와 예술의 통일을 이뤄야 한다", "더욱 고상한 품격을 가진 사회주의 영웅 인물 형상을 더 많이 창조해야 한다", 또한 "희극전통의 계승과 혁신"에 주의해야 한다고 보았다.

30일, 베이징에서 항미원월 시가 낭송회가 개최되었다.

31일, 『광명일보』에 톈젠의 시 「폭풍우 송가風雷頌」, 리잉루의 소설 「귀신을 몰아내다鬼竄」(장편소설 『대지의 봄大地春』 부분)가 발표되었다.

이달에 리샤오밍李曉明, 한안칭韓安慶이 합동 창작한 장편소설 『동이 트다破曉記』가 작가출판사에서 출간되었다.

왕싱위안王杏元의 장편소설 『뤼주춘의 풍운綠竹村風雲』(제1부)이 인민문학출판사 상하이지사에서 출간되었다.

인민문학출판사 상하이지사에서 '맹아총서萌芽叢書'를 출간하였다. 총서에는 후바오화胡寶華의 『기세가 등등하다龍騰虎躍』, 사빙더沙丙德의 『녹색의 들판綠色的田野』, 황즈이黃知義의 『푸른 하늘에 새 날개를 펼치다藍天展新翅』, 왕즈중王志忠의 『최전선의 첨병前哨尖兵』, 린위위의 『칼날刀尖』, 쑨샤오핑의 『주둔 예정지前站』, 샤오마의 『휘파람哨音』 등의 단편소설집이 포함되었다.

리쉐아오의 『타이항산맥의 용광로太行爐火』, 치지광의 『가열로의 노래加熱爐之歌』, 왕팡청王方成의 『붉은 압정紅色的抑釘』 등의 시집이 인민문학출판사 상하이지사에서 출간되었다.

북방문예출판사에서 편찬한 시집 『베트남 형제에게給越南兄弟』가 출간되었다.

바진의 산문집 『다자이행』이 산시인민출판사에서 출간되었다.

쉬징셴의 산문, 보고문학집 『생명은 불과 같다生命似火』가 작가출판사 상하이편집소에서 출간 되었다.

허칭賀青의 잡문집 『도등집挑燈集』이 광둥인민출판사에서 출간되었다.

청더承德전구專區화극단이 합동 창작한 5장 화극 『청송령』(장중평 집필), 베이징경극단이 합동 각색한 경극 극본 『사자방』(왕청치, 양위민 집필)이 중국희극출판사에서 출간되었다.

어우린이 각색한 4막 7장 화극 『아오이구리』가 신장인민출판사에서 출간되었다.

8월부터 10월까지, 중국민간문예연구회에서 둥썬, 류시청, 차이왕둥주才旺東久, 뤄부洛布 등을 티베트의 산난山南 티베트족 거주지구와 춰나錯那현 문파족門巴族 거주지구에 파견해 민간문학 조 사, 수집 공작을 진행하였다. 이들이 수집한 민간문학 작품은 『민간문학』에 발표되었다.

9월

1일, 『인민일보』에 허치팡의 시 「아니, 이런 '평화'는 필요없다不，不要這樣的"和平"」가 발표되 었다.

『해방군문예』 9월호에 샤오화의 「승리의 근본은 병사와 인민이다勝利之本是兵民」, 구궁의 「대해 의 환호大海的歡呼」 등의 시, 장융메이의 단막 가극 「훙쑹 여인숙紅松店」이 발표되었다.

『창장문예』 9월호에 장밍의 「그는 바람을 막는 첫 번째 벽이다—섬을 지키는 전사 찬가他是第一 堵擋風的牆——守島戰士贊歌」, 장신민張新民의 「비 내리는 밤雨夜」 등의 시, 리더푸의 창작수필 「사회 주의 시대의 영웅 형상을 창조하기 위해 노력하자努力塑造社會主義時代的英雄形象」가 발표되었다.

『허베이문학』에 량빈의 「홍기와 총紅旗與槍」, 펑즈馮志의 「지하도 전투地道戰」 등의 소설, 톈젠 의 대구사對口詞 「폭발炸」이 발표되었다.

『옌허』 9월호에 칭보青勃의 시 「마오 주석이 의료대를 파견했다毛主席派來醫療隊」, 란저우부대 아 마추어 9인 화극조의 「우리는 소화극을 어떻게 창작했는가我們是怎樣創作小話劇的」, 「관중이 우리의 스승이다觀眾是我們的老師」, 후위룽, 장위민의 「우리는 「초병반의 풍격」을 어떻게 창작했는가我們怎 樣創作＜標兵班的風格＞」가 발표되었다.

1일~10월 10일, 시난지구 희극관람공연대회가 청두에서 개최되어 쓰촨, 윈난, 구이저우

3개 성 30개 공연단체의 희극공작자 1,700여 명이 참석해 75개의 대형 및 소형 작품을 공연하였다. 이 가운데 소형 작품이 60% 이상을 차지하였다.

3일, 『베이징일보』에 린진란의 「외침-'광주리 정신' 학습 이야기 제4편呓喝——學習"背簍精神"的故事之四」이 발표되었다.

『희극보』 제8호에 8월 15일의 중난지구 희극관람공연대회 폐막식에서의 타오주의 결산 보고 개요 「혁명 현대극이 신속히 무대를 전부 점령해야 한다」, 스웨石樂, 빙푸冰夫의 「전사의 호방한 마음, 시대의 송가-화극 「영웅 공병」을 평하다戰士豪情, 時代頌歌——試評話劇<英雄工兵>」, 자오환의 「빛나는 공인계급 영웅 형상-훌륭한 희극 「천둥번개가 치다」 추천光輝的工人階級英雄形象——推薦好戲<電閃雷鳴>」 등의 글이 발표되었다.

3일부터 중국경극원, 베이징경극단 등 베이징의 화극 및 희곡 공연단체가 중일전쟁 승리 20주년을 기념해 경극 「홍등기」, 「사자방」, 「제전귀」, 화극 「핑싱관의 첫 전투」, 「동지, 길을 잘못 들었소!」 등 중일전쟁을 반영한 우수한 작품을 공연하였다.

4일, 『해방군보』에 예젠잉의 시 「일본 제국주의에 대한 승리 20주년戰勝日本帝國主義二十周年」이 발표되었다.

『베이징문예』 9월호에 리잉루의 소설 「심리전攻心戰」(장편소설 『대지의 봄』 부분)이 발표되었다.

5일, 『맹아』 제9호에 리잉의 시 「짜오린춘집」이 발표되었다.

『광시문예』 9월호에 웨이웨이의 「매복 공격伏擊」, 커중핑의 「동지에게 알리다告同志」 등이 시, 쑨리의 산문 「촌락전村落戰」이 발표되었다.

『칭하이후』 제9호에 구궁의 서사시 「꽃향기와 젖내가 풍기다花香′奶香在飄漾」가 발표되었다.

6일, 베이징 문예계의 정풍이 종료되어 문화부 당조에서 「현재 문화공작에 존재하는 몇 가지 문제에 관해 중앙에 제출하는 보고 제요關於當前文化工作中若幹問題向中央的彙報提綱」를 작성해 문화부에서 9일부터 27일까지 진행한 전국 문화청(국)장회의에서 본 제요를 제출하였다.

7일, 『인민일보』에 관산웨의 「라싸에게致拉薩」, 추이융창崔永昌의 「끝나지 않는 행복의 길走不完的幸福道」 등의 시가 발표되었다.

9일, 『인민일보』에 펑쯔의 「화극 무대에 등장한 새로운 군대―신장가무화극원의 「유전을 두고 싸우다」를 보고話劇舞台上的一支新軍――看新疆歌舞話劇院的〈戰油田〉」가 발표되었다.

10일, 『북방문학』 9월호에 사오쯔난의 「지뢰진地雷陣」, 쑨리의 「갈대꽃 연못―바이양뗀 기록 제1편蘆花蕩――白洋澱紀事之一」 등의 소설, 전문 논고 「마오쩌둥 사상으로써 청년 아마추어 문예창작 대오를 양성하자以毛澤東思想培養靑年業餘文藝創作隊伍」가 발표되었다.

11일, 『광명일보』에 위안잉의 특필 「금루혜金縷鞋」가 발표되었다.

12일, 『인민문학』 9월호에 리잉루의 「감히 적의 피로 칼을 붉게 물들이다敢叫敵血染刀紅」, 우창의 「첫 전투首戰」, 한쯔의 「멀지 않은 세월並非遙遠的歲月」, 롼장징의 「새벽의 개선가淸晨的凱歌」 등의 소설, 위안수이파이의 시 「베트남 인민에게 바치다獻給越南人民」가 발표되었다. 같은 호에 '항일전쟁 시초'란에 톈젠의 「웃자!笑呵!」, 싱예의 「무수한 사람들無數的人們」, 꽝빙의 「봉쇄구封鎖溝」, 만칭曼晴의 「어머니母親」 등의 시가 발표되었다. 같은 호에 펑즈단馮之丹, 뤼얼좡羅爾莊의 보고문학 「융링이여, 네게 경의를 표한다!永靈,　向你致敬!」가 발표되었다.

15일, 『인민일보』에 허베이성 청더전원공서承德專員公署 문교국의 글 「혁명화의 길 위에서 전진하자―청더전구화극단은 어떻게 화극을 농촌으로 보냈는가在革命化的道路上前進――承德專區話劇團是怎樣把話劇送到農村的」, 문예단평 「화극이 농촌에 뿌리내리게 하자讓話劇在農村中紮根」가 발표되었다.

16일, 『해방군보』에 평론가의 글 「혁명 전통정신 만세―화극 「영웅 공병」의 창작과 공연을 축하하며革命傳統精神萬歲――祝賀話劇〈英雄工兵〉的創作和演出」가 발표되었다. 글은 "「영웅 공병」은 훌륭한 화극이다. 이 작품은 정치를 두드러지게 표현한 화극이고, 시대정신이 충만한 화극이다. 이 작품은 사상성과 예술성이 매우 강렬한 화극이며, 최근 몇 년 사이 우리 군의 화극예술 가운데 발전과 제고와 창의성을 보여준 작품이다"라고 평하였다.

『톈진일보』에 펑즈馮志의 장편소설『지하 유격대地下遊擊隊』부분이 발표되었다.

17일,『인민일보』에 팡훙치方鴻琪의「캄보디아에서 물을 찾다柬埔寨找水散記」, 리루이환李瑞環의 서평「롼원주이처럼 생활하고, 일하고, 투쟁하자ー「그 사람처럼 살자」를 읽고象阮文追那樣生活' 工作' 鬥爭——讀＜象他那樣生活＞」가 발표되었다.

18일,『인민일보』에 쩌우디판의 시「베트남의 '조국의 철옹성'에 보내다寄給越南的"祖國銅牆"」, 쑨리의「열사 묘역烈士陵園」, 한쯔의「대나무 잎小竹葉兒」등의 산문이 발표되었다.

19일,『인민일보』에「더 많은 소형 혁명 현대극을 농촌으로 보내자ー중난지구 희극관람공연대회 하향 작품 갈라 공연대의 공연 소개把更多的小型革命現代戲送到農村去——介紹中南區戲劇觀摩下鄕節目彙報演出隊的演出」라는 제목으로 여러 편의 글이 발표되었으며 편집자의 말이 추가되었다.

20일,『해방군보』에 신예辛冶의 평론「일생을 혁명에 바치고, 온 세상을 집으로 삼다ー화극「영웅 공병」감상一生革命, 四海爲家——話劇＜英雄工兵＞觀後感」이 발표되었다.

『희극보』제9호에 평론가의 글「훌륭한 극을 농촌으로 보내자把好戲送到農村去」가 발표되었다. 글은 "전체적으로 말하자면, 전국 각지의 희극공작자들이 농촌으로 훌륭한 희극을 보낸 일은 지금 잇따라 새로운 성취와 새로운 경험을 얻고 있다. 이는 우리의 희극대오가 당의 지도하에 사회주의 교육 운동 과정에서 문예가 공농병과 사회주의를 위해 복무하는 방향을 더욱 명확히 했기 때문이다"라고 보았다. 이 외에도 친무의「소형 혁명 현대극의 거대한 파도小型革命現代戲的巨瀾」가 발표되었다. 그는 글에서 "소형 혁명 현대극은 중난지구 관람공연대회에서 큰 비중을 차지했을 뿐만 아니라, 이 형식은 대단히 강렬한 반응을 불러일으켰다. 이 작품들 중 일부는 풍격이 참신해 미묘한 운치가 넘치고, 일부는 정련되고 간결해 큰 감동을 준다. 또한 이 작품들은 짧으면서도 그 의미는 깊고, 노래와 춤을 모두 보여주어, 강렬한 생활의 숨결을 지니고 있으면서도 희곡의 특징을 가지고 있다. 이는 열렬한 환영을 받은 이들 소형 희곡의 공통의 장점이라 할 수 있다"라고 보았다.

같은 호에 리보자오의「희극전선에서의 새로운 성취ー1965년 시베이지구 현대극 관람공연대회 예찬戲劇戰線上的新成就——贊一九六五年西北地區現代戲觀摩演出大會」, 완촨의「주제의 형성과 표현ー「영웅 공병」창작 과정에서의 깨달음主題的形成和體現——＜英雄工兵＞創作中的一點體會」, 린위안林元

의 「맹렬히 타는 불, 휘몰아치는 눈보라─화극 「콩고의 폭풍우」에 관하여熊熊烈火， 滾滾風雪──談話劇＜剛果風雷＞」 등의 글이 발표되었다.

『신장문학』 9월호에 린펑林楓, 량밍다梁鳴達의 보고문학 「고비 사막 위의 인공 강戈壁灘上人造河」이 발표되었다.

22일, 『인민일보』에 「중대 지도원이 화극 「영웅 공병」에 관해 필담하다連隊指導員筆談話劇＜英雄工兵＞」라는 제목으로 여러 편의 글이 발표되었다. 같은 호에 선룽沈容의 「농민은 소형 혁명 현대극을 좋아한다農民喜愛小型革命現代戲」가 발표되었다.

『해방군보』에 「희극혁명의 새로운 성과를 환호한다─중난지구 희극관람공연대회 하향 작품 갈라 공연 몽타주歡呼戲劇革命的新成果──中南區戲劇觀摩下鄉節目彙報演出剪輯」가 발표되었다.

23일, 『광명일보』에 자오쉰의 글 「소형 희극의 전도가 유망하다小戲大有可爲」가 발표되었다.

바오딩전영교편창保定電影膠片廠이 정식으로 업무를 시작하였다.

25일, 『인민일보』에 기사 「백만 지식청년이 상산하향해 새로운 형태의 농민이 되다百萬知識青年下鄉上山成爲新型農民」가 게재되었다. 기사는 "농촌은 광활한 세상이므로, 그곳에서 크게 발전할 수 있다"라고 보았다. 같은 호에 리궈런李果仁이 커란의 단편소설 「징을 세 번 치다」를 각색한 '화고희花鼓戲' 「징을 치다打銅鑼」가 발표되었다.

『문예보』 제9호에 야오원위안의 글 「혁명 이야기를 학습하자向革命故事學習」가 발표되었다. 그는 글에서 문학공작자들에게 혁명 이야기를 낭송하는 군중운동으로부터 다음과 같은 네 가지를 배울 것을 요구하였다. 1. "혁명 이야기가 사회주의 현실생활을 선명하게 반영하는 것을 학습하고, 혁명 이야기가 정치 임무와 밀접하게 호응하며 정확한 목표를 가지고 날카롭게 사회생활 속의 새로운 사물과 뜨거운 투쟁의 특징을 반영하는 것을 학습해야 한다." 2. "혁명 이야기가 성심성의껏 공농병, 특히 5억 농민을 위해 복무하는 정신을 학습해야 한다." 3. "혁명 이야기의 새로운 문풍을 학습하고, 혁명 이야기의 군중화, 민족화된 예술 형식과 예술 언어를 학습해야 한다." 4. "새로운 이야기의 창작이 군중 노선을 따르고 세 가지 결합이라는 창작방법을 취해 공농병과 더욱 잘 결합하여 창작 영역에서의 주관주의를 감소시키는 것을 학습해야 한다."

같은 호에 '혁명정신을 발양하고 전투 전통을 계승하자'라는 제목으로 '위대한 항일전쟁 승리 20주년 기념 영화 전람회' 필담이 게재되어 영화계의 저명인사 추이웨이, 엔지저우, 톈화田華, 자오쯔웨趙子嶽, 차오신曹欣, 펑치융, 광웨이란 등의 글이 발표되었다. 이 외에도 이췬의 평론「아프리카 대지에 폭풍우가 분다-「콩고의 폭풍우」를 보고非洲大地起風雷──<剛果風雷>觀後」, 후쉬청胡緒曾의 「교육적 의의가 풍부한 소설-「폭풍우」 감상一部富有敎育意義的小說──<風雷>讀後感」 등의 글이 발표되었다.

『수확』 제5호에 허톈河田의 「단심보丹心譜」, 쉐커의 「어려운 시기에在困難的時刻」 등의 소설, 원제의 「나무를 베어 숯을 굽는 노래伐木燒炭歌」, 차오스의 「연병장 시초練兵場詩抄」 등의 시, 쥔칭의 보고문학 「장융성張永生」, 양청우楊成武의 혁명 투쟁 회고록 「'명장의 꽃'이 타이항 산맥에서 지다 "名將之花"凋謝在太行山上」가 발표되었다.

27일, 『인민일보』에 한중漢中전원공서 문교국의 「상산하향해 신가극이 농민을 위해 복무하게 하자 - 산시성 한중가극단의 발전의 길上山下鄕, 讓新歌劇爲農民服務──陝西省漢中歌劇團的發展道路」 및 문예단평 「한 그루에 등나무에는 두 가지 열매가 달리지 않는다一根藤上結不出兩樣瓜」가 발표되었다.

29일, 『인민일보』에 후차오무의 「시사 29편詩詞二十九首」이 발표되었다(9월 30일자 『광명일보』에 전재).

『신장문학』 10월호에 톈젠의 시 「흰 눈과 붉은 꽃白雪與紅花」, 비예의 산문 「그리움과 축복懷念與祝福」이 발표되었다.

30일, 『문학평론』 제4호에 우쯔민吳子敏, 차이쿠이의 「「폭풍우」를 평하다評<風雷>」, 판즈린範之麟의 「「화창한 날」의 사상 예술적 특징에 관하여試談<豔陽天>的思想藝術特色」, 원치闡起의 「자산계급을 미화하고 노래한 영화 「불야성」美化和歌頌資産階級的影片<不夜城>」, 추이자루이崔加瑞의 「자본가의 본모습을 속이도록 허락해서는 안 된다─영화 「불야성」 비판不許給資本家塗脂抹粉──批判電影<不夜城>」, 펑위안쥔의 「「두아원」과 그 각색 극본을 어떻게 볼 것인가怎樣看待<竇娥冤>及其改編本」, 세몐의 「특색 있는 신시 선집-『낭송시선』을 읽고一本有特色的新詩選集──讀<朗誦詩選>」 등의 글이 발표되었다.

『극본』 제3호가 「소형 현대 희곡 극본 특집호小型現代戲曲劇本專號」로 간행되어 10편의 소형 희곡 극본이 발표되었다.

이달에 린시林晞의 장편소설 『고도의 봄 경치古城春色』, 천융陳勇 등이 창작하고 판이신範一辛이 삽화를 그린 중편소설『날이 밝기 전天亮之前』이 인민문학출판사에서 출간되었다.

허정밍賀政明의 장편소설『위취안이 푸른 물을 뿜다玉泉噴綠』(하권)이 작가출판사에서 출간되었다.

춘풍문예출판사에서 편찬한 단편소설집『공사대로 위에서在公社大道上』가 출간되었다.

인민문학출판사 상하이지사에서 '맹아총서'를 출간하였다. 본 총서에는 리더푸의『높디높은 산 위』, 주량이朱良儀의『바다사냥海獵』등의 단편소설집이 포함되었다.

리루칭 등의 스케치, 산문, 소설집『푸른 바다와 붉은 노을碧海紅霞』이 군중출판사에서 출간되었다.

중국인민해방군 신장군구 정치부 문화부 등이 편찬한 소설산문집『명사수와 만 리의 구름神槍 手和萬裏雲』, 중국작가협회 신장위구르자치구분회, 신장인민출판사에서 편찬한 산문 및 보고문학 집『고비 사막의 물은 길게 흐른다戈壁水長流』, 중국인민해방군 신장군구 정치부에서 편찬한 보고 문학집『마오 주석의 전사가 당의 말을 가장 잘 듣는다毛主席的戰士最聽黨的話』등이 신장인민출판 사에서 출간되었다.

소년아동출판사에서 편찬한『자본가의 죄악 - 공인 가정사선資本家的罪惡——工人家史選』이 출간 되었다.

야오원위안의 논문집『전진하는 길 위에서在前進的道路上』가 인민문학출판사 상하이지사에서 출간되었다.

허베이성화극원이 합동 창작하고 루쑤가 집필한 7장 화극『전홍도戰洪圖』가 중국희극출판사에 서 출간되었다.

선이린沈儀琳 등이 번역한 북한 작가 양재춘楊載春 등의 북한 보고문학집『천리마 시대의 서사시 千裏馬時代的史詩』가 작가출판사에서 출간되었다.

10월

1일, 8·1전영제편창, 베이징전영제편창, 중앙신문기록전영제편창中央新聞紀錄電影制片廠이 합 동 제작한 컬러 무대예술영화『동방홍』이 전국에 정식으로 상영되었다.

『해방군문예』에 장밍의 보고문학「마오쩌둥 사상의 개선가 - 8월 6일 해상섬멸전을 기억하며 毛澤東思想的凱歌——記8月6日海上殲滅戰」가 발표되었다.

『창장문예』 10월호에 리더푸의「두 젊은이兩個年輕人」, 이스셴易仕先의「산중의 부녀山裏婦女」

등의 소설, 뤼시판呂西凡의 단막 화극 「봄비春雨」, 중난지구 희극관람공연대회 폐막식에서의 타오주의 결산 보고 개요 「혁명 현대극이 신속히 무대를 전부 점령해야 한다」가 발표되었다.

『창춘』제5호에 리잔쉐李占學의 「늙은 쟁기꾼老犁手」, 리수썬李樹森의 「러 아주머니樂大嫂」, 황페이黃霈의 「새 촌락의 홍기보新村紅旗譜」 등의 시, 루딩路丁의 8장 경극 극본 「봉화교 어귀烽火橋頭」가 발표되었다.

4일, 『베이징일보』10월호에 리쉐아오의 시 「모터 펌프 우물의 노래電井之歌」, 하오란의 「베이스 사람들이 큰 걸음을 내딛다北市人邁開了大步」 등의 보고문학, 린진란의 산문 「'광주리 정신'이 새로운 꽃을 피우다"背簍精神"開新花」가 발표되었다.

5일, 『광시문예』10월호에 장융메이의 단막 가극 「훙쌍 여인숙」이 발표되었다.

『쓰촨문학』10월호에 리톄옌李鐵雁의 중편소설 연재 「공작이 날아오다孔雀飛來」, 쉬광둥徐光東이 집필한 7장 화극 「노예의 노래奴隸之歌」가 발표되었다.

『광명일보』에 리밍치黎明起의 「영웅의 무쇠 팔뚝이 새로운 그림을 수놓다—예술기록영화 「군대의 황무지 개간 군가」 관람 수필英雄鐵臂繡新圖——看藝術性紀錄片<軍墾戰歌>隨筆」이 발표되었다.

6일, 『해방일보』에 구궁의 산문 「전투의 섬戰鬥的海島」이 발표되었다.

7일, 『인민일보』에 「활력이 넘치는 중대 생활의 찬가—베이징군구 모 장갑부대 전사들이 란저우부대 공연대에서 공연한 소화극 다섯 편에 대해 좌담하다龍騰虎躍的連隊生活贊歌——北京軍區裝甲某部戰士座談蘭州部隊演出隊演出的五個小話劇」가 발표되었다. '편집자의 말'은 "최근에 중국인민해방군 란저우부대 공연대가 베이징에서 몇 편의 소화극(「총검에 피를 묻히다」, 「일단은 확신하지 마라先別肯定」, 「운전면허증駕駛執照」, 「운동복 문제球衣問題」, 「유연하게 대처하다靈活處理」 등 5편의 작품)의 갈라 공연을 진행해 관중들로부터 널리 호평을 받았다. 본지에서는 베이징군구 모 장갑부대 전사들을 초청해 이 소화극 작품들에 대해 좌담을 진행해 이번 호에 그들의 발언 개요를 싣는다"라고 밝혔다. 글은 "생기가 넘치는 중대 생활을 반영한 점", "형상이 생생하고 유익한 깨달음을 주는 점", "신선하고 활기찬 표현방식" 등의 측면에서 이들 소화극 작품에 대해 긍정하였다. 같은 호에 징구쉐의 평론 「전통 공연 기교의 계승과 혁신—「조리돌림」, 「솥을 때우다」, 「소를 빌리다」로부터 이야기를 시작하다傳統表演技巧的繼承和革新——從＜遊鄕＞＜補鍋＞＜借牛＞談起」가 발표되었다. 그는 글에서 「조리돌림」, 「솥을 때우다」, 「소를 빌리다」 등 베이징에서 공연된 중난지구의 희곡들이 "비판적인 계승과 전통에 대한 혁신이라는 면에서 우리에게 적지 않은 사례와 깨달음을 제공했다"라고 보았다.

『광명일보』에 관전둥關振東의 시 「댐 위에서在大堤上」가 발표되었다.

관전둥(1928~2009), 광둥성 양장陽江 출신으로 1949년에 혁명에 참가해 줄곧 신문출판공작에 종사하였다. 『남방일보』 예술부 주임, 『남방주말南方周末』 편집장, 잡지 『공명共鳴』 편집장, 『염황세계炎黃世界』 잡지사 집행사장執行社長을 역임하였다. 50년대에 작품 발표를 시작해 저서로 신시집 『오령생가五嶺笙歌』, 『유하流霞』, 시사집詩詞集 『유심집遊心集』 등이 있다.

8일, 『해방일보』에 상하이문화출판사의 기사 「혁명화 노선을 고수하자－『이야기회故事會』의 편집공작에 관하여堅持走革命化的道路——關於＜故事會＞的編輯工作」가 발표되었다.

『양청만보』에 천찬윈의 「몇몇 젊은 독자에게 보내는 편지給幾位年輕讀者的信」가 발표되었다.

9일, 『광명일보』에 쑨광쉬안, 우환장의 시평 「불멸의 혁명 열정－리쉐아오의 시집 『타이항산맥의 용광로』를 읽고不滅的革命激情——讀李學鰲的詩集＜太行爐火＞」가 발표되었다.

11일, 『해방일보』에 원차오聞潮의 「이것은 어떤 '사랑'인가?－영화 속의 '인성론' 비판 제1편這是什麼樣的"愛"?——批判電影中的"人性論"之一」이 발표되었다. 그는 글에서 「북국강남」, 「이른 봄 2월」, 「린씨네 가게」, 「불야성」 등 4편의 영화의 공통점이 "자산계급을 미화하고 무산계급을 추악화하고, 자본주의를 노래하고 사회주의를 반대한 것"이라고 보면서, "이 네 편의 영화를 비판하고 자산계급의 '사랑의 허튼소리'의 반동적 본질을 폭로해 인성론의 또 한 번의 파산을 증명"하였다.

12일, 『중국청년보』에 류보청劉伯承의 혁명 회고록 「장정을 회고하며回顧長征」가 발표되었다.

『인민일보』에 차오위의 「문예전선 위의 선봉－란저우부대 모 부문 아마추어 9인 화극조가 공연한 소화극 관람 감상文藝戰線上的尖刀——看蘭州部隊某部業餘九人話劇組演出的小話劇有感」이 발표되었다. 그는 글에서 "소화극은 희곡의 소형 희극과 마찬가지로 혁명문예를 보급할 수 있는 중요한 형식이다. 우리는 혁명적인 소화극과 소형 희극을 많이 창작하고 공연해야 한다. 란저우부대 아마추어 9인 공연조의 소화극은 우리에게 좋은 본보기를 제공해 주었다"라고 보았다. 같은 호에 우치원 吳啟文의 「화극 「영웅 공병」의 사상예술 특징話劇<英雄工兵>的思想藝術特色」이 발표되었다.

『인민문학』 10월호에 린위의 「정치 중대장政治連長」, 관화의 「높이 나는 매高飛的鷹」, 커란의 「열쇠鑰匙」, 류궈화의 「지휘指揮」, 우쥔吳軍의 「밀림 속의 길密林中的路」 등의 단편소설, 바진의 「미국 도적들의 말로−베트남 남방 시인 장난 동지에게 답하다(1)美國飛賊們的下場──答越南南方詩人江南同志(一)」, 차이전柴真의 「여자팀 '해방'기女隊"翻身"記」 등의 보고문학이 발표되었다.

『광명일보』에 리잉의 시 「어느 전사 연주자에게給一個戰士演奏者」가 발표되었다.

13일, 『해방군보』에 시훙, 장빙신張炳新의 '베트남 통신' 「승리의 근원勝利之源」이 발표되었다.

『인민일보』에 차오신의 평론 「끝없는 모래사장이 오아시스로 변하다−예술기록영화 「군대의 황무지 개간 군가」를 보고平沙莽莽變綠洲──藝術性紀錄片<軍墾戰歌>觀後」가 발표되었다.

14일, 『인민일보』에 기사 「시난 화극 지방극 관람공연이 새로운 성취를 거두다西南話劇地方戲觀摩演出獲新成就」가 게재되어 천극川劇 예술이 혁명 현대생활을 반영하는 면에서 새로운 생명력을 보여주었다고 전했다.

『광명일보』에 톈젠의 시 「붉은 양의 뿔−산중의 양치기에게紅羊角──給山中牧羊人」가 발표되었다.

15일, 『해방일보』에 구훙녠顧洪年의 보고문학 「리 군의관이 개를 기르다李軍醫養狗」가 발표되었다.

『전영문학』 10월호에 하오란, 양루옌楊汝雁의 영화문학 극본 「화창한 날艷陽天」이 발표되었다.

16일, 『인민일보』에 관전둥의 시 「난하이의 철옹성南海銅牆」, 쉰천郇琛, 마중빈馬中彬, 가오위안高原의 보고문학 「멋진 해상 섬멸전一場漂亮的海上殲滅戰」이 발표되었다.

18일, 『인민일보』에 펑제판彭介凡의 시 「거대한 풍랑 속에서 날다飛在大風大浪裏」, 장인안蔣蔭安의 평론 「고통의 근원 위에 피어난 혁명의 꽃−영화 「씀바귀꽃」의 어머니 형상에 관하여苦根上開出的革命花──談影片<苦菜花>中的母親的形象」가 발표되었다.

19일, 『인민일보』에 '중국희곡연구원 평론조'라는 이름으로 「시대적 특색이 풍부한 소형 희극－중난지구 희극관람공연대회 하향 작품으로부터 이야기를 시작하다富於時代特色的小喜劇——從中南區戲劇觀摩演出下鄕節目談起」가 발표되었다. 글은 "최근에 혁명 현대극 운동 과정에서 소형 희극 공연의 열기가 뜨거워, 여러 편의 우수한 소형 혁명 현대극이 각 지역 공연대회에 출현했다", "이번에 각 지역에서 출현한 소형 희극에는 한 가지 선명한 특징이 있는데, 바로 인민 내부의 모순을 반영한 극이 많고, 희극喜劇이 많다는 것이다", "중난지구의 소형 희극도 전국 각지의 소형 희극과 마찬가지로 희극의 형식으로 사회주의 시대 인물 내부의 모순을 반영하는 측면에서 수많은 탐색을 거쳐 큰 성적을 거두었다. 이는 창조적인 공작이며 매우 귀중한 것이다"라고 보았다.

『광명일보』에 궈차오쉬郭朝緒의 평론 「무산계급 혁명 영웅을 위해 조각상을 세우다－장편소설 『어우양하이의 노래』를 읽고爲無產階級革命英雄塑像——讀長篇小說<歐陽海之歌>」가 발표되었다.

『네이멍구일보』에 바투바오인巴圖寶音의 단편소설 「항일연합군 아빠抗聯爸爸」가 발표되었다.

20일, 『희극보』 제10호에 평론가의 글 「농촌 아마추어 희극활동을 더 잘 전개하자進一步開展農村業餘戲劇活動」가 발표되었다. 글은 "사회주의 희극을 통해 농촌의 희극 진지를 점령하기 위해서는 한편으로는 전문적인 희극공작자의 상산하향에 의지해 농민을 위해 새로운 극을 공연해야 하고, 다른 한편으로는 농촌의 아마추어 희극활동 참가자들에게 의지해 자신들이 거주하는 지역에서 아마추어 희극활동을 전개하게 해야 한다", "몇몇 아마추어 공연대의 성공 경험으로 미루어 보아, 아마추어 희극활동을 잘 전개하기 위해 가장 중요한 것은 정치적인 면을 두드러지게 해 계급투쟁을 요점으로 삼고, 모든 것이 3대 혁명운동을 위해 복무하게 하는 것이다"라고 보았다.

같은 호에 류허우성의 「천 송이 야생화가 눈부시게 붉다－시난 소형 희극 관람 학습 찰기千朶山花紅爛漫——西南小戲觀摩學習劄記」, 펑쯔의 「개선가 노랫소리가 다칭 사람을 찬양한다－중국청년예술극원이 공연한 화극 「석유 개선가」를 보고凱歌聲贊大慶人——看中國青年藝術劇院演出的話劇<石油凱歌>」, 양유허陽友鶴의 「희곡 공연예술의 계승과 혁신 만담－중난지구 희극관람공연대회 잡기漫談戲曲表演藝術的繼承與革新——中南區戲劇會演觀摩散記」 등의 글이 발표되었다.

『해방일보』에 팡쩌성方澤生의 「「불야성」은 민족 자산계급의 양면성을 표현했는가?<不夜城>表現了民族資產階級的兩面性嗎?」, 원차오의 「위선적인 '양심 전환론'－영화 속의 '인성론' 비판 제2편虛偽的"良心轉變論"——批判電影中的"人性論"之二」 등의 글이 발표되었다.

『극본』 제5호에 '란저우부대 모 부문 아마추어 9인 화극조'가 창작 및 공연한 소형 화극 「일단은 확신하지 마라」, 「운동복 문제」 및 시난지구 화극 지방극 관람공연대회에 참가한 단막 화극 「

훌륭한 조력자好幇手」, 「두 이발사兩個理髮員」가 발표되었다.

21일, 『인민일보』에 구궁의 시 「삼림이 울부짖다森林在呼嘯」, 샤오화의 『지원군 영웅 송가志
願軍英雄頌』 서문 「가장 용감한 사람, 가장 총명한 사람最勇敢的人，最聰明的人」이 발표되었다.

22일, 『인민일보』에 린위의 단편소설 「정치 중대장」이 발표되었다.

『문회보』에 쑨광쉬안, 우환장의 「공인계급의 혁명정신을 노래하다―공인 작가 왕팡우, 치지광
의 시가 창작을 평하다歌唱工人階級的革命精神――評工人作者王方武`戚積廣的詩歌創作」가 발표되었다.

23일, 『중국청년보』에 덩잉차오의 혁명 회고록 「홍군은 원정이 고된 것을 두려워하지 않는
다紅軍不怕遠征難」가 발표되었다.

『인민일보』에 기사 「농민과 결합하는 길 위에서―화베이 농촌에서의 안후이성 주이쯔극단을
기억하며在和農民結合的道路上――記安徽省墜子劇團在淮北農村」, 「사상을 개조하고, 예술을 제고하다―
베이징 갈라 공연에 참여한 중난지구 일부 배우들이 하향 체험에 관해 좌담하다改造了思想，提高了
藝術――中南區來京彙報演出的部分演員座談下鄉體會」가 게재되었다.

『광명일보』에 하오란의 「농촌 독자에게 보내다―『화창한 날』의 창작에 관하여寄農村讀者――談
談＜豔陽天＞的寫作」가 발표되었다.

25일, 『인민일보』에 궈모뤄의 시 「15년十五年」이 발표되었다.

26일, 슝포시가 상하이에서 향년 65세로 병사했다. 어우양위첸은 그에 관해 "만약 톈한이 남
방 극단劇壇의 권위자라 한다면, 슝포시는 북방 극단의 대가라 할 수 있다"라고 평가한 바 있다.[2]
중국 현대 화극의 발전사에 있어 슝포시는 걸출한 희극교육가이자 저명한 극작가, 희극활동가였
다. "5·4 시기부터 60년대에 이르기까지, 슝포시는 조국의 희극사업에 충실히 헌신해 화극이라
는 토지를 근 반세기 동안 부지런히 일궈 왔다. 그는 희극교육을 일으키고, 직접 교편을 잡고 수많
은 새로운 화극 인재를 양성했다. 그는 대량의 단막극과 장막극 창작으로 국내외에서 명성을 얻었
다. 그의 희극활동은 우리나라 화극사에서 중요한 부분을 차지하고 있으며, 특히 우리나라 현대

---

2) 「『근대 희극선』 서문＜近代戲劇選＞序」, 상하이 일류서점一流書店, 1942년.

화극의 형성기에 그의 희극사상은 희극계에 큰 영향을 끼쳤다."3)

『인민일보』에 우보샤오의 산문 「천하제일산天下第一山」이 발표되었다.

『광명일보』에 「지혜롭고 용감하게 적을 무찌르고 승리를 얻다―『지원군 영웅 송가』를 읽고大勇大智, 殺敵致勝――讀＜志願軍英雄頌＞」가 발표되었다.

27일, 『인민일보』에 '해군 정치부 문공단 화극단'이라는 이름으로 「혁명문예로써 세계 인민의 혁명 투쟁을 지원하다―화극 「적도의 전고」는 어떻게 창작되고 공연되었는가用革命文藝支援世界人民革命鬥爭――話劇＜赤道戰鼓＞是怎樣創作和演出的」가 발표되었다.

30일, 『문예보』 제10호에 평론가의 글 「소형 혁명 현대극의 새로운 성취를 환호한다歡呼小型革命現代戲的新成就」가 발표되었다. 글은 "중난지구 희극관람공연대회 하향 작품 갈라 공연대가 베이징에서 공연한 이들 소형 희극은 참신한 사상과 참신한 형상, 참신한 예술 형식을 갖춘 훌륭한 희극이며, 농촌에 보급하기에 적합한 훌륭한 희극이다", "우리는 앞으로 더 훌륭한 소형 혁명 현대극이 농촌에 더 많이 보급되기를 열렬히 환호한다!"라고 밝혔다.

같은 호에 기자 쉐하이薛海의 「공농과의 결합은 편집공작 혁명화의 근본적인 길이다―상하이문화출판사의 『이야기회』 총간 편집 경험與工農結合是編輯工作革命化的根本途徑――上海文化出版社編輯＜故事會＞叢刊的經驗」, 리시판의 「예술의 고무 역량은 어디에서 오는가 ― 부대 단편소설의 혁명적 현실주의와 혁명적 낭만주의의 결합 창작방법의 새로운 성취에 관하여藝術的鼓舞力量從哪裏來――談部隊短篇小說革命現實主義和革命浪漫主義相結合的創作方法的新成就」, 아이예艾耶의 「마오쩌둥 사상이 길러낸 영웅 공병毛澤東思想哺育下的英雄工兵」, 셰칭謝淸의 「형제 민족 문예의 새로운 군대의 성장 예찬―화극 「유전을 두고 싸우다」를 보고贊兄弟民族文藝新軍成長――話劇＜戰油田＞觀後」, 판쯔바오의 「농촌 계급투쟁에 대한 「폭풍우」의 묘사에 관하여談＜風雷＞對農村階級鬥爭的描寫」 등의 글이 발표되었다.

『해방군보』에 「전심전력으로 혁명을 위하다―지난부대 장갑병 모 부문 공병 1중대 반장, 열사 왕제 일기 발췌一心爲革命――濟南部隊裝甲兵某部工兵一連班長′烈士王傑日記摘抄」(『인민일보』 10월 31일자부터 11월 2일자까지 연재)가 발표되었으며 편집자의 말이 추가되었다.

이달에 『광명일보』, 『해방일보』, 『베이징 문예』, 『양청만보』 등의 간행물에 아마추어 창작 발전 및 문학 신인 양성에 관한 기사와 관련 경험에 관한 글이 발표되었다.

---

3) 딩뤄난丁羅男, 「슝포시 희극사상 약론熊佛西戲劇思想簡論」, 『현대희극가 슝포시現代戲劇家熊佛西』 제53쪽, 중국희극출판사 1985년.

『변강문예』10월호에 장쯔젠張子堅의 보고문학 「라오쑨의 별명老孫的外號」, 쿤밍부대昆明部隊 정치부 문화부의 「마오쩌둥 사상이 길러낸 문학 신인毛澤東思想哺育的文學新人」 등의 글이 발표되었다.

천덩커의 장편소설 『독수리雄鷹』가 중국청년출판사에서 출간되었다.

장싱張行이 창작하고 양성룽楊勝榮이 삽화를 그린 장편소설 『우링산 아래武陵山下』(상, 하권)가 후난인민출판사에서 출간되었다.

장펑張楓의 중편소설 『주비장 강변珠碧江邊』이 광둥인민출판사에서 출간되었다.

후완춘의 단편소설집 『가정 문제』가 작가출판사 상하이편집소에서 출간되었다.

웨이강옌의 시집 『정해곡燈海曲』이 둥펑문예출판사에서 출간되었다.

진위팅金玉廷의 시집 『나는 인민 선전원이다我是人民宣傳員』가 춘풍문예출판사에서 출간되었다.

잉뤄청 등이 창작한 6막 화극 『콩고의 폭풍우』, 양웨이, 궈젠이 집필한 8장 화극 『류후란』, 류자劉佳가 창작한 8장 화극 『산촌에 꽃이 한창 붉다』, 웨이민 등이 창작한 5막 화극 『대대로 붉다』 등이 중국희극출판사에서 출간되었다.

허난인민출판사에서 편찬한 『허난 현대 극작선河南現代劇作選(1965)』(상권)이 출간되었다.

중국희극가협회에서 편찬한 『경극 「사자방」 평론집京劇<沙家浜>評論集』이 중국희극출판사에서 출간되었다.

상하이문화출판사에서 편찬한 창작론 『소형 희극 창작의 경험과 감상小戲創作的經驗和體會』이 출간되었다.

중국민간문예연구회에서 편찬하고 위칭鬱靑이 삽화를 그린 『현대 혁명 이야기선現代革命故事選』이 인민문학출판사에서 출간되었다. 책에는 「첫 번째 신호 나팔第一支軍號」, 「여자 팔로군이 총을 빼앗다女八路奪槍」 등의 작품이 수록되었다.

11월

1일, 『광명일보』, 『해방일보』에 「전심전력으로 혁명을 위하다―지난부대 장갑병 모 부문 공병 1중대 반장, 열사 왕제 일기 발췌」가 전재되었으며 편집자의 말이 추가되었다.

『창장문예』22월호에 쑨차오성孫樵聲의 소설 「씨앗種子」, 양두楊渡의 시 「난하이의 개선가南海凱歌」, 리밍인李明印의 단막 화극 「웨잉이 부임하다月英上任」가 발표되었다.

『간쑤문예』 11월호에 간쑤성가극단甘肅省歌劇團이 합동 창작한 「샹양촨向陽川」이 발표되었다.

2일, 『광명일보』에 딩지쑹丁繼松의 단편소설 「얼음꽃冰淩花」이 발표되었다.

4일, 『인민일보』에 리잉의 시 「산과 들의 군가山野的戰歌」, 리치李琦의 보고문학 「새 고부新婆媳」가 발표되었다.

『해방일보』에 한쯔의 산문 「샤딩자 잡기下丁家散記」가 발표되었다.

『베이징문예』 11월호에 하오란의 장편소설 『화창한 날』 제2, 3권의 연재가 시작되었다.

4일, 18일, 25일에 『톈진일보』에 량빈이 중일전쟁을 반영한 장편소설 『이웃집鄰家』의 제1~3장이 발표되었다. 이 소설은 제8장까지만 완성되었으며, 이후의 5장은 문화대혁명 기간에 유실되었다.

5일, 『인민일보』에 펑치융의 평론 「다칭 정신의 찬가─화극 「석유 개선가」를 보고大慶精神的贊歌──話劇＜石油凱歌＞觀後」, 왕촨웨이王傳偉의 「가극 전선에서의 새로운 수확─간쑤성가극단이 공연한 「샹양촨」을 보고歌劇戰線上的新收獲──看甘肅省歌劇團演出的＜向陽川＞」 등의 글이 발표되었다.

『후난문학』 11월호에 커란의 단편소설 「새 대나무 싹이 나와 나날이 자라다新竹出土節節高」 및 량빙梁冰의 「공인계급 영웅 형상의 송가─화극 「천둥번개가 치다」에 관하여工人階級英雄形象的頌歌──談話劇＜電閃雷鳴＞」, 쉬수화徐叔華의 「미묘한 운치가 가득한 소형 희극─화고희 「징을 치다」의 예술적 성취妙趣橫生的小喜劇──讀花鼓戲＜打銅鑼＞的藝術成就」 등의 평론이 발표되었다.

6일, 『인민일보』에 구궁의 시 「영웅에게 바치는 시─왕제 동지의 일기를 읽고獻給英雄的詩──讀王傑同志日記有感」가 발표되었다.

『광명일보』에 뤄다강羅大岡의 산문 「일출을 보다─해변 잡기觀日出──海濱散記」가 발표되었다.

9일, 『인민일보』에 량상취안의 시 「총만이 총에 맞설 수 있다只有槍口對槍口」가 발표되었다.

10일, 야오원위안의 「신작 역사극 「해서파관」을 평하다評新編曆史劇＜海瑞罷官＞」가 『문회보』에 발표되었다. 이후에 『해방일보』(11월 12일자), 『베이징일보』(11월 29일자), 『인민일보』(11월 30일자), 『희극보』(12월 13일자), 『해방군보』, 『광명일보』, 『신화일보』 등 총 19개의 간행물에 이 글이 전재되었으며 편집자의 말이 추가되었다.

야오원위안은 글에서 우선 "「해서파관」은 해서를 어떻게 묘사했는가"라는 문제를 제기하고, 우한이 묘사한 해서가 "날조된 가짜 해서"이며 "자산계급의 관점으로 개조한 인물"이라고 지적하였다. 그는 "「해서파관」은 무엇을 선전하는가"라는 부분에서는 "「해서파관」의 저자가 보기에 계급투쟁이 아니라 '청렴한 관리'야말로 역사의 전진을 추진하는 동력이며, 인민군중은 스스로 일어나 자신을 해방할 필요가 없고, 어느 '청렴한 관리' 나리가 은혜를 베풀기를 기다리기만 하면 곧바로 '좋은 날'을 맞이할 수 있다"라고 보았다. "「해서파관」은 인민이 무엇을 학습하기를 바라는가" 부분에서는 "우한 동지는 인민이 그가 묘사한 해서를 '학습'할 것을 분명히 요구한다. 우리는 도대체 무엇을 '학습'할 수 있는가? '논밭을 정부에 돌려주는 것'을 학습할 수 있는가?……'억울한 사건을 바로잡는 것'을 배울 수 있는가?……논밭을 정부에 돌려주는 것과 억울한 사건을 바로잡는 것을 학습할 것이 아니라면, 「해서파관」의 '현실적 의의'는 도대체 무엇인가?", "'논밭을 정부에 돌려주는 것'과 '억울한 사건을 바로잡는 것'은 당시 자산계급이 무산계급 독재정치와 사회주의 혁명에 반대하는 투쟁의 초점이었다"라고 보았다.

그는 글의 마지막에서 "우리는 「해서파관」이 향기로운 꽃이 아니라 독초라고 본다. 이 작품은 초기에 발표되고 공연되었지만 이를 찬양하는 글이 매우 많고 유사한 작품과 글이 대량으로 퍼져 그 영향이 매우 크고 그 독소가 광범위하게 퍼졌다. 이를 바로잡지 않는다면 인민의 사업에 대단히 해로우므로 이에 대해 토론해야 한다. 이 토론에서는 계급분석의 관점을 통해 진지하게 사고해야만 현실과 역사의 계급투쟁에서 깊은 교훈을 얻을 수 있을 것이다"라고 밝혔다.

『베이징일보』29일자에 이 글이 전재되었으며 '편집자의 말'이 추가되어 이 작품에 관해 토론을 전개해야 한다고 주장하였다. 『인민일보』29, 30일자에도 전재되었으며 저우언라이의 심사를 거친 '편집자의 말'이 추가되었다. '편집자의 말'은 "우리는 해서와 「해서파관」에 대한 평가가 사실상 역사 인물과 역사극을 어떻게 대해야 하는가 하는 문제, 그리고 어떠한 관점으로 역사를 연구하고, 어떻게 예술의 형식을 통해 역사 인물과 역사 사건을 반영해야 하는가 하는 문제에 관련되어 있다고 본다. 이 문제에 관해서는 우리나라 사상계에 여러 가지 다른 의견이 존재하는데, 아직까지 체계적인 토론이 진행되지 않은 탓에 몇 년간 정확한 결론을 얻지 못했다", "우리는 이번 토론을 통해 서로 다른 각종 의견들 사이의 토론과 비평이 더욱 발전하기를 희망한다. 우리의 방침은 비평의 자유와 반비평의 자유를 모두 허용하고, 잘못된 의견에 대해서는 도리를 설명하는 방법을 통해 실사구시적으로 이치로써 설복시키는 것이다"라고 밝혔다. 이를 계기로 문예계와 사상계에 격렬한 토론이 전개되었으며, 마지막에는 정계政界에까지 미쳐 문화대혁명을 일으키는 도화선이 되었다. 야오원위안의 이 글은 여러 간행물에 전재되었을 뿐만 아니라 소책자로 인쇄되어 전국에 출판 발행되었다.

『문학평론』 제5호에 리젠우의 「'풍경은 이곳이 더없이 좋다'―「영웅 공병」에 관하여"風景這邊獨好"――談<英雄工兵>」, 루룽춘의 「시대가 이런 '용감하게 악조건과 싸우는 역할'을 필요로 한다時代需要這樣"開頂風船的角色"」, 한루이팅의 「새로운 '난관'을 향해 돌진하자―린위의 단편소설을 평하다向新的"大關"突進――評林雨的短篇小說」, 류유콴劉有寬의 「감동적인 소형 희극 「조리돌림」動人的小戲<遊鄕>」 등의 글이 발표되었다.

11일, 베이징인민예술극원에서 화극 「그 사람처럼 살자」를 공연하였다. 원작은 베트남인 판스쥐안潘氏娟이 구술, 베트남 작가 천팅윈陳庭雲이 정리하였으며 잉즈英之, 링왕靈望이 번역하였다. 화극판은 위스즈, 잉뤄청, 자오쥐인, 퉁차오가 각색했으며 쑤민, 샤춘, 둥싱지董行佶가 감독을, 디신, 위스즈, 잉뤄청 등이 주연을 맡았다.

12일, 『인민문학』 11월호에 농민 작가 류바이성劉柏生의 소설 2편 「처음으로 대장이 되다第一次當隊長」, 「호미 이야기鋤頭的故事」(각각 『북방문학』 3월호와 9월호에 최초 발표)와 이 두 편의 소설에 대한 류바이위의 평론 「두 편의 단편소설 앞에 쓰다寫在兩篇短篇小說前面」가 발표되었다. 같은 호에 장톈이의 「'업무'와 '여가' 문제―어느 아마추어 작가 동지에게 보내는 답신"業"和"餘"的問題――答一位業餘作者同志的信」, 주춘위朱春雨의 단편소설 「나무가 재목으로 자라고 있다樹在成材」 등이 발표되었다.

13일, 『인민일보』에 린진란의 단편소설 「묵계默契」가 발표되었다.

15일, 『인민일보』에 허징즈의 시 「오늘의 세계에 대답하나―왕제의 일기를 읽고回答今日的世界――讀王傑日記」가 발표되었다.

『해방일보』에 주위산朱煜善, 정추화鄭楚華의 「자산계급의 착취와 압박에 반대하는 새 작품―중편소설 「불길 같은 분노」를 기쁘게 읽다一部反對資産階級剝削壓迫的新作品――喜讀中篇小說<怒火>」가 발표되었다.

16일, 『인민일보』에 리시판의 「역사의 요구, 역사의 권리−부대의 우수한 단편소설을 통해 사회주의 문예 영웅형상의 창조를 보다曆史的要求，曆史的權利──從部隊優秀短篇小說看社會主義文藝英雄形象的創造」가 발표되었으며 편집자의 말이 추가되었다. 리시판은 글에서 "……이들 신인의 신작은 새로운 사물이 가질 수밖에 없는 몇몇 결점을 지니고 있으나, 이들은 반짝이는 공농병 영웅 형상을 통해 '중간 인물 창작' 등의 잘못된 이론에 힘차게 대답하고, 어째서 '중간 인물'이 아니라 공농병 영웅 형상이 사회주의 문예의 주도적인 지위를 점해야 하는지, 공농병 영웅 인물을 창조하는 창작의 '길'이 어째서 '좁지' 않고 '넓은'지, 수많은 인민 내부의 모순을 어떻게 반영할 수 있는지, 그리고 어떻게 반영해야 하는지, 혁명적 현실주의와 혁명적 낭만주의의 결합이라는 창작방법과 '현실주의 심화' 중에 어느 것이 필요한지 등등의 문제를 설명하였다. 이들 신인의 창작은 사회주의 문예사업과 문예 영역에서의 두 노선의 투쟁을 위해 이미 공헌하였으며 계속해서 공헌할 것이다", "수많은 독자와 평론공작자들이 청년 아마추어 작가의 성장에 관심을 가지고, 우리나라 사회주의 문예창작을 새로운 번영의 고조에 이르게 해 주기를 바란다"라고 밝혔다.

『광명일보』에 선충원의 「징더전의 새 도자기를 기쁘게 보다喜看景德鎭新瓷」, 후스쫑의 「봄 우레가 용솟음치다−공산주의 전사 왕제 동지에게 바치다春雷湧動──獻給共産主義戰士王傑同志」 등의 보고문학이 발표되었다.

17일, 『인민일보』에 저우강의 시 「왕제 송가王傑頌」가 발표되었다.

17일~20일, 『양청만보』에 바이화가 베트남의 동명의 작품을 각색한 5막 화극 「그 사람처럼 살자」가 연재되었다.

18일, 『인민일보』에 톈젠의 대구사對口詞 「홍기가 펄럭이다−「왕제 일기」를 읽고紅旗飄──讀〈王傑日記〉」, 우이리뭇一立의 평론 「농촌의 새 노래가 새 인물을 찬양한다−「목걸이 한 개」, 「늙은 보관인」 등의 소가극을 보고農村新歌贊新人──〈一串項鏈〉〈老保管〉等小歌劇觀後」가 발표되었다.

『톈진일보』에 량빈의 단편소설 「이웃집鄰家」이 발표되었다.

『광명일보』에 리싱천의 평론 「자본가의 죄 많은 영혼을 폭로하다−「문명지옥」과 「피로 물든 연석 세 개」를 읽고揭露資本家的罪惡靈魂──讀〈文明地獄〉和〈血染三條石〉」, 펑잉룽馮英龍의 통신 「영웅 기관병英雄輪機兵」이 발표되었다.

19일, 『인민일보』에 본지 기자 왕진펑王金鳳의 글 「홍등이 전진하는 길을 비춘다－경극 「홍등기」의 창작과정 기록紅燈照亮了前進的道路——記京劇<紅燈記>的創作過程」, 문예단평 「'세 가지 결합'은 창작을 번영시킬 좋은 방법이다"三結合"是繁榮創作的好方式」가 발표되었다.

20일, 『광명일보』에 비예의 산문 「답사자의 바람踏勘者的心願」이 발표되었다.

23일, 『광명일보』에 신화사 기자와 해방군보 기자가 합동으로 집필한 보고문학 「혁명 청춘의 찬가－마오 주석의 훌륭한 전사 왕제를 기억하며革命青春的贊歌——記毛主席的好戰士王傑」, 루룽춘의 평론 「창작에서 정치를 두드러지게 하다－단편소설 「정치 중대장」을 읽고在創作上突出政治——讀短篇小說<政治連長>」가 발표되었다.

25일, 『인민일보』에 양쉬의 산문 「황하이에 해가 떠오르는 곳黃海日出處」이 발표되었다.

『광명일보』에 신화사의 통신 「고통과 죽음을 두려워 않는 혁명정신을 발양해 철저한 무산계급 혁명전사가 되자發揚不怕苦不怕死的革命精神, 做徹底的無產階級革命戰士」가 발표되었다. 같은 호에 보고문학 「계급감정을 품고 빈농과 하층 농민을 위해 창작하자－다이현 지주 장원 전시관 「수조원」 조소 창작을 기억하며懷著階級感情爲貧下中農創作——記大邑縣地主莊園陳列館<收租院>泥塑的創作」가 발표되었다.

『수확』제6호에 캉스자오康式昭, 쿠이청奎曾의 장편소설 『대학춘추大學春秋』, 창작조가 합동 창작한 6장 화극 「의사의 직책醫生的職責」이 발표되었다. 같은 호에 야오원위안의 「신작 역사극 「해서파관」을 평하다」가 전재되었다.

26일, 『광명일보』에 통신 「'비외교적인 외교'－아시아 아프리카 지역에 대한 미 제국주의의 문화침략"非外交的外交"——美帝國主義對亞非地區的文化侵略」이 발표되었다.

27일, 『광명일보』에 류카이취劉開渠의 보고문학 「조소예술 혁명화의 새로운 성과－조소예술의 혁명雕塑藝術革命化的新成果——雕塑藝術的革命」이 발표되었다.

28일, 『인민일보』에 류바이위의 산문 「창장의 새로운 목소리를 기쁘게 듣다喜聽長江新聲」가 발표되었다.

29일, 『광명일보』에 왕줘王琢의 「모순과 충돌이 없으면 극이 되지 않는다—혁명 현대극의 인민 내부의 모순 표현에 관한 몇 가지 문제沒有矛盾沖突就沒有戲——革命現代戲表現人民內部矛盾的若幹問題」가 발표되었다.

29일~2월 17일, 중국작가협회와 공청단 중앙위원회가 합동으로 베이징에서 전국 청년 아마추어 문학창작 적극분자 대회를 개최하였다. 대회에는 1,100여 명의 대표가 참석하였는데, 이 중 절대다수가 공장, 농촌, 부대 등 하위 단위에서 온 대표들이다. 평전이 대회에서 "공농병 아마추어 작가들에게 창작에 힘쓸 것을 격려하였다". 저우양은 「마오쩌둥 사상의 홍기를 높이 들고, 노동과 창작이 모두 가능한 문예전사가 되자高擧毛澤東思想紅旗，做又會勞動又會創作的文藝戰士」라는 제목의 보고를 진행하였다. 그는 보고에서 현재의 국내외 형세와 문학예술의 전투 임무, 문예전선에서의 두 노선 사이의 투쟁의 역사적 과정과 중요 경험, 그리고 사회주의 문화혁명이 거둔 거대한 성과를 설명하였다. 또한 문학전선의 후계자를 양성하는 일의 중대한 의의 등의 문제를 언급하였다. 공청단 중앙위원회 서기 후커스胡克實는 「문예라는 무기를 들고, 마오쩌둥 사상의 선전원이 되자拿起文藝武器，作毛澤東思想的宣傳員」라는 제목의 보고를 진행하였다. 저우언라이, 주더 등 당과 국가 지도자들이 대회에 참석한 전 대표와 공작인원을 접견하였다. 『광명일보』, 『중국청년보』, 『문회보』, 『공인일보』 12월 18일자에 본 대회에 관한 사설이 발표되었다. 『중국청년』 제24호에도 사설 「아마추어 창작은 사상정치공작을 구성하는 일부분이다業餘創作是思想政治工作的一個組成部分」가 발표되었다. 『문예보』 제12호에는 평론가의 글이 발표되었다. 중국청년출판사에서 편찬한 『전국 청년 아마추어 문학창작 적극분자 대회 발언 선집全國青年業餘文學創作積極分子大會發言選』이 1966년 3월에 출간되었다.

30일, 『광명일보』에 빙신의 산문 「전우戰友」가 발표되었다.

『문예보』 제11호에 타오주의 「혁명 현대극 창작에 관한 몇 가지 문제關於革命現代戲創作的幾個問題」(타오주가 8월에 개최된 중난지구 희극관람공연대회 폐막식에서 진행한 보고 가운데 혁명 현대극 창작 문제에 관한 부분을 발췌한 원고)가 발표되었다. 그는 글에서 "더 훌륭한 사회주의 영웅인물 형상을 더 많이 창작해야 한다", "혁명 현대극은 반드시 정치와 예술의 통일을 이뤄야 한다"라고 주장하였다.

같은 호에 사설 「반드시 사회주의 시대의 공농병과 결합해야 한다必須同社會主義時代的工農兵相結

合」가 발표되었다. 사설은 "문예공작자가 사회주의 시대의 새로운 군중과 결합해야 하는가, 그리고 진정으로 결합할 수 있는가 하는 것은 문예공작자가 사회주의의 길을 걸어야 하는가 아니면 자본주의와 수정주의의 길을 걸어야 하는가에 관련된 근본적인 문제이며, 우리의 문예가 사회주의와 공농병을 위해 복무할 수 있는가, 그리고 사회주의 문화혁명을 끝까지 진행할 수 있는가에 관련된 근본적인 문제이다"라고 보았다.

같은 호에 쑹솽宋爽의 「영웅을 학습하고, 영웅을 창작하자學英雄, 寫英雄」, 왕차오원의 「남을 개조하고, 자신을 개조하자─「정치 중대장」을 읽고改造別人, 也改造自己──讀<政治連長>」, 왕원성王文生의 「'현실주의 심화'론이라는 물건은 어디에서 왔는가"現實主義深化"論的貨色從何而來」 등의 글이 발표되었다.

『문회보』에 우한의 역사극 「해서파관」과 서문, 작품에 대한 설명 및 판심, 취류이曲六乙 등의 평론이 발표되었다. 같은 호에 '「해서파관」 문제에 관한 토론' 특집란이 개설되어 마제馬捷의 「「해서파관」에 관하여也談<海瑞罷官>」, 차이청蔡成의 「역사적 인물과 역사극을 어떻게 더 잘 평가할 것인가─신작 역사극 「해서파관」을 평하다怎樣更好地評價曆史人物和曆史劇──評新編曆史劇<海瑞罷官>」(12월 1일자), 옌런燕人의 「역사극 「해서파관」에 관한 몇 가지 견해─야오원위안 동지와의 논의對曆史劇<海瑞罷官>的幾點看法──與姚文元同志商榷」(12월 2일자), 런빙이林丙義의 「해서와 「해서파관」海瑞與<海瑞罷官>」(12월 3일자), 장자쥐張家駒의 「해서를 과하게 높이 평가하는 것은 좋지 않다는 점을 논하다論海瑞的評價不宜過高」(12월 4일자) 등의 글이 발표되었다.

이달에 공안부의 어느 여자 간부가 후펑 부인 메이즈梅志와 함께 후펑을 찾아가 그에게 죄를 인정하고 관대한 처리를 요청하라고 권하였다. 후펑은 "나는 이미 이 일을 처리하는 데 온 힘을 다했다. 문예사상 측면을 제외하면 나는 함부로 말할 수 없고, 죄를 인정할 수도 없다"라고 답했다. 26일, 후펑은 베이징시 고급인민법원에 의해 '반혁명'죄로 징역 14년 및 정치적 권리 박탈 6년을 선고받았다. 투옥 후 후펑은 당중앙에 「도리를 거슬러 마음이 편치 않다心安理不得」라는 제목의 글을 제출해 결코 상소하지 않겠다는 뜻을 전했다. 공안부는 메이즈에게 감외집행監外執行(법원에서 법적 규정에 의해 일정 원인으로 인해 범인을 잠시 감금하지 않고 일정한 기구에 맡겨 감시·관리하게 하는 것─역자 주)을 요구하라고 건의하였다. 12월 30일, 공안부 간부는 메이즈와 함께 감옥으로 가서 셰푸즈謝富治 부장의 석방 명령을 제시하고 감외집행에 동의하였다. 후펑은 감옥을 나와 베이징 교외의 마을에서 생활하였다. 그는 10년이 지난 후에야 딸 샤오펑曉風과 차남 샤오산曉山을 만날 수 있었다.[4]

─────────────

[4] 『후펑 전집』 제10권, 제592~593쪽, 후베이인민출판사 1999년.

국무원 부총리 루딩이가 전국 반공반독半工半讀(일하면서 배우는 것 - 역자 주) 교육회의에서 우리의 TV는 교육의 도구이며 각종 프로그램은 모두 교육적 의의가 있다고 지적하고, TV 학교를 세울 수도 있다고 밝혔다.

『대중전영』 제11호에 웨이웨이 등이 창작한 낭송사朗誦詞「동방홍東方紅」이 발표되었다.

『변강문예』 11월호에 쓰촨성 다현達縣전구專區 농촌문공단이 합동 창작한 단막 화극「훌륭한 조력자」가 발표되었다.

양신푸楊新富의 중편소설『불길 같은 분노怒火』, 바이란 등이 창작한 보고문학『어우양하이』가 인민문학출판사 상하이지사에서 출간되었다.

런빈우의 단편소설집『홍산 사람紅山人』이 해방군문예사에서 출간되었다.

중수어鍾書鍔 등이 창작한 5막 화극『천둥번개가 치다電閃雷鳴』, 자오나이지焦乃積가 창작한 가극『왕제의 노래王傑之歌』가 중국희극출판사에서 출간되었다.

지난시 문화국 희곡연구실에서 정리하고 푸타이천傅太臣이 각색한 평서評書『철도 유격대』(상)이 산둥인민출판사에서 출간되었다.

야오원위안의『신작 역사극「해서파관」을 평하다』단행본이 상하이인민출판사上海人民出版社에서 출간되었다.

12월

1일, 『인민일보』에 머우쥔제의「현재 농촌의 뜨거운 투쟁을 더 잘 반영하자 - 청년 작가의 단편소설 몇 편을 통해 인민 내부의 모순 반영 문제를 말하다更好地反映當前農村的火熱鬥爭——從青年作者幾個短篇小說談談反映人民內部矛盾問題」가 발표되었다.

『허베이문학』 12월호에 장창썬張長森의 단편소설「팔꿈치가 밖으로 굽는 사람"胳膊肘往外扭的人"」, 톈젠의「붉은 양의 뿔 - 푸른 장막 위의 시 전단紅羊角——青紗帳上的詩傳單」등 시 8편, 차오스의「반짝이는 별明亮的星」, 만칭晩晴의「맹견의 무덤惡狗墳」등의 시, 거훙戈紅의 보고문학「농사를 짓는 여자 수재種田女秀才」, 아이쓰艾思, 샤오춘曉春의「자산계급의 '교양'의 껍질을 벗다 -「문명지옥」을 읽고剝掉了資産階級"文明"的外衣——讀＜文明地獄＞」, 뤄스딩羅士丁의「공인계급의 피눈물 나는 역사 - 소설「피로 물든 연석 세 개」를 평하다工人階級的血淚史——評小說＜血染三條石＞」등의 글이 발표되었다.

『옌허』 12월호에 산시성가무극원陝西省歌舞劇院 창작조가 각색한 소가극 「산에 오르다上山記」가 발표되었다.

『창춘』 제6호에 류창성劉昌盛의 단편소설 「라오우타이老吳太」가 발표되었다.

2일, 『광명일보』에 리잉의 시 「열사의 묘를 지나다過烈士墓」가 발표되었다. 같은 호에 야오원위안의 글 「신작 역사극 「해서파관」을 평하다」(『문회보』 11월 10일자)가 전재되었으며 편집자의 말이 추가되었다.

『해방일보』에 가오윈의 「창작의 뜰에 피어난 생명이 왕성한 새로운 꽃—혁명 이야기의 창작 특징에 관하여創作園地中生命正旺的新花——談革命故事的創作特色」가 발표되었다.

4일, 『인민일보』에 「마오쩌둥 사상을 학습하고, 혁명을 위해 창작하자—청년 아마추어 문학 창작 적극분자들이 마오 주석의 저작을 학습한 소감에 관해 좌담하다學好毛澤東思想, 爲革命寫作———青年業餘文學創作積極分子座談學習毛主席著作的體會」가 발표되었다.

『광명일보』에 천야오陳耀의 보고문학 「장쓰더 동지를 추억하며憶張思德同志」가 발표되었다.

『베이징문예』 12월호에 루천魯晨의 보고문학 「세기를 뛰어넘는 비약—베이징 철사 공장이 세계 기술의 최고봉에 오르다跨世紀的飛躍——北京鋼絲廠攀登世界技術高峰記」, 샤칭夏青의 평론 「삼면홍기의 위대한 승리—영화 「베이징 농업의 대약진」을 평하다三面紅旗的偉大勝利——評電影＜北京農業的大躍進＞」 및 본지 기자의 「선진과 비교하고, 선진을 학습하고, 선진을 따라잡고, 선진을 초월하자—농촌 간부들이 「베이징 농업의 대약진」에 관해 좌담하다比先進, 學先進, 趕先進, 超先進——農村幹部座談＜北京農業的大躍進＞」가 발표되었다.

5일, 『광명일보』에 신화사 기자 왕위안징王元敬의 보고문학 「조국을 위해 영광을 쟁취하다—해외에서 개선한 중국 배드민턴팀 선수들을 방문하다爲祖國爭光——訪國外凱旋歸來的中國羽毛球隊隊員們」가 발표되었다.

『쓰촨문학』 12월호에 푸처우의 시 「왕제 동지의 일기를 읽고讀王傑同志日記」, 조소 군상 '수조원'에 대한 사팅의 평론 「중대한 시작一個重大開端」이 발표되었다.

7일, 『광명일보』에 치번위戚本禹의 통신 「혁영을 위해 역사를 연구하자爲革命而研究歷史」, 궈청칭의 보고문학 「영웅 인물을 위해 찬가를 소리 높여 부르자爲英雄人物高唱贊歌」가 발표되었다.

치번위(1931~2016), 산둥성 웨이하이 출신이다. 문화대혁명 이전에는 잡지 『홍기』의 역사조 편집조장을 맡았다. 문화대혁명 초기에는 '중앙문혁소조中央文革小組' 구성원, 중앙판공청中央辦公廳 비서국 부국장, 『홍기』 부편집장, 중공중앙 판공청 주임 대리를 맡았다. 1968년에 격리 취조를 당한 후 체포당해 투옥되었다. 1986년에 석방된 후 상하이시 도서관 직원으로 근무하다가 퇴직하였다.

8일, 『광명일보』에 신화사 기자의 보고문학 「일본 청년이 마오 주석을 열렬히 사랑하다―중일 청년 우호 대축제日本靑年熱愛毛主席――中日靑年友好大聯歡」가 발표되었다.

『문회보』에 '「해서파관」 문제에 관한 토론'이라는 제목으로 여러 편의 글이 발표되었다. 이 가운데 이 작품을 긍정한 글로는 판싱(랴오모사)의 「'역사'와 '극'―우한의 「해서파관」 공연을 축하하며」(『베이징만보』 1961년 2월 16일자), 우한의 「역사극에 관한 몇 가지 문제」(『베이징만보』 1961년 2월 18일자), 창탄常談의 「'형제'를 통해 역사극의 몇 가지 문제를 말하다從"兄弟"談到歷史劇的一些問題」(『베이징만보』 1961년 3월 9일자), 스유史優의 「역사극에 관하여―우한, 판싱, 창탄 동지에게也談歷史劇――並致吳晗' 繁星' 常談三同志」(『베이징만보』 1961년 3월 17일자), 마렌량의 「해서를 통해 '청렴한 관리 희극'을 말하다從海瑞談到"淸官戲"」(『베이징만보』 1961년 6월 23일자) 등이 있다.

본란에 첨부된 '편집자의 말'은 "독자의 요구에 호응하기 위해", "우리는 우한 동지의 신작 역사극 「해서파관」의 극본, 서문, 설명 및 이 작품을 찬양한 글을 게재한다", "우리는 독자들이 이 자료들과 야오원위안 동지의 글(「신작 역사극 「해서파관」을 평하다」, 『문회보』 11월 10일자)을 대조해 읽고 토론해 보고, 원칙상의 차이가 존재하는지, 도대체 어느 쪽이 비교적 정확한지를 판단하기 바란다"라고 밝혔다. 판싱은 「해서파관」이 "'역사'와 '극'의 문을 깨부수기 시작한……보기 드문 창조적인 공작이다"라고 보면서, '역사'와 '극'에 대해 "'극'은 인물의 전형을 분석하고 표현하며, 인물의 계급적인 본질을 '포착'하는 것이므로, '극'을 이해하지 못한다면 역사적 인물을 진정으로 인식할 수 없다.

한편, 역사를 이해하지 못하는 것은 전형적인 환경(사회 투쟁, 계급 모순)을 이해하지 못하는 것이므로, 마찬가지로 인물의 전형적인 성격을 진정으로 이해할 수 없다", "전형적인 환경과 전형적인 성격이야말로 '역사'와 '극'이 반드시 협업해야 하는 대사이다"라고 자신의 견해를 표현하였다. 그는 마지막으로 우한에게 "역사의 '진실'과 희극의 '진실'을 구분해야 하는가? 구분한다면 어떻게 구분해야 하는가? 역사서 속에서 인물에 대해 집필하는 것과 역사극 속의 인물을 표현하는 것 사이에는 어떠한 차이점과 공통점이 있는가? 역사를 집필할 때와 극을 창작할 때 모두 발전 과정을 중시하는데, 이 두 가지 과정을 어떻게 표현해야 하는가?" 등의 문제를 제기하였다.

우한은 글에서 판싱의 이러한 질문들에 대해 "역사의 진실과 희극의 진실 사이에는 차이점이 있으며 또한 연관성도 있다", "역사극은 극일 뿐, 역사서가 아니다", 다만 역사극은 "필연적으로 역사적 진실의 속박을 받으며", "이 역사 시기에서 발생할 수 없는 일 혹은 이 인물의 성격상 있을 수 없는 언행을 억지로 무대에 가져올 수는 없다", "역사적 인물에 대해 집필할 때는 역사의 실제에 부합해야 한다. 역사적 인물이 처해 있던 시대를 통해 이 역사적 인물을 이해하고, 분석하고, 연구해야 하며, 허구와 과장이 있어서는 안 된다. 그러나 희극 속의 역사적 인물에는 충분히 허구와 과장이 있을 수 있으며, 이 인물을 돋보이게 하고, 집중되게 하고, 선명하고 생생하게 표현해 예술적으로 더욱 완전한 경지에 이르게 하기 위해 허구와 과장이 반드시 필요하다", "역사적 인물에 대한 역사학자의 평론은 전면적이어야 한다. 그 인물의 장점과 단점을 모두 언급해야 한다. 희극가의 경우는? 나는 이 역사적 인물의 특정 시기의 활동 혹은 그 가운데 어떤 역사적 사실에 대해 과장을 통해 돋보이게 표현할 권리가 있다고 본다. 장점만을 강조할 필요도, 단점을 하나하나 지적할 필요도 없다", "역사서에 등장하는 인물과 사건은 모두 사료史料에 근거해 엄격하게 처리해야 하며, 필요에 의해 추론할 경우에도 반드시 역사적 사실을 근거로 해야 한다. 그러나 역사극 속의 인물과 사건의 경우, 전형적인 환경과 전형적인 성격이 역사적 진실에 부합하기만 한다면 허구를 허락할 수 있다"라고 답변하였다.

창탄과 스유는 글에서 판싱이 제기한 세 가지 문제와 이에 대한 우한의 답변을 비평하였는데, 기본적인 관점은 우한의 견해와 유사하다. 창탄은 우한의 「해서파관」 공연을 긍정하면서 "나는 우한의 문을 깨부수는 정신에 감탄한다. 이 극은 수확을 거두었다"라고 보았다. 스유는 우한이 "역사학자로서 문을 깨부수고 역사극을 창작한 것은 사람들을 흥분하게 하는 일이며, 역사학자와 희극공작자 모두에게 큰 격려가 되는 일이다"라고 보았다.

마롄량은 글에서 전통 작품 가운데 '청렴한 관리'에 관한 극이라는 관점에서 "봉긴 통치세급 내부의 모순"이 매우 첨예하며, "'청렴한 관리'에 관한 극 문제는 단순하게 볼 수 없다. '청렴한 관리'도 결국 관리라는 식으로 일률적으로 부정해서는 안 된다. 문예작품을 평가할 때는 그 작품의 인민에 대한 태도와 인민에게 영향을 끼쳤는지를 봐야 한다. 나는 이러한 기준으로 전통극에 등장하는 관리 형상을 대해도 좋다고 본다"라고 보면서, 자신이 "해서를 아주 좋아한다"라고 강조했다.

9일, 『해방군보』에 본지 편집부의 글 「레이펑에서 왕제까지從雷鋒到王傑」, 구궁의 시 「마오쩌등 사상의 양육 아래－왕제의 노래在毛澤東思想哺育下——王傑之歌」가 발표되었다.

11일,『광명일보』에 펑더잉의 「영화 「씀바귀꽃」의 각색에 관하여關於影片＜苦菜花＞的改編」가 발표되었다. 같은 호에 신화사 기자 왕이원王沂文의 보고문학 「청년의 웅지와 전투의 정신－스칸디나비아 세계선수권 대회에서의 중국 탁구팀靑年的雄心和戰鬥的精神——中國乒乓球隊在斯堪的納維亞國際錦標賽上」이 발표되었다.

12일,『인민문학』12월호에 시 특집란 '왕제 동지를 학습하자'가 개설되어 톈젠의 「청춘 찬가靑春贊歌」, 옌전의 「우리의 반장我們的班長」, 쑨유톈의 「왕제 송가王傑頌」, 왕수화이의 「공사의 민병이 왕제를 노래한다公社民兵唱王傑」, 천산의 「거울 송가鏡頌」, 장융메이의 「심금을 울리는 한순간驚心動魄一瞬間」 등의 시가 발표되었다. 같은 호에 '다칭 서간大慶書簡' 시 2편(웨이강옌의 「마오쩌둥의 노래毛澤東之歌」, 리뤄빙의 「큰 풍랑 속에서在大風浪中」) 및 왕잔이王展意의 보고문학 「우정의 길友誼之路」이 발표되었다.

『베이징일보』와 『전선』에 샹양성向陽生(덩퉈)의 「「해서파관」을 통해 '도덕 계승론'을 밀하다 － 우한 동지와의 논의從＜海瑞罷官＞談到"道德繼承論"——與吳晗同志商榷」가 동시에 발표되었다.

13일,『희극보』제11호에 사설 「왕제를 학습하고, 한마음으로 혁명을 위하는 희극 전사가 되자學習王傑, 做一心爲革命的戲劇戰士」, 차오위의 「한마음 한뜻으로 혁명을 위하다－왕제 동지의 일기를 읽고一心一意爲革命——讀王傑同志日記」, 중국작가협회 푸젠분회의 「아마추어 희극창작의 신생 역량을 강력히 양성하자－군중 아마추어 단막 화극 창작 지도 소감大力培養業餘戲劇創作的新生力量——輔導群眾業餘獨幕話劇創作的一些體會」, 샹춘훙向春紅의 「천극 예술의 새로운 모습川劇藝術的新面貌」, 간쑤 성가극단의 「가극 속에서 새로운 영웅 인물을 창조하기 위해 노력하자－「샹양촨」 창작 소감努力在歌劇中塑造新英雄人物——創作＜向陽川＞的一點體會」 등의 글이 발표되었으며, 야오원위안의 글 「신작 역사극 「해서파관」을 평하다」가 전재되었다.

14일,『인민일보』에 어우양원빈歐陽文彬의 「사회주의 시대의 선진 공인을 노래하자－공업 소재를 반영한 신인의 소설 몇 편을 읽고歌贊社會主義時代的先進工人——讀幾篇反映工業題材的新人小說」, 류나이충劉乃崇의 「신인이 투쟁 속에서 성장한다－화극 「떠오르는 해」 감상—代新人在鬥爭中成長——

看話劇<朝陽>有感」이 발표되었다.

15일, 『인민일보』에 「「해서파관」 문제에 관한 각종 의견 소개關於<海瑞罷官>問題各種意見的簡介」가 발표되었다. 덧붙여진 '편집자의 말'은 「해서파관」 문제에 관한 토론이 시작된 이후로 "각 방면의 의견은 다음과 같은 몇 가지 문제에 집중되었다. 「해서파관」은 무엇을 선전하는가? 이 작품은 역사적 진실을 반영했는가? 이 작품의 출현은 무엇을 설명하는가? 토론 과정에서는 이 외에도 해서에 대한 평가 문제에 관해서도 언급하였다"라고 밝혔다. 같은 호에 「해서파관」에 대해 토론한 '투고 원고 발췌문'이 게재되었다.

『광명일보』에 「해서파관」에 관한 글 두 편이 발표되었다. 청찬程參의 「「해서파관」의 주제 사상과 그 경향성에 관하여關於<海瑞罷官>的主題思想及其傾向性」는 우한의 「해서파관」이 "역사를 왜곡했을 뿐만 아니라, '합쳐져서 하나가 되는' 계급융화론을 선전했다", "봉건 통치계급의 개량주의 사상을 선전했다"라고 보았다. 야오취안싱姚全興의 「형이상학으로써 변증법을 대체할 수 없다ㅡ「신작 역사극 「해서파관」을 평하다」를 평하다不能用形而上學代替辯證法ㅡㅡ評<評新編歷史劇<海瑞罷官>>」는 "야오원위안의 「신작 역사극 「해서파관」을 평하다」를 읽고서, 나는 저자가 이 글에서 수립한 기치는 선명하지만, 얻어낸 결론은 기본적으로 틀리다고 보았다. 이러한 모순적인 상황은 분석해 보면 완전히 이해가 가능하다. 그 이유는 저자가 글에서 하나가 나뉘어 둘이 되는 변증법을 고수하지 않고, 일종의 형이상학적인 관점을 통해 문제를 인식하고 처리했기 때문이다"라고 보았다. 같은 호에 보고문학 작품 「혁명을 위해 창작하다ㅡ전국 청년 아마추어 문학창작 적극분자 대회 참관기爲革命而創作ㅡㅡ全國靑年業餘文學創作積極分子大會側記」가 발표되었다.

16일, 『광명일보』에 항원빙杭文兵의 글 「'청렴한 관리'를 통해 「해서파관」을 말하다從"淸官"談到<海瑞罷官>」가 발표되었다. 그는 글에서 "「해서파관」은 결점을 가진 역사극일 뿐만 아니라, 우한 동지의 반동적인 역사관이 문학 형식으로 표현된 본보기이다"라고 보았다.

『중국청년』 제24호에 린위의 단편소설 「정치 중대장」(『인민문학』 10월호에 최초 발표)과 평론 「단 간부에게 훌륭한 소설을 추천한다向團幹部推薦一篇好小說」가 발표되었다.

『중국청년보』에 타오룬陶倫의 글 「아마추어 문학창작을 발전시키는 목적은 어디에 있는가?ㅡ『맹아』 편집부에 몇 가지 문제를 제기하다發展業餘文學創作的目的何在?ㅡㅡ向<萌芽>編輯部提幾個問題」가 발표되었다.

17일, 『인민일보』에 후시타오의 글 「희극예술의 전투적 역할을 충분히 발휘하자—『신인 신작선』에 수록된 우수한 아마추어 희극 작품의 창작 특징에 관하여充分發揮戲劇藝術的戰鬥作用——談〈新人新作選〉中優秀業餘劇作的創作特色」가 발표되었다.

『광명일보』에 우잉핑武英平의 「역사적 인물의 한계성을 반드시 비판해야 한다 — 역사적 인물 평가 문제에 대한 우한 동지의 잘못된 관점을 평하다歷史人物的局限性必須批判——評吳晗同志在歷史人物評價問題中的一個錯誤觀點」, 쑨루치孫如琦, 쑹셴창宋顯昌 등의 「「해서를 논하다」를 통해 진짜 해서와 가짜 해서를 보다從〈論海瑞〉一文看眞假海瑞」 등의 글이 발표되었다. 같은 호에 천하이펑陳海峰의 보고문학 「'당신들이 가장 믿을 만한 사람이다'—알제리로 간 첫 번째 중국 의료대원들"你們是最可信任的人"——第一批中國醫療隊員在阿爾及利亞」이 발표되었다.

18일, 『대중일보』에 예젠잉의 시 「왕제 동지를 기념하며紀念王傑同志」가 발표되었다.

『인민일보』에 머우충광의 단편소설 「더 높은 목표更高目標」가 발표되었다.

『중국청년보』에 사설 「혁명을 위해 창작하고, 공농병을 위해 창작하자爲革命寫作, 爲工農兵寫作」가 발표되었다. 사설은 "최근 몇 년간, 수많은 군중의 마오쩌둥 주석 저작 학습운동의 심도 있는 전개, 사회주의 혁명과 사회주의 건설의 부단한 승리에 따라, 자본주의적이고 봉건주의적인 구문화와 구사상과의 투쟁 속에서 공농병 군중의 아마추어 문학 창작활동이 일어났다. 노동과 창작이 모두 가능한 문예의 새로운 군대가 성장해, 문학은 수백만 노동인민 자신의 사업이 되어 왔다", "이는 사회주의 제도의 위대한 승리이자 사회주의 문화혁명의 위대한 승리이며, 문예의 공농병 방향의 위대한 승리이고, 마오쩌둥 사상의 위대한 승리이다"라고 보았다.

『광명일보』에 「한마음으로 혁명을 위하는 집단—왕제반一心爲革命的集體——王傑班」, 쑤천蘇晨의 「키 작은 벼 약전—광둥의 벼 왜성재배 공작 기록矮子稻小傳——記廣東的水稻矮化育種工作」 등의 보고문학 작품이 발표되었다.

19일, 『광명일보』에 「몸에는 장애가 있지만 뜻은 웅장하다—제1기계공업부 제1설계원 기술자 지멍인을 기억하며身殘志壯——記第一機械工業部第一設計院工程師紀夢尹」가 발표되었다.

20일, 『극본』 제6호에 충칭화극단이 합동 창작한 4막 화극 「날개를 나란히 하고 높이 날다比翼高飛」, 간쑤성가극단이 합동 창작한 5장 가극 「샹양촨」, 위스즈, 모뤄청莫若誠, 자오쥐인, 퉁차오가 각색한 3막 12장 화극「그 사람처럼 살자」가 발표되었다.

21일, 마오쩌둥은 항저우회의에서 진행한 연설에서 "(「해서파관」의) 중요한 문제는 '파관'이다. 가정 황제는 해서의 관직을 해임했고, 1959년에 우리는 펑더화이의 관직을 해임했다. 펑더화이 역시 '해서'이다", "「청궁비사」에 대해 일부 사람들은 애국주의적 작품이라고 보지만, 내가 보기에 이 작품은 매국주의, 그것도 철저한 매국주의이다"라고 밝혔다.

『인민일보』에 바진의 글「베트남의 청년 여자 민병—베트남 남방 시인 장난 동지에게 답하다越南青年女民兵——答越南南方詩人江南同志」가 발표되었다.

『해방군보』에 커위안의 「신인의 빛나는 모습—장편소설 『어우양하이의 노래』를 읽고一代新人的光輝形象——讀長篇小說＜歐陽海之歌＞」가 발표되었다.

『광명일보』에 부더布德의 보고문학「'내 눈을 파내도 나는 혁명을 하리라'—악독한 티베트의 농노 제도를 고발한다"挖掉我的眼，我也要革命"——控訴萬惡的西藏農奴制度」가 발표되었다.

22일, 저우언라이가 중난하이 쯔광거에서 네이멍구자치구 우란무치 문예선전대, 신장 허톈和田전구 문공단, 중국 대학생 7인 공연소조를 접견하고 중요 연설을 하였다. 그는 연설에서 "여러분이 부디 우란무치라는 불후의 이름을 지키고, 혁명의 음악과 무용을 전국의 토지에 두루 퍼뜨려 인민을 격려하기 바랍니다", "문예는 반드시 민족화되고 대중화되어야 합니다. 여러분이 바로 만리장정의 첫걸음이고, 더욱 제고해야 합니다"라고 밝혔다.

『광명일보』에「해서파관」에 관한 글 두 편이 발표되었다. 제성戒筜은「역사적 진실을 왜곡한「해서파관」歪曲了歷史真實的＜海瑞罷官＞」에서 "역사서의 내용이 반드시 진실은 아니다", "「해서파관」이 "노동인민의 모습을 추악화했다", "'제왕의 법률'의 계급적 본질을 포장했다", "봉건 도덕을 미화했다"라고 보면서, 작가 우한이 "완강하게 자신을 표현하고 있다"라고 보았다.

반면에 주시朱熙는「「해서파관」을 어떻게 평가할 것인가—야오원위안 동지와의 논의怎樣評價＜海瑞罷官＞——與姚文元同志商榷」에서 야오원위안의 글「신작 역사극「해서파관」을 평하다」에 대해 "여러 부분이 옳은 듯하지만 사실은 그렇지 않다고 보인다.「해서파관」이 독초라는 결론은 너무나 놀라워 동조하기 힘들다"라고 보면서, 두 가지 측면에서 야오원위안과 '논의'하고자 하였다. 첫째는 "역사상의 우수한 인물에 대해, 오늘날의 사람들은 그의 어떤 점을 기념하고 발양해야 하는가? 작가가 의식적으로 어떤 부분을 강조하거나 배제해야 하는가? 역사극 속의 긍정적인 인물은 반드시 노동 인민이어야만 하는가?" 둘째는 "문학작품을 평가하는 기준은 객관적인 효과여야 하는가, 아니면 주관적인 억측이어야 하는가?"이다.

23일, 『광명일보』에 「해서파관」에 관해 토론한 글 여러 편이 발표되었다. 추이푸장崔富章 등의 「계급투쟁은 역사 발전의 동력이다階級鬥爭是曆史發展的動力」, 수이칭水青의 「역사를 위조해서는 안 된다不能僞造曆史」 등 두 편은 비판적인 성격을 띤 글이다. 웨이젠유魏建猷는 「「해서파관」에 관한 몇 가지 문제有關<海瑞罷官>的幾個問題」에서 야오원위안이 글에서 제기한 기본적인 논점에 대해서는 '동의'하는 동시에 "야오원위안이 글에서 제기한 몇 가지 구체적인 문제는 정확성이 부족하다", "논의해 볼 만하다"라고 보면서, 마지막으로 "「해서파관」에 관한 문제는 여러 방면에 관련되어 있고, 문제도 비교적 복잡하며 근본적인 문제를 포함하고 있어, 반드시 백가쟁명의 정신을 관철하면서 광범위하게 토론해 점차 해결해야 한다"라고 보았다. 같은 호에 웨이퉁셴魏同賢의 「혁명의 이야기, 이야기의 혁명 — 새로운 이야기의 성격과 예술에 관하여革命的故事, 故事的革命 — 談新故事的性質和藝術」가 발표되었다.

24일, 쓰촨미술학원四川美術學院 조소과 교수와 학생들 및 민간의 흙 인형 예인, 아마추어 미술 공작자들이 합동 창작한 대형 조소 군상 작품 「수조원」이 베이징미술관에 전시되었다.

25일, 『인민일보』에 「「해서파관」은 계급조화론을 선전했다<海瑞罷官>宣揚了階級調和論」라는 제목으로 투고 원고 발췌문 몇 편이 발표되었다. 같은 호에 웨이웨이의 통신 「비행기도 민병을 두려워한다 — 베트남 방문 통신: 「인민 전쟁의 꽃이 가장 붉다」 제1편飛機也怕民兵 — 訪問越南通訊: <人民戰爭花最紅>之一」이 발표되었다.

『문학평론』 제6호에 사더안沙德安의 「『폭풍우』 인물담 — 주융캉과 슝빈 형상 약론<風雷>人物談 — 略論祝永康與熊彬的形象」, 충저자叢者甲의 「『폭풍우』는 긍정할 만한 작품이다<風雷>是一部值得肯定的作品」, 예보취안葉伯泉의 「슝빈은 성공적인 형상이다 — 우쯔민, 차이쿠이와의 논의熊彬是個成功的形象 — 兼與吳子敏﹑蔡葵商榷」, 쌍옌桑雁, 우슈젠吳繡劍의 「『폭풍우』가 그렇게나 훌륭한가? — 「『폭풍우』를 평하다」 감상<風雷>有那樣好嗎? — 讀<評<風雷>>有感」 등 천덩커의 장편소설 『폭풍우』에 관한 글이 여러 편 발표되었다. 같은 호에 펑무의 「노동과 투쟁 속에서 성장하는 문학 신인在勞動和鬥爭中成長的文學新人」 등의 글이 발표되었다.

『광명일보』에 왕차오원의 보고문학 「혁명의 예술 — 수조원革命的藝術 — 收租院」이 발표되었다.

26일, 『인민일보』에 위안수이파이의 시 「「수조원」을 보다-베이징 근교의 어느 늙은 빈농의 말을 기억하며看了＜收租院＞——記京郊一位老貧農的話」가 발표되었다.

　『광명일보』에 훠쑹린霍松林의 「황제를 꾸짖는가 아니면 황제를 사랑하는가-해서의 「치안소」분석罵皇帝還是愛皇帝——對海瑞＜治安疏＞的剖析」이 발표되었다.

27일, 『광명일보』에 왕쯔예의 「역사의 주인은 누구인가?誰是歷史的主人?」, 마즈정馬致政의 「잘못된 관점, 잘못된 결론錯誤的觀點,　錯誤的結論」 등 「해서파관」을 비판한 글이 발표되었다.

28일, 『인민일보』, 『광명일보』, 『중국청년보』에 후커스의 「문예라는 무기를 들고, 마오쩌둥 사상의 선전원이 되자-전국 청년 아마추어 문학창작 적극분자 대회에서의 연설拿起文藝武器,　做毛澤東思想的宣傳員——在全國青年業餘文學創作積級分子大會上的講話」이 동시에 발표되었다. 그는 글에서 "공농병은 반드시 문예라는 무기를 들어야 한다", "문학창작은 3대 혁명운동을 위해 복무해야 한다", "사회주의의 새로운 인물, 새로운 일, 새로운 사상에 대해 대대적으로 창작해야 한다", "마오쩌둥 저작을 학습해 융통성 있게 활용하고, 노동과 창작이 모두 가능한 혁명전사가 되어야 한다", "문화 진지를 점령하고, 클럽을 잘 운영해야 한다" 등의 견해를 제기하였다.

　『광명일보』에 덩광밍鄧廣銘의 글 「우한 동지의 「해서를 논하다」를 평하다評吳晗同志的＜論海瑞＞」가 발표되었다.

29일, 『인민일보』에 광추方求의 「「해서파관」은 어떤 사회 사조를 대표하는가?＜海瑞罷官＞代表一種什麼社會思潮?」가 발표되었다(『광명일보』 12월 30일자에 전재). 그는 글에서 1. "「해서파관」은 어떤 정치관, 역사관, 도덕관을 선전하는가?"라는 문제에 대해 "'청렴한 관리'인 해서를 농민의 '구세주'로 표현하는 것은 마르크스주의를 근본적으로 위반했다", "'청렴한 관리' 해서는 봉건계급 독재정치의 도구이며, 봉건적 법률의 옹호자이다", "'청렴한 관리'에 대한 봉건통치자의 찬양은 인민의 정신을 마취시키는 아편이다"라고 보았다. 2. "「해서파관」은 현실의 계급투쟁에서 어떠한 역할을 하는가?"라는 문제에 대해서는 이 작품이 "봉건적인 독소를 선전하는 복고주의 사조의 대표작"이며, "옛일에 빗대어 현재를 비판하는 반사회주의 사조의 대표작"이라고 보았다. 그는 글의 마지막에서 "「해서파관」 문제에 관한 토론에서 '이 역시 마르크스주의이다', '이 역시 사회주의이다'라는 말을 꿰뚫어 보고, 이 신작 역사극이 대표하는 사조와 반마르크스주의, 반사회주의적 본질을 폭로하는 것이 우리의 최우선 임무이다"라고 밝혔다. 팡추의 이 글은 이후에 '가짜로 비판하고, 사실은 감싸는' 글로 인식되었다.

30일, 『인민일보』의 '학술 연구'란에 우한이 12월 24일에 집필한 글 「「해서파관」에 관한 자아비평關於<海瑞罷官>的自我批評」(『베이징일보』 1965년 12월 27일자에 최초 발표)이 발표되었다. 편집자의 말은 "우한 동지는 이 글에서 본인의 자아비평이 '아직 초보적인 단계이며 깊이가 부족하다'라고 밝혔다. 우리는 독자들이 이 글을 꼼꼼히 읽고 우한 동지의 자아비평이 어느 부분에서 깊이가 부족한지, 문제의 본질에 대해 이야기했는지, 중요한 부분을 언급했는지를 살펴보기 바란다"라고 밝혔다.

우한은 글에서 "나는 왜 해서를 연구했는가?", "소송蘇松 지역의 계급투쟁과 논밭을 정부에 돌려주는 것", "오송강의 수리, 황제 축출, 청렴한 관리 문제", "효과와 입장" 등 네 가지 측면에서 자아비평을 진행하였다. 그는 "이것은 그저 학술적인 문제가 아니라 정치적인 문제이고, 그저 역사 인물에 대한 평가 문제만이 아니라 계급 입장의 문제이며, 그저 개별적인 역사적 사실의 문제가 아니라 어떤 사상으로 지도할 것인가의 문제이다. 이것은 자산계급의 형식주의, 주관성, 단편성, 표면성을 통해 역사적 인물과 사건을 분석할 것인가, 아니면 마르크스주의, 마오쩌둥 사상, 역사유물주의, 하나가 나뉘어 둘이 되는 과학적 분석 방법을 통해 역사적 인물과 사건을 분석할 것인가 하는 문제이다. 이것은 두 가지 세계관, 두 가지 입장, 두 가지 사상 방법, 두 가지 관점, 두 가지 노선 사이에서 어느 쪽을 따를 것인가에 대한 근본적인 문제이며, 사상과 학술전선에서의 두 가지 노선의 문제이다"라고 반성하면서, 자신의 이 자아비평이 "아직 초보적인 단계이며 깊이가 부족하다. 앞으로도 지속적으로 반성해 나 자신의 사상적 각오의 수준을 더욱 제고하고, 잘못을 더 잘 바로잡고, 입장을 전환하겠다"라고 밝혔다. 이 글은 같은 일자 『광명일보』에도 발표되었다.

31일, 『문예보』 제12호에 평론가의 글 「마오쩌둥 사상으로 무장하고, 노동과 창작이 모두 가능한 문예전사가 되자─전국 청년 아마추어 문학창작 적극분자 대회를 기억하며用毛澤東思想武裝起來，做又會勞動又會創作的文藝戰士──記全國靑年業餘創作積極分子大會」가 발표되었다. 글은 이들 청년 적극분자들에 대해 "공농병 출신으로 기층에서 전투하는 문예의 새로운 군대"라고 표현하면서, 이들이 "마오쩌둥 주석의 저작을 지침으로 삼고, 왕제 동지를 본보기로 삼아", "무산계급 혁명사업의 후계자가 되어 한마음으로 혁명을 위하고, 모든 것을 혁명에 바치며", "진지를 굳게 지키고, 사회주의와 영웅 인물을 대대적으로 창작하며, 공농병을 위해, 그리고 사회주의와 세계혁명을 위해 복무한다"고 보았다. 글은 또한 적극분자들에게 "사회주의의 노선을 따르고, 노동화와 혁명화를 고수해 노동과 창작이 모두 가능한 문예전사가 되라"고 호소하였다.

같은 호에 리준의 「마오 주석의 저작을 잘 학습하는 것이 문예공작자의 '세 가지 난관 극복'의 첫 번째 요소이다學好毛主席著作是文藝工作者"三過硬"的第一要素」가 발표되었다. 그는 글에서 "혁명 작가라면 반드시 마오쩌둥 주석의 사상으로써 자신의 두뇌를 무장해 장기적으로 노동 군중과 결합하고, 사상, 감정, 작풍 면에서 혁명화와 노동화를 이루어 창작 능력을 학습하고 연마하는 데 힘쓰고, 당이 우리에게 준 이 펜을 잘 사용해야 한다"라고 요구하였다.

이 외에도 야오원위안의 「신작 역사극 「해서파관」을 평하다」가 전재되었으며, 징쑹勁松의 평론 「'문을 부수고 나온' 것을 환영한다歡迎"破門而出"」가 전재되었다. 그는 글에서 『문회보』 12월 8일자에 전재된 「해서파관」을 칭찬하는 글 다섯 편에 대해 "'문을 부수고 나온' 기묘한 글들이다. 이들은 호형호제하고, 서로 치켜세우며, 자만한 나머지 자신의 처지를 잊고, 저속하기 이루 말할 데 없으니, 우리가 눈을 번쩍 뜨게 해 1960년대의 신중국에도 이런 작품이 있음을 알게 해 준다. 이것은 분명히 아주 훌륭한 반면교사이다. 우리는 이러한 반면교사를 환영한다. 이는 우리가 여러 가지 문제를 명확히 볼 수 있도록 도와준다"라고 밝혔다.

이달에 랴오닝, 산시陝西, 신장 등의 성, 시에서 '우란무치' 혁명정신 학습 활동이 전개되었다.

진징마이의 장편소설 『어우양하이의 노래』가 해방군문예출판사에서 출간되었다.

리윈더李雲德의 『들끓는 뭇 산沸騰的群山』(제1부), 아이쉬안의 『창장의 눈바람大江風雪』, 장수마오薑樹茂의 『위다오의 노도漁島怒潮』 등의 장편소설이 인민문학출판사에서 출간되었다.

리윈더(1929~), 필명은 리리李禮로 랴오닝성 안산鞍山 출신이다. 1954년부터 작품을 발표하였다. 저서로 단편소설집 『생활의 첫 수업生活第一課』, 『숲속의 불빛林中火光』, 중편소설 『보물찾기探寶記』, 『추적追蹤』, 장편소설 『매의 노래鷹之歌』, 『들끓는 뭇 산』, 『지질춘추地質春秋』, 『특수 안건特殊案件』 등이 있다.

가오잉의 단편소설집 『갈 길이 아득하다』가 백화문예출판사에서 출간되었다.

궁시의 시집 『푸르른 하늘藍藍的天空』이 춘풍문예출판사에서 출간되었다.

『시간』 잡지사에서 편찬한 『낭송시선朗誦詩選』이 작가출판사에서 출간되었다.

쑨졘정孫鍵政이 편찬한 『대학생 시선大學生詩選』이 『대학생大學生』 잡지사에서 출간되었다.

상하이인민출판사에서 편찬한 『왕제 학습 산문선學習王傑雜文選』이 출간되었다.

우창의 산문 및 보고문학집 『심조집心潮集』이 인민문학출판사 상하이지사에서 출간되었다.

리망李芒 등이 번역한 일본 작가 나카모토 다카코中本高子의 보고문학집 『일본 인민의 영웅적인 기개日本人民的英雄氣槪』가 작가출판사에서 출간되었다.

　문화부에서 농촌독물출판사農村讀物出版社에 관련 출판사들과 협력해 전국에 출판된 도서 가운데 농촌에서 환영받는 도서 중에서 '농촌판農村版'을 선별 및 편찬할 것을 지시해 1차로 15종이 선정되어 1,200만 부를 인쇄하였다. 1차로 선정된 작품으로는 장편소설『화창한 날』, 장편소설『붉은 바위』, 이야기책『새 이야기선新故事選』, 보고문학『청년 영웅 이야기靑年英雄的故事』, 보고문학『남방에서 온 편지 선집』이 포함되었다.

1965년 정리

영화「린씨네 가게」와「불야성」에 대한 비판이 고조에 올랐다.

1964년 12월, 장칭은「린씨네 가게」,「불야성」등의 영화를 '독초'로 규정하고 이에 대해 비판하라는 지령을 내렸다. 1965년 4월 22일, 중앙선전부는「영화「린씨네 가게」와「불야성」의 공개 상영 및 비판에 관한 통지」를 발포하였다. 1965년 5월 하순에 이 두 편의 영화가 재상영된 후 여러 중요 신문에 이들 영화에 대해 토론하고 비판하는 글이 발표되었다. 발표된 글들은 모두 이 두 편의 영화가 자산계급을 미화하고, 계급 착취와 계급 모순을 덮어 가렸으며, 사회주의 혁명의 요구를 완전히 위배한 나쁜 영화라고 보았다. 비판은 1965년 말까지 지속되었다.

여러 편의 글이 영화「린씨네 가게」의 각색가가 상업 자본가인 린 사장에 대해 동정하는 태도로 묘사하고 있다고 보고, 자본가에 대한 이러한 묘사는 역사의 진실을 위반한 것으로, 자산계급의 착취적인 본성에 대한 인민의 인식을 모호하게 한다고 보았다. 또한 각색가가 자산계급을 묘사하는 소재를 선택하면서도 계급 착취라는 가장 근본적인 문제를 폭로하지 않고, 오히려 예술적인 과장을 통해 린 사장이라는 인물을 크게 동정하면서 이 인물을 포장하고 또한 미화하고 있다고 보았다. 비판하는 글들은 영화「린씨네 가게」가 점원 노동자들을 추악화하고 왜곡되게 묘사해, 점원과 자본가 사이에 근본적인 이익상의 갈등이 존재하는 것을 찾아볼 수 없고, 오히려 노동자와 자본가가 협력하고 계급이 융합하는 모습을 보게 된다고 지적하면서, 이는 고의로 계급조화론과 계급합작론階級合作論을 선전하고, 계급 모순과 계급투쟁이라는 근본적인 법칙을 위반한 것이라고 보았다.

이 영화를 비판하는 이들은 사회주의 문예는 반드시 인민 군중 속에 무산계급사상을 수립하고 또한 이를 공고히 하고, 자산계급사상을 공격하고 소멸시키는 것을 도와야 한다고 보았다. 이들은 영화「린씨네 가게」는 무산계급을 일으키고 자산계급을 타도하는 투쟁 속에서 이와는 상반되는 주장을 하고 있으며, 자산계급을 대신해 이들의 괴로움을 하소연하고, 계급의 경계를 모호하게 만들고 있으며, 자산계급을 동정하고, 심지어 자산계급을 찬양하고 부추기고 있다고 보면서, 이는 사회주의 혁명의 요구와 인민 군중의 바람과는 완전히 반대되는 것으로, 사회주의와 자본주의 두 노선 사이의 투쟁이 문예 영역에 강렬하게 반영된 것이라고 보았다.

비교적 중요한 비판의 글로는 쑤난위안의 글「「린씨네 가게」는 자산계급을 미화한 영화이다」(『인민일보』 5월 29일자), 중원의「영화「린씨네 가게」를 반드시 비판해야 한다」(『광명일보』,『

해방군보』 6월 29일자), 관산, 바위의 「자본가를 미화하고 공인계급을 추악화하다 — 영화 「린씨네 가게」 비판」(『광명일보』 5월 29일자), 셰펑쑹의 「영화 「린씨네 가게」는 자산계급을 미화하는 독초이다」(『중국청년보』 5월 29일자), 뤼치샹의 「노예 철학을 선전하고, 계급 합작을 부추긴다 — 영화 「린씨네 가게」의 서우성 분석」(『광명일보』 5월 31일자), 저우산의 「영화 「린씨네 가게」의 몇 가지 문제에 관하여」(『인민일보』 6월 9일자), 정쩌쿠이, 장서우첸의 「「린씨네 가게」를 각색한 신정한 의도는 무엇인가?」(『광명일보』 6월 9일자), 후커의 「영화 「린씨네 가게」는 무엇을 선전하는가」(『문예보』 제6호, 『광명일보』 6월 11일자, 『인민일보』 6월 13일자), 장톈이의 「「린씨네 가게」의 각색을 평하다評」(『문예보』 제6호, 『광명일보』 6월 11일자), 양야오민의 「자산계급 미화와 계급조화론에 반대한다 — 영화 「린씨네 가게」를 평하다」(『문학평론』 제3호) 등이 있다.

　영화 「불야성」을 비판하는 주된 관점은 자본가를 미화하고 동정하고, 공인을 추악화하고 공인의 계급투쟁을 왜곡했으며, 평화개조정책과 '오반' 투쟁을 왜곡했다는 것이다. 여러 평론가들은 이 영화가 장야오탕張耀堂이라는 인물을 고생을 참고 견디며 근검절약하는 자본가로 묘사하고, 자본가의 착취적인 본질을 가리고, 자본가가 공인의 잉여 노동을 잔혹하게 수탈한 피비린내 나는 죄악으로 가득 찬 현실을 말살해, 관객들에게 자본가가 자신의 근검절약에 기대어 집안을 일으킨 것이므로 동정할 만한 존재이며, 이들을 반대해서는 안 되고 소멸시켜서는 더더욱 안 된다고 믿게 만들었으므로, 이는 철두철미한 반사회주의적 헛소리라고 보았다.

　양자오밍은 「「불야성」은 자산계급의 '공적'과 '은덕'을 찬양한다」(『중국청년보』 6월 14일자)에서 이 영화가 장보한張伯韓의 애국심을 표현하면서 그의 계급적인 본성을 회피하고, 그의 애국적인 면을 치켜세우면서 동요하고 타협하는 면을 덮어 가렸다고 보았다.

　차오밍은 「「불야성」은 누구를 위해 제작되었는가?」(『광명일보』 6월 17일자)에서 취하이성瞿海生에 대해 "완전한……우경 기회주의자이다. 그는 자산계급에게 선물을 보내고, 계급의 큰 원한을 개인적이고 사적인 원한이라고 말하며, 심각한 계급 착취와 계급 박해를 개인적인 은원으로 폄하하였다. 취하이성의 이러한 행위는 사실상 배반을 의미한다", "각본가가 표현한 취하이성은 당의 간부라기보다는 자본가의 대변인 혹은 변호사라고 하는 것이 더 적당해 보인다"라고 보았다. 양자오밍은 "'오반' 운동은 자산계급에 대한 격렬한 투쟁이지만, 영화는 사회주의에 대한 자산계급의 난폭한 공격을 전혀 반영하지 못했다"라고 보았다.

　여러 평론가들은 영화의 결말에 대해 '둘이 합쳐져 하나가 되는' 모습이라고 지적하면서, 자본가들이 공사합영을 열렬히 축하하고 사회주의 개조를 옹호하는 장면과 장원야오張文瑤가 다시 부모의 품에 안기는 대단원 식의 결말을 통해 사실상 자산계급과 무산계급 사이의 갈등이 이미 완전히 해결되었고, 사회주의 노선과 자본주의 노선 사이의 투쟁이 이미 존재하지 않으므로, 계급투쟁이 이로써 소멸해 공인계급이 더 이상 경계심을 높이고 투쟁을 진행해 자본주의의 복권을 방지할 필요가 없다고 선전하고 있다고 보았다.

「불야성」을 비판한 비교적 중요한 글로는 양자오밍의 「「불야성」은 자산계급의 '공적'과 '은덕'을 찬양한다」(『중국청년보』6월 14일자), 차오밍의 「「불야성」은 누구를 위해 제작되었는가?」(『광명일보』6월 17일자), 탕커신의 「계급조화론과 계급투항주의를 선전하는 「불야성」」(『해방일보』7월 5일자), 관다퉁의 「어째서 영화 「불야성」을 반드시 비판해야 하는가」(『문예보』제7호), 이췬의 「누구에게 유리한가?」(『해방일보』7월 23일자), 후징즈의 「계급조화론의 예술적 표본―「불야성」」(『광명일보』7월 26일자), 류밍주의 「「불야성」은 자산계급의 생활방식을 선전한다」(『광명일보』7월 30일자), 옌둥빈의 「계급조화를 선전하는 영화 「불야성」」(『인민일보』8월 15일자) 등이 있다.

『신문업무新聞業務』제7, 8호 합본에 궈샤오촨의 「보고문학에 관한 몇 가지 문제有關報告文學的幾個問題」가 발표되었다.

마오쩌둥이 사詞 작품 「염노교 · 새의 문답念奴嬌 · 鳥兒問答」을 창작하였다.

스즈食指(궈루성郭路生)가 「파도와 바다波浪與海洋」(「바다 3부작海洋三部曲」제1편), 「서간書簡」(1) 등의 시를 창작하였다.

스즈(1948~), 본명은 궈루성으로 본적은 산둥성이며 베이징에서 출생하였다. 60년대에 시 창작을 시작하였다. 20세 때 창작한 명작 「미래를 믿다相信未來」, 「바다 3부작」, 「4시 8분의 베이징這是四點零八分的北京」 등의 시가 필사본의 형태로 사회에 널리 유행하였다. 저서로 시집『미래를 믿다』, 『스즈, 헤이다춘 합동 현대서정시집食指' 黑大春現代抒情詩合集』, 『시 탐색 금고 · 스즈 편詩探索金庫 · 食指卷』, 『스즈의 시食指的詩』 등이 있다.

황돤윈黃端雲이 우화 「돌과 해서石頭和海瑞」를 창작하였다.

『인민문학』에서 '사회주의의 새로운 영웅 창작' 원고 공모를 진행하였다. 공모 기간은 1965년 1월부터 12월까지로, 올해의『인민문학』에는 공모 작품이 대량으로 게재되었다.

『희극보』제12호(실제 출판 일자는 1966년 1월 10일)에 1965년 11월 29일의 전국 청년 아마추어 문학창작 적극분자 대회 개막식에서의 저우양의 연설 「마오쩌둥 사상의 홍기를 높이 들고, 노동과 창작이 모두 가능한 문예전사가 되자」가 게재되었다. 같은 호에 '본지 자료실'의 「「해서파관」 비판, 토론에 있어서의 주된 차이점은 무엇인가?―청년 배우의 질문에 답하다<海瑞罷官>批判' 討論中的主要分歧是什麼?――答青年演員問」, 장윈시張雲溪의 「우한 만담武戲漫談」 등의 글이 발표되었다.

류칭의 장편소설 『창업사』(제1권) 보급판, 장멍량의 장편소설 『세 세대』(일반판), 우위안즈의 장편소설 『금색의 뭇 산』 보급판, 류류의 장편소설 『열화금강烈火金剛』 보급판, 『지원군 영웅 송가』, 『청년 영웅 이야기』(농촌판), 『청년 영웅 이야기』(속편), 『탁구 인재들乒乓群英』, 『광활한 천지에서在廣闊的天地裏』 등의 보고문학집이 중국청년출판사에서 출간되었다.

『맹아』 편집부와 인민문학출판사 상하이지사가 편찬한 『맹아 시선萌芽詩選(1964년)』, 『맹아 단편소설선萌芽短篇小說選(1964년)』, 『맹아 산문 보고문학선萌芽散文報告文學選(1964년)』이 인민문학출판사 상하이지사에서 출간되었다.

해방군문예사에서 '4호중대, 5호전사, 새로운 인물과 새로운 사건' 공모 문집을 출간하였다. 제1기로 단편소설선 『용감하게 악조건과 싸우는 역할』, 『침몰선 암초沉船礁』, 보고문학 및 산문선 『어우양하이』, 『레이펑반 기록』, 곡예선 『훌륭한 중대장好連長』이, 제2기로 보고문학 및 소설선 『대로가 하늘을 향하다大路朝天』 등이 출간되었다.

작가출판사에서 편찬한 보고문학집 『혁명을 위해 학습하는 사람들爲革命學習的人們』(마오쩌둥 주석 저작 학습 보고문학집), 『반미의 최전선에서在反美的最前哨』(베트남 통신보고집) 등이 출간되었다.

푸쓰원濮思溫 등이 창작한 7장 화극 『남방의 기적南方汽笛』이 중국희극출판사에서 출간되었다.

『단막 화극선獨幕話劇選』(1, 2집)이 상하이문화출판사에서 출간되었다. 1966년에 제3~6집이 출간되었다.

'1965년 화베이지구 화극 가극 관람공연대회 작품집'이 출간되었다. 본 작품집에는 양웨이, 궈젠이 집필한 8장 화극 「류후란」, 류자가 창작한 8장 화극 「산촌에 꽃이 한창 붉다」, 웨이민 등이 창작한 5막 화극 「대대로 붉다」, 가오빈 등이 창작한 6장 화극 「바오강 사람」, 자오양 등이 창작한 6장 화극 「광산 형제」, 류허우밍이 창작한 4막 화극 「산촌의 자매」, 친짜이핑이 창작한 4장 화극 「생활의 오색 띠」 『단막 화극獨幕話劇』(3권)이 포함되었다. 백화문예출판사에서 출판한 '농촌문학선독農村文學選讀'(4권)에는 단편소설집 『공사 서기公社書記』, 『늙은 버드나무가 그늘을 드리우다老柳成蔭』, 『아버지 세대의 영웅父輩英雄』, 『뿌리를 내리다紮根』 등이 포함되었다.

중국작가협회에서 편찬한 『신인 신작선』(1~5집)이 인민문학출판사에서 출간되었다.

농촌독물출판사에서 편찬한 쿵셴푸孔憲甫 등의 「204호 어선204號漁船」, 리시청 등의 「발이 빠른 사람」, 왕칭팅王慶庭 등의 「어느 포신공 이야기一個包身工的故事」, 이펑宜風 등의 「석감당石敢當」 등 '농촌이야기책'과 「땅을 빼앗다奪地」, 「고리채閻王債」, 「극악무도한 족장의 권력萬惡的族權」, 「세 세대의 창업三輩創業記」, 「눈물 어린 타향살이含淚闖關東」, 「이길 수 없는 소송打不贏的官司」 등의 '농민

가정사'가 출간되었다.

러우스이가 번역한 『고바야시 다키지 소설선小林多喜二小說選』이 인민문학출판사에서 출간되었다.

신웨이아이辛未艾가 번역한 『체르니셰프스키가 문학을 논하다車爾尼雪夫斯基論文學』(중권)이 인민문학출판사 상하이지사에서 출간되었다. 이 책의 상권은 1956년에 신문예출판사에서 출간되었다.

올해 말까지 중국 대륙에 설립된 출판사는 모두 87곳으로, 그 가운데 중앙급 출판사는 38곳, 지방 출판사는 49곳이다. 출판한 서적은 20,143종으로 그 가운데 신판 도서는 12,352종이며, 총 인쇄 수량은 21억 7,100만 권이다. 잡지는 790종이 출간되었다.

중국이 27개국의 방송기구와 교류 관계를 맺었다. 베이징방송국은 30개국에 473편의 영상물을 발송하였는데, 대다수가 뉴스 다큐멘터리이다. 베이징방송국에서는 13부의 드라마를 방영하였는데, 이 가운데 아동극은 「학교 팀의 풍격校隊風格」, 「과과가 오이를 보다瓜瓜看瓜」, 「샤오전이 물을 배달하다小珍送水」, 「작은 영웅 위라이小英雄雨來」, 「어린 팔로군 병사小八路」, 「산중의 아이山裏的孩子」, 「어린 병사가 해방군을 흉내내다小兵學解放軍」 등 7편이다. 이 외에도 드라마 「돈지갑錢包」, 「여지 나무를 보다香荔枝樹」, 「남방의 기적」, 「소라海螺」, 「그 사람처럼 살자」, 「창허 삼촌常河叔叔」 등의 드라마를 방영하였다.

「지하도 전투」, 「열화 속에서 영생하다」, 「무대 자매」 등 문화대혁명 이전에 제작된 마지막 영화들이 상영되었다.

올해 상영된 중요 영화는 다음과 같다.

「침략자를 공격하라打擊侵略者」(차오신, 딩홍 각본, 화춘華純 감독, 8·1전영제편창 제작)

「지하도 전투」(런쉬둥任旭東, 쉬궈텅徐國騰, 왕쥔이王俊益, 판윈산潘雲山 각본, 런쉬둥 감독, 8·1전영제편창 제작)

「쏨바귀꽃」(펑더잉 각본, 리앙李昻 감독, 8·1전영제편창 제작, 1977년에 재상영)

「열화 속에서 영생하다」(저우하오周皓 각본, 수이화 감독, 베이징전영제편창 제작)

「젊은 세대」(자오밍趙明, 천원 각본, 자오원 감독, 톈마전영제편창 제작)

「산간도시에 세 번 들어가다」(싸이스리 각본, 장펑샹張鳳翔 감독, 창춘전영제편창 제작)

「무대 자매」(린구林穀, 쉬진徐進, 셰진 각본, 셰진 감독, 톈마전영제편창 제작. 1980년 제24회 영국 런던 국제영화제 영국영화학회 올해의 영화상, 1981년 필리핀 마닐라 국제영화제 금매상, 1983년 포르투갈 제12회 피구에라 다포즈 국제영화제 심사위원상 수상)

제3권 후기

장닝

이 책은 베이징사범대학 문학원에서 현당대문학을 전공하는 일부 교수와 대학원생들이 힘을 합쳐 완성한 결과물이다.

제3권의 구체적인 분담 상황은 아래와 같다.

장닝張檸: 제3권 전체 원고 검토

마린馬林, 추위팡邱玉芳, 칸추사闞秋莎: 제3권 전체 원고 보조

뤼하이보呂海波: 1960년 부분 담당

류샤오화劉曉樺: 1961년 부분 담당

마리핑馬麗平: 1962년 상반기 부분 담당

리메이李梅: 1962년 하반기 부분 담당

추위팡邱玉芳: 1963년 상반기 부분 담당

마린馬林: 1963년 하반기 부분 담당

탕루루唐璐璐: 1964년 부분 담당

장위張玉: 1965년 상반기 부분 담당

마칭춘馬青春: 1965년 하반기 부분 담당

칸추사闞秋莎: 1966년 상반기 부분 담당

편년사 초고를 기초로 하여 아래의 연구성과를 선택적으로 흡수 및 이용하였다.

천후이陳暉 교수가 편찬한 『중국 당대 아동문학 전제 사료中國當代兒童文學專題史料』

친옌화秦豔華 교수가 편찬한 『중국 당대 출판 전제 사료中國當代出版專題史料』

탄우창譚五昌 부교수가 편찬한 『중국 당대 시가 전제 사료中國當代詩歌專題史料』

량전화梁振華 부교수가 편찬한 『중국 당대 보고문학 전제 사료中國當代報告文學專題史料』

량전화 부교수가 편찬한 『중국 당대 영화문학 전제 사료中國當代影視文學專題史料』

웨융이嶽永逸 박사가 편찬한 『중국 당대 민간문학 전제 사료中國當代民間文學專題史料』

장궈룽張國龍 박사가 편찬한 『중국 당대 산문 잡문 전제 사료中國當代散文雜文專題史料』

쉬젠徐健이 편찬한 『중국 당대 희극 전제 사료中國當代戲劇專題史料』

2년간의 편집 작업이 마침내 끝났다. 이 순간 내 머릿속에 떠오르는 것은 혹한과 무더위를 무릅쓰고 신제커우와이다제新街口外大街에서 중관춘난다제中關村南大街로 가는 버스 안에 비집고 서서 국가도서관 자료관으로 자료를 수집하러 가는 여러 청년 학생들의 모습이다. 마지막에 완고 작업을 할 때는, 몇몇 학생들은 졸업을 앞두고 취업을 해야 하는 힘든 시기임에도 그 탓에 일을 지체하지 않고, 수시로 학교에 불려와 도서관에 가서 자료 한 줄, 수치 하나, 인명 하나를 대조해 주었다. 이 책의 편집 수준이 어떠하든, 그들의 노력에 경의를 표해야 한다. 만약 누락된 부분이 있다면 그 책임은 내게 있다. 이번의 합동 작업이 우리가 베이징사범대학에서 함께 보낸 시간의 아름다운 기억이 되기를 바란다.

장닝

2010년 1월 26일, 베이징사범대학에서

역자 후기

박희선

이 책은 2011년 11월에 중국 산둥문예출판사에서 출간된『중국 당대문학 편년사』전10권 가운데 1~3권을 완역한 것이다.

중국 문학계에서는 1919~1949년, 즉 중화민국 시기의 문학을 현대문학이라고 지칭하며, 1949년 중화인민공화국이 성립된 이후의 문학을 당대문학當代文學이라고 규정하고 있다. 주편인 장젠이 전집 서문에서 밝혔다시피『중국 당대문학 편년사』는 여섯 부분으로 구성되어 있는데, 그 가운데 시기상으로 첫 부분인 '17년 문학', 즉 1949년 중화인민공화국이 성립된 이후로 1966년 문화대혁명이 시작되기 전까지 17년간의 문학을 다룬 1~3권을 이번에 번역해 출간하게 되었다.

역사학이 아닌 문학에서 편년사의 형태로 문학사를 정리한 저술은 흔치 않다. 편년사적인 서술은 역사 서술 가운데 가장 객관적인 방식이라 할 수 있다. 이 책은 방대한 사료의 수집 조사를 바탕으로 하여 "문학의 역사적 사실이 발생한 년, 월, 일을 서술 순서로 하여 문학 운동, 문학사조, 문예논쟁, 문학단체와 유파, 문학 교류, 문학 회의, 작가의 생애, 작품 발표, 이론 비평, 문학 간행물의 연혁, 문화 및 문학 정책의 제정과 연혁 및 문학 발전과 관련된 사회, 정치, 경제, 군사, 문화 사건 등의 배경 자료를 동시에 수록"하여 당대문학의 전경全景을 그려내고, 읽는 이가 이러한 서술 속에서 역사적인 의미를 찾을 수 있도록 하였다.

중화인민공화국 성립 이후 17년간의 문학은 강렬한 정치적 색채를 띠고 있다. 이어지는 문화대혁명 시기의 문학만큼 경직되어 있지는 않으나 자유로운 창작이 가능했다고 하기는 힘들다. 즉 장닝이 머리말에서 밝힌 것처럼 "이 시기의 문학과 '문혁' 10년간의 중국문학은 '전체적인 논리'상에서는 일치하지만, '표현 형태' 면에서는 차이가 있다." 이 시기의 문학은 "최고의 권위를 가진 대상을 유일한 기준으로 삼는 '일체화'된 문학 형태와 이에 의문을 표하는 여타 문학 형태 사이의 모순"을 끊임없이 보여주는데, 이러한 모순은 몇몇 작가 혹은 작품에 대한 비판과 논쟁의 형태로 드러난다. 1951년의 영화 「무훈전」에 대한 비판, 1955년에 전개된 위핑보의『홍루몽』연구에 대한 비판, 후펑 집단에 대한 비판, 1957년의 왕멍의 단편소설 「조직부에 새로 온 젊은이」에 대한 비판과 토론, 1958년의 '딩링, 천치샤 반당집단'에 대판 비판, 양모의 장편소설『청춘의 노래』에 대한 비판, 1965년의 우한의 역사극 「해서파관」에 대한 비판 등이 대표적인 사건이다.

이 책은 이러한 비판과 논쟁에 중요한 역할을 한 비평과 논문의 내용을 인용하고, 각 연도별 서술의 말미에는 해당 연도에 일어난 사건들을 정리하여 독자가 이러한 문학사적 사건의 전개 과정과 흐름을 객관적으로 파악할 수 있도록 하였다.

역자는 이 책을 번역하면서 정확하고 객관적인 번역에 가장 큰 주안점을 두었다. 작품명 등을 최대한 직역에 가깝게 변역하되, 숨은 뜻이 있는 경우에는 역자 주를 추가하였다. 다소 거칠고 딱딱하게 느껴질 수도 있으나 가능한 한 정확하게 전달하려 노력하였다. 최선을 다하였으나, 그럼에도 존재하는 오류가 있다면 전적으로 역자의 책임이다. 독자 여러분의 지적과 가르침을 기대한다.

1년 8개월 동안 세 권의 책을 번역하면서 여러 분들로부터 많은 도움을 받았다. 번역가 김택규 선생님은 역자에게 이 책을 번역할 기회를 주셨고, 윤정안 선생님은 방대한 분량의 번역문을 꼼꼼히 살펴보고 문장을 다듬어 주셨다. 무엇보다 이 책을 출판하기로 결정하고 편집을 비롯한 제반 작업을 맡아 주신 국학자료원의 정구형 대표님께 큰 감사를 드린다.

끝으로, 이 책이 중국 당대문학을 연구하는 독자들에게 조금이나마 도움이 될 수 있기를 바란다.

제3권 책임 편집자 약력

장닝張檸, 본명은 장닝張寧으로 1958년에 장시 두창都昌에서 출생했다. 화둥사범대학 중문과를 세계문학 전공으로 졸업해 문학석사학위를 취득하였다. 광둥성 작가협회 창작연구부 연구원(문학창작 1급), 중국사회과학원 문학연구소 당대문학연구실 객좌연구원, 베이징사범대학 '985 2기' 특별초빙 연구원을 역임하였다. 현재 베이징사범대학 문학원 교수로, 중국현당대문학 박사과정 지도교수를 맡고 있다.

중국당대문학 및 대중문화 비평에 오랫동안 종사하였으며, 현재는 중국당대문학사와 20세기 중국문학 경험 연구 및 교육에 주로 종사하고 있다. 『문학평론文學評論』, 『외국문학평론外國文學評論』, 『문예연구文藝研究』, 『문예이론연구文藝理論研究』, 『남방문단南方文壇』, 『인민문학人民文學』, 『상하이문학上海文學』, 『화성花城』, 『당대當代』(중국 타이완), World Literature Today(미국) 등의 잡지에 학술논문 및 이론수필 총 200만 자 이상을 발표하였다.

저서로 학술논저 『서사의 지혜敍事的智慧』(1997), 『시는 역사보다 영원하다詩比歷史更永久』(2000), 『비상하는 박쥐飛翔的蝙蝠』(2002), 『유행 하이에나時尙鬣犬』(2003), 『문화의 병증 - 중국 당대 경험 연구文化的病症——中國當代經驗研究』(2004), 『유토피아의 말은 없다沒有烏托邦的言辭』(2005), 『땅의 황혼 - 농촌 경험의 미시적 권리 분석土地的黃昏——鄕村經驗的微觀權利分析』(2005), 『상상의 붕괴 - 개발도상국 정신현상 해석想象的衰變——欠發達國家精神現象解析』(2008), 『중국 당대문학과 문화연구中國當代文學與文化研究』(2008), 『시들어 버린 언어의 꽃枯萎的語言之花』(2009) 등이 있다.

中国当代文学编年史.第三卷© Compiled by張健(Zhang Jian)&張檸(Zhang Ning)

Copyright ⓒ 2012 All rights reserved

Original Chinese edition published by Shandong Publishing House of Literature and Art Co., Ltd., China

Korean Translation edition published by arrangement with Shandong Publishing House of Literature and Art Co., Ltd., China

이 책의 한국어 관권은 Shandong Publishing House of Literature and Art Co., Ltd., China와 독점 계약한 국학자료원 새미(주)에 있습니다. 저작권법에 의해 한국 내에서 보호를 받는 저작물이므로 어떠한 형태로든 무단 전재와 무단 복제를 금합니다.

중국 당대문학 편년사 제3권

초판 1쇄 인쇄일	2022년 10월 20일
초판 1쇄 발행일	2022년 10월 29일

주 편	장젠張健
편 자	장닝張檸
번역자	박희선
국문감수	윤정안
펴낸이	한선희
편집	정구형 이나윤
디자인	우정민 김보선 신하영
마케팅	정찬용
영업관리	한선희 정진이
책임편집	정구형
인쇄처	으뜸사
펴낸곳	국학자료원 새미(주)
	등록일 2005 03 15 제25100−2005−000008호
	경기도 고양시 일산동구 중앙로 1261번길 79 하이베라스 405호
	Tel 442−4623 Fax 6499−3082
	www.kookhak.co.kr
	kookhak2001@hanmail.net

ISBN	979-11-6797-062-6 *94820
가격	180,000원

* 저자와의 협의하에 인지는 생략합니다.
  잘못된 책은 구입하신 곳에서 교환하여 드립니다.
  국학자료원·새미·북치는마을·LIE는 국학자료원 새미(주)의 브랜드입니다.